Deutsche Literatur zur Zeit der Klassik

Deutsche Literatur zur Zeit der Klassik

Herausgegeben von
Karl Otto Conrady

Philipp Reclam jun. Stuttgart

CIP-Kurztitelaufnahme der Deutschen Bibliothek

Deutsche Literatur zur Zeit der Klassik / hrsg.
von Karl Otto Conrady. – 1. Aufl. – Stuttgart :
Reclam, 1977.
  ISBN 3-15-010268-5
NE: Conrady, Karl Otto [Hrsg.]

Alle Rechte vorbehalten. © Philipp Reclam jun. Stuttgart 1977
Gesetzt in Linotype Garamond-Antiqua. Printed in Germany 1977
Satz: IBV Lichtsatz KG, Berlin. Herstellung: Reclam Stuttgart
Umschlaggestaltung: Alfred Finsterer
ISBN 3-15-010268-5

Inhalt

Vorwort   5

Karl Otto Conrady
Anmerkungen zum Konzept der Klassik   7

Helmut Koopmann
Zur Entwicklung der literaturtheoretischen Position in
der Klassik   30

Walter Hinderer
Wielands Beiträge zur deutschen Klassik   44

Sven-Aage Jørgensen
Zum Bild der unklassischen Antike   65

Dietrich Jöns
Das Problem der Macht in Schillers Dramen von den
»Räubern« bis zum »Wallenstein«   76

Jörn Göres
Polarität und Harmonie bei Goethe   93

Erika Fischer-Lichte
Probleme der Rezeption klassischer Werke – am Beispiel
von Goethes »Iphigenie«   114

Christa Bürger
Der bürgerliche Schriftsteller im höfischen Mäzenat.
Literatursoziologische Bemerkungen zu Goethes »Tasso«   141

Norbert Mecklenburg
Balladen der Klassik   154

Leif Ludwig Albertsen
Goethes Lieder und andere Lieder   172

Gerhard Schulz
Bürgerliche Epopöen? Fragen zu einigen deutschen
Romanen zwischen 1790 und 1800   189

Eberhard Mannack
Der Roman zur Zeit der Klassik: »Wilhelm Meisters
Lehrjahre«   211

Ehrhard Bahr
Goethes »Natürliche Tochter«: Weimarer Hofklassik und
Französische Revolution   226

Harro Segeberg
Deutsche Literatur und Französische Revolution. Zum
Verhältnis von Weimarer Klassik, Frühromantik und
Spätaufklärung   243

Burkhardt Lindner
Das Lachen im Tempel des Schönen. Zur Subversivität
des Komischen in der Autonomieperiode   267

Franz Norbert Mennemeier
Klassizität und Progressivität. Zu einigen Aspekten der
Poetik des jungen Friedrich Schlegel   283

Rolf-Peter Carl
Sophokles und Shakespeare? Zur deutschen Tragödie
um 1800   296

Wolfgang Wittkowski
Hölderlin, Kleist und die deutsche Klassik   319

Detlev Lüders
Hölderlin. Welt im Werk   337
Ein Briefwechsel im Anschluß an diesen Aufsatz   350
(Conrady / Lüders)

Kurt Wölfel
Antiklassizismus und Empfindsamkeit. Der Romancier
Jean Paul und die Weimarer Kunstdoktrin   362

Wilfried Malsch
Klassizismus, Klassik und Romantik der Goethezeit   381

Frank Trommler
Die sozialistische Klassikpflege seit dem 19. Jahrhundert   409

Karl Robert Mandelkow
Wandlungen des Klassikbildes in Deutschland im Lichte
gegenwärtiger Klassikkritik   423

Die Autoren der Beiträge   441

Personenregister   447

Vorwort

Was hier vorgelegt wird, ist kein Handbuch der Literaturwissenschaft zur deutschen Klassik. Das Vorhaben ist viel bescheidener. Die Autoren dieses Bandes haben sich zusammengefunden, um Diskussionsbeiträge zu einigen Fragen zu liefern, die die Literatur zur Zeit der deutschen Klassik betreffen. Es schien reizvoll zu sein, sich diesem Themenbereich in einem Augenblick zuzuwenden, da über die ›klassische‹ deutsche Literatur unter recht unterschiedlichen Gesichtspunkten und nicht selten auch kontrovers debattiert wird. So versteht sich diese Aufsatzsammlung als ein Beitrag zu einer laufenden Diskussion über eine wichtige Epoche der deutschen Literatur. Sie ist von der Germanistik nie vernachlässigt worden, Klassik gehört nicht zu den von ihr versäumten Lektionen. Aber unverkennbar ist doch, daß energischer als in den Jahrzehnten zuvor auch kritische Fragen vorgebracht werden, die auf die Bedeutung der Klassik im Kontext sowohl ihrer historischen Zeitphase als auch der deutschen Gesellschafts- und Bildungsgeschichte insgesamt zielen. Das Wort von der »Klassik-Legende« hat bereits die Runde gemacht. Daß um die ›Klassik‹ und die ›Klassiker‹ und um die ›Kunstperiode‹ jedoch von früh an gestritten wurde, ist eine in breiteren Kreisen bisweilen vergessene Tatsache.

Der Titel dieses Buches heißt »Deutsche Literatur *zur Zeit* der Klassik« und ist mit Bedacht so formuliert worden. Denn es sollte schon im Titel deutlich werden, daß ›Klassik‹ die Bezeichnung nur für *eine* Richtung der Literatur neben anderen zur gleichen Zeit ist. Zwar hat sich der Name Klassik als Epochenbezeichnung eingebürgert, aber daß sich gleichzeitig verschiedene »Normensysteme«, um einen Ausdruck René Welleks zu gebrauchen, nebeneinander ausbilden und zu behaupten suchen, sollte nicht übersehen werden. So finden sich in diesem Band denn auch Betrachtungen zu Friedrich Schlegel wie zur sogenannten Jakobinerliteratur, zu Jean Paul wie zu Romanen, die nicht als ›klassisch‹ verbucht werden können.

Sogleich freilich ist auch auf die Lücken aufmerksam zu machen, die der Band aufweist. Kein Aufsatz über Herder, der doch seine Konturen so deutlich in die Zeit gezeichnet hat, keiner über Knebel oder über andere nicht selten vergrämte und mißmutige Gestalten im Bannkreis des klassischen Weimar, kein eigenes Kapitel über Novalis oder insgesamt über die Generation der sogenannten Frühromantiker, keine Abhandlung über Christian August Vulpius, den vielgelesenen, oder über andere fleißig schreibende Autoren der verbreiteten Unterhaltungsliteratur, kein Essay über immerhin beachtenswerte Figuren der Spätaufklärung in Deutschland – beträchtliche Lücken, der Herausgeber weiß es wohl. Und daß in letzter Stunde eine vereinbarte Studie zur sozialgeschichtlichen Situation der deutschen Klassik ausgefallen ist, vermerkt er mit besonderem Unbehagen. Der Kritiker dieses Buches hat es also leicht, wenn er es darauf abgesehen hat, die Versäumnisse aufzurechnen. Indes ist schwerlich zu bestreiten, daß alle möglichen und nötigen Themenbereiche in einem einzigen Bande gar nicht behandelt werden können, ganz davon abgesehen, daß kompetente Bearbeiter eines Themas oft – auch wegen anderweitiger Verpflichtungen – nicht zur Verfügung stehen.

Nichtsdestoweniger beleuchten die hier versammelten Aufsätze eine Fülle von wichtigen Aspekten und dürften Anlaß für weitere und weiterführende Diskussionen sein, vielleicht auch für einige Korrekturen am gewohnten Bild der deutschen Klassik – falls es überhaupt ein einstimmiges Bild dieser vielschichtigen und vieldeutigen Phase je gegeben hat. Ein besonderer Reiz des Buches könnte darin liegen (was von anderen wiederum als Mangel gerügt werden mag), daß die Aufsätze recht unterschiedliche Weisen des Vorgehens zeigen und sich so ein beachtlicher Reichtum an Perspektiven ergibt. Der Herausgeber hat es nicht als seine Aufgabe angesehen, die Mitarbeiter in irgendeiner Weise zu beeinflussen; jeder steht für sich ein, und Einheitlichkeit von Sicht und methodischem Verfahren konnte nicht das Ziel sein. Solche Absicht ließe sich ohnehin nur in einem Arbeitsteam verwirklichen, das über längere Zeit zusammenzuarbeiten die Möglichkeit hat. Bei dem Aufsatz über Hölderlin haben allerdings Fragen des Herausgebers zu einem freimütigen Briefwechsel geführt, der grundsätzliche Aspekte der Interpretation von Dichtung, speziell Hölderlins, berührt und der den Lesern nicht vorenthalten werden soll. Er ist daher im Anschluß an den genannten Aufsatz gedruckt.

Die Beiträger haben sich liebenswürdigerweise dem Zwang zur Umfangsbegrenzung ihrer Aufsätze unterworfen, damit eine so stattliche Zahl von Abhandlungen erscheinen konnte. Ihnen allen sei für ihr Entgegenkommen und für ihre Mitarbeit herzlich gedankt.

Karl Otto Conrady

KARL OTTO CONRADY

Anmerkungen zum Konzept der Klassik

Alle Epochenbezeichnungen haben ihre Schwierigkeiten; denn nie können sie das
Ganze einer historischen Phase auf einen zureichenden Begriff bringen. Fülle und
Unterschiedlichkeit des jeweils Gleichzeitigen lassen sich nicht mit einem Namen
fassen. Und oft genug verbergen sich in einem Etikett, das einer Epoche (oder was
dafür gilt) aufgeheftet wird, Deutungen und Wertungen der später Geborenen.
Hilfsmittel zu erster Verständigung können Epochenbezeichnungen sein, mehr
nicht. Der Titel ›Deutsche Klassik‹ schließt mehr noch als andere Bezeichnungen
wertende Bedeutungselemente ein, die ihm schwerlich ausgetrieben werden können.
Im Begriff des Klassischen bleiben vor allem Vorstellungen von Beispielhaftem, Be-
deutendem, Erlesenem versammelt, was immer damit im einzelnen gemeint sein
mag, und der Traditionszusammenhang mit der (klassischen) Antike und einem ihr
zugesprochenen Kunstideal wird, zumindest für den Kundigen, mit diesem Wort
bedeutet. So ist mit dem Namen ›Deutsche Klassik‹ unlöslich die Evokation des
Gültigen und Exemplarischen, des Meisterlichen und Unbezweifelbaren verbunden.
Das ist nicht einmal unrichtig, wenn man an die Überlegungen und Zielvorstellungen
der ›Klassiker‹ Goethe und Schiller selbst denkt. Aber es hat seine Gefahren, und
zwar in zweifacher Hinsicht: Weder können gesamter Lebensablauf und gesamtes
Denken und Schaffen Goethes und Schillers unter der Chiffre ›klassisch‹ verbucht
werden, noch kann die Bezeichnung ›Deutsche Klassik‹ dem ganzen Zeitabschnitt
von etwa 1790 bis 1805 gerecht werden. So wie die klassische Phase Goethes und
Schillers nur einen Teil ihres Lebens umfaßt, so ist die ›Deutsche Klassik‹ nur *eine*
Strömung neben manchen anderen zur gleichen Zeit, ist nur *eine* Theorie und Praxis
von Kunst und Literatur neben anderen. Sich dessen bewußt zu sein bedeutet, offen
zu sein für die unvoreingenommene Aufnahme und Einschätzung von Phänomenen,
die nicht als ›Deutsche Klassik‹ vereinnahmt werden können, ja ihr direkt und bewußt widerstreiten.
In den neunziger Jahren des 18. und den ersten Jahren des 19. Jahrhunderts erscheinen zugleich mit den Werken der ›Klassiker‹ auch Romane Jean Pauls, Dichtungen
Hölderlins, Schriften der Frühromantiker, zahllose Bände der ›Unterhaltungsliteratur‹, auch Zeitschriften, Flugblätter, Gedichte und andere Werke jener Autoren, die
unmittelbar auf eine radikal-demokratische Veränderung der politisch-gesellschaftlichen Zustände hinwirken wollen und die die Funktion von Literatur ganz anders
bestimmen, als es Goethe und vor allem Schiller tun. Es besteht kein Grund, beeindruckt und betört von Wesen und Wert der ›Deutschen Klassik‹, von vornherein anderen Auffassungen von Literatur und Kunst geringere Bedeutung zuzumessen.
Darauf wird zurückzukommen sein. Hinfällig wird auf jeden Fall die geistesge-
schichtliche Konstruktion, der gemäß sich eine »Deutsche Bewegung« über die drei
Generationen von 1770–1830 entwickelt. Herman Nohl hat Name und Sache zuerst
1911 in der Zeitschrift *Logos* in seinem Aufsatz über *Die Deutsche Bewegung und
die idealistischen Systeme* klar ausgesprochen und in späteren Vorlesungen wei-

ter entfaltet. Nach den Erfahrungen des »Dritten Reichs« hat er zwar an der Gesamt-
konzeption festgehalten, aber auch ihre Problematik erkannt, was hier nicht näher
auszuführen ist. Nohl, dem wichtige Einsichten in geistige Zusammenhänge zu verdanken sind, kommt zur Schilderung einer »Deutschen Bewegung« auf der Suche
nach einem »festen Boden geistigen Lebens, auf dem wir uns alle zu Hause wissen«,
nach einem »Fonds nationaler Bildung«. Er meint, daß wir ihn besitzen »in dem Zusammenhang der Deutschen Bewegung, jener großen geistigen Revolution, die etwa
1770 mit Sturm und Drang einsetzt, seiner Besinnung auf deutsche Art und Kunst,
und dem endgültigen Durchbruch deutscher Innerlichkeit, die sich sammelt in unserer klassischen Epoche, die dann einen zweiten Stoß in der Romantik tut, in der Entdeckung der großen nationalen Objektivitäten, und die zum drittenmal nach einer
Epoche der Stagnation und Entfremdung nach 1870 hervorbricht angesichts des Widerspruchs der äußerlich gewonnenen nationalen Einheit zu der deutschen geistigen
Form«. Nohl verweist auf Lagarde, Nietzsche, Langbehn, Rudolf Hildebrandt, auf
die Lebensphilosophie und die verschiedenen Reformbewegungen. Den »dreifachen
Impuls dieser Bewegung« sieht er als ein »einheitliches Ganzes«, und »der höchste
Sinn dieser Bewegung« ist ihm »ein neues, höheres deutsches Menschentum«. Sogar
einen »sozialen Einheitswillen« sieht er in ihr gegründet, »der hinter dem Gegensatz
der Klassen die organische Volksgemeinschaft suchte und an die Stelle des Kampfes
der Interessen eine innere Bindung ›durch höhere Gefühle‹, wie Fichte sagte, setzte«,
und noch beim jungen Marx und Engels erkennt er »das Ethos dieses alle Trennun-
gen überwindenden Einheitswillens der deutschen Bewegung«.[1] Damit sind Marx
und Engels freilich um die entscheidenden Konsequenzen, die sie gezogen haben,
verkürzt.
Solche Auffassung von der einheitlichen »Deutschen Bewegung«, wie sie auch Hermann August Korff in seinem imposanten Werk mit dem bezeichnenden Titel *Geist
der Goethezeit* bezeugt, konstruiert allein geistige Zusammenhänge und muß notwendigerweise beiseite lassen, was anderen Intentionen folgt und was auf direktes
politisch-praktisches Wirken- und Verändernwollen zielt, etwa im Umkreis der sogenannten deutschen Jakobinerliteratur. Es stellt sich die Frage, ob die Entwick-
lungslinie vom Sturm und Drang nicht eher zu solchen Bemühungen führt als zur
Kunstwelt der deutschen Klassik. Und die Autoren des Vormärz im 19. Jahrhundert
sehen sich sehr wohl in der Traditionslinie, die von den ›Jakobinern‹ herüberführt.
»Eine systematische Aufarbeitung der politischen und literarischen Rezeption des
Jakobinismus im deutschen Vormärz steht jedoch noch ebenso aus wie eine Aufarbeitung der Sturm-und-Drang-Rezeption bei den deutschen Jakobinern. Erst auf
dieser Grundlage wird es möglich sein, die bislang noch weitgehend verschütteten
Traditionslinien einer demokratischen Literaturtheorie und -praxis in Deutschland
freizulegen.«[2] Hier sind Revisionen hergebrachter literaturgeschichtlicher Vorstellungen fällig, und aus den mittlerweile vorliegenden Forschungen zur breitgefächer-
ten nicht- oder gar antiklassischen Literatur sind Konsequenzen zu ziehen.
›Deutsche Klassik‹ ist zu begreifen als *ein* Antwortmodell auf Herausforderungen
einer zeitgeschichtlichen Phase und innerhalb damit verbundener persönlicher Entwicklungen denkender und schöpferischer Persönlichkeiten.

An der Jugenddichtung Schillers war nicht abzulesen, daß er einmal die bewußte Wendung zum ›Klassischen‹ vollziehen würde, und gegen Ende seines Lebens hat er sie in vielem wieder modifiziert oder gar in Frage gestellt. Mag man sich auch »gegen die Verfälschung des jungen Schiller in einen ideologischen Vorläufer der Revolution« wenden, mag man auch darauf bestehen, »daß die aus schwäbischer Wurzel herausgewachsene religiöse Aufklärung Schillers keineswegs mit der die Französische Revolution legitimierenden westlichen Aufklärung identisch ist«, wie es Benno von Wiese in seinem großen Schiller-Buch in eindringlicher Analyse und Interpretation getan hat,[3] so dürfen darüber doch Empörung und Aufbegehren des jugendlichen Dichters gegen unerträgliche Zustände nicht verkleinert werden. *Die Räuber, Fiesco, Kabale und Liebe* sind voll von Gesellschaftskritik und wollen auch so verstanden sein. Freilich muß Schiller nach dem Mißerfolg des *Fiesco* auf der Bühne schreiben: »Den *Fiesco* verstand das Publikum nicht. Republicanische Freiheit ist hier zu Land ein Schall ohne Bedeutung, ein leerer Name – in den Adern der Pfälzer fließt kein römisches Blut« (an Reinwald, 5. 5. 1784).[4] Wobei sogleich anzumerken ist, daß die Rede vom Republikanischen in damaliger Zeit nicht unbedingt mit unserer Vorstellung von einer republikanischen Staatsform übereinstimmen muß; vielmehr ist damit, genährt vom idealisierenden Rückblick auf Hellas und Rom, der Wunsch nach einer Gesellschaft freier Bürger ausgedrückt, dem auch eine monarchische Verfassung nicht widersprechen muß.[5] Wahrscheinlich erwartet Schiller angesichts der realen Verhältnisse im zersplitterten Deutschland und der nicht vorhandenen politischen Möglichkeiten vom Publikum zuviel, und die Enttäuschung ist unvermeidlich. Auch Goethes *Götz* blieb Literatur, erregte zwar Aufsehen, aber zu bewirken vermochte auch er nichts. Das gilt nicht minder für die über die Realitäten weit hinauslangenden Entwürfe des Sturms und Drangs.

Unter solchen Vorzeichen beginnt Schillers Nachdenken über die der Literatur gegebenen Möglichkeiten und Aufgaben und führt zu Auffassungen, die nicht an der gegenwärtigen politisch-gesellschaftlichen Realität anknüpfen können, obwohl diese und ihre Verbesserung stets gemeint sind und gemeint bleiben. Die idealisiert gesehene Kunst der Griechen gewinnt prägende Bedeutung. Im Geiste Lessings, Herders und Winckelmanns eignet sich Schiller die Antike an. Im *Brief eines reisenden Dänen*, 1785 in der *Rheinischen Thalia* erschienen, stehen enthusiasmierte Äußerungen über den Besuch des Antikensaals zu Mannheim. Bezeichnenderweise verweist der Brief zu Anfang, im Rückblick auf eine fingierte Reise, auf die grelle Diskrepanz zwischen dem »im glücklichen Süden« wahrgenommenen »höchsten der Pracht und des Reichthums« und dem »nahe wohnenden Elend«, zwischen einer »sturzdrohenden Schindelhütte« und einem »pralerischen Pallast«. Doch dann folgt das winckelmannisch instrumentierte Preislied beim Anblick der antiken Plastiken: »Eine unsichtbare Hand scheint die Hülle der Vergangenheit vor deinem Aug wegzustreifen, zwei Jahrtausende versinken vor deinem Fußtritt, du stehst auf einmal mitten im schönen lachenden Griechenland, wandelst unter Helden und Grazien, und betest an, wie sie, vor romantischen Göttern. [...] Der Mensch brachte hier etwas zu Stande, das mehr ist, als er selbst war, das an etwas größeres erinnert, als seine Gattung – beweißt das vielleicht, daß er weniger ist, als er seyn wird? [...] Die Griechen mahlten ihre Götter nur als edlere Menschen, und näherten ihre Menschen den Göttern. Es waren Kinder *einer* Familie.«[6] Zwar weiß Schiller, daß die Griechen

The greeks ground there

trostlos philosophierten, wie er sagt, und noch trostloser glaubten, aber der Gedanke, daß der Mensch durch die Kunst und nur durch die Kunst sich über sich selbst zu erheben vermag und daß also im Ästhetischen und nur dort Vollkommenheit zu gewinnen ist, prägt sich jetzt und fernerhin mehr und mehr aus.

»Der Gedanke der ›höheren Schönheit‹, der idealischen Menschendarstellung und Menschendeutung, wie er in Griechenland vom Glauben eines Volkes getragen und verwirklicht wurde, verbindet sich in den nachfolgenden Jahren mit der immer wieder neu erhobenen Forderung der ›Simplicität‹ und ›Classicität‹ für sein eigenes Schaffen, die er im Umgang mit antiker Dichtung zu gewinnen hofft.«[7] Im Brief an Körner vom 6. März 1788 ist zu lesen: »Simplicität ist das Resultat der Reife, und ich fühle, daß ich ihr schon sehr viel nähergerückt bin, als in vorigen Jahren.« Und am 20. August 1788 hofft er, daß ihm »ein vertrauter Umgang mit den Alten äußerst wohltun – vielleicht Classicität geben wird«. Zu den anderen Kennmarken Schillerscher Überlegungen, die in diesen Zusammenhang gehören, zählen »Idealisierung«, »Veredlung«. Die Bürger-Kritik, Ende 1790 fertiggestellt, postuliert: »Eine der ersten Erfodernisse des Dichters ist Idealisierung, Veredlung, ohne welche er aufhört, seinen Namen zu verdienen.«[8] Später revidiert Schiller den Begriff »Veredlung«: »Etwas idealisieren heißt mir nur, es aller seiner zufälligen Bestimmungen entkleiden und ihm den Charakter innerer Notwendigkeit beilegen. Das Wort veredeln erinnert immer an verbessern, an eine moralische Erhebung.«[9] Man sollte sich über die Schwierigkeiten im klaren sein, die solche Begriffe und ihre Erläuterungen bieten. Denn sie bedürfen selbst wieder der Interpretation und sind allenfalls an poetischen Werken selbst zu verifizieren, was aber nur die Schwierigkeit verschiebt, weil der Sinn eines Werkes auch seinerseits auslegungsbedürftig und auslegungsfähig ist. Über den »Charakter innerer Notwendigkeit« und seine poetische Gestaltung läßt sich offenkundig streiten. So unrecht hatte der von Schillers theoretischen Ansprüchen arg gezauste Gottfried August Bürger nicht, als er in seiner *Antikritik* von 1791 anmerkte: »Besonders wünschte ich dem Begriffe einer idealisierten Empfindung, diesem mirabili dictu, nur eine einzige interessante Anschauung aus irgendeinem alten oder neuen, einheimischen oder fremden Dichter, der das mirabile so recht getroffen hätte, untergelegt zu sehen.«[10]

Im Fortgang unserer fragmentarischen Anmerkungen verdient hervorgehoben zu werden, daß »Idealisierung« jedenfalls nicht in der vorhandenen Realität sich vollziehen kann. Dieser Zwiespalt zwischen Ideal und Wirklichkeit, entschieden gefördert durch die Anschauung der griechischen Kunst, bleibt für Schiller bestimmend. »Nur einen kurzen Augenblick durfte der Dichter der ›Götter Griechenlandes‹ daran glauben, daß es das Vollkommene im Irdischen einmal wirklich gegeben hat. Mehr und mehr verwandelt es sich ihm in das Idealische und rückt in einen Bereich jenseits aller Wirklichkeit.«[11] Allein in der Schönheit der Kunst kann Vollkommenes noch erscheinen, und der Künstler ist es, der in der Welt des Scheins Versöhnung zu stiften vermag.

Diese Überzeugung haben die Ereignisse im Fortgang der Französischen Revolution nur verstärkt, nicht aber begründet. Die Septembermorde von 1792 und die Hinrichtung des französischen Königs 1793 haben bekanntlich bei vielen Beobachtern, die die Revolution im Nachbarland mit großen – allerdings abgestuften – Hoffnungen begleiteten, Enttäuschung, Bestürzung, auch Abscheu die Oberhand gewinnen

lassen. Insgesamt führt der Ablauf der Französischen Revolution zu recht unterschiedlichen Reaktionen, worüber bei jeder einzelnen Persönlichkeit, die selbst eigene Entwicklungen durchläuft, differenziert zu handeln wäre. Grundsätzlich steht nicht weniger zur Diskussion als die Frage nach der historischen Notwendigkeit bestimmter Vorgänge, vor allem des *terreur,* und nach der Legitimierung der Anwendung von Gewalt, die das Töten und das Opfer von Menschen einschließt. Diese Diskussion kann von Zeitgenossen wie von Nachgeborenen redlich nur geführt werden, wenn nicht nur an die Opfer der Revolution, sondern auch an die des Feudalismus gedacht wird. Und ein auf kritische Unterscheidung dringender Kopf wie Seume notiert 1806/07 in seinen *Apokryphen* lakonisch: »Man lärmt so viel über die französische Revolution und ihre Gräuel. Sulla hat bei seinem Einzug in Rom in einem Tage mehr gewütet, als in der ganzen Revolution geschehen ist.«[12]
Schiller schlägt nun entschlossen jenen Weg ein, auf dem zunächst der Mensch zu verändern ist, ehe an eine Umgestaltung der gesellschaftlichen Verhältnisse gegangen werden kann. Aber schon früher hat er geglaubt, »daß jede einzelne ihre Kraft entwickelnde Menschenseele mehr ist als die größte Menschengesellschaft, wenn ich diese als ein ganzes betrachte. Der größte Staat ist ein Menschenwerk, der Mensch ist ein Werk der unerreichbaren großen Natur. Der Staat ist ein Geschöpf des Zufalls, aber der Mensch ist ein nothwendiges Wesen, und durch was sonst ist ein Staat groß und ehrwürdig, als durch die Kräfte seiner Individuen?« (an Caroline von Beulwitz, 27. 11. 1788). Und dem Künstler weist Schiller die Sphäre des Idealischen zu: »Der Künstler und dann vorzüglich der Dichter behandelt niemals das *wirkliche,* sondern immer nur das *idealische,* oder das kunstmäßig ausgewählte aus einem wirklichen Gegenstand« (an Körner, 25. 12. 1788). (Das liest sich später im berühmten Brief an Herder vom 4. 11. 1795 nur schärfer und abschließender.) Hier schon wird auf die sich selbst genügende Eigenwirklichkeit des Kunstwerks verwiesen (»daß jedes Kunstwerk nur sich selbst, d. h. seiner eigenen Schönheitsregel Rechenschaft geben darf«) und die Überzeugung ausgesprochen, daß »sich jede Schönheit doch endlich in allgemeine Wahrheit auflösen läßt«.
Das kann Nachklang der Überlegungen sein, die Karl Philipp Moritz nicht nur in der Abhandlung *Über die bildende Nachahmung des Schönen* niedergeschrieben und die Schiller im Dezember 1788 gelesen hat. Entfaltet wird hier eine Theorie der Kunstautonomie. Sie widerspricht früheren Anschauungen des 18. Jahrhunderts, in denen das *delectare et prodesse* Gültigkeit beanspruchte und die auch einen Lessing mit Selbstverständlichkeit sagen ließen: »Bessern sollen uns alle Gattungen der Poesie; es ist kläglich, wenn man dieses erst beweisen muß; noch kläglicher ist es, wenn es Dichter gibt, die selbst daran zweifeln« (*Hamburgische Dramaturgie,* 77. Stück). Bei Moritz heißt es konträr: Das Schöne »hat seinen Zweck nicht außer sich, und ist nicht wegen der Vollkommenheit von etwas anderem, sondern wegen seiner eignen innern Vollkommenheit da. Man betrachtet es nicht, in so fern man es brauchen kann, sondern man braucht es nur, in so fern man es betrachten kann.« Das Schöne sei »bloß um sein selbst willen hervorgebracht [...], damit es etwas in sich Vollendetes sei«.[13] Kunst hat hier mit lebenspraktischen Bedürfnissen nichts mehr zu tun oder doch so viel, daß sie für die nicht zu erreichende ›Glückseligkeit‹ des wirklichen Lebens mit ihrer schönen Selbstgenügsamkeit und der Möglichkeit des Betrachtetwerdens entschädigt. Gewiß darf man hier auf »die Verschränkung von eskapistischer

Resignation und philosophischer Forcierung in der Auffassung der Kunstfunktion« aufmerksam machen. [14] Es ist nicht zu bestreiten, daß solche Auffassung vom Schönen, mag sie noch so angestrengt philosophisch zu begründen versucht werden, nicht mehr ist als eine Meinung unter vielen anderen, die sich im Laufe der Zeiten Geltung verschafft haben, und daß wir keinen Anlaß haben, sie absolut zu setzen.

Schiller hat in der Rezension von Bürgers Gedichten in die damals schon seit längerem laufende Diskussion um »Popularität« und um die Vorstellung des »Volksdichters« eingegriffen. Sein Ziel ist deutlich: ein wahrer Volksdichter habe »in jedem einzelnen Liede jeder Volksklasse genug zu tun«. Damit ist kein Zugeständnis an einen Publikumsgeschmack gemeint, dem er einmal im Fortsetzungsroman *Der Geisterseher* entgegengekommen war, und auch nicht eine Rücksichtnahme auf das »immer allgemeiner werdende Bedürfnis zu lesen, auch bei denjenigen Volksklassen, zu deren Geistesbildung von seiten des Staates so wenig zu geschehen pflegt« (Vorrede zu den *Merkwürdigen Rechtsfällen*). [15] Aber es wird schwierig, wenn Kenner und (des Lesens überhaupt kundige) Masse zufriedengestellt werden sollen. Es hat gewiß wenig Sinn, die Standpunkte Bürgers und Schillers gegeneinander auszuspielen. Grundsätzlich unterschiedliche Auffassungen über die Funktion und die daraus resultierende Art von Dichtung sind im Spiel. Bürger richtet sich, unbeschadet seiner nicht widerspruchsfreien und sich wandelnden Vorstellung vom »Volk«, an untere Schichten als an die Adressaten, auf die es ihm zuvörderst ankommt. Das schließt nicht aus, daß er »sowohl in Palästen als Hütten« gelesen werden möchte. Auch Schiller erkennt an: »Welch Unternehmen, dem ekeln Geschmack des Kenners Genüge zu leisten, ohne dadurch dem großen Haufen ungenießbar zu sein«; doch wenn er fortfährt: »ohne der Kunst etwas von ihrer Würde zu vergeben, sich an den Kinderverstand des Volks anzuschmiegen«, dann ist der Vorrang der Ansprüche der Kunst nicht zu verkennen. In leichter Zuspitzung darf durchaus gefolgert werden: »Kunst kommt vor Volkstümlichkeit. Schiller verteidigt im Grunde das höchste Niveau der Kunst gegen den Geschmack breiter Publikumsschichten.« [16] Das ist innere Konsequenz der Schillerschen Kunstauffassung. Denn was Kunst leisten soll: daß »sich jede Schönheit doch endlich in allgemeine Wahrheit auflösen läßt«, kann sie nur, wenn von diesem hohen theoretischen Anspruch nichts Gewichtiges abgezogen wird.

Nach den Enttäuschungen über den Verlauf der Französischen Revolution radikalisiert sich Schillers Theorie insofern, als die Hoffnung ganz verschwindet, die Veränderung der äußeren Verhältnisse könne zu Besserem führen. Zwar wird das Ziel nicht (und nie) preisgegeben und die Misere wird nicht beschönigt (manche der Briefe *Über die ästhetische Erziehung des Menschen* dokumentieren es eindrucksvoll), aber zunächst muß die ästhetische Erziehung des Einzelmenschen zum Erfolg kommen, deren Postulate im einzelnen nicht erläutert werden können. Prägnant steht im Brief vom 13. Juli 1793 an den Herzog von Augustenburg: »Politische und bürgerliche Freiheit bleibt immer und ewig das heiligste aller Güter, das würdigste Ziel aller Anstrengungen und das große Centrum aller Kultur – aber man wird diesen herrlichen Bau nur auf dem festen Grund eines veredelten Karakters aufführen, man wird damit anfangen müssen, für die Verfassung Bürger zu erschaffen, ehe man den Bürgern eine Verfassung geben kann.«

Man kann diesen Standpunkt würdigen: daß nicht die Politik, sondern die Kunst der

Bereich sei, »innerhalb dessen die in der Geschichte verlorene Totalität des Mensch-
seins neu gewonnen wird«.[17] Aber nach mehr als anderthalb Jahrhunderten muß
man ihn auch als bloßen Glauben erkennen, mag er noch so schön philosophisch
ausstaffiert sein. Wenn Benno von Wiese, Literaturkenner und -liebhaber höchsten
Grades, meint, die Voraussetzung dieses Gedankens sei, daß »die Veränderung des
Bewußtseins ihrerseits auf unsere gesamte, dem Bedürfnis unterworfene materielle
Welt zurückwirken kann«,[18] so ist das wirkliche Resultat in diesem Fall doch enttäu-
schend: Nichts hat »zurückgewirkt«, und diejenigen, die überhaupt die Möglichkeit
besaßen und besitzen, sich der ästhetischen Erziehung hinzugeben (und sie überhaupt erst einmal auch zu verstehen), haben die für sie selbst vielleicht erreichte Wirkung nicht über ihren von Büchern umfriedeten (und versperrten) Bezirk hinauslen-
ken können.

Dies einzusehen heißt nicht, leichtfertig an klassischen Konzeptionen zu mäkeln.
Denn man kann sehr wohl deren Würde und unabgegoltenen Vorausentwurf schätzen, die aus der historischen Lage herrührenden Komplikationen begreifen und
gleichzeitig im Blick auf die Resultate in der Folgezeit das Illusionäre der Utopie behaupten, die von gesellschaftlichen Rahmenbedingungen grundsätzlich absieht. Angesichts der realen politisch-gesellschaftlichen Verhältnisse in Deutschland, wo ein
breites, selbstbewußtes Bürgertum für die Durchsetzung entscheidender Veränderungen nicht vorhanden war, angesichts der mit Enttäuschung und Widerwillen
wahrgenommenen Vorgänge in Frankreich war die Abwendung von der geschichtlichen Wirklichkeit und die Hinwendung zum Reich des Geistes und zur Philosophie
des Schönen verständlich. Es kennzeichnet die historische Situation der deutschen
Klassik: Konstruktion im Geistigen, humanistischer Entwurf, Antizipation, in der
Realität Unabgegoltenes, aber auch: Entfernung vom Konkreten, von der Absicht,
die gesellschaftlichen Bedingungen zu ändern, in denen die Menschen zu leben haben, »die Verlagerung der angestrebten menschlichen Harmonie in das Reich des
Ideals und der Kunst, während sich im Leben eine harmonische Ordnung angeblich
nicht herstellen läßt. Aber auch die Trauer über diesen Zwiespalt äußert sich immer
wieder in [Schillers] Gedichten in ergreifender Weise.«[19]
Die Ankündigung der *Horen* von 1794 verbietet dieser Zeitschrift dezidiert »alle Beziehungen auf den *jetzigen* Weltlauf und auf die *nächsten* Erwartungen der Menschheit«. Sie will sich absetzen von dem »allverfolgenden Dämon der Staatskritik« und
will die durch »das beschränkte Interesse der Gegenwart« unterjochten Gemüter
»durch ein allgemeines und höheres Interesse an dem, was *rein menschlich* und über
allen Einfluß der Zeiten erhaben ist, wieder in Freiheit [...] setzen und die politisch
geteilte Welt unter der Fahne der Wahrheit und Schönheit wieder [...] vereinigen«.
Alles soll verbannt sein, »was mit einem unreinen Parteigeist gestempelt ist«.[20] Doch
ist nicht zu übersehen, daß manche Beiträge der *Horen*-Zeitschrift, die über die drei
Jahrgänge von 1795–1797 nicht hinausgekommen ist, mit diesem Prinzip keineswegs
in Einklang zu bringen sind. Goethes *Unterhaltungen deutscher Ausgewanderten*
beziehen sich direkt auf die politischen Ereignisse der Gegenwart, und Friedrich
Heinrich Jacobis *Zufällige Ergießungen eines einsamen Denkers* verurteilen die
Hinrichtung Ludwigs XVI. Das behauptete »rein Menschliche« wird folglich seinerseits erst in der Absetzung gegen andere historische Ereignisse ausgeprägt und
gibt sich so selbst als ein historisch bestimmtes Politikum zu erkennen; ganz abgese-

hen davon, daß die Behauptung des »rein Menschlichen«, das »über allen Einfluß der Zeiten erhaben ist«, ihrerseits eine Deutung, eine Interpretation darstellt, neben der – wie die Geschichte zeigt – auch andere bestehen können. In die Feier des zeitlosen »rein Menschlichen« stimmen besonders gern diejenigen ein, die das Glück hatten und haben, nie oder selten etwas anderes tun zu müssen, als den Umgang mit Kunst und Literatur zu pflegen, und dabei wird dann nur zu leicht die historische Spannung verkannt, der die Behauptung des »rein Menschlichen« selbst entspringt. Im Brief an Herder vom 4. November 1795 weiß Schiller »für den poetischen Genius kein Heil, als daß er sich aus dem Gebiet der wirklichen Welt zurückzieht und anstatt jener Coalition, die ihm gefährlich seyn würde, auf die strengste Separation sein Bestreben richtet«. »Unser bürgerliches, politisches, religiöses, wissenschaftliches Leben und Wirken« sei wie die Prosa der Poesie entgegengesetzt. Theodor Litt hat wiederholt darauf aufmerksam gemacht, welche schlimmen Folgen sich daraus ergeben haben, daß nicht wenige Angehörige der deutschen Intelligenz diesen Dualismus für grundsätzlich konstitutiv gehalten und demgemäß das »Gebiet der wirklichen Welt« sich selbst überlassen haben, um sich der ›eigentlichen‹ Sphäre des Geistes, des Schönen, der Poesie zuzuwenden.[21]

Dem Programm der *Horen* ist schon zu seiner Zeit widersprochen worden. Johann Friedrich Reichardt weist 1796 in der Zeitschrift *Deutschland* darauf hin, daß unter der Flagge des Unpolitischen massiv politische Ansichten vertreten würden und wie sehr man in Goethes *Unterhaltungen* »dem alten System zugethan« sei.[22] Friedrich Christian Laukhard schreibt 1799: »Ich hoffe, alle einsichtigen Ärzte, Gesetzkundige, Erzieher, Philosophen, Prediger und Fürsten werden mir hier beystimmen und dann einsehen: daß *Burke, Pitt, Rehberg, Schirach, Genz,* und wie die politischen Altflicker weiter heißen, sehr irrig behaupten: Keine Regierung könne die Völker *bürgerlich* frey machen, bevor diese sich nicht selbst *moralisch* frey gemacht hätten. Dieß ist wahrlich eben so viel, als wenn man behaupten wollte, man müsse keinem erlauben, eher gehen zu lernen, bis er tanzen gelernt hätte, oder sich nicht eher ins Wasser zu wagen, bis er schwimmen könnte; oder einen Fieberkranken kuriren zu wollen, ohne für die Wegschaffung der pestilenzialischen Luft und erhitzender Nahrungsmittel gesorgt zu haben. [...] Auf eben diesem verkehrten und der Natur widersprechenden Wege finden wir auch den Herausgeber und die Verfasser der *Horen*.«[23] Es sollte nicht verschwiegen werden, daß Schiller hart auf Kritik zu reagieren pflegt, und er wie Goethe sind in den *Xenien* nicht zimperlich, polemische und persönlich verletzende Angriffe zu starten. Da ist von edler Menschlichkeit, wie sie theoretisch und poetisch ausgeschmückt wird, nicht viel zu spüren.

Auch Goethes Weg zu seiner klassischen Phase ließ sich nach den jugendlichen Dichtungen und Proklamationen nicht ohne weiteres vermuten. Natur begreift der junge Dichter als lebendige Wirksamkeit, in der Göttliches anwesend ist, und der fühlende, erlebende, schaffende Mensch, insbesondere der Künstler, ist Teil dieses Wirkungszusammenhanges. Die Ausrichtung der Kunst auf ›moralische Zwecke‹, wie sie vordem im 18. Jahrhundert gewünscht wurde, ist hinfällig, und irgendwelche kanonischen Vorstellungen von Schönheit werden abgewiesen. »Die Kunst ist lange bildend, eh' sie schön ist, und doch so wahre, große Kunst, ja oft wahrer und größer als die schöne selbst« (*Von deutscher Baukunst* 1772).[24] Indessen weicht das Stürmen und Drängen, wie es allgemein genannt wird, langsam einer Betrachtungsweise, der das Gegenüber von Natur und weltlichen Verhältnissen mehr und mehr in seiner Eigengewichtigkeit bedeutend wird. Dynamisches Welt*erleben* wandelt sich zu einem überblickenden Welt*erfassen*. Auf Grundgesetzlichkeiten in den verschiedensten Bereichen der Wirklichkeit zielt der forschende Blick. Es kann hier nicht dargestellt werden, welche Bedeutung die Erfahrung praktischer Verwaltungstätigkeit mit dem unverkennbaren Bestreben, Reformen von oben auf den Weg zu bringen, für solche Entwicklung Goethes gehabt hat. Übereinstimmend beweisen die Dokumente, daß mit dieser Tätigkeit, die Goethe zunächst begrüßt hat, Enttäuschungen und Resignation verbunden sind. Sein Wirken stößt an die Grenzen, die durch die feudal-absolutistischen und sozio-ökonomischen Verhältnisse der Zeit gezogen sind und die er nicht verrücken kann und auch nicht will. Angesichts dieser Lage sucht Goethe nach größeren Gesetzen, sucht Grundgesetzlichkeiten von Natur und Menschenleben zu erfassen. Dabei hält sich eine Grundauffassung von der Möglichkeit der Kunst durch: sie vermag den ganzen Menschen zu rühren, Welt in neuer Sehweise aufzuschließen und Überzeugungen und Verhaltensweisen in der gestalteten Form auszuprägen.[25] Wir wissen, unter welche Begriffe Goethe seine Erkenntnisse zu bringen sucht: Polarität, Systole und Diastole, Metamorphose, Entelechie, Steigerung, Urphänomen, und sehen, wie altüberkommene philosophische Vorstellungen hineinspielen: Neuplatonisches, ein Analogiedenken, das das einzelne mit der Gesamtordnung des Kosmos zusammenbringt und im Mikrokosmos des Makrokosmos ansichtig zu werden vermag. In allem geht es darum, das Wesen der Dinge zu erkennen. Am 10. November 1786 schreibt Goethe aus Rom an Herder: »Meine Übung alle Dinge wie sie sind zu sehen und zu lesen, meine Treue, das Auge licht sein zu lassen, meine völlige Entäußerung von aller Prätention, machen mich hier höchst im stillen glücklich.«[26] Natur und die bildende Kunst der Alten sind die vornehmsten Anschauungsobjekte. »Diese hohen Kunstwerke sind zugleich als die höchsten Naturwerke von Menschen nach wahren und natürlichen Gesetzen hervorgebracht worden. Alles Willkürliche, Eingebildete fällt zusammen, da ist die Notwendigkeit, da ist Gott.«[27] Ein Kernstück klassischen Kunstprogramms ist Goethes Aufsatz *Einfache Nachahmung der Natur, Manier, Stil*, der im Februar 1789 im *Teutschen Merkur* vorliegt. Der Aufsatz ist frei von doktrinärer Einseitigkeit, aber der »Stil« erscheint als der höchste Grad, wohin die Kunst gelangen kann. »Wie die einfache Nachahmung auf dem ruhigen Dasein und einer liebevollen Gegenwart beruhet, die Manier eine Erscheinung mit einem leichten, fähigen Gemüt ergreift, so ruht der *Stil* auf den tiefsten Grundfesten der Erkenntnis, auf dem Wesen der Dinge, insofern uns erlaubt ist, es in sichtbaren und greiflichen Gestalten zu erkennen.« Das ist höchster Anspruch, der sich hier ausdrückt; denn nicht weniger wird verlangt, als daß die Kunst »durch genaues und tiefes Studium der Gegenstände selbst« endlich dahin gelangt, »die Eigenschaften der Dinge und die Art, wie sie bestehen, genau und immer genauer kennen« zu lernen.[28] Im Aufsatz *Über die Gegenstände der bildenden Kunst* von 1797, der im Zusammenhang mit Goethes Bemühungen steht, die zeitgenössischen Künstler zur Wahl der richtigen Gegenstände anzuleiten, werden zwei Gattungen von Gegenständen unterschieden: »Die erste Gattung derselben ist die natürliche. [...] Die zweite Gattung ist die idealische selbst; man ergreift nicht den Gegenstand, wie er in der Natur erscheint, sondern man faßt ihn auf der Höhe, wo er von allem Gemeinen und Individuellen entkleidet, nicht durch die Bearbeitung erst ein Kunstwerk wird, sondern der Bearbeitung schon als ein vollkommen gebildeter Gegenstand entgegen geht. Jene erzeugt die Natur, diese der Geist des Menschen in der innigsten Verbindung mit der Natur.«[29] Auf das Gesetzliche der Wirklichkeit, auf das »Wesen der Dinge« richtet sich die Tätigkeit des Künstlers wie des Naturforschers. Dabei betont Goethe je länger desto mehr, daß Kenntnis der Außenwelt allein noch nicht wahre Wirklichkeitserkenntnis sei. Welt- und Selbsterkenntnis werden in gegenseitiger Abhängigkeit gedacht. In der Schrift über Winckelmann sieht Goethe in »besonders begabten Menschen jenes gemeinsame Bedürfnis, eifrig zu allem, was die Natur in sie gelegt hat, auch in der äußeren Welt die antwortenden Gegenbilder zu suchen und dadurch das Innere völlig zum Ganzen und Gewissen zu steigern«.[30] Subjekt und Objekt stehen nicht einander gegenüber, sondern im Verhältnis zueinander, und in der Kenntnis dieses Verhältnisses stellt sich erst Erkenntnis ein. »Verbinden sich Beobachtung und Denken in diesem Sinne als bewußte Öffnung sowohl nach innen wie nach außen, so gehen in solcher Erkenntnisweise, die Goethe ›anschauende Urteilskraft‹ nennt, Außenwelt und Innenwelt ineinander über.«[31] Das heißt für den Künstler natürlich auch, daß er schaffend, bildend, anschauend und ausprägend tätig ist.

Indes hat dies alles auch seine grundsätzliche Problematik. Nicht daß sie die Eindruckshaftigkeit und künstlerische Bedeutsamkeit dichterischer Werke Goethes beträfe; nicht daß sie an die vollkommene Schönheit poetischer Bildhaftigkeit und sinnerschließender Kraft zu rühren vermöchte. Wohl aber liegt sie im Anspruch begründet, das »Wesen der Dinge« zum Vorschein zu bringen, das Gesetzliche in Natur, Welt und Menschenleben zu erfassen. Was immer Goethe über das »Urphänomen«, über »Metamorphose«, über »Entelechie« vorträgt: es ist Interpretation, *seine* Interpretation, die uns rechtens in Bann schlägt und zu immer erneutem Nach-Denken und Nach-Schauen anregt. Aber es bleibt die an *seinen* Lebensvollzug gebundene und in seiner Zeit verankerte Deutung des beispiellos »begabten Menschen«. Und die großartig beeindruckende und sehr alte Anschauungen bergende Auffassung von der Stufenordnung der Welt (Gesteine – Pflanzenwelt – Tierwelt – Menschenwelt – Das Dämonische – Das Göttliche), »in der von Region zu Region die Gesetze sich komplizieren, ohne daß doch die der unteren in den höheren durchbrochen werden müßten«, da sie alle »ja nur Symbole der überall durchscheinenden göttlichen Schöpferkraft« sind:[32] es ist Weltdeutung, ist ein Angebot zum Nachvollzug – neben vielen anderen, die der Mensch in seiner Geschichte hervorgebracht hat. Insofern ist das Konzept des ›Klassischen‹, das auf Gesetzlichkeit (und damit auf allemal Gültiges), auf das »Wesen der Dinge« zielt, auf die Gültigkeit seines Anspruchs im wörtlichen Sinn stets auch ›in Frage‹ zu stellen.

In einem neueren Aufsatz, der unter dem treffenden Titel *Weltwärts nach innen* die »Erkenntnistheorie von Goethes dichterischer Welt-Anschauung« bedenkt, wird eindringlich das Verhältnis zwischen Innen und Außen, das vorhin schon erwähnt wurde, erläutert. »Das spezifische Verhältnis zwischen Innen und Außen, das nach Goethes Auffassung für das Erkennen konstitutiv ist, bestimmt dieses als Erkenntnistat. Und zwar als ästhetische Erkenntnistat. In ihr ist das Verhältnis von Innen und Außen als Aufhebung des Gegensatzes gedacht, so, daß die Einheit, die sich in diesem Verhältnis herstellt, zugleich als Wahrheitskriterium für die Darstellung von Wirklichkeit gilt.«[33] Hier sind, wie mir scheint, Zweifel angebracht. Wenn also die Einheit von Innen und Außen in der Darstellung sich kundgibt (und eine Interpretation sie als solche und nur als solche erweist), ist die Darstellung von Wirklichkeit wahr. Das heißt aber, daß ›von draußen‹ die Frage nach Wahrheit an ein Werk gar nicht mehr gestellt werden kann. Die geleistete Einheit verbürgt Wahrheit. Damit müssen konsequenterweise alle Darstellungen Goethes, die solche Einheit beanspruchen und solcherart vom Interpreten bestätigt werden, als wahre Darstellungen gelten und genommen werden. Das ist ein sehr eingegrenzter Wahrheitsbegriff, und es bleibt nach wie vor die Frage, ob denn zum Beispiel im jeweiligen Symbol im Besonderen das Allgemeine sich repräsentiert oder nicht vielmehr eine – wie auch immer bedeutungsvolle und eindrückliche – Interpretation vorliegt, von der man den Begriff der Wahrheit besser entfernt halten sollte (trotz oder gerade wegen Goethes Ausspruchs in den *Maximen und Reflexionen:* »Kenne ich mein Verhältnis zu mir selbst und zur Außenwelt, so heiß' ich's Wahrheit. Und so kann jeder seine eigene Wahrheit haben, und es ist doch immer dieselbige.«[34]). Und gerade beim Goetheschen Symbol bleibt zu erwägen, ob es nicht sozusagen allein in die Tiefe des »Besonderen« selbst dringt, um das »Allgemeine« miterscheinen zu lassen, aber jene Bezogenheit des »Besonderen« auf das umgebende »Allgemeine«, des Einzelnen auf das Ganze, nicht oder doch nur schwach zur Anschauung bringen kann.

Goethe denkt lebenslang über die Möglichkeit der Selbstverwirklichung nach. Sie gilt als Zweck jeden Wesens. Hochgemute und skeptische Äußerungen des Dichters und Staatsmannes, der das Glück hatte, nie äußere Not leiden zu müssen, lassen sich leicht beibringen. Aber wie immer man es wenden mag und wie nachdrücklich man die von Goethe geforderte »*tätige* Auseinandersetzung mit der Umwelt und mit dem Schicksal« auch betont,[35] die Frage ist nicht abzuweisen, wieweit denn ein Mensch, der über seine Arbeitskraft als seinen einzigen Besitz verfügt, in manchen konkreten Bedingungen der Arbeitswelt sich selbst zu finden vermag, um dem hohen Wort gerecht zu werden: »Geprägte Form, die lebend sich entwickelt«. Die Vermittlung des wundervollen Anspruchs, daß Zweck jeden Wesens die Selbstverwirklichung seiner Form sei, mit den realen Wirklichkeiten bleibt unabgegoltene Aufgabe. Aber idealistisch verschönt ist, was Eduard Spranger in diesem Zusammenhang über die Bedeutung der »Milieufaktoren« geschrieben hat: »Die *natürliche Metamorphose* führt den Menschen durch die Stufen der Lebensalter hindurch, und schon darin liegt ein Gesetzliches. Aber wichtiger ist die *sittliche Metamorphose*. Und von ihr können wir vorausblickend sagen: nur in der *tätigen* Auseinandersetzung mit der Umwelt und mit dem Schicksal gewinnt der Mensch dies Königreich: Sich selbst. Ja darin liegt eigentlich die sittliche Bedeutung, die Rechtfertigung alles Äußeren, aller Milieufaktoren, daß sie uns zur Selbstfindung verhelfen.«[36]

Auch Goethe spricht in der Phase seiner Klassik vom »rein Menschlichen«. Als er an *Hermann und Dorothea* arbeitet, schreibt er am 5. Dezember 1796 an Johann Heinrich Meyer: »Ich habe das reine Menschliche der Existenz einer kleinen deutschen Stadt in dem epischen Tiegel von seinen Schlacken abzuscheiden gesucht, und zugleich die großen Bewegungen und Veränderungen des Welttheaters aus einem kleinen Spiegel zurück zu werfen getrachtet.« Der Satz ist spannungsvoll, auch wohl widersprüchlich. Denn das »reine Menschliche« wird zusammengebracht mit den »großen Bewegungen und Veränderungen des Welttheaters«, womit die Auswirkungen der Französischen Revolution gemeint sind. Damit aber ist das »reine Menschliche« notwendigerweise auch historisch bestimmt und verliert die Möglichkeit, pauschal verallgemeinert und in die Sphäre des Zeitlosen gehoben zu werden. Es gibt in *Hermann und Dorothea* zweifellos Szenen, in denen mit den kunstvollen Mitteln vers-epischer Ausprägung Verhaltensweisen und Empfindungen Gestalt und Ausdruck gewinnen, die immerdar in der menschlichen Geschichte sich einstellen mögen: Verwirrung und Flucht, Besorgnis und Zuneigung, Streit und Versöhnung, und manchmal fügt sich die allgemeine Aussage zur prägnanten Sentenz. Insgesamt aber gibt sich dem distanzierten Blick *Hermann und Dorothea* als Verhaltensmuster und Bewußtseinskonstellation einer bestimmten (in sich dynamischen) bürgerlichen Gesellschaftsform und ihrer Interessenlage zu erkennen. Am Schluß, an gewiß bedeutungsvoller Stelle der Dichtung, spricht Hermann, als er der Dorothea angetraut ist, Verse, deren Appellcharakter nicht zu überhören ist:

> Wir wollen halten und dauern,
> Fest uns halten und fest der schönen Güter Besitztum.
> Denn der Mensch, der zur schwankenden Zeit auch schwankend gesinnt ist,
> Der vermehret das Übel und breitet es weiter und weiter;
> Aber wer fest auf dem Sinne beharrt, der bildet die Welt sich.
> Nicht dem Deutschen geziemt es, die fürchterliche Bewegung
> Fortzuleiten und auch zu wanken hierhin und dorthin.
> ›Dies ist unser!‹ so laß uns sagen und so es behaupten!
> Denn es werden noch stets die entschlossenen Völker gepriesen,
> Die für Gott und Gesetz, für Eltern, Weiber und Kinder
> Stritten und gegen den Feind zusammenstehend erlagen.
> Du bist mein; und nun ist das Meine meiner als jemals.
> Nicht mit Kummer will ich's bewahren und sorgend genießen,
> Sondern mit Mut und Kraft. Und drohen diesmal die Feinde
> Oder künftig, so rüste mich selbst und reiche die Waffen.
> Weiß ich durch dich nur versorgt das Haus und die liebenden Eltern,
> O, so stellt sich die Brust dem Feinde sicher entgegen.
> Und gedächte jeder wie ich, so stünde die Macht auf
> Gegen die Macht, und wir erfreuten uns alle des Friedens.

Hier enthüllt sich das »reine Menschliche« in schöner Offenheit als partikularer und zeitgebundener Interessenstandpunkt (geschweige, daß zuvor die widerstreitenden Kräfte der »großen Bewegungen und Veränderungen des Welttheaters« hinlänglich erfaßt worden seien): Selbstbewußt formiert sich eine Gesellschaftsklasse gegen mögliche Feinde von innen und außen, um fest zu halten der schönen Güter Besitztum, und nur in solcher Sicherheit scheint Frieden gewahrt und möglich.

Es ist selten bestritten worden, daß sich in der hohen Phase der Klassik eine zuweilen dogmatische Enge der Kunstauffassung bemerkbar macht. Barsch weisen Goethe und Schiller zurück, was nicht ihren Formvorstellungen entspricht, denen doch unbezweifelbare und durch die Aneignung der Antike legitimierte Gültigkeit zukomme. Die Freundschaft zwischen Herder und Goethe wird brüchig. In den *Annalen* notiert Goethe für das Jahr 1795: »Herder fühlt sich von einiger Entfernung, die sich nach und nach hervortut, betroffen, ohne daß dem daraus entstehenden Mißgefühl wäre zu helfen gewesen. Seine Abneigung gegen die Kantische Philosophie und daher auch gegen die Akademie Jena, hatte sich immer gesteigert, während ich mit beiden durch das Verhältnis zu Schiller immer mehr zusammenwuchs. Daher war jeder Versuch das alte Verhältnis herzustellen fruchtlos [...].«[37] Zwischen Schiller und Herder besteht kein Zusammenklang mehr. In den *Horen* von 1796 erscheint zwar Herders Gespräch *Iduna*, in dem über die Bedeutung der nordischen Mythologie für die Dichtung diskutiert wird (»was diese Mythologie sey? woher sie sey? wiefern sie uns angehe? worin sie uns dienen könne«), in deutlicher Wendung gegen die erklärte Vorbildhaftigkeit der griechischen Antike und die vornehmliche Nutzung des dort vorhandenen mythologischen Arsenals, und auch der Fingerzeig aufs Heimische und Gegenwärtige ist klar: »Ich will mir nichts zugestanden wissen, als was jedem Dichter und Mährchenerzähler aus einem fremden, fernen oder verlebten Volk zusteht, nämlich daß er den Reichthum, den ihm dies Volk und dessen Zeitalter gewährt, brauchen dörfe.«[38] Aber Schiller weist Herders Voraussetzung, »daß die Poesie aus dem Leben, aus der Zeit, aus dem Wirklichen hervorgehen« müsse, schon im Brief vom 4. November 1795 zurück und beharrt im Gegenzug entschieden darauf, daß der poetische Genius »sich aus dem Gebiet der wirklichen Welt« zurückziehen »und anstatt jener Coalition, die ihm gefährlich seyn würde, auf die strengste Separation sein Bestreben richten« müsse. Herders Verweis auf Heimisches als wichtigen Boden der Dichtung wird nicht erhört und kann vor der Verehrung der klassischen Antike nicht bestehen. Er hat offenbar lebhafter als die Theoretiker und Praktiker der idealistischen Kunst- und Schönheitslehre auch in Erinnerung behalten, was er im *Briefwechsel über Ossian* 1773, um Verständnis werbend, als nicht verächtliches Charakteristikum der »Gedichte der alten und wilden Völker« erkannt hatte: daß sie »so sehr aus unmittelbarer Gegenwart, aus unmittelbarer Begeisterung der Sinne und der Einbildung entstehen und doch so viel Würfe, so viel Sprünge haben«. Wie ohnmächtiges Aufbegehren mutet dann Herders – bei aller Hochachtung vor dem Philosophen – gegen Kant und auch gegen Schiller gerichtete *Kalligone* von 1800 an, wo er umständlich und verquält ebenso gegen Kants Bestimmung der Schönheit als interesselosen Wohlgefallens zu Felde zieht wie gegen Schillers Spiel-Begriff in der Ästhetik.

Jean Paul kommt mit den Weimaranern nicht zurecht und sie nicht mit ihm, ein eigenes Thema. Als »Chinesen in Rom«, als Ungläubigen in der Heiligen Stadt verspottet ihn Goethe,[39] und Jean Paul macht sich über klassizistische Ästhetik lustig, als er in der *Geschichte meiner Vorrede zur zweiten Auflage des Quintus Fixlein* ein Gespräch zwischen sich und dem Kunstrat Fraischdörfer erfindet, das auf dem Wege von Hof nach Bayreuth geführt wird. Günter de Bruyn hat sich in seiner Jean-Paul-Biographie pointiert darüber ausgelassen: »Anstatt sich der Natur, dem Menschen und dem Schreiben zu widmen, muß Jean Paul sich nun das ästhetische Gewäsch der zur Person gewordenen classizistischen Kunstauffassung anhören, das, in seiner Überbewertung des Ästhetischen, gegenwarts-, wirklichkeits- und auch menschenfeindlich ist. Wem nur die schöne Form etwas gilt, dem wird Ästhetik zur Barbarei; der findet es ungehörig, daß architektonische Kunstwerke, die Häuser doch sind, durch Menschen, die in ihnen wohnen, entweiht werden; der freut sich über den Brand einer Stadt, weil der ihm Hoffnung auf eine neue, schönere macht; dem ist der Bauer nichts als Vorlage für Idyllenmalerei und der Krieg eine Notwendigkeit für Schlachtenmaler; der ›achtet am ganzen Universum nichts, als daß es ihm sitzen kann‹ [...]. Am leichtesten allerdings, meint der Kunstrat, läßt sich die schöne, das heißt die edle griechische Form, ›durch Verzicht auf die Materie‹ erreichen, durch Verzicht auf Inhalt also.« Gewiß werden Werke Schillers und Goethes (etwa sein gerade erschienener *Wilhelm Meister*) mit solcher Kritik verfehlt, was anzumerken de Bruyn auch nicht versäumt, aber Gefahren eines Form- und Griechenkultes werden hier scharf beleuchtet.[40]

In der *Einleitung in die Propyläen* von 1798 fordert Goethe, »daß ein Künstler sowohl in die Tiefe der Gegenstände als in die Tiefe seines eignen Gemüts zu dringen vermag, um in seinen Werken nicht bloß etwas leicht und oberflächlich Wirkendes, sondern, wetteifernd mit der Natur, etwas Geistig-Organisches hervorzubringen und seinem Kunstwerk einen solchen Gehalt, eine solche Form zu geben, wodurch es natürlich zugleich und übernatürlich erscheint«.[41] Nicht anders bestimmt Hegel in seiner *Ästhetik* das Wesen der Kunstgestalt »als einen innern Fortgang der Idee an sich, oder der Gestalt, in welcher sie sich Daseyn giebt, [...] indem nämlich jede dieser beiden Seiten unmittelbar mit der anderen verbunden, und dadurch die Vollendung der Idee als Inhalts eben so sehr auch als die Vollendung der Form erscheint«.[42] Jean Paul sieht sich solchen Prinzipien nicht verpflichtet. In geradezu überbordender Weise läßt er der Subjektivität des Erzählens freien Raum, der das Verschiedenste aufzugreifen, auszusprechen und zu vermischen gestattet wird. Bleibt der ›klassische‹ Bildungsroman auf die »innere Geschichte« (Friedrich von Blanckenburg) des Helden streng bezogen und ordnen sich seine erzählerischen Mittel und Teile diesem thematischen Gegenstand in funktionaler Bindung zu, so ist für Jean Paul der Roman bestimmt »durch die Weite seiner Form, in welcher fast alle Formen liegen und klappern können«. »Warum«, fragt er in der *Vorschule der Ästhetik* (1803 f.), »soll es nicht eine poetische Enzyklopädie, eine poetische Freiheit aller poetischen Freiheiten geben?«[43] Damit verleiht die Vielheit der Formen dem Jean Paulschen Roman »den Charakter einer Nummernoper, die lyrische, dramatische, lehrhafte, epistolare Stücke inselhaft gegeneinander absetzt«.[44] Das geht sogar einem Friedrich Schlegel trotz seiner eigenen Theorie des romantischen Romans zu weit, so daß er zu dem wuchernden Erzählen Jeans Pauls notiert, ihm zerflössen »immer noch zu Zeiten gute Massen in das allgemeine Chaos«,[45] und der späte Goethe ordnet ihn in den *Noten und Abhandlungen zum West-Östlichen Divan* den orientalischen Dichtern zu, wobei er seine eigenartige Erzählweise bezeichnenderweise mit einem Hinweis auf die gärenden Zeitverhältnisse begründet: »Gestehen wir also unserm so geschätzten als fruchtbaren Schriftsteller zu, daß er, [...] um in seiner Epoche geistreich zu sein, auf einen durch Kunst, Wissenschaft, Technik, Politik, Kriegs- und Friedensverkehr und Verderb so unendlich verklausulierten, zersplitterten Zustand mannigfaltigst anspielen müsse, so glauben wir ihm die zugesprochene Orientalität genugsam bestätigt zu haben.«[46]

Spannungen in der gleichen Zeit liegen offen da. Als Friedrich Schlegel 1812 in Wien seine *Vorlesungen über die Geschichte der alten und neuen Literatur* hält, wendet er bei dem Versuch, die Literatur des 18. Jahrhunderts zu gliedern, den Gesichtspunkt der Generationenfolge an. Zur dritten Generation zählt er diejenigen, deren Entwicklung und Bildung in die letzten achtziger und neunziger Jahre fällt. Dort steht ein merkwürdiger Satz: »Sollte ich diese Epoche im allgemeinen mit einem Worte bezeichnen, ohne daß ich fürchten dürfte, mißverstanden zu werden, so würde ich sie die revolutionäre nennen, wenn anders es erlaubt ist, ein solches Wort in einem zwar gültigen, aber doch etwas eignen und von dem gewöhnlichen abweichenden Sinn zu nehmen.« Er erläutert den von ihm gemeinten Sinn des Wortes »revolutionär«, indem damit ein »Zustand des äußern nicht bloß, sondern noch viel mehr des innern Kampfes« bezeichnet werde, was er »als das Unterscheidende und Charakteristische der Dichter und Schriftsteller dieser dritten Generation« betrachte. Er weist mit einigen Bemerkungen auf Schiller und resümiert: »Rastlos in sich und unruhig umhergeschleudert, sehen wir ihn aber auch hier und da von der äußern großen Erschütterung des Zeitalters ganz ergriffen und sie mitempfindend. Dieses ist es, was ich unter jenem Beiwort verstanden wünschte, und was ich im größern oder geringern Maße bei allen ausgezeichneten Schriftstellern jener Epoche finde.« Eines ist deutlich: Schlegel sieht die Bemühungen der Autoren dieser Phase als Versuche, Antworten auf die Zeit zu finden, auf ihre Bedrängnisse und ihre Forderungen. »Statt jener künstlerischen, glücklichen Sorglosigkeit sehen wir die Schriftsteller der spätern Generation, aus den achtziger und neunziger Jahren, alle in dem Zeitalter befangen; sich ganz ihm hingebend, mit ihm im heftigsten Kampf, oder doch auf eine oder die andre Weise ihr ganzes inneres Tun auf das Zeitalter beziehend.«[47] Es ist ein Antwortversuch auf mehreres: auf die politische Lage, auf die allgemeine geistig-kulturelle Situation und auf die speziell künstlerische, insbesondere auf die literarische Konstellation im Jahrzehnt vor der Jahrhundertwende und um die Jahrhundertwende selbst. Friedrich Schlegel hatte bekanntlich im berühmten *216. Athenäum-Fragment* die Französische Revolution, Fichtes Wissenschaftslehre und Goethes *Wilhelm Meister* als die größten Tendenzen des Zeitalters bezeichnet. Das ist eine Tatsachenfeststellung und markiert das Bewußtsein, in einer Phase allgemeiner Gärung zu stehen und antworten zu müssen. Die Antwort der frühromantischen Generation, deren einer Wortführer Friedrich Schlegel selbst ist (und der dann im Schatten seiner Konversion später andere Bewertungen vorträgt), sieht anders aus als die der gleichzeitig entwerfenden und schaffenden ›Klassiker‹.

Goethes und Schillers Nachdenken richtet sich in ihrer klassischen Phase auf das, was gültig-überdauernd, überzeitlich-wertvoll sein müßte. Goethe hält sich an die Natur, um ihre Grundwahrheiten und Grundgesetzlichkeiten des Seins und Werdens anschauend und eindringend zu erfassen und zu begreifen, bis dorthin, wo das Unerforschliche beginnt, das es ruhig zu verehren gelte. Schiller richtet seinen Blick mehr auf den Menschen selbst, um seine wahre Bestimmung und seine unvergängliche Würde noch unter anbrandender Not und Verstrickung zu entdecken und den Zeitgenossen vor Augen zu führen. Beide sehen dabei den Menschen als sozial gebundenes Wesen: er muß sich einfügen und die Gesellschaft soll ihm den notwendigen freien Bereich zuerkennen.

Ist für das klassische Konzept das Element der Bindung und Bändigung in vielfachen Formen grundlegend wichtig, so gilt dies für die jüngere frühromantische Generation gerade nicht. Um es pointiert (und natürlich vereinfacht) zu sagen: Was hier durchgängig bestimmend wird, ist eine ungebundene Radikalität. Sie wirkt sich freilich nicht im Feld politischen Handelns aus; sondern in der nachrevolutionären Phase in einem Land, das entschiedener gesellschaftlicher Veränderungen zwar bedürfte, in dem sie aber – gewollt oder nicht gewollt – nicht vollzogen werden (können), scheint diese Generation mit bewußter Radikalität die Möglichkeiten und Fähigkeiten des Subjekts Mensch in seinem Denken, Fühlen, Erleben bis zu ihrer Verselbständigung um ihrer selbst willen vorantreiben und ausprobieren zu wollen, so, als sei dieses Selbstgründen im Ich die einzig mögliche Verwirklichung angesichts des Gärungsprozesses der Zeit. Einer entdeckt dem andern nur immer mehr die Möglichkeiten des selbstherrlich-freien Menschen, freilich sehr oft im Blick auf den möglichen Staat. Es ist wie ein Erraffen der Welt fürs frei schaltende Subjekt Mensch. Das verwirklicht sich auf verschiedene Weisen: bei Friedrich Schlegel, bei Tieck, und noch bei Wackenroder in seinem hemmungslosen Kunst-genießen-Wollen. Und sogleich stellt sich auch die Problematik solchen Beginnens mit ein, die Bodenlosigkeit und Haltlosigkeit des Ich: im *William Lovell* Tiecks, im *Berglinger* Wackenroders, und sie wird deutlich im weiteren Lebenslauf Friedrich Schlegels selbst. Damit enthüllt die Frühromantik durchaus einen Januskopf. Radikales Auf-sich-gestellt-Sein des Menschen trägt notwendig auch zerstörerische Kräfte in sich; William Lovell beweist es, der Roquairol des Jean Paul nicht minder, und vor solchen Konsequenzen führt der Weg hin oder zurück zu Bindungen überpersönlicher Art, zu kirchlichen oder anderen Gemeinschaften. Die Besessenheit, mit der man die Möglichkeiten des Ich allseitig wirksam zu werden lassen sucht, soll unzweifelhaft zu einer Neubegründung geistig-sinnlichen Lebens des Menschen führen. Man kann es an Friedrich Schlegels *Lucinde*-Roman deutlich genug ablesen, und des Novalis Fragmente reden eine deutlich-undeutliche Sprache. Der Geist drängt entschieden über die Begrenzungen des Endlichen hinaus in ein – notwendigerweise verschwommen bleibendes – ›Eigentliches‹ vor, das im *Heinrich von Ofterdingen* des Novalis wohl umworben, aber nicht mehr allgemein verstehbar eingefangen werden kann. Das Ästhetische wird freigelassen aus den Bindungen, die ihm die›Klassik‹auferlegte, und kann sich verselbständigen zu einem eigenwertigen Reich von Denkspiel und Traumspiel. Das schließt nicht aus, daß der Dichter mit höchster Bewußtheit komponiert. Gerade im *Ofterdingen* stehen Sätze wie: »Begeisterung ohne Verstand ist unnütz und gefährlich, und der Dichter wird wenig Wunder tun können, wenn er selbst über Wunder erstaunt. […] Der junge Dichter kann nicht kühl, nicht besonnen genug sein.«

Kunst der Klassik will (tendenziell) autonom sein, selbstgewiß und in sich selbst ruhend, ihre eigene Gesetzlichkeit ausprägend und nichts sonst; ihre Funktion ist, funktionslos zu sein. Das ergibt »Classicität«; das meint die von Schiller so nachdrücklich geforderte Abwendung der Poesie von der banalen prosaischen Wirklichkeit; das verkündet Karl Philipp Moritz' Lehre vom Schönen, und das schließt Kants berühmte (und mit viel weiteren Zusammenhängen verknüpfte) Definition des Schönen ein: »Das Wohlgefallen, welches das Geschmacksurteil bestimmt, ist ohne alles Interesse.« Über die Herausbildung und theoretische Bestimmung eines ›autonomen‹ Status von Kunst im Zusammenhang mit der Entwicklung der bürgerlichen Gesellschaft ist in den letzten Jahren viel diskutiert worden. Nur ein paar Bemerkungen können hier dieses Thema streifen. Man sollte, ungeachtet der differenzierenden Analyse einzelner Aspekte und Verläufe, Verschiedenes beachten. Der Weg einer sich autonom setzenden Kunst führt aus den Abhängigkeiten kirchlichen und feudalen Mäzenatentums ebenso wie aus der Bindung an Forderungen, die sich aus Moralvorschriften und Tugendkatalogen herleiten. In diesem Vorgang mag sich der Anspruch eines erstarkenden Bürgertums zeigen, das wie sich selbst so auch die Kunst freizusetzen trachtet und, da es für alle zu sprechen meint, damit auf Universalität der Kunst und seiner selbst zielt. Zugleich bildet sich – auf dem Feld der Literatur – mit dem beachtlichen Anwachsen eines bürgerlichen Lesepublikums im 18. Jahrhundert ein Markt aus, dessen vom Geschmack des Publikums und von Absatz und Gewinn mitbestimmte Mechanismen der aus früheren Bindungen und Verpflichtungen sich lösenden Literatur neue Zwänge auferlegen. Hellsichtig hat der junge Friedrich Schlegel im Aufsatz *Über das Studium der griechischen Poesie* das Interessante als das Merkmal der modernen Dichtung diagnostiziert, das konsequenterweise immer neu überboten werden müsse. (Bildungsgeschichte ist insofern, das sei nebenbei notiert, im bürgerlichen Zeitalter nie reine Bildungsgeschichte, sondern stets auch eine Geschichte des Marktes und seiner Bedingungen, die nicht alles erscheinen lassen und verbreiten, was gedacht und gedichtet worden ist. Und neben der Bildungsgeschichte geht die Nicht-Bildungsgeschichte derer einher, die sich Bücher nicht leisten können und keine Muße zu ihrer Lektüre besitzen.»Volk ohne Buch« ist nicht nur ein einprägsamer Titel, sondern Chiffre einer zu wenig bedachten Tatsache.) Die Vorstellung von einer autonomen Kunst, genauer: die Behauptung, Kunst sei ein autonomer Bereich, hat ihre geschichtlichen Gründe, und sie erhält im Verlauf der Geschichte selbst unterschiedlichen Stellenwert. Natürlich »ist jede Setzung von Autonomie – auf welchem Gebiet auch immer angenommen – eine Fiktion«,[48] wenn darunter verstanden wird, der Mensch oder etwas von ihm Geschaffenes könne den Zustand völliger Freiheit von Bedingungen erlangen. Bertolt Brecht hat, die Begriffe freilich anders wählend, dies auch für die Kunst mit seinem bekannten Ausspruch festgeschrieben: »Die Kunst *ist* ein autonomer Bezirk, wenn auch unter keinen Umständen ein autarker.«[49] ›Autonomie der Dichtung‹ meint Freiheit von Außerkünstlerischem, Gelöstsein von zweckhaften Ansprüchen, Neutralität gegenüber partikularen Funktionen in der Gesellschaft. »Die mit Anspruch auf allgemeine Geltung seit dem Ende des 18. Jahrhunderts auftretende Bestimmung der Kunst als einer ›autonomen‹ mißt ihr einen gesellschaftlichen Status zu, der in der Negation von gesellschaftlichem Status selbst besteht. Als funktionslos oder funktionsneutral soll Kunst nur auf die Subjektivität ihres Produzenten sich beziehen, der als Genie zum ›Außenseiter der Gesellschaft‹ wird. Kunst ist somit die Absage an überhaupt Außerkünstlerisches und geschieden von jeglicher Nicht-Kunst, d. h. abgesondert vom Allgemeinen und Gesellschaftlichen.«[50] Mit der Zurückweisung solcher Interessen kann sich die Abkehr von der widrigen Wirklichkeit auch der sich formierenden Bürgerwelt verbinden, und die Ästhetik als Lehre vom Schönen liefert die theoretischen Absicherungen. Wo die empirische Realität von Interessen bestimmt (und entstellt) wird, kann die Definition des Schönen als interesselosen Wohlgefallens allgemeine Geltung gewinnen. Der Künstler erscheint dann als der im Wortsinne außergewöhnliche Mensch, der sich in seinem Werk noch selbst zu verwirklichen vermag, sich selbst bestimmend und nicht eingespannt in die Mechanismen des Verfügtwerdens in der Arbeitswelt.

– Die Welt einer als autonom aufgefaßten Dichtung kann Fluchtbezirk und Erfüllungsraum zugleich für realiter nicht zu Verwirklichendes werden. Das führt zu merkwürdigen Mischungen. Im Aufblick zu der Welt des interesselosen Scheins befreit sich der Bürger surrogathaft von den Zwängen und Konflikten der gesellschaftlichen Wirklichkeit und nützt umgekehrt die Verinnerlichung des Schönen, Wahren und Guten zur geheimen Rechtfertigung und Entschuldigung seiner in den Konkurrenzkampf gebannten praktischen Handlungen. Kultur ist dann (freilich nur dann) »das Alibi der Unkultur, die sie an ihrer eigenen Basis hat«.[51] Aber Kunst ist, so als Eigenes begriffen, auch freigestellt vom Gebundensein an die Verformungen und Entstellungen des *wirklichen* Daseins und kann von den Möglichkeiten des *wahren* Menschen zeugen, kann den Schein von Besserem aufbewahren – und die Hoffnung bleibt, daß er dann auch wahrgenommen werden kann. (Was dem einzelnen Liebhaber, wenn er es zu sein vermag, an ganz persönlicher Aneignung hier wie sonst möglich bleibt, stehe dahin.)[52]

Über die Wirkung der deutschen Klassik sollte man sich keine Illusionen machen. Sie war gering, mußte gering sein, weil nur eine ganz schmale Schicht von ›Gebildeten‹ ihre Werke kaufen, verstehen und wirklich rezipieren konnte. Literatur der Klassik war und ist ›Höhenkamm-Literatur‹; die des Lesens überhaupt Kundigen und Lesewilligen konsumierten anderes, und noch die Bemühungen um eine brauchbare ›Volksliteratur‹, die Rudolf Schenda breit dokumentiert hat, verkennen oft genug, was das ›Volk‹ wirklich gelesen hat. »Im populären Buchhandel waren die Klassiker und die Avantgarde nicht gefragt.«[53] Seiner Braut berichtet Heinrich von Kleist am 14. September 1800 über seine Erfahrungen mit einer »Lesebibliothek« in Würzburg: »Nirgends kann man den Grad der Kultur einer Stadt und überhaupt den Geist ihres herrschenden Geschmacks schneller und zugleich richtiger kennen lernen als – in den Lesebibliotheken.« Aus dem Gespräch, das er dann schildert: »›Aber sagen Sie uns, wenn so wenig gelesen wird, wo in aller Welt sind denn die Schriften Wielands, Goethes, Schillers?‹ – ›Halten zu Gnaden, diese Schriften werden hier gar nicht gelesen.‹« Dafür stehen an den Wänden »Rittergeschichten, lauter Rittergeschichten, rechts die Rittergeschichten *mit* Gespenstern, links *ohne* Gespenster, nach Belieben«. Der riesigen Mehrheit der Bevölkerung ist »das Gedruckte, diese Realität aus zweiter Hand«, völlig fremd. Gern zitierte Paradeausnahmen bestätigen nur die Regel. Die Rede vom Volk der Dichter und Denker ist nichts als ein Mythos. »Die Bildungssituation und die Sozialstruktur des 18. Jahrhunderts lassen kaum mehr als zehn Prozent Leser unter der Erwachsenen-Bevölkerung erwarten.«[54] Zwar hat sich die Buchproduktion im Laufe des 18. Jahrhunderts enorm gesteigert, aber die Schicht der Kenner und der um die ›Deutsche Klassik‹ Bemühten blieb relativ klein, von der zeitgenössischen Klage ganz abgesehen: »Schon in Ansehung der Geldausgaben ist das Bücherlesen [...] ein theures Vergnügen.«[55] Erinnernd an Goethes bekannte Äußerung: »Es ist verflucht, der König von Tauris soll reden als wenn kein Strumpfwürcker in Apolda hungerte« (an Charlotte von Stein, 6. 3. 1779), ist gewiß richtig gefolgert worden: »Der Hunger der Strumpfwirker ist weder ein Argument gegen die *Iphigenie,* noch die *Iphigenie* ein Argument gegen den Hunger.«[56] Nur muß man sich darüber im klaren sein, daß in den sozialen Konstellationen des 18. Jahrhunderts und späterhin (nicht nur) ›klassische Dichtung‹

sich selbst auf den kleinen Zirkel der Kenner und Liebhaber verweist und damit nicht wenige ihrer eigenen Zukunftshoffnungen desavouiert. Robert Prutz hat 1847, als er das Bedürfnis nach »Unterhaltungsliteratur« aus den sozialen Gegebenheiten erklärte, sarkastisch das »traurigste Schicksal«, das über die deutsche Literatur gekommen sei, beim Namen genannt: »geschrieben zu werden von Literaten für Literaten. Die Massen haben wir preisgegeben: was Wunder, daß sie ihre Unterhaltungen anderswo suchen als bei uns?« Der Weg zur Höhe der Bildung sei nur ganz wenigen vergönnt: »weil nur die Wenigsten die Muße, die Mittel, die Gelegenheit haben, jene Studien zu machen und jene Bildung zu erwerben. Die ungeheure Mehrzahl des Volkes, verdammt, mühselig, im Schweiße des Angesichts, für die Notdurft des Augenblicks zu arbeiten und dem Heute das Morgen abzuringen, ja öfters sogar umgekehrt – woher soll ihr die Bildung kommen? oder auch nur der Bildungstrieb?« Das gelte auch für den sogenannten Mittelstand, für den Kaufmann, den Gewerbetreibenden, den Beamten.[57]

Erst seit zwei Jahrzehnten ist eine vergessene Literatur wiederentdeckt und ernst genommen worden, die, zur Zeit der deutschen Klassik entstanden, verändernd in den historischen Prozeß eingreifen will und sich bewußt adressatenbezogen auch an die unteren Schichten der Bevölkerung wendet. Ihre Autoren, von den Ideen und Ereignissen der Französischen Revolution befruchtet und bewegt, streben nicht mehr eine Reform von oben an, haben die Erwartung aufgegeben, daß die Appelle an Einsicht und Vernunft der Landesherren die notwendigen grundlegenden Veränderungen der sozialen Zustände bewirken können. Man hat sich angewöhnt, von »Jakobinerliteratur«, von »literarischem Jakobinismus in Deutschland«, von »demokratisch-revolutionärer Literatur« zu sprechen. Diese Begriffe bergen manche Probleme. Denn das Wort »Jakobiner« ist natürlich mit einer bestimmten Phase der revolutionären Ereignisse in Frankreich selbst verbunden, und unter einer pauschalen Übertragung in den deutschen Kontext leidet die erforderliche Differenzierung. Zur damaligen Zeit selbst sind, zu Zwecken eingängiger Diffamierung, gern alle zu »Jakobinern« gestempelt worden, die die Französische Revolution nicht rundheraus verdammten.

So finden sich in den neuen Darstellungen auch mancherlei Definitionsversuche: a) »›Wahre Jakobiner‹ in Deutschland [...] waren alle diejenigen Feinde und Opponenten der herrschenden Feudalklasse, die in ihrem Kampfe praktische Volksverbundenheit zumindest intendierten, oder gar – dort, wo die Umstände es erlaubten: im linksrheinischen Gebiet und in einigen Zentren Süddeutschlands – begannen, ihr Bekenntnis zur revolutionären Gewalt im Bündnis mit den Bauern und Handwerkern in politische Handlungen umzusetzen.« b) »Zu den deutschen Jakobinern rechnen wir denjenigen, der die Französische Revolution auch noch in der Phase der jakobinischen Diktatur von 1793/94 verteidigte, der ein Recht des Volkes zur Revolution begründete, die Befreiung aller Völker anstrebte, Volk und Bürger identifizierte, Plebejer also nicht ausschloß, und an einer bürgerlichen Revolution praktisch arbeitete. Wer dagegen einen allmählichen Fortschritt innerhalb der bestehenden Machtverhältnisse erwartete, wer an den Selbsterhaltungswillen der herrschenden Klasse appellierte, um sie zu Reformen zu bewegen, wer sich von der Französischen Revolution seit den Septembermassakern 1792 oder seit der Hinrichtung des Königs

am 21. 1. 1793 oder spätestens seit der Proklamation der jakobinischen Schreckensherrschaft am 17. 9. 1793 abwandte, wird von uns zu den deutschen Liberalen ge-
zählt.« c) »Um nicht in eine uferlose Anwendung dieser Bezeichnung zu verfallen,
ist es sinnvoll, aus der breiten, sehr unhomogenen Schicht der Anhänger und Befür-
worter der Französischen Revolution in Deutschland diejenigen definitorisch aus-
zugliedern, die eine grundlegende Umgestaltung der deutschen Verhältnisse im Interesse breiterer Bevölkerungskreise anstrebten, sich dafür in Wort und Tat
einsetzten und vor der Revolution als Mittel zur Veränderung nicht zurückschreck-
ten.«[58]
Im Überschwang der Neu- oder Wiederentdeckung vergessener Autoren einer
deutschen demokratischen Tradition sind auch Persönlichkeiten als »Jakobiner«
klassifiziert worden, auf die so pauschal die Bezeichnung nicht zutrifft.[59] Fast jeder
der Genannten – ob Georg Forster oder Adolph Freiherr von Knigge, ob Andreas
Georg Friedrich Rebmann oder Georg Wedekind – hat Entwicklungen, Wandlungen durchgemacht, und nicht jede Schrift des gleichen Verfassers zeigt einheitliche
politische Positionen. So ist es sinnvoll, von jakobinischen *Schriften* zu sprechen,
die dadurch gekennzeichnet sind, daß sie einen radikalen Demokratismus vertreten
und die Revolution als Mittel zur Veränderung nicht grundsätzlich ausschließen.
Unübersehbar ist der Kontrast zum Konzept der Klassiker. Politisch-operative Literatur für die Verwendung in der prosaischen Wirklichkeit wird in vielfältigen Formen auszubilden gesucht, vom Flugblatt bis zur Rede, vom Gedicht bis zum dramatischen Dialog, um nur dies zu nennen und der Zeitschriften gar nicht zu gedenken.
Es ist didaktische Literatur, die dem Volk klarmachen will, warum es arm ist und
wie dieser Zustand zu ändern sei und warum es sich lohne, für die Revolution zu
streiten. Es besteht kein Grund, sich von dieser Art der Literatur hochmütig abzuwenden und allein bei der Klassik einzukehren, um Kunstbedürfnisse zu stillen.
Auch hier gilt: die ›Jakobinerliteratur‹ ist kein Argument gegen die ›Klassik‹ und das
in ihr aufbewahrte Unabgegoltene für die Existenz des wahren Menschen, aber die
›Klassik‹ ist auch kein Argument gegen die ›Jakobinerliteratur‹ oder gegen einen, um
nur diesen noch zu nennen, so konsequent und unbeirrt auf die Zeitwirklichkeit hin
schreibenden Mann wie Johann Gottfried Seume, dessen Werk immer noch zu den
versäumten Lektionen in Deutschland gehört. (»Mich schlägt bei meinem Blicke in
die Welt nichts mehr nieder, als daß ich so viele Gesichter sehe, die ihre Ansprüche
auf irgend ein Privilegium auf die Nase gepflanzt haben.«[60])
Erst wenn auch jene Schriftsteller aus den Schatten hervortreten, die eine an der (angeblich) hohen Literatur orientierte Bildungsgeschichte über sie geworfen hat, wird
das Konzept der Klassik richtig erkennbar, in seinem idealischen Ausgriff und in seinen Grenzen.

Anmerkungen

1 Herman Nohl: Die Deutsche Bewegung. Vorlesungen und Aufsätze zur Geistesgeschichte von 1770–1830. Hrsg. von Otto Friedrich Bollnow und Frithjof Rodi. Göttingen 1970. S. 88f.

2 Inge Stephan: Literarischer Jakobinismus in Deutschland (1789–1806). Stuttgart 1976. S. 187.

3 Benno von Wiese: Friedrich Schiller. Stuttgart 1959. S. 458f.

4 Schillers Briefe. Hrsg. von Fritz Jonas. Stuttgart o. J. Schillers Briefe werden im folgenden nach dieser Ausgabe zitiert.

5 Vgl. Nour Al-Dine Hayfa: Der ›republikanische‹ Gedanke in Freiheitsdramen und -gedichten aus dem Umkreis des späten Schiller. Diss. Frankfurt a. M. 1974.

6 Schillers Werke. Nationalausgabe. Weimar 1943ff. (Im folgenden zitiert als: NA.) Bd. 20. S. 101ff.

7 Benno von Wiese (Anm. 3). S. 402.

8 Über Bürgers Gedichte. In: NA 22, 253.

9 Zu Gottfried Körners Aufsatz über Charakterdarstellung in der Musik. In: NA 22, 293.

10 NA 22, 420.

11 Benno von Wiese (Anm. 3). S. 409.

12 Johann Gottfried Seume: Apokryphen. Hrsg. von Hermann Schweppenhäuser. Frankfurt a. M. S. 30.

13 Karl Philipp Moritz: Versuch einer Vereinigung aller schönen Künste und Wissenschaften unter dem Begriff des in sich selbst Vollendeten. In: K. Ph. M., Schriften zur Ästhetik und Poetik. Hrsg. von Hans Joachim Schrimpf. Tübingen 1962. S. 4.

14 Wolf Kaiser, Gert Mattenklott: Ästhetik als Geschichtsphilosophie. Die Theorie der Kunstautonomie in den Schriften Karl Philipp Moritzens. In: Westberliner Projekt: Grundkurs 18. Jahrhundert. Die Funktion der Literatur bei der Formierung der bürgerlichen Klasse Deutschlands im 18. Jahrhundert. Hrsg. von Gert Mattenklott und Klaus R. Scherpe. Kronberg (Taunus) ²1976.

15 Friedrich Schiller: Sämtliche Werke. Hrsg. von Gerhard Fricke und Herbert Georg Göpfert. München ²1960. Bd. 5. S. 864.

16 Klaus L. Berghahn: Volkstümlichkeit ohne Volk? Kritische Überlegungen zu einem Kulturkonzept Schillers. In: Popularität und Trivialität. Hrsg. von Reinhold Grimm und Jost Hermand. Frankfurt a. M. 1974. S. 62. Vgl. zur Bürger-Rezension vor allem auch Walter Müller-Seidel: Schillers Kontroverse mit Bürger und ihr geschichtlicher Sinn. In: Formenwandel. Festschrift für Paul Böckmann. Hamburg 1964.

17 Benno von Wiese (Anm. 3). S. 499.

18 Ebd.

19 Hans Mayer: Schiller und die Nation. In: H. M., Studien zur deutschen Literaturgeschichte. Berlin [Ost] 1954. S. 111f.

20 NA 22, 106.

21 Theodor Litt: Die politische Selbsterziehung des deutschen Volkes. [Bonn] ⁶1961.

22 In: Oscar Fambach: Schiller und sein Kreis in der Kritik ihrer Zeit. Berlin [Ost] 1957. S. 226.

23 Zitiert nach: Theorie der politischen Dichtung. Hrsg. von Peter Stein. München 1973. S. 55f.

24 In: Goethes Werke. Hamburger Ausgabe. Hamburg 1948ff. (Im folgenden zitiert als: HA.) Bd. 12. S. 13.

25 Vgl. Heinz Hamm: Der Theoretiker Goethe. Grundpositionen seiner Weltanschauung, Philosophie und Kunsttheorie. Kronberg (Taunus) 1976. S. 175ff.

26 Johann Wolfgang Goethe: Gedenkausgabe der Werke, Briefe und Gespräche. Bd. 19. Zürich 1949.

27 Italienische Reise. In: HA 11, 395.

28 HA 12, 32

29 Goethes Sämtliche Werke. Jubiläums-Ausgabe. Stuttgart, Berlin 1902ff. Bd. 30. S. 92.

30 HA 12, 97.

31 Christiaan Lucas Hart Nibbrig: Weltwärts nach innen. Zur Erkenntnistheorie von Goethes dichterischer Welt-Anschauung. In: Euphorion 69 (1975) S. 7.

32 Eduard Spranger: Goethes Weltanschauung. In: E. S., Goethe. Seine geistige Welt. Tübingen 1967. S. 285.

33 Nibbrig (Anm. 31). S. 6.

34 HA 12, 514.

35 Eduard Spranger: Goethe und die Metamorphose des Menschen. In: E. S. (Anm. 32). S. 172.

36 Ebd.

37 Gedenkausgabe der Werke, Briefe und Gespräche. Bd. 11. Zürich 1950. S. 656.

38 Herders Sämtliche Werke. Hrsg. von Bernhard Suphan. Bd. 18. Berlin 1883. S. 484 und 502.

39 HA 1, 206.

40 Günter de Bruyn: Das Leben des Jean Paul Friedrich Richter. Halle (Saale) 1975. S. 160f.

41 HA 12, 42.

42 Hegel: Sämtliche Werke. Jubiläums-Ausgabe. Hrsg. von Hermann Glockner. Bd. 12. Stuttgart [4]1964. S. 404.

43 Jean Paul: Sämtliche Werke. Hrsg. von Eduard Berend. Weimar 1927ff. Bd. 11. S. 232f.

44 Bernhard Böschenstein: Jean Pauls Romankonzeption. In: Deutsche Romantheorien. Hrsg. von Reinhold Grimm. Frankfurt a. M. 1968. S. 114.

45 Friedrich Schlegel: Kritische Friedrich-Schlegel-Ausgabe. Hrsg. von Ernst Behler. Bd. 2. München, Paderborn, Wien 1967. S. 247: Athenäum-Fragment 421.

46 HA 2, 185.

47 Friedrich Schlegel (Anm. 45). Bd. 6 (1961.) S. 393f.

48 Franz-Joachim Verspohl, in: Autonomie der Kunst. Zur Genese und Kritik einer bürgerlichen Kategorie. Frankfurt a. M. 1972. S. 199.

49 Bertolt Brecht: Zu Wordsworth's »She was a Phantom of Delight«. In: B. B., Über Lyrik. Frankfurt a. M. 1964. S. 72.

50 Berthold Hinz (Anm. 41). S. 173f. Vgl. auch Hans Freier: Ästhetik und Autonomie. Ein Beitrag zur idealistischen Entfremdungskritik. In: Deutsches Bürgertum und literarische Intelligenz 1750–1800. Hrsg. von Bernd Lutz. Stuttgart 1974.

51 Schweppenhäuser (Anm. 12). S. 159.

52 Vgl. auch Karl Otto Conrady: Literatur und Germanistik als Herausforderung. Frankfurt a. M. 1974.

53 Rudolf Schenda: Volk ohne Buch. Studien zur Sozialgeschichte der populären Lesestoffe 1770–1910. Frankfurt a. M. 1970. S. 200.

54 Ebd., S. 443.

55 J. R. G. Beyer: Über das Bücherlesen... 1795. Zitiert nach Schenda (Anm. 53). S. 453. Vgl. auch Rolf Engelsing: Analphabetentum und Lektüre. Zur Sozialgeschichte des Lesens in Deutschland zwischen feudaler und industrieller Gesellschaft. Stuttgart 1973; ders.: Der Bürger als Leser. Lesergeschichte in Deutschland. 1500–1800. Stuttgart 1974.

56 Gerhard Kaiser: Aufklärung, Empfindsamkeit, Sturm und Drang. München 1976. S. 12.

57 Robert Prutz: Über die Unterhaltungsliteratur, insbesondere der Deutschen. In: R. P., Schriften zur Literatur und Politik. Hrsg. von Bernd Hüppauf. Tübingen 1973. S. 22 und 11.

58 a) Gert Mattenklott, Klaus R. Scherpe: Demokratisch-revolutionäre Literatur in Deutschland: Jakobinismus. Kronberg (Taunus) 1975. S. 7. – b) Hellmut G. Haasis, in: Johann Benjamin Ehrhard, Über das Recht des Volkes zu einer Revolution und andere Schriften. Hrsg. von H. G. H. München 1970. S. 205f. – c) Inge Stephan (Anm. 2). S. 47. (In diesem Band umfangreiches Literaturverzeichnis zum ›Jakobinismus‹).

59 Vgl. Gerhard Kaiser: Über den Umgang mit Republikanern, Jakobinern und Zitaten. In: G. K., Neue Antithesen eines Germanisten 1974–1975. Kronberg (Taunus) 1976. Kaiser bemerkt an einer Stelle seines Aufsatzes (S. 86f.), der sich auch gegen verschiedene Darlegungen Jost Hermands

wendet: »Die Frage der literarischen Qualität liegt Hermand allerdings fern. In seiner Verdammung der Klassik und der Aufwertung der Spätaufklärung stellt er an keiner Stelle die Frage nach dem literarischen Wert und seiner Relation zum ideellen Gehalt der Werke. [...] Es grassiert heute ein Inhaltsfetischismus, dem alles schon bedeutend ist, was auf den ersten Blick progressiv aussieht, und dem jeder aufgeplatzte Hosenknopf zum Signal der Freiheit wird.« Die amüsante Formulierung kann nicht darüber hinwegtäuschen, daß es offensichtlich schwerfällt, literarische Zeugnisse als Gegenstand der Literaturwissenschaft ernst zu nehmen, die eine ganz andere Funktion ausüben, als daß sie den von Gerhard Kaiser erhobenen Ansprüchen an »literarische Qualität« gerecht zu werden vermöchten. An anderer Stelle hat Kaiser gemeint, »daß die Substanz klassischer Literatur, ihr Weltentwurf, so reich und problemgeladen ist, daß er über Jahrhunderte hinweg immer die gleichen, aber auch immer neue Fragen an den Leser stellt, die dieser vernimmt, sobald er die Ohren öffnet und sich um einen Zugang bemüht, während andere Werke, indem sie vertraut werden, veralten, weil ihr Potential an Fragen erschöpflich ist und weil die Fragen, die es beantwortet hat, ad acta gelegt sind« (Fragen der Germanistik. Zur Begründung und Organisation des Faches. Hrsg. von Horst Turk. München 1971. S. 64). Das mag plausibel sein, hat nur die Schwierigkeit, daß ich Gleiches bei anderer Literatur, die dann nicht ›klassisch‹ zu nennen ist, nicht erwarten darf. Ist sie prinzipiell geringeren Wertes? Ist Unerschöpflichkeit ein absoluter Wertmaßstab? Und für welche Leser in welchen Kommunikationszusammenhängen und -bedingungen gilt das?

60 Johann Gottfried Seume (Anm. 12). S. 61. Vgl. auch Inge Stephan: Johann Gottfried Seume. Ein politischer Schriftsteller der deutschen Spätaufklärung. Stuttgart 1973.

HELMUT KOOPMANN

Zur Entwicklung der literaturtheoretischen Position in der Klassik

Über Literatur und das, was ihr Wesen ausmacht, haben sich die deutschen Klassiker zwar häufig, aber meist nur unzusammenhängend geäußert, und es sieht fast so aus, als habe es einen tiefeingewurzelten Widerwillen dagegen gegeben, über die Literatur zu theoretisieren, ihr »Wesen« handgreiflich zu beschreiben und ihre Gesetze ein für allemal zu formulieren. Wenn wir auf die Suche gehen, so finden wir meist nur Bemerkungen, die häufig aus einem sehr aktuellen Anlaß heraus gemacht worden sind, aber darüber nicht hinausgehen. Eine ausgesprochene Literaturtheorie, ein künstlerisches Gesetzbuch gibt es nirgendwo, keine »kritische Dichtkunst« und keine Weimarer Dramaturgie, und die verstreuten Gelegenheitsschriften, die als Substitute gelten können, sind häufig nur wenige Seiten stark; sie erheben nirgendwo den Anspruch, vollständige Kodifikationen der geltenden ästhetischen Gesetze zu sein. Auf der anderen Seite finden wir beinahe zahllose gewichtige Äußerungen im privaten Briefwechsel zwischen Schiller und Goethe, grundsätzliche Stellungnahmen selbst aus Anlaß des allwöchentlichen Gedankenaustausches heraus, und wenn die zum Teil so rigorosen Feststellungen damals auch nicht unbedingt Gesetzeskraft haben sollten, so hat eine respektvolle Nachwelt doch das Ihrige dazu getan, um selbst aus einer dahingeplauderten Bemerkung ein ästhetisches Grundsatzurteil zu machen. Goethes Bemerkung in den *Maximen und Reflexionen* über die Kunst (»eine andere Natur, auch geheimnisvoll, aber verständlicher; denn sie entspringt aus dem Verstande«), einer unter den unendlich vielen Aphorismen, in denen von Kunst oder von Natur oder von beidem zugleich die Rede ist, hat man gleichsam zur Formel gemacht, um von dorther Goethes künstlerische Intentionen bis auf ihren Urgrund hin durchsichtig werden zu lassen,[1] und ähnlich hat man den Aufsatz, den Goethe im *Teutschen Merkur* im Februar 1789 nach seiner Rückkehr aus Italien veröffentlicht hatte und der einige Grundbegriffe aus den Erfahrungen der Kunst in Italien festhielt, nämlich den über *Einfache Nachahmung der Natur, Manier, Stil*, zum Grundsatzprogramm der Klassik erklärt, in dem man nicht nur Grundbegriffe auch der späteren hochklassischen Goetheschen Kunstauffassung erkennen zu können glaubte, sondern – im Begriff des Stils – zugleich die für sein späteres Denken so bedeutsame Wendung zum Objektiven und Wesentlichen der Kunst.[2] Aber dieser Aufsatz ist, genau besehen, nur einer unter vielen, die sich mit der Theorie der Kunst im Anschluß an seine italienischen Erfahrungen beschäftigen, und kein ästhetisches Manifest, sondern eher eine Replik auf die ein Jahr zuvor erschienene Schrift *Über die bildende Nachahmung des Schönen* von Karl Philipp Moritz, die ebenfalls Ergebnisse römischer Kunststudien mitteilt. Diese Darlegungsweise hat zwangsläufig immer wieder Verwirrung gestiftet. Gerade weil sich so viele kleine Aufsätze anboten, die in wenigen Worten die Essenz der Goetheschen Kunstanschauung zu enthalten schienen, war die jeweils getroffene Auswahl, die zur Dokumentation klassischer Ansichten dienen sollte, letztlich auch immer so willkürlich. So konnte man etwa auch in der *Einleitung in die Propyläen,* die eine Reihe klassischer Grundforderungen in fast unüberbietbarer Kürze zusammenstellt, ein klassisches Manifest finden, zumal der rigorose Gesetzescharakter der Formulierungen seinerseits dafür sorgt, sie so zu betrachten: Goethe formuliert nicht nur für sich und seine Zeit, sondern für alle Zeiten. In den Eingangsworten hat man wie nirgends sonst den Unterschied des klassischen Goethe zum Goethe des Sturm und Drang in größter Klarheit und Deutlichkeit gesehen.[3] Aber schon die Selbstanzeige, die Goethe damals, 1799, in der *Allgemeinen Zeitung* veröffentlichte, läßt erkennen, daß es sich hier um eine sehr zeitgebundene Kampfschrift handelte, die zunächst einmal nur von dem einen Wunsch zeugt, daß einzelne Arbeiten »in diesen Zeiten der allgemeinen Auflösung wieder bindend für Künstler und Kunstfreunde werden mögen«. Bei aller Vorliebe für die ewigen Kunstwerke ist die *Einleitung in die Propyläen* auf den Tag und die Stunde bezogen, und sie ist zunächst nichts anderes als ein Reflex des um 1799 aufs höchste gesteigerten Widerwillens gegen die Öffentlichkeit und der erbarmungslosen Kritik an ihr. Aber die zeitlosen Werte haben ja nicht nur in der Geschichte der Wirkung Goethes und seiner Zeit, sondern auch in der deutschen Literaturwissenschaft ihre zumeist verhängnisvolle Rolle gespielt, und so hat man lange hier vornehmlich das zeitenthobene Muster erkannt, die Niederlegung geradezu ehrwürdig-zeitloser Wahrheiten, das Programm einer klassischen Kunstlehre für alle Generationen und Wirklichkeiten, das schon deswegen nicht in Frage zu stellen war. Fast keine Schrift zur Kunst oder zur Literatur ist davor sicher gewesen, nicht zur Grundsatzerklärung hochstilisiert zu werden. In der Schrift *Über Wahrheit und Wahrscheinlichkeit der Kunstwerke,* im ersten Band der *Propyläen* 1798 erschienen, geht es etwa um den Begriff der »inneren Wahrheit, die aus der Konsequenz eines Kunstwerks entspringt«, und Goethe folgert daraus, »daß das Kunstwahre und das Naturwahre völlig verschieden sei« – für die etablierte und meist allzu hellhörige Goethe-Philologie ein nur zu deutlicher Hinweis auf »ein Hauptanliegen des reifen Goethe, das in den Schriften der mittleren Zeit immer wieder begegnet«.[4] Gewiß begegnen diese Begriffe noch wiederholt, aber schon der Gesprächscharakter der kleinen Schrift läßt einen gewissen Perspektivismus erkennen, der es von sich aus eigentlich verbieten müßte, hier Grundsatzbekenntnisse zu sehen, zumal nicht zwei konträre Positionen verfochten werden, sondern in einem platonischen Gespräch nur der Anwalt des Künstlers und der Zuschauer, der Eingeweihte und der noch Unwissende, der Kenner und der noch Unbelehrte sich bemühen, die scheinbar so konträren Standpunkte einander anzunähern. Aber selbst offensichtliche Gelegenheitsarbeiten sind zu Grundsatzerklärungen aufgewertet worden. So hat Goethe einmal an den Bonner Professor Näke zum Dank für dessen Büchlein *Wallfahrt nach Sesenheim* einen sehr kleinen Aufsatz mit dem Titel *Wiederholte Spiegelung* geschickt, die Niederschrift einiger Überlegungen, wie sie Goethe wohl überfielen, als er wieder von Sesenheim hörte, und wie sie angeregt wurden durch einen aus der Entoptik entnommenen Begriff, und es ist allein Goethes ausschweifende Gedanklichkeit, die ihn dazu bringt, in diesem Begriff der »wiederholten Spiegelung« ein Symbol dafür zu sehen, »was in der Geschichte der Künste und Wissenschaften, der Kirche, auch wohl der politischen Welt sich mehrmals wiederholt hat und wohl noch täglich wiederholt«. Eben das freilich hat den Aufsatz geradezu dazu prädestiniert, im übertragenen Sinne gelesen zu werden, als Manifestation einer grundsätzlichen poetologischen Verhaltensweise, und so hat man denn diesen Aufsatz nicht nur zur Erklärung des *Werther* herangezogen, sondern zum Verständnisschlüssel für Goethes Schreiben überhaupt gemacht.[5]

Mit Schiller ist man nicht sehr viel anders verfahren; die drei großen Abhandlungen – *Über Anmut und Würde* (1793), *Über die ästhetische Erziehung des Menschen, in einer Reihe von Briefen* (1795), und *Über naive und sentimentalische Dichtung* (1795/96) – galten seit eh und je als ästhetische Gesetzbücher der Klassik. Aber auch das sind allesamt unsystematisch geschriebene Schriften, gelegentlich sogar mit wechselnder Thematik innerhalb ein und derselben Abhandlung: Von einem ästhetischen System kann also auch hier durchaus nicht die Rede sein, und was wir überliefert bekommen haben, sind eigentlich nur Zeugnisse unablässiger Denkbewegungen und Denkbemühungen um Phänomene, die sich dem intellektuellen Zugriff letztlich dennoch entzogen. Eben weil keine der großen Schriften von sich aus beanspruchen konnte, Manifest der klassischen Ästhetik aus der Sicht Schillers zu sein, hat man oft in den kleineren Schriften ersatzweise den eigentlicheren Klassiker Schiller erkennen wollen: so etwa in der Rezension *Über Bürgers Gedichte* aus dem Jahre 1791. Auch hier konzentrieren sich die Aussagen im Grunde genommen auf einen Begriff, den der Idealisierung oder Veredlung, und um diesen Begriff kreisen nicht nur die Auslassungen über Bürger, sondern zugleich die Vorstellungen der klassischen Ästhetik, soweit sie Schiller betreffen, schlechthin. Aber diese Überlegungen begegnen eben auch anderswo, indirekt zumindest auch in Rezensionen Schillers über Goethesche Werke. Für die philosophische Lyrik gilt Ähnliches: auch dort finden sich derartige klassische Sentenzen, Grundsatzerklärungen, die einer Nachwelt zur sehr billigen Münze geworden sind, die man bei jeder Gelegenheit verwenden konnte. Alles das deutet auch bei Schiller auf einen absolut unsystematischen Geist, auf wechselnde, immer neue Einfälle, auf eine spezifische Art eines schöngeistigen Philosophierens, der es auf Systematik und Konsequenz ebensowenig ankam wie auf die treffende Formulierung und fallbezogene Definition eines Begriffes. Eben das hat die Interpreten nur zu häufig dazu verführt, hier oder auch dort oder an einem dritten Platz die Essenz der klassischen Kunstphilosophie zu finden, was sie freilich nicht gehindert hat, jahrzehnte- und jahrhundertelang zu übersehen, daß etwa die Schemata zum Dilettantismus, Vorentwürfe einer geplanten großen zeitkritischen gemeinsamen Arbeit von Schiller und Goethe, Ähnliches enthalten in noch größerer Konzentration, noch stärkerer Zuspitzung auf den einzelnen Begriff; aber da diese Entwürfe unvollständig und öfters unter dem Namen Goethes als unter dem Namen Schillers veröffentlicht worden waren,[6] entzogen sie sich dem germanistischen Zugriff, obwohl man gerade hier hätte finden können, was man sonst gelegentlich mühsam aus den Schriften selbst herausdestillieren mußte: klassische Begriffe, Leitideen, die aber, auch hier charakteristischerweise, weder definiert noch erklärt waren.

Die Meinung, daß sich die ästhetische Position der Klassik in einem wohlausgewogenen Geflecht gedanklicher Vorstellungen, in einsehbaren Grundsätzen und fundierten Einsichten niedergeschlagen habe, ist also eine Vorstellung, die sich kaum halten läßt – auch wenn sie Schule gemacht hat. Es wäre freilich ebenso verfehlt, aus der Tatsache, daß es eine ausgefeilte, durchsichtige, in sich folgerichtige ästhetische Theorie der Klassik nicht gibt, auf Willkür schließen zu wollen. Es liegt viel näher, die Konzentration der ästhetischen Anschauungen auf einige wenige Begriffe wie auch die Vorstellung von der absoluten Autonomie des ästhetischen Beurteilers als eine historische Entwicklung zu verstehen, die sich längst vor der Klassik angebahnt hatte. Schiller und Goethe nehmen Haltungen ein, die vor ihnen seit langem schon ausgebildet worden sind, und was sich als klassische Willkür oder als selbstherrliche Autonomiebestrebung des Kunstrichters ausnimmt, gehört zur Wirkungsgeschichte ästhetischer Anschauungen und Überzeugungen, die spätestens seit der Mitte des 18. Jahrhunderts überall sichtbar wurden. Die Klassik ist nicht als literarische Revolution zu begreifen, sondern nur als Übersteigerung längst herrschender Ansichten, die in ihr freilich auf einen äußersten Höhepunkt gebracht und in subtiler Differenzierung erscheinen. Aber die Tendenz, die ästhetischen Anschauungen auf einige wenige Grundbegriffe zu konzentrieren, also antisystematisch zu denken, wenige Kriterien nur zu finden, von deren Befolgung oder Nichtbefolgung ästhetische Qualitäten abhängig gemacht werden, kennzeichnet die Situation der ästhetischen Diskussionen sogar schon im ersten Drittel des 18. Jahrhunderts. Eben das unterscheidet die poetologischen Bestrebungen grundsätzlich von denen des 17. Jahrhunderts, in denen die ästhetischen Überlegungen von Martin Opitz' *Buch von der deutschen Poeterey* bis zu Georg Philipp Harsdörffer darauf abzielten, einen Normenkanon zu schaffen und die praktische Anwendbarkeit bestimmter unveränderter poetologischer Grundsätze zu garantieren. So kam im Zeitalter des Barock überall eine Regelsystematik heraus, die sich stark an den traditionellen Gattungseinteilungen orientierte; und die Gattungen und die ihnen immanenten Gesetze lieferten Richtlinien für die Behandlung der Stoffe, nicht davon abgelöste Begriffe.

Das änderte sich gründlich im 18. Jahrhundert, und schon zu Anfang, in Daniel Georg Morhofs *Unterricht von der deutschen Sprache und Poesie,* ist diese strenge Gattungseinteilung und damit auch die Fundierung der poetologischen Gesetzmäßigkeiten mit Hilfe von Gattungsbestimmungen durchbrochen, überdeckt durch anderes, durch den Vergleich mit den Franzosen und die Ausbildung erster aufklärerischer Prinzipien. Sicher werden hier noch nicht Begriffe genannt oder diskutiert, die später zu den Leitideen der Klassik gehören, den fundamentalen Bestimmungen, um die alles kreist. Aber in den beiden ersten Jahrzehnten des 18. Jahrhunderts nimmt die Konzentration auf einzelne Begriffe doch schon zu, und bereits bei Gottsched rückt sie stärker in den Mittelpunkt der Überlegungen, als das vorher der Fall war. Daß Gottscheds *Kritische Dichtkunst* sich äußerlich ebenfalls noch weitgehend an den Gattungen orientiert, darf darüber nicht hinwegtäuschen: das ist traditionell wie so manches bei Gottsched. Aber entscheidend ist nicht die Gattungssystematik, sondern der Versuch, Begriffe dingfest zu machen, die weit wichtiger sind als die alte Einteilung der Literatur in Gattungen.

Am Begriff der *Natur* läßt sich geradezu paradigmatisch ablesen, wie es zur klassischen Begriffskonzentration kam. Jedermann weiß, daß der Naturbegriff nicht erst von Schiller oder Goethe aktiviert worden ist. Ziel aller poetischen Nachahmung, so sagt Gottsched schon, sei die Nachahmung der Natur, wie immer und in welchen Geschicklichkeitsgraden das auch geschehe. Nun ist es freilich ein weiter Weg vom

Naturbegriff Gottscheds zum Naturbegriff Goethes. Aber es kann doch kein Zweifel sein, daß beide Male Natur ein oberster Wert ist, mag auch die Interpretation dieses Begriffes jeweils sehr differieren. Wichtiger noch als der Naturbegriff an sich ist freilich das, was Gottsched wie auch Goethe daraus für die Eigengesetzlichkeit der Dichtung ableiten. Nachahmung der Natur bedeutet schon für Gottsched nicht blinde Mimesis, erst recht nicht photographische Treue, sondern nur, daß die Natur so dargestellt werden müsse, »daß man nichts Unwahrscheinliches denken, wahrnehmen könne«. Damit ist nicht ein Lob der Natürlichkeit gemeint, was immer spätere Zeiten auch darunter verstanden haben mögen, also nicht die unmittelbare Aussprache des Inneren, der Durchbruch des Emotionalen. Für Gottsched ist eine natürliche Darstellung eine solche, die sich um den Schein der Wirklichkeit bemüht, ihr adäquat und eben in diesem Sinne wahrscheinlich ist. Wahrscheinlichkeit in allen Stücken ist seine Forderung, und wer sie beachtet, so meint Gottsched, »wird in seiner Nachahmung glücklich fortkommen müssen«.[7]

Vom Naturbegriff Goethes wie auch vom Begriff des Naiven bei Schiller, der sich in manchem mit dem Goetheschen Naturbegriff deckt, ist dies meilenweit entfernt. Goethe hat Natur als eine innerste Macht verstanden, als *das Lebensprinzip* schlechthin, als fast magische Urkraft, deren Gesetzen niemand ohne Schaden entfliehen kann. Aber dennoch ergeben sich schon hier erste Gemeinsamkeiten. Dazu muß man freilich den Begriff der poetischen Wahrscheinlichkeit, wie Gottsched ihn verwendet, recht auslegen: das ist um so notwendiger, als Gottsched zu den bedauerlicherweise Unverstandenen der deutschen Literaturgeschichte gehört. Natürlich ist auch das nicht gemeint, was heute landläufigerweise wahrscheinlich ist: es geht Gottsched nicht um ein Realitätsproblem und darum, ob etwas in Wirklichkeit Existierendes in der Dichtung adäquat, d. h. also wahrscheinlich in Gottscheds Terminologie, wiedergegeben sei. Der Gottschedsche Begriff der Wahrscheinlichkeit zielt auf etwas anderes ab. Mit Wahrscheinlichkeit ist bei Gottsched zunächst einmal nicht das Verhältnis einer Dichtung zur Wirklichkeit gemeint, sondern gleichsam die innere Wahrscheinlichkeit einer Dichtung: die Stimmigkeit der einzelnen Teile eines poetischen Ganzen, deren sinnvoller Bezug zueinander, die Adäquatheit dessen, was dargestellt ist, und wenn Gottsched von der Wahrscheinlichkeit spricht, geht es also um die Folgerichtigkeit und innere Logik der Darstellung, um die sinnvolle Zuordnung der Einzelteile zum Ganzen und nicht etwa um das Problem, ob der dargestellte Gegenstand wirklich oder unwirklich sei. Wahrscheinlichkeit meint in Gottscheds Sprache nichts anderes als »Angemessenheit«, also nicht Wirklichkeitstreue im normalen Sinne, sondern die Wahrung inhärenter Proportionen im literarischen Werk schlechthin. Wie bedeutsam für Gottsched diese Vorstellung von der Wahrscheinlichkeit als poetischer Eigengesetzlichkeit war, zeigt sich nicht zuletzt darin, daß er ihr ein ganzes Kapitel seiner *Kritischen Dichtkunst* mit der Überschrift »Von der Wahrscheinlichkeit in der Poesie« widmet. Gottsched spricht, wenn er von der poetischen Wahrscheinlichkeit handelt, hier ebenfalls deutlich aus, daß es um nichts anderes gehe als um die »Ähnlichkeit des Erdichteten mit dem, was wirklich zu geschehen pflegt; oder die Übereinstimmung der Fabel mit der Natur«.[8] Daß auch damit nicht das Kopieren der Natur gemeint ist, zeigt sich dort, wo er, über die Grenzen der »unbedingten Wahrscheinlichkeit« hinaus vorstoßend, zum Begriff einer »hypothetischen Wahrscheinlichkeit« kommt. Daß Gottsched, immer als krasser und unverbesserlicher Rationalist gescholten, selbst das in der Poesie gelten läßt, was er das Hypothetisch-Wahre nennt, enthält nicht nur eine Widerlegung des landläufigen Urteils über Gottsched, sondern zeigt auch, bis zu welchen Möglichkeiten seine Literaturtheorie schon vorgedrungen ist. Auch das Unmögliche ist poetisch möglich, wenn die Voraussetzungen zutreffen, und dazu gehört, daß das Mögliche in rechten Verhältnissen stehen und unter passenden und angemessenen Bedingungen erscheinen muß, Stimmigkeit in sich also, ein akzeptables Verhältnis zwischen den Voraussetzungen und dem daraus Folgenden, Angemessenheit der Beziehungen – das ist Vernünftigkeit in einem sehr viel weiteren Sinne, als man es Gottsched immer wieder unterstellt hat. Gottsched hat, wenigstens andeutungsweise, nichts Geringeres als eine gewisse Eigengesetzlichkeit der poetischen Welt entdeckt, und wenn er daraus auch kein Gesetz gemacht hat, so geht es ihm doch immer wieder um poetische Normen und Realisationsmöglichkeiten; wenn er von Natur spricht, so meint er mindestens so sehr wie die wirkliche Natur auch die Natur der Dichtung, und es kann kein Zweifel sein, daß hier zögernd erste immanente Gesetze der Dichtung umschrieben werden, wie sie später in der Klassik dann nur allzu selbstverständlich geworden sind. Wollte man Gottscheds Ideen auf eine schlüssige Formel bringen, so müßte diese etwa lauten: Das Kunstwerk muß in seinen Teilen übereinstimmen, wenn es als Ganzes stimmig und als Kunstwerk überzeugend sein will. Eben das verbirgt sich hinter dem Gesetz der poetischen Proportionen, von dem er handelt, und hinter dem Begriff der Wahrscheinlichkeit, mit der er auf nichts anderes als auf die Eigengesetzlichkeit der Kunst selbst abzielt. Mit dem späteren Goetheschen Begriff der Wahrscheinlichkeit in seinem Gespräch über Wahrheit und Wahrscheinlichkeit der Kunstwerke hat das natürlich nichts zu tun, zumal es Goethe dort um die Wahrheit der Kunst geht und nicht um die Wahrscheinlichkeit. Aber mit der »Wahrheit« der Kunstwerke ist doch etwas der Gottschedschen »Wahrscheinlichkeit« Verwandtes gemeint, nämlich das der Kunst Inhärente, und wenn es für Goethe die Wahrheit ist, »das Kunstwahre«, das höher steht als das bloß Wahrscheinliche, also der mimetische Charakter der Kunst, so zeigen sich eben hier doch überraschende Berührungspunkte. Daß das Kunstwerk auch ein Werk der Natur sei, ein gleichsam verdichtetes freilich und auf das Wesentliche konzentriertes, derartiges findet sich bei Gottsched zumindest vorgezeichnet. Natürlich erscheint bei Goethe aufs äußerste sublimiert, was bei Gottsched allenfalls am Anfang einer langfristigen poetologischen Entwicklung steht. Aber gemeinsam ist beiden, daß Natur und Kunst auch dort, wo die Kunst höher steht als die Natur, gemeinsame Strukturen zeigen müssen, wenn sich die Kunst als Kunst legitimieren will; und daß sie vernünftig sein muß, »ein Werk des menschlichen Geistes«, hat Goethe so wenig bestritten, wie es Gottsched gefordert hat. Von Gottscheds Feststellung der hypothetischen Wahrscheinlichkeit bis hin zur Idee Goethes, daß ein Kunstwerk organisch strukturiert sein müsse, um als Ganzes Geltung haben zu können, war es historisch gesehen ein recht weiter Weg; typologisch gesehen war es ein kurzer, da im Begriff der Wahrscheinlichkeit bei Gottsched schon angelegt war, was später nur intensiviert, ausgefaltet, verfeinert wurde. Wichtiger als die Übereinstimmung im begrifflichen Einzelfall ist aber eben die Konzentration auf Begriffe überhaupt, der Versuch, das Wesen der Kunst nicht von ihren Gattungen, sondern von einer Leitidee her zu bestimmen, das Fundament aufzudecken, ohne das auch jede Gattungstheorie beliebig und willkürlich werden muß. Die Probleme verändern sich im 18. Jahrhundert nur selten grund-sätzlich, und nichts könnte das besser demonstrieren als die Frage, von der Goethe ausgeht, wenn er dem Zuschauer die Rolle des Verteidigers der einfachen Natur-nachahmung überträgt und es dem Anwalt des Künstlers überläßt, die Eigengesetz-lichkeit der Kunst zu demonstrieren, nicht im Gegensatz zur Natur, sondern in der Überhöhung der Natur und ihrer Durchdringung auf das hin, was sie eigentlich aus-macht. Auch hier also ist von einem Begriff her argumentiert, der schon um 1730 zu den Zentralbegriffen gehörte, und wenn um 1730 das Gattungssystem durch ein Begriffssystem ersetzt wurde, nicht gänzlich, aber doch im wesentlichen, so hat sich auch gegen Ende des Jahrhunderts, zur Zeit der Klassik, daran so gut wie nichts ge-ändert. Es gibt mehr Begriffe, und sie sind differenzierter, aber sie können es sein, weil das Fundament längst feststeht. Die Frühaufklärung hat es entwickelt, und nichts könnte die Linearität dieses Zeitalters besser verdeutlichen als gerade das.

Natürlich gab es keine direkte Linie von hier aus zur Klassik, nicht einmal unter-gründig. Aber schon Breitinger, so oft als unversöhnlicher Feind Gottscheds cha-rakterisiert, hat diesen Ansatz weitergedacht. Auch für ihn ist Natur ein oberster Wert, aber da er jetzt in Phantasie und Einbildungskraft die eigentlichen Kunst-organe erkennt und sie höher stellt als jede Vernunft, entwickelt sich bei ihm zwangsläufig auch ein anderer Naturbegriff: Natur ist jetzt nicht mehr das bloß Ver-nünftige, weil die Vernunft selbst zurückgetreten ist, nicht mehr der sichtbare Aus-druck einer rein rational geordneten Welt, sondern ein fast schon unerforschliches Etwas: so spricht Breitinger vom Verwundersamen in den Werken der Natur, »und ein aufmerksamer Geist findet in einer tiefen Betrachtung derselben immer neue Materie zu seiner Ergetzung, und gleichsam eine unerschöpfliche Quelle von Ver-gnügen, er richte seine Gemüthes-Augen auf das unerforschliche Wesen derselben, und auf ihre unbegreifliche Zeugung, oder auf ihre unermeßliche Mannigfaltigkeit, auf ihren Zusammenhang, Ordnung, Ebenmaß, Verhältniß unter und gegen einan-der, auf ihre weisen Absichten, auf eines jeden Stükes Gestaltung, innerliche Be-schaffenheit, Vollkommenheit, in seiner Art, und so fort«.[9] Dieser Satz zeigt deutlich genug, daß das Ordnungsdenken noch eine gewisse Rolle spielt. Aber er zeigt zu-gleich, daß das bloß Regelrechte und Wohlgeformte, in allem bloß Vernünftige und vernünftig Überschaubare nicht mehr sehr viel gilt. Um so höher steht das Wunder-bare, das sich nicht in freien Phantasmen äußert, sondern auch wiederum nur in der Natur. Sicherlich ist vieles angewandter Leibniz davon, so wie sich Leibniz auch in seiner Forderung widerspiegelt, daß das Neue und Wundersame nicht im Mittelmaß, sondern nur im ganz Großen oder Kleinen, im Mikrokosmos oder Makrokosmos erkannt werden könne. Aber er hat die Gottschedschen Ansätze weiterentwickelt, behutsam und fast unmerklich, doch nachhaltig genug, um eine bereits inaugurierte Entwicklung weiterzuführen.

Von einer solchen Grundlegung aus spielt auch der Begriff des Wahrscheinlichen bei Breitinger seine Rolle: und auch bei ihm ist, stärker noch als bei Gottsched, das wahrscheinlich, was in sich selbst übereinstimmend, geordnet und wohlorganisiert ist, überschaubar aus Teilen zu einem Ganzen zusammengefügt, und da die Natur alles Mögliche zuwege bringen kann, ist auch dem Dichter jede Art poetischer Wahrscheinlichkeit erlaubt. Bezeichnenderweise kann für Breitinger alles Mögliche poetisch wahrscheinlich sein; nur das in sich selbst Widerspruchsvolle ist für ihn auch poetisch unwahrscheinlich. Breitinger empfiehlt dem Poeten zwar Vorsicht bei der Aufstellung ganz neuer Gesetze, da er sorgen müsse, »daß das Wunderbare nicht ungläubig werde und allen Schein der Wahrheit verliere«. Für ihn ist die eigentliche Natur aber nicht nur im Wirklichen, sondern viel deutlicher als für Gottsched auch im Möglichen anwesend – auch Goethe wird später das Wirkliche leugnen, das nur Wahrscheinliche in seiner Definition, und für die Wahrheit der Kunstwerke eintreten, die grundsätzlich nicht von den möglichen Kunstwerken Breitingers vollkommen verschieden ist. Mag es sich hier auch mehr um Denkexperimente handeln als um eine wirklich praktizierte Kunstauffassung, so sind es doch erste Schritte auf die der Klassik hin.

Was sich bei Gottsched und Breitinger in Ansätzen beobachten läßt, entwickelt sich in den fünfziger Jahren des 18. Jahrhunderts weiter: der Naturbegriff füllt sich mit empfindsamen Gehalten und Gefühlen; neben den Begriff der Natur tritt jetzt der der Natürlichkeit, der seinerseits später die Vorstellung von der Wahrheit der Kunstwerke beeinflußt haben dürfte. Zum Natürlichen gehört freilich weniger das Absonderliche als vielmehr das Menschliche, jedermann Vertraute und Bekannte, von ihm Erlebte und Gefühlte – der Weg zum bürgerlichen Trauerspiel ist frei von hier aus –, zugleich aber auch der Begriff der Natur, wie er sich bei Goethe findet, vorgezeichnet in der generisch-menschlichen Substanz, ohne die dieser Naturbegriff nicht denkbar ist. Nicht, daß das Individuelle als etwas Einseitiges in den Vordergrund träte: es ist das Individuelle als das dem Menschen Zukommende, das hier eine Rolle spielt, das Individuelle also als humaner Wert, der deswegen auch überall auf der Bühne dargestellt werden kann. Eben das aber ist mit Natur auch bei Goethe gemeint, nicht das Unmenschliche oder bloß Prinzipienhafte, Natur aber auch nicht als bloßes Gesetz, dem es an jeglicher Wirklichkeit von sich aus schon fehlt. Dieses Moment hat Lessing dann später weiterentwickelt – auch er handelt übrigens von der »inneren Wahrscheinlichkeit der Charaktere« und nennt sie poetische Individuen, und was für ihn etwa die wahre Tragödie ausmacht, ist die »Erweiterung des einzelnen Charakters«, die »Erhebung des Persönlichen zum Allgemeinen«.[10] Lessing leugnet nicht die Individualität, aber er sieht sie doch in ihrer gewissermaßen repräsentativen Rolle. Auch für ihn ist Natur immer nur die wahre menschliche Natur, etwas Überpersönliches also und eine Grundkraft, die allem Menschlichen schlechthin zugrunde liegt. Lessing ist es aber auch, der den Begriff des Poetisch-Wahren so nachdrücklich verteidigt, und damit ist die Nähe zum Begriff des Wahren im Gegensatz zu dem des Wahrscheinlichen, wie er bei Goethe gebraucht wird, schon unmittelbar, die Verwandtschaft mit Händen zu greifen. Alle diese Dinge haben miteinander zu tun: der so von weither schon vorbereitete Naturbegriff, der Begriff der Wahrheit in den Kunstwerken, das Kunstwerk als etwas Eigenes, Autochthones, das sind Gedankenlinien, die sich aus dem frühen 18. Jahrhundert über die Lessing-Zeit hin bis in die Zeit der Klassik ziehen, und man sähe die Dinge völlig falsch, nähme man an, daß die Vorstellung von der Autonomie des Künstlers und der Kunst erst eine klassische Erfindung gewesen sei oder daß der Begriff der Natur, wie er bei Goethe mehr noch als bei Schiller entwickelt ist (Schiller hat als Äquivalent eigentlich nur den Begriff des Naiven), späten Datums sei. Auch der Naturbegriff der Klassik ist ein aufs äußerste verfeinerter Naturbegriff der Aufklärung, der noch angereichert wurde durch die Entdeckung Shakespeares und die Neuinterpretation des Aristoteles, durch Empfindsamkeit und das Dazukommen persönlicher, bis zum Leidenschaftlichen reichender Werte und Erfahrungen.

So ist denn Natur in der Klassik ein vielschichtiger, aber doch homogener Begriff. In ihm ist zusammengekommen, was sich im Lauf der aufklärerischen Jahrzehnte vorbereitet hatte, eine Synthese von dem, was seit den dreißiger Jahren des 18. Jahrhunderts virulent war. Hier ist nichts mehr ins einzelne ausgeführt, und eben von daher mag sich überhaupt die geradezu leidenschaftliche Vorliebe für einige Zentralbegriffe in der Zeit der Klassik erklären. Es sind samt und sonders keine autonomen Wortschöpfungen der klassischen Ära, sondern längst weitergereichte Vorstellungen und Namen, die nur aufgegriffen zu werden brauchten, um weiterzuleben, und wenn man die Klassik schon auf ihre Leistung hin befragen sollte, so müßte man ihre synthetische Kraft in der Amalgamation durchaus heterogener Strömungen und Vorläufer nennen, nicht aber ihren Einfallsreichtum im Wortgebrauch oder die Erfindung zentraler Vorstellungen. Erfinderisch ist die Klassik nie gewesen, wohl aber groß im Zusammendenken herrschender Strömungen oder doch nur unmittelbar vergangener Denkrichtungen. Auch die Erfahrungswelt des Sturm und Drang ist zweifellos so verarbeitet worden, zumal es ja die eigene Vorgeschichte, die persönliche juvenile Erfahrung war, die eingeschmolzen werden mußte in zentrale Begriffe. Die Ansicht, daß Goethe sich rigoros abgekehrt habe von seinem Stürmer-und-Dränger-Dasein, so wie Schiller mit seinem *Carlos* plötzlich klassisch geworden sei, die vorher so tief verachtete Form wieder hochgeschätzt und nach dem Objektiven sich umgesehen habe, gehört in den Bereich der klassischen Mythen oder vielmehr einer mythisierten Klassik, der aber in Wirklichkeit so gut wie gar nichts entspricht. Für den klassischen Naturbegriff, also der Naturvorstellung Goethes und Schillers äquivalente Ansichten über das Naive, ist charakteristisch, daß das Individuelle dort durchaus seinen Platz hat, aber vor dem Horizont des Generischen gesehen wird, als unmittelbare Aussageform des Allgemeinen verstanden und nur von dieser Allgemeinheit her gewürdigt ist. Und es sieht so aus, als sei gerade hier etwas geschichtlich schon Überliefertes, das zugleich Teil der eigenen Biographie war, nämlich die Periode des Sturm und Drang mit ihrer fast maßlosen Überschätzung der Individualität, zusammengebracht worden mit den generischen Tendenzen des Jahrhunderts, mit dem Allgemeinheitsdenken und dem Sinn fürs Typische, wie er sich im Frührationalismus Gottschedscher Provenienz ebenso deutlich aussprach wie dann später in Lessings Antikenbegeisterung. In seinen *Abhandlungen über die Fabel* hat Lessing einmal das Verhältnis von Individualität und Allgemeinheit im Bereich der Fabel exakt definiert, wenn er schrieb: »Das Allgemeine existieret nur in dem Besondern, und kann nur in dem Besondern anschauend erkannt werden.«[11] Das klingt wie eine Kurzformel für die synthetische Leistung der Klassik, in der das Individuelle nicht ausgelöscht war, sondern durchaus vorhanden und aufbewahrt im Allgemeinen, ja die allein mögliche Erscheinungsform des Allgemeinen war, das sich ja an sich nicht mitteilen konnte, sondern der Konkretisierung im Einzelnen bedurfte – und eben hier, im Ineinander von Individuellem und Generischem, von Subjektivem und Objektivem zeigt sich die synthetisierende Kraft der klassischen Denkbewegungen vielleicht in noch größerer Deutlichkeit. Auch der Begriff der Natur, den wir hier verfolgt haben, hat davon profitiert, da er auch von Schiller und Goethe ebenso verstanden wurde, wie Lessing das schon mit seinem Satz in seinen *Abhandlungen über die Fabel* angedeutet hatte.

Was die Vorgeschichte des Naturbegriffs bzw. der Vorstellung vom Naiven an schon lange bereitgestellten Ingredienzien erkennen läßt, das gilt auch für andere Leitideen der Klassik. Sie sind ebenfalls im wesentlichen vorgeprägt, und zumindest sind die Elemente bereitgestellt, die dann von Schiller und Goethe oft nur noch verschmolzen und sprachlich verdeutlicht wurden: das sprachliche Vermögen zur Synthetisierung gelegentlich sogar heterogener Materialien ist enorm, und wenn die Synthese *die* große Leistung der Klassik ist, so ist sie das nicht nur als gedankliches Unternehmen, sondern vor allem und in erster Linie als Fähigkeit zur sprachlichen Verdeutlichung der bis dahin oft nur diffus und jeweils für sich formulierten Einsichten. Die Begriffe waren zwar beinahe alle schon früher da, aber es ist die Leistung der Klassik, sie eben so auszusprechen, daß sie als komplexe Phänomene verstanden wurden. Das ist weniger eine definitorische Stärke als vielmehr die Fähigkeit zur Veranschaulichung derartiger Leitideen, und Schillers Popularität mag nicht wenig eben darauf beruhen. Diese verdeutlichende Kraft der Klassik, die Fähigkeit zur sprachlichen Demonstration und Versinnbildlichung dessen, was eigentlich gemeint ist und was nicht nur die Kunst, sondern die Lebenshaltung überhaupt mitbestimmt, ist ihr vielleicht sogar eindrucksvollstes Verdienst. Und es ist der Klassik zu verdanken, daß die längst existenten Begriffe nun nicht etwa untergingen, weil sie entweder einseitig geworden waren oder einseitig überfrachtet erschienen, sondern neu aktiviert wurden, nicht nur in philosophischen Schriften, sondern auch auf der Bühne und im Gedicht, und damit wurde noch einmal lebendig, was mehr oder weniger schon ein ganzes Jahrhundert mitbestimmt hatte. Was hier für den Begriff der Natur andeutungsweise festgestellt wurde, ließe sich mit mindestens so großer Deutlichkeit auch für den Begriff des Objektiven nachweisen, der ebenfalls schon in der Gottsched-Ära begegnet, wo mit dem Objektiven allerdings die Übereinstimmung der Vernunft mit der Wirklichkeit gemeint ist und die der Dichtung mit dieser vernünftigen Wirklichkeit. Das ist natürlich noch ganz frührationalistisch gedacht, aber schon wenige Jahre nach Gottsched, bei Bodmer und Breitinger, ist in den Begriff des Objektiven auch das Wunderbare als das höchstmögliche Objektive, als die äußerste Grenze des Wirklichen und Wahrscheinlichen mit einbezogen, und wiederum zehn Jahre später gehört zum Objektiven die Vorstellung vom Generischen und Menschheitlichen, wie sie bei Lessing so vieles, ja fast alles durchtränkt. Bei Goethe wird der Begriff des Objektiven dann im Stilbegriff kulminieren, bei Schiller in der Vorstellung des Schönen, die er von aller subjektiven Interpretation so lange wie möglich freizuhalten suchte. Aber auch die anderen Begriffe sind vorgeprägt – der Begriff der Form etwa, der von Shaftesbury und seiner »inward form« herkommt, der Begriff des Naiven, der seine lange Vorgeschichte hat in der aufklärerischen Philosophie des 18. Jahrhunderts, nicht zuletzt auch der Begriff des Schönen, der ebenfalls im Begriff des Wahrscheinlichen, wie er schon von Gottsched beschrieben und von Breitinger dann zum Begriff des Wunderbaren erweitert wurde, seine Wurzeln hat. Alles ist übernommen in der Klassik, die Antikenbegeisterung von Winckelmann und Lessing ebenso wie die strenge Form des Dramas von Sophokles, die Schicksalsidee aus der Ödipodie und die Staatsvorstellung von Platon. So gibt es also eigentlich erschreckend wenig Neues in diesem Jahrhundert, wenn man in dem Neuen einen auf jeden Fall positiven Wert sehen will; dagegen unendlich viel Tradiertes, Festgelegtes, Vorgeformtes, das nur jeweils neu formuliert zu werden brauchte, über dessen Substanz aber man sich seit Generationen eigentlich schon einig war. Und eben weil dem so war, brauchten Schiller und Goethe nicht mehr ausführlich zu erklären, worum es sich handelte, wenn sie vom Schönen sprachen oder von der Natur, vom Objektiven; alles war in die Diskussionen seit langem schon einbeschlossen. Ein neues Wertbewußtsein brauchte die klassische Ästhetik gewiß nicht zu schaffen – es war da, und die Verhältnisse liegen vielmehr umgekehrt: gerade weil es schon vorhanden war, konnte sich die Ästhetik noch einmal so unendlich breit entfalten, und weil die Begriffsinhalte im wesentlichen seit Generationen schon umrissen waren und daher auch gleich verstanden wurden, genügte die oft nur flüchtige Neufassung der Begriffe, die bloße Skizzierung des Gemeinten, um verständlich zu werden. Sieht man die Dinge so, dann ist Schillers eigentümliche Denkbewegung nicht etwa nur für ihn spezifisch, sein prozeßhaftes Philosophieren nicht nur Ausdruck seines immer wieder neu synthesebedachten Geistes, wie das gelegentlich hingestellt worden ist; eben hier zeigt sich die Traditionalität des Denkens und der Begriffe, die es Schiller leicht machte, sie beliebig aneinanderzureihen oder auch zu variieren, sie zu koppeln und zu kombinieren, gelegentlich diese oder auch jene Farbe im Spektrum der philosophischen Begriffe stärker durchscheinen zu lassen – das Schöpferische war nicht das Ausprägen der Begriffe, sondern das Spiel mit ihnen, die gewagte Kombination oder die kühne Konfrontation der Begriffe.

Das Wesentliche war da, war gemeinsam, durch das Jahrhundert vorgeliefert, und es galt eigentlich jetzt nur noch, die individuellen Unterschiede herauszufinden, die aber bei Schiller und Goethe bezeichnenderweise nicht zur Trennung und zu ästhetischen Auseinandersetzungen führten, sondern zu einer Gemeinsamkeit des Nachdenkens, wie sie ohne jene vom Jahrhundert längst vorgegebene Ebene gar nicht denkbar gewesen wäre. Und so können am Ende denn auch Gemeinschaftsarbeiten stehen wie die kleine Schrift *Über epische und dramatische Dichtung* oder der Entwurf zu jener großen zeitkritischen Abhandlung *Über den Dilettantismus*. Und so sind Schiller und Goethe denn die Dilettanten, über die sie ein so scharfes Gericht abzuhalten gedachten, im besten Sinne freilich, in höchster Vollendung, da sie gewissermaßen konstruktive Sammler sind, die die philosophischen Schätze des Jahrhunderts nicht nur aufhäufen, sondern auswerten und eben auf die Kernbegriffe bringen, die in das Zentrum ihres Philosophierens gehören: nichts scheint verlorenzugehen in diesem Jahrhundert, die wichtigeren Begriffe bleiben alle bewahrt und tauchen in Goethes und Schillers Schriften wieder auf, und die lange und so intensive Wirkungsgeschichte der Klassik bis in unsere Gegenwart hinein zeigt nur zu deutlich, daß die Begriffe aus den vergangenen Jahrzehnten, dort verstreut und von Generation zu Generation oft anders interpretiert, in der Klassik nicht ein leeres philosophisches Spielwerk blieben, sondern vor allem in die *klassische* und *nachklassische* Wirklichkeit des Theaters mit Erfolg übersetzt werden konnten. Kaum ein anderes Gedicht ist öfter auswendig gelernt worden als Schillers *Glocke*, wohl nicht zuletzt wegen seiner Sentenzenhaftigkeit, in der die Leitbegriffe der Klassik – das Objektive, das Schöne, Wahrheit, Echtes und das echt Poetische, das Allgemeine und die Natur, der Mensch und die gute Meinung vom Menschengeschlecht – nicht nur in prägnante

Bilder eingegossen erschienen, sondern eben auch in eingängige Worte und Maximen, die eben soviel Leben hatten, wie an sie geglaubt wurde. Goethes Organismusbegriff hat die deutsche Literaturwissenschaft sogar bis in die fünfziger Jahre unseres Jahrhunderts hinein bestimmt, in geradezu unwahrscheinlicher Geradlinigkeit der Entwicklung und in einer fast einfallslosen Konsequenz des Denkens, wie es von der Klassik her inauguriert war. Schillers philosophisch-ästhetische Werte werden heute noch im Theater verkörpert, ernsthaft zumeist und nicht als Parodie. Auch darin zeigt sich, wie sehr von den Klassikern die von ihnen genannten Leitbegriffe nicht nur aktualisiert, sondern geradezu mit Überlebenssubstanz ausgerüstet worden waren, und es gehört zur so großartigen wie verhängnisvollen Wirkung Schillers, daß er in den sittlichen und zum Teil auch patriotisch-moralischen Sentenzen allein weiterlebte, während Goethes Naturvorstellung und mehr noch sein Organismusbegriff die Literaturwissenschaft in Deutschland lähmte und für ein eigenes neues Nachdenken zumindest in der ersten Hälfte unseres Jahrhunderts geradezu untauglich gemacht hat. Es sind die Nachwirkungen leicht eingängiger, geradezu plastisch dargestellter Begriffe, und die glatte sprachliche Oberfläche dürfte nur zu oft darüber hinwegtäuschen, daß sie ihre lange Geschichte im 18. Jahrhundert hatten und in der Zeit der Klassik zu einer Synthese zusammengekommen waren, die so glücklich formuliert schien, daß ihnen ein jahrhundertelanges Weiterleben beschieden war.

So erklärt sich die Selbstverständlichkeit, mit der in der Klassik ästhetische Werte behandelt werden, und so deuten sich die scheinbar fehlenden Erklärungen als stillschweigende Übereinkunft seit langem. Was gemeint war, verstand sich schon lange von selbst, und so kann von einer klassischen Grundlegung in diesem Bereich keine Rede sein, da der Grund schon längst gelegt war in den Jahrzehnten zuvor. Ähnlich verhält es sich aber auch mit der Stellung des ästhetischen Philosophen selbst. Goethe und Schiller haben sich niemals in Frage gestellt, was ihre eigene Verkündungsgewalt anging, sondern sie als selbstverständlich hingenommen, und ernsthaft wurde sie auch nicht von außen bezweifelt. Das muß von heute her gesehen verwunderlich sein, war aber ebenfalls mehr oder weniger selbstverständlich im ausgehenden 18. Jahrhundert, und wenn die ästhetischen Begriffe einerseits schon so vollkommen fest überliefert waren, so war es auf der anderen Seite auch die Position, die Goethe und mehr noch Schiller einnahmen, als sie ihre ästhetischen Theorien verkündeten. Auch hier spiegelt sich eine Eigentümlichkeit des 18. Jahrhunderts, die sich seit Jahrzehnten schon herausgebildet hatte: die unumstrittene Position der literarischen Kritik, wobei mit literarischer Kritik nicht das Rezensentenwesen im kleinlichen Sinne gemeint ist, sondern ›literary criticism‹. Wiederum ist es Gottsched, der mehr als fünfzig Jahre vor Schillers und Goethes philosophischen Schriften schon die Position und den Rang der Theoretiker umriß, ein für allemal und gültig für das ganze Jahrhundert. Da ist er schon, der Kritikus, der Philosoph, der über das Schöne philosophiert, und wer das vermag, bleibt bis in die Anfänge des 19. Jahrhunderts hinein unangetastet; erst danach wird der Kritikus zum Rezensenten herabsinken und von allen Seiten befeindet und befehdet werden. Aber bis dahin ist es der Kritikus, der Literaturtheoretiker, der die Frage nach der Herkunft des Schönen und auch nach der Herkunft des Häßlichen beantworten kann, und da er das kann, ist er autark und integer, steht über den anderen, vor allem über den Dichtern, die nur praktizieren, aber nicht darüber philosophieren können, und so ist seine hohe Position schon um 1730 selbstverständlich. Um 1790 wird sie durch Schiller und Goethe noch um ein Unendliches erhöht sein. Schiller insbesondere wird nur noch voller Verachtung auf seine schreibenden Zeitgenossen herabblicken, da er ja beides ist, nicht nur Dichter, sondern auch literarischer Kritikus im Gottschedschen Sinne, der, indem er über die Poesie auch noch philosophiert, auch mehr kann, was ihn so sichtbarlich über seine zeitgenössischen Dichter hinaushebt. Natürlich hat es im frühen 18. Jahrhundert auch Gegenkräfte gegeben, bloße Geschmacksrichterei, ein ganzes Heer kleiner Kritiker, die über das, was später das Rezensieren war, nicht wesentlich hinauskamen. Aber das waren Depravationen des Urbilds, nicht eigentliche Kritiker, und sie haben letztlich der hohen Selbstachtung des Kritikers und seiner unangefochtenen Stellung auch gar nicht geschadet. Bedeutsamer ist, daß der Kritikus auch bei Bodmer und Breitinger, allen Differenzen mit Gottsched zum Trotz, noch hochsteht, ja eher noch höher als bei Gottsched. »Rechtschaffene Kritik« ist identisch mit »rechtschaffener Philosophie«, und auch hier ist der Kritikus um nichts anderes bemüht als um die »Verbesserung der Kunst«, und gerade weil damals die literarische Kritik im weiteren Sinne noch nicht recht etabliert war, führte auch Bodmer in der Vorrede zu Breitingers *Critischer Dichtkunst* einen rigorosen Feldzug für die Kritik und damit für die philosophische Diskussion ästhetischer Phänomene. Bei Lessing ist dann schon selbstverständlich, was auch noch bei Schiller und Goethe selbstverständlich sein sollte, nämlich die hohe Position des Kunstrichters. Wir brauchten dazu Lessings »17. Literaturbrief« gar nicht zu lesen, in dem er als Kritiker so fürchterlich über Gottsched herfällt, sondern könnten uns mit seinen Äußerungen in der *Hamburgischen Dramaturgie* begnügen, die ja deutlich genug zeigen, welchen Rang die literarische Kritik, das Philosophieren über Phänomene des Schönen, bei Lessing hat, immer noch. Aber auch noch Schiller ist ganz im Sinne Lessings »Kunstlehrer« und »Kunstrichter« zugleich, und weil er das ist, kann er aus seiner philosophischen Höhe sprechen, ohne je befürchten zu müssen, angegriffen zu werden. Darin folgt er Lessing aufs unmittelbarste, und darin verkörpert er eben das, was zum Wesen der ästhetischen Theorie und zur klassischen Grundhaltung wie selbstverständlich hinzuzugehören scheint, was aber hier wie auch im Falle Goethes nichts anderes als das Produkt einer jahrzehntelangen Übereinkunft ist, des Einverständnisses, daß derjenige, der über das Schöne schreibe, etwas Besonderes und Ausgezeichnetes sei, unangreifbar schon deswegen, weil er schreibe, und nicht um dessentwillen, was er schreibe. Dahinter steckt die Vorstellung, daß die Regeln der Kunst ein für allemal bestimmt sind und daß es eines besonderen Geistes bedürfe, um sie richtig auszulegen. Die Hochschätzung der Kunst spiegelt sich auch in dieser Hochschätzung der ästhetischen und philosophischen Exegese, und so kommen Schiller und auch Goethe hier in den Genuß einer Position, die schon längst vor ihnen ausgebaut worden ist. So wenig wie die ästhetischen Werte einer Grundlegung und Erläuterung bedürfen, so wenig bedarf es die Position dessen, der über die Kunst philosophiert. Denn es ist ja gerade Aufgabe des Philosophen, Grundbegriffe in Erinnerung zu rufen, die zum ästhetischen Kernbestand gehören, und indem Schiller und Goethe das taten, fügten sie sich nicht nur dem Schema des »Kritikus« ein, wie es von Gottsched schon entworfen war, sondern bauten dadurch auch die Ästhetik der Klassik von dieser Seite her aus: und so kommt es denn am Ende des 18. Jahrhunderts nicht nur der

Sache nach, sondern auch der Position nach zu einer Aufgipfelung der Anlagen, Möglichkeiten und Tendenzen, die das Jahrhundert längst bereitgestellt hatte. Auch hier sieht manches nach mangelnder Originalität aus, nach einem allzuleichten Sich-Einfügen in die Rollen, die das Jahrhundert bereitgestellt hatte. Aber auch hier wäre die Suche nach Originalität verfehlt. Zur ästhetischen Position der Klassik gehört, daß auch ihre Verkünder in ein Schema eintreten, das die Ästhetik längst vorgeprägt hat. Und so zeigt sich noch einmal die Traditionalität der Klassik gerade dort, wo sie auf den ersten Blick hin mit neuen Forderungen auftritt: doppelgesichtig ist sie nur für den, der nicht ihre Voraussetzungen kennt, in Wirklichkeit aber ist sie von einer Eindeutigkeit, wie man sie nicht anders denn als klassisch bezeichnen kann.

Anmerkungen

1 Vgl. Günther Müller: Die Gestaltfrage in der Literaturwissenschaft und Goethes Morphologie. Halle 1944.

2 Vgl. Goethes Werke. Hamburger Ausgabe. Bd. 12: Mit Anmerkungen versehen von Herbert von Einem (Schriften zur Kunst) und Hans Joachim Schrimpf (Schriften zur Literatur; Maximen und Reflexionen). Hamburg ²1956. S. 577.

3 Vgl. Herbert von Einem, ebd., S. 581.

4 Ders., ebd., S. 590.

5 Vgl. Hans-Egon Hass: Werther-Studie. In: Gestaltprobleme der Dichtung. Günther Müller zu seinem 65. Geburtstag am 15. Dezember 1955. Hrsg. von Richard Alewyn u. a. Bonn 1957.

6 So etwa in der Weimarer Ausgabe der Werke Goethes.

7 Johann Christoph Gottsched: Versuch einer kritischen Dichtkunst. Leipzig 1751. S. 198 ff.

8 Ebd., S. 198.

9 Johann Jakob Breitinger: Critische Dichtkunst. Zürich 1740. S. 79.

10 Gotthold Ephraim Lessing: Hamburgische Dramaturgie. 91. Stück. In: G. E. L., Gesammelte Werke. Hrsg. von Paul Rilla. Bd. 6. Berlin 1954. S. 458.

11 Ebd., Bd. 4. S. 42.

WALTER HINDERER

Wielands Beiträge zur deutschen Klassik

Wenn Fritz Martini 1956 in einer Studie über den undeutschen Klassiker[1] aus Biberach feststellte: »Wieland ist bis in die jüngste Zeit ein Stiefkind der deutschen Literaturwissenschaft geblieben«,[2] so gilt das heute sicher nicht mehr in der hier behaupteten Ausschließlichkeit. Nichtsdestoweniger bedarf Wielands einflußreiche Position als Vermittler weltliterarischer Kultur von der griechisch-römischen Antike bis zu seiner unmittelbaren Gegenwart in entscheidenden Fragen der Poetik, Moralphilosophie, Politik und Gesellschaft einer ausführlichen Darstellung. Es scheint in der Tat noch immer ein Desideratum zu sein, was Hans Werner Seiffert 1954 in seinem Vortrag *Wieland und Wielandforschung* als Arbeitsprogramm moniert hat: »Es ist [...] zu wenig beachtet worden, welche Bedeutung Wieland bei der Ausbildung des humanistischen Gedankens im achtzehnten Jahrhundert zukommt.«[3] Diese »Idee der Humanität« signalisiert ja ebenso allgemein wie zutreffend die ästhetische Weltanschauung der deutschen Klassik,[4] wie sie von Lessing, Herder und nicht zuletzt Wieland vorbereitet und dann von Goethe, Schiller bis hin zu Jean Paul und Hölderlin praktiziert wurde. »Humanität ist der Charakter unseres Geschlechts«, so formuliert Herder zum Beispiel in seinen *Briefen zur Beförderung der Humanität* thesenhaft und definiert dann diesen klassisch-anthropologischen Grundsatz oder menschlichen Geschlechtscharakter folgendermaßen: »er ist uns aber nur in Anlagen angeboren und muß uns eigentlich angebildet werden. Wir bringen ihn nicht fertig auf die Welt mit, auf der Welt aber soll er das Ziel unsres Bestrebens, die Summe unsrer Übungen, unser Wert sein«. Wieland verbreitete aber dieses anthropologisch-ästhetische Glaubensbekenntnis bereits 1770 in seinen *Beiträgen zur geheimen Geschichte des menschlichen Verstandes und Herzens*.[5] Es heißt dort fast apodiktisch: »Der Mensch, so wie er der plastischen Hand der Natur entschlüpft, ist beinahe nichts als Fähigkeit. Er muß sich selbst entwickeln, sich selbst ausbilden, sich selbst diese letzte Politur geben, welche Glanz und Grazie über ihn ausgießt, – kurz, der Mensch muß gewissermaßen sein eigener zweiter Schöpfer sein« (HW III, 231). Diese Stelle beweist, daß bereits Wieland lange vor Schiller die ästhetische Erziehung zur anthropologischen oder moralphilosophischen Pflichtübung gemacht hat. Im folgenden sollen nun seine Beiträge für die deutsche Klassik an einigen markanten Beispielen erkundet werden, wobei ich mich neben kleineren Schriften vor allem auf die beiden programmatischen Arbeiten *Gedanken über die Ideale der Alten* (1777) und *Briefe an einen jungen Dichter* (1782/84) stützen möchte.

I

Mit seinem Programm der ästhetischen Erziehung durch die »Kunst der Grazie« machte der subtile Verserzähler und Romancier Christoph Martin Wieland die Tradition des europäischen Adelsideals[6] für die bürgerliche Lebenskunst und Literatur des 18. Jahrhunderts in Deutschland fruchtbar und bereitete dort neben Hamann, Herder, Klopstock und Lessing die verspätete Klassik vor, deren Engpässe und extreme Positionen er dann nicht nur diagnostiziert, sondern auch noch aktiv bekämpft hat.[7] Als ein merkwürdiges Phänomen seiner Wirkungsgeschichte mag man in diesem Zusammenhang notieren, daß Wieland vom Göttinger Hain, den Stürmern und Drängern um Goethe und Lenz bis hin zu den Frühromantikern[8] als feindliche ästhetische Gegenposition benutzt wurde, an der man die als neu verstandenen eigenen ästhetischen Ziele etwas aufwendig demonstrierte. Die literarischen Auseinandersetzungen mit dem »Wollustsänger«, wie ihn vor allem die Klopstock-Jünger des Göttinger Hain schimpften, lassen sich zunächst als Angriffe einer jüngeren literarischen Interessengruppe auf den in seiner Zeit wohl bekanntesten und erfolgreichsten deutschen Schriftsteller verstehen, der außerdem mit dem *Teutschen Merkur* seit 1773 über eine etablierte Machtposition in der literarischen Öffentlichkeit verfügte. Aber man bekämpfte in dem Verfasser der *Comischen Erzählungen* und des *Agathon* auch, wie Fritz Martini zu Recht erklärt, »die Kultur der Aufklärung, des Rokoko, der französischen Bildung, des skeptischen und optimistischen Eudämonismus«.[9] Der Zeitgenosse Heinrich Wilhelm von Gerstenberg reproduziert nur eine verbreitete Meinung der jüngeren und sich progressiv gebärdenden Generation, wenn er spöttisch zusammenfaßt: »Was ist Herr Wieland nicht alles gewesen! Bald Shaftesbury, bald Plato, bald Milton, Young, Rowe, Richardson; nun Crébillon, dann Hamilton, ein andermal Fielding, Cervantes, Helvetius, Yorik, beiläufig auch wohl etwas von Rousseau, Montaigne, Voltaire; und es fehlt nicht viel, so wird er auch Rabelais.«[10] Die intendierte Abwertung demonstriert aber a tergo desto überzeugender den weltliterarischen Bildungshorizont des Biberacher Dichters, mit dem er schließlich die deutsche Literatur allen Widerständen zutrotz zu ihrer Hochleistung stimulierte.

Goethe, einer der wenigen, der diesen entscheidenden Beitrag nicht nur anerkannte, sondern auch öffentlich aussprach, verteidigte in dem bekannten Aufsatz *Literarischer Sansculottismus* gegenüber einem gewissen Daniel Jenisch die Arbeiten deutscher Poeten und Prosaisten mit folgendem Hinweis: »So ist es zum Beispiel nicht zu viel gesagt, wenn wir behaupten, daß ein verständiger, fleißiger Literator durch Vergleichung der sämtlichen Ausgaben unsres Wielands, eines Mannes, dessen wir uns trotz dem Knurren aller Smelfungen mit stolzer Freude rühmen dürfen, allein aus den stufenweisen Korrekturen dieses unermüdet zum Bessern arbeitenden Schriftstellers die ganze Lehre des Geschmacks würde entwickeln können«. Daß es sich bei dieser direkten Verteidigung der Weimarer Klassik und des zeitgenössischen literarischen Niveaus nicht bloß um eine strategische Übertreibung handelte, mag indirekt der erst 1960 mitgeteilte Brief Wielands (vom 12. 1. 1783) über Schillers *Räuber* an den Verleger Schwan belegen. Wieland verurteilt hier zwar »vor dem Richterstuhl der Vernunft und des Geschmacks« das Jugendwerk des jüngeren Landsmanns, aber er prophezeit ihm auch, »daß er, in 10 Jahren, wenn er die würkliche Natur tiefer studiert, seine Einbildungskraft gänzlich in seine Gewalt bekommen, seinen noch sehr rohen Geschmack geläutert, und besonders die Exemplaria graeca, den Aeschylus und Sophokles, die großen Meister und Modelle der tragischen Kunst nocturná diurnáque manu versiert haben wird (wie Horaz weislich anräth) der Mann seyn werde, von dem wir uns sehr vortreffliche Werke versprechen können«.[11]

Diese und ähnliche Urteile[12] hat der Verfasser der *Alceste* Schiller als Medizin in schwächeren und stärkeren Dosen verabreicht. Das Echo kann man bereits am 28. Juli 1787 in einem Brief an den Vertrauten Körner lesen. Schiller gibt hier folgendes Gespräch mit Wieland wieder: »Mit meinen bisherigen Produkten (den ›Karlos‹ soll er erst lesen) ist er übel zufrieden [...] Ich habe, sagte er, eine starke Zeichnung, große und weitläufige Kompositionen, ein lebhaftes Kolorit, aber nicht Korrektion, Reinheit, Geschmack. Delikatesse und Feinheit vermißt er auch in meinen Produkten.«

Aber schon dem später so bewunderten Goethe hatte Wieland mit einem ironischen Verweis auf dessen »Personal-Satyre« *Götter, Helden und Wieland* und dessen kraftgenialisches Treiben im Kreise der Stürmer und Dränger nicht ohne milden Spott im *Merkur* die Leviten gelesen: »Junge muthige Genien sind wie junge muthige Füllen; das strotzt von Leben und Kraft, tummelt sich wie unsinnig herum, schnaubt und wiehert, wälzt sich und bäumt sich, schnappt und beißt, springt an den Leuten hinauf, schlägt vorn und hinten aus, und will sich weder fangen noch reiten lassen... – Da ist kein ander Mittel! Man muß die Herren ein wenig toben lassen« (AW 21, 97). Dem Autor des »schönen Ungeheuers« *Götz von Berlichingen* prophezeite Wieland weitblickend: »Vermuthlich wird die Zeit wohl kommen, da er, durch tiefere Betrachtungen über die Natur der menschlichen Seele, auf die Überzeugung geleitet werden wird, daß Aristoteles am Ende doch recht habe, daß seine Regeln sich vielmehr auf *Gesetze der Natur*, als auf Willkür, Convenienz und Beispiele gründen.« Ein paar Jahre später wird das »muthige junge Füllen« in der Tat mit seinem Drama *Iphigenie* auf den Spuren des einst so geschmähten Verfassers der *Alceste* wandeln, was dieser dann nicht ohne Genugtuung im dritten Brief an einen jungen Dichter eigens vermerkt, und mit *Tasso* die Problematik von Gesellschaft und Künstler behandeln, in die nicht zuletzt Weimarer Erfahrungen des schwäbischen Dichters eingegangen sind.[13]

Versucht man die Bedeutung Wielands für die deutsche Literatur des 18. Jahrhunderts mit einigen Stichworten zusammenzufassen, so könnte man sagen, daß sie ihm die Urbanität des Audrucks, die Eleganz des Stils, allgemein die ästhetische Bildung in Vers, Prosa und Weltliteratur, den Ausgriff ins Kosmopolitische, die Entprovinzialisierung verdankt, kurzum das, was dann später Novalis an *Wilhelm Meister* kritisieren wird: nämlich die Nobilitierung der Poesie.[14] Mit Wieland, dem selbstbewußten Biberacher Citoyen, so ließe sich pointiert behaupten, wurde die bürgerliche Dichtung gewissermaßen hoffähig, erhielt der Hof zu Weimar im Hinblick auf die Literatur Qualitäten, die Friedrich der Große nicht allein aus Unkenntnis der Sachlage an ihr vermißt hat, »erreichte sie Klassizität«.[15] Nun knüpft aber Wieland mit seinen vielfältigen literarischen Versuchen keineswegs bloß an die ästhetischen Errungenschaften des europäischen Rokoko, einer ausgeprägten höfischen Kultur, an, in der er im Schloß Warthausen bei Graf Stadion so manchen Anschauungsunterricht[16] erhalten hat, sondern er griff auch bewußt auf die Tradition der Renaissance zurück. Deshalb lassen sich die »charakteristischen Grundzüge« des »Geistes«, der »Sitten«, der »Sinnes- und Lebensart«, mit denen Wieland Erasmus von Rotterdam 1776 im *Teutschen Merkur* beschrieben hat, mühelos auf den schwäbischen *uomo universale* und *virtuoso* übertragen, nämlich »die Horazische *aurea mediocritas* [...] d. i. Liebe zu allem Gemäßigten, Ruhigen und sanften Schönen in der Natur und im Leben, und die so nahe damit verwandte Meandrische Grazie und Urbanität, und die Lucianische Feindschaft gegen alle falsche Prätension, alles Überspannte, gegen Platonische Praestigias und Stoisches Supercilium« (HW 3, 354).

Obwohl Wieland in der Literaturfehde zwischen Leipzig (Gottsched) und Zürich (Bodmer/Breitinger) mit der viel zu langen *Ankündigung einer Dunciade für die Deutschen* für die neobarocken Tendenzen[17] oder die pathetische Stilhaltung zumindest theoretisch eine Lanze gebrochen hatte, praktisch stand er der von Gottsched propagierten französischen klassizistischen Linie näher als dem erhabenen Stil Klopstocks; ja für den jungen Schiller markierte Wieland geradezu den genauen ästhetischen Gegenpol zu Klopstock, wie schon ein Epigramm in der *Anthologie auf das Jahr 1782* beweist.[18] In der rhetorischen Dichotomie von Pathos und Ethos, dem Erhabenen (Würde) und dem Anmutigen (Grazie), von *dignity* und *grace* (Home: *Elements of Criticism*, 1762) empfahl Wieland wie im Falle der Stilalternative von englischem und französischem Theater zwar eine Synthese (worin später die Klassik folgte), aber er schrieb, was sein eigenes Werk betraf, schon früh die »Kunst der Grazie«[19] und die »Poesie des Stils«[20] als Motto auf sein Banner. Die Beobachtung der literarischen Entwicklung in Deutschland führte ihm zudem mehr und mehr die Gefahren des sogenannten erhabenen Stils vor Augen: den Qualitätsschwund und den Abstieg in die von ihm verabscheute ästhetische Barbarei. »Ich besorge immer«, so meint er 1773 *Über den gegenwärtigen Zustand des deutschen Parnasses*, »daß unsere Poesie, zwischen allen diesen Bemühungen den Waldgesang der Barden, die bacchische Wuth der Dithyramben, und die kühne enthusiastische Sprache der *Griechischen Chöre* in unsere Sprache überzutragen, in kurzem allen Wohlklang, und überhaupt alle Wahrheit, Regelmäßigkeit, Eleganz und Grazie verlieren werde« (AW 21, 46).

Ungefähr zehn Jahre später hat er dann alle Ursache, statt der Imitationsmode griechischer Chöre die Nachahmungswut Shakespeares, für die er paradoxerweise mit seinen Übersetzungen erst die Voraussetzung geschaffen hatte, zu tadeln und festzustellen: »daß die unverständige Nachahmung Shakespeares und der Englischen Schaubühne überhaupt großen Unfug auf der unsrigen angerichtet hat« (HW 3, 469). Daß Wieland mit solcher Kritik eine falsche Entwicklung der deutschen Literatur verhindern half, bestätigen Goethe und Schiller indirekt durch ihre darauf folgende Produktion und durch die Veränderung ihrer ästhetischen Position. Wenn Schiller beispielsweise 1782 in einer ironischen Selbstbesprechung seiner *Anthologie auf das Jahr 1782* forderte, daß die jungen Dichter doch endlich einsehen sollten, »daß Überspannung nicht Stärke, daß Verletzung der Regeln des Geschmacks und des Wohlstands nicht Kühnheit und Originalität« sei, so wiederholt er hier schon deutlich eine Ermahnung seines älteren Landsmanns. Dieser hatte nämlich das Phänomen der Geniemode und der »erhabenen« Übertreibungen nicht ohne Witz bereits so kommentiert: »Einige unserer Dichter scheinen sichs vorgesetzt zu haben, den Ausspruch des *Demokritus, daß ein Poet rasen müsse,* durch ihr Beyspiel zu rechtfertigen; aber die Poetische Wuth sollte doch, dächte ich, nicht gar zu nah an diejenige grenzen, die in eine dunkle Stube führt« (AW 21, 46).

Forderte Christoph Martin Wieland neben seinem Motto von der »Kunst der Gra-

zie« eine Versöhnung von Anmut und Würde, was Schiller dann später in seinen philosophischen Gedichten, in den *Kallias-Briefen* und in seiner ersten größeren ästhetischen Schrift *Über Anmut und Würde* zum Programm erhob, so griff er damit
nicht nur Anregungen der Antike, von Shaftesbury und Winckelmann auf, sondern
er rezipierte hier direkt die Tradition der Rhetorik und die in ihr enthaltene Lebenskunst. Letztere fand in der Adelspaideia der italienischen Renaissancehöfe im Vorbild des Cortegiano wohl ihre folgenreichste Ausprägung.[21] Den Hofmann zeichnete in erster Linie Anmut *(gracia)* aus, dann die Leichtigkeit *(sprezzatura)* seiner
Umgangsformen. Diese mühelose Selbstverständlichkeit, »die jede Anstrengung
und Kunst verbirgt (nascondere l'arte)«, galt dann auch noch später bei Balthasar
Gracian als Gipfel der Lebens- und Ausdruckskunst, weil hier wie schon bei Cicero
und Quintilian die *ars dicendi* und *vivendi* zusammenfallen. Daß Wieland den Maßstab für Dichtung diesem Kontext entnimmt, beweist schon der Vorbericht zu einer
späteren Auflage (1762) seiner *Zwölf moralischen Briefe.* Er fordert hier einen »reif-
fen und durch Erfahrung gebildeten Verstand, einen gereinigten Geschmack, die
Kenntniß der Welt, eine tiefe Einsicht in moralische Dinge, die Feinheit des Wizes,
die Gabe des sanften Sokratischen Spottes, der durch Nachsicht und Gefälligkeit gemildert wird«, und faßt zusammen: »kurz, so müssen die Eigenschaften, die einen
Philosophen und einen Weltmann ausmachen, mit den Talenten der Dichtkunst in
ihrem Verfasser vereinigt seyn« (AW 1, 307).

Noch am 9. Februar 1789 berichtete Schiller an Körner von einschneidenden Kor-
rekturvorschlägen Wielands an dem Gedicht *Die Künstler,* die auf eine Vorrangstel-
lung der Dichtung gegenüber aller wissenschaftlichen Kultur hinausliefen. »Wenn
ein wissenschaftliches Ganze über ein Ganzes der Kunst sich erhebe, so sei es« nach
Wieland »nur in dem Falle, wenn es selbst ein Kunstwerk werde«. Diskutieren Goethe und Schiller dann später so selbstverständlich Grundsätze der ästhetischen Erziehung oder die komplizierten Zusammenhänge von Stoff und Form,[22] so folgen
sie hier ebenso dem Verfasser des *Agathon* wie mit der Behauptung, daß man in der
Kunst die Anstrengung weder sehen noch spüren dürfe.[23] Diese Forderungen Schillers für die Weimarer Klassik lesen sich wie Weiterbildungen so vieler freundschaft-
licher Empfehlungen Wielands: Da spricht der ehemalige Autor der *Räuber* in seiner
Kritik *Über Bürgers Gedichte* (1789) von »Idealisierung, Veredlung« als den ersten
Erfordernissen des Dichters, vermerkt im *4. Brief über ästhetische Erziehung,* der
schöne Künstler solle es vermeiden, die Gewalt zu zeigen, mit der er Materie bearbeitet, und meint in einem Brief an Goethe (14. 9. 1797): »Zweierlei gehört zum Poeten und Künstler: daß er sich über das Wirkliche erhebt und daß er innerhalb des
Sinnlichen stehen bleibt. Wo beides verbunden ist, da ist ästhetische Kunst.« Daß
damit auch das Problem von Natur und Kunst angeschnitten und auf eine beliebte
Synthese Wielands gebracht wird, versteht sich von selbst. Goethe hat sie in dem
bekannten Sonett auf diesen klassischen Ausdruck gebracht:

> Natur und Kunst, sie scheinen sich zu fliehen
> Und haben sich, eh' man es denkt, gefunden;
> Der Widerwille ist auch mir verschwunden,
> Und beide scheinen gleich mich anzuziehen.

Es gilt wohl nur ein redliches Bemühen!
Und wenn wir erst in abgemeßnen Stunden
Mit Geist und Fleiß uns an die Kunst gebunden,
Mag frei Natur im Herzen wieder glühen.

So ist's mit aller Bildung auch beschaffen:
Vergebens werden ungebundne Geister
Nach der Vollendung reiner Höhe streben.

Wer Großes will, muß sich zusammenraffen;
In der Beschränkung zeigt sich erst der Meister,
Und das Gesetz nur kann uns Freiheit geben.

II

Nun gibt es zweifelsohne für die Beziehungen der deutschen Klassik zu dem europäischen Adelsideal noch mehr Gewährsleute als Castiglione, Gracian oder Wieland. Neben Quintilian in der *Institutio oratoria* (das Buch hat Schiller nachweislich gelesen) sprach beispielsweise auch Winckelmann in den *Gedanken über die Nachahmung der griechischen Werke in der Malerei und Bildhauerkunst* (1755) von der *sprezzatura* als dem Schwersten aller Kunst und war Shaftesbury mit seinem Schlagwort der *moral grace* in Deutschland erfolgreich. Winckelmann, dem Goethe »Leichtigkeit des Umgangs« und »Lust am Umgang mit vornehmen, reichen und berühmten Leuten« bescheinigte,[24] meinte schon vor Wieland von der Grazie,[25] daß sie »sich durch Erziehung und Überlegung bilde und zur Natur werden« könne. Er beschreibt sie als »ferne vom Zwange und gesuchtem Witze« und fügt hinzu, daß es »Aufmerksamkeit und Fleiß erfordere, die Natur in allen Handlungen [...] auf den rechten Grad der Leichtigkeit zu erheben«. Sie wirkt in der »Einfalt und in der Stille der Seele [...] und wird durch ein wildes Feuer und in aufgebrachten Neigungen verdunkelt«. In die »Philosophie der Grazien«, die Wieland in der Verserzählung *Musarion*, welche den jungen Goethe eingestandenermaßen so beeindruckt hat, anschaulich darstellte, mögen sicher auch diese Bestimmungen Winckelmanns eingegangen sein; aber im Vordergrund der Rezeption stand sicher die Umfunktionierung der adligen Lebenskunst aus dem Geiste der Rhetorik zur bürgerlichen ästhetischen Anthropologie. Aus dem Ideal des Cortegiano, des allseitig gebildeten Virtuoso, wurde das Ideal des vollkommenen bürgerlichen Menschen. Im *Geheimnis des Kosmopolitenordens* drückt Wieland diesen Sachverhalt folgendermaßen aus: »Die Natur (sagen sie) hat einem jeden Menschen die besondere Anlage zu dem, was er sein soll, gegeben, und der Zusammenhang der Dinge setzt ihn in Umstände, die der Entwicklung derselben mehr oder weniger günstig sind: aber ihre Ausbildung und Vollendung hat sie ihm selbst anvertraut. Ihm kommt es zu, was die Natur mangelhaft gelassen, oder gar gefehlt hat, zu verbessern, und seine Anlagen zu Kunstfertigkeiten zu erheben: es ist sein eigenes Interesse, und er kann kein angelegeneres Geschäft haben, als das Bestreben, der Vollkommenheit in seiner Art, die in gewissem Sinne keine Grenzen hat, so nahe zu kommen als möglich. Da der Plan seines Lebens nicht von ihm allein abhängt, da er zu jedem Gebrauche, den das Schicksal

von ihm machen will, bereit sein soll: so ist seine erste und höchste Pflicht, sich die
möglichste Tauglichkeit dazu zu erwerben.«
Wenn Wieland die pathetische Schreibweise der Stürmer und Dränger wie später
Goethe die romantische als Krankheit bezeichnet, führt er deutlich eine Stilrichtung
auf eine Seinsweise zurück, worin sich dann Schiller in seiner Kritik an Bürger ebenfalls als Schüler beweisen wird. Mit anderen Worten: die Kunst weist nicht nur zurück auf die Natur des Künstlers, sondern die Fehler der Kunst lassen sich direkt
als Mängel der Person des Künstlers interpretieren. Das sei gleich mit dieser von Karl
August Böttiger überlieferten Bemerkung Wielands über seinen jüngeren Lands-
mann belegt: »Wenn der gute Schiller weniger Krämpfe hätte, würden auch seine
Darstellungen weniger convulsivisch sein. Was er Gutes schrieb, entfloß ihm heite-
ren Stunden.«[26] Vor dem Hintergrund der Rhetorik und der höfischen Lebenskunst
führte Wieland, so sei nochmals zusammengefaßt, im Verein mit Klopstock, Lessing
und Herder, allerdings auf anderen Wegen, Ästhetik und Ethik, *ars* und *natura*[27]
zu einer neuen verpflichtenden Synthese, die dann zum Fundament der klassischen
Bemühungen Goethes und Schillers werden sollte. Aus dieser Perspektive erklärte
auch Goethe ganz im Gegensatz zu dem von Johann Gottfried Gruber beklagten
öffentlichen Urteil[28] die Wirkung des verstorbenen Freundes »auf die Deutschen«.
»Mensch und Schriftsteller«, so heißt es in seiner Gedenkrede auf Wieland, hatten
sich »in ihm ganz durchdrungen, er dichtete als ein Lebender und lebte dichtend«,
Theorie und Praxis, Lebensphilosophie und Kunst, Morallehre und Vergnügen
schienen bei ihm versöhnt. Wieland war nicht nur, wie Goethe bezeugt, »für die größere Gesellschaft geboren«, sondern sein »literarisches Streben war unmittelbar aufs
Leben gerichtet«, was die Klassik nicht durchweg für sich reklamieren konnte. Stellte
man wie Goethe in *Literarischer Sansculottismus* die Frage nach einem klassischen
Nationalautor, so mußte notwendig der Name des vielseitigen Literators aus Biberach fallen; denn was an literarischer Öffentlichkeit in Deutschland um diese Zeit existierte, hatte sich Wieland, wie Goethe bekräftigt, »zugebildet«.
Wielands Programm der ästhetischen Erziehung beginnt sich schon vor seiner entscheidenden ideologischen Neuorientierung nach 1760[29] auszuformen. Die in der
Schweiz geschriebenen *Betrachtungen über den Menschen* (1755), auch *Theages
oder Unterredungen von Schönheit und Liebe* (1755) und vor allem der zu wenig
bekannte *Plan einer Academie zu Bildung des Verstandes und des Herzens junger
Leute* (1758) mögen das näher erläutern. Im *Theages* wie übrigens auch in seiner
Theorie der Geschichte der Red-Kunst und Dichtkunst knüpft Wieland an Shaftesburys Idee des Virtuoso an, um mit ihr den dogmatischen Idealismus zu zersetzen,
auf den er die allgemeine Unzufriedenheit und Misanthropie seiner Zeit zurückführte.[30] »Die ganze Vollkommenheit des Menschen«, so erklärte Wieland in den
Betrachtungen über den Menschen, »besteht in Fähigkeiten, die gleichsam ineinan-
dergewickelt im Schoß der Seele liegen. [...] Wird der Ausbruch dieser Fähigkeiten
gehemmt, wird entweder die Kultur der Seele ganz und gar oder doch darin die ge-
hörige Ordnung und Aufmerksamkeit auf den Fingerzeig der Natur versäumt, so
muß notwendig eine Mißgestalt herauskommen«.[31] In der vorher zitierten Stelle aus
den *Beiträgen zur geheimen Geschichte des menschlichen Verstandes und Herzens*
(1770), in denen sich Wieland mit Rousseau kritisch auseinandersetzt, heißt es in
noch deutlicherer Antizipation auf Goethes und Schillers spätere Anschauungen,

daß der Mensch nichts als Fähigkeit sei und daß er deshalb gewissermaßen sein eigener zweiter Schöpfer werden müsse (HW 3, 231).

Goethe im *Wilhelm Meister* und Schiller in den *Briefen über die ästhetische Erziehung* betonen gleichermaßen die Notwendigkeit dieser zweiten Schöpfung; sie deuten aber ebenso die Gefahren an, die einer harmonischen Ausbildung durch die bestehenden gesellschaftlichen Verhältnisse drohen.[32] Wenn sie sich dann aber in die offensichtlich unveränderbare Situation[33] schicken, um die »platte Misere mit der überschwenglichen zu vertauschen«, oder, wie es Schiller formuliert, »um jenes politische Problem in der Erfahrung zu lösen, durch das ästhetische den Weg« zu nehmen (2. *Brief über die ästhetische Erziehung*), »weil es die Schönheit ist, durch welche man zu der Freyheit wandert«, so spielen sie hier ein Programm Wielands nach, das dieser in einem *Merkur*-Aufsatz so formuliert hat: »Der Dichtkunst wahre Bestimmung ist die Verschönerung und Veredelung der menschlichen Natur« (HW 3, 271). Der schwäbische Meister der Grazie meinte diese Veredelung aber nicht nur im Hinblick auf die individuelle Person, sondern auch auf die »menschliche Gesellschaft«[34] (HW 3, 271). In dem viel früher skizzierten *Plan einer Academie* sprach er von der Ausbildung junger Bürger zu »freyen und edeln Menschen«, zu Eigenschaften und Geschicklichkeiten, »welche den Menschen erhöhen, verschönern und zur Ausführung einer edeln Rolle im Leben tüchtig machen« (AW 4, 185). Das kann seiner Ansicht nach nur mit Hilfe der »Musen und Gratien« (AW 4, 188) geschehen. Zur »Bildung des guten Geschmacks und der Beredsamkeit« (AW 4, 196), der »edlen Simplicität und ungezwungenen Eleganz« empfiehlt er die »vortrefflichen Muster, welche uns die Alten hinterlassen haben«. Der letzte Teil von Wielands Ausführungen scheint ihn in die Nachfolge Winckelmanns zu stellen, auf dessen allzu bekannte Schlagworte er zuweilen ironisch, zuweilen wertneutral anspielt.[35] So vermeldet etwa Lady Johanna in dem Drama *Lady Johanna Gray* (1758): »Welch ein Trost für mich, / In Deinen Mienen diese stille Größe / Und Seelenruh' zu sehen!«[36] Doch es kann keine Frage sein, daß Wieland sehr bald nach 1760 aufgehört hat, Winckelmanns uneingeschränkte Bewunderung für alles Griechische und dessen Forderung nach unkritischer Nachahmung der idealischen Schönheiten der Antike[37] zu teilen. Wielands kritischer Realismus bewährt sich auch bei seinen ausgedehnten Studien der antiken Schriftsteller, und man kann Friedrich Sengle nur zustimmen, wenn er anmerkt: »Der Gegensatz zwischen dem Wahlgriechen Winckelmann und dem kritischen Gräzisten Wieland ist unüberwindlich«.[38] Außerdem war ihm die Griechenlandschwärmerei der Winckelmänner ebenso verhaßt wie die Deutschtümelei der Klopstock-Jünger. Schwärmerei war für ihn nun einmal eine »Krankheit der Seele, eigentliches Seelenfieber«, und weit entfernt von der echten Begeisterung (GW 35, 134ff.).

Sein »Zwillingsbruder im Geiste, dem er vollkommen glich, ohne nach ihm gebildet zu sein«, war eben nicht Winckelmann, sondern, wie Goethe in der Gedenkrede über Wieland ausführt: Shaftesbury. In dessen Philosophie der adligen Lebenskunst, der »vollkommenen Harmonie aller Kräfte«, die der bürgerliche Cortegiano aus Biberach im *Agathon* (HW 1, 837) und in anderen Werken zum Ziel einer ganzen Epoche erhob, in der Versöhnung von Egoismus und Altruismus, von Ich und Welt, Pflicht und Neigung durch das Ideal des Virtuoso fand er auch Prinzipien der griechischen und römischen Paideia wieder. Die für die Klassik so bezeichnende Auffassung, daß der Mensch erst durch Kunst zu seiner Existenzbestimmung finde, steckte schon in Wielands *Musarion*: »Was die Natur entwirft, wird von der Kunst vollführt« (V. 1287). In dem Gedicht *Die Grazien* (1769), welches die später für die Klassik so wichtige Gegenkraft zum Erhabenen in ihrem Geltungsbereich festhält, steht der für Wielands Auffassung so bezeichnende Satz: »Aber ohne die *Grazien* und *Amorn in ihrer Gesellschaft* ist selbst den Musen nicht gegeben, die Verschönerung des Menschen zu vollenden« (GW 10, 58f.). Wenn Wieland hier sagt, daß »unter den Händen der Grazien […] die *Weisheit* und die *Tugend* der Sterblichen das Übertriebene und Aufgedunsene, das Herbe, Steife und Eckige« verlieren, so wiederholt er nicht nur das Prinzip der *sprezzatura*, die Tatsache, daß »die Grazien […] ein mühsames nach der Lampe riechendes Werk« hassen (GW 10, 102), sondern nimmt die klassischen Verhaltensmuster vorweg, wie sie Goethe im *Wilhelm Meister*, in *Iphigenie* oder *Tasso* und Schiller in den *Kallias-Briefen*[39] und in *Über Anmut und Würde* nachzeichnen.

Wieland unterstellt der Grazie ebenso die »Wissenschaften, Künste und Sitten« und »die Tugend« wie die »Handlungen, den Karakter und das Leben eines weisen und guten Mannes« (GW 10, 102), weil nur sie imstande ist, den »Glanz der Vollendung« zu geben. Obwohl dieses Gedicht voller sokratischer Ironie ist, mit der auch Winckelmanns Griechenschwärmerei bedacht wird, enthält es programmatische Äußerungen zu Wielands Kunst und Lebensphilosophie. Es rückt auch insofern von dem Nachahmungszwang des griechischen Kunstideals ab, als es von dem Geheimnis der Kunst spricht, die Natur zu übertreffen (GW 10, 80). Gerade dieser Punkt bildet den äußeren Anlaß für Wielands ausführlichste Demonstration seines Klassikbildes in den *Gedanken über die Ideale der Alten* (1777). Er setzt sich hier mit Lavaters 25. Fragment der *Physiognomik* auseinander, das mit dem Titel *Über Ideale der Alten, schöne Natur, Nachahmung*[40] nicht ohne Prätention an Winckelmann anknüpft. Der Stürmer und Dränger Lavater führt die »hohe, wie man sagt, überirdische Schönheit« der Griechen auf die sie umgebende »vollkommene Natur« zurück und erklärt damit nach der Nachahmungstheorie die Kunst als eine Art Widerspiegelung der Wirklichkeit (Natur). Sein Gedankengang ist ebenso schlicht wie konsequent: daß es keine den Alten zu vergleichende vollkommene Kunst in der Gegenwart gibt, führt er auf Mängel in der Wirklichkeit zurück. Seiner Ansicht nach hatten die Alten eine »schönere Natur vor sich« und waren sie sowohl von schönern als auch von bessern Menschen umgeben. Auf die Apotheose nach rückwärts folgt bei Lavater der Kulturpessimismus nach vorwärts: »Also waren die Griechen schönere Menschen, bessere Menschen, und das jetzige Menschengeschlecht ist sehr gesunken!« und die Klage: »Hefe der Zeit sind wir, ein abscheuliches Geschlecht im Ganzen, kaum angehaucht mit der Tugendschminke«.

Diesen verblasenen Idealismus stellt nun Wieland mit ein paar gezielten realistischen Fragen auf die Füße: War etwa die Sonne bei den Griechen »wärmer und geistiger, oder ihre Luft milder als in den schönsten Provinzen von Frankreich, Italien und Spanien? War nicht ein ziemlicher Teil von Griechenland rauher und wenig fruchtbarer Boden? Waren ihre Eichelnfressenden Vorfahren etwa Menschen von edlerer Art als die unsrigen?« (HW 3, 370). Die Antwort kann nach Wieland nur lauten: »Es ist wider die Erfahrung, daß die Schönheit mit der Einfalt der Lebensart und Sitten im gleichen Verhältnis gehe«. Der Verfasser von *Musarion* und *Agathon* hatte

wohl selbst, wie er augenblinzelnd gesteht, über diesen Punkt früher ein wenig ge-
schwärmt, aber schon der gesunde Menschenverstand sage ihm, daß man von der
Kulturelite eines Landes nicht schon auf die Beschaffenheit und die Verhältnisse einer ganzen Nation schließen könne. Im Gegenteil: er weiß, daß die Griechen, »als
sittliche Menschen betrachtet, ein noch sehr rohes und allen Excessen der wildesten
Leidenschaften überlassenes Volk« gewesen sind, sogar »ein so heilloses Volk, als
irgend ein Europäisches es itzo ist«. Wieland kritisiert aber nicht nur den idealistisch
einseitigen und falschen Ansatz Lavaters und konfrontiert dessen oberflächliche
Spekulation mit seiner weitaus differenzierteren und kenntnisreichen Perspektive
(durch die er indirekt die geläufigen Vorstellungen Winckelmanns korrigiert), sondern er wertet grundsätzlich die produktive Leistung von Kunst auf, indem er ihre
Fähigkeit, Wirklichkeit zu schaffen, weit über die stellt, bloß Natur nachzuahmen.
Mit anderen Worten: Kunst ist in Wielands ästhetischer Auffassung weniger Imitation als Imagination; sie kann eben auch das erzeugen, was der Wirklichkeit fehlt.
In dieser Beziehung zumindest gehört er zu den Weggefährten der im 18. Jahrhundert erfolgreicheren Poetik der Schweizer Bodmer und Breitinger; ja er bereitet sogar
mit seiner Behauptung der Eigengesetzlichkeit der Kunst[41] die Vorstellung von ihrer
Autonomie vor, die sich in den Auffassungen sowohl der Klassik als auch der Romantik findet. In den *Beiträgen* von 1770 hatte Wieland den Sachverhalt schon dergestalt thesenhaft zugespitzt: »Was die Kunst [...] an dem Menschen zu seinem Vorteil ändern« kann, sind »entweder Ergänzungen der mangelhaften Seiten, oder
Verschönerungen« (HW 3, 233).
Gerade um die Zeit von Wielands *Gedanken* befand sich, worauf auch Sengle[42] gezielt hinwies, die deutsche Literatur in einer Art Sackgasse und herrschte allgemein
ästhetische Richtungslosigkeit. Mit seiner Programmschrift *Über die Ideale der Alten* gab Wieland 1777 der schreibenden Generation ebenso neue Impulse wie fünf
Jahre später in einer ebenfalls kritischen Situation mit den *Briefen an einen jungen
Dichter* (1782). Man kann ohne Übertreibung behaupten, daß der »Genius der Sokratischen Ironie, der Horazischen Satire, des Lucianischen Spottes« (*Die Grazien*,
6. Buch) mit seinen *Gedanken*, wie es Sengle ausdrückt, sich und anderen Mut »zu
eigener Klassik machen«[43] wollte. Wieland zeigt hier, daß das Prinzip der Nachahmung auch in der Kunst der Antike notwendig auf der schöpferischen Fähigkeit beruhte; denn jedes Kunstprodukt könne immer nur *die* Perspektive von Wirklichkeit
vorstellen, die der Künstler »sah und sehen wollte« (HW 3, 396). Idealisierung ist
so verstanden nach Wieland nichts anderes als Verschönerung »durch Weglassung
oder Versteckung des Tadelhaften und Unvollkommenen«, das schöpferische Herstellen idealer Muster, an denen sich dann der Mensch erfreuen kann. Den Wettkampf zwischen Natur (natura) und Kunst (ars) beendet Wieland hier auf andere
Weise als später Goethe und Schiller.[44] So, wie Kunst auf einer persönlichen, produktiven Sehweise beruht, ist auch die Natur (Wirklichkeit), von der wir sprechen,
nach Wieland nicht die Natur selbst, »sondern bloß die Natur, wie sie sich in unsern
Augen abspiegelt«, also wiederum ein Reflex von Vorstellungen, Ideen, Schatten.[45]
Was von der Natur gilt, trifft auch auf die Idee der Wahrheit zu: »Keinem offenbart
sie sich ganz; jeder sieht sie nur stückweise [...] aus einem andern Punkt; in einem
andern Lichte« (HW 3, 420). Das kennzeichnet Wielands ästhetische Ansicht so gut
wie seine philosophische, die er beide in seinen »Spielwerken«, Romanen und Ge-

sprächen elegant und raffiniert zugleich praktizierte.[46] Was den produktiven Prozeß selbst betrifft, so führt er in den *Gedanken* nicht gerade im Stile eines Aufklärers aus: »Die Imagination eines jeden Menschenkindes, und die Imagination der Dichter und Künstler insonderheit, ist eine dunkle Werkstatt geheimer Kräfte, von denen das armselige Abcbuch, das man Psychologie nennt, gerade so viel erklären kann als die Monadologie von den Ursachen der Vegetation und der Fortpflanzung« (HW 3, 403 f.).

Sei es, daß Wieland mit dem für ihn charakteristischen Gespür die Zeichen der Zeit zu lesen verstand, sei es, daß er im Gespräch die Weimarer Mitliteraten zu neuen poetischen Ideen inspirierte, es kann keine Frage sein, daß sich in dem Jahr, in dem er sein kritisches Klassikbild vorlegte, eine neue ästhetische Theorie und Praxis auszubilden begann. Wenn Sengle[47] neben »den Iphigeniendichter als den deutschen Racine und Lessing als den deutschen Molière« Wieland »als den deutschen Cervantes und Ariost« stellt, müßte man hinzufügen, daß Wieland eben unmittelbar und mittelbar einiges dazu beigetragen hat, Goethe dem Sturm und Drang und dem Einfluß Herders zu entziehen und ihn an der Tradition der europäischen Renaissance[48] neu zu orientieren. Denn so, wie er später Schiller dem Einfluß Klopstocks, des »großen Baals zu Hamburg«,[49] entzieht[50] und mit Hilfe seiner Vorstellungen der »Classizität« erzieht, worüber die *Anthologie auf das Jahr 1782* ebenso Zeugnisse enthält wie eine Reihe von Briefen an den Freund Körner,[51] leitet Wieland auch Goethes Abkehr von der Sturm-und-Drang-Schule Herders ein. Gab es beim jungen Schiller die Stil- und Ideologiealternative Klopstock–Wieland, so beim jungen Goethe die von Herder–Wieland, mit dem Unterschied freilich, daß beim jungen Goethe der Herder-Verehrung eine Wieland-Begeisterung vorausgegangen war. Neben seinem Lehrer Oeser, der das geflügelte Wort von der »stillen Einfalt und edlen Größe« schon vor Winckelmann prägte, hatte er »für seinen ächten Lehrer« damals nur den Verfasser von *Musarion* anerkannt,[52] dessen Prosaübersetzung von Shakespeares Dramen ihn dann bald einem neuen Einfluß aussetzen sollte.

So, wie Wieland in seinen ästhetischen oder poetologischen Analysen immer auch die den jeweiligen Stilarten immanenten Lebensformen kritisierte, verwarf er in mehreren Aufsätzen[53] im *Merkur* 1773 aufs schärfste die Bardenmanier, »in den Wäldern der alten Teutschen herum zu irren, und in unsern Gesängen einen National-Charakter zu affectieren, der schon so lange aufgehört hat der unsrige zu sein« (HW 3, 269). Gegen diese pathetische Wildheit schickt er mit den folgenden Worten seine Kunst der Grazie[54] und sein Programm der Veredelung ins Feld: »Die Musen, als getreue Gehülfinnen der Philosophie, sind dazu bestimmt, die Seelen, welche diese erleuchtet, zu erwärmen; die ungestümen Leidenschaften nicht anzuflammen, sondern zu besänftigen und in Harmonie mit unsern moralischen Pflichten zu stimmen; uns den Wert der häuslichen Glückseligkeit und den Reiz der Privattugenden, die uns derselben fähig machen, in rührenden Gemälden vorzustellen; uns den Geist des Friedens, der Duldung, der Wohltätigkeit und allgemeinen Gesellichkeit einzuflößen; den Menschen durch die Allmacht des Gefühls einzuprägen, daß sie Brüder sind und nur durch Vereinigung und Zusammenstimmung glücklich sein können; den Fürsten – nicht zu schmeicheln – sie nicht in dem Wahne zu bestärken, daß sie alles dürfen was sie wollen – daß die Kunst zu unterdrücken, zu würgen und zu erobern sie zu Helden mache – daß es Recht sei, wenn sie zu Befriedigung ihrer Privatleidenschaften und Launen ihre Provinzen entvölkern, glückliche Länder verwüsten, und mit dem Leben der Menschen ein grausames Spiel treiben; sondern daß sie entweder wohltätige Väter und Hirten der Völker oder hassenswürdige Tyrannen sind, usw. Dies ist, deucht mich, in den Zeiten, worin wir leben, mehr als jemals die wahre Bestimmung der Dichtkunst, und zu dieser edeln Bestimmung fordern wir uns selbst und alle Priester der Musen auf!« (HW 3, 273). Anklänge dieses Programms finden sich im *Goldenen Spiegel*, im *Agathon*, in der *Geschichte des weisen Danischmend* und anderen Werken Wielands; ebenso aber auch in den Arbeiten Goethes und Schillers. Der verspätete Stürmer und Dränger aus Marbach beispielsweise wird dem älteren Volksdichter Bürger dann vorhalten wie einst Wieland dem Verfasser der *Räuber*: »Begeisterung *allein* ist nicht genug; man fordert die Begeisterung eines gebildeten Geistes.« Zu solcher Bildung, die in der Nachfolge der höfischen Kultur Europas stand und den Weimarer Musenhof um Anna Amalia charakterisierte,[55] hat Wieland zweifelsohne in verschiedenen Gradationen beigetragen. Goethe etwa weiß sich bereits nach der zweiten Lektüre von Wielands *Götz*-Rezension trotz aller Kritik bestens verstanden,[56] so daß man auch von daher folgende Äußerung Gundolfs bekräftigen könnte: »Im tiefsten Grunde war ihm Wieland immer noch näher als Hans Sachs.«

Feiert der Ältere den Jüngeren in dem Gedicht *An Psychen* (1776) als »ächten Geisterkönig«, als *uomo universale* schlechthin, so schwärmt der Jüngere: »Mit Wieland führ ich ein liebes häusliches Leben, esse Mittags und Abend mit ihm wenn ich nicht bei Hofe bin.«[57] Wenn die Beziehung auch keineswegs so eng blieb, die graziöse Kunst Wielands hat Goethe immer wieder durch besondere symbolische Gesten gewürdigt. Nach der Lektüre des *Oberon*, in dem das klassische Humanitätsideal auf fast romantische Weise in Ottaverimen vorgeführt wurde,[58] schickte ihm Goethe am 23. März 1780 bekanntlich einen Lorbeerkranz mit einem Begleitbrief. Bei der ersten Aufführung seines *Tasso* gar ließ er die in der Regieanweisung vorgeschriebene Herme Ariosts durch die Büste des älteren Freundes ersetzen, so daß die Worte Antonios im bedeutungsvollen Spiel »unwillkürlich«, wie der Biograph Gruber berichtet, »alle Blicke [...] nach der Herzoglichen Loge« richteten, »in welcher Wieland saß« (GW 52, 450f.). Man kann darin auch gleichzeitig einen Beweis dafür sehen, daß sich die Weimarer Klassiker durchaus bei aller Ähnlichkeit im ästhetisch-ideologischen Programm ihrer individuellen Verschiedenheiten bewußt waren; denn die vorgeschriebene Herme Vergils wurde durch die Büste Schillers repräsentiert. Wieland selbst galt Goethe nicht nur als deutscher Ariost, sondern vor allem als Meister der Form und der »Poesie des Stils«, als Paradigma eines klassischen Nationalautors ohne Nation und als Repräsentant der europäischen Kultur.[59]

War auch der Gedankenaustausch zwischen Wieland und Goethe vor 1786 am intensivsten, so lebte er nach der Rückkehr Goethes aus Italien in Abständen immer wieder aufs neue auf. Die enge persönliche Zusammenarbeit zwischen Wieland und Schiller dagegen beschränkte sich auf wenige Jahre zwischen 1788 und 1792; sie fand vor allem in den philosophischen Gedichten, in den *Briefen über Don Carlos* und den ästhetischen Schriften[60] ihren Niederschlag. Trotz der späteren Kritik am Verfasser des *Oberon*, der für den Autor von *Über naive und sentimentalische Dichtung* in der Praxis hinter der Forderung nach einer »Poesie der Veredelung«[61] zurückgeblieben war, vertrat wohl Schiller vor Hölderlin am entschiedensten Wielands ästhe-

tische Anthropologie, seine Verbürgerlichung und Verinnerlichung der höfischen Lebenskunst, der es um die »Verschönerung und Veredelung der menschlichen Natur« (HW 3, 231, 271 ff.) und die Vermehrung der Eudaimonie in der Gesellschaft ging. Die in Wielands *Gedanken* formulierte These, daß der moderne Künstler die Antike noch übertreffen könne, gehört überdies zum kulturphilosophischen Grundkonzept von Schillers Essay *Über naive und sentimentalische Dichtung*. Kunst und Natur, Kultur und Barbarei, so heißt es auch in Wielands Schrift *Moral der Natur* (1789), »nähern sich ihrer höchsten Vollkommenheit, wenn die künstlerische Verfeinerung der Menschheit so weit getrieben worden ist, daß Extremitäten sich gleichsam wieder berühren« (GW 48, 146). Schiller formuliert das Ziel der sentimentalischen Kunst ganz ähnlich: »Wir waren Natur [...] und unsere Kultur soll uns, auf dem Wege der Vernunft und der Freyheit, zur Natur zurückführen.«
Mit dem Hinweis auf das Vermögen der Kunst, der Wirklichkeit eine andere Welt gegenüberzustellen, dem Realitätsprinzip also gewissermaßen ein Lustprinzip, hat Wieland zweifelsohne zur Fluchttendenz in den ästhetischen idealen Schein einer besseren Welt beigetragen; man kann das freilich auch als künstlerische Antizipation einer wünschenswerten Wirklichkeit interpretieren. Es wäre außerdem ganz im Sinne Wielands gewesen, wenn Schiller in einem Brief an Herder (am 4. 11. 1795) »auf die strengste Separation« von Poesie und wirklicher Welt besteht. Der Erfinder des *weisen Danischmend* war ohnedies der Meinung, »daß die Menschen eigentlich nur als eine höhere Classe von Affen mit einer besonderen Perfectibilität« zu betrachten seien und daß sich höhere Genien von Zeit zu Zeit verkörpern müßten, »um dies Affengeschlecht zu zivilisieren«.[62] Diese Zivilisierung stand auch im Vordergrund seiner ästhetischen Erziehung, mit der er nicht zuletzt Schiller für die Begegnung und Zusammenarbeit mit Goethe vorbereitete, die dann beide, enttäuscht von der Entwicklung der Französischen Revolution, ihre neue Aufgabe in der Kultivierung des Menschen sahen.
»Abgesondert von dem politischen hat der Deutsche sich seinen eigenen Wert gegründet«, notierte Schiller in dem Fragment *Deutsche Größe* (1797) und merkte an: »und wenn auch das Imperium unterginge, so bliebe die deutsche Würde unangefochten«. Diese Stelle[63] steht durchaus in der ideologischen Nachbarschaft von Goethes berüchtigter Bemerkung: »Wir wollen die Umwälzungen nicht wünschen, die in Deutschland klassische Werke vorbereiten könnten.« Hier zeigen sich deutlich die Paradoxien und Grenzen der deutschen Klassik, die man als Syndrome der neurotischen Verbindung von »geistiger Größe und staatlicher Bedeutungslosigkeit«[64] diagnostizieren kann. Doch sollte man andererseits in diesem Zusammenhang gleich daran erinnern, daß man in dieser Phase den Begriff deutsche Nation zwar primär kulturell verstanden, aber diesen Kulturbegriff keineswegs wie die spätere Romantik in nationalistischer Konnotation gesehen hat. Im Gegenteil: die Ausbildung zur Vervollkommnung der menschlichen Natur,[65] zu der die Klassik aufrief, verstand sie durchaus kosmopolitisch als eine allgemein menschliche und nicht auf eine Nation beschränkte Aufgabe. Gerade Wieland, der jede Anzeichen von Chauvinismus in seiner Zeit bekämpft und nicht zuletzt deswegen als »undeutsch« gegolten hatte, betrachtete »alle Völker des Erdbodens als eben so viele Zweige einer einzigen Familie, und das Universum als einen Staat, worin sie mit unzähligen andern vernünftigen Wesen Bürger sind« (HW 3, 556).

Wenn Goethe auch in *Literarischer Sansculottismus* behauptete, daß man »einen vortrefflichen Nationalschriftsteller [...] nur von der Nation fordern« könne, und die reduzierte »gesellschaftliche Lebensbildung« in Deutschland beklagte, die Umwälzungen, die eine fehlende klassische Nationalliteratur vorbereiten könnten, wünschte er sich jedenfalls nicht. Den in diesem Kontext als Paradigma erwähnten Wieland verstand er auch mehr im Sinne eines *scriptor classicus*, der aus »einem großen Publikum ohne Geschmack« eine »Kultur der mittleren Stände«[66] herangebildet hatte. Klassische Schriftsteller definierte schon Sulzer in seiner *Theorie der schönen Künste* »als Muster der guten und feinern Schreibart«, und Goethe hat in diesem Sinne gegenüber Johann Peter Eckermann am 18. Januar 1825 Wielands Leistung folgendermaßen erklärt: Ihm »verdankt das ganze obere Deutschland seinen Stil. Es hat viel von ihm gelernt, und die Fähigkeit, sich gehörig auszudrücken, ist nicht das geringste«. Dabei dienten ihm, so wäre hinzuzusetzen, die antiken Muster als Formalprinzip und die klassische Humanitätsidee als Realprinzip.[67]

Man kann von daher verstehen, daß Wieland über die »hündische Gleichgültigkeit« des Publikums gegenüber seinem *Oberon* nicht bloß enttäuscht war, sondern daß ihm »von dieser Seite die ganze Nation ekelhaft« wurde. Hinzu kam der Erfolg einer ästhetischen Richtung, die er eben widerlegt und überwunden zu haben glaubte: den pathetischen Schwulst des Neubarock, der ihm in der Form der *Räuber* 1781 gegenübertrat.[68] Aber statt der Resignation zu verfallen, griff er wieder zur Feder und verfaßte die drei *Briefe an einen jungen Dichter*, die August 1782, Oktober 1782 und März 1784 im *Teutschen Merkur* erschienen und entscheidend die weitere Entwicklung der deutschen Literatur beeinflußten.[69] Sie bilden auch den Höhepunkt seiner kulturpolitischen Didaxe und verbinden Bestandsaufnahme, begründete Analysen, Diagnosen mit Kritik und Verbesserungsvorschlägen. »Unsere Litteratur hat seit vierzig Jahren unleugbar«, so meint Wieland scheinbar versöhnlich, »in Vergleichung mit dem was sie vor dieser Zeit war, große Schritte vorwärts gemacht«. Doch er schickt gleich folgenden Zweifel nach: »Aber, wer kann sagen, daß sie den Punkt schon erreicht habe, wo sie sich der Französischen entgegen stellen könnte? Wo sind unsre Boileau, unsre Moliere, unsre Corneille, unsre Racine usw.« (HW 3, 464 f.). Damit lenkt er bewußt gegen die Schule der Schweizer auf den Standpunkt Gottscheds zurück, zur konservativen Ästhetik des französischen Klassizismus und fordert, daß man ihm »nur ein einziges gedrucktes Stück« aus Deutschland zeige, »welches in allen Eigenschaften eines vortrefflichen Trauerspiels (Sprache, Versifikation und Reim mit einbedungen) neben irgend einem von Racine stehen könne«. Er verlangt »eine ganz reine fehlerlose, immer edle, immer zugleich schöne und kräftige, niemals weder in die Wolken sich versteigende noch wieder zur Erde sinkende Sprache, und eine vollkommene ausgearbeitete, numerose, das Ohr immer vergnügende nie beleidigende Versifikation«; denn »ein Tragödiendichter in Prose« sei »wie ein Heldengedicht in Prose«, also kurzum: »Verse sind der Poesie wesentlich«, so »dachten die Alten, so haben die größten Dichter der Neuern gedacht«. Er empfiehlt die Exempel der Antike und der Franzosen als notwendige Muster zur Einübung in literarisches Niveau, ohne freilich damit eine Generation von bloßen Kopisten erziehen zu wollen. Im Gegenteil: der Fall Klopstock gilt für Shakespeare so gut wie für Sophokles, Horaz oder Racine: »Studieren sie ihn, ohne ihn jemals zu kopieren; lernen sie von ihm, und den übrigen Dichtern, die ich genannt habe« (HW 3, 458).

Wieland entwirft eine Ars poetica für junge Dichter, vor allem auf dem dramatischen Feld, und durchsetzt seinen Unterricht in Sprache, Stil, Versifikation, Geschmack, Sensibilität und Korrektion[70] mit Einblicken in die Geschichte der europäischen Literatur und belehrenden Beispielen. Hierbei kommt es ihm nicht so sehr auf Kritik an, sondern auf Überzeugung, auf Ermunterung, auf die freundschaftlichen Ratschläge eines Eingeweihten. Wieland setzt vor allem auf den Einzelgänger, der, »ohne von einer Clique zu sein« (HW 3, 444) oder Parteigänger zu haben, »ohne alle [...] Hülfsmittel«, aufgrund von »eigen Verdienst und Würdigkeit« zu »Ruhm und Ansehen« gelangt. Er warnt vor Mittelmäßigkeit und rät ab, die ganze Hoffnung auf die launische und der Mode unterworfene Gunst des Publikums zu setzen (HW 3, 442f.). »Erheben Sie sich über die Menge«, so beschwört beispielsweise der schwäbische Virtuoso, »und bereichern Sie, unzufrieden mit einem gemeinen Preis, unsre Litteratur durch Werke, die, anstatt nur auf einen Augenblick zu ergötzen, sich der ganzen Seele des Lesers bemächtigen, alle Organe seiner Empfindung ins Spiel setzen [...], seiner Bewunderung für alles was edel, schön und groß in der Menschheit ist, gewähren« (HW 3, 448f.). Im Hinblick auf das Handwerk (noch an Goethe wird er eine gewisse Sprunghaftigkeit tadeln und an Herder, daß dieser sich nie Zeit nehme, »ein Ganzes, Vollendetes auszuarbeiten«[71]) dient ihm Horaz als Demonstrationsobjekt, und er beschreibt in Anlehnung an den Römer die »wesentlichen Eigenschaften« eines guten poetischen Werks folgendermaßen: »wenn es bei der feinsten Politur die Grazie der höchsten Leichtigkeit hat [...]; kurz, wenn Alles wie mit Einem Guß gegossen, oder mit Einem Hauch geblasen dasteht, und nirgends einige Spur von Mühe und Arbeit zu sehen ist« (HW 3, 442). Gerade diese *sprezzatura* kostet nämlich den Dichter, »wie groß auch sein Talent sein mag, unendliche Mühe«. Nicht zuletzt diese Kunstleistung meinte Goethe, als er Wielands *Oberon* auf symbolische Weise mit dem Lorbeerkranz feierte.

Obwohl die *Alceste* auch im Hinblick auf die dort praktizierten Blankverse nicht ohne Folgen für die Entwicklung des deutschen Dramas geblieben ist, Wieland selbst wußte nur zu gut, daß seine Begabung nicht auf dem Gebiet des Dramas lag. Nichtsdestoweniger steht es wegen seiner kulturpolitischen Wirkung auf das Publikum im Zentrum seiner *Briefe an einen jungen Dichter*. Im letzten Brief setzt er sich kritisch mit einem übereifrigen Nachfolger seiner Ratschläge, dem österreichischen Dramatiker Cornelius Hermann von Ayrenhoff auseinander und rückt nochmals das Programm seiner Ars poetica für das deutsche Drama zurecht. Die Synthese, die dann auch zum Kennzeichen der Weimarer Klassik wird, zwischen den Stilalternativen von Ethos und Pathos, der Anmut und dem Erhabenen, der Poetik Gottscheds und der von Bodmer/Breitinger, der französischen und englischen Schule ruft Wieland nun noch eindeutiger als ästhetische Parole aus.

Der Fall Ayrenhoff und der Umfang, den »die unverständige Nachahmung Shakespeares und der Englischen Schaubühne« auf der deutschen angerichtet hatten (HW 3, 469), veranlaßte ihn zu einer klugen Untersuchung dieses Problems. Einerseits überzeugt davon, »daß der *Ödipus* des Sophokles das vollkommenste Muster der Tragödie ist«,[72] weiß er andererseits, daß bloße Imitation dieses Musters »noch kein vortreffliches Werk« schafft. Im Gegenteil: das »regelloseste Stück« mit »Shakespeares Genie, Menschenkenntnis, tiefem Blick in die innersten Falten des Herzens, Lebendigkeit und Energie der Imagination« würde seiner Ansicht nach »unendlich

mal mehr wert sein als Gottscheds *Cato*, mit aller Beobachtung der Regeln des göttlichen Aristoteles«. Doch auch Shakespeares Genie, das er an »Stärke aller Seelen-
kräfte, an innigem Gefühl der Natur, an Feuer der Einbildungskraft« und der Fähigkeit der Charakterisierung (HW 3, 470) über die Repräsentanten der französischen
Klassik stellt, läßt sich nicht kopieren. Außerdem nehmen ihn seine »Affen« (HW
3, 471) ohnedies nur »von seiner tadelhaften Seite zum Muster«.
Wieland plädiert mit seiner Synthese nachdrücklich für die Versöhnung von Natur
(Shakespeare und das englische Theater) und Kunst (griechisches und französisches
Theater). Nicht das Vorbild ist für das dramatische Ergebnis das Entscheidende, so
warnt er die übereifrigen Kopisten, sondern das Talent. Im Hinblick auf die literarische Szene in Deutschland merkt Wieland spöttisch an, daß es keinen Unterschied
mache, wenn man die Shakespeare-Manier durch eine Franzosenmanier ersetze:
»statt mißgeschaffener Nachahmungen des Engländers würden wir eine größere
Anzahl schaler, geistloser, gereimter oder ungereimter Nachahmungen der Franzosen bekommen haben: statt wilder Menschenfresser, Tollhäusler, Banditen [...]
würden wir Scüderyische und Calprendische Romanhelden oder in feine Parisische
Herren und Damen verwandelte Griechen, Römer und Morgenländer an unsern
Bühnen sehen« (HW 3, 472). Der Dichter der *Alceste* verweist nun nicht ohne heimliche Genugtuung auf Goethes ungedruckte *Iphigenie* in Jamben, die im »Geiste des
Sophokles« geschrieben sei, und nimmt das als Beweis für seine begründete Hoffnung auf eine »Verbindung der Natur, welche die Seele von Shakespears Werken ist,
mit der schönen Einfalt der Griechen, und mit der Kunst und dem Geschmacke,
worauf die Franzosen sich so viel zu gute tun« (HW 3, 474).
Wieland lehnt die bisherigen Nachahmungen und mittelmäßigen Übersetzungen
dramatischer Vorbilder ab und zieht die bittere Summe, daß abgesehen von Lessings
Stücken »unser Theater im ganzen genommen noch immer eine wahre Trödelbude«
sei (HW 3, 476), und fühlt sich vor diesem Hintergrund bemüßigt, selbst Goethes
Götz aufzuwerten. Denn er verkennt nicht, wie wichtig gerade für das deutsche
Drama eine lebendige Darstellung der Natur war anstelle von »abstracten Idealen«,
»Compendien-Moral« und »Compliments- oder Repräsentations-Sprache der freien
Welt« (HW 3, 479). Am Schluß des dritten Briefes betont Wieland nochmals mit ei-
nem Hinweis auf den richtigen Weg des »Verfassers von Götz und Iphigenia«, daß
es ihm bei seinen Forderungen für »ein versifiziertes und gereimtes Trauerspiel«
nicht darum gegangen sei, Muster und bestimmte Traditionen aufzuwerten oder gar
Racine und Voltaire gegen Shakespeare auszuspielen, »sondern daß wir eine Schaubühne hätten, die sich so gut für uns schickte als die Schaubühne des Sophokles und
Aristophanes für die Zeit des Perikles, oder die des Racine und Moliere für die
Hauptstadt Ludwig des 14ten« (HW 3, 481) oder die Shakespeares für die Elisa-
bethaner.
Von Schillers Vorlesung *Was kann eine gute stehende Schaubühne eigentlich wirken*
am 26. Juni 1784 bis hin zu den Dramen Heinrich von Kleists haben diese *Briefe*
Schule gemacht. Obwohl Wieland bei der dramatischen Produktion mehr auf Goethe denn auf Schiller setzte (nicht einmal der *Wallenstein* wollte ihm einleuchten[73]),
enttäuschte ihn Goethes *Natürliche Tochter*[74] nicht weniger als Schillers *Braut von
Messina*. Er vermißte, um hier Goethes Stufenfolge des Essays *Einfache Nachahmung der Natur, Manier, Stil*, der gewiß nicht ohne Grund in Wielands *Merkur* er-

schienen ist, zu benützen, ebenso »Stil« wie jenen in den *Briefen* signalisierten Ausgleich zwischen griechischem, französischem und englischem Theater. Die klassizistische Idealisierungskunst dieser Art hielt Wieland für eine dramatische Sackgasse, aus der ihm Heinrich von Kleist mit seiner Produktion überzeugende Auswege zu weisen schien.[75] Nichtsdestoweniger hatte er die mutwilligen bürgerlichen Wildfänge Goethe und Schiller zum ästhetischen Niveau der europäischen Kulturtradition heraufgebildet, auf dem dann die beiden ihre theoretischen und praktischen Experimente von 1794 bis 1805 ausführen konnten. Wenn Goethe einmal Eckermann (11. 4. 1827) berichtete, Herder habe ihm, als er nach Weimar kam, Wieland weggenommen, so stimmt das nur bedingt; denn die beiden hatten sich eigentlich nur deswegen einander angenähert, weil Goethe und Schiller sich von ihnen entfernt hatten und eigene Wege gegangen waren.

Das Überraschende an Wielands ästhetischer Sendung scheint mir zu sein, daß er, der Wegbereiter der Weimarer Klassik, auch gleichzeitig ihr Überwinder gewesen ist. So wie er den Dogmatismus auf allen Fronten und in allen Erscheinungsformen bekämpfte, so verurteilte er auch das Gekünstelte, Unechte und Opportunistische in den klassischen Kunstbemühungen seiner beiden ehemaligen Zöglinge. Was ihn zu Ende des 18. Jahrhunderts mit Herder verband, war nicht zuletzt die Abneigung »gegen die Verstand und Herz zerrüttende Afterfilosofie, die seit etlichen Jahren die Welt verpestet«.[76] Gemeint war die Philosophie des deutschen Idealismus, die Philosophie Kants und Fichtes: »Ich halte aber«, fährt Wieland fort, »es sey mit dieser sogenannten Philosophie wie mit dem Mönchswesen, das auch nur durch alle seine Mißbräuche verderbl. worden ist«. Seinem Schwiegersohn, dem Kantianer Karl Leonhard Reinhold, rät er wie früher der literarischen Jugend Deutschlands zur Humanisierung. Er hofft, daß dieser sich bald entschließen werde, »aus den übersinnlichen Höhen der *Transcendental-Philosophie* herabzutauchen und sich, wie Sokrates, oder wenigstens wie Plato zuweilen [...] gefallen lassen werde, die Philosophie wieder zu humanisieren, und die Menschen, wie sie sind, in menschlicher Sprache und in einer ihren Fähigkeiten und Bedürfnissen angemessenen Manier zu belehren«.[77]

Diese Humanisierung war, wie bereits zu Anfang bemerkt, der Hauptbeitrag Wielands zur deutschen Literatur des 18. Jahrhunderts. Um die »Idee der Humanität« kreisen seine »Kunst der Grazie«, seine ästhetische Anthropologie so gut wie seine kulturpolitische Arbeit im *Teutschen Merkur*. Er war allerdings Realist genug, um den Abstand und den Widerspruch zwischen Ideal und Wirklichkeit nicht nur zu sehen, sondern auch prononciert zu bedauern. Die sich in dieser Hinsicht häufenden Klagen illustrieren außerdem scharf die tragischen Akzente des Weimarer Musenhofs,[78] zu dem er ja an vorderster Stelle gehörte, und stimmen, gerade weil sie aus dem Munde des schwäbischen Ariost und Erfinders liebenswürdiger Spielwerke kommen, besonders nachdenklich. So schreibt er beispielsweise dem Schwiegersohn am 27. und 29. Juni 1794 aus Weimar, »daß der bloße Gedanke, an diesem [ihm] ewig fremd bleibenden und immer widerlicher werdenden Ort sterben zu müssen, [sein] Leben um einige Jahre abkürzen könnte, wenn [er] nicht immer mit dem Gedanken umginge, es noch so lang [er] Geschmack am Leben habe, auf die eine oder andere Weise zu verlassen. – *Felix errore meo!* Denn von Weimar befreyt mich doch nur – der Tod«.[79] Fast scheint es, als habe auch der »humoristische Klassiker«[80] mit seinem »Ideal der menschlichen Vollkommenheit«, der »wahren Humanität«,[81] einen schönen Schleier über das Elend seiner Wirklichkeit breiten wollen. Es war nichtsdestoweniger ein Schleier der in der deutschen Literatur so selten erscheinenden Grazie und Anmut, den selbst die Klassiker häufiger beredet als beschworen haben. Der berüchtigte Wolfgang Menzel hatte so unrecht nicht, als er 1836 in seiner Literaturgeschichte rühmte: »Wieland gab der deutschen Poesie zuerst wieder die Unbefangenheit, den freien Blick des Weltkinds, die natürliche Grazie, das Bedürfnis und die Kraft des heitern Scherzes.«

Anmerkungen

1 Vgl. mein Nachwort in: Christoph Martin Wieland, Hann und Gulpenheh. Schach Lolo. Stuttgart 1970. S. 39–54.
2 Fritz Martini: Chr. M. Wieland. In: Der Deutschunterricht 8 (1956) S. 88.
3 In: Wieland. Vier Biberacher Vorträge 1953. Wiesbaden 1954. S. 80ff.
4 Vgl. dazu auch Rudolf Unger: Klassizismus und Klassik in Deutschland. In: Heinz Otto Burger (Hrsg.), Begriffsbestimmung der Klassik und des Klassischen. Darmstadt 1972. S. 34–65 (bes. S. 59ff.); ebenso Karl Hoppe: Die Weltanschauung der Klassik. In: Deutsche Philologie im Aufriß. 2., überarb. Aufl. Hrsg. von Wolfgang Stammler. Berlin 1962. Sp. 898–966.
5 Wielands Werke werden nach folgenden Ausgaben zitiert: a) Werke. Hrsg. von Fritz Martini und Hans Werner Seiffert. 5 Bde. München 1965/68 (zitiert als: HW); b) Sämmtliche Werke. Hrsg. von Johann Gottfried Gruber. 53 Bde. Leipzig 1824–28 (zitiert als: GW); c) Gesammelte Schriften. Hrsg. von der Deutschen Kommission der Königlich Preußischen Akademie der Wissenschaften. Berlin 1909ff. (zitiert als: AW). Ist im Text bei zeitgenössischen Werken der Titel angegeben, so wird im allgemeinen das Zitat nicht eigens in den Anmerkungen nachgewiesen. Das gilt auch für Briefe, bei denen das Datum und der Adressat genannt werden.
6 Vgl. Heinz Otto Burger: Europäisches Adelsideal und deutsche Klassik. In: Burger (Anm. 4). S. 177–202.
7 Vgl. Friedrich Sengle: Arbeiten zur deutschen Literatur 1750 bis 1850. Stuttgart 1965. S. 79f., S. 88ff.
8 Vgl. mein Nachwort (Anm. 1). S. 40ff.
9 Martini (Anm. 2). S. 88.
10 Zitiert ebd., S. 89.
11 In: Weimarer Beiträge 6 (1960) S. 597–602.
12 Vgl. meinen Aufsatz: Beiträge Wielands zu Schillers ästhetischer Erziehung. In: Jahrbuch der Deutschen Schillergesellschaft 18 (1974) S. 348–387.
13 Vgl. Friedrich Sengle: Wieland und Goethe. In: Burger (Anm. 4). S. 261f.
14 Vgl. Burger (Anm. 6). S. 177ff.
15 Schiller schreibt beispielsweise am 20. 8. 1788 an Körner: »Du wirst finden, daß mir ein vertrauter Umgang mit den Alten äußerst wohlthun, – vielleicht Classicität geben wird.«
16 Friedrich Sengle: Wieland. Stuttgart 1949. S. 141ff.
17 Vgl. Heinz Otto Burger: Deutsche Aufklärung im Widerspiel zu Barock und ›Neubarock‹. In: H. O. B., Dasein heißt eine Rolle spielen. München 1963. S. 113–119.
18 Vgl. meinen Aufsatz (Anm. 12). S. 354ff.
19 Siehe auch Karl Heinz Kausch: Die Kunst der Grazie. In: Jahrbuch der Deutschen Schillergesellschaft 2 (1958) S. 12–42.
20 Vgl. dazu Friedrich Beißner: Poesie des Stils. In: Wieland... (Anm. 3). S. 5–34; ebenso Otto

Brückl: Poesie des Stils. In: Festschrift für Herbert Seidler. Salzburg, München 1966. S. 27–48.

21 Burger (Anm. 6). S. 186 ff.

22 Vgl. etwa den Begriff der absoluten Bestimmtheit des Gegenstandes in Schillers Brief an Goethe vom 15. 9. 1797.

23 Vgl. Brief Schillers an Körner vom 25. 2. 1789; ebenso Schillers »4. Brief über ästhetische Erziehung«.

24 Winckelmanns kleine Schriften zur Geschichte der Kunst des Altertums. Hrsg. von Hermann Uhde-Bernays. Leipzig 1913. S. 51.

25 Ebd., S. 169.

26 Karl August Böttiger's literarische Zustände und Zeigenossen. Leipzig 1838. S. 169.

27 Vgl. meinen Aufsatz (Anm. 12). S. 375.

28 Daß »Wieland seine Nation an den Abgrund des ungeheuerlichsten sittlichen Verderbens geführt [...] und mit seinen Schriften die Grundpfeiler der öffentlichen und häuslichen Glückseligkeit untergraben habe« (vgl. Nachwort [Anm. 1]. S. 40).

29 Hoppe (Anm. 4). S. 819 f.

30 Vgl. meinen Aufsatz (Anm. 12). S. 370 ff.

31 Zitiert bei Hoppe (Anm. 4). S. 817.

32 Vgl. Burger (Anm. 6). S. 184 f.

33 Wie Goethe in dem Essay »Literarischer Sansculottismus« andeutete.

34 Vgl. Alfred E. Ratz: C. M. Wieland. In: Deutsche Vierteljahrsschrift für Literaturwissenschaft und Geistesgeschichte 42 (1968) S. 512.

35 Vgl. dazu die in den Literaturhinweisen aufgeführten Arbeiten von William H. Clark über Winckelmann und Wieland.

36 Brückl (Anm. 20) weist für den Begriff auch auf das »Pietismus-Ideal der Ruhe« hin (S. 40 f.).

37 Winckelmann (Anm. 24). S. 79.

38 Sengle (Anm. 16). S. 325.

39 Burger (Anm. 6). S. 195 f.

40 Johann Kaspar Lavater's ausgewählte Schriften. Hrsg. von Johann Kaspar Orelli. Zürich ³1859. Bd. 1. S. 212–221.

41 Vgl. für den Zusammenhang auch Wolfgang Preisendanz: Wieland und die Verserzählung des 18. Jahrhunderts. In: Germanisch-Romanische Monatsschrift 12 (1962) S. 17–31.

42 Sengle (Anm. 16). S. 327 f.

43 Ebd.

44 Vgl. dazu Goethes Sonett »Natur und Kunst«.

45 Es ist nicht auszuschließen, daß der ursprüngliche Titel »Das Reich der Schatten« von Schillers Gedicht »Das Ideal und das Leben« durch diese Vorstellung angeregt wurde.

46 Vgl. Preisendanz (Anm. 41).

47 Sengle (Anm. 16). S. 323.

48 Vgl. auch Sengle (Anm. 16). S. 324.

49 So heißt es in einem Brief Wielands an Merck vom 10. 8. 1780.

50 Vgl. meinen Aufsatz (Anm. 12). S. 354 ff.

51 Ebd., S. 348 f.

52 Vgl. Hans Wahl: Wieland und Goethe. In: H. W., Alles um Goethe. Weimar 1956. S. 30 f.

53 Siehe HW 3, 266 ff.

54 In diesen Zusammenhang gehört auch Goethes Diktum in seinem Brief an Friederike Oeser vom 13. 2. 1769: »Grazie und das hohe Pathos sind heterogen«.

55 Sengle (Anm. 13). S. 257.

56 Goethe bekannte z. B.: »Besser als Wieland versteht mich doch keiner«; zitiert bei Sengle (Anm. 13). S. 256.

57 Brief Goethes an Johanna Fahlmer, 14. 2. 1776.

58 Für den Zusammenhang vgl. Cornelius Sommer: Europäische Tradition und individuelles Stil-

ideal. In: Arcadia 4 (1969) S. 252; ebenso: Hans Mayer: Wielands Oberon. In: H. M., Zur deutschen Klassik und Romantik. Pfullingen 1968. S. 39 ff.; Sengle (Anm. 16). S. 360 ff.
59 Vgl. dazu Goethes »Gedenkrede auf Wieland« und den Essay »Literarischer Sansculottismus«.
60 Vgl. dazu meinen Aufsatz (Anm. 12).
61 Ebd., S. 385.
62 Böttiger (Anm. 26). S. 184 (datiert vom 16. 3. 1796).
63 Vgl. auch Schillers Xenion »Deutscher Nationalcharakter«: »Zur Nation euch zu bilden, ihr hofft es, Deutsche, vergebens; / Bildet, ihr könnt es, dafür freier zu Menschen euch aus.«
64 Walter Muschg: Die deutsche Klassik, tragisch gesehen. In: Burger (Anm. 4). S. 161.
65 Vgl. dazu auch die oben zitierte Stelle aus Wielands »Das Geheimnis des Kosmopolitenordens« (HW 3, 558).
66 Goethe zu Eckermann am 18. 1. 1825.
67 Unger (Anm. 4). S. 60.
68 Aus einem Brief Wielands an Merck vom 10. 8. 1780. – Auch Goethe vermerkte in den »Tag- und Jahresheften« nach seiner Rückkehr aus Italien: »Man denke sich meinen Zustand! Die reinsten Anschauungen suchte ich zu nähren und mitzuteilen, und nun fand ich mich zwischen Ardinghello und Franz Moor eingeklemmt.«
69 Für den Zusammenhang vgl. auch Hubert Joseph Meessen: Wielands »Briefe an einen jungen Dichter«. In: Monatshefte 47 (1955) S. 193–208.
70 Zum Begriff ›Correctheit‹, mit dem sich dann die Romantiker kritisch auseinandersetzen werden, vgl. Brückl (Anm. 20). S. 47.
71 Böttiger (Anm. 26). S. 165 f., S. 216.
72 Was sich dann Schiller, wie so vieles andere dieser »Briefe«, bald zunutze machen wird; vgl. meinen Aufsatz (Anm. 12). S. 348 f.
73 Böttiger (Anm. 26). S. 229 (»Wallensteins Lager«).
74 Ebd., S. 259.
75 Sengle (Anm. 7). S. 79 f.
76 Brief Wielands an Reinhold, 5. und 6. 4. 1798.
77 Brief vom 5. 9. 1802; vgl. dazu auch Böttiger (Anm. 26), S. 173: »Wenn nur die Herren erst eine Sprache sprächen, die auch der Laienbruder verstehen könnte. Ich möchte wissen, ob denn die Kantische Schule auch die Vernunft in dem Sinne nehme wie Cicero seine *ratio*. Solange diese Herren nicht Allen verständlich sind, ist und bleibt ihre Philosophie leere Terminologie« (Diese Äußerung Wielands stammt vom 24. Dezember 1795).
78 Muschg (Anm. 64). Z. B. S. 162 f., S. 170 f., S. 175 f.
79 Aus klassischer Zeit. Wieland und Reinhold. Hrsg. von Robert Keil. Leipzig o. J. S. 194.
80 Im Sinne Sengles (Anm. 16). S. 320–381.
81 Böttiger (Anm. 26), S. 167, überliefert diesen Satz Wielands: »Die wahre Humanität ist eigentlich das Ideal der menschlichen Vollkommenheit« (datiert vom 15. 11. 1795).

Literaturhinweise

Max L. Baeumer: Der Begriff ›klassisch‹ bei Goethe und Schiller. In: Die Klassiklegende. Hrsg. von Reinhold Grimm und Jost Hermand. Frankfurt a. M. 1971. S 17–49.
Friedrich Beißner: Poesie des Stils. In: Wieland. Vier Biberacher Vorträge 1953. Wiesbaden 1954. S. 5–34.
Karl August Böttiger's literarische Zustände und Zeitgenossen. Hrsg. von Karl Wilhelm Böttiger. Leipzig 1838.
Otto Brückl: »Poesie des Stils« bei C. M. Wieland: Herkunft und Bedeutung. In: Sprachkunst als

Weltgestaltung. Festschrift für Herbert Seidler. Hrsg. von Adolf Haslinger. Salzburg, München 1966. S. 27–48.

Heinz Otto Burger (Hrsg.): Begriffsbestimmung der Klassik und des Klassischen. Darmstadt 1972.

William H. Clark: Wieland and Winckelmann: Saul and the Prophet. In: Modern Language Quarterly 17 (1956) S. 1–16.

– Wieland contra Winckelmann? In: The Germanic Review 34 (1959) S. 4–13.

Charles Elson: Wieland and Shaftesbury. New York 1913.

Herbert Grudzinski: Shaftesburys Einfluß auf Chr. M. Wieland. Breslauer Beiträge zur Literaturgeschichte. N. F., H. 34. Stuttgart 1913.

Walter Hinderer: Nachwort. Der undeutsche Klassiker. In: Christoph Martin Wieland, Hann und Gulpenheh. Schach Lolo. Hrsg. von W. H. Stuttgart 1970. S. 39–54.

– Beiträge Wielands zu Schillers ästhetischer Erziehung. In: Jahrbuch der Deutschen Schillergesellschaft 18 (1974) S. 348–387.

Fritz O. Homeyer: Wieland and Goethe. In: German Life & Letters 4 (1950/51) S. 132–135.

Karl Hoppe: Philosophie und Dichtung. In: Deutsche Philologie im Aufriß. 2., überarb. Aufl. Hrsg. von Wolfgang Stammler. Bd. 3. Berlin 1962. Sp. 751–1098.

Karl Heinz Kausch: Die Kunst der Grazie. Ein Beitrag zum Verständnis Wielands. In: Jahrbuch der Deutschen Schillergesellschaft 2 (1958) S. 12–42.

Fritz Martini: C. M. Wieland und das 18. Jahrhundert. In: Festschrift für Paul Kluckhohn und Hermann Schneider. Tübingen 1948. S. 243–265.

– Chr. M. Wieland. Zu seiner Stellung in der deutschen Dichtungsgeschichte im 18. Jahrhundert. In: Der Deutschunterricht 8 (1956) S. 87–112.

Hans Mayer: Wielands Oberon. In: H. M., Zur deutschen Klassik und Romantik. Pfullingen 1968. S. 30–47.

Hubert Joseph Meessen: Wielands »Briefe an einen jungen Dichter«. In: Monatshefte 47 (1955) S. 193–208.

Wolfgang Preisendanz: Wieland und die Verserzählung des 18. Jahrhunderts. In: Germanisch-Romanische Monatsschrift 12 (1962) S. 17–31.

Alfred E. Ratz: C. M. Wieland. Toleranz, Kompromiß und Inkonsequenz. Eine kritische Betrachtung. In: Deutsche Vierteljahrsschrift für Literaturwissenschaft und Geistesgeschichte 42 (1968) S. 493–514.

Richard Samuel: Wieland als Gesellschaftskritiker: eine Forschungsaufgabe. In: Seminar 5 (1969) S. 45–53.

Albert R. Schmitt: Wielands Urteil über Goethes »Wahlverwandtschaften«. Mit bisher ungedruckten Abschnitten aus Briefen Wielands an Carl August Böttiger. In: Jahrbuch der Deutschen Schillergesellschaft 11 (1967) S. 47–61.

Friedrich Sengle: Wieland. Stuttgart 1949.

– Klassik im deutschen Drama. In: F. S., Arbeiten zur deutschen Literatur 1750–1850. Stuttgart 1965. S. 71–87.

– Wieland und Goethe. In: Heinz Otto Burger (Hrsg.), Begriffsbestimmung der Klassik und des Klassischen. Darmstadt 1972. S. 251–271.

Cornelius Sommer: Europäische Tradition und individuelles Stilideal. Zur Versgestalt von Wielands späteren Dichtungen. In: Arcadia 4 (1969) S. 247–273.

Hans Wahl: Alles um Goethe. Kleine Aufsätze und Reden. Weimar 1956.

Hans Wolfheim: Wielands Begriff der Humanität. Hamburg 1949.

SVEN-AAGE JØRGENSEN

Zum Bild der unklassischen Antike

>»Aber es ist auch nur eine Täuschung, wenn wir
selbst Bewohner Athens und Roms zu sein
wünschten. Nur aus der Ferne, nur von allem Gemeinen getrennt, nur als vergangen muß das Altertum uns erscheinen. Es geht damit, wie wenigstens mir und Zoëga mit den Ruinen. Wir haben
immer einen Ärger, wenn man eine halbversun-
kene ausgräbt. Es kann höchstens ein Gewinn für
die Gelehrsamkeit auf Kosten der Phantasie
sein.«
Brief von Wilhelm von Humboldt an Goethe vom
23. August 1804

Soll das Verhältnis der deutschen Klassik zur Antike prägnant zusammengefaßt
werden, kommt man kaum um diese Stelle herum, die Goethe in seine Schrift *Winckelmann* leicht verändert aufnimmt, um damit das allen gemeinsame Romerlebnis
auszudrücken, denn Rom ist die Stadt, wo »sich für unsere Ansicht das ganze Altertum in Eins zusammenzieht«.
Wie Goethe und Humboldt denken auch Schiller und Friedrich Schlegel, die beide
deutlich und überlegt die »Werthersche Ansicht«, das Sentimentalische, als ein Moment, vielleicht eine Gefahr sehen, in die der moderne Mensch gerade in seinem
Verhältnis zur Antike gerät, wenn er sie wie die Natur sieht und erlebt.
So wie die Beschreibung dieses Zustandes von Goethe übernommen werden konnte,
so auch die Begründung, die in der Schrift mit dem Preislied auf den neuzeitlichen
Paganen durchschimmert. Auch Schiller spricht in seiner Schrift *Über die ästhetische
Erziehung des Menschen* von der Zerstümmelung des zivilisierten, modernen Menschen (6. Brief), stellt aber seiner Gewohnheit treu dasjenige, was tatsächlich geschehen ist, als notwendig hin und begründet es systematisch, während Humboldt die
Tatsächlichkeit, um die niemand herumkommt, feststellt und historisch erklärt:
Durch das Christentum mit seinen Ideen von Armut, Demut und Sünde sowie durch
die »gesellschaftliche Wildheit« der nachantiken Zeit ist ein unnatürlicher, aber permanenter Zwiespalt entstanden, in dem wir immer noch leben. Die Kluft, die uns
von den Alten trennt, hat nur durch das »plötzliche Erscheinen des Christentums«
einen »notdürftigen Erklärungsgrund« erhalten, wobei in dem Adjektiv »plötzlich«
eben das nicht Notwendige, das Akzidentielle verborgen liegt, das mit dem »notdürftig« das eigentlich Unfaßbare eines solchen Abstieges kaum verdeckt.
Die These, daß die moderne Misere, die politische und religiöse, den Menschen so
sehr deformiert habe, daß ihm nur die Sehnsucht nach dem unwiederbringlich Verlorenen oder nach einem künftigen idealen Zustand übrigbleibe, war schon vor der
Weimarer Klassik formuliert worden und spielt bekanntlich noch heute eine entscheidende Rolle. Sie mußte auf die literarisch-kulturkritische Diskussion der Vor-

klassik, die die alte französische ›querelle des anciens et des modernes‹ fortsetzte, einen großen Einfluß ausüben. In zahlreichen ›Parallelen‹, etwa bei Brumoy, der in Deutschland eine nicht geringe Rolle spielte, wurden neben dem Klimatischen die Staatsform und die Kulturstufen debattiert, sowie die Rolle des Glaubens im weiteren und im engeren Sinne, d. h. die Bedeutung der Mythologie.

Die im Laufe der ›querelle‹ entstandene historisch-relativierende Lösung der Streitfrage, welche Kunst nun besser sei, konnte aber die legitime ästhetisch-wertende Frage nicht auf die Dauer ausschließen, da Friedrich Schlegel ja mit Recht der »Naturmethode« Herders, »Jede Blume an ihrem Ort zu lassen, und dort, ganz wie sie ist, nach Zeit und Art, von der Wurzel bis zur Krone zu betrachten«[1], entgegenhielt, sie laufe auf die triviale Feststellung hinaus, »daß alles, was ist, ist«, daß aber Bücher im Gegensatz zu Blumen nicht zu den »ursprünglichen Kreaturen« gehören.[2]

So konnten, wie unter anderen Hans Robert Jauß[3] hervorhebt, die Fragen, die die ›querelle‹ stellte, nicht als erledigt betrachtet werden. Und während der relativierende Historismus eine Folge u. a. des französischen Klassizismus war, entstand die Weimarer Klassik, indem sie – in der Winckelmann-Nachfolge – sowohl an einem historischen Bild der Antike als auch an einem idealen Gegenbild festhielt, wobei die eingangs angeführte Briefstelle deutlich die Aporie bezeichnet: Daß die Wahrheit des Archäologen den von der Phantasie verliehenen idealen Charakter einschränkt. Schiller drückte schon mit seinem Gedicht *Die Götter Griechenlandes* die gleiche Erkenntnis aus, indem er die Wahrheit als eine die Schönheit des Mythos zerstörende Macht darstellte und die große, dauernde Wirkung des hellenischen Mythos von der zeitlichen Ferne und, deutlicher noch, von dem fiktionalen Charakter der ganzen Götterwelt und der von ihr durchdrungenen Natur, des von ihr durchdrungenen Daseins abhängig machte.

Um an der Vorbildlichkeit der Antike festhalten zu können, schloß man weitgehend sowohl das Archaische als auch das Hellenistische aus, sonderte das Politische ab und hob die Kunst und die Mythologie hervor, indem man die Mythologie als Dichtung, als Produkt der Einbildungskraft bestimmte.

In dieser Auffassung berührte sich Schiller mit dem sonst von ihm mit einer gewissen Distanz betrachteten Karl Philipp Moritz, der bekanntlich in seine *Götterlehre* Hymnen von Goethe aufnahm als Illustration und als Beispiel mythopoetischer Dichtung griechischer Art, womit aber auch eine Renaissance des Hellenischen angekündigt werden sollte. Von Hölderlin wurde eine solche Wiedergeburt als Rückkehr der Götter verstanden, woran Schiller nie gedacht hatte und was bei ihm auch nie zu einem religiösen Konflikt hätte führen können.

Schiller und Goethe konnten mit Recht behaupten, ihre Götter, ihre Mythologie seien ästhetisch. In seinen *Römischen Elegien* hatte Goethe die antiken Götter allegorisch-traditionell und spielerisch-entmythologisierend behandelt, sie als Personifikationen von Naturkräften verstanden, an denen der Mensch teilhat. Obwohl die Identifikation mit dem religiös völlig unverbindlichen allegorisierenden Gebrauch der überlieferten Mythologie ein scherzhaftes Spiel erlaubte, trat die mit dem Neuheidentum verbundene Ablehnung des Christentums sowohl in den *Römischen Elegien* als auch in den *Venetianischen Epigrammen* immer deutlicher zutage und rief bei den Empfindsamen, die die wesentlich verspielteren rokokoklassizistischen

Dichtungen Wielands schon als Angriff verstanden hatten, eine scharfe Reaktion hervor.

Nicht nur die Klassiker selbst, sondern auch die spätere Forschung haben diese Reaktion als unangemessen und borniert angesehen, weil die scharf Reagierenden den poetischen Gebrauch der antiken Mythen und des christlich-aufklärerischen Gottesbildes nicht verstanden hätten. Aber es ist doch wohl nicht so unwahrscheinlich, daß Friedrich Leopold von Stolberg den Unterschied zwischen dem traditionellen Gebrauch des mythologischen Apparates, der Camões in den *Lusiaden* die Verwendung sowohl griechischer als auch christlicher Gottheiten erlaubte, und der wohl ästhetischen, aber keineswegs ideologisch neutralen Verwendung der antiken Mythologie in der aufkommenden Klassik klar erkannte. Auch die Reaktion der Romantiker zeigt, daß sie sahen, wie eine bisher meistens nur allegorische, jedenfalls ideologisch völlig indifferente Verwendung der antiken Mythologie nicht mehr möglich war, daß sie vielmehr den Bruch gestalten mußten. Wie Schiller in den *Göttern Griechenlandes* an den Todesgenius Lessings erinnerte, so griffen auch Novalis in der fünften Hymne der *Hymnen an die Nacht* und Eichendorff in seiner Novelle *Das Marmorbild* die Gestaltung des Todes und der Liebe auf. Entscheidend war ja gewesen, daß in der Deutung der Klassiker und Vorklassiker die christliche Todesvorstellung, die Furcht vor dem Knochenmann,[4] das Leben entwertet habe und daß diese Entwertung zur Pervertierung der Liebe führte – am krassesten ausgedrückt in der *Braut von Korinth*, wo der Christenglaube aus der Toten, die nie lieben durfte, einen Vampir macht. Die Romantiker – und nicht nur sie, sondern auch Solger und Hegel – erkannten aber in den griechischen Götterstatuen nicht nur die Stille, sondern auch eine Trauer, die die von den Hellenen ungelösten Fragen nach Schicksal und Tod hervorrief, Fragen, die in der Deutung der Romantiker erst Christus als Überwinder des Todes lösen konnte.[5]

In der fünften Hymne des Novalis und in Eichendorffs Novelle treten Christus und Maria den Göttern Griechenlands gegenüber, deren Züge sich bei Eichendorff vom Melancholischen ins verzerrt-drohend Dämonische verwandeln. In der durchgehenden Zeitsymbolik – zyklische Zeit der Natur und des organischen Lebens steht als Versuchung dem in der fortschreitenden Zeit lebenden Menschen gegenüber – thematisiert Eichendorff die unwiederbringliche Vergangenheit der Antike, die nur als gefährlicher, tötender Schein alljährlich wiedergeboren werden kann – eine eigentliche Renaissance ist nach ihm unmöglich.

Wie Creuzer, Solger und Schelling auf theoretische Weise wehrt Eichendorff in der Novelle eine bloß ästhetische Auffassung der griechischen Mythen ab – als wären sie bloße künstlerische Fiktionen –, indem er Heidnisches und Christliches als Existenzmöglichkeiten um die Seele Fortunatos kämpfen läßt. Um diesen Kampf zu gestalten, griff Eichendorff zu Legendenhaftem, und überhaupt vertraten die Legende und das Märchen bei vielen Romantikern die Mythologie, ohne sie ersetzen zu können. Eine intensive Mythenforschung vertiefte die Kenntnisse der griechischen Mythologie, so daß auch die Mysterienreligionen und das Dionysische ins Blickfeld gerieten. Ebenso wurde die vorderasiatische, ägyptische und indische Mythologie Objekt wissenschaftlicher Bemühungen. Entscheidend für die Literaturwissenschaft ist aber, daß diese Studien auf die Literatur fast keinen unmittelbaren Einfluß hatten und dichterisch produktiv allein die antike Mythologie blieb. Aber warum ist dieser Tatbestand so wichtig? Von Voltaire bis Friedrich Schlegel waren fast alle Kritiker der Meinung, daß eine Dichtung, jedenfalls eine epische, ohne Mythologie schlechterdings unmöglich sei. Fest steht aber auch, daß alle Versuche, einen alternativen modernen Mythos zu schaffen, fehlschlugen und als Fehlschläge erkannt wurden. Die Erneuerung der altnordischen Mythologie wurde ein Kuriosum, weil die germanischen Götter antiquarische Konstruktionen von ebenso ephemerer Fruchtbarkeit waren wie die keltischen, so daß Skalden, Druiden und Barden binnen weniger Jahre wieder verstummten. Das Christentum als Mythologie zu behandeln war ein Weg, den Boileau und Gottsched verwarfen, den ein Milton allerdings beschritt, aber die Patriarchaden schienen zu zeigen, daß die poetischen Möglichkeiten schnell erschöpft waren – sogar für einen Klopstock –, wobei noch dazu die alte Frage nach der Grenzziehung zwischen Fiktion und Religion sich schwer ohne Mißverständnisse bei dem Publikum und Schwierigkeiten mit den Theologen lösen ließ. Ein bekanntes Beispiel liefert der Reueteufel Abbadona in Klopstocks *Messias*, der die theologisch damals kontroverse Frage nach der Apokatastasis[6] stellte. Die Versuche, Stoffe aus der vaterländischen Geschichte, die großen Entdeckungsreisen usw. mythopoetisch zu behandeln, mißlangen, und noch weniger gelang es, aus den Erkenntnissen der modernen Naturwissenschaft neue Mythen zu schaffen, so daß Hamann in seiner *Aesthetica in nuce* die Möglichkeiten einer modernen Mythologie ironisch aufzählen konnte:»Wenn unsere Theologie nämlich nicht so viel werth ist als die Mythologie: so ist es uns schlechterdings unmöglich, die Poesie der Heyden zu erreichen – geschweige zu übertreffen; wie es unserer Pflicht und Eitelkeit am gemäßesten wäre. Taugt aber unsere Dichtkunst nicht: so wird unsere Historie noch magerer als Pharaons Kühe aussehen; doch Feenmährchen und Hofzeitungen ersetzen den Mangel unserer Geschichtschreiber. An Philosophie lohnt es garnicht der Mühe zu denken; [...] Mythologie hin! Mythologie her! Poesie ist eine Nachahmung der schönen Natur – und Nieuwentyts, Newtons und Büffons Offenbarungen werden doch wohl eine abgeschmackte Fabellehre vertreten können? – – Freylich sollten sie es thun, und würden es auch thun, wenn sie nur könnten –«.[7]

Die verbreitete, aber vielfach vage Erkenntnis: daß die Moderne zwar eine überlieferte Mythologie habe, aber keine neuen Mythen schaffen könne, ließ die Auseinandersetzung über Deutung und Gebrauch der antiken Mythologie als die einzig mögliche scharf werden, und zwar um so schärfer, als die traditionelle harmonisierende ›interpretatio christiana‹ nach Winckelmann und Lessing und also schon vor der Weimarer Klassik völlig überholt erschien. Die Frage drängt sich auf: Was ist das entscheidende Moment in dieser Auseinandersetzung?

Im Unterschied zu den primitivistischen Strömungen vertrat die Klassik mit ihrem Hellasmythos einem als spiritualistisch verstandenen Christentum gegenüber nicht die Natur, sondern eine Synthese von Geist und Natur. Die Tendenz konnte Hegel in seiner Behandlung der griechischen Mythologie in der These zusammenfassen, daß die Einzelgötter nicht Naturkräfte personifizierten, sondern konkrete Einheit von Natur und Geist, und zwar so, daß diese Einheit nicht eine gegebene sei, sondern die Synthese, die erst nach der Loslösung des Geistes von der Natur möglich sei, wenn nämlich der Geist die Natur als das andere erkennt und den Gegensatz überwindet.[8] So bezog Hegel auch, aber anders als Wilhelm von Humboldt, die griechische Mythologie auf die Geschichte und ließ in ihr den Menschen zu sich selbst kommen, indem er das Sinnliche und Geistige vermittelte. Wenn diese Harmonie, die in die Antike verlegt wurde, auch eine notwendigerweise transitorische war, wie Schiller es in dem sechsten der *Briefe über die ästhetische Erziehung* beschreibt, so ist sie dem Menschen als Ziel aufgegeben, obgleich solche Vermittlung unter den gegebenen politischen, religiösen, philosophischen Verhältnissen nicht zu leisten ist.

An dieser anthropologischen Konzeption mußte sich der prinzipielle Widerspruch entzünden, und er kam nicht nur prinzipiell zum Ausdruck, sondern auch in einer Kritik an der Rezeption der Antike, in welcher die Klassik ihren Ausdruck fand und in der sie ihre Utopie gestaltete.

Diese Opposition gab es vor, in und nach der Klassik und mit sehr verschiedener Vehemenz. Wieland äußerte sich skeptisch urban, indem er nicht nur das Heiter-Frivole der »edlen Einfalt und stillen Größe« zur Seite stellte, sondern mit seinen *Abderiten* auch die Torheit. Wie Friedrich Sengle hervorhebt, konnte Wieland trotz mancher auch literaturpolitisch bedingter Schwankungen die Griechen »ein wahres luftiges Lumpengesindel« nennen; das Archaische und Wilde in der griechischen Kultur, dieses »schauderhafte Gemisch von Roheit und Zartheit, Barbarei und Humanität«, wollte er, der wohl für das Hellenistische weit mehr Sinn hatte,[9] nicht unterschlagen. Für Wieland ist die Verklärung des Griechischen weniger unhistorisch, was ihn nicht so sehr bekümmert hätte, als unwahr, weil er weder an eine goldene Zeit in der Vergangenheit noch in der Zukunft glaubte, sondern an einen ständig zivilisationsbedürftigen Menschen, schwankend zwischen Schwärmerei, Sinnlichkeit und Philistertum. So konnte er Lavater gegenüber an dem idealen Charakter der großen griechischen *Kunst* festhalten, die nicht auf einer schöneren Natur der Griechen beruhe, sondern Produkt einer idealisierenden Einbildungskraft sei, weshalb sie weder von der modernen Kunst wesensverschieden noch für die modernen Künstler unerreichbar sei.[10]

Hamann erkannte schon in der *Aesthetica in nuce* (1762) die narzißtischen Züge in der aufkommenden Griechenverehrung, die Friedrich Schlegel in den *Athenäumsfragmenten* prägnant zusammenfaßte: »Jeder hat noch in den Alten gefunden, was er brauchte, oder wünschte; vorzüglich sich selbst.«[11] Hamanns Kritik wendet sich aber charakteristischerweise nicht gegen den Narzißmus, der zur Selbsterkenntnis führen kann, sondern setzt an bei der Verehrung, deren Ursachen er in einem falschen Verhältnis zu den »lebendigsten Quellen des Alterthums« findet. Hamann zeigt sich als Anhänger der alten These, die auch später von den romantischen Mythenforschern neu belebt wurde: »Fabulae mythologicae videntur esse instar tenuis cuiusdam aurae, quae ex traditionibus nationum magis antiquarum in Graecorum fistulas inciderunt«, wie der von Hamann ausgiebig zitierte Bacon es ausdrückt.[12] Der eigentliche, versteckte Sinn der griechischen mythologischen Fabeln ist nur zu finden, wenn man sie als einen halbverstandenen Widerhall morgenländischer Weisheit liest, behauptet Hamann.[13]

Besonders aufschlußreich ist seine Deutung einiger Mythen, die zu dem erhabenen Zeus nicht recht passen und die Hegel deshalb als nicht-klassische, archaische einstufte. In der Behandlung der klassischen Kunst bemerkt Hegel zu dem *Gestaltungs-*

prozeß der klassischen Kunstform, daß dieser »die Herabsetzung des Tierischen und Entfernung desselben von der freien reinen Schönheit« mit sich führe.[14] Jupiters Verwandlung in einen Schwan, Stier usw. »mit dem Zweck der Täuschung und zu unfeinen, nicht geistigen, sondern natürlichen Absichten« ist ein Rest der »Vorstellungen des allgemeinen zeugenden Naturlebens, welche in vielen älteren Mythologien die Hauptbestimmung ausmachte« (436). Die Zwittergestalten (Pan, Faune, Satyre) werden durch ihre tierischen Züge der Sphäre des Ungeistigen zugewiesen, aber Hegel bemerkt: »Bei den Griechen ist Pan dagegen das Schauererregende göttlicher Gegenwart, und späterhin in den Faunen, Satyrn, Panen tritt die Bocksgestalt nur in untergeordneter Weise in den Füßen und bei den Schönsten nur etwa in den zugespitzten Ohren und kleinen Hörnchen hervor. Das Übrige der Gestalt ist menschlich gebildet, das Tierische auf geringfügige Reste zurückgedrängt. Und dennoch galten die Faunen bei den Griechen nicht als hohe Götter und geistige Mächte, sondern ihr Charakter blieb der einer sinnlichen, ausgelassenen Lustigkeit« (437). Ähnlich abweisend verhält er sich gegenüber den Zentauren, obwohl Chiron edlerer Art ist, aber die »Unterweisung als Pädagogus eines Kindes gehört nicht dem Kreis des Göttlichen als solchen an« (437). Abschließend meint Hegel, die Tiergestalt in der klassischen Kunst sei nur »zur Bezeichnung des Üblen, Schlechten, Geringgeschätzten, Natürlichen und Ungeistigen« gebraucht worden.

Im Abschnitt über den Kampf der alten und neuen Götter kommt Hegel wieder auf dieses Thema zu sprechen und stellt fest, daß für die klassische Kunst »alles Trübe, Phantastische, Unklare, jede wilde Vermischung von Natürlichem und Geistigem«, fortfalle (450); Kabiren, Korybanten und die alte »Baubo, die Goethe auf dem Blocksberg auf einem Mutterschwein voranreiten läßt«, gehören »mehr oder weniger noch der Dämmerung des Bewußtseins« an (451). Hegel schließt also konsequent all diejenigen mythologischen Figuren, die nicht zu Wunsch- und Sinnbildern einer Harmonie von Geist und Natur taugen, sondern eher Symbole des Disharmonischen, ja des Verdrängten und in der Verdrängung Verzerrten sind, aus der klassischen Kunst der Antike aus. Die von Hegel formulierten Selektionsprinzipien müssen zu dem biedermeierlichen Klassizismus eines Thorvaldsen führen.

Obschon sowohl der vorklassische Goethe mit seinem höchst ambivalent gezeichneten *Satyros* und dem Rebellen *Prometheus* als auch der nachklassische mit seiner »Klassischen Walpurgisnacht« solche Spannungen und Konflikte sehr wohl mythologisch zu gestalten wußte, treten diese mythologischen Figuren in der Hochklassik in den Hintergrund, spielen aber da, wie mehrmals von der Forschung hervorgehoben, als »geheime Opposition« eine wichtige Rolle. So bleibt etwa für die »verteufelt humane Iphigenie« eine Spannung in ihrem Verhältnis zu den Göttern als Sinnbildern der Sitte, des harmonischen Kosmos, und in der Krise kehrt sich das Verhältnis um: Die von den Göttern verhängten Strafen werden grausige und willkürliche Taten, die das lichte Bild der Götter verdunkeln; ihre Helle wird in dieser Versuchung bloßer Schein, weil sie die gewaltsame Unterdrückung der – auch in Hegels Deutung – ursprünglichen titanischen Naturmächte zur Voraussetzung hat, so daß »der Atem erstickter Titanen / gleich Opfergerüchen / ein leichtes Gewölke« dieser fatalen Harmonie dient. Aber das Bild der Götter in ihrer Seele wird gerettet, und die Titanen versinken wieder »in nächtlichen Höhlen«, in der Sprache des alten Liedes, von dem es verräterisch genug heißt: »Vergessen hatt' ich's und vergaß es gern«.

Kehren wir zu Hamann zurück, so können wir feststellen, daß er 1759 – vier Jahre nach Winckelmanns *Gedanken über die Nachahmung der griechischen Werke in der Malerei und Bildhauerkunst* – seine *Sokratischen Denkwürdigkeiten* veröffentlichte, in denen er den Bildhauer Sokrates einerseits seine Grazien nach »altväterischem Gebrauch« oder aus der »Einfalt einer natürlichen Schaamhaftigkeit« neu kleiden ließ, andererseits seine Päderastie hervorhob und über die »thörichte Mühe« spottete, »ihn vor einem Laster weiß zu brennen, das unsere Christenheit an Sokrates übersehen sollte«.[15] Später betont er nachdrücklich, daß Alcibiades Sokrates' »Parabeln gewissen heiligen Bildern der Götter und Göttinnen, die man nach damaliger Mode in einem kleinen Gehäuse trug, auf denen nichts als die Gestalt eines ziegenfüßigen Satyrs zu sehen war«, vergleichen konnte.[16] Statt der Schönheit und der Harmonie hebt Hamann also das Disharmonische an Sokrates hervor und betont den Vergleich mit denjenigen Gestalten, die nach Hegel in der klassischen antiken Kunst überwunden wurden. Es ließen sich sehr viele Beispiele dieser Art anführen: von dem gehörnten Panskopf auf dem Titelblatt der *Kreuzzüge eines Philologen*, dem »Autor in effigie«, wie er schreibt,[17] bis zu der Sibylle, hinter der sich Hamann in seinem *Versuch über die Ehe* verbirgt und die »eben so wenig eine geweihte Vestalin als ich eine Vettel Baubo seyn mag«.[18]

Hamann stellt den Widerspruch als die durchgängige Bestimmung dieser umfunktionierten Lieblingsfigur der Aufklärung heraus, deren Daimonion zwischen Genie, Kobold und Heiligem Geist schillert, von den Pharisäern und Sophisten jedoch mit Wahnsinn identifiziert wird. Die sokratische Unwissenheit ist nicht nur kritische Strategie, sondern echt und entspricht einem freimütig gestandenen moralischen Unvermögen. Hamann erkennt das Ärgerniserregende an diesem Widerspruch und bemerkt dazu: »Die Heyden waren durch die *klugen Fabeln* ihrer Dichter an dergleichen Wiedersprüchen gewohnt; bis ihre Sophisten, wie unsere, solche als einen Vatermord verdammten, den man an den ersten Grundsätzen der menschlichen Erkenntnis begeht.«[19]

Hamann denkt, wie gleichzeitige Briefe beweisen, an die Geschichte von Europa und Jupiter[20] und an die Verwandlung Jupiters in einen Kuckuck, auf die er wiederholt anspielt.[21]

Nicht nur die tierischen Züge an niederen Göttern spielen also eine große Rolle in Hamanns Mythenrezeption, sondern auch die Metamorphosen des höchsten Gottes hebt er hervor und deutet sie als einen griechischen Widerhall von der Herunterlassung des biblischen Gottes im Alten Bund oder eine Vorwegnahme der Inkarnation, so daß Sokrates wieder seine alte Prophetenrolle übernehmen kann. Hamann begnügt sich also nicht mit der neutestamentlichen Feststellung, daß das Evangelium »den Griechen eine Torheit« ist (1. Kor. 1, 23), sondern sieht diese Torheit als das Tiefste und auch als das *poetisch* Fruchtbare an der griechischen Mythologie an: »Wenn Diderot das Burleske und Wunderbare als Schlacken verwirft: so verlieren göttliche und menschliche Dinge ihren wesentlichsten Charakter. Brüste und Lenden der Dichtkunst verdorren. Das μωρον der homerischen Götter ist das Wunderbare seiner Muse, das Saltz ihrer Unsterblichkeit. Die Thorheit der ξένων δαιμονίων, die Paulus den Atheniensern zu verkünden schien, war das Geheimnis seiner fröhlichen Friedensbothschaft. [...] und das Burleske verhält sich zum Wunderbaren, das Gemeine zum Heiligen, wie oben und unten, hinten und vorn, die hole zur gewölbten Hand«.[22]

Damit liefert Hamann schon am Anfang der »Gräkomanie« eine Kritik ihrer anthropologischen Prämissen. Indem er nicht die Vermittlung, sondern den Widerspruch als durchgängige menschliche Bestimmtheit auch in den »klugen Fabeln« der antiken mythologischen Dichtung ausgedrückt findet, kann er die Gebrochenheit der modernen Existenz, auf die die »Wertherische Ansicht« der Antike eine Reaktion war, weder auf das Christentum noch auf die politische Misere zurückführen, die Hamann übrigens in seinen gegen Friedrich II. gerichteten französischen Schriften als Despotismus scharf angriff. Sie war ihm vielmehr Ausdruck der Grundbefindlichkeit des Menschen, die bei ihm nicht naturgegeben, sondern geschichtlich – durch den Sündenfall – bedingt war. Aber das Entscheidende seiner Kritik an dem Perfektibilitätsglauben, der sich auch hinter dem harmonisierenden Hellasbild verbarg, war wohl, daß er nicht in der Natur, sondern in der Verleugnung der Natur das Böse sah. Nicht die Natur war, wie in Hegels Klassikdefinition, das zu überwindende »Geringgeschätzte«, sondern der Hochmut, der zur Unnatur führte.

Wie schon erwähnt, treten in der nachklassischen Zeit wieder die von Hegel ausgesperrten Gottheiten in Goethes Werk auf: In *Faust II* in der »Klassischen Walpurgisnacht« begegnen uns die Sirenen, Sphinxe, der »edle Pädagog« Chiron (V. 7337), ja sogar Kabiren und Proteus selbst, der Gott der ständigen und von Hegel verpönten Metamorphosen, nicht zu vergessen die nun tatsächlich ungestalten, unheimlichen Gottheiten, die Lamien und die Phorkyaden. Und alles in Verbindung mit der Wiedergeburt der Antike in der Begegnung Fausts und Helenas. Oder – und das ist wohl das Entscheidende – dreht es sich nicht eher um eine Erweckung von den Toten, einen Aufstieg aus dem Hades als um eine Wiedergeburt der Antike? Sollte vielmehr nun deutlich die Unmöglichkeit einer Renaissance dargestellt werden?

Es ist nicht möglich, hier die Forschung zu *Faust II*, nicht einmal die zu der »Klassischen Walpurgisnacht« und zu der Seinsweise Helenas zu diskutieren. Aber auf die Paradoxe in der Helena-Handlung und ihrem Auftakt kann hingewiesen werden und auf die Rolle Mephistos, des »romantischen Gespenstes«, den die »antikischen Kollegen« »widern« und der meint: »Das Griechenvolk, es taugte nie recht viel! / Doch blendet's euch mit freiem Sinnenspiel, / Verlockt des Menschen Brust zu heitern Sünden« (V. 6972–74).

Die »Klassische Walpurgisnacht«, die den Auftakt zur Helena-Handlung bildet, läßt Faust, Mephisto und Homunculus getrennte Wege nach verschiedenen Zielen gehen. Homunculus will das Leben, die Natur und erreicht sein Ziel: Er zerschellt am Muschelwagen der Meeresgöttin, und so fängt die Entelechie an, ein wirkliches biologisches Wesen zu werden. Faust aber will die Vergangenheit, und so geht er in dieser Nacht, in die uns die Hexe Erichto einführt, den Weg zur Sibylle Manto und mit ihrer Hilfe nach dem Reich der Toten. Er will die Zeit und die Zeitlichkeit überwinden und meint später, es sei ihm gelungen:

> So ist es mir, so ist es dir gelungen;
> Vergangenheit sei hinter uns getan!
> O fühle dich vom höchsten Gott entsprungen,
> Der ersten Welt gehörst du einzig an.   (V. 9562–65)

Dabei ist, woran Katharina Mommsen wieder nachdrücklich erinnert hat,[23] die Begegnung Fausts mit Helena ein Gegenstück zu Helenas Zusammenleben mit Achill auf Pherä (V. 7435):

> Phorkyas. Dann sagen sie: aus hohlem Schattenreich herauf
> Gesellte sich inbrünstig noch Achill zu dir!
> Dich früher liebend gegen allen Geschicks Beschluß.
> Helena. Ich als Idol, ihm dem Idol verband ich mich.
> Es war ein Traum, so sagen ja die Worte selbst.
> Ich schwinde hin und werde selbst mir ein Idol. (V. 8876–81)

Faust hat sie also nicht ins Leben zurückholen können, ihre Existenz wie die der Choretiden bleibt dem Hades verhaftet, und Faust zerstört den Traum selber, wenn er ihm Dauer zu verleihen sucht: Er flüchtet mit ihr »ins heiterste Geschick«, nach Arkadien, in eine Frühe, die unwiederbringlich ist.

Was noch bedenklicher stimmt, ist die Tatsache, daß Phorkyas/Mephisto das Geschehen lenkt und die Begegnung mit Helena zustande bringt – wie die Begegnung mit Gretchen. Er spricht mit Helena und verspricht ihr: »[...] sagst mit Ernst vernehmlich Ja! / Sogleich umgeb' ich dich mit jener Burg« (V. 9049 f.). Faust hat sie nicht selber aus dem Hades heraufführen können.

Mephisto, dessen Fremdheit in der antiken Welt am Anfang so stark betont wird, der sich anbiedert, aber verspottet und verlacht wird, findet eine ihm gemäße Gestalt, als er die Phorkyaden trifft:

> Wird man die urverworfnen Sünden
> Im mindesten noch häßlich finden,
> Wenn man dies Dreigetüm erblickt?
> Wir litten sie nicht auf den Schwellen
> Der grauenvollsten unsrer Höllen.
> Hier wurzelt's in der Schönheit Land,
> Das wird mit Ruhm antik genannt... (V. 7973–79)

Nun kennt, wie Hegel hervorhebt,[24] das Klassische weder das Böse noch die Sünde. Das Böse verwandelt sich also ins Häßliche, verliert den nordisch-moralischen Charakter, ohne das Unheimliche, das Aggressive abzulegen. Aber mit diesem Häßlichen, Chaotisch-Elementaren ist das Schöne verbunden, denn von Mephisto/Phorkyas empfängt Faust Helena.

Die »Klassische Walpurgisnacht« und die mit ihr verbundene Helena-Handlung zeigen nicht nur, daß eine Wiedergeburt der Antike unmöglich ist – das wußte auch der hochklassische Goethe –, sondern zeigen auch das Naturhafte, die Triebe, das rein Biologische, das ungehemmt wuchernde Leben und dessen Verfall, das in der klassischen Kunst keinen Platz hatte. Aber gleichzeitig unterscheidet sich der nachklassische Goethe sehr deutlich sowohl von Hamann, der einen scharfen Blick für die »Ungetüme des Altertums« hatte, als auch von den Romantikern, die in seinen Mythen das Böse, die dämonische Versuchung erblickten. Goethe blieb seiner ästhetischen Auffassung der griechischen Mythologie treu – nur auf eine souveränere Art, die auch das Unklassische der Antike nicht mehr verdrängen mußte.

In der Wirkungsgeschichte der deutschen Klassik wurde aber ein klassisch stilisiertes

Bild Goethes bestimmend. Nicht nur die antiken Scheusale und Rebellen, sondern auch den ironisch behäbigen, sich bequem gebenden amoralischen Liebhaber der *Römischen Elegien*, die übrigens selten vollständig abgedruckt wurden, verdrängte man – mit dem bekannten Ergebnis, daß die Mysterien, die Orgien und das trunken Dionysische, das auch nach Ansicht Friedrich Schlegels nicht unterschlagen, sondern als eine notwendige Entwicklungsstufe sogar mit Ehrfurcht betrachtet werden sollte,[25] am Ende des Jahrhunderts dem Apollinischen als das Tiefere und Verehrungswürdigere gegenübergestellt wurden.

Anmerkungen

1 Johann Gottfried Herder: Sämtliche Werke. Hrsg. von Bernhard Suphan. Bd. 18. Berlin 1883. S. 138.

2 Friedrich Schlegel 1794–1802. Seine prosaischen Jugendschriften. Hrsg. von Jacob Minor. 2 Bde. Wien 1882. Bd. 1. S. 165; Bd. 2. S. 48. – Kritische Friedrich-Schlegel-Ausgabe. Hrsg. von Ernst Behler, Jean-Jacques Anstett und Hans Eichner. München, Paderborn, Wien 1958 ff. Bd. 3. S. 151.

3 Hans Robert Jauß: Schlegels und Schillers Replik auf die »Querelle des Anciens et des Modernes«. In H. R. J., Literaturgeschichte als Provokation. Frankfurt a. M. 1970. S. 67–106.

4 Eine verläßliche Zusammenfassung der kunst- und literaturgeschichtlichen Forschung gibt die motivgeschichtliche Untersuchung von Ludwig Uhlig: Der Todesgenius in der deutschen Literatur von Winckelmann bis Thomas Mann. Tübingen 1975.

5 Walther Rehm: Götterstille und Göttertrauer. In: Jahrbuch des Freien Deutschen Hochstifts. Frankfurt a. M. 1931. S. 208–297. Nunmehr in: W. R., Götterstille und Götter. Bern 1951. S. 101–182.

6 Apokatastasis: Wiederherstellung der gesamten Schöpfung, d. h. auch der Verdammten und der gefallenen Engel in einen Zustand vollkommener Seligkeit.

7 Johann Georg Hamann: Sokratische Denkwürdigkeiten. Aesthetica in nuce. Hrsg. von Sven-Aage Jørgensen. Stuttgart 1974. S. 109–111.

8 Georg Wilhelm Friedrich Hegel: Ästhetik. Hrsg. von Friedrich Bassenge. 2 Bde. Berlin, Weimar 1965. Bd. 1. S. 449 f.; 459 f.; 464 f.

9 Friedrich Sengle: Wieland. Stuttgart 1949. S. 324.

10 Ebd., S. 326–329.

11 Schlegel (Anm. 2). Bd. 2. S. 189.

12 Hamann (Anm. 7). S. 109, Anm. 28. (Die mythologischen Fabeln scheinen wie ein zarter Lufthauch zu sein, aus den Überlieferungen weit älterer Völker in die Hirtenflöten der Griechen geraten.)

13 Vgl. Sven-Aage Jørgensen: Hamann, Bacon, and Tradition. In: Orbis Litterarum 16 (1961) S. 48–73.

14 Hegel (Anm. 8). Bd. 1. S. 429. Die in Klammern stehenden Seitenzahlen im folgenden Textabschnitt beziehen sich auf diesen Band.

15 Hamann (Anm. 7). S. 33.

16 Ebd., S. 69.

17 Johann Georg Hamann: Briefwechsel. Hrsg. von Walther Ziesemer und Arthur Henkel. Wiesbaden 1955 ff. Bd. 2. S. 125.

18 Johann Georg Hamann: Sämtliche Werke. Hist.-krit. Ausg. von Josef Nadler. 6 Bde. Wien 1949–57. Bd. 2. S. 207.

19 Hamann (Anm. 7). S. 35.
20 Vgl. Hamann (Anm. 17). Bd. 1. S. 352.
21 Vgl. Hamann (Anm. 17). Bd. 2. S. 350 und (Anm. 18). Bd. 3. S. 310.
22 Ebd., Bd. 2. S. 367.
23 Katharina Mommsen: Natur und Fabelreich in Faust II. Berlin 1968.
24 Hegel (Anm. 8). S. 421 f.
25 Schlegel (Anm. 2). Bd. 1. S. 243 f., 11 (Minor).

Literaturhinweise

Butler, E. M.: The Tyranny of Greece over Germany. Cambridge 1935.

Emrich, Wilhelm: Die Symbolik von Faust II. Bonn ³1964.

Hatfield, Henry: Aesthetic Paganisme in German Literature. From Winckelmann to the Death of Goethe. Cambridge/Mass. 1964.

Jauß, Hans Robert: Literaturgeschichte als Provokation. Frankfurt a. M. 1970.

Mommsen, Katharina: Natur und Fabelreich in Faust II. Berlin 1968.

Rehm, Walther: Götterstille und Göttertrauer. Aufsätze zur deutsch-antiken Begegnung. Bern 1951.

– Griechentum und Goethezeit. Geschichte eines Glaubens. Bern ³1952.

Schadewaldt, Wolfgang: Goethestudien. Natur und Altertum. Zürich 1963.

Seznec, Jean: La Survivance des dieux antiques. London 1940.

Strich, Fritz: Die Mythologie in der deutschen Literatur von Klopstock bis Wagner. 2 Bde. Halle (Saale) 1910.

Szondi, Peter: Antike und Moderne in der Ästhetik der Goethezeit. Hegels Lehre von der Dichtung. In: P. S., Poetik und Geschichtsphilosophie I. Frankfurt a. M. 1974.

Uhlig, Ludwig: Der Todesgenius in der deutschen Literatur von Winckelmann bis Thomas Mann. Tübingen 1975.

Weimann, Robert: Literaturwissenschaft und Mythologie. In: R. W., Literaturgeschichte und Mythologie. Berlin, Weimar 1974.

DIETRICH JÖNS

Das Problem der Macht in Schillers Dramen von den »Räubern« bis zum »Wallenstein«

Wo der Begriff der Freiheit Bedeutung erhält, da sind auch die Begriffe von Macht und Herrschaft nicht fern, und so begegnen wir immer wieder in den Dramen und Dramenfragmenten Schillers dem Phänomen der Macht, sei es in der Form der Usurpation, sei es in der etablierter Herrschaft. Wenn ihm hier von den *Räubern* bis zur *Wallenstein*-Trilogie nachgegangen werden soll, so mag dieser Begrenzung etwas Willkürliches anhaften, aber es schien, nicht nur der gebotenen Kürze halber, ratsamer zu sein, die Entwicklung Schillers bis zur klassischen Position aufzuzeigen, als diese vollständig darzulegen, zumal die späteren Werke kaum prinzipiell Neues zu diesem Thema zu bieten haben.[1]

Nicht erst in einem Drama mit historischem Stoff, sondern schon in den *Räubern* hat Schiller das Thema der Macht aufgegriffen, und es ist nicht verwunderlich, daß er es in diesem Jugendwerk zugleich in der radikalen Form der absoluten Gewalt eines einzelnen über andere dargestellt hat. Es ist die Gestalt des »überlegenden Schurken« Franz Moor, wie er ihn in der Selbstbesprechung genannt hat (1, 624),[2] an der er dies Thema entwickelt. Franz, der sich von der Natur ungerecht behandelt fühlt, weil sie ihn nicht den Erstgeborenen und damit Erbberechtigten hat werden lassen und außerdem mit der Last der Häßlichkeit behaftet hat, will die Herrschaft über den gräflichen Besitz seines alten Vaters antreten und setzt sich, um dies Ziel zu erreichen, bedenkenlos über alle Moral hinweg: durch eine Intrige versucht er, seinen Bruder Karl aus der Erbfolge auszuschließen und zugleich dessen Braut zu erobern, und zielstrebig geht er daran, mittels eines perfekten Mordes durch tödliches Erschrecken seinen Vater aus dem Weg zu räumen. Sein Sündenregister ließe sich verlängern. Wenn man die Worte hört, die er am Ende seines Monologs in der ersten Szene spricht: »Ich will alles um mich her ausrotten, was mich einschränkt, daß ich nicht *Herr* bin. *Herr* muß ich sein, daß ich das mit Gewalt ertrotze, wozu mir die Liebenswürdigkeit fehlt« (1, 502), so könnte man seine Aggressivität psychologisch mit einer Kompensationstheorie erklären. Man wird auch seinem ganzen sophistischen Selbstrechtfertigungsversuch und seinem Verhalten diese Erklärungsmöglichkeit nicht absprechen, und Schiller hat in der Selbstbesprechung mit Blick auf seinen Helden gesagt, daß er überzeugt sei, »daß der Zustand des moralischen Übels im Gemüt eines Menschen ein schlechterdings gewaltsamer Zustand sei, welchen zu erreichen zuvörderst das Gleichgewicht der ganzen geistigen Organisation [...] aufgehoben« sein müsse (1, 625). Aber er will in seinem Drama das Böse weniger psychologisch erklären, als vielmehr vorführen, womit er das Problem letztlich zu einem moralischen macht. »Ich habe versucht«, so schreibt er in der Vorrede zur ersten Auflage, »die vollständige Mechanik seines Lastersystems auseinanderzugliedern – und ihre Kraft an der Wahrheit zu prüfen. [...] Ich denke, ich habe die Natur getroffen« (1, 486). Der Motor dieser »Mechanik seines Lastersystems« ist nicht nur der Wille, die Ungerechtigkeiten der Natur auszugleichen, sondern die pure Lust an der Macht und ihrer Ausübung: »Streicheln und Kosen ist meine Sache nicht. Ich will euch die zackigte Sporen ins Fleisch hauen, und die scharfe Geißel versuchen. – In meinem Gebiet solls so weit kommen, daß Kartoffeln und Dünnbier ein Traktament für Festtage werden, und wehe dem, der mir mit vollen, feurigen Backen unter die Augen tritt! Blässe der Armut und sklavischen Furcht sind meine Leibfarbe: in diese Liverei will ich euch kleiden!« (1, 535).[3]

Macht hat hier kein anderes Ziel als ihre Selbstbestätigung in der Vergewaltigung anderer. Darin liegt das absolut Böse dieser Figur. So will er die im guten Sinn des Wortes patriarchalische Herrschaftsform des alten Moor in eine Despotie verwandeln.

Grundlage dieses Verhaltens ist für Schiller jene »herzverderbliche Philosophie« (1, 625), die bei Franz in der Proklamation des Rechts des Stärkeren gipfelt: »Das Recht wohnt beim Überwältiger, und die Schranken unserer Kraft sind unsere Gesetze« (1, 500). Und es ist die Emanzipation des Verstandes von der Welt des Herzens, in der »die verworrenen Schauer des Gewissens«, die »richtende Empfindung« und die »Stimme der Religion« ihren Ort haben (1, 485), die Schiller meint, wenn er über Franz sagt, daß er »seinen Verstand auf Unkosten des Herzens« verfeinert habe und ihm deshalb nichts mehr heilig sei (1, 485). So wird der Verstand zum Instrument bösartiger Machtlüsternheit, und das sowohl in der Rechtfertigungsargumentation als auch in der Raffinesse des Handelns.

Das Gegenbild zu diesem, jede seiner Handlungen auf den Erfolg hin berechnenden und bei seinen Plänen keinen Umstand außer acht lassenden ›Machtpolitiker‹ zeichnet Schiller in Karl, dessen Reden und Aktionen aus der Leidenschaft des Gefühls entspringen, so, wenn er aus dem Kraftbewußtsein des Sturm-und-Drang-Genies voller Verachtung gegen das »schlappe Kastratenjahrhundert« aufklärerischer Buchgelehrsamkeit opponiert (1, 503) oder wenn ihn die vermeintliche Verstoßung aus dem Vaterhaus zur Empörung gegen das »Menschengeschlecht« treibt, indem seine »Privaterbitterung« gegen den Vater sich zum »Universalhaß« auf dieses wandelt, wie Schiller es in der Selbstbesprechung formuliert hat (1, 624). Er ist kein zielbewußter Planer. Daß er Räuber und dann Anführer einer Bande wird, ist zwar kein Zufall, aber auch nicht sein eigenes Werk. Die Situation kommt ihm entgegen, und er ergreift sie, weil sie ihm ein Leben in Freiheit von der Enge der bürgerlichen Gesellschaft und ihrer Konventionen zu versprechen und die Möglichkeit der »Wiedervergeltung« zu bieten scheint (1, 553).

Damit hat er eine außerhalb der Gesellschaft und der Legalität – die Verachtung der Gesetze hat er mit Franz gemeinsam – befindliche Machtposition erreicht. Das Problem liegt in ihrer Verwendung. Würde er sie allein für seine Privatrache benutzen, dann ginge es ihm wie Franz nur um eine Selbstbefriedigung und fehlte seinen Unternehmungen jegliche Legitimation. Und so setzt sich zusammen mit dem Motiv der Wiedervergeltung im Verlauf des Stückes ein zweites Motiv durch: das des Versuchs einer Verbesserung der gesellschaftlichen Verhältnisse. Dafür wird zwar kein detailliertes Programm verkündet, aber daß dies Karls Absicht war, zeigt nicht nur sein Bekenntnis, daß er die Welt habe »verschönern« wollen (1, 618), sondern bekunden ebenso seine Taten. Sie sind gezielt, denn seine Opfer stammen alle aus der Schicht der Mächtigen, einer Schicht, die durchweg als korrupt geschildert wird. Es sind Grafen, Minister, Landjunker, hohe Beamte und Pfaffen, die ihre Macht zur Ausbeutung und weiteren Unterdrückung der sozial Schwachen ausnutzen (1, 541. 552). Seine Beute überläßt er Waisenkindern oder armen Schülern zur Finanzierung ihres Studiums (1, 541). Und wenn er zum Schluß den auf ihn gesetzten Kopfpreis einem armen Tagelöhner mit elf Kindern zukommen lassen will, dann weist das in dieselbe Richtung des Eintretens für die Armen (1, 617). In diesen Zusammenhang wird das sentimentale Motiv des edlen Räubers integriert.

Unter diesem sozialkritischen und zugleich sozialreformerischen Aspekt sollte man auch die bramarbasierende Rede Karls betrachten: »Stelle mich vor ein Heer Kerls wie ich, und aus Deutschland soll eine Republik werden, gegen die Rom und Sparta Nonnenklöster sein sollen« (1, 504). Dasselbe gilt auch für die Anspielungen auf Brutus und Catilina in der Vorrede und das Lied von Brutus und Caesar, das Karl singt. Das heißt, man hätte diese Motive als Hinweise auf eine beabsichtigte Änderung der Verhältnisse durch eine Änderung der Staatsform zu verstehen. Auch wenn Schiller es in seiner Vorrede tut, eine eindeutige Identifikation Karls mit Brutus unter dem Gesichtspunkt gemeinsamen Republikanertums ist nicht zu vollziehen. Dazu sind diese Motive zu wenig integriert. Doch für den Tenor und die Tendenz sind sie signifikant.

Schiller hat in Karl einen Empörten und Empörer gestaltet, keinen Revolutionär. Karl ist kein Organisator von Macht. Seine Taten begeht er im wesentlichen als einzelner, auch nicht als Repräsentant einer bestimmten sozialen Klasse; seine Räuber bleiben im sozialen Kontext, was sie sind. So hat er zwar den Willen zu einer besseren Gesellschaftsordnung, stiften kann er sie jedoch nicht. Er endet mit der Erkenntnis, daß sein Weg, »die Gesetze durch Gesetzlosigkeit aufrecht zu halten«, falsch war, weil der Weg der Gewalt den »ganzen Bau der sittlichen Welt« zerstört, also jene Ordnung ruiniert, von der alle anderen Ordnungen abhängen (1, 617). Sein Handeln birgt ein anarchisches Element. Von dieser Position aus ist keine Legitimation für eine revolutionäre Veränderung möglich.

Die in den *Räubern* angeschlagene Thematik wird in der *Verschwörung des Fiesco* nicht verlassen. Die Verbindung beider Stücke ist enger, als die Unterschiedlichkeit des Stoffes vermuten läßt. Es ist nicht nur das Motiv der Größe, das ja auch das des erhabenen Verbrechers bei Schiller einschließt, was beide Stücke gemeinsam haben, sondern das Motiv der Freiheit und einer ihr angemessenen Staatsform, die die Würde und Wehrlosigkeit des Bürgers vor absolutistischer Herrschergewalt schützt, wird hier fortgeführt. Ebenfalls wird das an Franz Moor im kleineren Bereich abgehandelte Thema der Usurpation und Despotie wieder aufgegriffen. Nicht zufällig treten die in den *Räubern* benutzten Namen aus der römischen Geschichte hier wiederum in ihrer symbolisierenden Funktion auf: Leonore nennt Fiesco ihren »Brutus« (1, 738), und als Motto zitiert Schiller Sallusts Urteil über Catilina.

Dies alles wird jedoch jetzt in den politisch-historischen Bereich verlagert, wird Staatsaktion, womit das idealistisch-soziale Gerechtigkeitspathos Karls wegfällt, denn das zentrale, aber in seiner Sinnträchtigkeit nicht durchgehaltene Thema ist das von Tyrannis und Republik.[4]

Die Tyrannis, gegen die sich Fiescos Verschwörung richtet, wird im Grunde nur durch die Bedrohung der bestehenden Herrschaftsform durch den gewalttätigen Gianettino dargestellt; der regierende Andreas ist kein Despot. Der Umsturz wird von Fiesco auf eine Weise vorbereitet, die ihn als Usurpator in die Nähe von Franz Moor rückt, nur daß er dessen Grad des total Bösen nicht ganz erreicht. Was Fiesco treibt, ist ein Spiel der doppelten Täuschung: sowohl seine Gegner als auch seine Mitverschworenen läßt er über sein Vorhaben im unklaren. Im Hinblick auf die letzteren ist diese Geheimhaltung eine psychologisch berechnete Kunst der Selbstinszenierung, die er hier, aber nicht nur hier, vornimmt, um im entscheidenden Augenblick als absoluter Herr der Verschwörung auftreten und sie im Griff behalten zu können. So spielt er den politisch uninteressierten Lebemann, wiegt er die Gegner in Sicherheit und enttäuscht er für eine Weile alle, die von ihm die Umwandlung Genuas in eine Republik erhoffen. Gleichzeitig aber weiß er durch geschickte Manipulation – wie durch die Erzählung der Tierfabel von den verschiedenen Regierungsformen – die Sympathie des gegen Gianettino erbitterten Volkes in immer stärkerem Maße auf seine Person zu lenken. Außerdem versichert er sich der militärischen Unterstützung durch andere Staaten, aber nur in dem Maße, daß dies ihm nicht gefährlich werden kann. Das ist ein gut machiavellistischer Ausbau der Macht, und zwar aus einer politisch amorphen Situation heraus, die er zugleich undurchsichtig hält. Dies ausschließlich kalkulatorische Verhältnis zur Macht geht bei ihm so weit, daß er den von ihm irrtümlich verursachten Tod Leonores nach momentaner Erschütterung sogleich in politisches Kapital für sein öffentliches Ansehen umzumünzen fähig ist: »Höret, Genueser – die Vorsehung, versteh ich ihren Wink, schlug mir diese Wunde nur, mein Herz für die nahe Größe zu prüfen? – Es war die gewagteste Probe [...]. Kommt! *Genua erwarte mich*, sagtet ihr? – Ich will Genua einen Fürsten schenken, wie ihn noch kein Europäer sah –« (1, 746). Es ist der schon zur Alleinherrschaft entschlossene Fiesco, der sich hier mit Hilfe der Vorsehung emporstilisiert.

Mit der Gestalt des Fiesco kristallisiert sich jetzt jener Typus des ›Politikers‹ bei Schiller heraus, den er in Franz Moor exponiert hatte und der sich zu einer nur geringfügig variierten Reihe von Figuren entwickeln sollte, die über den Präsidenten Walter und seinen bürgerlichen Komplizen Wurm in *Kabale und Liebe* bis zum Großinquisitor im *Don Carlos* reichen und auch noch Grundzüge mancher politischen Figur im späteren Werk ausmachen. Diese Politiker sind, wie Dolf Sternberger sie genannt hat, jene »herzlosen Kalkulatoren der Macht«, denen »zwar ein beherrschendes Motiv, doch keine Leidenschaft im Hirn und in der Seele sitzt«.[5] Mag Politik für Schiller wie auch für den Großteil des zeitgenössischen Bürgertums eine »Angelegenheit der Höfe und geheimen Kabinette« gewesen und ihm »beinahe gleichbedeutend mit den Komplikationen der Intrige oder der Kabale« erschienen sein,[6] so ist doch in unserem Zusammenhang dem von Sternberger nur gestreiften Begriff des Motivs des politischen Handelns, der durch den des politischen Zieles zu präzisieren wäre, größere Beachtung zu widmen. Denn hierin besteht das Problem des Fiesco, der ausgezogen war, eine Republik zu schaffen, sich dann aber zum Alleinherrscher machen wollte und damit die Republik verriet.

Es sind die Monologe Fiescos am Ende des zweiten und Anfang des dritten Aktes, wo er die Zielsetzung seines Unternehmens ändert. Schiller läßt diese Reflexionen seines Helden genau an dem Punkt einsetzen, wo dieser die politischen Vorbereitungen des Umsturzes, die Schaffung der erforderlichen Macht, abgeschlossen hat. Der Verlauf beider Monologe zeigt eindeutig, daß Schiller bei Fiesco den verantwortli-

chen Umgang mit Macht nicht unter dem Gesichtspunkt staats- oder gesellschafts-
politischer Erwägungen betrachtet, sondern auf der Ebene moralischer Entscheidung ansiedelt. Dadurch erscheint das Problem der Macht ausschließlich als
Versuchung: »Welch ein Aufruhr in meiner Brust? Welche heimliche Flucht der Gedanken – Gleich verdächtigen Brüdern, die auf eine schwarze Tat ausgehen, [...] steh-
len sich die üppigen Phantomen an meiner Seele vorbei –«. Die Entscheidung zwischen der Alternative: »*Republikaner Fiesco? Herzog Fiesco?*« wird als eine Frage
der »Tugend« dargestellt, wobei sich Schiller der biblischen Vorstellungen des Sün-
denfalls und Engelsturzes bedient. Die mit dem erworbenen Besitz an Macht vorhandene Möglichkeit der Verführung zu einer im Wortsinn allmächtigen Herrschaft
bietet sich in Fiescos Reflexionen als Verführung zum Bösen dar. Zunächst widersteht er der Versuchung, indem er die moralische Größe der Selbstüberwindung über
die der politischen Herrschaft setzt: »Ein Diadem erkämpfen ist *groß*. Es wegwerfen
ist *göttlich*. Geh unter, Tyrann! Sei frei, Genua, und ich dein *glücklichster* Bürger!«
(1, 694f.). Aber dieser Entschluß wird am folgenden Morgen hinfällig, als sich seinem Blick aus dem Fenster,wie die Bühnenanweisung besagt, »Stadt und Meer vom
Morgenrot überflammt« zeigen: »Diese majestätische Stadt. [...] *Mein!* – und drüber
emporzuflammen gleich dem königlichen Tag – drüber zu brüten mit Monarchen-
kraft –« (1, 697f.). Die Situation verdeutlicht den völlig unpolitischen, nur ästhetischen Charakter der Verlockung. Da ist kein Interesse am Staat, am Gemeinwohl
oder an der bürgerlichen Freiheit, ja nicht einmal das Ideal des gerechten Herrschers
zu finden, das jetzt die Usurpation Fiescos rechtfertigen könnte. Es ist dieselbe, nur
in den fürstlichen Bereich gesteigerte Lust an der Macht mit ihrer Verachtung von
Recht und Gesetz wie bei Franz Moor, die ihn erfüllt: »Zu stehen in jener schröck-
lich erhabenen Höhe – [...] den ersten Mund am Becher der Freude – tief unten den
geharnischten Riesen *Gesetz* am Gängelbande zu lenken – schlagen zu sehen unver-
goltene Wunden, wenn sein kurzatmiger Grimm an das Geländer der Majestät ohn-
mächtig poltert – die unbändigen Leidenschaften des Volks, gleich soviel stampfen-
den Rossen, mit dem weichen Spiele des Zügels zu zwingen – den emporstrebenden
Stolz der Vasallen mit *einem* – einem Atemzug in den Staub zu legen« (1, 698). Das
verbindet sich mit der dem Sturm und Drang zugehörigen Vorstellung des sich gott-
gleich setzenden großen Individuums: »*Gehorchen und Herrschen! Sein und
Nichtsein!* Wer über den schwindligten Graben vom letzten Seraph zum Unendlichen setzt, wird auch diesen Sprung ausmessen« (1, 698). Und mit dem Bewußtsein
der eigenen Größe spricht Fiesco sich auch eine Sondermoral zu: »Tugend? der erhabene Kopf hat andre Versuchungen als der gemeine – Sollt er Tugend mit ihm zu
teilen haben? –« (1, 698).
Was Schiller an seinem politischen Helden Fiesco demonstriert, ist die Anfälligkeit
des Mächtigen für die korrumpierende Kraft der Macht, als deren Resultat im
Menschlichen der Immoralismus, im Politischen die Tyrannis erscheint. Sein Wille
zur unumschränkten Herrschaft führt zur Hybris fürstlicher Selbstvergötterung, die
bei Schiller ein generelles Moment seiner Kritik am Absolutismus bildet. Mit den
Worten Leonores: »*Fürsten*, Fiesco? Diese *mißratenen Projekte* der wollenden und
nicht könnenden Natur – *sitzen so gern zwischen Menschheit und Gottheit nieder;*
– heillose Geschöpfe. Schlechtere Schöpfer« (1, 732).
Fiescos Verrat der Republik bedeutet den Verrat der Menschlichkeit und die Absage

an die durch Leonore verkörperte Welt des Herzens. Sein Ende ist nicht als tragisch zu bezeichnen. Es ist moralisch notwendig, wenn das politische Geschehen nicht mit einem Triumph des Bösen enden sollte. Mag sein Tod durch den eingeschworenen Republikaner Verrina auch die sittliche Weltordnung wiederherstellen, die Republik wird dadurch nicht errichtet. Der Übertritt Verrinas zu Andreas Doria als effektvolle Schlußpointe stellt schließlich den Sinn des Kampfes um die Republik, die Erringung einer auf Respektierung von Gesetz und Recht basierenden freiheitlichen Staatsform, völlig in Frage. Man könnte höchstens sagen, daß er das kleinere Übel wähle, denn der alte Doria trägt in seiner Achtung der Gesetze Züge des ›gerechten Herrschers‹ (1, 684).

In der Mannheimer Bühnenfassung läßt Schiller seinen Helden die ihm angetragene Herzogswürde ablehnen. Größe erscheint hier als sittliche Qualität. Doch der Schluß überzeugt vom Charakter des Helden her nicht. Und in der Leipziger Bühnenfassung wiederholt er, allerdings in geänderter Form, den tödlichen Ausgang. Gemeinsam ist jedoch allen Fassungen die Situation der Verführung durch die Macht, die in den Dramen des jungen Schiller ganz im Sinne des berühmten Diktums von Jacob Burckhardt als »an sich böse« dargestellt wird.[7]

Böse oder zum Bösen führend scheint in der Tat in Schillers Jugenddramen jene Wirklichkeit zu sein, die mit der Macht zu tun hat: die der Politik und identisch damit die des Hofes, ein Phänomen, in dem literarische Topik zum kritischen Reflex des absolutistischen Systems wird.

So ist die Darstellung der Hofgesellschaft in *Kabale und Liebe* eindeutig kritisch auf den Absolutismus bezogen, auch wenn hier Tugend und Laster nicht nach Bürgertum und Adel getrennt werden, sondern in beiden Ständen zu finden sind. Doch das Problem der Macht erhält keine neue Perspektive. Die Wirklichkeit, an der die Liebe Ferdinands und Luises scheitert, ist die des Standesunterschiedes. Dieser bildet den sozialkritischen Ansatz des Stückes. Darüber hinaus aber geht es um die Erhaltung der mit dem höheren Stand errungenen Macht. Das verdeutlicht die Person des Präsidenten Walter: Durch ein Verbrechen an die Macht gekommen, kann er die eroberte Stellung nur unter den Bedingungen höfischer Günstlingswirtschaft mit ihrem rücksichtslosen Konkurrenzdenken behalten. Insofern handelt er durchaus seinem Milieu entsprechend. Seine Schurkenhaftigkeit hat repräsentativen Charakter. Damit ist ihm als Mensch die Einsicht zum Schluß nicht verschlossen.

Wenn sich der Präsident der Heirat seines Sohnes mit einem Bürgermädchen widersetzt und ihm die ausgediente, nun durch eine Ehe zu versorgende Mätresse des Fürsten zumutet, so dient das dem Zweck, seinen in diesem System von zufälligen Abhängigkeiten auf eben dieser Mätresse beruhenden Einfluß auf den Fürsten und damit die eigene Machtposition zu erhalten: »Ein anderer kann sich melden – den Kauf schließen, mit der Dame das Vertrauen des Fürsten anreißen, sich ihm unentbehrlich machen – Damit nun der Fürst im Netz meiner Familie bleibe, soll mein Ferdinand die Milford heuraten –« (1, 769). Und nachdem Ferdinand ihm mit der öffentlichen Verbreitung der Geschichte seines Aufstiegs gedroht hat, sagt er: »Mein ganzer Einfluß ist in Gefahr, wenn die Partie mit der Lady zurückgeht, und wenn ich den Major zwinge, mein Hals« (1, 800f.). Der Widerstand Ferdinands führt dann zur von Wurm erfundenen Intrige und zum tragischen Ende. Macht, die sich selber will, reagiert auf Bedrohung skrupellos und böse. Mit den Worten des Präsidenten an die Familie Miller: »Die Gerechtigkeit soll meiner Wut ihre Arme borgen« (1, 796). Freilich zerstört das Böse im Auseinanderbrechen der Komplizenschaft zwischen dem Präsidenten und Wurm sich selbst und endet das Drama mit ihrer Übergabe an das irdische Gericht und mit der Unausweichlichkeit des himmlischen Gerichts, die Machtthematik jedoch bleibt in das System der höfischen Standesgesellschaft absolutistischer Prägung eingebunden.

Kabale und Liebe ist Schillers einziges bürgerliches Trauerspiel. Im *Don Carlos* verlegt er wie im *Fiesco* den Schauplatz des Geschehens in die Welt der Geschichte und damit der Fürsten. Schillers Wendung zu geschichtlichen Stoffen bedeutet nicht von vornherein eine Entpolitisierung, wie es der Verzicht auf Gegenwartsstoffe nahelegen könnte. Auch sein *Fiesco* ist nicht ohne politische Intention gewesen, wie es sein Brief an Reinwald vom 3. Mai 1784 bezeugt, in dem er im Hinblick auf die Mannheimer Bühnenfassung mit ihrem Sieg der Republik schreibt: »[...] den Fiesco verstand das Publikum nicht. Republicanische Freiheit ist hier zu Land ein Schall ohne Bedeutung, ein leerer Name – in den Adern der Pfälzer fließt kein römisches Blut.«[8]

Trotz der privaten Problematik der einzelnen Personen ist der *Don Carlos* keine bloße fürstliche Familientragödie, sondern ein politisches Drama,[9] und zwar in dem Maße, wie ein utopisches Ziel zum Movens politischer Aktivität wird. Es wird die Grundthematik des *Fiesco* hier wieder aufgegriffen, denn das Anliegen des Marquis Posa, des eigentlichen Helden, zielt, wie das des Genuesers, auf die Reform oder auch auf den Umsturz eines despotisch regierten Staates zugunsten einer liberalen Verfassung oder zumindest Regierungsweise.

Diese etwas schwebende Terminologie zur Bezeichnung jenes Neuen, das gewollt wird, ist absichtlich gewählt, denn Schiller entwickelt hier keine klaren Vorstellungen. Für ihn gilt, was die gesamte Gedankenwelt der Dichter des ›Republikanismus‹ des 18. Jahrhunderts charakterisiert, daß nämlich das Staatsziel als das primäre angesehen wird und nicht die Staatsform. Als Staatsziel wird dort die »Garantie der menschlichen Vollkommenheit« – Schiller würde hier den Begriff der ›Würde‹ einsetzen – und der »Freiheit« bestimmt. Demgegenüber sind die Staatsformen »grundsätzlich von zweitrangiger Bedeutung«. Ob Monarchie oder Demokratie diesem Staatsziel am besten dienen können, ist für den Republikanismus unerheblich. Nur Despotie und Anarchie – als »Pöbelherrschaft« – werden abgelehnt. Eine gemäßigte Staatsform ist das Ideal, und im allgemeinen wird die Form einer konstitutionellen Monarchie bevorzugt.[10] Die Garantie der Freiheit durch die Achtung von Recht und Gesetz ist auch in Schillers Dramen das entscheidende. Daß hierzu Institutionen erforderlich sein könnten, wird weder bei Schiller noch bei den Vertretern republikanischer Dichtung hinreichend bedacht.[11]

Im Vergleich zur verratenen republikanischen Revolte in einem Stadtstaat im *Fiesco* nimmt die politische Wirklichkeit im *Don Carlos* in jeder Hinsicht größere Dimensionen an: Die Despotie ist die des Weltreichs Philipps II. unter der ideologischen Oberhoheit einer nur noch in der Inquisition sich verkörpernden, abgesunkenen Kirche; die republikanische Idee der Freiheit konkretisiert sich zwar politisch in dem Aufstand der Niederlande, ist jedoch nach Schillers eigener Interpretation in den *Briefen über Don Carlos* als ein »enthusiastischer Entwurf, den glücklichsten Zu-

stand hervorzubringen, der der menschlichen Gesellschaft erreichbar ist«, zu verstehen und tendiert als Ideal zu politischer Universalität (2, 253).
Dieser Ansatz hat Konsequenzen. Dazu gehört die Tatsache, daß die despotische Herrschaft Philipps nicht mehr schlichtweg als tyrannische Willkür zu definieren ist, auch wenn einzelne seiner Handlungen so aussehen mögen. Das ist ein wesentlicher Unterschied zu den früheren Dramen. Was Schiller jetzt darstellt, ist ein mit Zügen des totalitären Staates ausgestattetes Herrschaftssystem. Für ein solches System bedeutet jede selbständige Regung als Akt der Freiheit eine prinzipielle Gefahr. Posa spricht es dem König gegenüber aus:

> Das Rauschen eines Blattes
> Erschreckt den Herrn der Christenheit – Sie müssen
> Vor jeder Tugend zittern. (2, 126)

Die Aufrechterhaltung der Macht in einem diktatorischen, totalitären System verlangt zwangsläufig prinzipiellen Argwohn beim Herrscher, und so sind Überwachung, Bespitzelung und drakonische Strafen bei geringsten Vergehen wesentliche Merkmale dieser Despotie sowohl im Reich als auch am Hof, wo ja die Herrschaft gemäß ihrer absolutistischen Struktur am gefährlichsten getroffen werden kann: zehn Jahre Verbannung für eine Hofdame, die entgegen der Vorschrift die Königin eine Weile allein gelassen hat (2, 37); Gefahr der Todesstrafe für den als Usurpator verdächtigten Carlos bei einem heimlichen Besuch der Königin (2, 31); Existenz von Listen mit Namen politisch bedeutender Persönlichkeiten beim König, wo nicht ihre Verdienste, sondern nur ihre Vergehen vermerkt sind, so daß jederzeit Handhaben gegen sie parat sind (2, 111 f.), und schließlich die Überwachung und Registrierung des ganzen Lebens des Neuerers Posa durch die Inquisition (2, 211). Wenn Carlos warnend sagt:

> Die Luft,
> Das Licht um uns ist Philipps Kreatur,
> Die tauben Wände stehn in seinem Solde -- (2, 56)

so ist damit die Atmosphäre dieses Herrschaftssystems gekennzeichnet. Die Grausamkeit des Königs, der »stehnden Fußes« vier Todesurteile unterschreibt (2, 19) und seinen Hof »feierlich« zu einem Autodafé einlädt (2, 40), kommt hinzu, von seinem Vorgehen gegen die Niederlande ganz zu schweigen. Es ist dabei für unsere Fragestellung unerheblich, was von diesen Fakten durch die Historie vorgegeben ist. Wesentlich ist ihre Zusammenordnung.
Festzuhalten ist ferner, daß Schiller dies Verhalten des Königs nun auch nicht mehr in jener Lust an der Macht und jenem Egoismus wurzeln läßt, der sonst seine literarischen Tyrannen ausgezeichnet hat. Philipp handelt aus der Verantwortung seines Amtes, das die Erhaltung des Reichsbestandes und der bestehenden Ordnung verlangt. Die völlige Unterordnung seines Denkens und Handelns unter dies Prinzip der Staatsräson hat ihn von allem Menschlichen entfremdet und vereinsamt, bis in einem kritischen Augenblick in ihm die Sehnsucht nach einem Menschen aufkommt, den er dann in der Person des Marquis Posa gefunden zu haben glaubt. Ihr wendet er sich zu; den Idealen Posas gegenüber bleibt er jedoch skeptisch. Dieser mächtige Herrscher ist unfrei, nicht durch die Machtbesessenheit wie Franz Moor, sondern

zum einen aus Gründen politischer Rücksichtnahme, zum andern – und das ist schwerwiegender – durch seine Bindung an die Kirche. Gerade daß er sich als Monarch aus einem menschlichen Motiv heraus mit dem Verfechter der Freiheit einläßt, wird ihm vom Großinquisitor als ein nicht erlaubter Akt von Freiheit vorgehalten:

> Uns wollten Sie entfliehen.
> Des Ordens schwere Ketten drückten Sie;
> Sie wollten frei und einzig sein.   (2, 213)

Mag der König auch im politischen Bereich Posas direkter Gegenspieler sein, sein eigentlicher Widerpart ist der Großinquisitor als Vertreter einer mit totalitärem Anspruch auftretenden und auf politischer Realisierung beharrenden Ideologie. Sie ist die Grundlage jenes keine Veränderung zulassenden Systems der Unfreiheit und Unmenschlichkeit, dem Posa seine Ideale entgegensetzt. Das zeigt der Dialog zwischen König und Großinquisitor über das Schicksal des Carlos. Wenn der König es als einen Frevel an der Natur bezeichnet, seinen Sohn der Inquisition auszuliefern, und der Großinquisitor antwortet, daß vor dem »Glauben« keine »Stimme der Natur« gelte, oder auf die Frage des Königs, für wen er das Erbe des Reichs gesammelt habe, erwidert, der »Verwesung lieber« als der »Freiheit«, und Menschen für ihn nur »Zahlen« sind (2, 213 ff.), dann wird deutlich, wie genau Schiller in seinem Angriff auf die Inquisition die Gefährlichkeit ideologischer Machtsysteme für das Humane gesehen hat. Die Tyrannis eines solchen, sich im Besitz absoluter Wahrheit wissenden dogmatischen Systems offenbart sich radikaler als die eines nur herrschsüchtigen Despoten, da sie ihrem eigenen Gesetz nach auch keine geistige Freiheit zugestehen kann.[12] Posas Forderung an den König: »Geben Sie Gedankenfreiheit«, trifft das Zentrum des Systems (2, 126).

Das Gespräch Posas mit dem König, wo dieser Satz fällt, ist der aus dem Augenblick geborene Versuch, durch eine ›Reform von oben‹ die Gewährung eines politischen, auf der Garantie menschlicher Grundrechte beruhenden Freiheitsraumes zu erreichen. Sein ursprünglicher Plan war anders. Sicher ist es nicht Schillers Absicht gewesen, hier politische Praxis zu lehren. Dennoch zeigt er Posas politische Aktivität. Zur Unterstützung des niederländischen Freiheitskampfes, durch den eine erste Verwirklichung der Freiheitsidee gegeben zu sein scheint, organisiert er am Hofe eine Verschwörung gegen die Politik des Königs, deren Ziel es ist, den für seine Idee gewonnenen künftigen Regenten Statthalter der Niederlande werden zu lassen. Damit soll zugleich eine die spanische Herrschaft schwächende Gegenmacht geschaffen werden; ferner hat er, wie die aufgefundenen Papiere bezeugen, außenpolitisch vorgesorgt: das Osmanische Reich ist bereit, durch einen Angriff einen Teil der militärischen Kräfte Spaniens zu binden, und »alle nordschen Mächte« hat er zur Hilfeleistung für die Niederlande mobilisiert; darüber hinaus liegt ein detaillierter Kriegsplan vor, von dem Alba gestehen muß, er sei »teuflisch, aber wahrlich – göttlich« (2, 204).

Alle diese Dinge charakterisieren Posa als einen Politiker, der machtpolitisch zu handeln weiß. Sie sind jedoch für die Tragik des Geschehens nicht entscheidend. Entscheidend dafür ist, daß er sowohl den König als auch Carlos als Figuren seines politischen Wollens einsetzt und beide um seines Zieles willen bedenkenlos verrät. Den König, dessen menschliches Vertrauen er besitzt, verrät er, als er merkt, daß von ihm keine Reform zu erwarten ist; die Freundschaft zu Carlos verrät er, indem er ihm sein Verhältnis zum König verschweigt, solange er von diesem eine raschere Verwirklichung seiner Pläne noch erhofft, wie er auch sonst Carlos sich unterzuordnen versteht. Seinem Ziele jedoch bleibt er treu,[13] und insofern wird er nicht wie Fiesco vom Willen zum Herrschen korrumpiert. Dessen hybrides Bewußtsein der Gottgleichheit wandelt sich bei Posa zur kritischen und auch selbstkritischen Frage nach der Beherrschbarkeit oder ›Machbarkeit‹ der Geschichte:

> Wer ist der Mensch, der sich vermessen will,
> Des Zufalls schweres Steuer zu regieren
> Und doch nicht der Allwissende zu sein? (2, 171)

Nur die Eliminierung des Zufalls hätte ihn das »kühne Traumbild eines neuen Staates« (2, 173) verwirklichen lassen können. An dem »Zufall« aber, dem er erliegt, erfährt er die mit seiner Endlichkeit gesetzten Grenzen seiner Macht.

Es bleibt die wichtige Frage, ob Posa in Verfolg seines Ideals sich nicht in der Wahl seiner Mittel ähnlich verhält wie seine Gegenspieler, nämlich in der Behandlung von Carlos und dem König als Werkzeuge seiner Politik.[14] Unter dem Aspekt pragmatisch-politischen Verhaltens wird diese Frage zu bejahen sein, wenn auch das Ausmaß und die Zielsetzung anders sind. Schiller hat in seinen *Briefen über Don Carlos* zu diesem Problem Stellung genommen und Posas Verhalten durchaus kritisch betrachtet. Im Hinblick auf dessen Staatsideal heißt es dort, »daß die moralischen Motive, welche von *einem zu erreichenden Ideale von Vortrefflichkeit* hergenommen sind, nicht natürlich im Menschenherzen liegen und eben darum, weil sie erst durch Kunst in dasselbe hineingebracht werden, nicht immer wohltätig wirken, gar oft aber, durch einen sehr menschlichen Übergang, einem schädlichen Mißbrauch ausgesetzt sind. Durch praktische Gesetze, nicht durch gekünstelte Geburten der theoretischen Vernunft soll der Mensch bei seinem moralischen Handeln geleitet werden« (2, 260). Er wiederholt dies verdeutlichend in der abschließenden Feststellung, »daß man sich in moralischen Dingen nicht ohne Gefahr von dem natürlichen praktischen Gefühl entfernt, um sich zu allgemeinen Abstraktionen zu erheben, daß sich der Mensch weit sicherer den Eingebungen seines Herzens oder dem schon gegenwärtigen und individuellen Gefühle von Recht und Unrecht vertraut als der gefährlichen Leitung universeller Vernunftideen, die er sich künstlich erschaffen hat – denn nichts führt zum *Guten*, was nicht *natürlich* ist« (2, 262).

Schiller verurteilt Posas Vorstellung des idealen Staates, die in den Bereich »universeller Vernunftideen« gehört, nicht, wohl aber macht er auf die Bedenklichkeit seines Verhaltens im Kampf um diesen Staat, soweit es Carlos betrifft, aufmerksam. Der Vertrauensbruch dem König gegenüber wird nicht erwähnt. Er verweist dann auf Orden und Ordensstifter, die bei »Durchsetzung eines, von jeder unreinen Beimischung auch noch so freien moralischen Zweckes, insofern sie sich nämlich diesen Zweck als etwas für sich Bestehendes denken und ihn in der Lauterkeit erreichen wollten, wie er sich ihrer Vernunft dargestellt hatte, nicht unvermerkt wären fortgerissen worden, sich an fremder Freiheit zu vergreifen, die Achtung gegen anderer Rechte, die ihnen sonst immer die heiligsten waren, hintanzusetzen und nicht selten den willkürlichsten Despotismus zu üben, ohne den Zweck selbst umgetauscht, ohne in ihren Motiven ein Verderbnis erlitten zu haben« (2, 261).

Was Schiller demnach an Posas Verhalten gezeigt haben will, ist die Gefahr despotischen Handelns von Mächtigen bei der Umsetzung eines Vollkommenheitsideals in
die Wirklichkeit. Das Ideal eines humanen Gesellschaftszustandes verführt Posa zu
einem Verhalten, das diesem widerspricht. Schiller erklärt das weder als notwendigen, dialektischen Konflikt zwischen politischen Erfordernissen und Moral, noch
rechtfertigt er es mit der fragwürdigen Maxime, daß der höhere Zweck die Mittel
heilige. Wie später in den *Briefen über die ästhetische Erziehung* macht Schiller sich
hier zum Anwalt des Rechts des Individuums auf seine Freiheit gegenüber normativen Machtsprüchen »universeller Vernunftideen«, was auch für den Prozeß ihrer
politischen Realisierung gilt.
Unter diesem Gesichtspunkt wäre ebenfalls zu fragen, ob die an den König gerichteten enthusiastischen Worte Posas für Schiller eine legitime, moralisch zu rechtferti-
gende Art der Menschheitsbeglückung darstellen:

> Wenn nun der Mensch, sich selbst zurückgegeben,
> Zu seines Werts Gefühl erwacht – der Freiheit
> Erhabne, stolze Tugenden gedeihn –
> Dann Sire, wenn Sie zum glücklichsten der Welt
> Ihr eignes Königreich gemacht – dann ist
> Es Ihre Pflicht, die Welt zu unterwerfen.   (2, 127)

Auch wenn man in Rechnung stellt, daß Posa zu einem Despoten spricht und seine
Formulierung von der Pflicht zur Unterwerfung der Welt gezielte diplomatische
Rhetorik sein kann, so ist die in den *Briefen über Don Carlos* ausgesprochene Neigung des Utopiegläubigen – denn der neue Staat ist nicht nur regulative Idee – zu
politischem Rigorismus bei der Durchsetzung seines Ideals anderen gegenüber doch
zum Ausdruck gebracht.[15] Die Problematik freilich, die in der Befreiung zur Freiheit
durch Gewalt von außen besteht, wird nicht thematisiert. Da Freiheit aber für Schiller Selbstbestimmung ist, wird er auch die Erringung politischer Freiheit nur dann
für legitim gehalten haben, wenn sie als solche geschieht.
Was sich hier fast wie eine Antizipation politischer Realitäten und auch Denkweisen
des 20. Jahrhunderts kundtut, wenn man von der historischen Konkretisierung absieht und auf prinzipielle Analogien blickt, bleibt jedoch ein einmaliger Ansatz, denn
in keinem seiner späteren Dramen hat er das Problem der Macht wieder mit ideologisch begründeter Gewaltherrschaft und seiner Tendenz nach diktatorischem Uto-
piedenken in Zusammenhang gebracht.
Die Thematik der Verführung durch die Macht mit der unausweichlichen Konsequenz der Überschreitung des Legitimen und Legalen hält sich jedoch durch, allerdings mit dem Unterschied, daß jetzt der Widerpart konkreter und damit auch
gleichgewichtiger wird, denn als dieser erscheint jetzt die staatliche Ordnung mit ihrem Anspruch auf Legitimität und Loyalität.
Diese Konfrontation vollzieht Schiller in der *Wallenstein*-Trilogie mit ihren Haupt-
repräsentanten Wallenstein und Octavio Piccolomini. Als politische Akteure unterscheiden sich die beiden Protagonisten nicht: sie sind Kalkulatoren der Macht und
beherrschen die Kunst heimlicher politischer Regie in gleichem Maße; mögen sie
auch mehr um die Welt des Herzens wissen als manche Politikerfigur der frühen
Dramen, so ordnen sie doch das Menschliche dem politischen Zweck unter. Da ist

Wallensteins intrigantes Verhalten gegenüber Buttler, den er ermuntert, um ein Adelspatent in Wien nachzusuchen, während er es insgeheim hintertreibt, damit er den Enttäuschten um so fester an sich binden kann; da ist ferner die Tatsache, daß er Max Piccolominis Liebe zu Thekla ausnutzt, um sich dessen Treue zu versichern, obwohl er nicht im geringsten daran denkt, ihn zum Schwiegersohn zu nehmen, und Octavio mißbraucht das blinde Vertrauen des Freundes, um ihn zu stürzen. Es trifft auf beide zu, was Buttler von Wallenstein sagt:

> Ein großer Rechenkünstler war der Fürst
> Von jeher, alles wußt er zu berechnen,
> Die Menschen wußt er, gleich des Brettspiels Steinen,
> Nach seinem Zweck zu setzen und zu schieben [...]. (2, 509)

Nur daß Octavio auf der Seite des Kaisers, der Legitimität steht, während Wallenstein diese verläßt, indem er der Versuchung der von ihm selbst geschaffenen Macht verfällt:

> Denn seine Macht ists, die sein Herz verführt [...]. (2, 273)

Diese Verführung durch die Macht läßt ihn nun nicht zu einem zweiten Fiesco werden, den die Lust an der Macht zur Tyrannis treibt, obwohl Entsprechungen zwischen beiden Figuren vorhanden sind. Noch weniger allerdings erscheint er als ein politische oder gar menschheitliche Ideale verfechtender Marquis Posa. Wenn Wallenstein politische Ziele äußert, wenn er sich als Schirmer des Reichs, Diener des Ganzen und Friedensstifter erklärt, dann geschieht das immer in Szenen, wo derartige Argumente angebracht sind, um Wirkung zu erzielen, wie vor Questenberg oder den unruhigen Pappenheimern.[16] Insofern sind diese Äußerungen Rhetorik, deren Glaubwürdigkeit zumindest im dunkeln bleibt, denn daneben existieren andere, egoistische Motive wie der Erwerb der Krone Böhmens oder die Rache an dem Kaiser wegen seiner Absetzung auf dem Regensburger Kurfürstentag. Aber man sollte weder das eine noch das andere gegeneinander ausspielen. Alle Ziele und Motive sind und bleiben Möglichkeiten. Sie resultieren einzig und allein aus dem Bewußtsein der eigenen Außerordentlichkeit, das des »Glückes abenteuerlichen Sohn« auszeichnet (2, 273):

> Wer nennt das Glück noch falsch? Mir war es treu,
> Hob aus der Menschen Reihen mich heraus
> Mit Liebe, durch des Lebens Stufen mich
> Mit kraftvoll leichten Götterarmen tragend.
> Nichts ist gemein in meines Schicksals Wegen,
> Noch in den Furchen meiner Hand. Wer möchte
> Mein Leben mir nach Menschenweise deuten? (2, 534f.)

Was Wallenstein wirklich will, spricht der erste Jäger im Lager aus: »Sich alles vermessen und unterwinden –« (2, 287). Das ist unreflektiert, trifft aber den Kern. Um die Macht dazu geht es Wallenstein. Und diese absolute Macht soll ihm die absolute Freiheit des Handelns sichern. Alle seine Unternehmungen laufen auf die Absicherung dieser Freiheit hinaus. Diese falsche Identifikation von Macht und Freiheit ist es, die Schiller hier demonstrieren will, und ein Wissen von ihrer Unmöglichkeit im

geschichtlich-politischen Raum hat er auch seinem Helden gegeben, wenn er ihn die
Tat so lange scheuen und schließlich erklären läßt, daß ihn nur die Möglichkeit der
Tat interessiert habe:[17]

> Beim großen Gott des Himmels! Es war nicht
> Mein Ernst, beschloßne Sache war es nie.
> In dem Gedanken bloß gefiel ich mir;
> Die Freiheit reizte mich und das Vermögen.   (2, 414)

Das ist nicht nur eine nachträgliche Selbstrechtfertigung. In den *Piccolomini* sagt er
zu Terzky:

> Der Kaiser, es ist wahr,
> Hat übel mich behandelt! Wenn ich wollte,
> Ich könnt ihm recht viel Böses dafür tun.
> Es macht mir Freude, meine Macht zu kennen;
> Ob ich sie wirklich brauchen werde, davon, denk ich,
> Weißt du nicht mehr zu sagen als ein andrer.   (2, 343)

Dies Spiel mit der Potentialität, das einen Zustand permanenter Entscheidungslosig-
keit verlangt, da jede Tat sie aufheben und Wallenstein in den Zwang der Notwendigkeit hineinführen würde, verliert er, da sein Machtbewußtsein ihn über die realen
Machtverhältnisse täuscht und er den vorübergehenden Charakter von Machtlagen
verkennt. So zeigt das Drama denn auch den unaufhörlichen Prozeß des Machtver-
lustes und damit den ständig größer werdenden Abstand von Machtbewußtsein und
vorhandener Macht bis zur Katastrophe.
Der Verfall von Wallensteins Macht basiert letztlich auf der Illegitimität seines Vor-
habens. Sobald diese bekannt wird und er als Verräter erscheint, endet die Kraft der
Faszination seiner Person, wodurch er seine Armee zusammengehalten hat. An der
Macht des Legitimen – und das ist das als legitim Geltende – zerbricht die Macht
des Rebellen. Wallenstein spricht selbst dies Problem an, als er sich die Ungeheuer-
lichkeit seines Unternehmens vorstellt:

> Du willst die Macht,
> Die ruhig, sicher thronende erschüttern,
> Die in verjährt geheiligtem Besitz,
> In der Gewohnheit festgegründet ruht,

und dann fortfährt:

> Das wird kein Kampf der Kraft sein mit der Kraft,
> *Den* fürcht ich nicht.   (2, 415)

Was er fürchtet, ist die legitimierende Kraft der Tradition, die das Kaiserhaus besitzt
und die er richtig einschätzt. Er drückt es aus in einer Verächtlichkeit des Tones,
die den Emporkömmling kennzeichnet, der weiß, daß dieser Hintergrund ihm fehlt:

Das ganz
Gemeine ists, das ewig Gestrige,
Was immer war und immer wiederkehrt,
Und morgen gilt, weils heute hat gegolten!
Denn aus Gemeinem ist der Mensch gemacht,
Und die Gewohnheit nennt er seine Amme.
[...]
Das *Jahr* übt seine heiligende Kraft,
Was grau für Alter ist, das ist ihm göttlich.
Sei im Besitze und du wohnst im Recht,
Und heilig wirds die Menge dir bewahren. (2, 416)

Die beinahe höhnische Reduktion der legitimen Ordnung und ihrer Tradition auf
träge Gewohnheit, die er hier vornimmt, offenbart, was ihm, dem Rebellen, fehlt:
die Gegenkonzeption. Tradition ist nur Widersacher, Hindernis für die Verwirklichung seiner Pläne. Diesen Plänen, sofern sie überhaupt eindeutig greifbar sind, eignet keinerlei politische oder moralische Legitimation.[18] Wallenstein bleibt der Re-
bell; er ist kein politischer Neuerer. Hinter ihm steht keine Kraft einer
geschichtsträchtigen Idee. In dieser Hinsicht charakterisiert die Gräfin Terzky ihn
richtig, als sie ihn zur Tat treiben will und sein Verhältnis zur etablierten politischen
Macht folgendermaßen beschreibt:

Denn lange, bis es nicht mehr kann, behilft
Sich dies Geschlecht mit feilen Sklavenseelen
Und mit den Drahtmaschinen seiner Kunst –
Doch wenn das Äußerste ihm nahetritt,
Der hohle Schein es nicht mehr tut, da fällt
Es in die starken Hände der Natur,
Des Riesengeistes, der nur *sich* gehorcht,
Nichts von Verträgen weiß, und nur auf *ihre*
Bedingung, nicht auf *seine*, mit ihm handelt. (2, 428)

An keiner Stelle ist wohl deutlicher ausgesprochen worden, wie sehr Wallenstein als
Repräsentant von Macht bloße Natur ist, nicht im Sinne einer produktiven Natur,
sondern als jenseits jeglicher Moralität stehende Kraft, die alle menschliche und
staatliche Ordnung gefährdet. Dies ist die Rolle, die dem großen Subjekt in der Geschichte hier zugewiesen wird. Gerade die Rückkopplung des Begriffs der Größe
an einen quasi-metaphysischen Naturbegriff durch die Gräfin Terzky als Rechtferti-
gungsargument für Wallenstein enthüllt den Selbstzweckcharakter seiner Macht.
Daß Macht zum Selbstzweck wird, das kann als »der Fluch des genialen Einzelnen«
erscheinen,[19] wenn man den Blick auf den Helden richtet, aber in Hinsicht auf das
Ganze, die im Staat zusammengefaßte menschliche Gemeinschaft, sind diese Figuren
weit mehr noch der Fluch eben dieser Gemeinschaft, denn, so wird man fragen,
warum läßt Schiller Wallenstein an der legitimen Ordnung scheitern? Ein Faktum,
das ebenso wichtig ist wie das der hybriden Selbstvergötterung des Helden. Mit anderen Worten, die sittliche Indifferenz des von dem Phänomen der Macht nicht zu
trennenden Begriffs der Größe erscheint in diesem Drama als Bedrohung der Ord-

nung überhaupt. So wenig Wallenstein ein Revolutionär im Sinne irgendeiner Progressivität in der Geschichte ist, so wenig übernimmt das große Individuum jetzt in Schillers Dramen überhaupt die Funktion eines Abgesandten des Weltgeistes. Sein Gegenspieler Octavio darf jedoch auch nicht seiner sittlichen Einstellung nach nur als Typ des »Funktionärs« verstanden werden, »der im Dienst einer ihm als ›Pflicht‹ vorgeschriebenen ›objektiven‹ Sache zu jedem, auch dem unmoralischen politischen Handeln bereit sein muß, sei es auch unter Ausschaltung der im eigenen Innern dagegen sprechenden ›Stimme‹«.[20] Wenn er zu Max sagt:

> Ich klügle nicht, ich tue meine Pflicht,
> Der Kaiser schreibt mir mein Betragen vor.
> Wohl wär es besser überall dem Herzen
> Zu folgen, doch darüber würde man
> Sich manchen guten Zweck versagen müssen [...]   (2, 398)

dann bekundet er zwar seinen Gehorsam als Staatsdiener und das Wissen um den nicht immer vermeidbaren Konflikt zwischen Pflicht und Neigung, aber darin erschöpft sich nicht, was er repräsentiert. Wenn er auf der Seite des Kaisers steht, so tut er es nicht nur, weil sie in formaler Hinsicht legitim ist, sondern weil die Legitimität das Prinzip der Ordnung vertritt:

> Mein Sohn! Laß uns die alten, engen Ordnungen
> Gering nicht achten! Köstlich unschätzbare
> Gewichte sinds, die der bedrängte Mensch
> An seiner Dränger raschen Willen band;
> Denn immer war die Willkür fürchterlich –
> Der Weg der Ordnung, ging' er auch durch Krümmen,
> Er ist kein Umweg.   (2, 329)

Was Octavio mit den »alten, engen Ordnungen« meint und verteidigt, ist das Wesen der Verfassung, deren Sinn darin besteht, Schutz vor Willkür und herrscherlicher Gewalt zu bieten und die menschliche Existenz zu sichern. Wenn es heißt, daß mit der Schaffung der Ordnung der »bedrängte« Mensch »Gewichte« an seiner »Dränger raschen Willen band«, so enthält diese Formulierung doch einen erkennbaren Hinweis auf die Rechtmäßigkeit auch der bestehenden Ordnung, indem sie keineswegs als Diktat von oben und bloß durch Herrschaftsverhältnisse aufrechterhaltenes System erscheint, sondern als ein gegen die Tyrannis gerichteter Akt politischer Selbstbestimmung des Menschen zu gelten hat.
Sicher ist Octavio seiner Gesinnung nach kein römischer Republikaner,[21] an deren Vorbild man sich im 18. Jahrhundert zu orientieren pflegte, wenn es um solche Fragen ging, aber die Ideen, für die er eintritt, stimmen im Grundsätzlichen mit dem überein, was der zeitgenössische Republikanismus zum Ziele hatte. Das Bild der Ordnung, das Octavio entwirft, könnte durchaus aus dem als ›republikanisch‹ zu bezeichnenden *Wilhelm Tell* stammen:

> Die Straße, die der Mensch befährt,
> Worauf der Segen wandelt, diese folgt
> Der Flüsse Lauf, der Täler freien Krümmen,

Umgeht das Weizenfeld, den Rebenhügel,
Des Eigentums gemeßne Grenzen ehrend –
So führt sie später, sicher doch zum Ziel.   (2, 330)

Um die Erhaltung dieser friedlichen, bürgerlichen Welt geht es. Sie birgt im Respekt vor dem einzelnen Staatsbürger und seinen Rechten jene Sicherheit, die der Weg der gewaltsamen Tat, der sich nicht in diese Ordnung fügt, tödlich bedroht:

Grad aus geht des Blitzes,
Geht des Kanonballs fürchterlicher Pfad –
Schnell, auf dem nächsten Wege, langt er an,
Macht sich zermalmend Platz, um zu zermalmen.   (2, 329f.)

Keineswegs nur als gehorsamer, sondern vielmehr als verantwortlich handelnder Staatsdiener steht Octavio auf der Seite der Legitimität. Er erkennt die destruktive Gefährlichkeit jener absolut freigesetzten Macht, die Wallenstein verkörpert. Zweifellos ist er ein erfahrener Taktiker, der den Freund hintergeht und auch nicht frei von egoistischen Motiven ist, wenn er dem Kaiser die Treue hält, wofür er dann zum Schluß den erstrebten Fürstentitel erhält, allerdings um den Preis des Sohnes. Aber vielleicht soll diese ironische Schlußpointe gar nichts anderes besagen, als daß es in dieser politischen Wirklichkeit eben so zugeht, daß dem Verdienste die Belohnung folgt, ohne daß damit noch an die Qualität des Octavio gerührt werden soll. Wir wissen, wie großen Wert Schiller darauf gelegt hat, daß Octavio nicht als ruchloser Intrigant, sondern als gleichwertige Gegenfigur zu Wallenstein beurteilt werden sollte.[22] Dahinter stehen sicher Gründe der dramaturgischen Ökonomie. Doch diese selbst enthält auch eine Wertung. Und die späteren Dramen Schillers lassen mit Gestalten wie Shrewsbury aus *Maria Stuart,* Stauffacher aus *Wilhelm Tell* und Sapieha aus *Demetrius* erkennen, daß die mit Octavio zum erstenmal gewonnene politische Figur des Verteidigers verfassungsmäßiger Ordnung gegen ihre Gefährdung durch Usurpation und Machtmißbrauch Nachfolger gefunden hat. Es kennzeichnet somit nicht nur den Beginn seiner klassischen Periode, daß Schiller das Prinzip staatlicher Legitimität dem aus eigener Machtvollkommenheit handelnden großen Individuum entgegensetzt, indem sich ihm dieses doch nur als ein anarchisches, die politische Freiheit des Bürgers der Willkür auslieferndes Element darstellt.

Anmerkungen

1 Es wäre erstaunlich, wenn dies Thema noch nicht behandelt worden wäre. Folgende Arbeiten sind zu registrieren: Joachim Müller: Die Tragödie der Macht. Bemerkungen zu Schillers Wallenstein-Drama. In: Die Sammlung. Zeitschrift für Kultur und Erziehung 2 (1947) S. 514–526; Stephen Spender: Schiller, Shakespeare and the Theme of Power. In: A Schiller Symposium. In Observance of the Bicentenary of Schiller's Birth. Ed. by A. Leslie Willson. Austin 1960. S. 51–61; Dolf Sternberger: Macht und Herz oder der politische Held bei Schiller. In: Schiller. Reden im Gedenkjahr 1959. Hrsg. von Bernhard Zeller. Stuttgart 1961. S. 310–329; Gordon A. Craig: Friedrich Schiller and the Problems of Power. In: The Responsibility of Power. Ed. by Fritz Stern. Garden City 1967. S. 125–144; Hans Berger: Der Mensch und die Macht in der Welt Schillers. In: Germanistische Studien. Hrsg. von Johannes Erben und Eugen Thurnherr. Inns-

bruck 1969. S. 179–197. – Da eine kritische Auseinandersetzung mit diesen Arbeiten den hier gesetzten Rahmen sprengen würde, sei nur vermerkt, daß ich der Arbeit von Sternberger manche Anregung verdanke, ebenso der Untersuchung von Craig, dessen »Räuber«-Interpretation jedoch fragwürdig ist, während der Aufsatz von Berger zwar einen interessanten Ansatz bietet, indem er von der Anthropologie Schillers ausgeht, aber mit der Frage, wie der Mensch im Erfolg bleibe (S. 179), und ihrer Beantwortung einer gewissen Banalisierung des Themas erlegen ist.

2 Zitiert wird unter Angabe von Band- und Seitenzahl nach: Friedrich Schiller. Sämtliche Werke. Hrsg. von Gerhard Fricke und Herbert Georg Göpfert. 5., durchges. Aufl. München 1973.

3 In dieser Despotendarstellung sind die Merkmale »Blässe der Armut und sklavischen Furcht« wörtliche Anlehnungen an die von Christian Garve übersetzten »Grundsätze der Moralphilosophie« Adam Fergusons, der bei dieser Stelle auf Montesquieus »L'esprit des lois« hinweist; s. Wolfgang Liepe: Der junge Schiller und Rousseau. In: Zeitschrift für deutsche Philologie 51 (1926); zitiert nach dem Wiederabdruck in: W. L., Beiträge zur Literatur- und Geistesgeschichte. Hrsg. von Eberhard Schulz. Neumünster 1963. S. 37.

4 Kritische Beurteilung des »Fiesco« in diesem Zusammenhang von Werner Kohlschmidt. In: W. K., Geschichte der deutschen Literatur vom Barock bis zur Klassik. Stuttgart 1965. S. 660f.

5 Sternberger (Anm. 1). S. 318f.

6 Ebd., S. 316f.; prinzipiell schon bei Gerhard Storz: Der Dichter Friedrich Schiller. Stuttgart 1959. S. 74ff.

7 Jacob Burckhardt: Weltgeschichtliche Betrachtungen. Hist.-krit. Gesamtausg. Hrsg. von Rudolf Stadelmann. Pfullingen 1949. S. 61.

8 Bodo Lecke (Hrsg.): Dichter über ihre Dichtungen. Friedrich Schiller. Von den Anfängen bis 1795. München 1969. S. 211.

9 Vgl. Storz (Anm. 6). S. 128ff.

10 Zu diesem Komplex s. Nour Al-Dine Hayfa: Der ›republikanische Gedanke‹ in Freiheitsdramen und -gedichten aus dem Umkreis des späten Schiller. Phil. Diss. Frankfurt a. M. 1974; Zitate S. 267.

11 Ebd., S. 269.

12 In seinen »Briefen über Don Carlos« spricht Schiller im 9. Brief summierend vom »*geistlichen, politischen* und *häuslichen* Despotismus« (2, 255).

13 Kaisers These, daß Posa nicht nur den König, sondern ebenfalls den neuen Staat verrate, ist wohl auf die unmöglich gewordene Realisierung dieses Staates zu beziehen, kann jedoch nicht für die Idee und Posas Einstellung zu ihr gelten (Gerhard Kaiser: Vergötterung und Tod. Die thematische Einheit von Schillers Werk. Stuttgart 1967. S. 13).

14 Siehe hierzu die Ausführungen von Storz (Anm. 6). S. 144ff.

15 Storz bemerkt zu diesen Versen, Posas Forderung entspräche »völlig dem Terror der Gegenreformation, sofern er aus Glaubensgewißheit und Glaubensverpflichtung entsprang. Posa postuliert für das Heil in der Zukunft, was der Großinquisitor für die Erhaltung des Bestehenden praktiziert« (ebd., S. 146). Die Differenz liegt jedoch im Ziel, das nicht permanente Unterdrückung bei Posa, sondern ein freiheitlicher Staat ist.

16 Vgl. Müller (Anm. 1). S. 525.

17 So auch Kaiser (Anm. 13). S. 13f.

18 Hayfas (Anm. 10) Deutung dieser Verse, daß in ihnen »eine zum Götzen erhobene Tradition, die sich der Entwicklung zur Freiheit und Selbstbestimmung« in den Weg stelle, verurteilt werde, ist nicht haltbar, da ihre Voraussetzung ist, Wallenstein habe progressiv-freiheitliche Pläne (S. 219).

19 Müller (Anm. 1). S. 525.

20 Wie Benno von Wiese es tut (B. v. W., Friedrich Schiller. 3., durchges. Aufl. Stuttgart 1963. S. 645).

21 Sternberger (Anm. 1). S. 327.

22 Siehe Storz (Anm. 6). S. 291f. und 297f.

JÖRN GÖRES

Polarität und Harmonie bei Goethe

Mit kaum einer Persönlichkeit aus der Zeit der deutschen Klassik, ja aus der neueren deutschen Geistesgeschichte überhaupt, verbindet man die Vorstellung einer statischen Verhaltensweise mehr als mit Goethe. Gerade diese ruhige, ausgeglichene, ja distanzierte Lebenshaltung ist es, die von den jungen Generationen bewegter Zeiten Goethe vorgeworfen wird und ihm das Urteil, unzeitgemäß zu sein, einträgt. Das war schon im Zeitalter der Freiheitskriege (1813–15) und in der Zeit des Jungen Deutschland (1830–40) so und bestätigte sich jüngst wieder in unserer Gegenwart.

Der Kenner von Goethes Leben und Werk indessen weiß, daß die aufs Gleichgewicht bedachte und dadurch distanziert erscheinende Lebensführung Goethes der Ertrag mühsamer Selbsterziehung aufgrund von Erfahrung und Reflexion ist, die noch bis ins hohe Alter immer wieder Gefahr lief, in Frage gestellt und durchbrochen zu werden. So weiß man von einer Notiz des alten Goethe: »Mein Leben ein einzig Abenteuer. Kein Abenteuer durch Streben nach Ausbildung dessen, was die Natur in mich gelegt hatte, Streben nach Erwerb dessen, was sie nicht in mich gelegt hatte. Eben soviel wahre als falsche Tendenz. Deshalb ewige Marter ohne eigentlichen Genuß.«[1] Bemerkenswert ist, daß Goethe hier die »Ausbildung seiner Anlagen ausdrücklich nicht als problematisch bezeichnet, sondern das ›Abenteuer‹ seines Lebens allein in der Versuchung dessen sieht, was seiner ›Natur‹ nicht entsprach. Und doch hatte er auch zwischen den Verhältnissen, die seine ›Natur‹ ausmachten, fortwährend zu schlichten. Im siebenten Buch von *Dichtung und Wahrheit* bekennt Goethe rückblickend, daß dies die Ursache seiner literarischen Produktivität gewesen sei: »Und so begann diejenige Richtung, von der ich mein ganzes Leben über nicht abweichen konnte, nämlich dasjenige, was mich erfreute oder quälte, oder sonst beschäftigte, in ein Bild, ein Gedicht zu verwandeln und darüber mit mir selbst abzuschließen, um sowohl meine Begriffe von den äußeren Dingen zu berichtigen, als mich im Innern deshalb zu beruhigen. Die Gabe hierzu war wohl niemand nötiger als mir, den seine Natur immerfort aus einem Extrem in das andere warf. Alles, was daher von mir bekannt geworden, sind nur Bruchstücke einer großen Konfession [...].«[2]

Die angeführte Altersnotiz Goethes und sein Bekenntnis im siebenten Buch von *Dichtung und Wahrheit* zusammengenommen erweisen, daß Goethes Lebensproblematik mehrdimensional war: Goethe hatte nicht nur seine jedem der Lebensabschnitte *horizontal* entsprechenden, in alle möglichen Perspektiven gerichteten Verlangen daraufhin zu unterscheiden, ob sie seiner Natur gemäß oder ungemäß waren, sondern in *vertikalem* Sinne mußte er auch sein Leben lang darauf bedacht sein, die seiner Natur eigenen extremen Anlagen zu bändigen und ihre Möglichkeiten, statt daß er sie sich gegenseitig vernichten ließe, entsprechend der Resultierenden eines Kräfteparallelogramms dergestalt steigernd zu nutzen, daß sie aufbauend und schöpferisch wirkten.

I

Will man Goethes Bekenntnis in *Dichtung und Wahrheit* nur bedingt gelten lassen, weil es aus der bereits ordnenden Reflexion des selbsterfahrenen älteren Goethe stammt, so läßt sich auf Goethes frühe Briefe und Tagebuchnotizen verweisen, insbesondere seit dem Jahre 1775, das Goethe von Beginn an als Zeit der Krise empfunden hatte. Am 18. Oktober 1775 bezeichnete er Bürger gegenüber die seit Anbruch des Jahres vergangene Zeit als die »zerstreutesten, verworrensten, ganzesten, vollsten, leersten, kräfftigsten und läppischten« Dreivierteljahre und fährt fort: »Was die menschliche Natur nur von Wiedersprüchen sammeln kann, hat mir die Fee Hold oder Unhold, wie soll ich sie nennen? zum Neujahrsgeschenck von 75 gereicht«.[3] So nimmt nicht wunder, daß Goethe trotz großer Hoffnungen, die er sich im Herbst 1775 aufgrund der Einladung an den Weimarer Hof gemacht hatte, dort bald neue Gegensätze empfand. Am 8. Oktober 1777 vertraute er seinem Tagebuch über die Weimarer Gesellschaft an: »[…] die Klufft zwischen mir und denen Menschen allen fiel mir so grass in die Augen, da kein Vehikulum da war. Ich musste fort, denn ich war ihnen auch sichtlich zur Last […] Gern kehr ich doch zurück in mein enges Nest […] Und wills Gott in Ruhe vor den Menschen mit denen ich doch nichts zu theilen habe.«[4] Sein »enges Nest« war das Gartenhaus, das der Herzog Carl August im April 1776 Goethe geschenkt hatte. Es war ihm gleichsam der Gegensatz zum herzoglichen Hof, über den er auch wieder am 12. Februar 1778 ins Tagebuch schrieb: »Conseil. fortdauernde reine Entfremdung von den Menschen. Stille und Bestimmtheit im Leben und handeln. In mir viel fröhliche bunte Imagination.«[5] So schied sich für Goethe das Persönliche und Künstlerische als das Subjektive ganz bewußt vom Offiziellen und Amtlichen als dem Objektiven. Aber nicht nur dieser Gegensatz belastete Goethe. Auch innerhalb der gegensätzlichen Rubriken empfand er noch den Gegensatz von zeitlich wechselnder positiver und negativer Stimmung, den er immer wieder beklagte. Im Tagebucheintrag vom 26. März 1780 heißt es entsprechend: »war eingehüllt den ganzen Tag und konnte denen vielen Sachen, die auf mich drucken weniger widerstehn. Ich muss den Cirkel der sich in mir umdreht, von guten und bößen Tagen näher bemercken, Leidenschafften, Anhänglichkeit Trieb dies oder iens zu thun. Erfindung, Ausführung Ordnung alles wechselt, und hält einen regelmäsigen Kreis. Heiterkeit, Trübe, Stärcke, Elastizität, Schwäche, Gelassenheit, Begier eben so.«[6]
Wir wissen, wie zunächst Frau von Steins Einfluß auf diesen Wirbel ordnend wirkte, wie aber auch gerade die immer enger werdende Beziehung zu der verheirateten, sieben Jahre älteren Freundin in eine immer hoffnungslosere Position drängte und schließlich maßgeblich dazu beitrug, daß Goethe, ohnehin der gleichfalls immer größer werdenden »Disproportion des Talentes mit dem Leben«[7], des Dichters mit der Tätigkeit des Staatsbeamten, überdrüssig, nach Italien aufbrach. Daß die Reise im Grunde eine Flucht vor sich selber war, bezeugte Goethe im ersten Brief aus Rom (4. 11. 1786), in dem er seiner Mutter versicherte: »Ich werde als ein neuer Mensch zurückkommen und mir und meinen Freunden zu größerer Freude leben.«[8]
Daß letzteres gerade nicht der Fall war, sondern das Gegenteil sein sollte, bemerkte der nach $1^{3}/_{4}$ Jahren Zurückgekehrte alsbald: Wohl hatte ihn das Erlebnis mit unter südlicher Sonne freier lebenden Menschen und mit antiken Kunstwerken, die einen

Begriff von Maß und Ziel vermittelten, zu einem neuen Menschen werden lassen. Aber gerade dieser neue Mensch traf mit seiner neuen Lebens- und Kunstauffassung bei den in der engen nordischen Stadt zurückgebliebenen alten Freunden auf gänzliches Mißverständnis, ja Unbehagen.[9] Ein neuerlicher Gegensatz war perfekt. Im privat-persönlichen und sinnlichen Bezirk fand er aus der Sicht der Weimarer Gesellschaft seine extremste Erscheinung in der Blumenbinderin Christiane Vulpius, die Goethe ins Haus genommen hatte und die seine Mutter schlichtweg als ihres »Hätschelhans' [...] Bettschatz«[10] bezeichnete. Im amtlich-offiziellen und geistigen Bereich war es aus der Perspektive Goethes Schiller, der als »Geistesantipode«[11] wirkte, sofern er alles das vertrat, was Goethe von Natur aus ablehnte oder in mühsamem Läuterungsprozeß abgelegt hatte und dem gerade dieser Geisteshaltung wegen die Jugend nachlief, daß man für seine Jenaer Antrittsvorlesung in langem Zug quer durch die Stadt in den größten verfügbaren Saal wechseln mußte.
Eine Wende von Goethes Einstellung gegenüber Schiller brachte erst das Jahr 1794. Aber es dauerte nicht lange, bis die mit Schiller eingegangene produktive Verbindung dazu beitrug, Goethe einen neuen Gegensatz bewußt werden zu lassen: es war der zur Romantik. Die wechselweise geistige Befruchtung zwischen Goethe und Schiller hatte ihren Begriff des ›Klassischen‹ wesentlich ausgebildet und gefestigt. Zwar hatten sich die Wortführer der Frühromantik, August Wilhelm und Friedrich Schlegel schon 1797 mit Schiller überworfen, doch verteidigte Goethe ihre Werke, sofern man »den Verfassern einen gewissen Ernst, eine gewisse Tiefe und von der andern Seite Liberalität nicht ableugnen«[12] könnte. Aber je mehr sich die Romantik im Laufe ihrer Entwicklung von der anschaulichen Erfahrung entfernte und Kurs ins Irrationale und Transzendente nahm, desto schärfer beurteilte, ja verurteilte Goethe sie – bis hin zu der kurzen Formel: »Klassisch ist das Gesunde, romantisch das Kranke«[13]. Erst als Goethe über die Epoche strenger ›Klassik‹ dergestalt hinausgewachsen war, daß der Stil seines Alterswerkes als »geprägte Form, die lebend sich entwickelt«,[14] die Möglichkeit gefunden hatte, andere Geisteshaltungen zu assimilieren, bekannte er: »Es ist Zeit, daß der leidenschaftliche Zwiespalt zwischen Classikern und Romantikern sich endlich versöhne.«[15]
Die »Zerrissenheit«,[16] die man den Romantikern, insbesondere denen der Spätzeit, im Vergleich mit Goethe zum charakterisierenden Vorwurf machte, wäre für Goethe – wenn man ihn seiner Natur nach begreift, die sowohl durch eigene Anlagen wie durch äußere Einwirkungen größten Spannungen zwischen Extremen verschiedenster Art ausgesetzt war – durchaus auch bezeichnend, wenn er es nicht auf alle Weise darauf angelegt hätte, sich zusammenzuhalten.
Sein Bemühen darum setzte frühzeitig ein: »2. September [1777...] fiel mir auf wie sich mein innres seit einem Jahr befestigt hat«,[17] heißt es im Tagebuch. Seit Anbruch desselben Jahres hatte Goethe sich auch Klarheit über das Verhältnis innerer Bedingtheit und äußerer Zufälligkeit zu verschaffen gesucht. Wie er zur begrifflichen Klarheit stets der Anschauung bedurfte, hatte er dem Verhältnis eine Plastik gewidmet, die er am 5. April in seinem Garten »gegründet«[18] hat: »Das Wahrzeichen besteht aus zwei Steingebilden, einem großen Sandsteinwürfel, der sicher auf der Grundfläche ruht, und einer kleineren Kugel darauf.«[19] »Der kubische Klotz wird gedeutet als das ›Feste‹, die ›notwendig begrenzte, unveränderliche Individualität‹, ›die angeborene Kraft und Eigenheit‹, das ›so mußt du sein‹, bedingt durch ›ewige,

eherne, unabänderliche Gesetze‹; die rollende Kugel als das ›bewegliche Geschick‹, das ›mit und um uns Wandelnde‹ [...]«.[20] – Freilich überspringen die Zitate jene Zeit, da der von Goethe »ἄγαθη τυχη« (das »gute Zufällige«) benannte Denkstein ›gegründet‹ wurde, schon weit: Sie reichen bis zum Oktober 1817, als Goethe die *Urworte. Orphisch* schrieb.[21] Aber ihrem Gehalt nach entsprechen sie alle der 1777 schon zum Leitbild erhobenen Harmonie sich wechselseitig rechtfertigender Gegensätze.

In diesem Sinne glaubte Goethe auch 1779, sich zu der ihn belastenden Spannung zwischen Amt und Kunst, Pflicht und Neigung bekennen zu können: »Der Druck der Geschäffte ist sehr schön der Seele, wenn sie entladen ist spielt sie freyer und geniest des Lebens. Elender ist nichts als der behagliche Mensch ohne Arbeit, das schönste der Gaben wird ihm eckel.«[22] – Zum erstenmal ist hier mit dem Gegensatz von »Druck« und »entladen« das Leitmotiv durch Goethes Leben präludiert. Daß es eine Maxime ist, die trotz der Einsicht schwer zu verwirklichen ist, wußte Goethe. Am 14. Juli desselben Jahres vertraute er seinem Tagebuch an: »Ich darf nicht von dem mir vorgeschriebenen Weeg abgehn, mein Daseyn ist einmal nicht einfach, nur wünsch ich, dass nach und nach alles anmasliche versiege, mir aber schöne Krafft übrig bleibe die wahren Röhren neben einander in gleicher Höhe aufzuplumpen. [...] Den Punckt der Vereinigung des manigfaltigen zu finden bleibt immer ein Geheimnis, weil die Individualitet eines ieden darinn besonders zu Rathe gehn muss und niemanden anhören darf.«[23]

Daß es Goethe erst in Italien gelang, den »Punckt der Vereinigung des manigfaltigen« zu finden – auch im Hinblick auf seine amtliche Tätigkeit – ist bekannt. Aus Verona schrieb er am 15. September 1786 Frau von Stein in Form eines »Reise-Tagebuchs«: »Ja meine Geliebte hier bin ich endlich angekommen, hier [Italien] wo ich schon lange einmal hätte seyn sollen, manche Schicksale meines Lebens wären linder geworden. Doch wer kann das sagen, und wenn ich's gestehen soll; so hätte ich mirs nicht eher, nicht ein halb Jahr eher wünschen dürfen.«[24] Goethes beglückendes Italienerlebnis beruht im Grunde auf dieser Einsicht erreichter Harmonie der Gegensätze von Streben und Widerstreben. Die Erfahrung ›Italien‹ barg die Rechtfertigung aller ihm immer wieder verworren, dunkel und widersinnig erschienenen Tendenzen und Fügungen seiner bisherigen Entwicklung. Aus Rom, wo Goethe am 29. Oktober 1786 abends angekommen war, lautete es noch in selbiger Nacht, entsprechend dem fünf Tage später an die Mutter gerichteten Brief[25]: »Ich fange nun erst an zu leben, und verehre meinen Genius.«[26] Von hier aus ist verständlich, daß Goethe später Eckermann gegenüber behauptete, »zu diesem Glück der Empfindung« sei er »später nie wieder gekommen«[27]. Denn nach der Rückkehr aus Italien fand sich Goethe erneuten Fragen der Lebensführung und des geistigen Verhaltens gegenübergestellt, die jeweils zu neuen Antworten im Sinne einer konstruktiven Harmonie herausforderten. Aber er durfte auf das vertrauen, was er seinerzeit in Italien eingesehen und seitdem in verschiedener Weise bis ins hohe Alter wiederholt hatte: »[...] allem dem, was uns widersteht oder widerstrebt, können wir unmöglich danken, als sehr spät und in sofern es uns auf die rechten Wege genötigt hat.«[28]

II

Italien verdankte Goethe neben unendlich vielen Anregungen auf den Gebieten der Literatur, der Bildenden Kunst und der Naturerkenntnis die für sein gesamtes künftiges Wirken entscheidende Entdeckung, nämlich, daß er »bei dem Zudrang so vieler unendlichen Gegenstände [...] von Grund aus anfangen müsse, alles bisher Gewähnte wegzuwerfen und das Wahre in seinen einfachsten Elementen aufzusuchen«.[29] Dieses methodische Prinzip fand in den nach der Italienreise entstandenen Werken Goethes nirgends deutlicher Ausdruck als in den Untersuchungen und Darlegungen *Zur Farbenlehre*. Die ursprünglich in künstlerischer Hinsicht »schon in der ersten Jugend bei frühem Studieren, wenn der Tag gegen das angezündete Licht heranwuchs«,[30] bewunderte und am 10. Dezember 1777 beim Abstieg vom schneebedeckten Brocken erstmals registrierte Erscheinung der ›farbigen Schatten‹ wurde zum Ausgang einer von 1790 bis 1810 anhaltenden Beschäftigung, die schon sehr bald nicht mehr nur künstlerischen Überlegungen galt, sondern entsprechend der in ihr angewandten Methode, »das Wahre in seinen einfachsten Elementen aufzusuchen«, zum Zentrum aller anderen Einsichten und Erkenntnisse Goethes wurde. In den Untersuchungen *Zur Farbenlehre* hatte Goethe auch in Methode und Theorie den »Punckt der Vereinigung des manigfaltigen« gefunden, den er in der Praxis in Italien erfahren hatte.

Den Weg zu seiner Entdeckung beschrieb Goethe am Ende der *Materialien zur Geschichte der Farbenlehre* als »Konfession des Verfassers«. Dort heißt es – nachdem der Ursprung der Anregung, sich mit den Farben zu befassen, berichtet worden war – über den Blick durchs Prisma: »[...] wie verwundert war ich, als die durchs Prisma angeschaute weiße Wand nach wie vor weiß blieb, daß nur da, wo ein Dunkles dran stieß, sich eine mehr oder weniger entschiedene Farbe zeigte, daß zuletzt die Fensterstäbe am allerlebhaftesten farbig erschienen, indessen am lichtgrauen Himmel draußen keine Spur von Färbung zu sehen war. Es bedurfte keiner langen Überlegung, so erkannte ich, daß eine Grenze notwendig sei, um Farben hervorzubringen, und ich sprach wie durch einen Instinkt sogleich vor mich laut aus, daß die Newtonische Lehre falsch sei. [...] Die beiden sich immer einander entgegengesetzten Ränder, die Verbreiterung derselben, das Übereinandergreifen über einen hellen Streif und das dadurch entstehende Grün, wie die Entstehung des Roten beim Übereinandergreifen über einen dunklen Streif, alles entwickelte sich vor mir nach und nach. [...] Die Sache lag mir am Herzen, sie beschäftigte mich; aber ich fand mich in einem neuen unabsehlichen Felde, welches zu durchmessen ich mich nicht geeignet fühlte. [...] so half mir zu einem neuen theoretischen Weg jenes erste Gewahrwerden, daß ein entschiedenes Auseinandertreten, Gegensetzen, Verteilen, Differenzieren, oder wie man es nennen wollte, bei den prismatischen Farbenerscheinungen statthabe, welches ich mir kurz und gut unter der Formel der Polarität zusammenfaßte, von der ich überzeugt war, daß sie auch bei den übrigen Farben-Phänomenen durchgeführt werden könne. [...] Nachdem ich lange genug in der Breite der Phänomene herumgetastet und mancherlei Versuche gemacht hatte, sie zu schematisieren und zu ordnen, fand ich mich am meisten gefördert, als ich die Gesetzmäßigkeit der physiologischen Erscheinungen, die Bedeutsamkeit der durch trübe Mittel hervorgebrachten, und endlich die versabile Beständigkeit der chemischen Wirkungen und

Gegenwirkungen erkennen lernte. [...] Doch ließ ich den überall sich wieder zeigenden Gegensatz, die einmal ausgesprochne Polarität nicht fahren, und zwar um so weniger, als ich mich durch solche Grundsätze imstand fühlte, die Farbenlehre an manches Benachbarte anzuschließen und mit manchem Entfernten in Reihe zu stellen.«[31]

Es ist fraglich, ob Goethe zu derselben Erklärung dessen, was er durch das Prisma gesehen hatte, gekommen wäre, wenn nicht der Begriff des Gegensatzes für seine eigene Natur von charakteristischer Bedeutung gewesen wäre. So ist Goethes Erklärung ein auf ihn selber bezogenes frühes Beispiel für Fausts spätere Reflexion: »Am farbigen Abglanz haben wir das Leben.«[32] – »Daß eine Grenze notwendig sei, um Farben hervorzubringen«, bedeutet für Goethe im Verhältnis des Einzelnen und Besonderen zum Ganzen und Allgemeinen, daß eine Trennung, ein Gegensatz erforderlich sei, damit überhaupt etwas erkennbar werde: »Was in die Erscheinung tritt, muß sich trennen, um nur zu erscheinen.«[33]

Daß bei der Verurteilung von Newtons Lehre seine eigene Natur im Spiele gewesen sei, deutet Goethe mit dem Hinweis »wie durch einen Instinkt« an. Daß Goethes Schluß gegen Newton ein Irrtum war, wissen wir. »Er erwies sich aber als fruchtbar; denn er brachte uns eine Erscheinungslehre der Farben.«[34] Goethe selber stellte die »physiologischen Erscheinungen« an den Anfang seiner Untersuchungen, weil die Farben dieser Art »dem Subjekt, weil sie dem Auge teils völlig, teils größtens zugehören« und so »das Fundament der ganzen Lehre«[35] ausmachen. Goethe bekannte damit, daß er im Gegensatz zu Newton, der aus dem Bereich der exakten Naturwissenschaft alle subjektiven Momente auszuschließen suchte, seine Lehre ganz vom Menschen und dessen Auffassung herleitete. Wenn man bedenkt, daß die entscheidenden Untersuchungen *Zur Farbenlehre* 1790 begonnen und 1806 bis zum »Schema der ganzen Farbenlehre«[36] gediehen waren und daß diese Jahre genau die Zeit der ›strengen Klassik‹ ausmachen, so erklärt sich Goethes entschiedene Opposition gegen Newton: Denn in der Zeit der ›strengen Klassik‹ war Goethes uneingeschränktes Vorbild die ›Antike‹, wie man sie damals verstand; und danach galt »der Mensch als das Maß aller Dinge«[37].

Sogleich nutzte Goethe auch die mit dem Blick durch das Prisma gewonnene Einsicht, »daß eine Grenze nötig sei, um Farben hervorzubringen«, gemäß seiner Erwartung, »die Farbenlehre an manches Benachbarte anzuschließen und mit manchem Entfernten in Reihe zu stellen«, dazu, weitausgreifende Reflexionen anzustellen, die sowohl abstrakteste wie konkreteste Momente betreffen und einander zuordnen: »In der ganzen sinnlichen Welt kommt alles überhaupt auf das Verhältnis der Gegenstände untereinander an, vorzüglich aber auf das Verhältnis des bedeutendsten irdischen Gegenstandes, des Menschen, zu den übrigen. Hierdurch trennt sich die Welt in zwei Teile, und der Mensch stellt sich als ein Subjekt dem Objekt entgegen. Hier ist es, wo sich der Praktiker in der Erfahrung, der Denker in der Spekulation abmüdet und einen Kampf zu bestehen aufgefordert ist, der durch keinen Frieden und durch keine Entscheidung geschlossen werden kann.«[38] Goethe bestätigte dem Menschen seine Sonderstellung gegenüber allem anderen in der Welt. Diese Trennung zwischen Subjekt und Objekt macht ein Bewußtsein von der Welt erst möglich. Aber sofort sah Goethe wieder einen Gegensatz innerhalb des Bewußtseins von der Welt: die extremen Positionen »der Praktiker in der Erfahrung«

und »der Denker in der Spekulation«, die ihm zunächst unüberbrückbar erscheinen. Goethe hatte dabei ganz bewußt die Verhältnisse seiner Zeit im Blick, sowohl im Besonderen von der Erkenntnistheorie her wie im Allgemeinen aus der Verhaltensweise. Noch 1828, berichtet Eckermann, habe Goethe gesagt: »Könnte man nur den Deutschen, nach dem Vorbilde der Engländer, weniger Philosophie und mehr Tatkraft, weniger Theorie und mehr Praxis beibringen«.[39]

»Praktiker in der Erfahrung« und »Denker in der Spekulation«, die sich zunächst im Sinne des ›Dualismus‹ gegenseitig auszuschließen schienen, wurden von Goethe selber als eine gegenseitige Ergänzung gewünscht. Den Bezug solcher gegenseitigen Ergänzung fand Goethe ebenfalls bei ›jenem ersten Gewahrwerden‹. Er bezeichnete ihn mit der »Formel der Polarität«.

Die ›Polarität‹, der paarige Gegensatz, der als solcher erst ein Ganzes bildet, erhielt für Goethe, sobald er sich des Begriffs dieses Verhältnisses versichert hatte, die Bedeutung einer Formel, weil sie unendlich viele Fälle und Beispiele, deren gegenseitiger Widerspruch Goethe quälte, als gegenseitigen Bezug bezeichnet.

Ohne daß Goethe dafür bereits eine ›Formel‹ gehabt hätte, war ihm die Gegebenheit des paarigen Gegensatzes schon von früh auf geläufig. In der Rede *Zum Shakespeares-Tag* heißt es: »[...] was wir bös nennen, ist nur die andre Seite vom Guten, die so notwendig zu seiner Existenz und in das Ganze gehört, als Zona torrida brennen und Lappland einfrieren muß, daß es einen gemäßigten Himmelsstrich gebe.«[40] Entsprechend stellte der junge Goethe in den *Frankfurter Gelehrten Anzeigen* 1772 die Frage: »Gehört denn, was unangenehme Eindrücke auf uns macht, nicht so gut in den Plan der Natur als ihr Lieblichstes?«[41]

Indessen ist der Gedanke des ›paarigen Gegensatzes‹ schon zur Zeit des jungen Goethe nicht neu. Stoa, Mystik bzw. Pietismus, Magie und Alchimie haben ihn erörtert. Er war ebenso Glaubenselement wie Folgerung logischer Gedankengänge.[42] Daß Goethe sich mit früheren Vertretern der Polaritätslehre gelegentlich seines Umganges mit Fräulein von Klettenberg in Frankfurt und auch noch in Straßburg beschäftigte, schilderte er in *Dichtung und Wahrheit* selber.[43] Später hatte er, gerade zur Zeit seiner Beschäftigung mit der Farbenlehre, persönliche Kontakte mit den namhaften Vertretern der zeitgenössischen Philosophie, der die Polaritätsidee zugrunde liegt. An der Universität Jena, praktisch vor Goethes Haustür, wurde von Schiller (1789), Fichte (1794), Schelling (1798), Hegel (1805) der ›Idealismus‹ entwickelt, dem auch August Wilhelm Schlegel (1796) und – als Hörer – Wilhelm und Alexander von Humboldt nahestanden. In einem Aufsatz *Einwirkung der neueren Philosophie* gab sich Goethe 1817 Rechenschaft über die Einflüsse auf seine geistige Entwicklung. Er schließt: »Was ich gleichzeitig und späterhin Fichten, Schellingen, Hegeln, den Gebrüdern von Humboldt und Schlegel schuldig geworden, möchte künftig dankbar zu entwickeln sein, wenn mir gegönnt wäre jene für mich so bedeutende Epoche, das letzte Zehent des vergangenen Jahrhunderts, von meinem Standpunkte aus, wo nicht darzustellen, doch anzudeuten, zu entwerfen«.[44] Goethe wußte auch aus seiner Kant-Lektüre, daß bei Kant der eigentliche Anstoß zum Polaritätsbewußtsein des ›Idealismus‹ zu finden war. An den Physiker Johann Salomo Christoph Schweigger schrieb er im April 1814: »Seit unser vortrefflicher Kant mit dürren Worten sagt: es lasse sich keine Materie ohne Anziehen und Abstoßen denken, (das heißt doch

wohl, nicht ohne Polarität), bin ich sehr beruhigt, unter dieser Autorität meine Weltanschauung fortsetzen zu können [...].«[45]
Im angeführten Aufsatz über die *Einwirkung der neueren Philosophie* ging Goethe
nach intensiven Kant-Studien, die er gleichzeitig trieb, noch einen Schritt weiter und
verband frühere Lektüre mit dem damaligen Studium, sofern er hier die inzwischen
längst in seinen Sprachgebrauch gehörenden Begriffe von ›Systole‹ und ›Diastole‹
ansiedelte: »Die Erkenntnisse a priori ließ ich mir auch gefallen, so wie die synthetischen Urteile a priori: denn hatte ich doch in meinem ganzen Leben, dichtend und
beobachtend, synthetisch, und dann wieder analytisch verfahren, die Systole und
Diastole des menschlichen Geistes war mir, wie ein zweites Atemholen, niemals getrennt, immer pulsierend.«[46] In Wirklichkeit hatte Goethe – nachdem er schon 1779
einmal vom Druck und Entladen der Seele gesprochen hatte[47] – die Begriffe ›Systole‹
und ›Diastole‹ in dem im ersten Halbjahr 1807 ausgearbeiteten »Didaktischen Teil«
der *Farbenlehre* angewendet. Dort lautet der § 38: »So setzt das Einatmen schon das
Ausatmen voraus und umgekehrt, so jede Systole ihre Diastole. Es ist die ewige Formel des Lebens, die sich auch hier äußerte.«[48] Und erweitert heißt es im § 739 noch
einmal: »Das Geeinte zu entzweien, das Entzweite zu einigen, ist das Leben der Natur; dies ist die ewige Systole und Diastole, die ewige Synkrisis und Diakrisis, das
Ein- und Ausatmen der Welt, in der wir leben, weben und sind.«[49]
Das Verhältnis des Begriffes ›Polarität‹ zu dem Begriff ›Systole und Diastole‹ ist das
einer allgemeinen Formel zu einer speziellen Formel, sofern ›Systole und Diastole‹
gegenüber der auch möglichen statischen Polarität ausschließlich die dynamische
Polarität bezeichnet. Sie wurde zum Inbegriff für Goethes Weltanschauung, weil sie
sowohl seinem Bewußtsein der Gegensätze wie seinem Verlangen nach konstrukti-
vem Verständnis des Entgegengesetzten gerecht wurde. Es gab in diesem Sinne
nichts eigentlich Abträgliches mehr für Goethe. Denn das Negative ließ sich auf diese
Weise als Ermöglichung des Positiven verstehen, wie das Einatmen das Ausatmen
möglich macht. So schrieb Goethe zum Beispiel über eine schlechte Saison des Weimarer Theaters: »Unser Theater hat nun seine Systole. Ich behandle es blos als Geschäft, glückt es aber, so wollen wir im nächsten Winter schon uns wieder diastolisi-
rend erweisen«.[50] Solche Anwendung von ›Systole und Diastole‹ in der Lebenspraxis
beweist, daß diese ›Formel‹ für Goethe nicht nur Theorie war, sondern ihm erlaubte,
sich »im Innern deshalb zu beruhigen«.[51]
Tatsächlich ermöglichte die ›dynamische Polarität‹ Goethe die Harmonie der Gegensätze: nicht im Sinne einer ›coincidentia oppositorum‹,[52] eines Zusammenfalls
der Gegensätze, sondern im Sinne ihres Zusammenwirkens. Am anschaulichsten
entdeckte Goethe das selber am Beispiel der ›Metamorphose‹ der Pflanzen: Seit 1789
war Goethe damit beschäftigt, den Gestaltwandel der Pflanzen zu erläutern. 1790
erschien der *Versuch die Metamorphose der Pflanzen zu erklären.* Acht Jahre später
hatte Goethe die streng in Paragraphen unterteilte nüchterne Schrift für Christiane
in ein anmutiges Lehrgedicht verwandelt, in dem das Bildungsprinzip der Pflanzen
aus dem in die Vertikale gerichteten Gesetz des Ausdehnens und Zusammenziehens
erklärt ist:

> [...] Viel gerippt und gezackt, auf mastig strotzender Fläche,
> Scheinet die Fülle des Triebs frei und unendlich zu sein.

Doch hier hält die Natur, mit mächtigen Händen, die Bildung
An und lenket sie sanft in das Vollkommnere hin.
Mäßiger leitet sie nun den Saft, verengt die Gefäße,
Und gleich zeigt die Gestalt zärtere Wirkungen an.
Stille zieht sich der Trieb der strebenden Ränder zurücke,
Und die Rippe des Stiels bildet sich völliger aus.
Blattlos aber und schnell erhebt sich der zärtere Stengel,
Und ein Wundergebild zieht den Betrachtenden an. [...][53]

An der Bildung der Pflanzen wurde ganz deutlich, wie die Wechselbeziehung von Ausdehnung und Zusammenziehen eine Steigerung möglich macht. Deutlich wurde auch, daß nicht nur an eine quantitative, sondern ebenso an eine qualitative Steigerung zu denken ist. Dieser für Goethe ebenso quantitativ wie qualitativ geltende Begriff der Steigerung erscheint fortan dem Begriff der Polarität eng verbunden. Beide Begriffe zusammen hatten für Goethe so fundamentale Bedeutung, daß sie ihm zum Schlüssel des Weltverständnisses wurden. 1810 schrieb Goethe an Sartorius: »Wenn ein paar große Formeln glücken, so muß das alles Eins werden, alles aus Einem entspringen und zu Einem zurückkehren.«[54] Und 1826 hieß es ganz eindeutig Sulpiz Boisserée gegenüber: »[...] als ethisch-ästhetischer Mathematiker muß ich in meinen hohen Jahren immer auf die letzten Formeln hin dringen, durch welche ganz allein mir die Welt noch faßlich und erträglich wird.«[55]
In der Tat war Goethes ganzes Denken auf Welterfassen gerichtet, sowohl in Wissenschaften und Kunst wie in Geschichte und Politik. Entsprechend seinen botanischen Studien, hatte er früh schon mit zoologischen Untersuchungen begonnen. Freilich galten sie auf dem Wege über Anatomie und Osteologie zunächst der Suche nach dem Zwischenkieferknochen beim Menschen, den Goethe 1784 entdeckte. Aber diese Studien führten denn doch 1795 zu den Abhandlungen *Erster Entwurf einer allgemeinen Einleitung in die vergleichende Anatomie* und *Versuch einer allgemeinen Vergleichungslehre.* Sie sind – ähnlich wie der *Versuch die Metamorphose der Pflanzen zu erklären* dem Gedicht *Die Metamorphose der Pflanzen* vorausging – zum Anlaß des Lehrgedichtes *Metamorphose der Tiere* geworden. Dort heißt es:

[...] Also bestimmt die Gestalt die Lebensweise des Tieres,
Und die Weise, zu leben, sie wirkt auf alle Gestalten
Mächtig zurück. So zeiget sich fest die geordnete Bildung,
Welche zum Wechsel sich neigt durch äußerlich wirkende Wesen.[56]

›Gestalt‹ und ›Lebensweise‹ als Polarität stehen in einem sinnvollen, ausgewogenen Bezug zur ›Bildung‹ als Begriff der ›Steigerung‹: Denn wird die ›Steigerung‹ zur beherrschenden Kraft, so vernichtet »die Last des Übergewichtes [...] / Alle Schöne der Form und alle reine Bewegung«.[57]
Insbesondere weil Goethe mit dem Nachweis des Zwischenkieferknochens den Menschen im Zusammenhang mit der gesamten zoologischen Schöpfung wußte, übertrug er die in der ›Metamorphose der Tiere‹ erkannte Ökonomie auf die menschlichen Verhältnisse:

Dieser schöne Begriff von Macht und Schranken, von Willkür
Und Gesetz, von Freiheit und Maß, von beweglicher Ordnung,

Vorzug und Mangel erfreue dich doch! Die heilige Muse
Bringt harmonisch ihn dir, mit sanftem Zwange belehrend.
Keinen höhern Begriff erringt der sittliche Denker,
Keinen der tätige Mann, der dichtende Künstler; der Herrscher,
Der verdient, es zu sein, erfreut nur durch ihn sich der Krone.[58]

Wie Goethe in der *Metamorphose der Tiere* einen Bezug des Naturgesetzes zum
Verhalten des Menschen entdeckt hatte, so sah er auch in der Chemie eine Ver-
gleichsmöglichkeit mit dem Menschen. Die Chemie hatte Goethe, abgesehen von jugendlichen alchimistischen Experimenten, vor allem wieder im Zusammenhang mit
der Farbenlehre beschäftigt. Dort behandelte er die »Chemischen Farben« als
»Dritte Abteilung« des »Didaktischen Teils«. Aber bereits 1796 benutzt Goethe im
Entwurf einer allgemeinen Einleitung in die vergleichende Anatomie[59], um das Auflösen alter und Eingehen neuer chemischer Verbindungen zu charakterisieren, den
Begriff ›Verwandtschaft‹. ›Wahlverwandtschaften‹ ist in diesem Sinne eine zeitgenössische Metapher, die auf den Schweden Torbern Bergman zurückgeht. 1808
nahm sie Goethe zum Titel eines Eheromans, in dem er das menschliche Verhalten
mit dem Gesetz der Chemie verglich. Im vierten Kapitel des ersten Teils dieses Romans wird das Problem am Beispiel der einander entgegengesetzten und sich gerade
darum anziehenden Alkalien und Säuren dargestellt und die Prüfung der Menschen
des Romans eingeleitet, denn auch für sie gilt: »[...] entgegengesetzte Eigenschaften
machen eine innigere Vereinigung möglich.«[60]
Die entschiedenste Erscheinung des Gegensatzes und der gegenseitigen Anziehung
der Pole sah Goethe im Magnetismus. Auch ihn beschrieb Goethe im »Didaktischen
Teil« der *Farbenlehre*. Er führte ihn unter den »nachbarlichen Verhältnissen« an,
gleich gefolgt von der Erscheinung der Elektrizität. Die beiden physikalischen Erscheinungen konnte Goethe noch nicht miteinander verbinden. Indessen bezeichnete er den Magnetismus, eben wegen seiner unmittelbaren Anschaulichkeit der Polarität als »ein Urphänomen, das unmittelbar an der Idee steht und nichts Irdisches
über sich erkennt«[61], und die Elektrizität als eine »Erscheinung«, auf die »wir die
Formeln der Polarität, das Plus und Minus, als Nord und Süd, als Glas und Harz
schicklich und naturgemäß anwenden«.[62] Entsprechend der damals noch peripheren
Bedeutung der beiden Erscheinungen, stehen sie, obwohl Goethe ihnen durch die
Bezeichnung »Urphänomen« und »naturgemäß« eine für seine Weltanschauung
zentrale Bedeutung zuerkannte, gleichsam nur als Randbemerkungen in seinem
Werk. Dennoch schrieb Goethe 1813 an Knebel: »Ich leugne nicht, daß die Verbindung des Erd- und Eisenmagnetismus mit den übrigen Polaritäten der physisch-che-
mischen Natur [...] ein wissenschaftliches Ereignis wäre, welches ich zu erleben
wünsche, da ich an der Möglichkeit gar nicht zweifle.«[63]
Selbst bei seinem 1825 entstandenen *Versuch einer Witterungslehre* stützte sich
Goethe auf die Anziehungskraft der Erde. Danach ist die wie Einatmen und Ausatmen zu- und abnehmend gedachte Anziehungskraft der Erde die Ursache aller me-
teorologischen Erscheinungen. Sie beeinflußt die »Elemente«[64], die »die Willkür
selbst zu nennen« sind: »die Erde möchte sich des Wassers immerfort bemächtigen
und es zur Solideszenz [= Haltbarkeit] zwingen [...]. Ebenso unruhig möchte das
Wasser die Erde, die es ungern verließ, wieder in seinen Abgrund reißen.« Die Folge

ist: »Die Luft [...] rast auf einmal als Sturm daher [...] das Feuer [vom Blitz verursacht] ergreift unaufhaltsam was von Brennbarem, Schmelzbarem zu erreichen ist.« Gegenüber solchen chaotisch einander entgegenwirkenden Kräften ist »das Höchste [...], was [...] dem Gedanken gelingt, [...] gewahr zu werden, was die Natur in sich selbst als Gesetz und Regel trägt, jenem ungezügelten, gesetzlosen Wesen zu imponieren«. Die Natur, meinte Goethe, vermöchte es durch die Anziehungskraft: »Die erhöhte Anziehungskraft der Erde, von der wir durch das Steigen des Barometers in Kenntnis gesetzt sind, ist die Gewalt, die den Zustand der Atmosphäre regelt und den Elementen ein Ziel setzt; sie widersteht der übermäßigen Wasserbildung, den gewaltsamen Luftbewegungen; ja die Elektrizität scheint dadurch in der eigentlichsten Indifferenz gehalten zu werden.« – »Niederer Barometerstand hingegen entläßt die Elemente [...].«

Von der heutigen exakten Naturwissenschaft aus betrachtet, ist Goethes Darlegung kurios zu nennen. Auch in der zeitgenössischen Wissenschaft fand sie keine Beachtung. Dennoch ist richtig, daß die Witterung vom Prinzip des Gegensatzes, der Polarität, bestimmt wird. Aber Goethe ging von falschen Voraussetzungen aus. Charakteristisch ist hier indessen Goethes Geisteshaltung, die den gegeneinander wirkenden Tendenzen durch Gesetz und Regel, die nicht von außen, sondern in der Natur selber zu finden sind, Herr zu werden wünscht.

1781 teilte Goethe Frau von Stein mit, er plane einen »Roman über das Weltall«.[65] Angeregt worden war Goethe offenbar dazu durch seine geologischen und mineralogischen Studien, die er zunächst nur im Zusammenhang mit seinem Betreiben (1776), den Ilmenauer Bergbau wiederaufzunehmen, begonnen hatte, die ihn aber dann mit wachsender Leidenschaft bis ins Alter beschäftigten. Zwar ist aus dem »Roman über das Weltall« – bis auf ein vermutliches Fragment *Über den Granit* (1784) – nichts geworden; aber aufmerksam verfolgte Goethe die zeitgenössischen Thesen zur Entstehung der Erde wie zur Bildung ihrer Oberfläche und nahm auch mit eigenen Schriften Stellung.

Zwei extrem entgegengesetzte Thesen beherrschten zu Goethes Zeit die Wissenschaft: der ›Neptunismus‹, nach dem »ein zurückströmendes Urmeer die Gesteinsfolge der Erdrinde ausgeschieden haben soll«, und der ›Vulkanismus‹, der »durch feurige Aufbrüche aus tieferen und oberen Erdschichten die Bildung der Erdrinde bedingt haben sollte«.[66] Goethe selber diskutierte diese gegensätzlichen Thesen wiederholt am Beispiel des Kammerbergs bei Eger, der sowohl die eine wie die andere Erklärung seiner Entstehung zu erlauben schien. 1809 neigte Goethe in seinem ersten Aufsatz *Der Kammerberg bei Eger* nach längerem Abwägen der Argumente der Auffassung einer vulkanischen Entstehung zu, die er 1820 in einem gleicherweise betitelten kürzeren Beitrag widerrief, indem er aufgrund erneuter Besichtigung des »problematischen Phänomens«[67] den Kammerberg als ›Pseudovulkan‹ erklärte und damit auf die Seite der ›Neptunisten‹ überwechselte.

III

Den Streit zwischen ›Vulkanisten‹ und ›Neptunisten‹ hat Goethe 1830 in der »Klassischen Walpurgisnacht« von *Faust II* ironisch distanziert im Disput zwischen Anaxagoras und Thales dargestellt. Zehn Jahre früher, zur Zeit des zweiten *Kammer-berg*-Aufsatzes, arbeitete Goethe an *Wilhelm Meisters Wanderjahre*. Das neunte Kapitel des zweiten Buches nutzte er, die Auffassungen der ›Neptunisten‹ und ›Vulkanisten‹ samt den Nebenmeinungen einem prosaischen Lehrgedicht entsprechend darzulegen. Freilich hütete sich Goethe, Partei zu ergreifen oder auch nur zu vermitteln. Im Gegenteil: »In der Mitte bleibt das Problem liegen«,[68] ließ er Montan auf Wilhelms Vermutung, »die Wahrheit liege in der Mitte«, antworten und ließ ihn auch zugestehen, daß er »einem jeden in seiner Meinung nachhalf, wie sich denn für alles noch immer ein ferneres Argument auffinden läßt«. Das heißt, Montan hat die Polarität der Auffassungen noch gesteigert und solcherweise das Problem erst recht bewußtgemacht. Seine anschließende Bemerkung: »eigentlich kann ich es mit diesem Geschlecht nicht mehr ernstlich nehmen«, entspricht Goethes reservierter Bemerkung von 1823: »Die geologischen Systeme teilen sich in Wasser- und Feuerglaube. Man sollte sie nicht verschmelzen, weil aller Synkretismus zweideutig und gebrechlich ist, eine Theorie aber selbständig sein soll.«[69] Mit der ironischen Anspielung Goethes, daß es sich um »-glaube« handle, ist aus dem Reich der Wissenschaft in den Bezirk des Individuellen hinübergewiesen, den Montan bereits umrissen hat, indem er seiner Rechtfertigung hinzufügte: »Ich habe mich durchaus überzeugt, das Liebste, und das sind doch unsre Überzeugungen, muß jeder im tiefsten Ernst bei sich selbst bewahren, jeder weiß nur für sich, was er weiß, und das muß er geheim halten; wie er es ausspricht, sogleich ist der Widerspruch rege, und wie er sich in Streit einläßt, kommt er in sich selbst aus dem Gleichgewicht, und sein Bestes wird, wo nicht vernichtet, doch gestört.«[70] Das spiegelt die Maxime der Engel im 5. Akt von *Faust II*: »Was euch nicht angehört, / müsset ihr meiden«[71], und beides erinnert an Goethes einleitend angeführte[72] Altersklage über das ›Abenteuer‹ seines Lebens. Ihm war die auf gewaltsame Änderung beruhende Vorstellung des ›Vulkanismusses‹ fremd. Die den ›Neptunismus‹ charakterisierende Entwicklung war ihm eigen: ›Entwicklung‹ hatte Goethe an der Metamorphose der Pflanzen und Tiere beobachten können. Sie entsprach infolgedessen seinem auf Anschauung beruhenden »gegenständlichen Denken«:[73]

»An ebendiese Betrachtung schließt sich die vieljährige Richtung meines Geistes gegen die Französische Revolution unmittelbar an, und es erklärt sich die grenzenlose Bemühung dieses schrecklichste aller Ereignisse in seinen Ursachen und Folgen dichterisch zu gewältigen.«[74] Gemeint sind die ›Revolutionsdramen‹ *Der Bürgergeneral, Die Aufgeregten, Das Mädchen von Oberkirch, Die natürliche Tochter*, die allesamt entweder mißlungen sind oder Fragment blieben, weil Goethe kein Verhältnis zur Französischen Revolution gewinnen konnte.

Goethes Geschichtsauffassung war von ›Evolution‹, nicht von ›Revolution‹ her bestimmt. Das bedeutet nicht, daß er nicht auch in der Geschichte das Prinzip der Polarität gesehen hätte. Schon der Rückblick auf seine eigenen Lebensepochen und seine literarische Entwicklung machte ihm das anschaulich: »Die literarische Epoche, in der ich geboren bin, entwickelte sich aus der vorhergehenden durch Widerspruch«,[75] heißt es im siebenten Buch von *Dichtung und Wahrheit*. Daß Goethe seine autobiographischen Schriften (*Dichtung und Wahrheit, Italienische Reise, Campagne in Frankreich, Belagerung von Mainz, Tag- und Jahreshefte* nebst kleineren Einzeldarstellungen) nicht nur als Rechenschaft über sich verstanden wissen wollte, sondern zugleich als Darstellung, »wie immer eine Folgezeit die vorhergehende zu verdrängen und aufzuheben suchte«,[76] teilte er 1814 Buchholtz mit.

Dieses Prinzip der Geschichte erläuterte Goethe in einem abstrahierenden Aufsatz *Geistesepochen* aufgrund von 1817/18 veröffentlichten Untersuchungen des Altphilologen Gottfried Hermann. Gemäß der dialektischen Methode der Philosophie seiner Zeit folgerte Goethe in seinem Beitrag eine jeweilige neue Geisteshaltung aus dem Gegensatz zur vorangegangenen. Aber entgegen den zukunftgläubigen Theorien sah er im Sinne einer Metamorphose die Möglichkeit, daß der Höhepunkt der Entwicklung überschritten werde: »Eigenschaften, die sich vorher naturgemäß auseinander entwickelten, arbeiten wie streitende Elemente gegeneinander, und so ist das Tohu wa Bohu wieder da: aber nicht das erste, befruchtete, gebärende, sondern ein absterbendes, in Verwesung übergehendes [...].«[77] Zu ähnlich resignierendem Ergebnis der dialektischen Geschichtsauffassung kam Goethe in einer Reflexion seiner Zeitschrift *Kunst und Altertum:* »Der Kampf des Alten, Bestehenden, Beharrenden mit Entwicklung, Aus- und Umbildung ist immer derselbe. Aus aller Ordnung entsteht zuletzt Pedanterie; um diese los zu werden, zerstört man jene, und es geht eine Zeit hin, bis man gewahr wird, daß man wieder Ordnung machen müsse. Klassizismus und Romantismus, Innungszwang und Gewerbsfreiheit, Festhalten und Zersplittern des Grundbodens: es ist immer derselbe Konflikt, der zuletzt wieder einen neuen erzeugt. Der größte Verstand des Regierenden wäre daher, diesen Kampf so zu mäßigen, daß er ohne Untergang der einen Seite sich ins gleiche stellte; dies ist aber den Menschen nicht gegeben, und Gott scheint es auch nicht zu wollen.«[78]

Sicherlich ist diese Geschichtskonzeption von den kulturellen und politischen Auseinandersetzungen der damaligen Jahre stark beeinflußt. Das unmäßige Vordringen der durch die Siege über Napoleon selbstbewußt gewordenen jungen Generation, die zuletzt in den ›Karlsbader Beschlüssen‹ (1819) gipfelnde harte Reaktion »des Alten, Bestehenden, Beharrenden« waren Extreme, deren Kampf gegeneinander nicht fruchten konnte. Aus der größeren Distanz von 1826 griff Goethe seine Reflexion noch einmal auf, milderte sie aber ab, indem er mit der Maxime eines denkbaren Gleichgewichts der Kräfte schloß: »[...] es wird nach und nach möglich, daß zwei Gegensätze zu gleicher Zeit hervortreten und sich einander das Gleichgewicht halten können, und wir achten dies für die wünschenswertheste Erscheinung.«[79]

Politisch gesehen ist das eine republikanische Einstellung, und es ist im vorliegenden Zusammenhang interessant, daß Goethe die seine *Faust*-Dichtung unter mancherlei Aspekt beherrschende Polarität am Beispiel der ersten und zweiten ›Walpurgisnacht‹ nach Eckermanns Bericht vom 21. Februar 1831 auch in dieser Hinsicht verstanden wissen wollte: »›Die alte Walpurgisnacht‹, sagte Goethe, ›ist monarchisch, indem der Teufel dort überall als entschiedenes Oberhaupt respektiert wird; die klassische aber ist durchaus republikanisch, indem alles in der Breite nebeneinandersteht, so daß der eine so viel gilt wie der andere, und niemand sich subordiniert und sich um den andern bekümmert.‹«[80]

Im eigentlichen Sinne jedoch beherrscht der republikanische Gedanke Goethes anderes großes Alterswerk: *Wilhelm Meisters Wanderjahre.* Es ist ja im selben Maße, wie es ›Bildungsroman‹ ist, auch ›Zeitroman‹, und die Entwicklung der von Goethe erlebten Zeit, von der Aufklärung bis in die zwanziger Jahre des neunzehnten Jahrhunderts, wirkt allenthalben in der Romanhandlung mit. Am deutlichsten wird das in den Phasen, die sich mit der Ausbildung zur Gemeinschaft befassen. Im Gegensatz zu der im Sinne des Mephistopheles durchaus nicht konstruktiven ›Republik‹ der »Klassischen Walpurgisnacht« ist das Ziel der *Wanderjahre*, jeden einzelnen der Gesellschaft, gerade weil »der eine so viel gilt wie der andere«, zu einem »Glied in der Kette« zu bilden, wie die im Roman oft wiederholte Metapher für das Ideal der Gesellschaft lautet. Dabei haben die naturwissenschaftlichen Perspektiven des Romans eine besondere Funktion. Sie verbinden sein Bildungsideal mit dem Naturgesetz, das gleichermaßen als Rechtfertigung wie als Garantie erscheint: »Nur alle Menschen machen die Menschheit aus, nur alle Kräfte zusammengenommen die Welt. Diese sind unter sich oft im Widerstreit, und indem sie sich zu zerstören suchen, hält sie die Natur zusammen und bringt sie wieder hervor.«[81]

Um 1794 fürchtete Goethe eine einseitige Förderung seines wissenschaftlichen Bemühens zum Nachteil seiner künstlerischen Möglichkeiten. »In diesem Drange des Widerstreits übertraf alle meine Wünsche und Hoffnungen das auf einmal sich entwickelnde Verhältnis zu Schiller; von den ersten Anfängen war es ein unaufhaltsames Fortschreiten philosophischer Ausbildung und ästhetischer Tätigkeit.«[82] Den Gewinn dieser Jahre hat Goethe in dem wohl um 1800 entstandenem Sonett »Natur und Kunst, sie scheinen sich zu fliehen / Und haben sich, eh' man es denkt, gefunden […]«[83] dargestellt. Wie die Natur hat auch die Kunst ihre Gesetze. Zum Italienaufenthalt, der vor allem durch Anschauen zum künstlerischen Formbewußtsein beitrug, kamen damals die mündlichen und schriftlichen Diskussionen mit Schiller, die zur Formulierung der diesem Formbewußtsein entsprechenden Gesetze führten. Sie legitimierten die Überzeugung, daß »Kunst, eine andere Natur«[84] sei, d. h. eine zweite (= »andere«) Natur, die aber eben, weil sie Natur sei, mit der ersten Natur verbunden bleibe. Die Weimarer Kunstausstellung von 1801 und die Preisaufgabe für 1802 erläuterte Goethe demgemäß: »Mag der eine mehr gegen das Natürliche, der andere mehr gegen das Ideale neigen, bedenke man doch, daß Natur und Ideal nicht mit einander im Streit liegen, daß sie viel mehr beide in der großen lebendigen Einheit innig verbunden sind«.[85]

Auf welche Weise Kunst und Natur verbunden sind, wird dadurch deutlich, daß Gesetze der auf Naturerscheinungen beruhenden Farbenlehre auch für die Ästhetik der Malerei gelten: »Was in die Erscheinung tritt, muß sich trennen um zu erscheinen«, hatte es schon prinzipiell geheißen.[86] Optisch geschieht die Trennung durch Licht und Schatten. Das trifft auch für die Malerei zu: »Ein großer Theil der Harmonie eines Gemähldes beruht auf Licht und Schatten«,[87] lautet schon § 19 der *Beiträge zur Optik* von 1791. In der Einleitung (1808) *Zur Farbenlehre* werden die Verhältnisse von »Hell, Dunkel und Farbe« als die Voraussetzungen unserer ›sichtbaren Welt‹ bezeichnet. Durch sie wird »zugleich die Malerei möglich«.[88]

Dem »Verhältnis zur Tonlehre« ist in den Untersuchungen *Zur Farbenlehre* im Kapitel »Nachbarliche Verhältnisse« ein eigener Abschnitt gewidmet, in dem es wohl heißt: »Vergleichen lassen sich Farbe und Ton untereinander auf keine Weise; aber beide lassen sich auf eine höhere Formel beziehen, aus einer höheren Formel beide, jedoch jedes für sich ableiten […] Beide sind allgemein elementare Wirkungen, nach dem allgemeinen Gesetz des Trennens und Zusammenstrebens, des Auf- und Abschwankens, des Hin- und Widerwägens wirkend […].«[89] Ja, Goethe stellte 1810 eine diesem Prinzip von »Systole und Diastole« entsprechende »Tabelle der Tonlehre« auf, über die er noch 1826 mit Zelter korrespondierte. Allerdings lehnte Goethe – genau wie in der *Farbenlehre* – auch bei der Tonlehre eine Begründung durch Gesetze der exakten Physik ab und beharrte auf seinem dem Geist der Klassik verpflichteten Standpunkt, sofern er ein dem menschlichen Ohr entsprechendes, also ein physiologisches Gesetz forderte.[90]

Am deutlichsten ließen sich die aus der Perspektive des Menschen erscheinenden Naturgesetze in der Dichtung geltend machen, weil für sie keine andere als auf den Menschen bezogene Betrachtung in Frage kommt. Noch 1820 hatte Goethe rückblickend in den *Tag- und Jahresheften* notiert: »Bei'm Studiren [...] merkt' ich mir selbst und meinen innern Geistesoperationen auf. Da gewahrt' ich denn, daß eine Systole und Diastole immerwährend in mir vorging.«[91] Man hat sowohl einzelne Dichtungen Goethes wie auch die Entwicklung von Goethes gesamter Dichtung unter diesem Gesichtspunkt auf die verschiedenste Weise betrachtet. Man hat das Gesetz von ›Systole und Diastole‹ im Bewußtsein seines Zusammenhanges mit der Dialektik in neuerer Zeit auch im Hinblick auf die »soziale Polarität in Goethes Klassik«[92] oder als »Subjekt-Objekt-Problem«[93] sogar unter Berücksichtigung des dialektischen Materialismus darzulegen gesucht, wobei es denn allerdings niemals ganz ohne Systemzwang abging. Goethe läßt sich nun einmal keinem anderen als seinem eigenen System einordnen. Uneingeschränkt gilt daher nur, was die Ausbildung der »letzten Formeln« betrifft, auf die Goethe bei seinem Weltverständnis hinzudringen suchte.

Dazu gehört die Polarität von Goethes Dramen- und Romanfiguren: Götz und Weislingen, Clavigo und Carlos, Egmont und Alba, Tasso und Antonio, Orest und Pylades, Prometheus und Epimetheus; Werther und Albert, Wilhelm und Werner und – im komplizierten Alterswerk noch untereinander differierend – die Paare Eduard–Ottilie und Charlotte–Hauptmann. Einzelne Gestalten sind in sich polaren Gegensätzen ausgeliefert: Fast scheut man sich, Faust noch als Kronzeugen zu benennen. Und man tut es nur, um auf dem Wege über den Faust des jungen Goethe um so eingängiger einmal mehr darauf hinzuweisen, daß Goethe selber zwei Seelen in sich fühlte, aber solches »Doppelwesen«[94] in den meisten Fällen seiner dramatischen und epischen Dichtung in zwei Figuren auffächerte.

Auch in Goethes Lyrik gibt es von früh an Polarität als formendes Prinzip. Aber bereits mit der »in der Postchaise am 10. Oktober 1774«[95] entstandenen ›Hymne‹ *An Schwager Kronos* geht die Wirkung nicht mehr vom gleichzeitigen Gegensatz aus, sondern vom nacheinander folgenden »Berg ab« und »Berg hinauf«, das durch den Hinweis auf »Den eratmenden Schritt« im Sinne von Belastung und zu erhoffender Entlastung schon wie mit einem Stichwort für Goethes künftige ›Formel‹ vom Ein- und Ausatmen näher bezeichnet ist. Aber zunächst wurde im 1779 entstandenen *Gesang der Geister über den Wassern* in die chronologische Polarität (»Vom Himmel kommt es, / Zum Himmel steigt es, / Und wieder nieder zur Erde muß es, / Ewig wechselnd«[96]) die gleichzeitige Polarität aufgenommen – jedoch nicht im Sinne der »zwei Seelen« in einer Brust, sondern als Differenzierung von »Seele« und »Schicksal« (»Seele des Menschen, / Wie gleichst du dem Wasser! / Schicksal des Menschen, / Wie gleichst du dem Wind!«), was 1817 in *Urworte. Orphisch* als ΔAIMΩN (Dämon) und TYXH (Tyche), als Anlage und Zufall ausgeformt erschien.

Doch erst in der Lyriksammlung *West-östlicher Divan* gestaltete die ›letzte Formel‹, die sowohl der Berücksichtigung der gleichzeitigen wie der chronologischen Polarität gilt, ein Gedicht[97]: In knapp gefaßten sechs Versen erscheint das Leben in seinem von »Gott« gefügten Verhältnis von Seele und Schicksal als ein Wechsel von Belastung und Entlastung, der sein natürlichstes Bild in den entgegengesetzten Phasen des Atmens als ›Systole und Diastole‹ hat.

Das stilformende Prinzip der Polarität ist in Goethes Schriften unverkennbar. Geradezu thematisch erscheint es in Goethes erstem mineralogischen Beitrag *Über den Granit*, dessen Besonderheit darin zu sehen ist, daß er als mögliches Fragment eines »Romans über das Weltall« ebenso der Dichtung wie der Naturwissenschaft verpflichtet ist. Dort heißt es: »Ich fürchte den Vorwurf nicht, daß es ein Geist des Widerspruchs sein müsse, der mich von Betrachtung und Schilderung des menschlichen Herzens, des jüngsten, mannigfaltigsten, beweglichsten, veränderlichsten, erschütterlichsten Teiles der Schöpfung, zu der Beobachtung des ältesten, festesten, tiefsten, unerschütterlichsten Sohnes der Natur geführt hat. Denn man wird mir gerne zugeben, daß alle natürlichen Dinge in einem genauen Zusammenhange stehen, daß der forschende Geist sich nicht gerne von etwas Erreichbarem ausschließen läßt. Ja, man gönne mir, der ich durch die Abwechslungen der menschlichen Gesinnungen, durch die schnellen Bewegungen derselben in mir selbst und in andern manches gelitten habe und leide, die erhabene Ruhe, die jene einsame stumme Nähe der großen, leise sprechenden Natur gewährt, und wer davon eine Ahnung hat, der folge mir.«[98] Mit zwei großen über den Gegensatz von Mensch und Stein handelnden, in sich polar angelegten Perioden, die durch einen hinweisenden Satz über den Zusammenhang aller natürlichen Dinge verbunden sind, wurde der polare Stil eingeführt und zugleich legitimiert. Ebenso ist der 1792 entstandene Aufsatz *Der Versuch als Vermittler von Objekt und Subjekt* antithetisch gestaltet. Die drei Teile der *Farbenlehre* verhalten sich dialektisch zueinander: Auf den »Didaktischen« Teil folgt als Gegensatz der »Polemische« Teil und als Ergebnis beider schließt sich der »Historische« Teil an. An die Stelle des nicht ausgeführten frühen naturwissenschaftlichen »Romans über das Weltall« trat 1809 die zum Roman erweiterte naturwissenschaftlich motivierte Novelle *Die Wahlverwandtschaften*, deren Ausbildung polarer Möglichkeiten bereits Goethes ›Altersstil‹ eröffnet, der dann in der dialektischen Gestaltung von Goethes später Spruchdichtung seine prägnanteste Form erhielt.

Bereits gleich nach seiner Rückkehr aus Italien hatte Goethe unter der Nachwirkung des dort Erfahrenen seinen Aufsatz *Einfache Nachahmung, Manier, Stil* geschrieben, in dem er die Entstehung des »Stils« als Ausdruck der »Erkenntnis« des »Wesens der Dinge« verstand. Der »Stil« entwickelt sich danach zunächst aus der Übung genauer Nachbildung, dann aus der diesem Verfahren entgegengesetzten Abstraktion des Gesehenen oder Erlebten und bedeutet so als Synthese die Steigerung aus beidem. Im Sinne dieses Verfahrens ist die Umformung der vor der Italienreise entstandenen Gedichte und Dramen zu verstehen, die Goethe für die damalige Gesamtausgabe seiner Werke vornahm: Der subjektive Ausdruck des besonderen Erlebnisses wurde zur objektiven Form der Allgemeingültigkeit umgestaltet.

Goethe hat, obwohl er damals auch die Sprache des »Urfausts« zu der von *Faust. Ein Fragment* und zu der von *Faust I* läuterte, später auf den verbliebenen Stilunterschied zu *Faust II* hingewiesen: »Der erste Teil ist fast ganz subjektiv; es ist alles

aus einem befangeneren, leidenschaftlicheren Individuum hervorgegangen [...]. Im zweiten Teile aber ist fast gar nichts Subjektives, es erscheint hier eine höhere, breitere, hellere, leidenschaftslosere Welt [...].«[99]
Der Kunstgriff, das Individuelle im Allgemeinen zu spiegeln, gelang durch das Mittel der ›Symbolik‹. Goethe hat es für sich 1797 entdeckt und schrieb darüber sogleich an Schiller: »[...] es sind eminente Fälle, die, in einer charakteristischen Mannigfaltigkeit, als Repräsentanten von vielen andern dastehen, eine gewisse Totalität in sich schließen, eine gewisse Reihe fordern, ähnliches und fremdes in meinem Geiste aufregen und so von außen wie von innen an eine gewisse Einheit und Allheit Anspruch machen.«[100] Kein Jahr später beschäftigte sich Goethe intensiv mit magnetischen Versuchen und hatte mit der Polarität des Magnetismus alsbald für seinen Symbolbegriff ein überzeugendes Beispiel gefunden, auf das er im Vorwort *Zur Farbenlehre* zurückgriff: »So spricht die Natur [...] zu uns durch tausend Erscheinungen [...]; ja dem starren Erdkörper hat sie einen Vertrauten zugegeben, ein Metall, an dessen kleinsten Teilen wir dasjenige, was in der ganzen Masse vorgeht, gewahr werden sollten. [...] Man hat ein Mehr und ein Weniger, ein Wirken, ein Widerstreben, ein Tun, ein Leiden, ein Vordringendes, ein Zurückhaltendes, ein Heftiges, ein Mäßigendes, ein Männliches, ein Weibliches überall bemerkt und genannt, und so entsteht eine Sprache, eine Symbolik, die man auf ähnliche Fälle als Gleichnis, als nahverwandten Ausdruck, als unmittelbar passendes Wort anwenden und benutzen mag.«[101]
Im Grunde stimmen Goethes ›Symbol‹-Begriff und ›Stil‹-Begriff überein: Wie der ›Stil‹ die Steigerung aus den Gegensätzen von Nachbildung und Abstraktion ist, ist das ›Symbol‹ die Steigerung aus dem Verhältnis von Einzelnem und Allgemeinem. Beide entstehen aus einer im gleichzeitigen Sinne dem Magnetismus, im chronologischen Sinne dem Prozeß von Einatmen und Ausatmen entsprechenden konstruktiven Polarität.
Sein in dieser Bedeutung konstruktives Bewußtsein hat Goethe zur selben Zeit, da er seinen Symbolbegriff erfuhr und er den Magnetismus als »Urphänomen« begriff, zweifeln lassen, ob er eine »wahre Tragödie« zu schreiben vermöchte. Am 9. Dezember 1797 teilte er Schiller mit: »Ich kenne mich zwar nicht selbst genug um zu wissen, ob ich eine wahre Tragödie schreiben könnte, ich erschrecke aber blos vor dem Unternehmen und bin beynahe überzeugt, daß ich mich durch den bloßen Versuch zerstören könnte.«[102] Von der objektiven Seite aus hat Goethe seinen Zweifel gegenüber Kanzler von Müller am 6. Juni 1824 begründet: »Alles Tragische beruht auf einem unausgleichbaren Gegensatz. Sowie Ausgleichung eintritt oder möglich [wird], schwindet das Tragische.«[103] Von der subjektiven Seite her erläuterte er diesen Zweifel dem vertrauten Freunde Carl Friedrich Zelter am 31. Oktober 1831: »Was die Tragödie betrifft, ist es ein kitzlicher Punct. Ich bin nicht zum tragischen Dichter geboren, da meine Natur conciliant ist; daher kann der reintragische Fall mich nicht interessiren, welcher eigentlich von Haus aus unversöhnlich sein muß [...].«[104]
Nach Goethes Definition des ›Tragischen‹ und des ›tragischen Dichters‹ ist es fraglich, ob er Tragödien geschrieben hat. Danach wäre allenfalls Clavigo eine tragische Figur, sofern sie an ihren eigenen gegensätzlichen und unvereinbaren Anlagen zugrunde geht. *Egmont,* den Goethe 1775 zu schreiben begann, ist am Ende wohl ein

Trauerspiel, sofern das den Helden bestimmende »Dämonische« mit der politischen Macht »unversöhnlich« zusammenstößt; aber was den Helden selber betrifft, hat Goethe alles getan, ihn über das Tragische hinauszuheben und ihn zuletzt, gerade durch den Gegensatz der politischen Macht, sich seiner selbst gewiß werden zu lassen. Und gar *Faust,* der »Eine Tragödie« benannt ist, kann diesen Untertitel nur vordergründig beanspruchen, weil das Spiel der widrigen Macht selber dazu bestimmt ist, ins Konstruktive und Produktive zu wirken. Allenfalls könnte die »Tragödie« auf Faust als Person bezogen werden, sofern er das Subjekt ist, das die Weltharmonie als das Objekt spiegelt.

Die Entwicklung der Tragödie und der tragischen Handlung, wie sie sich von *Clavigo* bis *Faust* zeigt, ist nicht zufällig: *Clavigo* entstand im Frühjahr 1774, als Goethe selber noch seinen eigenen widerstreitenden Anlagen und Interessen ausgeliefert war. Die von 1775 bis 1787 über zwölf Jahre mit immer neuen Ansätzen sich hinziehende Arbeit an *Egmont* entspricht Goethes damaligem Bemühen, dem Widerstreit der Mächte und Tendenzen einen Zweck abzugewinnen. Dazu gehört auch die Arbeit an *Faust,* die als »Ur-Faust« (1775) *Faust. Ein Fragment* (1790) und *Faust. Der Tragödie erster Teil* (1806) immer wieder charakteristische Unterbrechungen erfuhr und erst mit dem »Vorspiel auf dem Theater« und dem »Prolog im Himmel« Ende der neunziger Jahre und 1800 eine später in *Faust. Der Tragödie zweiter Teil* verwirklichte, Goethes Begriff von Polarität und Harmonie entsprechende Sinngebung gewann.

Anmerkungen

1 Zitiert nach Andreas B. Wachsmuth: Bildung und Wirkung. Die Polarität in Goethes Lebenskunst. In: A. B. W., Geeinte Zwienatur. Aufsätze zu Goethes naturwissenschaftlichem Denken. In: Beiträge zur deutschen Klassik 19 (1966) S. 86–112; hier S. 111. Dasselbe in: Goethe. Neue Folge des Jahrbuchs der Goethe-Gesellschaft 10 (1947) S. 3–30; hier S. 29.
2 Goethes Werke. Hamburger Ausgabe. Hamburg 1948ff. (Im folgenden zitiert als: HA.) Bd. 9 (⁶1967), S. 283.
3 Goethes Werke. Hrsg. im Auftrage der Großherzogin Sophie von Sachsen. Weimar 1887ff. (Im folgenden zitiert als: WA.) Bd. IV, 2, S. 302.
4 WA III, 1, S. 50.
5 WA III, 1, S. 62.
6 WA III, 1, S. 112.
7 HA 5, 442 (von Caroline Herder im Brief vom März 1789 an ihren Mann als Goethe-Zitat über »Torquato Tasso« mitgeteilt).
8 WA IV, 8, S. 43.
9 Kritische Äußerungen der Zeitgenossen führt Franz Koch auf: F. K., Goethes Gedankenform. Berlin 1967. S. 15.
10 Die Briefe der Frau Rath Goethe. Ges. und hrsg. von Albert Köster. Leipzig ⁴1908. Bd. 1. S. 286.
11 Glückliches Ereignis. In: HA 10, 540. Vgl. Anm. 14.
12 WA IV, 13, S. 226.
13 Maximen und Reflexionen. In: HA 12, 487.
14 Urworte. Orphisch. In: HA 1, 359.

15 An C. J. L. Iken, 27. 9. 1827. In: WA IV, 43, S. 81 f.
16 Z. B. Wilhelm Scherer: Geschichte der Deutschen Literatur. Berlin [14]1920. S. 661.
17 WA III, 1, S. 45.
18 WA III, 1, S. 37.
19 Wachsmuth (Anm. 1). S. 99 bzw. S. 17. Wachsmuth erläutert das »Wahrzeichen«: »Der Kubus verkörpert die ›feste Individualität‹ und die Kugel den ›Einfluß des Glückes‹ auf diese. Daß Glück hier mehr als Dusel bedeuten sollte, bedarf keines Hinweises. Es versinnbildlichte Goethes ehrfürchtiges Erstaunen über die unbegreifbaren Begünstigungen, die als Verhältnisse und Menschen von außen unvorhersehbar das Individuum ansprechen und bis ins Innere wirken.« – Ausführlicher die im Text zitierte Erläuterung von Carl Riemann (Anm. 20).
20 Carl Riemann: Polarität bei Goethe. In: Wissenschaftliche Zeitschrift der Friedrich-Schiller-Universität Jena 4 (1954/55) S. 163–182. (S. 176).
21 Urworte. Orphisch: 1. Strophe, 5. Vers: »So mußt du sein [...]«.
22 WA III, 1, S. 77.
23 WA III, 1, S. 89.
24 WA III, 1, S. 193.
25 Vgl. Text zu Anm. 8.
26 WA III, 1, S. 331.
27 Goethes Gespräche mit Eckermann. Hrsg. von Edith Zenker. Berlin 1955. S. 416 (9. 10. 1828).
28 WA II, 9, S. 224.
29 Materialien zur Geschichte der Farbenlehre. In: HA 14, 253.
30 HA 14, 256.
31 HA 14, 259–266. Vgl. auch: Goethes Farbenlehre. Ausgew. und erl. von Rupprecht Matthaei. Ravensburg 1971. S. 199 f.
32 Faust II. 1. Akt: Anmutige Gegend, V. 4727. In: HA 3, 149.
33 WA II, 11, S. 166.
34 Matthaei (Anm. 31). S. 198.
35 HA 13, 329.
36 WA III, 3, S. 122 (18. 3. 1806).
37 Dieser berühmte Satz des Protagoras wurde nicht streng auf die Lehre des Protagoras bezogen, sondern galt ›pars pro toto‹ für das Menschenbild der ›Antike‹ in derselben Weise, wie die Weimarer Klassik die ›Antike‹ überhaupt unbewußt zu einem Spiegel ihres eigenen Menschenbildes nahm.
38 HA 13, 369.
39 Goethes Gespräche... (Anm. 27). S. 398 (12. 3. 1828).
40 HA 12, 227.
41 Goethes Rezension von: Die schönen Künste in ihrem Ursprung, ihrer wahren Natur und besten Anwendung, betrachtet von J. G. Sulzer. In: HA 12, 17.
42 Die ausführlichste Darstellung: Ewald A. Boucke, Goethes Weltanschauung auf historischer Grundlage. Ein Beitrag zur Geschichte der dynamischen Denkrichtung und Gegensatzlehre. Stuttgart 1907; außerdem: Franz Koch, Goethes Gedankenform. Berlin 1967; Rolf Christian Zimmermann: Goethes Polaritätsdenken im geistigen Kontext des 18. Jahrhunderts. In: Jahrbuch der Deutschen Schillergesellschaft 18 (1974). S. 304–347.
43 So erwähnt Goethe u. a. im 8. Buch von »Dichtung und Wahrheit« Paracelsus, bei dem es z. B. heißt: »Also wisset fürderhin, daß Gott nichts geschaffen hat, es sei denn ›selbander‹ (polar), und kein Ding besteht, das ohne ein zweites vollkommen sei, sondern alle Dinge sind in ein Paar gestellt, erst dann wird es vollkommen [...].« Zitat bei Sepp Domandl: Polarität und Erziehung. In: Jahrbuch des Wiener Goethe-Vereins 75 (1971). S. 74–99.
44 HA 13, 29.
45 An Schweigger, 25.4.1814. In: WA IV, 24, S. 227.
46 HA 13, 27.

47 Vgl. Text zu Anm. 22.

48 HA 13, 337.

49 HA 13, 488.

50 An Zelter, 7. 11. 1816. In: WA IV, 27, S. 222.

51 Vgl. Text zu Anm. 2.

52 Nicolaus von Cues: De docta ignorantia; bzw. Windelband, Wilhelm: Lehrbuch der Geschichte der Philosophie. Hrsg. von Heinz Heimsoeth. Tübingen [15]1957. S. 273.

53 HA 1, 199f., V. 32–40; bzw. HA 13, 108.

54 WA IV, 21, S. 354 (19. 7. 1810).

55 WA IV, 41, S. 221 (3. 11. 1826).

56 HA 1, 202, V. 25–28.

57 HA 1, 202, V. 38f.

58 HA 1, 203, V. 50–56.

59 Vgl. dazu HA 6, 680f. (= Anm. zu S. 270, 7ff.).

60 HA 6, 273.

61 HA 13, 488.

62 HA 13, 489.

63 WA IV, 23, S. 257 (20. 1. 1813).

64 Goethe benützt noch den von der Antike überkommenen Begriff, der nur vier Elemente (Erde, Wasser, Luft, Feuer) unterscheidet. – Dieses und die folgenden Zitate aus »Versuch einer Witterungslehre«: HA 13, 305–313.

65 WA IV, 5, S. 232 (7. 12. 1781).

66 HA 13, 593 (= Anm. zu »Der Kammerberg bei Eger«).

67 HA 13, Anm. S. 595; bzw. HA 10, 523.

68 Dieses und die folgenden Zitate HA 8, 262f.

69 Goethe. Die Schriften zur Naturwissenschaften. Vollstdg. und mit Erl. vers. Ausg. hrsg. i. A. d. Dt. Akad. d. Naturforscher (Leopoldina) zu Halle. Weimar 1949 f. Bd. I, 2, S. 298.

70 Anm. 75.

71 Faust II, V. 11745f. In: HA 3, 353.

72 Text zu Anm. 1.

73 Bedeutende Fördernis durch ein einziges geistreiches Wort. In: HA 13, 38.

74 HA 13, 39.

75 HA 9, 258.

76 WA IV, 24, S. 153 (14. 2. 1814).

77 Homer noch einmal. In: HA 12, 300, dazu Anm. ebd., S. 679.

78 HA 12, 383.

79 WA I, 41[II], S. 235.

80 Goethes Gespräche... (Anm. 27). S. 601 (21. 2. 1831).

81 HA 7, 552.

82 Tag- und Jahreshefte. 1794. In: HA 10, 444.

83 HA 1, 245.

84 HA 12, 467.

85 WA I, 48, S. 56.

86 Anm. 33.

87 WA II, 5[1], S. 12.

88 HA 13, 323.

89 HA 13, 491.

90 Vgl. WA IV, 20, S. 90f.: Beilage zum Brief vom 22. 6. 1808: »Was ist denn eine Saite und alle mechanische Theilung derselben gegen das Ohr des Musikers?«

91 WA I, 36, S. 174.

92 Ernst Jockers: Mit Goethe. Gesammelte Aufsätze. Heidelberg 1957.

93 Tadamichi Doke: Subjekt-Objekt-Problem in Goethes Dichten und Denken. In: Weimarer Beiträge 6 (1960) S. 1077–90.
94 Franz Koch (Anm. 42). S. 40.
95 Dieses und die folgenden Zitate HA 1, 47 (Goethes Datierung unter der Überschrift der frühen Fassung des Gedichts).
96 HA 1, 143.
97 Im Atemholen sind zweierlei Gnaden… In: HA 2, 10.
98 HA 13, 255.
99 Goethes Gespräche… (Anm. 27). S. 595 (17. 2. 1831).
100 WA IV, 12, S. 244 (16. 8. 1797).
101 Vorwort zur Farbenlehre. In: HA 13, 315.
102 WA IV, 12, S. 374 (9. 12. 1797).
103 Kanzler von Müller: Unterhaltungen mit Goethe. Krit. Ausg. bes. von Ernst Grumach. Weimar 1956. S. 118.
104 WA IV, 49, S. 128 (31. 10. 1831).

Literaturhinweise

Spezielle Literatur zur Polarität bei Goethe nennt
Jockers, Ernst: Mit Goethe. Gesammelte Aufsätze. Heidelberg 1957. (S. 158, Anm. 10: grundlegende Literatur »für die Geschichte des Polaritätsproblems bei Goethe«.)

Außerdem
Pyritz, Hans, unter Mitarb. von Paul Raabe, fortgef. von Heinz Nicolai und Gerhard Burkhardt, unter Mitarb. von Klaus Schröter: Goethe-Bibliographie. Heidelberg 1955 ff.

Zur Polarität Klassik und Romantik
Strich, Fritz: Deutsche Klassik und Romantik. Bern ⁴1949.

Zur geschichtlich-politischen Situation
Tümmler, Hans: Goethe der Kollege. Sein Leben und Wirken mit Christian Gottlob von Voigt. Köln 1970.
– Das klassische Weimar und das große Zeitgeschehen. Historische Studien. Köln 1975.

Zur Philosophie des Polaritätsproblems
Windelband, Wilhelm: Lehrbuch der Geschichte der Philosophie. Hrsg. von Heinz Heimsoeth. Tübingen ¹⁵1957.

ERIKA FISCHER-LICHTE

Probleme der Rezeption klassischer Werke –
am Beispiel von Goethes »Iphigenie«

>»Es handelt sich ja nicht darum, die Werke des
>Schrifttums im Zusammenhang ihrer Zeit darzu-
>stellen, sondern in der Zeit, in der sie entstanden,
>die Zeit, die sie erkennt – das ist die unsere – zur
>Darstellung zu bringen.«[1]
>
>Walter Benjamin

Jahrzehntelang haben die Werke der deutschen Klassik in der Art ihrer Rezeption
eine Sonderstellung vor den Werken anderer Epochen der deutschen Literatur inne-
gehabt – sie galten für alle spätere Literatur als unerreichtes und unerreichbares Vorbild. Dies irritierende Faktum einer fast ausschließlich normativ wertenden anstelle
einer historisch verfahrenden Kritik läßt sich weitgehend mit dem jeweils spezifischen Zusammentreffen eines bestimmten Kunstbegriffs mit einem bestimmten Geschichtsbegriff erklären. Im einen Fall wird von einem idealistischen Kunstbegriff
ausgegangen, der in der klassischen Kunst, die ihm als Inbegriff von Kunst schlechthin gilt, das Wahre, Gute und Schöne als überzeitliche, ewig gültige Werte dargestellt
sieht, wodurch die Kunst der Geschichte entzogen wird, die sich dann, losgelöst von
jener und quasi unter ihr, als fortschreitende Zivilisation vollzieht,[2] im anderen Fall
wird Kunst als Mimesis begriffen und den Werken der deutschen Klassik deshalb
Vorbildcharakter zugesprochen, weil sie im Rahmen eines dreistufigen Geschichts-
schemas von Aufstiegs-, Blüte- und Verfallszeit einer Blütezeit, und zwar der Blütezeit der Entwicklung der bürgerlichen Gesellschaft zugeordnet werden.[3]
Diese in beiden Fällen uneingeschränkt positive Bewertung der deutschen Klassik,
die sie zur überzeitlich gültigen Norm erhebt,[4] blieb nicht ohne Widerspruch. Es
wurden dagegen Stimmen laut, die die Werke der deutschen Klassik als antiquiert
und von den in der fortschreitenden Zeit neuaufgetretenen Problemen längst überholt kritisierten.[4a] Diese Kritik fand ihre Begründung in der Verbindung des mimetischen Kunstbegriffs mit einem Geschichtsbegriff, der in der Geschichte eine ständig progredierende Entwicklung – sei es als technischen Fortschritt, sei es als
Vervollkommnungsprozeß der Menschheit – realisiert sieht.[5]
Der Streit um Vorbildcharakter oder Antiquiertheit der deutschen Klassik ist in seinen Prinzipien nicht ohne Präzedenzfälle in der Literaturgeschichte – er weist z. B.
signifikante Parallelen zum Streit um Vorbildcharakter oder Antiquiertheit der
antiken Poesie auf.[6] Und so, wie dieser Streit nur dadurch beigelegt werden konnte,
daß unter Verzicht auf die extremen Positionen die normative Behandlung des Problems aufgegeben und durch eine konsequent historische ersetzt wurde,[7] läßt sich
auch das Problem einer heutigen Rezeption klassischer Werke nur dadurch lösen,
daß man die deutsche Klassik aus ihrer Sonderstellung herausnimmt und so die
Frage, wie und wozu man heute die Werke der Weimarer Klassik rezipieren könne,

zunächst in der generellen Frage aufgehen läßt, wie und wozu man heute überhaupt Werke vergangener Epochen rezipieren kann.

Wenn auch allgemein zur Beantwortung dieser Frage alle jene Theorien geeignet erscheinen, welche die Geschichtlichkeit der Literatur als Conditio sine qua non anerkennen, wie z. B. der Russische Formalismus, die marxistische Diskussion um das »kulturelle Erbe« oder die Hermeneutik, werden wir uns an dieser Stelle weder mit dem Formalismus noch mit der Erbe-Diskussion auseinandersetzen, da der diesen Theorien zugrundeliegende Kunst- und Geschichtsbegriff unserer Ansicht nach nicht auflösbare Widersprüche impliziert.[8] Dagegen sollen unsere nachfolgenden Überlegungen als auf dem Boden der Hermeneutik geführt verstanden werden,[9] auch wenn wir zunächst einige kritische Anmerkungen zu Hans-Georg Gadamers philosophischer Hermeneutik vorausschicken möchten.

Die bestehende Tradition gilt Gadamer als vorgegeben. Verstehen heißt daher: einrücken in ein Überlieferungsgeschehen. Dies Überlieferungsgeschehen selbst wird jedoch nicht Gegenstand hermeneutischer Untersuchung. Die vorgefundene Tradition, die sich aufgrund bestimmter, ideologiekritisch näher zu analysierender Selektionsprozesse herausgebildet hat, erscheint vielmehr als ein objektiver Faktor, der nicht weiter hinterfragt werden kann: Geschichte als Überlieferungsgeschehen vollzieht sich so jenseits der Subjekte bzw. über die Köpfe der betroffenen Subjekte hinweg.[10] Daraus ergibt sich gerade für die Behandlung klassischer Werke ein spezifisches Problem. Denn anstatt sich mit der Frage auseinanderzusetzen, warum bestimmte Werke der Vergangenheit zu bestimmten Zeiten vorrangig rezipiert werden, und auf diese Weise die Gründe für die jahrzehntelang unbestrittene Sonderstellung klassischer Werke aufzuklären – wie es von einer Theorie zu erwarten wäre, der es um das Problem der Vermittlung des je anderen, Fremden mit dem Eigenen, Vertrauten, des Vergangenen mit dem Gegenwärtigen im Prozeß der Reflexion der jeweiligen Vorurteile geht –, bekräftigt Gadamer eben diese Sonderstellung, indem er die klassischen Werke als diejenigen definiert, die dieser Vermittlung nicht bedürften, da sie sich selber deuteten und sich selber bedeuteten, weil er die von der vorliegenden Tradition überlieferte Sonderstellung als ein nicht weiter hinterfragbares, objektiv gültiges Faktum anerkennt.[11]

Unsere zweite kritische Anmerkung betrifft die Möglichkeit, aus der philosophischen Hermeneutik eine literaturwissenschaftliche Methode abzuleiten. Nicht nur, daß Gadamer an keiner Stelle erläutert, auf welche Weise die Reflexion der Vorurteile geleistet werden könnte und wie die intendierte Horizontverschmelzung methodisch zu vollziehen sei, er lehnt es sogar ausdrücklich ab, aus seiner philosophischen Hermeneutik eine wissenschaftlich fundierte und kontrollierbare Methode einer hermeneutischen Analyse zu entwickeln.[12] Die Frage, wie methodisch verfahren werden muß, damit ich das andere, das der Text, insbesondere der Text einer vergangenen Epoche, darstellt, einerseits in seiner Andersheit, andererseits in seiner Relation zu mir selber, seiner Bedeutsamkeit für mich, den heutigen Rezipienten, verstehen kann, bleibt vollkommen offen, ja wird in ihrer Berechtigung sogar bestritten. Dies ist um so erstaunlicher, als Gadamer im sprachtheoretischen Teil seiner Arbeit sich ausführlich mit einem Problem auseinandersetzt, das als ein eminent methodisches angesehen werden kann, nämlich mit dem Problem der Reflexion über Sprache in der Sprache.[13]

Wenn wir unser spezifisches Problem, wie und wozu Werke vergangener Epochen heute rezipiert werden können, auf der Grundlage der Hermeneutik lösen wollen, werden wir also zunächst zwei wesentliche Modifizierungen vornehmen müssen, welche 1. die Revision des zugrundeliegenden Geschichtsbegriffs und 2. die Entwicklung einer literaturwissenschaftlichen Methode aus der philosophischen Hermeneutik betreffen.

Eben dies zu leisten verspricht Hans Robert Jauß in seinem Programm einer Rezeptionsästhetik:[14] er will in Übereinstimmung mit den Prinzipien der Gadamerschen Wirkungsgeschichte Gadamers Begriff des Klassischen kritisieren und eine Methode entwickeln, die zur Beschreibung der wirkungsgeschichtlichen Vorgänge sich eines »objektivierbaren Bezugssystems« bedienen soll.[15] Zu diesem Zweck versucht er, die Hermeneutik mit dem Formalismus zu verbinden.[16]

Jauß geht von einem Kunstbegriff aus, wie Kosík ihn entwickelt hat: »Jedes künstlerische Werk hat in unteilbarer Einheit einen doppelten Charakter: es ist Ausdruck von Wirklichkeit, aber es bildet auch die Wirklichkeit, die nicht neben dem Werk oder vor dem Werk, sondern gerade nur im Werk existiert.«[17] Dieser Kunstbegriff erscheint uns hinsichtlich der Lösung unseres spezifischen Problems deshalb besonders geeignet, weil aus ihm hervorgeht, daß die Rezeption eines Werkes der Vergangenheit weder die Erkenntnis eines bestimmten Entwicklungsstandes künstlerischer Verfahren – wie beim Formalismus – noch die Erkenntnis eines bestimmten Entwicklungsstandes der Geschichte des Klassenkampfes – wie es die Abbildtheorie in Verbindung mit dem teleologischen Geschichtsbegriff des Marxismus behauptet – sein kann, sondern daß sie sich als Vermittlung zwischen einer vergangenen Wirklichkeit mit derjenigen des Rezipienten vollziehen muß, deren Möglichkeit im Werk selbst gewährleistet ist. Daher erscheint es unverständlich, wieso Jauß diesen Kunstbegriff in seiner 1. These implizit wieder aufgibt, wenn er schreibt: »Der ›Perceval‹ von Chrétien de Troyes ist als literarisches Ereignis nicht im gleichen Sinne ›historisch‹ wie zum Beispiel der etwa gleichzeitige dritte Kreuzzug.«[18] Denn damit wird die Trennung zwischen geschichtlicher Wirklichkeit und Kunst erneut vollzogen. Kunst ist eben gerade nicht »ein integraler Bestandteil der gesellschaftlichen Wirklichkeit, ein Aufbauelement dieser Wirklichkeit«[19], sondern muß eine eigene Geschichte für sich beanspruchen. Jauß sieht dies darin begründet, daß »der ›Perceval‹ nur für seinen Leser zum literarischen Ereignis wird«[20], also für das von diesem Werk in irgendeiner Weise betroffene Subjekt. Daß auch der dritte Kreuzzug nur für die von ihm in irgendeiner Weise betroffenen Subjekte zum historischen Ereignis wird, kann ihm u. E. nur deshalb entgehen, weil er historische Ereignisse offensichtlich mit Naturtatsachen gleichsetzt, wenn er sie als »aus einer Reihe von situationshaften Voraussetzungen und Anlässen, aus der rekonstruierbaren Absicht einer historischen Handlung und aus deren notwendigen und beiläufigen Folgen kausal erklärbar«[21] definiert. Die Rückkehr zur These von der Eigengeschichtlichkeit der Literatur ist der Preis, den Jauß meint zahlen zu müssen, um zu einem objektivierbaren Bezugssystem gelangen zu können: »Der Ereigniszusammenhang der Literatur wird primär im Erwartungshorizont der literarischen Erfahrung zeitgenössischer und späterer Leser, Kritiker und Autoren vermittelt. Von der Objektivierbarkeit dieses Erwartungshorizontes hängt es darum ab, ob es möglich sein wird, Geschichte der Literatur in der ihr eigenen Geschichtlichkeit zu begreifen und darzustellen.«[22]

Auf diese Weise hat er die Schwierigkeiten, die sich aus der Frage nach dem Verhältnis von Literatur und Wirklichkeit gerade im Prozeß der Rezeption ergeben, nur vor sich hergeschoben und findet sich mit ihnen spätestens dann wieder konfrontiert, wenn er einen Bezug zwischen der Rezeption von Literatur und der Lebenspraxis herstellen will.

Zunächst aber hat Jauß sich damit eine wissenschaftlich kontrollierbare Methode gesichert, wenn er »Aufnahme und Wirkung eines Werkes in dem objektivierbaren Bezugssystem der Erwartungen beschreibt, das sich für jedes Werk im historischen Augenblick seines Erscheinens aus dem Vorverständnis der Gattung, aus der Form und Thematik zuvor bekannter Werke und aus dem Gegensatz von poetischer und praktischer Sprache ergibt«.[23] Damit allerdings grenzt Jauß die Möglichkeiten zur Applikation seiner Methode stark ein: ich kann sie nur da anwenden, wo ich die Rezeption eines jeweils zeitgenössischen Werkes durch einen im umfassenden Sinne literarisch gebildeten Leser beschreiben will. Für die Lösung unseres spezifischen Problems ergäbe sich daraus die Notwendigkeit, Werke der Vergangenheit lediglich hinsichtlich der Möglichkeiten und Realitäten ihrer Rezeption bei ihrem ersten Erscheinen zu untersuchen. Dieses Dilemma ist natürlich auch Jauß nicht entgangen: er versucht sich dadurch von ihm zu befreien, daß er die Semantik des bis dahin rein innerliterarisch verwandten Begriffs des Erwartungshorizontes auf den Bereich der Lebenspraxis ausweitet: »Das neue literarische Werk wird sowohl gegen den Hintergrund anderer Kunstformen als auch vor dem Hintergrund der alltäglichen Lebenserfahrung aufgenommen und beurteilt. Seine gesellschaftliche Funktion im ethischen Bereich ist rezeptions-ästhetisch gleichermaßen in den Modalitäten von Frage und Antwort, Problem und Lösung zu fassen, unter denen es in den Horizont seiner geschichtlichen Wirkung eintritt.«[24] Diese gewiß notwendige Ausweitung des Begriffs stürzt Jauß allerdings in neue Schwierigkeiten. Zunächst sieht er sich mit dem Problem konfrontiert, wie er in diesem Bereich methodisch verfahren kann. Denn zweifellos läßt sich zur Beschreibung des lebenspraktischen Erwartungshorizontes nicht so leicht ein objektivierbares Bezugssystem finden wie für die Beschreibung des innerliterarischen Erwartungshorizontes. Jauß potenziert diese Schwierigkeit noch dadurch, daß er an dieser Stelle nicht der hermeneutischen Reflexion des Vorurteils, die sich ja gerade als Versuch des Rezipienten, seinen eigenen Erwartungshorizont zu beschreiben – in Kategorien, die noch näher zu bestimmen wären –, vollziehen könnte, ihren Platz anweist, sondern vielmehr die Rekonstruktion des lebenspraktischen Erwartungshorizontes, vor dem ein Werk in der Vergangenheit geschaffen und aufgenommen wurde, intendiert. Es geht ihm darum, »Fragen zu stellen, auf die der Text eine Antwort gab, und damit zu erschließen, wie der einstige Leser das Werk gesehen und verstanden haben mag«.[25] Jenseits der methodischen Frage, wie denn der Erwartungshorizont eines einstigen Lesers rekonstruiert werden soll, stellt sich für uns das Problem, ob die Beschäftigung mit Werken der Vergangenheit sich in der Beschäftigung mit der jeweils ersten Rezeption des betreffenden Werkes erschöpfen soll. Dies ist ganz offensichtlich auch nicht Jauß' Ansicht, denn er will ja gerade die »hermeneutische Differenz zwischen dem einstigen und dem heutigen Verständnis des Werkes«[26] deutlich machen. In diesem Zusammenhang gewinnt der Begriff der Rezeptionsgeschichte zentrale Bedeutung.

Der Begriff der Rezeptionsgeschichte, die zwischen den Positionen des einstigen und heutigen Verständnisses eines Werkes vermitteln soll, wird von Jauß als »die sukzessive Entfaltung eines im Werk angelegten, in seinen historischen Rezeptionsstufen aktualisierten Sinnpotentials, das sich dem verstehenden Urteil erschließt, sofern es die ›Verschmelzung der Horizonte‹ in der Begegnung mit der Überlieferung kontrolliert vollzieht«[27], bestimmt. Wenn man wie Jauß davon ausgeht, daß es keine »richtigen« und »falschen« Interpretationen eines Werkes geben kann, sondern immer nur jeweils andere, impliziert dieser Begriff der Rezeptionsgeschichte einige problematische Konsequenzen. Denn entweder bedeutet Rezeptionsgeschichte Anhäufung von Fakten – nämlich den Fakten der verschiedenen Interpretationen –, womit sie in bedenkliche Nähe zum Historismus geraten würde, den Jauß ja gerade kritisieren und überwinden will, oder aber ich gehe davon aus, daß die Quantität angehäufter Fakten umschlägt in die Qualität von Sinn, weil das Kunstwerk doch als Sinn-Entelechie begriffen wird, wogegen Jauß allerdings heftig polemisiert. Doch seine oben zitierte Formulierung läßt u. E. kaum eine andere Deutung zu, als daß im Werk ein bestimmtes Sinnpotential angelegt ist, welches sich im Laufe der Rezeptionsgeschichte allmählich entfaltet, daß also die Geschichte der Rezeption eines Werkes die Geschichte der Entfaltung seines umfassenden Sinnes ist.[28] Dies Problem wird noch komplizierter, wenn man, wie auch Jauß es tut, anerkennt, daß die Aufarbeitung der gesamten Rezeptionsgeschichte, die ja nicht nur als Geschichte der schriftlich fixierten Rezeptionen verstanden werden darf, unmöglich ist, immer nur selektiv geleistet werden kann. Die hier implizierte Problematik wird vor allem an Jauß' Begriff der Aktualisierung deutlich. Jauß setzt sich zur Klärung dieses Begriffs mit aller Schärfe von dem Benjaminschen ›Tigersprung ins Vergangene‹ ab, mit dem Benjamin das ›falsche Kontinuum der Geschichte‹ aufsprengen will, um die Gegenwart durch konstruktiven Zusammenschluß von Vergangenheit und Gegenwart als ›Jetztzeit‹ zu konstituieren,[29] und insistiert seinerseits auf einem Nachvollzug des Kontinuums der Geschichte: »Im Bereich der Kunst muß sich Aktualisierung durch reflektierte Vermittlung zwischen vergangener und gegenwärtiger Bedeutung legitimieren. Aktualisierende Rezeption setzt eine Aufarbeitung des Prozesses voraus, der zwischen dem rezipierten Werk und dem rezipierenden Bewußtsein liegt – eine Aufarbeitung, die notwendig wählend und verkürzend sein muß, aus dieser Not aber die Tugend der Belebung und Verjüngung der Vergangenheit gewinnt.«[30] In diesem Fall läßt sich wohl kaum von *dem* Kontinuum der Geschichte sprechen, es handelt sich vielmehr um die Herstellung verschiedener Kontinua, wobei die Frage zu klären wäre, wieso im jeweiligen Fall gerade dies und kein anderes Kontinuum hergestellt wird. Es bleibt in Jauß' Ausführungen völlig unklar, welche Funktion die Rezeptionsgeschichte haben soll, wenn die Sinnentfaltung eines Werkes nicht entelechetisch gedacht wird (und wenn sie entelechetisch gedacht wird, bleibt das Problem der Selektion ungelöst). Denn es wird schlechthin nicht einsichtig, wozu ich – unter der Voraussetzung, daß es *den* Sinn eines Werkes, *die* richtige Interpretation nicht gibt – die Rezeptionsgeschichte brauche, um den für mich wesentlichen Sinn des Werkes zu erschließen. Sie hätte lediglich da eine – und zwar eine zentrale – Bedeutung, wenn es darum geht zu untersuchen, weswegen zu dieser oder jener Zeit diese oder jene Interpretation sich durchgesetzt haben mag, wenn also Rezeptionsgeschichte als Ideologiekritik betrieben wird. Davon kann nun allerdings bei Jauß keine Rede sein.

Aus seiner Rezeptionsästhetik, die als Theorie u. E. in sich viel zu widersprüchlich und inkonsistent ist, als daß man mit ihr unser spezifisches Problem zu lösen vermöchte, hat Jauß eine Methode entwickelt, mit der er nun gerade einen klassischen Text daraufhin untersuchen will, ob und wie er heute rezipiert werden könnte: Goethes *Iphigenie*.[31] Die Anwendung auf einen konkreten »Fall« läßt die oben kritisierten Schwächen dieser Theorie besonders kraß hervortreten. Wir wollen dies kurz an zwei für Jauß zentralen Punkten aufzeigen: 1. an der Rekonstruktion des zeitgenössischen Frage-Antwort-Horizontes und 2. an der Aufhellung der Rezeptionsgeschichte.

Jauß stellt die These auf, daß Goethes *Iphigenie* als Antwort auf die vom ursprünglichen Sinn der Racineschen *Iphigénie* hinterlassenen Fragen entstanden sei. Material, das diese These stützen könnte, führt Jauß nicht an: keine Äußerungen Goethes oder eines seiner Gesprächspartner über die Racinesche *Iphigénie*, keine zeitgenössischen Schriften oder Dokumente, die eine solche direkte Auseinandersetzung auch nur zulassen, geschweige denn nahelegen würden. Wenn Jauß den Frage-Antwort-Horizont rekonstruieren will, auf dem Goethes *Iphigenie* entstanden ist, bleibt vollkommen unverständlich, wieso er nicht die bereits vorliegenden Dramen Goethes heranzieht oder die Diskussionen um bürgerliches und höfisches Theater, Shakespeare und den französischen Klassizismus usw.[32] Auf diese Weise kann er seine These über den Rang einer bloßen Behauptung nicht hinausheben.

Generell stellt sich bei der Rekonstruktion des zeitgenössischen Frage-Antwort-Horizontes das hermeneutische Problem, wie ich die Frage ermitteln kann, auf die das betreffende Werk eine Antwort sein soll. An diesem Problem scheitert Jauß nicht nur hinsichtlich seiner Hauptthese, sondern auch in der Art ihrer Ausführung. Wenn ich davon ausgehe, daß es *den* Sinn eines Werkes nicht gibt, kann ich schlecht von der »ursprünglichen Negativität« eines Werkes, vom »ursprünglich provokativen Sinn«[33] sprechen, wenn damit nicht die erste Rezeption gemeint sein soll. Jauß dagegen ermittelt den »ursprünglichen Sinn« der Racineschen *Iphigénie* durch Rekurs auf die Interpretation dieses Werkes durch einen heutigen Rezipienten, nämlich Roland Barthes. Die von Barthes' Deutung aufgezeigten Probleme legt er dann als offene Fragen zugrunde, auf die Goethes *Iphigenie* eine Antwort darstellen soll.

Die »Aufhellung« der Rezeptionsgeschichte der Goetheschen *Iphigenie*, die der Klärung des für uns wesentlichen Problems dienen soll, ob und wie das Werk heute zu aktualisieren sei, erschöpft sich in einer aufzählenden Paraphrase verschiedener ›Konkretisationen‹, die teilweise recht willkürlich zu solchen erklärt werden.[34] Um zwischen ihnen eine Kontinuität herstellen zu können, meint Jauß eine in ihnen auftretende Gemeinsamkeit, die ideologiekritisch durch bestimmte gemeinsame Rezeptionsvoraussetzungen zu erklären wäre, durch ein im Werk selbst angelegtes Problem begründen zu müssen, »das ihre bisherige Rezeption [...] bedingt und ihrer Aktualisierbarkeit eine unabdingbare Grenze setzen dürfte«[35]: den im Werk geschaffenen Mythos von der »erlösenden Gewalt« der »weiblichen Natur«[36]. Abgesehen davon, daß die These, Iphigenie werde »nicht nur metaphorisch, sondern auch auf der Handlungsebene kraft der ihr allein beschiedenen Rolle und der einzig durch ihre reine Weiblichkeit lösbaren Aufgabe, das neue Einvernehmen zwischen Mensch und Gott herzustellen, zur Göttin, anders gesagt: zum neuen Mythus«[37], einer genauen Analyse hinsichtlich ihrer sachlichen Berechtigung nicht standhält,[38] liegt in der Art der vorliegenden Argumentation ein methodisches Problem. Wenn ich davon ausgehe, daß jeder Rezipient aufgrund seines jeweils anderen »Erwartungshorizontes« zu einer jeweils anderen Konkretisation eines Werkes gelangt, kann ich doch nicht wegen einer Gemeinsamkeit zwischen einzelnen Konkretisationen, die nur deshalb als allgemein anerkannt, als nicht zufällig erscheint, weil ich die von mir angeführten Rezeptionen unter diesem Aspekt aus einer Vielzahl von Rezeptionen ausgewählt habe, einen heutigen Rezipienten auf eben diese von mir selektierte Rezeptionsgeschichte verpflichten und ihm die Möglichkeit absprechen, eine weitere, für ihn aktuelle Konkretisation zu finden. Auf diese Weise vermittelt Rezeptionsgeschichte nicht zwischen Vergangenheit und Gegenwart, sondern stellt sich trennend zwischen beide: sie erscheint vielmehr als derjenige Faktor, der eine solche Vermittlung zunichte macht.

Somit sind wir zur Lösung unseres Problems erneut auf die Frage zurückverwiesen, wie denn die Gadamersche Hermeneutik modifiziert werden könne und müsse, damit einerseits die »Urwüchsigkeit der Tradition« – und damit die Sonderstellung klassischer Werke[39] – in Frage gestellt und andererseits eine Methode entwickelt werden könnte, mit deren Hilfe hermeneutische Prozesse wissenschaftlich kontrollierbar zu vollziehen und zu beschreiben wären. Zu ihrer Beantwortung wollen wir versuchen, eine Verbindung zwischen der Hermeneutik und dem Prager Strukturalismus herzustellen.

Wir gehen dabei von einigen Überlegungen aus, mit denen Karel Kosík die literaturwissenschaftliche Theorie des Prager Strukturalismus philosophisch fundiert hat. Kosík definiert, worauf wir anläßlich unserer Auseinandersetzung mit Jauß' Rezeptionsästhetik bereits kurz hingewiesen haben, das Kunstwerk als einen »integralen Bestandteil der gesellschaftlichen Wirklichkeit, ein Aufbauelement dieser Wirklichkeit« und einen »Ausdruck der gesellschaftlich-geistigen Produktion des Menschen«.[40] Diese Bestimmung hat für ein Werk nun nicht nur im Zusammenhang seiner Entstehungszeit und -bedingungen Gültigkeit, sondern auch in bezug auf die Wirklichkeit eines virtuellen späteren Rezipienten: im Prozeß der Rezeption gewinnt das Werk eine neue Bedeutung und wird dadurch gerade zu einem konstitutiven Faktor beim Aufbau der Wirklichkeit des Rezipienten. Der Vorgang der Rezeption erscheint auf diese Weise als ein dialektischer Prozeß. Dies ist aber nur möglich, weil die Eigenschaft des Werkes gerade darin besteht, »daß es nicht vornehmlich oder ausschließlich ein Zeugnis der Zeit ist, sondern unabhängig von der Zeit und den Verhältnissen seiner Entstehung, von denen es außerdem Zeugnis ablegt, ein konstitutives Element der Menschheit, der Klasse, des Volkes ist oder zu einem solchen wird. Seine Natur ist nicht die Historizität, also nicht eine ›schlechthinnige Einzigartigkeit‹ und Unwiederholbarkeit, sondern sein historischer Charakter, d. h. seine Fähigkeit, sich zu konkretisieren und zu überleben.«[41] Die Rezeption eines Werkes aus der Vergangenheit wird also möglich und sinnvoll einzig aufgrund des sowohl im Werk selbst als auch im Rezeptionsprozeß wirksamen dialektischen Verhältnisses von historisch Begrenztem und Überzeitlichem, das es nicht zuläßt, das Werk entweder auf ein Zeugnis der Verhältnisse seiner Entstehungszeit und -bedingungen oder auf eine Epiphanie überzeitlicher, ewiger Ideen und Werte zu reduzieren. In Übereinstimmung mit seinem Kunstbegriff bestimmt Kosík das Verhältnis der menschlichen Geschichte zur Vergangenheit als »eine ununterbrochene

Totalisierung, in welcher die menschliche Praxis Momente der Vergangenheit in sich einschließt und eben durch diese Integration belebt. In diesem Sinne ist die menschliche Wirklichkeit nicht nur eine Produktion von Neuem, sondern auch eine (kritische und dialektische) Reproduktion des Vergangenen. Die Totalisierung ist ein Prozeß der Produktion und Reproduktion, des Belebens und des Verjüngens.«[42] Wenn sich diese Totalisierung als dialektischer Prozeß von Konstitution einer Werkbedeutung und Aufbau der Wirklichkeit des Rezipienten vollzieht, kann das Problem, wieso Werke der Vergangenheit zum integralen Bestandteil der Wirklichkeit des heutigen Rezipienten werden können, nur auf dem Umweg über die Beantwortung der Frage, wieso denn das Werk immer neu sich konkretisieren, also immer neue Bedeutungen annehmen kann, gelöst werden.

Diese Frage nimmt in der Theorie Jan Mukařovskýs eine zentrale Stellung ein.[43] Mukařovský geht bei der Entwicklung seiner Theorie von zwei grundlegenden Thesen aus: 1. von der These, daß das Ästhetische ein leeres Prinzip ist, und 2. von der These, daß das Kunstwerk als Zeichen begriffen werden muß. Die 1. These fundiert die Anwendung der Kategorie der Veränderung auf das Kunstwerk, die 2. These seine Einbindung in kommunikative Prozesse.

Das Ästhetische wird als eine substantielle, objektiv beschreibbare und nachweisbare Kategorie von Mukařovský negiert; er gliedert es in die Dreiheit von ästhetischer Funktion, ästhetischer Norm und ästhetischem Wert, die er alle drei als historische Kategorien definiert: was überhaupt primär unter ästhetischem Aspekt wahrgenommen wird, welche ästhetischen Normen die Grenzen des Kunstbereichs abstecken und welche Werke als »hohe Kunst« bewertet werden, das alles ändert sich ständig im Laufe der Geschichte.[44] Für unsere Problemstellung kommt hierbei besondere Bedeutung der Kategorie des ästhetischen Wertes zu. »Der ästhetische Wert tritt in enge Beziehung zu den außerästhetischen Werten ein, die das Werk enthält, und durch deren Vermittlung auch mit dem System der Werte, die die Lebenspraxis *des* Kollektivs bestimmen, das das Werk aufnimmt. Das Verhältnis des ästhetischen Wertes zu den außerästhetischen ist so beschaffen, daß der ästhetische Wert über die anderen dominiert, sie jedoch nicht zerstört, sondern sie nur zu einem Ganzen verknüpft.«[45] Da Mukařovský das Kunstwerk als eine dynamische Struktur definiert, wird hier deutlich, wieso es sich im Laufe der Geschichte verändern kann: wenn der ästhetische Wert, der die Struktur jeweils organisierende Faktor, geschichtlichen Veränderungen unterliegt, muß auch die gesamte Struktur, also das Kunstwerk selbst sich ändern, da die Umgruppierung auch nur eines Elementes in einer dynamischen Struktur die Umorganisation aller Elemente, d. h. der ganzen Struktur nach sich zieht.[46] Die Behauptung, daß diese Veränderungen keine geheimnisvoll im Werk selbst sich entwickelnden Vorgänge, sondern Gegenstand und Produkt kommunikativer Prozesse sind, stützt sich auf Mukařovskýs Bestimmung des Kunstwerks als eines Zeichens. Die charakteristische Funktion eines Zeichens »besteht darin, der Verständigung zwischen den Individuen als Gliedern ein und desselben Kollektivs zu dienen«.[47] Auch wenn Mukařovský das künstlerische Zeichen hinsichtlich seines Bezuges zur Wirklichkeit grundlegend von allen anderen Zeichen unterschieden wissen will,[48] tangiert dies nicht seine prinzipielle Verankerung im Prozeß der Kommunikation, die vor allem für das Verhältnis Rezipient–Werk konstitutive Bedeutung hat.

Aus der Definition des Kunstwerks als eines Zeichens leitet sich eine weitere wichtige Differenzierung ab. Analog der de Saussureschen Zeichendefinition, die das Zeichen als aus den beiden Ebenen des signifiant und des signifiée bestehend beschreibt, zerlegt Mukařovský das Zeichen Kunstwerk in die zwei Ebenen Artefakt und ästhetisches Objekt. Während das Artefakt stets sich selbst gleich bleibt, unterliegt das ästhetische Objekt Veränderungen: es erscheint als die jeweils andere Bedeutung, die das Werk von einem jeweils anderen Rezipienten attribuiert bekommt. Das ästhetische Objekt ist also das Produkt jenes Organisationsprozesses, in dem der historisch veränderbare ästhetische Wert die dynamische Struktur jeweils neu organisiert. Als Träger der Bedeutung gelten hierbei sowohl die inhaltlichen als auch die formalen Elemente des Werkes, ihre Gesamtheit macht die dynamische Struktur des Werkes aus.

Der Bedeutungsveränderung eines Werkes werden also von zwei Seiten her Grenzen gesetzt: einmal von dem Bestand an bedeutungtragenden Elementen im Werk selbst und zum anderen von den in den kommunikativen Prozessen eines bestimmten Kollektivs, dem der Rezipient angehört, potentiell vorhandenen Möglichkeiten, aus diesen Elementen eine Bedeutungsstruktur aufzubauen. Damit ist zunächst einmal eine ganz allgemeine Erklärung für das Faktum, daß bestimmte Werke zu bestimmten Zeiten vorrangig, bzw. kaum oder auch überhaupt nicht rezipiert werden, gegeben. Sie ist allerdings nur dann auf einen konkreten Fall anwendbar, wenn geklärt werden kann, von welchen Bedingungen es abhängt, daß in einem Kollektiv spezifische Möglichkeiten zur Konstitution von Bedeutung aktuell werden. Es muß also untersucht werden, nach welchen Regeln[49] generell Prozesse der Bedeutungskonstitution vollzogen werden.[50]

Wir gehen dabei von der umfassenden Bedeutung des Begriffs »Bedeutung« aus: Bedeutung soll als ein Komplex aus Denotation und Konnotation bestimmt werden. Unter Denotation verstehen wir die eindeutige Zuordnung eines Signifikats zu einem Signifikans aufgrund der Kenntnis des semantischen Systems, des Kontextes und des Kommunikationsumstandes, unter Konnotation die Gesamtheit »aller kulturellen Einheiten, die das Signifikans dem Empfänger institutionell ins Gedächtnis rufen kann«.[51] Der Geltungsbereich der Konnotation ist also im Unterschied zu dem der Denotation uneinheitlich: er kann sich auf die gesamte Sprachgemeinschaft erstrecken, auf soziale Schichten, auf politische, ideologische, religiöse oder weltanschauliche Gruppen, sogenannte Subkulturen, Familien, ja nur auf einzelne Individuen.[52] Das Verhältnis von Denotation und Konnotation zueinander ist nicht konstant. Sprachliche Äußerungen lassen sich nach dem Kriterium unterscheiden, in welchem Grade der denotative Bestandteil oder die konnotativen Bestandteile dominieren. So wären z. B. auf einer Skala, deren entgegengesetzte Extreme Denotation und Konnotation darstellen, Äußerungen in einer Wissenschaftssprache beim Extrem »Denotation« zu situieren, Äußerungen der poetischen Sprache dagegen in unmittelbarer Nachbarschaft zum Extrem »Konnotation«, während die »Normalsprache« der alltäglichen Kommunikation je nach Situation die ganze Breite der Skala ausnutzt.

Bedeutung, definiert als Komplex aus Denotation und Konnotation, ist eine semiotische Kategorie. Denn »nichts ist Zeichen oder Zeichenvehikel aus sich selbst heraus, sondern wird nur insofern dazu, als es etwas durch seine Vermittlung erlaubt, von etwas anderem Rechenschaft zu geben. Die Bedeutungen können an keiner Stelle des Prozesses der Semiose als Existenzen untergebracht werden, sondern sie müssen in den Kategorien dieses Prozesses als Ganzes definiert werden. Bedeutung ist ein semiotischer Terminus.«[53] Aus diesem Sachverhalt ergeben sich wichtige Konsequenzen: Wenn Bedeutung eine semiotische Kategorie ist, müssen die Regeln, die sie konstituieren, Regeln aller drei semiotischen Dimensionen sein:[54] syntaktische, die sich auf die Relation der Zeichen zueinander, semantische, die sich auf die Relation der Zeichen zu den von ihnen gemeinten Objekten, Sachverhalten usw., und pragmatische, die sich auf die Relation der Zeichen zu den Zeichenbenutzern beziehen. So würden sich z. B. beim Kunstwerk die syntaktischen Regeln auf die Relation der verschiedenen bedeutungstragenden Elemente untereinander beziehen, die semantischen auf das Verhältnis der bedeutungstragenden Elemente zu der von ihnen intendierten Wirklichkeit und die pragmatischen auf die Beziehung des Rezipienten zu den bedeutungstragenden Elementen.

Da nun die drei semiotischen Dimensionen nicht unabhängig voneinander bestehen, sondern sich gegenseitig beeinflussen, können auch die den einzelnen Dimensionen zugeordneten Regeln nicht als autonom gelten, sie werden vielmehr in Abhängigkeit voneinander aufgestellt und verändert: die Veränderung der Regeln der einen Dimension zieht die Veränderung der Regeln der beiden anderen Dimensionen nach sich. Die Dauerhaftigkeit der pragmatischen Regeln ist dabei generell am geringsten, da sie von einer Vielzahl von Faktoren abhängen wie z. B. von der historischen und sozialen Stellung, den Überzeugungen, dem Wissensstand, den Erfahrungen, Gefühlen, Wünschen, Sehnsüchten und Stimmungen des betreffenden Subjektes.[55] Wenn wir bedenken, daß es einerseits gerade diese instabilen Regeln der pragmatischen Dimension sind, nach denen speziell der Aufbau der Konnotationen vollzogen wird, und daß andererseits eben die konnotativen Bestandteile im Komplex ›Bedeutung‹ der Äußerungen in poetischer Sprache dominieren, können wir die Fähigkeit des Werkes, sich mit immer neuen Bedeutungen belehnen zu lassen, weitgehend in dieser Vielzahl von inhomogenen, ständig sich verändernden Bedingungsfaktoren der pragmatischen Regeln begründet finden: ändert sich einer oder mehrere der Bedingungsfaktoren, werden sich auch die pragmatischen Regeln der Bedeutungskonstitution und in ihrem Gefolge auch die semantischen und syntaktischen Regeln ändern. Unterschiedliche pragmatische Regeln des Rezipienten führen also zur Auffindung bzw. Herstellung unterschiedlicher syntaktischer und semantischer Regeln und damit zum Aufbau unterschiedlicher Bedeutungssysteme für das gleiche Werk.

Damit ist allerdings nur die Bewegungsrichtung vom Rezipienten auf das Werk beschrieben, nicht aber auch die ebenfalls implizierte vom Werk zum Rezipienten. So können z. B. die einem Werk zugrundeliegenden syntaktischen Regeln bestimmte Relationen herstellen, die den bisherigen pragmatischen Regeln des Rezipienten widersprechen oder einfach nicht von ihnen erfaßt werden, so daß er sich genötigt sieht, sie entsprechend zu revidieren. Das Werk wird dergestalt selbst zu einem der Bedingungsfaktoren, von denen der Aufbau des Bedeutungssystems beim Rezipienten abhängt. Der Prozeß der Rezeption erscheint auf diese Weise als ein dialektischer Prozeß, in dem die Konstitution einer Werkbedeutung eine Veränderung im Bedeutungssystem des Rezipienten bedingt, die Veränderung seines Bedeutungssystems wiederum eine Veränderung der Werkbedeutung usf. Das Werk wird also zum integralen Bestandteil der Wirklichkeit des Rezipienten, weil es eine Veränderung seines Bedeutungssystems im Prozeß der Rezeption herbeiführt.

An diesem Punkt unserer Überlegungen angelangt, können wir die hermeneutische Reflexion des Vorurteils näher bestimmen als Reflexion auf die Regeln des eigenen Bedeutungssystems, ihre Bedingungen und Voraussetzungen, die sich allerdings nun nicht mehr als bloße Reflexion auf Vorgegebenes, sondern als eine das Vorgegebene verändernde Reflexion vollzieht, weil sie mit der Reflexion auf die das Bedeutungssystem des Werkes konstituierenden Regeln, ihre Bedingungen und Voraussetzungen in einem dialektischen Verhältnis steht.[56] Gadamers Horizontverschmelzung ließe sich derart als dialektische Beziehung zweier sich gegenseitig konstituierender Bedeutungssysteme beschreiben: der Bedeutungssysteme des Werkes und des Rezipienten.

Damit ist allerdings der Rezeptionsvorgang noch nicht vollständig erfaßt. Denn es kann natürlich auch der Fall eintreten, daß trotz einer wechselseitigen Reflexion auf das eigene Bedeutungssystem und das des Werkes es dem Rezipienten nicht gelingt, einzelne bedeutungstragende Elemente mit Bedeutung aufzuladen, so daß für das Werk kein Bedeutungssystem aufgebaut werden kann, weil die Regeln, nach denen dies geschehen könnte, weder im Bedeutungssystem des Rezipienten noch auch aus dem Werk selbst gefunden oder konstruiert werden könnten. Derartige Schwierigkeiten können entstehen, wenn die Regeln, welche die Konstitution der Bedeutung beim Produzenten, also dem Schöpfer des Werkes, im Prozeß der Produktion geleitet haben, nicht so in das Werk eingegangen sind, daß sie allein aus ihm heraus rekonstruierbar wären – sei es, weil der Produzent selbst die spezifischen Bedingungen und Voraussetzungen, unter denen sich sein Bedeutungssystem aufbaut, nicht reflektiert hat, sei es, weil er sie – aus welchen Gründen auch immer – nicht der Erkenntnis anderer preisgeben wollte. Das Problem, das sich daraus für den Rezipienten ergibt, ist dann weniger schwerwiegend, wenn Produzent und Rezipient aufgrund ihrer Zugehörigkeit zum selben Kollektiv ähnliche pragmatische Regeln haben, die nur in dem von individuellen Faktoren bedingten Bereich differieren – wo sie allerdings erheblich differieren können. Es wird dagegen zu einem entscheidenden Problem bei der Rezeption von Werken aus der Vergangenheit: das gemeinsame ›universe of discourse‹, das der zeitgenössische Rezipient zumindest teilweise mit dem Produzenten gemein hatte, ist nicht mehr gegeben, die Regeln zu seiner Rekonstruktion sind im Werk nicht auffindbar. Auch hier ist allerdings der Fall denkbar, daß die Kluft, die sich zwischen Werk und Rezipienten auftut, wenigstens partiell dadurch überbrückt werden kann, daß aufgrund spezifischer historischer Konstellationen beim Rezipienten ähnliche Bedingungsfaktoren für die Aufstellung pragmatischer Regeln zur Bedeutungskonstitution gegeben sind wie beim Produzenten zur Zeit der Produktion des betreffenden Werkes. Damit ließe sich auch erklären, warum bestimmte Werke bzw. Werke bestimmter Epochen von bestimmten Individuen bzw. zu bestimmten Zeiten vorrangig rezipiert werden.

Sind derartige Übereinstimmungen jedoch nicht vorhanden, muß der Rezipient, wenn er eine Werkbedeutung konstituieren will, auf die Bedingungen rekurrieren, auf denen das Bedeutungssystem des Produzenten beim Prozeß der Produktion des betreffenden Werkes beruht haben mag: er muß versuchen, das zugrundeliegende

Regelsystem zu rekonstruieren. Andernfalls muß er den Rezeptionsprozeß abbrechen, oder aber er verleiht den fraglichen bedeutungstragenden Elementen aufgrund seines eigenen Regelsystems willkürlich eine Bedeutung, wodurch der Rezeptionsprozeß seinen dialektischen Charakter verlöre: das Bedeutungssystem des Rezipienten zu verändern wäre er nicht mehr imstande.[57] Der Rezipient wird also, um eine Werkbedeutung konstituieren zu können, die Grenzen des Werkes überschreiten und sich, ausgehend von seiner aus dem Werk abgeleiteten fragmentarischen Regelkenntnis, mit den Dokumenten seiner Entstehungszeit beschäftigen, mit deren Hilfe er zur Erkenntnis der Regeln, nach denen der Produzent die Konstitution der Werkbedeutung vollzogen haben mag, zu gelangen meint – mit Dokumenten über politische und ökonomische Ereignisse, mit staatsrechtlichen, theologischen, sozialkritischen, philosophischen und poetischen Systemen, mit biographischen Berichten, Tagebüchern, Briefen u. a., die ihm Aufschluß über spezifische Bedingungsfaktoren geben können. Da natürlich auch dies ein hermeneutischer Prozeß ist, wird auch er sich in der Dialektik von Bedeutungskonstitution und Bedeutungsveränderung vollziehen: die Rekonstruktion des Bedeutungssystems des Produzenten führt zu einer Veränderung im Bedeutungssystem des Rezipienten, die es ihm ermöglicht, die bisher bedeutungslos gebliebenen Elemente im Werk, die sich dem Aufbau einer Werkbedeutung entgegengestellt hatten, jetzt mit Bedeutung zu belehnen, so daß es ihm gelingt, dem Werk als Ganzem eine Bedeutung zu verleihen – ein Vorgang, der seinerseits wiederum eine Veränderung im Bedeutungssystem des Rezipienten hervorrufen wird.

Die Bewegung der hermeneutischen Reflexion verläuft also vom Rezipienten zum Werk, vom Werk zum Produzenten und damit zu den seine Wirklichkeit konstituierenden Faktoren, vom Produzenten zurück zum Werk, vom Werk wiederum zum Rezipienten usf.

Dergestalt bestimmen wir den Rezeptionsvorgang als einen dialektischen Prozeß, der vom Rezipienten als Prozeß der Vermittlung zwischen den verschiedenen Bedeutungssystemen vollzogen wird: zwischen dem des Werks und dem des Rezipienten, dem des Rezipienten und dem des Produzenten, dem des Produzenten und dem des Werks. Die hermeneutische Reflexion auf das eigene Vorurteil einerseits und auf den historischen Abstand andererseits kann vom Rezipienten also als Reflexion auf die jeweiligen Bedingungsfaktoren, von denen einerseits bei ihm selbst, dem Rezipienten, und andererseits beim Produzenten der Aufbau seines spezifischen Regelsystems abhängt, geleistet werden.

Wir wollen die vorstehend theoretisch entwickelten Überlegungen zum Abschluß auf einen Text der deutschen Klassik anwenden – auf Goethes *Iphigenie*.[58] An diesem Text wollen wir die Gültigkeit unserer hier entwickelten Rezeptionstheorie hinsichtlich ihrer Anwendung auf Werke der deutschen Klassik nachweisen, indem wir an ihm aufzeigen, 1. inwiefern es möglich ist, den Prozeß der Konstitution einer Werkbedeutung als Prozeß einer dialektischen Vermittlung zwischen dem Bedeutungssystem des Werkes und dem des Rezipienten zu beschreiben, und 2. inwiefern es notwendig ist, auf die Rekonstruktion des virtuellen Bedeutungssystems des Produzenten zur Zeit der Produktion dieses Werkes zu rekurrieren, wenn diese Dialektik nicht aufgehoben werden soll. Der erste Punkt betrifft die Explizierung der in der *Iphigenie* dargestellten Idealität, der zweite die Ermittlung ihrer Funktion bzw. ihres Stellenwertes, also die Bewertung dieser Idealität.

Das von Peter Szondi als Spezifikum des klassischen Dramas herausgearbeitete Charakteristikum, daß es sich »aus der Wiedergabe des zwischenmenschlichen Bezuges allein« aufbaue,[59] geht in die Dialoge der *Iphigenie* in zweifacher Hinsicht als strukturbildendes Element ein: 1. als Organisationsprinzip und 2. als Thema. Auf beiden Ebenen werden die zwischenmenschlichen Beziehungen durch drei Oppositionspaare bestimmt:

1. unter- und übergeordnet–gleichgeordnet
2. fremd–vertraut
3. handeln–sprechen (»Tat« vs. »Wort«)

Diese drei Oppositionspaare nehmen nun sowohl im Bedeutungssystem Goethes und in verschiedenen Sinnsystemen seiner Zeit als auch im Bedeutungssystem des heutigen Rezipienten und in verschiedenen Sinnsystemen der heutigen Zeit eine bestimmte Position ein. Das erste Oppositionspaar ist vor allem aus dem Kontext der Aufklärung zu verstehen; insofern Goethe bzw. der heutige Rezipient in der Tradition der Aufklärung stehen, sind die Bedeutungen, die jeweils diesem Oppositionspaar attribuiert werden, im wesentlichen durch diese Tradition bestimmt – sie werden also kaum prinzipielle Divergenzen aufweisen.[60] Das zweite Oppositionspaar entstammt einem bzw. signalisiert einen Problemkomplex, der seit der Renaissance virulent geworden ist, nämlich das Problem der Vermittlung des Eigenen, Vertrauten, mit dem Fremden. Die in der Renaissance einsetzende Aneignung der Antike erreicht in der Goethezeit insofern einen Höhepunkt und gewissermaßen ihren Abschluß, als sie in den verschiedenen Formen der »Querelle des Anciens et des Modernes« auf ihre Bedingungen, Prinzipien und Konsequenzen hin reflektiert wird. Die Vermittlung des Fremden, das bis dahin sich im wesentlichen als Aneignung der Antike vollzogen hatte, weitet sich danach auf die entlegensten Bereiche sowohl auf dem Gebiet der Kunst als auch auf anderen Gebieten wie z. B. dem der Sprachen aus; das – sowohl räumlich als auch zeitlich – Fremdeste, Entlegenste mit dem Eigenen zu verbinden wird zu einem der Grundprobleme der Romantik. Im Kontext dieser Entwicklung ist die Bedeutung des zweiten Oppositionspaares sowohl für Goethe als auch für seine Zeit zu verstehen. In diesem Zusammenhang ist die Einschätzung wichtig, die Goethe selbst hinsichtlich seiner Cellini- und Diderot-Übersetzungen, die in den Jahren 1796 und 1805 begonnen wurden – also einige Jahre nach dem Entstehen der *Iphigenie* –, in einem Brief an Joseph Stanislaus Zauper aus dem Jahre 1821 vornahm: »Wegen Cellini und Rameau sage gleichfalls Dank; ich habe diese beiden seltsamen Figuren herübergeführt, damit man das Fremdeste im vaterländischen Kreis gewahr werde. Liest man dergleichen Darstellungen im Original, so sehen sie ganz anders aus und nötigen uns, um sie nur einigermaßen zu genießen und zu nützen, in ganz fremde Kreise; bei Übersetzungen aber sind wir gefördert, wie auf einer Handelsmesse, wo uns der Entfernteste seine Ware herbeibringt. In beiden Fällen habe dem Bedürfnis nachzuhelfen gesucht.«[61] Der solcherart vom zweiten Oppositionspaar intendierte Problemkomplex stellt sich für den heutigen Rezipienten in mehrfacher Hinsicht anders dar als für Goethe. Die durch die modernen Wissenschaften wie Psychologie, Soziologie, Ethnologie, Archäologie, Anthropologie usw. ermöglichte Aneignung des Fremden hat sich in derartigen Ausmaßen vollzogen, daß weniger die Anhäufung weiterer Materials problematisch erscheint als vielmehr die grundlegende Reflexion auf die Bedingungen der Möglichkeit der Vermittlung des Fremden mit dem Vertrauten, wie sie beispielsweise die philosophische Hermeneutik vornimmt.

Das dritte Oppositionspaar entstammt einem Problemkreis, der in spezifischer Weise für Goethe Relevanz besaß und sich sowohl in seiner Lebensgeschichte als auch in seinem Werk in vielfältigen Spuren nachweisen läßt. Die erste Fassung der *Iphigenie* entstand 1779, also in der Zeit der schweren Weimarer Krise (1775–86). In diesen Jahren arbeitete Goethe an politisch-praktischen Projekten wie der Wiederherstellung des Ilmenauer Bergwerks, an Feldbau und Bewässerungsanlagen, bemühte sich um den Entwurf einer neuen Feuerordnung, Agrarwissenschaft und Steuerwesen. Alle Projekte scheiterten an den Machtverhältnissen des Weimarer Staates. Die poetische Bilanz dieser Jahre bestand ebenfalls aus gescheiterten Projekten – einer Anzahl angefangener, jedoch nicht vollendeter Werke. Nach seiner Rückkehr aus Italien verzichtete Goethe auf weiteres praktisch-politisches Handeln und beschränkte sich auf seine poetische Produktion.[62] Die hier im Leben manifest gewordene Antinomie von Handeln und Sprechen, Wort und Tat findet auch im Werk ihren Niederschlag, vor allem – außer in der *Iphigenie* – im *Tasso*, in der *Natürlichen Tochter* und im *Faust*.

Diese dritte Opposition hat auch für den heutigen Rezipienten eine besondere, wenn auch gänzlich andersartige Relevanz aufgrund verschiedener Entwicklungen in Kommunikationswissenschaft, Soziologie, Psychologie und Sprachtheorie, die die spezifischen Beziehungen zwischen Sprechen und Handeln generell und prinzipiell betreffen.[63] Die diesbezüglichen Resultate gehen in die Bedeutung dieser Opposition beim heutigen Rezipienten ein.[64]

Diese drei Oppositionspaare, die sowohl für den Produzenten als auch für den Rezipienten eine bestimmte Bedeutung haben, realisieren sich nun in einem spezifischen System von Personenkonstellationen, dessen Veränderungen den Ablauf des Stückes gliedern. Diese Veränderungen vollziehen sich einerseits als Veränderungen in der Zuordnung der einzelnen Oppositionsglieder aus verschiedenen Oppositionspaaren zueinander, andererseits als eine Veränderung innerhalb eines Oppositionspaares – als Aufhebung der betreffenden Opposition. Die Struktur der *Iphigenie* wirkt also insofern auf den Prozeß der Bedeutungskonstitution durch den Rezipienten ein, als sie die drei Oppositionspaare sowohl in ihrem Vorhandensein als auch im Ablauf der Veränderungen der von ihnen eingegangenen Konstellationen vorgibt, und in diesem Sinne stellt sich ein dialektisches Verhältnis zwischen der Werkstruktur und dem Bedeutungssystem des Rezipienten her: der Rezipient konkretisiert die vorgegebenen Oppositionspaare mit seinen Bedeutungen, muß aber seine Bedeutungen ändern nach Maßgabe dessen, auf welche Weise sich die Veränderung der Oppositionen im Werk vollzieht, und wird auf diesem Wege eine Werkbedeutung konstituieren können.

Das System der zwischenmenschlichen Beziehungen, wie es zu Beginn des Dramas besteht, läßt sich folgendermaßen beschreiben: Die Beziehungen der Skythen untereinander werden als Beziehungen des Königs zu seinem Volk von Arkas zwar thematisiert, im Dialog jedoch nur in der Beziehung Thoas–Arkas konkretisiert. Das Verhalten des per definitionem den anderen übergeordneten Königs realisiert sich ihm gegenüber als »Befehlen« und »Tun« (V. 167), dem auf der Seite der Untertanen der »schweigende Gehorsam« (V. 137) entspricht. Der König handelt, indem er befiehlt, die Untertanen handeln, indem sie Befehle ausführen: »Ein Wort von dir, so steht's in Flammen« (V. 2021). Diese Beziehung bleibt im Verlauf des Dramas konstant. Dagegen ist die Beziehung zu Fremden verschiedenen Veränderungen unterworfen. Vor Iphigenies Ankunft und nach ihrer Weigerung, Thoas' Frau zu werden, ist sie als Beziehung zu einem Objekt beschrieben:

> Kein Fremder nahet glücklich unserm Ufer:
> Von alters her ist ihm der Tod gewiß.   (V. 510f.)

Dem Fremden wird weder das Recht zu sprechen noch das Recht zu handeln eingeräumt, weil er nicht als Subjekt anerkannt, sondern als Objekt betrachtet wird, an dem eine Handlung vollzogen wird, das Opfer. Die Veränderung dieser Beziehung, die aufs engste mit der Veränderung jener Beziehung, welche Iphigenie mit den Skythen, speziell mit Thoas unterhält, verknüpft ist, steht im Mittelpunkt des Dramas.

Die Beziehungen der Griechen untereinander sind zweifacher Art. Die Beziehung zwischen Orest und Pylades ist durch Vertrauen und Gleichberechtigung charakterisiert. Ihr entsprechen gemeinsames Handeln (V. 668–679) und vollkommene Reziprozität bei der Wahl und Ausübung der Sprechakte. Die »symmetrische Verteilung der Chancen, Sprechakte zu wählen und auszuüben«,[65] weist die Beziehung zwischen Orest und Pylades als Realisierung der »idealen Sprechsituation« im Sinne Jürgen Habermas' aus. Sie bleibt im ganzen Drama konstant und fungiert offensichtlich als Modell einer idealen Interaktions- bzw. Kommunikationssituation.

Dieser Beziehung diametral entgegengesetzt sind die Beziehungen, welche das Verhalten der Tantaliden zueinander regeln. Bestimmend für sie ist die »erste Tat« (V. 345) des Brudermordes, aus der die »unerhörte Tat« (V. 377) des Atreus, die »schwere Tat« (V. 906) des Agamemnon, die »verruchte Tat« (V. 1013) der Klytämnestra und jene »Tat« Orests, »die ich so gern / Ins klanglos-dumpfe Höhlenreich der Nacht / Verbergen möchte« (V. 1005–07), hervorgehen. Der die Beziehungen der Intersubjektivität regulierende Faktor ist hier nicht das Gespräch, in dem zwei Subjekte einander als solche autonom gegenübertreten, sondern eine Tat, welche denjenigen, gegen den sie gerichtet ist, zum bloßen Objekt des Handelns degradiert. Die hier vorliegende Pervertierung der zwischenmenschlichen Beziehungen zwischen den einander Vertrauten, den »Nahverwandten«, wird im Verlauf des Dramas aufgehoben, die Beziehungen werden in authentische zwischenmenschliche Beziehungen überführt, und zwar auf dem Wege, auf dem sich die Heilung Orests vollzieht.

Die Beziehung der Griechen, Orests und Pylades', zu Fremden realisiert sich, wenn nicht im Kampf mit dem »Schwert«, in »List«, »Lüge« und »Betrug« (V. 1078–80). Ihre Vollzugsformen sind das »falsche Wort« (V. 1077, 1420, 1678) und das »kluge Wort« (V. 1398, 1569), die – den anderen als Instrument im Sinne der eigenen Pläne manipulierend – ihn zum Objekt degradieren. Pylades rechtfertigt diese Art der zwischenmenschlichen Beziehungen durch den spezifischen Charakter der Wirklichkeit (V. 1654–59), der Iphigenie durch ihren Aufenthalt im Tempel der Göttin weitgehend entzogen ist.

Innerhalb der hier beschriebenen Modelle von Interaktionsformen nimmt Iphigenie keine feste Position ein. Ihre Position bestimmt sich vielmehr dadurch, dies anfangs bestehende System grundlegend zu verändern, indem sie wechselnd die durch die einzelnen Glieder der drei Oppositionen bezeichneten Positionen einnimmt. Am Ende des Dramas haben sowohl die Beziehungen der Tantaliden, der »Nahverwandten«, zueinander sich geändert als auch die Beziehungen der Skythen und der Griechen zu den ihnen jeweils Fremden, indem nämlich die Oppositionen: über- und untergeordnet–gleichgeordnet und sprechen–handeln (Wort–Tat) sich geändert haben. Als Kristallisationspunkte für diese Veränderung fungieren die Heilung Orests und die Heimkehr Iphigenies.

Die Heilung Orests vollzieht sich mit der Wiederherstellung authentischer zwischenmenschlicher Beziehungen zwischen den Tantaliden: im Erwachen aus seiner Betäubung durchlebt Orest einen Wachtraum, in dem er seine Vorfahren in der Unterwelt »in vertraulichen Gesprächen« miteinander »wandeln« sieht (V. 1274–76, 1287 f., 1290–97, 1300) – an die Stelle des »Grußes des Mordes« sind Willkommensgruß und Händedruck getreten, an die Stelle der »verruchten Taten« »vertrauliche Gespräche«. Die totale Pervertierung der zwischenmenschlichen Beziehungen zwischen den »Nahverwandten« ist aufgehoben. Nach Durchleben dieses Wachtraumes erwacht Orest vom Wahnsinn geheilt. Seine Heilung geht auf zwei Bedingungsfaktoren zurück: 1. auf seine Weigerung, der für ihn zunächst fremden Priesterin, die er dann als Griechin, als »Landsmännin« erkannt hat, weiterhin mit »falschem Wort« zu begegnen (V. 1076–82), und damit auf seine Intention, die Beziehung zwischen sich und Iphigenie auf »Wahrheit« zu gründen, und 2. auf das »freundliche Wort« (V. 1139) Iphigenies, »der reinen Schwester Segenswort«, die ihm nicht mehr in ihrer Funktion als Priesterin gegenübertritt, sondern als Person, als Schwester. Da die Heilung Orests in dieser Weise durch die Herstellung authentischer zwischenmenschlicher Beziehungen zwischen Iphigenie und Orest, die im Wachtraum Orests sozusagen im nachhinein Gültigkeit und Beglaubigung für das ganze Geschlecht erhält, bewirkt wird, haben beide, Iphigenie und Orest, an ihrem Zustandekommen Anteil. Das Götterwort Apolls ist also – in seinem ersten Teil, die Heilung Orests betreffend – durch die Herstellung authentischer zwischenmenschlicher Beziehungen zwischen den Nicht-Fremden, den Tantaliden, eingelöst.

Es wird in seinem zweiten Teil – die Heimkehr Iphigenies betreffend – durch die Herstellung authentischer zwischenmenschlicher Beziehungen zwischen den einander Fremden, den Skythen und Griechen, eingelöst. Auch hieran – wie an der Heilung Orests – ist nicht nur Iphigenie allein beteiligt, sondern – in diesem Fall – auch Thoas: 1. durch die Abgabe seines Versprechens, Iphigenie heimkehren zu lassen, wenn eine Möglichkeit dazu besteht, und 2. durch die Einhaltung seines einmal gegebenen Wortes, nachdem die Bedingungen, von denen sie abhing, eingetreten sind.[66] Die Bedingung für den Vollzug eines Versprechens ist die freiwillige Aufgabe der Position des Mächtigen: theoretisch macht Thoas sein zukünftiges Verhalten und Handeln von einem Faktor abhängig, der nicht von der Willkür seiner Subjektivität geregelt werden kann, sondern von Voraussetzungen, die intersubjektiv überprüfbar sind. Damit wird derjenige, dem er das Versprechen gibt, Iphigenie, von ihm als ihm gleichgeordnet anerkannt. Indem Thoas sein ihr gegebenes Wort hält, werden die der Abgabe dieses Versprechens impliziten Voraussetzungen und Konsequenzen durch das praktische Handeln beglaubigt: damit wird nicht nur Iphigenie, der er sein Wort gegeben hat, sondern auch die vollkommen Fremden, Orest und Pylades, werden nicht mehr als untergeordnete Objekte, denen befohlen bzw. an denen eine Handlung vollzogen wird, betrachtet, sondern als ihm gleichgeordnete, autonome Subjekte. Die Einlösung seines Versprechens kann von Thoas jedoch nur gefordert werden, wenn er wissen kann, daß die Bedingungen für seine Einlösung eingetreten sind. Diese Voraussetzung erfüllt Iphigenie, indem sie die Opposition zwischen Wort und Tat aufhebt.

Nachdem Iphigenie zunächst versucht hatte, den Bruder, den Freund und sich selbst dadurch zu retten, daß sie sich dem für sie nicht ganz fremden Thoas gegenüber der Strategie des »klugen Wortes« (V. 1398) und des betrügenden »falschen Wortes« (V. 1420) bedient, ändert sie auf Arkas' Worte hin (V. 1475–82), die sie daran erinnern, »daß ich auch Menschen hier verlasse« (V. 1524), ihr Verhalten und tritt im darauffolgenden Dialog mit Thoas diesem nicht mehr als Priesterin, also als Funktionsträgerin, sondern als »Agamemnons Tochter«, als Person, gegenüber. Daraus leitet sie das Recht ab, sich als ihm gleich und nicht als untergeordnet zu setzen (V. 1822–24), und lehnt es andererseits ab, sich weiterhin täuschender Strategien zu bedienen, vollzieht also Thoas gegenüber nur Sprechakte, die die Bedingung der Wahrhaftigkeit von Äußerungen erfüllen. Sie erkennt dabei Thoas das Recht ab, ihr zu befehlen (V. 1854–56). Um gegen die »zwingende Gewalt« des Befehls die Autonomie des eigenen Subjektes zu verteidigen, werden von Iphigenie zwei alternative Möglichkeiten reflektiert: das »Schwert« des Mannes gegen der »Frauen Wort«, »Schwert und Waffe« gegen »die schöne Bitte, den anmutigen Zweig in einer Frauen Hand« (V. 1857–64, 1880–83). Beide Alternativen sind jedoch inadäquat: die »Tat« des Mannes durch das Schwert insofern, als sie die Autonomie des kämpfenden Subjektes nur durch die Vernichtung des entgegenstehenden aufrechterhalten kann, das bittende »Wort« der Frau insofern, als für den Gebetenen keine Verpflichtung besteht, ihm zu entsprechen, und damit die Autonomie des bittenden Subjektes von der Willkür des Gebetenen abhängt.

Indem Iphigenie die Opposition zwischen »Tat« und »Wort« aufhebt, findet sie zu einer dritten Lösung, welche die Inadäquatheit der beiden anderen überwindet, weil sie die Autonomie beider einander gegenüberstehenden Subjekte in gleicher Weise wahrt. In ihrer Reflexion V. 1892–1919 geht Iphigenie von der konventionellen Bedeutung des Begriffs »unerhörte Tat« aus. Dem bestehenden Bedeutungssystem entsprechend grenzt sie sie mit dem Bezug auf das »Recht des Schwertes« (V. 1911) ab, auf das sich der Mann beruft, um »die Unterdrückung« zu »rächen« (V. 1912). Der Begriff »unerhörte Tat« intendiert also eine Handlung, welche die Autonomie des handelnden Subjektes durch die Vernichtung des sie bedrohenden Subjektes wahrt. Dieser konventionellen Bedeutung setzt Iphigenie in ihrer Reflexion V. 1912–36 eine neue Bedeutung entgegen, wodurch sie das bestehende Bedeutungssystem verändert: die neue Bedeutung bestimmt sich durch den Bezug auf das Wort, welches dem anderen »die Wahrheit« verkündet und dadurch die Voraussetzungen dafür schafft, daß die Autonomie beider beteiligten Subjekte gewahrt werden kann: das Aussprechen des Wahrheit entdeckenden Wortes *ist* die unerhörte Tat. Indem Iphigenie sie vollbracht hat, hat sie die wesentliche Bedingung dafür erfüllt, daß die tatsächliche Wahrung ihrer Autonomie nicht länger von der Willkür des Thoas abhängt, sondern als Einlösung einer Verpflichtung erscheint, die Thoas selbst freiwillig eingegangen ist: im Aussprechen der »Wahrheit« teilt Iphigenie Thoas die Tatsache mit, daß jene Bedingungen, von denen er die Einhaltung seines Versprechens abhängig gemacht hatte, eingetreten sind. Ihr »Wort« der »Wahrheit« verpflichtet ihn zur Einlösung des von ihm gegebenen »Wortes« (V. 1970–72).

Dergestalt erscheint der im Austausch des »Leb wohl« bzw. »Lebt wohl« am Schluß des Dramas sich realisierende Zustand als Verwirklichung jener Utopie der Aufklärung, welche die Gleichberechtigung aller als Anerkennung der Autonomie jeglichen Subjektes postuliert. Die Sprechsituation am Ende des Dramas ist eben jene ideale Sprechsituation, deren »kontrafaktische Bedingungen« Habermas als »Bedingungen einer idealen Lebensform« ansieht: »Die symmetrische Verteilung der Chancen bei der Wahl und Ausübung von Sprechakten, die sich a) auf Aussagen als Aussagen, b) auf das Verhältnis des Sprechers zu seinen Äußerungen und c) auf die Befolgung von Regeln beziehen, sind sprachtheoretische Bestimmungen für das, was wir herkömmlicherweise mit den Ideen der Wahrheit, der Freiheit und der Gerechtigkeit zu fassen suchen.«[67]

Um die Dialektik deutlich zu machen, die beim Prozeß der Konstitution unserer Werkbedeutung in der Vermittlung zwischen den von der Struktur des Werkes vorgegebenen Oppositionen bzw. dem Verlauf ihrer Veränderungen und den Bedeutungen, die der heutige Rezipient diesen Oppositionen aufgrund spezifischer Wissenschaftsentwicklungen attribuiert, wirksam ist, bedarf es des Rekurses auf das virtuelle Bedeutungssystem des Produzenten zur Zeit der Produktion der *Iphigenie*. Denn im Verlauf der Interpretation ist bis jetzt die Frage offengeblieben, ob die in der *Iphigenie* solcherart dargestellte Idealität affirmativ oder kritisch zu bewerten ist. Zu ihrer Beantwortung werden wir uns auf die Untersuchung zweier Aspekte beschränken, die in der Diskussion um die exzeptionelle Wirkung des Werkes den Parteigängern sowohl einer »ewigen« als auch einer »antiquierten« *Iphigenie* wichtige Argumente geliefert haben: auf die Untersuchung der Form der Tragédie classique und auf die Untersuchung der Herkunft von Stoff und Personen aus der griechischen Mythologie. Im Laufe der Rezeptionsgeschichte wurden diese beiden bedeutungtragenden Elemente häufig entweder mit den eigenen Bedeutungen des Rezipienten ausgestattet oder aber sie erschienen als Schranke für eine je aktuelle Rezeption überhaupt. Die jahrzehntelange bevorzugte Rezeption der *Iphigenie* durch Institutionen der bürgerlichen Gesellschaft wie Schule und Theater, die das Werk geradezu als Exponenten affirmativer Kunst par excellence erscheinen ließ, wurde zum Teil dadurch ermöglicht, daß diesen beiden Elementen willkürlich Bedeutung verliehen und so die dialektische Beziehung zwischen Werk und Rezipienten aufgehoben wurde. Denn wenn einerseits die unter bestimmten historischen Bedingungen entstandene Form der Tragédie classique als dramatische Form schlechthin verstanden wird[68] und damit Goethes Rückgriff auf sie als Rückgriff auf ein ewiges Muster und andererseits den Gestalten der griechischen Mythologie die Bedeutung einer Chiffre für »Gegenwartsferne« attribuiert wird, so liegt der Schluß nahe, daß die im Werk selbst realisierte Idealität – wie auch immer diese näher beschrieben und bestimmt sein mag – als eine die jeweilige konkrete historische Realität der bestehenden Verhältnisse nicht intendierende noch auch tangierende Idealität anzusehen ist. Auf diese Weise konnten die Ideale der bürgerlichen Gesellschaft gerade bei der Rezeption dieses Werkes praktisch folgenlos genossen werden, konnte Rezeption zur puren Affirmation degenerieren.[69]

In jüngster Zeit dagegen wird die Möglichkeit einer aktuellen Rezeption der *Iphigenie* mit dem Hinweis auf diese beiden Strukturelemente überhaupt in Frage gestellt. So unterscheidet Jauß z. B. zwischen dem »möglichen emanzipatorischen Sinn« des Werkes und der »vollendeten Harmonie der klassizistischen Sprache und Form«,[70] die sich seiner Ansicht nach nicht mit dem emanzipatorischen Sinn vereinbaren läßt. Er gelangt so zu dem Schluß, daß »eine Rettung der ›Iphigenie‹ nur unter Preisgabe der geschlossenen klassischen Form«[71] möglich sei. Weil es dem Rezipienten in diesem Falle nicht gelingt, aus seinem eigenen Bedeutungssystem oder dem von ihm konstruierten Bedeutungssystem des Werkes heraus das Strukturelement ›klassische Form‹ mit einer Bedeutung zu versehen, die dies Element als einen konstitutiven Faktor für das gesamte Bedeutungssystem des Werkes integrieren würde, trennt er es vom Werk ab, das nun sozusagen als Torso für ihn aktualisierbar geworden ist.

Auf diesem Wege muß jedoch die Frage, wieso Goethe den »aufklärerischen Gehalt« der bürgerlichen Emanzipationsbestrebungen in der »Form« der Tragédie classique und nicht etwa in der des bürgerlichen Dramas, das zur Zeit der Niederschrift der *Iphigenie* immerhin bereits entwickelt vorlag, ja an dessen Herausbildung Goethe selbst nicht unwesentlich beteiligt war, realisiert hat, unbeantwortet bleiben.[72]

Die Ideale der Mündigkeit, der Emanzipation wurden von der Aufklärung nicht als Ideale der bürgerlichen Klasse verstanden und propagiert, sondern als Ideale der Menschheit, deren Realisierung von der bürgerlichen Klasse im Namen der Menschheit und für die Menschheit erkämpft werden sollte.[73] Die Fähigkeit hierzu aber war es, die Goethe gerade dem Bürgertum absprach: weil der Bürger aufgrund seiner praktischen Erwerbstätigkeit daran gehindert ist, seine Persönlichkeit allseitig zu entfalten, kann er auch nicht zum Träger der Realisierung allgemeingültiger Menschheitsideale werden. So heißt es im *Wilhelm Meister:* »In Deutschland ist nur dem Edelmann eine gewisse allgemeine, wenn ich sagen darf, personelle Ausbildung möglich. Ein Bürger kann sich Verdienst erwerben und zur höchsten Not seinen Geist ausbilden; seine Persönlichkeit geht aber verloren, er mag sich stellen, wie er will.«[74] Goethes ablehnende Haltung der Französischen Revolution gegenüber ist bekannt – von der bürgerlichen Klasse konnte er eine Verwirklichung der Menschheitsideale nicht erwarten.

Adlige Lebensformen galten Goethe als Voraussetzung für die allseitige Entfaltung der Persönlichkeit, nicht der Adel als gesellschaftliche Klasse. Die Verbreitung dieser Lebensformen, also die utopische allgemeine Freisetzung von bürgerlicher Erwerbstätigkeit, würde allen Menschen eine derartige Entfaltung ihrer Persönlichkeit erlauben und damit die Voraussetzung für die Realisierung der Menschheitsideale schaffen. In diesem Kontext ist die Wahl der Form der Tragédie classique zu verstehen. Die Bedeutung dieser Form war zur Zeit der Niederschrift der *Iphigenie* wesentlich durch ihre Bindung an den Hof bestimmt – sie war Ausdruck höfisch-adliger Lebensform. Dies eben mag Goethe bewogen haben, in ihr den von ihm intendierten emanzipatorischen Gehalt darzustellen. Daraus läßt sich also keineswegs der Schluß ziehen, Goethe habe in der *Iphigenie* ein Stück höfischer Repräsentationskunst geschaffen, auch wenn das Stück zunächst nur am Hof aufgeführt wurde.[75] Vielmehr sollte durch die Rückbindung der bürgerlichen Ideale an die höfisch-adlige Lebensform auf die spezifischen Bedingungen hingewiesen werden, unter denen allein Goethe jene Ideale für realisierbar hielt. Mit dem so verstandenen Rückgriff auf die Form der Tragédie classique korrespondiert der im Drama wiederholt auftauchende Hinweis auf die besonderen Bedingungen, unter denen Iphigenie lebt: nur weil sie, freigesetzt von der Not des menschlichen Lebens, im Tempel der Göttin »wohl bewahrt« (V. 1653) geblieben ist, kann sie ihre »unerhörte Tat«, die zwischenmenschlichen Beziehungen auf »Vertrauen« und »Wahrheit« aufzubauen, begehen.

Auch wenn Goethe die Erfüllung dieser Bedingungen nicht in einer bestimmten historischen Gesellschaft als gegeben oder möglich ansah, blieb sie ihm doch nicht ein bloßes, niemals einzulösendes Postulat, das man aufstellt, ohne seine Verwirklichung ernsthaft zu intendieren, da man von seiner Unmöglichkeit überzeugt ist. Zu welchem Zeitpunkt er vielmehr diese Bedingungen für erfüllbar hielt, darüber läßt sich aus dem zweiten fraglichen Element, aus dem Faktum, daß Fabel und Figuren der griechischen Mythologie entstammen, Aufschluß gewinnen.

Zur Zeit der Niederschrift der *Iphigenie* wurde in Deutschland die Diskussion um das Verhältnis von Antike und Moderne noch mit aller Lebhaftigkeit geführt. Winckelmanns Auffassung, daß die moderne Kunst sich nur dadurch dem Ideal der Vollkommenheit anzunähern vermöchte, daß sie die Antike nachahme, die ihm als Inbegriff und Muster von Kunst schlechthin galt, war keineswegs unumstritten. Davon zeugen vor allem Schillers Arbeit *Über naive und sentimentalische Dichtung* und Friedrich Schlegels berühmter *Studium*-Aufsatz, die zwar beide wesentlich später als die erste Fassung der *Iphigenie* entstanden sind,[76] von ihren Verfassern jedoch jeweils als Abschluß einer Diskussion intendiert waren, die über mehr als vier Jahrzehnte hindurch geführt worden war. Bei aller Verschiedenheit in einigen wesentlichen Fragen stimmen beide geschichtsphilosophischen Entwürfe doch darin überein, daß sie die Geschichte und Entwicklung der Kunst in Beziehung auf die Geschichte und Entwicklung der Menschheit betrachten und daß sie diese Geschichte in einem dreistufigen Schema beschreiben: einer ersten Stufe der Vollkommenheit in der Antike folgt mit Eintritt in die Moderne der Verlust dieser Vollkommenheit, die sozusagen am Ende der Moderne und damit am Ende der Geschichte auf einer dritten Stufe wiedergewonnen wird. Diese wiedergewonnene Vollkommenheit ist nicht identisch mit der verlorenen, sondern es ist eine Vollkommenheit, die – weil sie der Menschheit erst nach Durchlaufen ihrer Geschichte zuteil wird – das Gesamt dieser Geschichte in sich begreift, sich also als eine Verbindung von Antike und Moderne konstituiert.[77]

Im Kontext derartiger Gedankengänge läßt sich die Bedeutung des fraglichen Strukturelementes bestimmen: mit dem Rückgriff auf die griechische Mythologie situiert Goethe die Möglichkeit zur allgemeinen Verbreitung der derzeitigen adligen Lebensformen bei der ganzen Menschheit, also zum Eintreten jener Bedingungen, unter denen die in der *Iphigenie* realisierten Ideale in der gesellschaftlichen Wirklichkeit realisiert werden können, in jene dritte Stufe der Menschheitsgeschichte, in der Antike und Moderne eine Einheit eingegangen sein werden. Die in der *Iphigenie* aufscheinende Idealität ist also keineswegs eine rückwärtsgewandte Utopie, noch auch eine, die in der Nirgendwoheit anzusiedeln wäre, sondern ein Postulat, das in der Zukunft der Menschheit seine konkrete Einlösung finden soll.

Unser Rekurs auf den Produzenten und sein Bedeutungssystem zur Zeit der Produktion der *Iphigenie* hat es uns ermöglicht, den beiden fraglichen Strukturelementen eine Bedeutung zu verleihen, die allein aus dem bisher konstruierten Bedeutungssystem des Werkes – Darstellung einer Idealität – und aus unserem eigenen nicht hätte gefunden werden können – eine Bedeutung, die ihrerseits das bisher konstruierte Bedeutungssystem des Werkes verändert: es geht in der *Iphigenie* nicht nur um die Darstellung einer Idealität, sondern zugleich damit um die Reflexion auf die Bedingungen ihrer Möglichkeit und Realisierbarkeit. Diese Werkbedeutung erlaubt es dem Rezipienten nicht länger, im Prozeß der Rezeption die dargestellten Ideale praktisch folgenlos zu genießen, sie verleiht vielmehr dem Werk jenen Aufforderungscharakter, in dem sich die Dialektik des Rezeptionsprozesses manifestiert.

Anmerkungen

1 Walter Benjamin: Gesammelte Schriften. Bd. 3. Hrsg. von Hella Tiedemann-Bartels. Frankfurt a. M. 1972. S. 290.

2 Diese Position nimmt z. B. Emil Staiger ein, wenn er – wie im Züricher Literaturstreit – die Ansicht vertritt, daß unsere Zeit dem Anspruch, den Goethes Werk an alle Nachkommenden stelle, nicht gewachsen sei.

3 Vgl. hierzu Georg Lukács: Es geht um den Realismus (in: Das Wort 6 [1938] S. 112–138) und: Ästhetik I-IV (Darmstadt, Neuwied 1972).

4 Vgl. hierzu die Lehrpläne für das Fach Deutsch an Gymnasien vom Kaiserreich bis in die fünfziger Jahre dieses Jahrhunderts. Die Werke der deutschen Klassik gehörten zum Herzstück des Lektürekanons.

4a Siehe u. a. Martin Walser: Imitation oder Realismus. In: M. W., Erfahrungen und Leseerfahrungen. Frankfurt a. M. 1965. S. 69–77; Hans-Joachim Grünwaldt: Sind Klassiker etwa nicht antiquiert? In: Diskussion Deutsch 1 (1970) H. 1, S. 16–31.

5 In diesem Punkt treffen sich geschichtslose Technokraten und diejenigen Marxisten, die von der Erbe-Diskussion in der Deutschen Demokratischen Republik unberührt geblieben sind: weil die Geschichte Geschichte des Fortschritts ist, Kunst aber nur Abbild von Wirklichkeit, hat sich die Kunst einer Epoche mit der Epoche selbst überlebt.

6 Vgl. dazu u. a. Hans Robert Jauß: Ästhetische Normen und geschichtliche Reflexion in der »Querelle des Anciens et des Modernes«. Einleitung zum Faksimiledruck der »Parallèle des Anciens et des Modernes« von Charles Perrault. München 1964. Außerdem den Artikel »antiqui/moderni« in: Historisches Wörterbuch der Philosophie. Hrsg. von Joachim Ritter. Siehe auch Anm. 67 und 68.

7 So z. B. bei Schiller in seiner Arbeit »Über naive und sentimentalische Dichtung« und in Friedrich Schlegels Aufsatz »Über das Studium der griechischen Poesie«. Beide geschichtsphilosophischen Entwürfe suchen – bei aller Verschiedenheit – nach einem übergeordneten Gesichtspunkt, von dem aus der Streit zwischen »den einseitigen Freunden der alten und der neuen Dichter« (Friedrich Schlegel: Über das Studium der griechischen Poesie. Erstfassung. Hrsg. von Paul Hankamer. Godesberg 1947. S. 203) geschlichtet werden könnte.

8 Zum Formalismus vgl. Jurij Striedter: Zur formalistischen Theorie der Prosa und der literarischen Evolution. In: Texte der russischen Formalisten I. Hrsg. von J. S., München 1969. S. IX–LXXXIII; Hans Robert Jauß: Literaturgeschichte als Provokation. Frankfurt a. M. 1970. Bes. S. 164–171; Peter Bürger: Formalismus – nomologische Wissenschaft oder hermeneutische Theorie? In: LiLi. Beiheft 4. Erzählforschung I. Zur Erbe-Diskussion s. vor allem die neueren von DDR-Wissenschaftlern vertretenen Positionen, u. a. Hans Kaufmann: Zehn Anmerkungen

über das Erbe, die Kunst und die Kunst des Erbens. In: Weimarer Beiträge 19 (1973) H. 10, S. 33–53; Werner Mittenzwei: Brechts Verhältnis zur Tradition. München 1974; Manfred Naumann: Literatur und Leser. In: Weimarer Beiträge 5 (1970) S. 92–116; Robert Weimann: Literaturgeschichte und Mythologie. Berlin, Weimar 1971. – Zur Kritik am für die Erbe-Diskussion grundlegenden Realismusbegriff vgl. Karel Kosík: Dialektik des Konkreten. Frankfurt a. M. 1973. Bes. S. 114 ff.

9 Siehe Hans-Georg Gadamer: Wahrheit und Methode. Tübingen ³1972.

10 Entsprechend bestimmt Gadamer (Anm. 9), S. 274, das Verstehen »nicht so sehr als eine Handlung der Subjektivität, [...] sondern als Einrücken in ein Überlieferungsgeschehen, in dem sich Vergangenheit und Gegenwart beständig vermitteln«. Vgl. hierzu die Kritik Jürgen Habermas': Zu Gadamers »Wahrheit und Methode«. In: Hermeneutik und Ideologiekritik. Theorie-Diskussion. Frankfurt a. M. 1971. S. 45–56.

11 »Klassisch ist, was sich bewahrt, weil es sich selber bedeutet und sich selber deutet; was also derart sagend ist, daß es nicht mehr eine Aussage über ein Verschollenes ist, ein bloßes, selbst noch zu deutendes Zeugnis von etwas, sondern das der jeweiligen Gegenwart etwas so sagt, als sei es eigens ihr gesagt. Was ›klassisch‹ heißt, ist nicht erst der Überwindung des historischen Abstandes bedürftig – denn es vollzieht selber in beständiger Vermittlung diese Überwindung. Was klassisch ist, ist daher gewiß ›zeitlos‹, aber diese Zeitlosigkeit ist eine Weise geschichtlichen Seins« (Gadamer [Anm. 9]. S. 274). Die Sonderbehandlung des Klassischen resultiert bei Gadamer also weniger aus seinem mimetischen Kunstbegriff, wie Jauß meint (Anm. 8, S. 187 f.), sondern aus seinem spezifischen Geschichtsbegriff, der Geschichte als objektiven Zusammenhang, nicht aber als von Subjekten gemacht und zu verantworten bestimmt.

12 »Ich wollte nicht ein System von Kunstregeln entwickeln, die das methodische Verfahren der Geisteswissenschaften zu beschreiben oder gar zu leiten vermöchten. Meine Absicht war auch nicht, die theoretischen Grundlagen der geisteswissenschaftlichen Arbeit zu erforschen, um die gewonnene Erkenntnis ins Praktische zu wenden« (Gadamer [Anm. 9]. S. XIX). Vgl. dazu Habermas (Anm. 10).

13 In der Weiterentwicklung des transzendental-hermeneutischen Sprachbegriffs durch Karl-Otto Apel wird deutlich, wieso dieser Sprachbegriff die methodische Reflexion impliziert. Vgl. hierzu Karl-Otto Apel: Sprache als Thema und Medium der transzendentalen Reflexion. In: K.-O. A., Transformation der Philosophie. Bd. 2. Das Apriori der Kommunikationsgemeinschaft. Frankfurt a. M. 1973. S. 311–329; ders.: Der transzendentalhermeneutische Begriff der Sprache. Ebd., S. 330–357.

14 Hans Robert Jauß hat seine Rezeptionsästhetik vor allem in den Arbeiten »Literaturgeschichte als Provokation der Literaturwissenschaft« (in: Literaturgeschichte als Provokation. Frankfurt a. M. 1970. S. 144–207) und »Die Partialität der rezeptionsästhetischen Methode. Nachwort zu: Racine's und Goethes Iphigenie« (in: Rainer Warning [Hrsg.], Rezeptionsästhetik. München 1975. S. 380–400) entwickelt. Wir stützen uns auf diese beiden Arbeiten und lassen die letzte: »Negativität und Identifikation. Versuch zur Theorie der ästhetischen Erfahrung« (in: Positionen der Negativität. Hrsg. von Harald Weinrich. München 1975) außer acht, weil sie u. E. keine Weiterentwicklung des bisherigen rezeptionsästhetischen Ansatzes darstellt, sondern vielmehr gerade von der Negation der Prämissen ausgeht, auf denen die Rezeptionsästhetik beruht, auch wenn Jauß selbst sie als Weiterentwicklung hinstellt. Vgl. hierzu Peter Bürger: Probleme der Rezeptionsforschung. Vorlage zur Tagung des Deutschen Romanistenverbandes. 10.–12. Oktober 1975 in Mannheim.

15 Wir beabsichtigen an dieser Stelle keine generelle Auseinandersetzung mit Jauß' Rezeptionsästhetik, sondern nur eine partielle, die sich auf jene Aspekte beschränken soll, die unser zentrales Problem unmittelbar tangieren.

16 Wir lassen hier ebenfalls das generelle wissenschaftstheoretische Problem außer acht, inwiefern die Hermeneutik überhaupt mit einer nomologisch verfahrenden Wissenschaft sich verbinden kann. Vgl. zu diesem Problem Bürger: Formalismus – (Anm. 8).

17 Kosík (Anm. 8). S. 123.
18 Jauß (Anm. 8). S. 172f.
19 Kosík (Anm. 8). S. 135.
20 Jauß (Anm. 8). S. 173.
21 Ebd. Vgl. zu unserer Kritik u. a. Ulrich Wyss: Zur Kritik der Rezeptionsästhetik. In: Walter Müller-Seidel (Hrsg.), Historizität in Sprach- und Literaturwissenschaft. Vorträge und Berichte der Stuttgarter Germanistentagung 1972. München 1974. S. 143–154.
22 Ebd.
23 Jauß (Anm. 8). S. 173f.
24 Ebd., S. 203.
25 Ebd., S. 183.
26 Ebd.
27 Ebd., S. 186.
28 Es hat den Anschein, als wenn Jauß seiner Konzeption der Rezeptionsgeschichte hier den Hegelschen Geschichtsbegriff zugrunde gelegt habe: in der Geschichte seiner Rezeption kommt das Werk insofern zu sich selbst, als sein Sinn der je in der Geschichte sich entfaltende Sinn ist: am Ende der Rezeptionsgeschichte steht der Sinn des Werkes, der alle Konkretisationen in sich begreift.
29 Vgl. hierzu vor allem Walter Benjamins Erkenntniskritische Vorrede in: W. B., Ursprung des deutschen Trauerspiels. Frankfurt a. M. 1963. S. 7–44; ders.: Eduard Fuchs, der Sammler und Historiker. In: W. B., Das Kunstwerk im Zeitalter seiner technischen Reproduzierbarkeit. Frankfurt a. M. 1963. S. 95–156; ders.: Geschichtsphilosophische Thesen. In: W. B., Illuminationen. Frankfurt a. M. 1969. S. 268–282. Zur Diskussion um Benjamins Geschichtsbegriff s. vor allem: Materialien zu Benjamins Thesen ›Über den Begriff der Geschichte‹. Beiträge und Interpretationen. Hrsg. von Peter Bulthaup. Frankfurt a. M. 1975.
30 Jauß: Die Partialität der rezeptionsästhetischen Methode (Anm. 14). S. 389.
31 Jauß: Racine's und Goethes Iphigenie (Anm. 14). S. 353–400.
32 Zu dieser Diskussion vgl. Bürger (Anm. 14). S. 28ff.; Christa Bürger: Die Entstehung der bürgerlichen Institution Kunst im höfischen Weimar. Literatursoziologische Untersuchungen zum klassischen Goethe. Frankfurt a. M. 1977.
33 Jauß (Anm. 31). S. 362.
34 So zieht Jauß z. B. aus Goethes Tagebucheintragung vom 6. April 1779: »Iphigenie gespielt. Gar gute Wirkung davon, besonders auf reine Menschen« aufgrund der Tatsache, daß Goethe hier den Begriff »reine Menschen« gebraucht, den Schluß, die erste Konkretisation der »Iphigenie« sei eine im Sinne des Winckelmannschen Antikebildes gewesen. Hier werden die Folgerungen denn doch zu willkürlich im Sinne der eigenen Intentionen umgebogen.
35 Jauß (Anm. 31). S. 377.
36 Ebd., S. 376.
37 Ebd., S. 375.
38 Vgl. hierzu Erika Fischer-Lichte: Goethes »Iphigenie«-Reflexion auf die Grundwidersprüche der bürgerlichen Gesellschaft. In: Diskussion Deutsch 6 (1975) H. 21, S. 1–25.
39 Dies wäre bei einer konsequenten Anwendung der Prinzipien der Hermeneutik auf die Werke der Klassik ohnehin bereits gegeben: Reflexionen auf das eigene Vorurteil und auf den historischen Abstand lassen eine Sonderstellung des Klassischen nicht zu.
40 Kosík (Anm. 8). S. 135.
41 Ebd., S. 138.
42 Ebd., S. 148.
43 Vgl. Jan Mukařovský: Kapitel aus der Poetik. Frankfurt a. M. 1967; ders.: Kapitel aus der Ästhetik. Frankfurt a. M. 1970; ders.: Studien zur strukturalistischen Ästhetik und Poetik. München 1974. Wir gehen hier nur insofern auf Mukařovskýs Theorie ein, als sie direkt zur Lösung unseres spezifischen Problems beiträgt.

44 Zur Funktion und Stellung von Mukařovskýs Ästhetik in der Geschichte der Ästhetik vgl. Robert Kalivoda: Die Dialektik des Strukturalismus und die Dialektik der Ästhetik. In: R. K., Der Marxismus und die moderne geistige Wirklichkeit. Frankfurt a. M. 1970. S. 9–38.

45 Jan Mukařovský: Ästhetische Funktion, Norm und ästhetischer Wert als soziale Fakten. In: J. M., Kapitel aus der Ästhetik. Frankfurt a. M. 1970. S. 7–112, hier S. 111.

46 Der Begriff der dynamischen Struktur, wie Mukařovský ihn gebraucht, schließt die Möglichkeit aus, daß das Kunstwerk als ein sich selbst regulierendes System aufgefaßt wird: der Prozeß der Organisation zu einer Struktur kann nur durch das wertende Subjekt vollzogen werden.

47 Mukařovský (Anm. 45). S. 85.

48 Vgl. hierzu Mukařovský, ebd., S. 85 ff.

49 Wenn man – wie es in der heutigen sprachtheoretischen Diskussion allgemein der Fall ist – von der Voraussetzung ausgeht, daß »Sprechen eine regelgeleitete Form des Verhaltens ist« (John R. Searle: Sprechakte. Frankfurt a. M. 1971. S. 31), muß man auch die Folgerung akzeptieren, daß jeder sprachliche Akt nach bestimmten Regeln vollzogen wird – also auch der Akt der Bedeutungskonstitution. Wir legen dabei den Regelbegriff zugrunde, den Searle im Terminus ›konstitutive Regel‹ definiert hat: »Konstitutive Regeln konstituieren (und regeln damit) eine Tätigkeit, deren Vorhandensein von den Regeln logisch abhängig ist«, während regulative Regeln »eine bereits existierende Tätigkeit, eine Tätigkeit, deren Vorhandensein von den Regeln logisch unabhängig ist« (S. 55), regeln.

50 Vgl. zum Folgenden Erika Fischer-Lichte: Zur Konstitution von Bedeutung. Probleme einer semiotischen Hermeneutik und Ästhetik. Erscheint demnächst. Dort wird anhand einer ausführlichen Forschungsdiskussion das Problem, auf welche Weise Bedeutung konstituiert wird, in aller Breite und Ausführlichkeit erörtert, während wir uns hier auf eine kurze Zusammenfassung beschränken müssen, die nur die in diesem Kontext wesentlichen Aspekte berührt.

51 Umberto Eco: Einführung in die Semiotik. München 1972. S. 108.

52 Vgl. hierzu Eco, ebd., S. 101–113.

53 Charles W. Morris: Foundations of a Theory of Signs. In: International Encyclopedia of Unified Science. Bd. 1. Nr. 2. University of Chicago Press, 1938. S. 45. (Übers. von E. F.-L.)

54 Wir berufen uns in unserer Beschreibung des Zeichens bzw. des Prozesses der Semiose auf die Semiotik, wie sie von Charles W. Morris in Fortführung der von Charles S. Peirce geleisteten Grundlegung entwickelt worden ist.

55 Zum Problem, wie das sprachliche Bedeutungssystem in Abhängigkeit von den genannten Bedingungsfaktoren vom einzelnen entwickelt wird, vgl. vor allem Alfred Lorenzer: Symbol, Interaktion und Praxis. In: Psychoanalyse als Sozialwissenschaft. Frankfurt a. M. 1971. S. 9–59; ders.: Zur Begründung einer materialistischen Sozialisationstheorie. Frankfurt a. M. 1972; ders.: Über den Gegenstand der Psychoanalyse oder: Sprache und Interaktion. Frankfurt a. M. 1973.

56 Im Laufe unserer Darlegungen ist deutlich geworden, inwiefern sich gerade aus dem transzendentalhermeneutischen Sprachbegriff wichtige Überlegungen zur Entwicklung einer hermeneutischen Methode ableiten lassen: in diesem Sinne ließe sich die Dialektik der gegenseitigen Konstitution von Sprache, Selbst- und Weltverständnis begreifen. Vgl. hierzu Apel (Anm. 13).

57 Dies eben wäre der Fall bei der von Jauß postulierten Identifikation. Siehe Jauß: Negativität und Identifikation (Anm. 14).

58 Wir legen dabei die Ergebnisse unserer Interpretation: »Goethes *Iphigenie* – Reflexion auf die Grundwidersprüche der bürgerlichen Gesellschaft« (Anm. 38) zugrunde. Auf die dort vorgenommenen ausführlichen Explikationen können wir in diesem Zusammenhang verzichten, weil es uns hier vor allem darum geht, am Beispiel der »Iphigenie« den Nachweis der Gültigkeit unserer hier entwickelten Rezeptionstheorie hinsichtlich ihrer Anwendung auf Werke der Klassik zu führen.

59 Peter Szondi: Theorie des modernen Dramas. Frankfurt a. M. 1963. S. 14.

60 Die Frage, inwiefern Goethe in der Tradition der Aufklärung stand, können wir im Rahmen un-

serer Ausführungen nicht diskutieren. Vgl. hierzu vor allem Hans Mayer: Goethe. Frankfurt a. M. 1973.

61 Siehe hierzu Mayer (Anm. 60). S. 115–124. Zitat in: Goethes Briefe. Hamburger Ausgabe. Hamburg 1962ff. Bd. 4. S. 8f.

62 Vgl. hierzu Mayer, ebd., S. 16ff.

63 In diesem Zusammenhang ist vor allem die Sprechakttheorie wichtig. So hat John Langshaw Austin in seinen Vorlesungen (dt.: Zur Theorie der Sprechakte. How To Do Things with Words. Stuttgart 1972) nachgewiesen, inwiefern das Äußern eines Satzes als Vollzug einer Handlung angesehen werden kann, und zwar nicht nur hinsichtlich der expliziten performativen Sprechakte, sondern auch hinsichtlich der impliziten. John R. Searle hat diese Theorie weiterentwickelt und die den verschiedenen Sprechakten, wie z. B. dem des Versprechens, des Befehlens, Aufforderns, Behauptens usw., zugrundeliegenden Regeln formuliert. Jürgen Habermas bezieht sich auf diese Theorie, um sein gesellschaftliches Ideal in einer wissenschaftlich vertretbaren Terminologie zu formulieren.

64 In diesem Punkt ließe sich die Funktion einer Rezeptionsgeschichte als Ideologiekritik rechtfertigen. Sie könnte beispielsweise hinsichtlich der »Iphigenie« die Frage klären helfen, inwiefern die Opposition »Wort–Tat« bei Schiller als Opposition »Handlung–Gesinnung« beschrieben und gedeutet wird (Schiller an Goethe am 22. 1. 1802. In: Schillers Briefe. Bd. 6. Hrsg. von Fritz Jonas. Stuttgart o. J.), bei Tieck dagegen als Opposition »That–Gemüth« (Kritische Schriften. Bd. 2. Leipzig 1848. S. 213).

65 Jürgen Habermas: Vorbereitende Bemerkungen zu einer Theorie der kommunikativen Kompetenz. In: Jürgen Habermas und Niklas Luhmann, Theorie der Gesellschaft oder Sozialtechnologie. Frankfurt a. M. 1971. S. 101–141, hier S. 137.

66 Der Sprechakt des Versprechens ist insofern ein komplizierter Vorgang, als in ihn sehr verschiedene Bedingungsfaktoren eingehen. So muß z. B. derjenige, der das Versprechen ablegt, die feste Absicht haben, die versprochene Handlung auch auszuführen, zum anderen muß er überzeugt sein, daß derjenige, dem er das Versprechen gibt, die versprochene Handlung auch wünscht (sonst wäre es kein Versprechen, sondern eine Drohung), außerdem will er bei diesem die Überzeugung hervorrufen, daß er, der Sprecher S, sich mit der Abgabe des Versprechens X tatsächlich ihm, dem Hörer H, gegenüber zur Ausführung der versprochenen Handlung A verpflichtet hat. Vgl. zu den verschiedenen Regeln des Versprechens Searle (Anm. 49), S. 88–93.

67 Habermas (Anm. 65). S. 139.

68 Siehe hierzu Gustav Freytag: Die Technik des Dramas. Leipzig 1894.

69 Vgl. hierzu Herbert Marcuse: Über den affirmativen Charakter der Kultur. In: H. M., Kultur und Gesellschaft 1. Frankfurt a. M. 1965. S. 56–101.

70 Jauß: Racine's und Goethes Iphigenie (Anm. 14). S. 377.

71 Ebd., S. 379.

72 Zu dieser Frage vgl. Bürger (Anm. 14). S. 28ff.; Bürger (Anm. 32).

73 Vgl. hierzu Hans-Joachim Heydorn: Zu einer Neufassung des Bildungsbegriffs. Frankfurt a. M. 1972. S. 7ff.

74 Johann Wolfgang Goethe: Wilhelm Meisters Lehrjahre. 5. Buch, 3. Kap.

75 Goethe gab das Stück für eine öffentliche Aufführung nicht frei, weil er – wie verschiedene Äußerungen seinerseits vermuten lassen – fürchtete, mißverstanden zu werden.

76 Friedrich Schlegels Schrift ist 1795/96 entstanden und 1797 in Neustrelitz erschienen; Schillers Abhandlung (Schillers Werke. Nationalausgabe. Bd. 20. Weimar 1962), Ende 1795 entstanden, im 11. und 12. Stück der »Horen« von 1795 sowie im 1. Stück 1796 erschienen, wurde Schlegel erst nachträglich bekannt, so daß er in seiner 1797 unmittelbar vor dem Druck verfaßten Vorrede sich auf sie beziehen zu müssen meinte. Vgl. hierzu Hans Eichner: The Supposed Influence of Schiller's »Über naive und sentimentalische Dichtung« on F. Schlegel's »Über das Studium der griechischen Poesie«. In: Germanic Review 30 (1955) S. 260–265.

77 Bei Schlegel z. B. ist das erste Stadium das der natürlichen Bildung; in ihm dominiert die Natur

(dies ist nach Schlegel bei den Griechen der Fall), das zweite Stadium ist gekennzeichnet durch den Kampf der Natur mit der Freiheit; mit diesem Stadium beginnt die Epoche der künstlichen Bildung, die Moderne, die im dritten Stadium zu ihrer Vollkommenheit gelangt, wenn die Freiheit über die Natur dominiert. Die dritte Stufe ist ganz eindeutig *nicht* eine Rückkehr zur ersten, sondern hebt die erste und die zweite in sich auf. Vgl. hierzu u. a. Peter Szondi: Friedrich Schlegels Theorie der Dichtarten. In: Euphorion 64 (1970) S. 181–199; Heinz-Dieter Weber: Friedrich Schlegels »Transzendentalpoesie«. München 1973.

Literaturhinweise

Apel, Karl-Otto: Transformation der Philosophie. 2 Bde. Frankfurt a. M. 1973.

Benjamin, Walter: Ursprung des deutschen Trauerspiels. Frankfurt a. M. 1963.

– Eduard Fuchs, der Sammler und Historiker. In: W. B., Das Kunstwerk im Zeitalter seiner technischen Reproduzierbarkeit. Frankfurt a. M. 1963. S. 95–156.

– Geschichtsphilosophische Thesen. In: W. B., Illuminationen. Frankfurt a. M. 1969. S. 268–282.

Bürger, Christa: Die Entstehung der bürgerlichen Institution Kunst im höfischen Weimar. Literatursoziologische Untersuchungen zum klassischen Goethe. Frankfurt a. M. 1977.

Bürger, Peter: Probleme der Rezeptionsforschung. Vorlage zur Tagung des Deutschen Romanistenverbandes. 10.–12. Oktober 1975.

– Formalismus – nomologische Wissenschaft oder hermeneutische Theorie? In: LiLi. Beiheft 4. Erzählforschung I.

Bulthaup, Peter (Hrsg.): Materialien zu Benjamins Thesen »Über den Begriff der Geschichte«. Beiträge und Interpretationen. Frankfurt a. M. 1975.

Eco, Umberto: Einführung in die Semiotik, München 1972.

Fischer-Lichte, Erika: Goethes »Iphigenie« – Reflexion auf die Grundwidersprüche der bürgerlichen Gesellschaft. In: Diskussion Deutsch 6 (1975) H. 21, S. 1–25.

Gadamer, Hans-Georg: Wahrheit und Methode. Tübingen ³1972.

Grünwaldt, Hans-Joachim: Sind Klassiker etwa nicht antiquiert? In: Diskussion Deutsch 1 (1970) H. 1, S. 16–31.

Habermas, Jürgen: Zu Gadamers »Wahrheit und Methode«. In: Hermeneutik und Ideologiekritik. Theorie-Diskussion. Frankfurt a. M. 1971. S. 45–56.

– Vorbereitende Bemerkungen zu einer Theorie der kommunikativen Kompetenz. In: Jürgen Habermas und Niklas Luhmann, Theorie der Gesellschaft oder Sozialtechnologie. Theorie-Diskussion. Frankfurt a. M. 1971. S. 101–141.

Heydorn, Hans-Joachim: Zu einer Neufassung des Bildungsbegriffs. Frankfurt a. M. 1972.

Jauß, Hans Robert: Literaturgeschichte als Provokation der Literaturwissenschaft. In: H. R. J., Literaturgeschichte als Provokation. Frankfurt a. M. 1970.

– Racine's und Goethes Iphigenie. Mit einem Nachwort zur Partialität der rezeptionsästhetischen Methode. In: Rainer Warning (Hrsg.), Rezeptionsästhetik. München 1975. S. 353–400.

– Negativität und Identifikation. Versuch zur Theorie der ästhetischen Erfahrung. In: Positionen der Negativität. Hrsg. von Harald Weinrich. München 1975. S. 263–339.

Kalivoda, Robert: Die Dialektik des Strukturalismus und die Dialektik der Ästhetik. In: R. K., Der Marxismus und die moderne geistige Wirklichkeit. Frankfurt a. M. 1970. S. 9–38.

Kaufmann, Hans: Zehn Anmerkungen über das Erbe, die Kunst und die Kunst des Erbens. In: Weimarer Beiträge 19 (1973) H. 10, S. 33–53.

Kosík, Karel: Dialektik des Konkreten. Frankfurt a. M. 1973.

Lorenzer, Alfred: Symbol, Interaktion und Praxis. In: Psychoanalyse als Sozialwissenschaft. Frankfurt a. M. 1971. S. 9–59.

– Zur Begründung einer materialistischen Sozialisationstheorie. Frankfurt a. M. 1972.

140   *Erika Fischer-Lichte*

Über den Gegenstand der Psychoanalyse oder: Sprache und Interaktion. Frankfurt a. M. 1973.
Lukács, Georg: Es geht um den Realismus. In: Das Wort 6 (1938) S. 112–138.
Marcuse, Herbert: Über den affirmativen Charakter der Kultur. In: H. M., Kultur und Gesellschaft
   1. Frankfurt a. M. 1965. S. 56–101.
Mayer, Hans: Goethe. Frankfurt a. M. 1973.
Mittenzwei, Werner: Brechts Verhältnis zur Tradition. München 1974.
Morris, Charles W.: Foundations of a Theory of Signs. In: International Encyclopedia of Unified
   Science. Bd. 1. Nr. 2. University of Chicago Press 1938.
– Signs, Language and Behavior, New York 1946.
Mukařovský, Jan: Kapitel aus der Poetik. Frankfurt a. M. 1967.
– Kapitel aus der Ästhetik. Frankfurt a. M. 1970.
– Studien zur strukturalistischen Ästhetik und Poetik. München 1974.
Naumann, Manfred: Literatur und Leser. In: Weimarer Beiträge 5 (1970) S. 92–116.
Searle, John R.: Sprechakte. Frankfurt a. M. 1971.
Striedter, Jurij: Zur formalistischen Theorie der Prosa und der literarischen Evolution. In: Texte
   der russischen Formalisten I. Hrsg. von J. S. München 1969. S. IX–LXXXIII.
Szondi, Peter: Zur Theorie des modernen Dramas. Frankfurt a. M. 1963.
Walser, Martin: Imitation oder Realismus. In: M. W., Erfahrungen und Leseerfahrungen. Frankfurt
   a. M. 1965.
Weimann, Robert: Literaturgeschichte und Mythologie. Berlin, Weimar 1971.

CHRISTA BÜRGER

Der bürgerliche Schriftsteller im höfischen Mäzenat.
Literatursoziologische Bemerkungen zu Goethes »Tasso«

Vorbemerkung: Zur Institution Literatur in der bürgerlichen Gesellschaft

Das methodische Vorgehen der vorliegenden Interpretationsskizze setzt die Annahme voraus, daß in der entfalteten bürgerlichen Gesellschaft *Literatur als autonome*, d. h. als von der Lebenspraxis abgehobene, *institutionalisiert* ist.[1] (Damit soll
nicht die Tatsache geleugnet werden, daß der in der bürgerlichen Gesellschaft dominierende autonome Kunstbegriff immer wieder durch Versuche, nicht-autonome
Kunstvorstellungen zu institutionalisieren, in Frage gestellt worden ist: die Diskussion um das Engagement z. B. gehört in diesen Zusammenhang. Auf das Problem
rivalisierender Institutionalisierungen von Literatur kann hier jedoch nicht eingegangen werden). Von dieser Annahme aus ergibt sich die literatursoziologisch rele-
vante Frage, wie Literatur in vorbürgerlichen Gesellschaftsformationen institutionalisiert gewesen ist. Folgende Konstruktion der Entwicklung der Institution
Literatur seit der höfisch-feudalen Gesellschaft, wie vorläufig und der Absicherung
bzw. Modifikation durch historische Forschung bedürftig diese auch bleiben muß,
mag als Interpretationsrahmen für unsere Untersuchung dienen:[2] In der höfisch-
feudalen Gesellschaft ist die Kunst noch gar kein eigener Bereich, der von den übrigen gesellschaftlichen Teilbereichen abgegrenzt werden könnte. Als Bestandteil des
höfischen Festes oder der Salonkultur ist sie eingebunden in die Lebenspraxis des
Hofadels. Als Repräsentationsobjekt dient sie dem Ruhm des Herrschers und der
Selbstdarstellung der höfischen Gesellschaft. Ihre Funktion ist mittelbar oder unmittelbar politisch: Legitimation absolutistischer Herrschaft. Unter den Bedingungen einer höfisch institutionalisierten Literatur unterwirft der Künstler sich weitgehend den ästhetischen und politischen Vorstellungen des Mäzens. In dem Maße, wie
er noch kein künstlerisches Selbstbewußtsein ausgebildet hat, wird diese Unterwerfung nicht reflektiert: Der Künstler vermag von außen an ihn herangetragene Bedürfnisse relativ problemlos zu befriedigen, wie das nach Divertissement oder nach
Repräsentation. Insofern die Rezeption der höfischen Kunst meist im Rahmen des
höfischen Festes erfolgt, trägt sie kollektiven Charakter.
Als Goethe zu schreiben beginnt, ist die hier nur umrißhaft skizzierte höfische Institution Kunst bereits ins Stadium ihrer Selbstkritik eingetreten, d. h. in eine Phase
der Kritik, die den institutionellen Rahmen, innerhalb dessen Kunst funktioniert,
selbst in Frage stellt.[3] Aus dem Kampf gegen die höfische Kunst hatte sich bereits
eine neue Institutionalisierung von Literatur entwickelt, für die ich den Begriff *bür-
gerlich-aufklärerisch* vorschlage. Im Gegensatz zur höfisch-aristokratischen Gesellschaft, in der die Literatur vornehmlich die Funktion von Divertissement und
Repräsentation erfüllt, faßt das aufstrebende Bürgertum diese als ein Instrument der
Verständigung über moralische und im weitesten Sinne politische Fragen auf.

Dokumente der primären Rezeption von Stücken, die einem aufklärerischen Litera-
turverständnis entsprechen, wie z. B. Goethes *Götz von Berlichingen,* lassen ein ungewöhnliches Maß der Übereinstimmung zwischen den Literaturvorstellungen der
Produzenten und der tatsächlichen Rezeptionshaltung erkennen. (Die von Gottsched
und Lessing, wenn auch aus unterschiedlicher Perspektive, geforderte Identifikation
der Rezipienten mit den Protagonisten der bürgerlichen Dramen der Aufklärung
scheint tatsächlich stattgefunden zu haben.) Diese Übereinstimmung zwischen Literaturproduzenten und -rezipienten legt die Frage nahe, wie die noch vorhandene höfische Institution Literatur auf die Herausbildung einer konkurrierenden Institution
Literatur reagiert, die, weil sie mit dem Anspruch auf Allgemeinheit auftritt, zugleich
die Existenzberechtigung der höfischen Institutionalisierung der Kunst als einer
partikularen (mit einer ständischen Elite als Trägerschicht) in Frage stellen muß. Das
Problem der *materiellen Bedingungen* der Literaturproduktion verlangt eine besondere Berücksichtigung, weil es, wie wir sehen werden, im Falle des *Tasso,* für die Erfassung des Stück*gehalts* wesentlich ist. (Ich werde im 2. Teil dieser Skizze das Problem
unter dem Aspekt des *Strukturwandels des Mäzenats* erörtern.)

Lessing und die Autoren des Sturm und Drang, und mit ihnen der frühe Goethe,
hatten sich von dem in der Epoche mit höfischen Konnotationen verbundenen *Material*[4] der klassischen Regeltragödie durch die Übernahme der offenen Form des
Shakespearedramas emanzipiert. Der Publikumserfolg des *Götz* und die Tatsache,
daß kompetente Rezipienten (wie z. B. Herder) dieses neue Material als der gesamtgesellschaftlichen Situation adäquates begreifen, erlauben die These, daß die frühe
literarische Produktion Goethes den gesellschaftlichen, ästhetischen und politischen
Erwartungen der bürgerlichen Öffentlichkeit in nahezu idealer Weise entsprochen
haben muß. Wenn Goethe mit *Iphigenie* und *Tasso* auf die klassische Form der Regeltragödie zurückgreift, so ist dieser Bruch mit der bürgerlich-aufklärerischen Lite-
raturauffassung außerordentlich schwer zu erklären. Mit den klassischen Stücken
Goethes und der ästhetischen Theorie von Karl Philipp Moritz und Schiller zeichnet
sich eine neue Institutionalisierung der Literatur ab, die in der entfalteten bürgerlichen Gesellschaft die dominierende sein wird. Die historischen Bedingungen des
neuen Kunstbegriffs werden in der klassischen Ästhetik mit reflektiert: Wenn Kunst
jetzt nicht mehr, wie in der Phase der Aufklärung, als aktiver Teil gesellschaftlicher
Lebenspraxis verstanden, sondern als zweckfreier Bereich der Lebenspraxis entgegengesetzt wird, so ist dies als *Antwort* bürgerlicher Intellektueller auf die gesellschaftliche Entwicklung zu verstehen. Die Doktrin von der Autonomie des Kunstwerks kann als Kritik an den Entfremdungsphänomenen der entstehenden
bürgerlich-kapitalistischen Gesellschaft begriffen werden.[5] Zum andern macht der
angedeutete Bruch in der Entwicklung der Literatur eine sozialgeschichtliche Deutung plausibel: Die Autonomiesetzung der Kunst durch die Weimarer Klassiker
kann interpretiert werden als Ausdruck einer durch die realen gesellschaftlichen
Verhältnisse bedingten Veränderung der politischen Haltung des deutschen Bürgertums, das nicht (bzw. nicht mehr) die Eroberung der politischen Macht, sondern einen Kompromiß mit dem Absolutismus anstrebt. (Die in diesem Rahmen geforderte
Skizzenhaftigkeit scheint sich mit einer Erhellung der literarischen Evolution durch
deren Zurechnung zu einer in relativ allgemeinen Kategorien gefaßten Sozialgeschichte zu begnügen. Will man über eine solche Zurechnung der literarischen zur

gesellschaftlichen Entwicklung hinausgelangen, wird man u. a. auch die *subjektive Seite des historischen Prozesses,* hier: den gesellschaftlichen Erfahrungshorizont der Autoren, rekonstruieren müssen[6]. Goethes klassische Dramen sind dann weder eine bloße Rückkehr zur Form der höfischen Tragödie noch der Entwurf eines neuen bürgerlichen Dramas, sondern Produkte, in denen ein Autor versucht, höfische Kulturtradition und bürgerliche Humanität zur Synthese zusammenzuzwingen. Ein solcher Versuch steht außerhalb der zeitgenössischen Institutionalisierungen der Literatur und muß daher auf das Unverständnis der primären Rezipienten treffen. Die mit der Herausbildung der Autonomiedoktrin im Zusammenhang stehenden Veränderungen des Rezeptionsverhaltens – Verschiebung des Rezeptionsinteresses vom Werk und dessen Gehalt auf die Person des Autors; Auratisierung der Dichterpersönlichkeit; Hinwendung zur Unterhaltungsliteratur – können hier nicht erörtert werden[7].)

Der Strukturwandel des Mäzenats

Die Frage, warum Goethe 1775 der Einladung des Herzogs Karl August von Sachsen-Weimar folgt, ist nicht leicht zu beantworten. Hans Mayer hat darauf aufmerksam gemacht, daß Goethe, »dieser rastlose Autobiograph«, »sich der Weimarer Epoche zwischen 1775 und 1786 als Berichterstatter niemals gestellt« hat.[8] Will man für dieses Schweigen eine Deutung suchen, so wird man es lesen als Hinweis auf ein uneingestandenes Wissen Goethes, daß dieser Entscheidung etwas historisch Unangemessenes anhaftet, zumal die Provinzialität der sozialen und kulturellen Verhältnisse in der kleinen Residenzstadt für den Bürger einer freien Reichsstadt wie Frankfurt eher etwas Bedrückendes gehabt haben dürfte.[9]
Goethe läßt sich aus freiem Willen, ohne Not, auf eine Situation quasi mäzenatischer Abhängigkeit ein, obwohl sein Anteil am Vermögen seines Vaters es ihm erlaubt hätte, als freier Schriftsteller zu leben,[10] und das in einer Epoche, in der von seiten bürgerlicher Intellektueller bereits heftige Angriffe auf das Mäzenat als Inbegriff feudaler Herrschaft erfolgt waren.[11]
In Winckelmanns *Geschichte der Kunst des Altertums* ist bereits 1763 eine vehemente Kritik der höfischen Institution Kunst und vor allem des Mäzenats als deren materieller Bedingung formuliert. »Die Ehre und das Glück des Künstlers [in Griechenland] hingen nicht von dem Eigensinne eines unwissenden Stolzes ab, und ihre Werke waren nicht nach dem elenden Geschmacke oder nach dem übelgeschaffenen Auge eines durch die Schmeichelei und Knechtschaft aufgeworfenen Richters gebildet, sondern die Weisesten des ganzen Volkes urteilten und belohnten sie.«[12] In der Unabhängigkeit des Künstlers, dessen Maßstab die »stolzen Begriffe des ganzen Volkes« sein müsse,[13] erblickt Winckelmann die Voraussetzung einer authentischen Kunst. Die politische Dimension der Winckelmannschen Antikerezeption, die bisher von der Forschung kaum berücksichtigt worden ist, wird hier deutlich.[14] Wie in den Briefen Winckelmanns Freiheit das Grundmotiv angibt, so sieht er Freiheit und Kunst »als unzertrennbare Einheit«.[15] Die Winckelmannsche Geschichtsphilosophie ist insofern Resultat einer gegenwartsbezogenen kritischen Reflexion, als sie »die großen Kulturepochen der Menschheit aus einer antimonarchischen Grundstruktur erklärt«.[16]

Herder nimmt die Grundthese Winckelmanns auf, indem er in einer 1775 geschriebenen Abhandlung die »Ursachen des gesunkenen Geschmacks« in Griechenland
aus dem Zerfall der bürgerlichen Freiheiten ableitet. Auch für Herder ist eine bedeutende Kunst nur dort möglich, wo sie für das »Volk« produziert wird und nur dieses
zum »Richter« anerkennt, wo die Künstler und die Nation im Interesse für dieselben
großen Gegenstände vereinigt sind, so daß die Sache der Nation auch die der Künstler ist. Diesen Idealzustand sieht er im demokratischen Athen verwirklicht, wo die
»[Griechen] sangen, *worüber sie Herren waren*«:[17] »Jeder edle Mann griechischer
Bildung war Richter [...] und auch im Inhalt und in der Würkung war die Bühne
eine *lebendige Angelegenheit eines Publikums,* wie Athen war.«[18] Im Rahmen einer
höfisch institutionalisierten Kunst dagegen kann es nach Herder bedeutende Werke
nicht geben. Die Kunst verfällt, wo sie im Dienst der Höfe steht, denn dort nimmt
sie ihr Maß statt an der Natur am willkürlichen Geschmack des jeweiligen Mäzens.
Die von Herder verwendeten Begriffe geben den Rahmen dessen an, was wir als bür-
gerlich-aufklärerische Institutionalisierung der Literatur bezeichnet haben. Die allgemeine Vorstellung von Kunst, die seiner Argumentation zugrunde liegt, weist den
Werken eingreifende Funktion zu. »Würksamkeit und Freiheit« sind die Bestimmungen, die Herder der Literatur zuschreibt.[19] Wirken kann die Literatur nur, wenn
der Gehalt der Werke mit der Lebenspraxis der Rezipienten übereinstimmt. Das
»Leben der Republik« und die »Tätigkeit des Bürgers« werden in den Werken, wenn
diese Kunst sein wollen, verhandelt.[20] Zu einer so institutionalisierten Literatur gehört eine aktive Rezeptionshaltung: Kunst ist bei den Griechen »Angelegenheit des
Publikums«, Herder kritisiert eine Rezeptionshaltung, für die Kunst bloß »Spiel einer unmäßigen Liebhaberei« ist.[21] In einem idealisierten Griechenland sieht Herder
verwirklicht, was für seine Gegenwart nur Zielvorstellung ist: ein Publikum, das in
der öffentlichen Diskussion über die Werke der Kunst zugleich die großen Angele-
genheiten der Gegenwart verhandelt.
Der skizzierte Angriff auf die höfische Institution Kunst macht diese und mit ihr
das Mäzenat als historische Formen der Kunstproduktion und -rezeption durch-
schaubar und zwingt die zeitgenössischen Literaturproduzenten zur Stellungnahme.
Es kommt zu einem Rückgang in der Praxis des Dedizierens.[22] Mit Klopstock geht
die »Ära des literarischen Hofschranzentums zu Ende. Gern nannte er sich selbst
einen ›alten Dedicationshasser‹ [...]. Wo er auf Bestellung dichten, Feiertagsverse
verfassen, die dänische Residenz mit Jubiläumsartikeln beliefern muß, tut er es anonym, tief unbereit, neben der Arbeit auch noch den Namen herzugeben«. Als
Klopstock sich für eine dänische Staatspension entscheidet, behandelt er die Angelegenheit als bloß geschäftliche, mit dem Bewußtsein eines seinen Profit kalkulieren-
den Kaufmanns.[23] Die Haltung Klopstocks zeigt, daß die materiellen Rahmenbedingungen der Kulturproduktion nicht notwendig auf das subjektive Bewußtsein
der Künstler durchschlagen müssen. Vorausgesetzt dabei ist, daß durch die Entwicklung neuer Produktionsbedingungen (konkret: des literarischen Markts) die historische Beschränktheit der alten erkennbar geworden ist. Wenn man Klopstocks
Verhältnis gegenüber dem höfischen Mäzenat als Maßstab des historisch möglichen
Bewußtseins gelten lassen will, so wird man die Haltung Goethes, der in einem 1789
dem Herzog angekündigten, später in die *Venetianische Epigramme* aufgenomme-

nen Lobgedicht Karl August als Freund und Mäzen preist,[24] als folgenreichen Anachronismus werten dürfen.

Die Emanzipation der Schriftsteller aus dem Mäzenat erlaubt ihnen ein neues Selbstbewußtsein. Der Abstand zur Stellung des Schriftstellers in der höfischen Gesellschaft im Frankreich des 17. Jahrhunderts wird deutlich, wenn man sich vergegenwärtigt, daß dieser seine Tätigkeit gerade als Divertissement, als amüsante Ausfüllung von Stunden der Muße, auffaßte. »Es ist daher keineswegs zufällig, daß die 1723 zum erstenmal verwandte Bezeichnung Schriftsteller seit etwa 1760 in ihrem noch heute üblichen Verständnis innerhalb der am literarischen Leben beteiligten Gruppen gebräuchlich wurde«,[25] während der Gebrauch des Begriffs Dichter seltener wird. Das neue Selbstverständnis der Schriftsteller nun trägt, wie zu erwarten, bisweilen deutlich antihöfische, antiabsolutistische Züge.

Diese Entwicklung zwingt die fürstlichen Mäzene zu einer Neubestimmung ihrer Rolle: In einer Epoche, wo die Schriftsteller sich als Wortführer des gesellschaftlichen Fortschritts begreifen, kann der Mäzen vom Künstler nicht mehr nur den Preis der eigenen Größe erwarten; Kunst kann, auch für das Verständnis des Mäzens, nicht länger mehr als Teil höfischer, auf Repräsentation und Divertissement gerichteter Lebenspraxis gelten, sondern als Instrument der Beförderung der Humanität. Beispielhaft für diesen Strukturwandel des Mäzenats ist das Verhältnis Schillers zu seinen dänischen Mäzenen. Der Prinz von Augustenburg und der Graf Schimmelmann, die 1791 Schiller eine Pension anbieten, bitten den Autor ausdrücklich, nicht auf ihre Titel zu sehen und die traditionelle Vorstellung vom Mäzen aufzugeben: »Sie haben hier nur Menschen, Ihre Brüder vor sich, nicht eitele Große, die durch solchen Gebrauch ihrer Reichthümer nur einer etwas edlern Art von Stolz fröhnen«. Sie knüpfen an diese Pension auch keine Bedingung, etwa den Aufenthalt des berühmten Autors in Kopenhagen, denn sie verfolgen keine »eigennützigen« Zwecke. Die neue Begründung für die finanzielle Unterstützung des Künstlers lautet: »Der *Menschheit* wünschen wir einen ihrer Lehrer zu erhalten.«[26]

Ähnlich wie Klopstock versteht auch Schiller diese Unterstützung nicht dahin, daß er nun seine literarische Produktion an den ästhetischen und kulturpolitischen Vorstellungen seiner Mäzene auszurichten habe, sondern faßt sie auf als etwas seiner intellektuellen Bedeutung Entsprechendes, als »das lang gewünschte und unschätzbare Glück, dem freien Hange meines Geistes folgen zu können«.[27] »Nicht an Sie, sondern an die Menschheit habe ich meine Schuld abzutragen. *Diese* ist der gemeinschaftliche Altar, wo Sie Ihr Geschenk und ich meinen Dank niederlege.«[28] Adressat der literarischen Bemühungen des Schriftstellers ist, Schiller zufolge, nicht der zufällige Mäzen, sondern die Menschheit.

Die skizzierte Konzeption des Mäzenats in einer Epoche historischen Wandels, in der bereits ein literarischer Markt sich herauszubilden beginnt, ist Ausdruck der gesellschaftlichen Illusionen einer Reihe aufgeklärter Kleinfürsten, die, wähnend, sie vermöchten unabhängig von ihrer gesellschaftlichen Stellung und von ihren Interessen zu handeln, den Begriff des Menschen, wie ihn die bürgerliche Aufklärung als Kampfinstrument entwickelt hat, übernehmen, um ihn durch von oben verordnete Beförderung der Humanität zu verwirklichen. Daß die fürstlichen Mäzene so ganz interesselos freilich nicht sind, geht aus Schillers Briefwechsel mit ziemlicher Deutlichkeit hervor. Nicht nur greift er auf die Praxis des Dedizierens zurück, indem er seine Gedanken über die ästhetische Erziehung des Menschen »in Briefen an den Prinzen von Augustenburg« darlegt, um auf diese Weise »einen öffentlichen Beweis von Aufmerksamkeit« zu geben.[29] Zu fragen ist auch, ob seine Kritik an der »Unduldsamkeit unserer philosophischen Weltverbesserer« – gemeint sind wohl die radikaldemokratischen Wortführer der Französischen Revolution und die deutschen Jakobiner – nicht doch auch provoziert worden ist dadurch, daß seine fürstlichen Mäzene »Besorgnis« darüber geäußert hatten, auch Schiller könnte dergleichen Weltverbesserungsideen haben.[30]

Das veränderte Verhältnis zwischen Künstler und Mäzen ist mithin geprägt von einem doppelten Widerspruch: gemeinsames Humanitätspathos, verhältnismäßig großzügige Haltung gegenüber der künstlerischen Subjektivität einerseits, Interesse an der Aufrechterhaltung absolutistischer Herrschaft und Anpassung der Schriftsteller an die gesellschaftlichen Vorstellungen des Mäzens andererseits. Zugleich aber sind sich die Schriftsteller über die neuen Zwänge, denen der Markt sie unterwirft, durchaus im klaren: an die Stelle unmittelbarer Abhängigkeit vom künstlerischen Geschmack bzw. von den politischen Interessen des Mäzens tritt jetzt die vermittelte, die Unterwerfung des Künstlers unter die ästhetischen bzw. gesellschaftlichen Erwartungen des Publikums.[31] Mit ihrer Entscheidung für den Weimarer Hof mögen Schriftsteller wie Goethe und Schiller daher auch die Hoffnung verbinden, von den wechselnden Bedürfnissen und Anforderungen des lesenden Publikums unabhängig, in einem größeren Freiheitsspielraum, ihre ästhetischen Konzeptionen verwirklichen zu können.

Tasso: Die höfische Institution Kunst in der Phase ihrer Selbstkritik

Die vorliegende Interpretation erhebt keinen Anspruch auf eine vollständige Erfassung des Dramas; sie verfolgt ein konsequent historisches Interesse. Es geht um die Frage, wie das künstlerische Subjekt – im konkreten Falle: Goethe – eine gegebene historische Situation – der bürgerliche Schriftsteller im höfischen Mäzenat – erlebt und verarbeitet, oder, unter dem Aspekt des Materials formuliert: Welche Rückwirkungen hat Goethes Auseinandersetzung mit höfischen Formtraditionen auf das Material des bürgerlichen Trauerspiels. (Wenn hier die Antwort eines künstlerischen *Subjekts* auf eine historische Situation analysiert wird, so bedarf diese Analyse einer wichtigen Ergänzung: Zu untersuchen ist auch die *Außenansicht* von Goethes Aktivität als *directeur des plaisirs* eines kleinen spätabsolutistischen Hofes, konkret: sein künstlerischer Beitrag zu den Festveranstaltungen des Weimarer Hofes, ein Teil mithin der literarischen Produktion Goethes, der von der Forschung bislang meist diskret aus der Betrachtung ausgenommen blieb.[32])

In seinen Gesprächen mit Eckermann sucht Goethe nach einer Erklärung für die Erfolglosigkeit seiner Bemühungen um die Begründung eines deutschen Nationaltheaters. *Tasso* und *Iphigenie* nennt er in diesem Zusammenhang als Modelle eines solchen Theaters.

»Ich hatte wirklich einmal den Wahn, als sei es möglich, ein deutsches Theater zu bilden. Ja ich hatte den Wahn, als könne ich selber dazu beitragen und als könne ich zu einem solchen Bau einige Grundsteine legen. Ich schrieb meine ›Iphigenie‹ und meinen ›Tasso‹ und dachte in kindischer Hoffnung, so würde es gehen. Allein es regte sich nicht und rührte sich nicht und blieb alles wie zuvor. Hätte ich Wirkung gemacht und Beifall gefunden, so würde ich euch ein Dutzend Stücke wie die ›Iphigenie‹ und den ›Tasso‹ geschrieben haben. An Stoff war kein Mangel. Allein, wie gesagt, es fehlten die Schauspieler, um dergleichen mit Geist und Leben darzustellen, und es fehlte das Publikum, dergleichen mit Empfindung zu hören und aufzunehmen.«[33]

Goethes Versuch, den Mißerfolg seiner ersten klassischen Stücke auf die ungenügende Ausbildung der deutschen Schauspieler zurückzuführen, muß in dem Maße unbefriedigend bleiben, wie hier eine gewissermaßen technische Erklärung an die Stelle der historischen Deutung tritt. Nur an zweiter Stelle erwähnt Goethe in dem zitierten Gespräch, es fehle in Deutschland ein Publikum für Werke vom Typus der *Iphigenie* und des *Tasso*, er weiß mithin sehr wohl, daß es zwar ein literaturfähiges Publikum in Deutschland gibt, daß dieses aber festhält an einem Literaturbegriff, den er mit seiner klassischen Produktion gerade überwinden will – dem bürgerlich-aufklärerischen.

In einem anderen Gespräch, ebenfalls mit Eckermann, umreißt Goethe die Bedingungen, die ihm für eine angemessene Rezeption des *Tasso* unerläßlich erscheinen: »Die Hauptsache beim ›Tasso‹, sagte Goethe, ist die, daß man kein Kind mehr sei und gute Gesellschaft nicht entbehrt habe. Ein junger Mann von guter Familie mit hinreichendem Geist und Zartsinn und genugsamer äußeren Bildung, wie sie aus dem Umgang mit vollendeten Menschen der höheren und höchsten Stände hervorgeht, wird den ›Tasso‹ nicht schwer finden.«[34]

Indem Goethe hier eine soziale Herkunft, die den geselligen Umgang mit Angehörigen der Aristokratie und des gehobenen Bildungsbürgertums ermöglicht, und ein Bildungsniveau, wie es ausschließlich für diese Schichten erreichbar ist, zur Voraussetzung für das Verständnis seiner klassischen Stücke macht, schränkt er von vornherein den Kreis seines potentiellen Publikums auf eine Elite von Kennern ein. » *Meine Sachen können nicht populär werden;* wer daran denkt und dafür strebt, ist in einem Irrtum. Sie sind nicht für die Masse geschrieben, sondern nur für einzelne Menschen, die etwas Ähnliches wollen und machen.«[35] Insofern er sich explizit auf den gebildeten Teil der Nation als Adressaten seiner künstlerischen Produktion beschränkt, müssen Goethes Hoffnungen auf die Entwicklung eines deutschen Nationaltheaters von vornherein als unbegründet erscheinen. Das Desinteresse des Publikums gegenüber Stücken wie *Tasso* darf als Antwort der Rezipienten angesehen werden auf eine von der Lebenspraxis abgehobene Kunstproduktion, in einer Phase des Übergangs, wo die aufklärerische Institutionalisierung der Literatur noch die Rezeptionshaltung des bürgerlichen Publikums bestimmt.

Das Desinteresse ist jedoch nur *eine* mögliche Reaktionsform des zeitgenössischen Publikums. Daneben gibt es einen anderen Rezeptionstypus: Hier schlägt die Gleichgültigkeit gegenüber dem Werk um in eine psychologische Neugier, die sich auf die persönlichen Verhältnisse des Autors richtet. Caroline Herder tadelt die Deutungsversuche des Weimarer Bildungsbürgertums, dessen Interesse am *Tasso* einzig dahin geht, in den fiktiven Figuren wirkliche Personen wiederzuerkennen (den Herzog und die Herzogin, Frau von Stein).[36] Beides, das verständnislose Desinteresse und die Verschiebung des Rezeptionsinteresses vom Werk auf die Person des Autors sind als komplementäre Rezeptionsformen anzusehen, wie sie entstehen in einer Epoche der sich langsam herausbildenden bürgerlichen Institution Kunst (Autonomiestatus), wo die Erwartungen des Publikums noch von einer früheren Institutionalisierung der Literatur geprägt sind. Zur Entstehungszeit des *Tasso* ist das Interesse des Publikums noch auf die praktische Funktion der Literatur gerichtet, auf deren Fähigkeit, gesellschaftliche Erfahrung zu verarbeiten und zu deuten. Goethes *Tasso* nun, das wird die folgende Untersuchung zeigen müssen, steht am Anfang einer Entwicklung, in deren Verlauf die Kunst sich immer weiter von der Lebenspraxis entfremdet und der gesellschaftliche Gehalt der Einzelwerke sich allmählich verflüchtigt. In ihrem bereits zitierten Brief insistiert Caroline Herder auf der allgemeinen Bedeutung des *Tasso*, zu deren Erfassung sie eine ihr von Goethe selbst suggerierte Formel vorschlägt: »Es ist die Disproportion des Talents mit dem Leben.«[37] Es gilt demnach, Goethes Situation als Schriftsteller in ihrer historischen Bedeutung zu erkennen. Selbst dort, wo Äußerungen Goethes über das Stück Anlaß dazu geben, wird man sich nicht auf bloß biographische Spekulationen einlassen dürfen, sondern man wird die subjektiven Erfahrungen Goethes auf ihren allgemeinen geschichtlichen Gehalt untersuchen. Zu einer Rezension des *Tasso* in einer französischen Zeitung bemerkt Goethe:

»[Der Rezensent] hat den abwechselnden Gang meiner irdischen Laufbahn und meiner Seelenzustände im tiefsten studiert und sogar die Fähigkeit gehabt, das zu sehen, was ich nicht ausgesprochen und was sozusagen nur zwischen den Zeilen zu lesen war. Wie richtig hat er bemerkt, daß ich in den ersten zehn Jahren meines weimarischen Dienst- und Hoflebens so gut wie gar nichts gemacht, daß die Verzweiflung mich nach Italien getrieben und daß ich dort, mit neuer Lust zum Schaffen, die Geschichte des ›Tasso‹ ergriffen, um mich in Behandlung dieses angemessenen Stoffes von demjenigen freizumachen, was mir noch aus meinen weimarischen Eindrücken und Erinnerungen Schmerzliches und Lästiges anklebte. Sehr treffend nennt er daher auch den ›Tasso‹ einen gesteigerten ›Werther‹.«[38]

Goethe selbst weist hier Deutungsversuche zurück, die in dem Stück die Vergegenwärtigung einer vergangenen Lebenswelt sehen wollen. Er will den *Tasso* nicht als historische Tragödie, sondern als Verarbeitung gegenwärtiger, subjektiver Erfahrung verstanden wissen. Man wird daher bei der Interpretation des Stücks zwischen der *Darstellungs-* (die historische Figur Tasso) und der *Bedeutungsebene* (die Situation des modernen Schriftstellers) zu unterscheiden haben. Im Stoff vergangner Geschichte reflektiert Goethe eigene Erfahrungen, wobei gerade die durch die Trennung von Darstellungs- und Bedeutungsebene erzeugte Distanz es ihm ermöglicht, die subjektive Erfahrung als objektive aus sich herauszustellen: Es geht um die Selbstwertkrise des bürgerlichen Schriftstellers in der Situation des höfischen Mäzenats.

Nicht allein das Mäzenat als *materielle Bedingung künstlerischer Produktion* ist für den bürgerlichen Schriftsteller Goethe problematisch geworden, sondern ebenso die *Gehalte* einer im Mäzenat gründenden Kunst. Die bürgerlichen Schriftsteller der Aufklärung polemisierten gegen die Formen feudaler Herrschaft und machten die Literatur zum Instrument bürgerlichen Selbstverständnisses. Goethes Interesse richtet sich weniger auf die gesellschaftliche Wirkung der Kunst als auf die individuellen Entfaltungs- und Wirkungsmöglichkeiten des künstlerischen Subjekts. Im *Tasso* reflektiert er über den Zusammenhang der materiellen Bedingungen der künstlerischen Produktion mit den Gehalten der Einzelwerke. Und er läßt die problematische Subjektivität des bürgerlichen Autors an diesen Bedingungen scheitern. Das Scheitern Tassos ist zu verstehen als Ausdruck einer Phase der Entwicklung der Kunst, von der aus die höfische Institution Kunst in ihrer historischen Problematik erkennbar geworden ist.

In einer Epoche, wo das Mäzenat die einzige und nicht in Frage zu stellende Basis künstlerischer Aktivität war, wo der Künstler innerhalb eines geschlossenen sozialen Systems produzierte, konnte er die Legitimation und den Gehalt seiner Werke, die den Normenvorstellungen dieses Systems entsprachen, auf die Übereinstimmung mit den Erwartungen der Trägerschicht gründen.[39] Auf dieser unmittelbaren Übereinstimmung zwischen den Gehalten und Formen der Werke einerseits und den Werten der Gesellschaft andererseits beruht das unproblematische Selbstverständnis des Künstlers in der höfischen Gesellschaft. Tasso nun verkörpert bereits die problematische Subjektivität des modernen, bürgerlichen Künstlers, sucht sich aber dennoch – entgegen der historischen Entwicklung – innerhalb eines geschlossenen traditionalen Systems zu verwirklichen. Der Widerspruch, von dem das Stück geprägt ist, zeigt sich auch in der Tatsache, daß Tasso nicht wie der konsequent bürgerliche Schriftsteller das ästhetische Beurteilungsvermögen als allgemein menschliches und je individuelles faßt und den Wert seiner Werke aus dem Selbstbewußtsein seiner genialen Produktivität zieht, sondern sich dem Urteilsspruch des Mäzens unterwirft: »Hier spricht Erfahrung, Wissenschaft, Geschmack; / Ja, Welt und Nachwelt seh' ich vor mir stehn. / Die Menge macht den Künstler irr' und scheu: / Nur wer euch ähnlich ist, versteht und fühlt, / Nur der allein soll richten und belohnen« (*Tasso*, I, 3; V. 452 ff.).

Im Stück selbst kommt das Problem der Rezeption zur Verhandlung, dem Goethe in dem oben zitierten Gespräch mit Eckermann nachdenkt: die in der Form des Werks selbst angelegte Beschränkung des Rezipientenkreises auf eine kleine Elite von Kennern. Allerdings wird man berücksichtigen, daß Goethe das Urteilsvermögen der höfischen Gesellschaft – diese stellt hier den Zirkel der Kenner dar – nicht als eine Qualität versteht, die mit deren sozialem Rang unmittelbar gegeben ist, sondern als erworbene, als Resultat menschlicher Vollendung.

Die Wahl des Helden macht es Goethe – zumindest auf der Ebene der Darstellung – leicht, die in seiner Gegenwart bereits möglichen Formen einer bürgerlichen Existenz des Schriftstellers auszusparen. Der Anachronismus der Figur Tassos ist jedoch zugleich eine Vorwegnahme der Außenseiterposition des Künstlers, die im Verlauf des 19. Jahrhunderts immer radikalere Formen annimmt. Der Konflikt, in dem Tasso sich befindet, kann seine Lösung nicht finden in der Großzügigkeit und im verständnisvollen Wohlwollen des Hofes – im Gegenteil, Tragik entsteht gerade dadurch, daß Goethe das Mäzenat als bürgerliches Individualverhältnis faßt und darstellt. Die humane Qualität des Verhältnisses macht erst fühlbar, wo der Ursprung des Konflikts liegt: »Darin nämlich, daß die Begründung der Darstellung, wenn sie einzig in der genialen Produktivität des Künstlers verankert wird, die Legitimation seiner Subjektivität als der formgebenden Kraft einer nicht mehr darstellbaren, weil nicht mehr objektiv sanktionierten vorbildlichen Realität, nur außerhalb der Erwartungen der vorhandenen Gesellschaft zu realisieren ist.«[40] Der bürgerliche Künstler entspricht den Normvorstellungen der höfischen Gesellschaft nicht mehr.

Daher bringt auch das Werk Werte zur Darstellung, die außerhalb der Erwartungen einer höfischen Gesellschaft liegen. Das Werk sprengt den bisher als objektiv gültig gesetzten Rahmen höfischer Repräsentation. Auf diese Entwicklung vermag die höfische Gesellschaft nicht adäquat zu reagieren. Sie kann das Werk nur als Huldigung, nicht als Ausdruck der selbst wertbezogenen Subjektivität des Produzenten auffassen: »Es soll die Welt / Erstaunen, welch ein Werk vollendet worden. / Ich nehme meinen Teil des Ruhms davon« (*Tasso*, I, 2; V. 289ff.). Für den fürstlichen Mäzen besteht die Funktion des Kunstwerks darin, die eigene »Größe« zu verkünden. An dieser Stelle erweist sich die gehaltliche Produktivität des Ineinanderreflektierens von Darstellungs- und Bedeutungsebene: Das Einzelwerk, innerhalb einer höfischen Institution Kunst funktionierend, geht in dieser auf: Tassos Werke verherrlichen die »liedeswerte Tat« (*Tasso*, II, 1; V. 805), »die Kunst der Waffen«, »des Feldherrn Klugheit« und »der Ritter Mut« (ebd., I, 3; V. 433ff.), er produziert im Dienst des Mäzens, den seine Werke preisen, und er erfährt die eigene Produktivität als Wirkung des Fürsten. Dieser wiederum, der Mäzen, empfängt die Produkte als Bestandteile seines Eigentums (vgl. dazu *Tasso*, I, 3; V. 391ff.). Auf der Bedeutungsebene des Stücks dagegen ist der dramatische Diskurs bestimmt durch die Subjektivität des modernen Schriftstellers; dessen Leiden an der Gesellschaft sind der Gehalt des Werks (vgl. die berühmten Schlußverse des *Tasso*, V, 5; V. 3421ff.).

Wenn einerseits der von Goethe unternommene Versuch der Rettung aus der Selbstwertkrise des bürgerlichen Autors in der Situation des Mäzenats darin besteht, den Hof darzustellen im Modus der Intimität der bürgerlichen Familie, so ist andererseits das »Leid« des Künstlers nur möglich aufgrund eines bürgerlichen Begriffs vom Menschen. Die höfische Gesellschaft im Zeitalter des französischen Absolutismus gründet in der legitimen Ungleichheit des Menschen. Ein so differenziertes psychologisches Verhältnis wie das zwischen Tasso und seinem Mäzen ist in einer so verfaßten Gesellschaft nicht denkbar. Racine hört auf zu produzieren, als er von Ludwig XIV. eine Pension als Hofhistoriograph erhält! Der Widerspruch zwischen feudaler Partikularität und bürgerlicher Egalität wird in Goethes *Tasso* jedoch gar nicht angesprochen: Den Werthorizont des Stückes bildet der *honnêteté*-Begriff des 17. Jahrhunderts. Das im aristokratischen Salon der Marquise de Rambouillet entstandene Ideal ist nicht im engen Sinne ständisch; es ist prinzipiell jedermann zugänglich. »Und das Resultat war eben dieses: daß der Betreffende von jeder besonderen Qualität gereinigt wurde, nicht mehr Zugehöriger eines Standes, eines Berufes, eines Bekenntnisses war, sondern eben honnête homme. Freilich ist damit, gerade damit, das Kennen und Beachten der Abstände verbunden; zum honnête homme gehört notwendig auch das *se connaître*, es ist eine der wichtigsten Eigenschaften, die der Bürgerliche als honnête homme besitzen muß.«[41] Das meint jedoch, daß der Typus von *honnêteté*, der von dem Bürgerlichen verlangt wird, ein anderer ist als der, den durch das Privileg seiner Geburt der Adlige repräsentiert, und insofern handelt es sich letztlich doch um ein ständisches Ideal. In dem ersten großen Dialog zwischen Tasso und der Prinzessin geht es um die Verwirklichung dieses Ideals durch den bürgerlichen Schriftsteller, von dem als moralische Leistung erwartet wird, daß er seine eigenen »Grenzen« erkennt. Goethe nennt diese Fähigkeit »Schicklichkeit«, und, wie im absolutistischen Frankreich, erscheinen im *Tasso* vor allem die Frauen als Träger und Vermittler des Ideals der *honnêteté*. Das Ereignis nun, das zur Entfremdung zwischen Tasso und der höfischen Gesellschaft führt, besteht darin, daß der bürgerliche Schriftsteller die ihm gesetzten Grenzen überschreitet. Dies ist im Stück jedoch nicht als Akt der Befreiung, sondern als tragische Verfehlung gefaßt. Im Wahn nur enthüllt sich Tasso die Scheinhaftigkeit und Wesenlosigkeit der höfischen Gesellschaft (vgl. *Tasso*, V, 5; V. 3294 ff.). Zwischen Selbstwertkrise und Hypostasierung der eigenen schöpferischen Subjektivität schwankend, vermag Tasso weder, sich der Schicklichkeit als dem Gesetz der höfischen Gesellschaft zu fügen, noch, sein Selbstverständnis gerade aus der Opposition gegen die ihm von der Struktur des Mäzenats auferlegten Bindungen und Zwänge zu entwickeln. Auf Goethes *Tasso* trifft daher die Lukácssche Bestimmung der modernen Tragödie in exemplarisch reiner Form zu: die Einsamkeit. »Diese Einsamkeit ist nicht nur dramatisch, sondern auch psychologisch, denn sie ist nicht allein die Apriorität aller *dramatis personae*, sondern zugleich Erleben des zum Helden werdenden Menschen; und wenn die Psychologie im Drama nicht unverarbeiteter Rohstoff bleiben soll, so kann sie sich nur als Seelenlyrik äußern«[42]: So sind die berühmten Schlußverse Tassos zu verstehen: Das Scheitern des Künstlers in der gesellschaftlichen Wirklichkeit ist die Bedingung für seine Produktivität (vgl. *Tasso*, V, 5; V. 3426 ff.). Lukács erkennt in der Einsamkeit des Helden ein produktives Moment, das den Gehalt der modernen Tragödie bestimmt: »Diese Einsamkeit ist nicht nur der Rausch der vom Schicksal erfaßten, zum Gesang gewordenen Seele, sie ist zugleich die Qual der zum Alleinsein verdammten, sich nach Gemeinschaft verzehrenden Kreatur. Diese Einsamkeit entläßt aus sich neue tragische Probleme, das eigentliche Problem der neuen Tragödie: das Vertrauen.«[43] In der Tat kann man dies als Leitmotiv des *Tasso* verstehen. Dessen Weg geht von der Geborgenheit im »schönen Kreis geselligen Vertrauns« (*Tasso*, III, 4; V. 2109) in die bis an den Rand des Wahnsinns führende Krise des Vertrauens, wo Tasso das auf dem unproblematischen Wertekonsens beruhende partikulare Verhältnis zwischen Mäzen und Künstler als ein (allgemeines) Besitz- und Herrschaftsverhältnis erscheint (*Tasso*, V, 5; V. 3313 ff.).

Anmerkungen

Diese Skizze steht im Zusammenhang mit meiner Arbeit: Der Ursprung der bürgerlichen Institution Kunst im höfischen Weimar. Literatursoziologische Untersuchungen zum klassischen Goethe. Frankfurt a. M. 1977. Die Tasso-Interpretation ist identisch mit dem entsprechenden Kapitel der genannten Arbeit.

1 Die Ableitung der für meine Überlegungen zentralen Kategorie der Institution Kunst aus der Entwicklung der Kunst in der bürgerlichen Gesellschaft ist geleistet bei Peter Bürger: Theorie der Avantgarde. Frankfurt a. M. 1974, bes. Kap. I und II. Die Ergebnisse dieses Buches, in dem es um die Historizität ästhetischer Kategorien geht, werden im folgenden vorausgesetzt. Zur Diskussion des Autonomiebegriffs in der gegenwärtigen Forschung vgl. ebd., II, 1 und 2. Vgl. außerdem folgende seither erschienene Arbeiten: Hans Freier: Ästhetik und Autonomie. Ein Beitrag zur idealistischen Entfremdungskritik. In: Deutsches Bürgertum und literarische Intelligenz 1750–1800. Hrsg. von Bernd Lutz. Stuttgart 1974; Zur Autonomie der Literatur. In: Historizität in Sprach- und Literaturwissenschaft. Vorträge und Berichte der Stuttgarter Germanistentagung 1972. Hrsg. von Walter Müller-Seidel. München 1974 (mit Beiträgen von Rolf

Grimminger, Bernd Jürgen Warneken und Kurt Wölfel); Jochen Schulte-Sasse: Autonomie als Wert. Zur historischen und rezeptionsästhetischen Kritik eines ideologisierten Begriffes. In: Literatur und Leser. Theorien und Modelle zur Rezeption literarischer Werke. Hrsg. von Gunter Grimm. Stuttgart 1975. S. 101–118.

2 Vgl. dazu Peter Bürger: Institution Kunst als literatursoziologische Kategorie. Skizze einer Theorie des historischen Wandels der gesellschaftlichen Funktion der Literatur. In: Romanistische Zeitschrift für Literaturgeschichte / Cahiers d'Histoire des Littératures Romanes 1 [1977].

3 Vgl. zu dem Begriff der Selbstkritik: Bürger (Anm. 1). S. 26ff.

4 Zum Begriff des Materials vgl. Theodor W. Adorno: Einleitung in die Musiksoziologie. Reinbek bei Hamburg ²1968, vor allem das Kap. Vermittlung. Neuerdings zugänglich in dem Reader: Literatur- und Kunstsoziologie. Hrsg. von Peter Bürger. Köln 1977; Theodor W. Adorno und Hanns Eisler: Komposition für den Film. München 1969. Passim.

5 Vgl. zur ästhetischen Theorie von Karl Philipp Moritz: Wolf Kaiser, Gert Mattenklott: Ästhetik als Geschichtsphilosophie. Die Theorie der Kunstautonomie in den Schriften Karl Philipp Moritzens. In: Westberliner Projekt: Grundkurs 18. Jahrhundert. Die Funktion der Literatur bei der Formierung der bürgerlichen Klasse Deutschlands im 18. Jahrhundert. Hrsg. von Gert Mattenklott und Klaus R. Scherpe. Kronberg (Taunus) 1974. S. 243–271.

6 Dies versuche ich in meiner Studie: Der Ursprung der bürgerlichen Institution Kunst im höfischen Weimar.

7 Vgl. auch hierzu die entsprechenden Kapitel in der eben erwähnten Arbeit.

8 Hans Mayer: Goethe. Ein Versuch über den Erfolg. Frankfurt a. M. ²1974. S. 16.

9 Vgl. dazu die Darstellung von Walter H. Bruford: Kultur und Gesellschaft im klassischen Weimar 1775–1806. Göttingen 1966. S. 57ff.

10 Daß die Organisation des Verlagswesens es den deutschen Schriftstellern nicht erlaubte, ein materiell unabhängiges Leben zu führen, zeigt Walter H. Bruford: Die gesellschaftlichen Grundlagen der Goethezeit. Weimar 1936. Bes. S. 275ff. In England dagegen, wo auf Betreiben der Buchhändler bereits am Anfang des 18. Jahrhunderts ein Urheberrecht erlassen wird und wo es ein größeres Lesepublikum gibt, ist die Entwicklung des Berufsschriftstellertums weiter fortgeschritten (ebd.). Zum Berufsschriftstellertum in Deutschland vgl. auch Hans Jürgen Haferkorn: Zur Entstehung der bürgerlich-literarischen Intelligenz und des Schriftstellers in Deutschland zwischen 1750 und 1800. In: Deutsches Bürgertum und literarische Intelligenz 1750–1800. Hrsg. von Bernd Lutz. Stuttgart 1974. Bes. S. 225ff.

11 Für Goethe selbst gilt nicht, was er in »Dichtung und Wahrheit« (in: Goethes Werke. Hamburger Ausgabe. Hamburg ³1959. Bd. 9. S. 397 [2. Teil, 10. Buch, Anfang]) über die elende materielle Situation der deutschen Schriftsteller sagt.

12 Johann Joachim Winckelmann: Kunsttheoretische Schriften V. Geschichte der Kunst des Altertums. 1. und 2. Teil. Faksimileneudruck der 1. Aufl. (Dresden 1764). Baden-Baden, Straßburg 1966. S. 135.

13 Ebd., S. 137. – Zur Demokratisierung der Geschmacksdiskussion in Frankreich im 18. Jh. vgl. Peter Bürger: Studien zur französischen Frühaufklärung. Frankfurt a. M. 1972. S. 44–68.

14 Eine politische Deutung erfährt die Antikerezeption des 18. Jh.s neuerdings durch Heinz Schlaffer: »In der geschichtlichen Distanz zwischen dem Vorbild [der Antike] und der Gegenwart ist eine Radikalität enthalten, mit der alles, was dazwischen liegt, beseitigt werden soll – einen aufklärerischen, revolutionären Gestus verrät also bereits die Denkform, die längst Vergangenes im 18. Jahrhundert vergegenwärtigt« (Der Bürger als Held. Sozialgeschichtliche Auflösungen literarischer Widersprüche. Frankfurt a. M. 1973. S. 130).

15 Martin Fontius: Winckelmann und die französische Aufklärung. Berlin [DDR] 1968. S. 14.

16 Ebd.

17 Johann Gottfried Herder: Ursachen des gesunknen Geschmacks bei den verschiednen Völkern, da er geblühet. In: J. G. H., Sämtliche Werke. Bd. 5. Hrsg. von Bernhard Suphan. Berlin 1871. S. 618.

18 Ebd., S. 615. Ähnlich argumentiert Wieland: »Bei den Griechen wurden alle vier Jahre an den Olympischen Spielen poetische Wettstreite gehalten, bei denen die feierliche Versammlung von allem, was das ganze Griechenland Edles und Ruhmvolles hatte, die Zuhörer und Richter waren, und das allgemeine Zujauchzen eines ganzen geistreichen Volkes war der Beifall, der den Sieger krönte« (Allgemeiner Vorbericht des Verfassers zu den »Poetischen Schriften« [1762]. In: Wieland, Werke. Hrsg. von Hans Böhm. 4 Bde. Berlin, Weimar 1969. Bd. 4. S. 108).

19 Vgl. Herder (Anm. 17). S. 620.

20 Ebd., S. 616.

21 Ebd., S. 619.

22 Vgl. dazu Haferkorn (Anm. 10). S. 206 f.

23 Peter Rühmkorf: Walter von der Vogelweide, Klopstock und ich. Reinbek bei Hamburg 1975. S. 94 und 91.

24 »Klein ist unter den Fürsten Germaniens [...]«. In: Goethes Werke. Hamburger Ausgabe. Bd. 1. S. 178 f.

25 Vgl. dazu Haferkorn (Anm. 10). S. 128.

26 Zitiert nach August Diezmann: Weimar-Album. Blätter der Erinnerung an Carl August und seinen Musenhof. Leipzig 1860. S. 77 f.

27 Schiller an den Prinzen von Augustenburg, 9. 2. 1793. In: F. S., Über die ästhetische Erziehung des Menschen in einer Reihe von Briefen. Hrsg. von Wolfhart Henckmann. München 1967.

28 Schiller an den Prinzen von Augustenburg, 19. 12. 1791. In: F. S., Ausgewählte Briefe. Hrsg. von Eugen Kühnemann. 2 Bde. Hamburg, Großborstel 1905. Bd. 2. S. 43.

29 Schiller an Christian Gottfried Körner, 20. 6. 1793. In: Friedrich Schiller. Hrsg. von Bodo Lecke. München 1969. Bd. 3/I. S. 555.

30 Schiller an den Prinzen von Augustenburg, 13. 7. 1793. In: F. S., Über die ästhetische Erziehung des Menschen... (Anm. 27). S. 16.

31 Vgl. Schillers Brief an Jens Baggesen, 16. 12. 1791. In: F. S., Ausgewählte Briefe (Anm. 28). Bd. 2. S. 38.

32 Vgl. dazu die Abschnitte über Festveranstaltungen des Weimarer Hofes in meiner Arbeit über den Ursprung der bürgerlichen Institution Kunst im höfischen Weimar.

33 Johann Peter Eckermann: Gespräche mit Goethe in den letzten Jahren seines Lebens. Zürich 1948. S. 571 f. (Johann Wolfgang Goethe: Gedenkausgabe der Werke, Briefe und Gespräche. Hrsg. von Ernst Beutler. Bd. 24. Gespräch v. 27. 3. 1825.)

34 Ebd., S. 134.

35 Ebd., S. 294.

36 Vgl. dazu Caroline Herder an Herder, März 1789. Zitiert nach den Anmerkungen des Hrsg.s zu »Tasso«, in: Goethes Werke. Hamburger Ausgabe. Bd. 5. Hrsg. von Josef Kunz. S. 442.

37 Ebd.

38 Eckermann (Anm. 33). S. 627 (Gespräch vom 3. 5. 1827). Auf das autobiographische Moment des »Tasso« hat Goethe häufig hingewiesen, vgl. z. B. seinen Brief an Karl August vom 11. 8. 1787, wo er von »einer Rekapitulation meines Lebens« spricht (in: Goethes Briefe. Hamburger Ausgabe. Hamburg 1962. Bd. 2. S. 63), oder das Gespräch mit Eckermann vom 6. 5. 1827 (S. 635).

39 Vgl. dazu Thomas Neumann: Der Künstler in der bürgerlichen Gesellschaft. Stuttgart 1968. S. 4.

40 Ebd., S. 39.

41 Erich Auerbach: La Cour et la ville. In: E. A., Vier Untersuchungen zur Geschichte der französischen Bildung. Bern 1951. S. 38.

42 Georg Lukács: Die Theorie des Romans. Ein geschichtsphilosophischer Versuch über die Formen der großen Epik. Neuwied, Berlin ³1965. S. 41.

43 Ebd., S. 40.

NORBERT MECKLENBURG

Balladen der Klassik

> »Es muß runter.«
> Fontanes Vater über das Auswendiglernen Schillerscher Balladen[1]

> »– das sind Heldenballaden!«
> Herder über Goethes klassische Balladen von 1797[2]

I

Von klassischer Ballade zu reden mutet jene fast widersprüchlich an, welche die Widersprüche an dem zu verschweigen pflegen, was von ihnen deutsche Klassik genannt wird.[3] Goethe schrieb, Schiller folgend, in den Jahren seiner intensivsten Aneignung der Antike in literarischer Praxis und Kunsttheorie erneut Balladen, deren Gattungscharakter er doch zugleich als anti-antik, als ›nordisch‹ empfand. Dem ›Nordischen‹, das die erste Phase der Kunstballade von Bürger bis zum jungen Goethe geprägt hatte, ist als Gegensatz zum ›Antiken‹ freilich nicht, wie es die Romantiker wollten, unbesehen Modernität zu bescheinigen. Es ist, ganz wie der Klassizismus, dem es so wenig gemäß scheint, schon in sich selbst widersprüchlich. Das archaische Moment, das der Gattung Kunstballade von Anbeginn, mit ihrer literarischen Zeitgemäßheit eigentümlich identisch, anhaftete, blieb auch auf der neuen Stufe, die sie in dem Jahrzehnt um 1800 erreichte, bestehen. Goethe hielt am mythologischen Motiv, das er nun zu ›humanisieren‹ suchte, fest. Schiller vertrieb, die Gattung gegenüber Bürger philosophisch ›reinigend‹, aus ihr zugleich die zeitgenössischen Stoffe. Mit dem Zeitalter schritt die Ballade, darin ganz Ausdruck der ›deutschen Klassik‹, auch gegen das Zeitalter fort.

Einer der zentralen Widersprüche des Weimarer Klassizismus, die Diskrepanz zwischen seinem Literatur- und Bildungsprogramm und den Leseinteressen des zeitgenössischen Publikums, wird an der Balladenproduktion sichtbar, die gerade in dem Maße, wie sie von jenem Programm abwich, den Widerspruch zu versöhnen schien. Die breite Beliebtheit, deren sich die Balladen der Musenalmanache erfreuen sollten, gilt als Beweis dafür, daß Klassik und Volkstümlichkeit sich nicht ausschließen. Doch verdeckt die Festredenformel von der »klassischen Popularität« (Thomas Mann) das Problem, das dahintersteht. Schiller stürzte sich – so eine bissige Bemerkung von Caroline Schlegel – in die Popularität »wie sein Taucher in den Schlund der Charybdis«.[4] Der ›klassische‹ Weg zur Popularität, den seine Auseinandersetzung mit Bürgers Gedichten und dessen Programm einer rückhaltlos volksmäßigen Literatur markiert, geht, darin realistisch, von dem Abstand zwischen Bildungselite und Volksmassen aus. Ihn zu überbrücken und damit sowohl den Geschmack des ›Kenners‹ wie den des ›großen Haufens‹ zu befriedigen, bedarf es nach Schiller vor allem einer »Idealisierkunst«, die richtige Stoffwahl und höchste Simplizität der Darstellung vereint. Im Unterschied zum Alltagspoeten, der sich mit dem Volk gleich mache, habe der wahre Volksdichter zu den Massen bildend herniederzusteigen.[5] Dieses in die Abrechnung mit Bürger gekleidete Programm schien sich nun gerade in den Balladen Schillers durch gelungene praktische Umsetzung zu bestätigen. Schillers Ballade als Versuch, die junge, aber schon zur rührenden Romanze heruntergekommene Gattung veredelnd emporzuheben, wurde als wichtiger Schritt in Richtung auf Klarheit, Einfachheit, Popularität hingestellt, auf eine ›Klassik‹, die den Abstand zwischen Bildungs- und Massenpublikum durch den Rückgang aufs Allgemein-Menschliche überbrückt habe. Doch den Durchbruch zu breiter Popularität fand die klassische Ballade, die sich wenig in die sonstigen klassizistischen Bestrebungen schicken wollte, eigentlich erst in der Romantik, die als europäische Bewegung den deutschen Typ der Kunstballade ins Ausland, nach Frankreich, England, Italien, exportierte. Die Schillersche Ballade mußte ihre Beliebtheit sozusagen um den Preis erkaufen, daß sie auf dem Niveau der Uhlandschen rezipiert wurde. Zu fragen wäre weiter, warum das deutsche Bürgertum ausgerechnet auf eine Gattung ansprach, deren Autoren es geradezu ostentativ verschmähten, ihre Helden und Themen in der bürgerlichen Welt zu suchen; warum Gedichte, die auf einer Stoffwahl aus vorbürgerlichen, feudalen Traditionswelten, auf einem geistesaristokratischen Literaturprogramm und auf strengster Separation von der politisch-gesellschaftlichen Wirklichkeit beruhten, zu bürgerlichen Lieblingswerken werden konnten.

Ist zwar die Kunstballade durch die Elemente, aus denen sie sich zusammensetzt, von Anbeginn eine volkstümliche Gattung, so sind doch ihre verschiedenen Gestalten genau daraufhin zu befragen, welcher Art jeweils ihre Volkstümlichkeit ist. Die Bürgers, der soziale, die zeitgenössischen Unterklassen ansprechende Themen aufgreift, ist eine andere als die des jungen Goethe, der alte Volkslyrik sammelt. Die Haltung der ›Klassiker‹ gegenüber der vorgegebenen Volkstümlichkeit der Gattung, ihrer ›niederen‹ Herkunft, ist nicht ohne ein Moment gelegentlich sogar ironischer Distanz. Hier wird die Dialektik der Balladengeschichte greifbar, ihre widerspruchsvolle Bewegung von feudalem Ursprung, bürgerlicher Aneignung, neuer Aristokratisierung und plebejischer Umfunktionierung.[6] Die ›klassische‹ Ballade sucht eine ›Mitte‹ zu finden. Die irrational-archaische Tradition der Gattung negiert sie durch das Moment von Aufklärung, Mündigkeit, das ihrem Humanitätsideal zugehört, ebenso wie sie die sozialkritischen, parteiergreifenden Möglichkeiten des Genres von sich weist, die das Ideal allzusehr der ›prosaischen‹ Wirklichkeit angenähert hätten.

Die Wirklichkeit des Jahres 1797, das Schiller, der mit seinem Plan einer Don-Juan-Ballade den Anstoß gegeben hatte, dann zum »Balladenjahr« ernannt hat, blieb von den Werkstattgesprächen, welche die Balladenproduktion der Klassiker begleiteten, systematisch ausgeschlossen. Sie hatten nach dem Scheitern der demokratischen Bewegung in Deutschland der gewaltsam zum Verstummen gebrachten jakobinischen Literatur soeben hämische Xenien nachgeschickt und waren auf dem Wege, vor der Weltgeschichte bei klassizistischem Kunst- und neuhumanistischem Bildungsprogramm Zuflucht zu suchen. Ob solche Zeitflucht dennoch als ›höhere‹ Zeitangemessenheit, wie es zumeist geschieht, gewertet werden darf, kann nur eine genaue Analyse ihrer Produktion selbst, der Balladen, klären.

Was klassische Ballade genannt werden mag, gehört in einen äußerst schmalen Zeitraum, der noch die engste zeitliche Begrenzung des Weimarer Klassizismus weit unterbietet, es hat episodischen Charakter. Sieht man von August Wilhelm Schlegel ab, Bürgers Schüler, der in der idealisierenden und artifiziellen ›Veredlung‹ der Kunstballade Schiller um ein paar Jahre voraus war, so beschränkt sich das Phänomen der klassischen Ballade auf die Arbeiten Schillers und Goethes in den beiden Jahren 1797 und 1798 für die Musenalmanache und auf ein paar Nachzügler. Während bei Schiller, mit Ausnahme etwa des bänkelsängerisch moralisierenden Sturm-und-Drang-Produkts der *Kindsmörderin*, die Balladenproduktion ganz in die ›klassische‹ Phase fällt, bilden Goethes Balladen dieser Zeit nur eine, wenn auch deutlich abgehobene Gruppe innerhalb eines lebenslangen und vielfältigen Balladenschaffens.

Die gleichzeitige und gemeinsam diskutierte Balladenarbeit Goethes und Schillers 1797/98 steht in engem Kontext der literarischen Praxis und Theorie, wie sie der Briefwechsel dokumentiert. Die Probleme der Distanzierung von Politik und Publikum, der Stoffsuche und -beurteilung, der literarischen Technik, des Verhältnisses von Epik und Dramatik stehen im Vordergrund, im Hintergrund die der großen dramatischen Projekte *Wallenstein* und *Faust*. Von ihnen allen führen zur Balladenarbeit Verbindungslinien. Beide Autoren nahmen die Balladen zum gemeinsamen literarischen Experimentierfeld, und es dürfte dieses technologische Interesse daran sein, wie man eine gute Ballade »organisirt«,[7] das die Fortschritte des klassischen Balladentyps gegenüber früheren vor allem ermöglicht hat. Einige der klassischen Balladen können als Höhepunkte metrisch gebundener Erzählkunst gelten. Eine kunstvolle Bauform, die bei großer Konzentration retardierenden, beschreibenden, berichtenden Momenten Raum gibt; Rahmungstechniken, die es durch Rollenerzähler ermöglichen, Erzählkunst als solche auszustellen; Einsatz gestischer und symbolischer Mittel; spielerische oder expressive Laut- und Klangvirtuosität; die Gestaltung von der als ›balladisch‹ intendierten Vortragsart her – solche für die Gattung teils neuen, teils ihr vorher schon eigenes stilistisches Potential herausarbeitenden Techniken haben zu den Erfolgen des klassischen Balladenexperiments beigetragen.

An konkreter und elementarer technologischer Kritik ihrer Texte, nicht an allgemeiner Balladentheorie und -typologie zeigen sich beide Autoren interessiert. Goethes eher beiläufige Charakterisierung der Ballade als ›nordisch‹ kennzeichnet angemessen eine für ihn eigentlich vergangene Phase der Gattungsgeschichte, jedoch weniger seine neue Produktion und schon gar nicht diejenige Schillers. Das Nordische, Gegenbegriff zum klassizistisch gesehenen Antiken, war für Goethe kein abstraktes gattungstypologisches Merkmal, sondern stand in einem geschichtsphilosophischen Horizont. Es bezeichnete im Unterschied nicht nur zur antik-klassischen, sondern auch zur christlich-mittelalterlichen die volksmäßig-germanische Herkunftswelt. Die klassische Ballade aber ist gegenüber ihrer Vorstufe, die man am ehesten nordisch nennen mag, darin fortgeschritten, daß sie zu allen drei Welten – und weiteren wie der orientalischen – als ihren Stoffquellen Kontakt und zugleich eine ›aufgeklärte‹ Distanz hält. Diese Distanz wird in Goethes Umfunktionierungen des nicht mehr ›naturmagisch‹, sondern kritisch gefaßten ›nordischen‹ Gespenstermotivs ebenso sichtbar wie in Schillers stofflicher und struktureller Aneignung des in die christlich-mittelalterliche Welt verweisenden Legendenhaften. Dieses gehört nicht anders als das Nordische zu jenen Traditionsmomenten, von denen sich die klassische Ballade, sie aufgreifend, zugleich emanzipiert. Der neue Typ der Schillerschen Ballade ist nicht die Legendenballade,[8] sondern die dramatische Kurzgeschichte.[9]

II

Der Schillersche Balladentyp zielt auf ›Veredlung‹ des der Gattung anhaftenden Populären in dramatisch gedrängter und durchsichtiger Erzählung. An die Stelle des Allegorischen, das noch im lyrischen Vorfeld von Schillers Ballade herrscht, tritt das Parabolische, die Versinnlichung des Ideals in dargestellter Handlung. Schiller gelang mit den Balladen der Erfolg beim Publikum, um den er mit seiner Lyrik bisher vergeblich gekämpft hatte. Auch innerhalb seiner literarischen Entwicklung bedeuten sie einen Fortschritt. Sie führen jenen in der Lyrik schon vorbereiteten Weg ›von der Metaphysik zur Poesie‹ fort, indem sie Schillers Selbstanspruch, das Ideal zu versinnlichen, das Allgemeine zu einem besonderen Fall zu verdichten, weitgehend realisieren. Das Besondere als Geschehen, Entscheidungssituation, Handlung fassend, stellen sie sich ihrerseits ins Vorfeld von Schillers großem dramatischen Projekt *Wallenstein*. So wurden die Balladen für den Dramatiker Schiller *die* lyrische Ausdrucksform.[10]

Zu fragen ist freilich, *was* in ihnen jeweils ausgedrückt ist. Nach Schillers programmatischer Abwendung von der gesellschaftlichen Wirklichkeit, die zugleich den Anspruch enthielt, das Humanitätsideal gegen diese festzuhalten, wurde für ihn das Stoffproblem, das auch auf der von ihm selbst beklagten Armut seiner Anschauungen und Erfahrungen beruhte, desto brennender. Seine hektische Suche nach poetischen Stoffen wird im Briefwechsel mit Goethe deutlich, der, überreich an teilweise weit zurückliegenden Plänen, ihm den Stoff für eine seiner besten Balladen, *Die Kraniche des Ibykus*, wie später für den *Tell* abgetreten und auch weiteres Material übermittelt hat. So nötig er ihn brauchte, so sehr war der Stoff dann für Schiller sekundär, er hatte sich zu unterwerfen[11] unter die Herrschaft der Idee. Der üblicherweise auf Schillers Werk bezogene Ausdruck ›Ideenballade‹ suggeriert freilich ein Verfahren, das Ideen, gewisse idealistische Vorstellungen also, in beliebige Stoffe projiziert. Schillers balladische Bearbeitung antiker und mittelalterlicher Stoffe aber ist an ihren gehaltvollsten Stellen von solcher Praxis ebensoweit entfernt wie von jener, die in seiner Nachfolge die historische Ballade hat wuchern lassen. Seine Ballade zwingt ihre Stoffe weder restlos unters abstrakte ›Allgemein-Menschliche‹, noch kleidet sie aktuelle zeitkritische Themen in historisches Gewand. Sie stellt ihre Gegenstände vielmehr in spannungsvoller Synthese von Idealisierung und Historisierung vor einen geschichtsphilosophischen Horizont, von dem her sich ein Teil ihrer Bedeutung allererst erschließt.[12]

So leben die *Kraniche* und der *Gang nach dem Eisenhammer*, die antike und die mittelalterliche Mordgeschichte, auch aus diesem Hintergrund. Jene erfüllt sich nicht in der ›Versinnlichung‹ der ›Idee‹ des Schicksals, diese nicht in der von Vorsehung, beide ›Ideen‹ werden vielmehr distanziert als historisch bedingte Denksysteme, d. h. als objektive Bestandteile der dargestellten Geschichtswelten gezeigt. In die Kranich-Ballade geht als historisch gegebene Bedingung ihres Geschehens und zugleich als *auf*gegebenes Ideal das Prinzip der Öffentlichkeit und Wechselwirkung von

Rechts- und Kunstpraxis ein. In die Eisenhammer-Ballade geht in gleicher Weise das ihm in geschichtsphilosophischer Dialektik entgegengesetzte Prinzip moralischer Innerlichkeit ein, das in dem nachtwandlerischen Pflichtbewußtsein des ›frommen Knechtes‹ dargestellt ist. Jedoch daß die kindlich reine Seele, das Ideal der christlichen Welt, auch schon im Eumenidenchor beschworen wird, zeigt die Grenze der Historisierung bei Schiller. Sie wird immer wieder von Idealisierung durchkreuzt. So stellt Schiller im *Kampf mit dem Drachen* eine sittliche Größe heraus, die sich abstrakt-unhistorisch über die konkrete historische Gestalt der Organisation erhebt, an der sie exemplifiziert wird.[13] Im Versuch, sich aufgeklärt über die historischen Epochen zu stellen oder sie in eine humanistisch-utopische Perspektive einrücken zu lassen, verrät sich zugleich die Fesselung an die Widersprüche der eigenen, von denen auch etwa Schillers Ideen des Naiven und der Größe bestimmt sind.

Die ›Ideen‹, die in Schillers Balladen eingehen, haben ihren Fluchtpunkt in der nicht zu leugnenden idealistischen Position ihres Autors. Wo diese zur heroischen Weltanschauung verklärt wird, die in ›Weltanschauungsballaden‹ Gestalt gefunden hat, bleibt unsichtbar, worin sie dem Zeitgeist Tribut zollt. Angeblich bringt Schillers Ballade, wie schon ihr freilich ziemlich borniert Vorläufer, die Ritterballade Stolbergs, »ethische Werte« zum Vorschein.[14] Wenn aber deren Inhalte der dargestellten beschränkten mittelalterlichen Welt zugehören sollen, so reduziert sich, was an ihnen als verbindlich gelten könnte, auf abstrakte ›Haltungen‹. Da sitzt denn jener unsägliche Ritter Toggenburg, eine Leiche, eines Morgens da als »Gleichnis einer Haltung«,[15] deren angeblich heroische Größe vielleicht in der Schillerschen Idee des Erhabenen, nicht aber an der stilistischen Formung, dem rührenden *Siegwart*-Ton der Ballade, einen Halt hat. Und jener Handschuhwerfer Delorges, so herausfordernd ›emanzipiert‹ und also unstatthaft seine Geste noch am ›aufgeklärten‹ Weimarer Hof wirkte,[16] gewinnt kaum etwas hinzu, indem er dafür nachträglich vom Ritter zum »Helden« befördert wird.[17] Wenn Goethe den Gang hinab unter die »greulichen Katzen« dem Autor gegenüber im Fichte-Jargon, also päpstlicher als der Papst, als »die ganz *reine Tat*« lobte,[18] so blieb dabei an ihr das Moment des Sinnlosen, des leeren Idealismus der Aktion um ihrer selbst willen, das den Text heute der Lächerlichkeit aussetzt, unbenannt.

Das ideelle Räderwerk, das die Handlungen der Schillerschen Balladen in Gang bringt, ist zuweilen ebenso abstrakt idealistisch, wie jene selbst sinnlich-sensationell wirken. Im Taucher, der mit den Greueln der Tiefe kämpft, liegen zugleich Vernunft und Trieb im Kampf, im Drachenkämpfer Gesetz und Freiheit. In der sittlichen Dialektik von Schillers Balladen, dem geheimen Platonismus seiner Bilddynamik, deren Lieblingsfeld die Spannung von Höhe und Tiefe darstellt,[19] verrät sich etwas von den christlich-spiritualistischen Wurzeln der Ethik Schillers. Und abstraktes Menschlichkeitspathos dröhnt in den effektvoll inszenierten Konfrontationen der Balladenhelden mit Untermenschlichem, Drachen, Meeresungeheuern, Zirkusbestien, am penetrantesten vielleicht gerade da, wo beinahe etwas von kritischer Einsicht in Bedingungen von Inhumanität aufblitzt: »Entmenscht« werden die beiden Knechte, die das genau beschriebene technische Ungetüm des Eisenhammers bedienen, nicht aufgrund ihrer Arbeitsbedingungen genannt, sondern in moralischer Verdammung ihrer Mordbereitschaft, die sie ihrem Dienstherrn doch schuldig sind.

Die Balladen aus der antiken Welt hat man sich gewöhnt, in bequemer Anlehnung an die in ihnen selbst bereitgestellten Stichworte als ›Schicksalsballaden‹ zu deuten. Schillers Intention sei es gewesen zu zeigen, daß der Mensch das Schicksal, dem er physisch unterliegt, geistig, innerlich zu überwinden vermöge. Oder, primitiver und gefährlich irrational im Stil des präfaschistischen ›germanischen Schicksalsglaubens‹: Moral, kindlich reine Seele und dergleichen stünden für Schiller tiefer als groß handeln und Unmögliches begehren: »Schicksal-haben ist alles«.[20] Der Schicksalsbegriff bei Schiller hat nichts von solcher aufgeblasenen heroisch-fatalistischen Programmatik. Er ist, nicht dogmatisch, vielmehr durchaus uneinheitlich gefaßt, in erster Linie wohl Indiz unausgetragener Probleme und Widersprüche im Kern von Schillers idealistischem Weltbild, weniger Mystifikation, eher Grenzbegriff für menschlicher Freiheit entzogene Kontingenzen des geschichtlichen Lebens. In den Antike-Balladen gehört die Schicksalsvorstellung zunächst als Moment der Gegenständlichkeit der dargestellten Welt, ihrer Ideologie an. Nicht der Erzähler, sondern die Gäste in Korinth huldigen der »furchtbarn Macht«, die »des Schicksals dunkeln Knäuel flicht«. Deutende Verallgemeinerungen dieses Sachverhalts bleiben prekär, solange noch die Rede vom Schicksal, wie die vom ›Maßhalten‹ und von den ›Grenzen der Menschheit‹,[21] an sich ein Oberklassenluxus, ideologisch, als Denkverbot mißbraucht werden kann. An den Balladentexten zu prüfen wäre, wieweit diese selbst Momente enthalten, die sich, vielleicht der Intention des Autors zum Trotz, solchem Mißbrauch fügen. Wie dem auch sei, Schillers Balladen proklamieren nicht das »Schicksal-haben«, wohl aber negieren sie, was im bürgerlichen Wertsystem des 18. Jahrhunderts als höchstes Gut galt, das irdische Glück. Wenn es in neuidealistischem Militärjargon heißt, ihre Helden folgten »ranghöheren Werten«,[22] die dann aber doch wieder nur auf das Heldsein an sich hinauslaufen, so mag noch in solcher ideologischen Verzerrung ein wunder Punkt an den Schillerschen Texten selbst fühlbar werden. Den von ihnen ausgestellten erhabenen, über bürgerliches Mittelmaß hinausschießenden Aktionen wohnt der Hang inne, als »reine Tat« ins Leere zu verpuffen. Vielleicht fanden sie, als Alibi, auch darum gerade beim Bürgertum so ungeheuren Anklang, dessen »Philisterschwärmerei für unrealisierbare Ideale« Engels polemisch auf Schiller selbst zurückführte.[23] So konnten Texte, deren idealistisches Aktionsethos den Utilitarismus bürgerlicher Moral radikal negiert, in der Rezeption zu Tugendmustern bürgerlichen Wohlverhaltens werden.

Zum Pathos der reinen Tat paßt eine Rhetorik, die nicht selten das knappe Kostüm der dramatischen Kurzgeschichte, die von jener Bericht erstattet, stilistisch ausbuchtet oder durchbricht. Im Ausruf des Tauchers »Unter Larven die einzige fühlende Brust«, der wie ein sozialkritischer Sturm-und-Drang-Ausruf klingt, kulminiert nur ein den ganzen Rapport durchziehender rhetorisch-pathetischer Überschuß, der von der kruden Realität der Meeresfauna nicht gedeckt scheint und darum zu allegorisierenden Ausdeutungen verführt wie der, im Getier unten spiegelten sich die gefühllosen ›Larven‹ der höfisch-feudalen »Schmarotzerschar« oben wider.[24] Rhetorik hebt den ideellen Vorgang, den sie in den realen hineinzwingen möchte, von diesem zugleich ab. Schwer fällt, im grausligen Eumenidenchor, dem einschüchternden Pathos seiner Verkündigungen, den Kriminalfall mit dem idealistischen Programm ästhetischer Erziehung durchs Theater wirklich verschmolzen zu sehen. Schwerer fällt, die gleichfalls idealistische Selbstrühmung der Kunst, deren Unverfügbarkeit in Analogie zum Heiligen Geist gebracht wird (man weiß nicht,»von wannen er kommt und wohin er geht«), auf ihren vergleichsweise bescheidenen Gegenstand, besser: Anlaß, jenes ›gute Werk‹ des Grafen von Habsburg, zurückzubeziehen.

Angesichts solcher Ideenmontagen bedarf es, um die Balladen dafür tragfähig zu machen, eines erheblichen Aufwands an epischen Techniken. Über sie verfügt Schiller allerdings glänzend. Dazu gehören die Techniken der Verknüpfung verschiedener Geschehensebenen, die prunkvolle Rahmenbildung um die Graf-Habsburg-Legende, die spannungerzeugende Parallelführung von erzähltem und verschwiegenem Geschehen in der *Bürgschaft*, ansatzweise auch im *Taucher*, die Einlegung von ausgedehnten Berichten handelnder Figuren: im *Taucher*, im *Kampf mit dem Drachen*. Schillers wirkungsästhetische Kalkulation scheut nicht vor primitiven, aber bewährten Mitteln zurück. Da sind die der Volksliteratur, dem Märchen abgesehenen Verdreifachungen von Motiven, etwa im *Ring des Polykrates* oder in der *Bürgschaft*. Deren Hinderniskombination von Regenunwetter und Sonnenglut mit der Räuberrotte dazwischen, von der sich Schiller auch durch Goethes realistisch-nüchternes Bedenken nicht abbringen ließ, sie möchte »physiologisch nicht ganz zu passieren« sein,[25] steigert das Geschehen bewußt übers bloß Märchenhaft-Wunderbare hinaus: Die Realität dieses ›sittlichen Marathonlaufs‹[26] hat die Logik des Alptraums. Wie derart das Prinzip der Dreizahl in Schillers Balladen volksmäßige Literatur zugleich nachahmt und übersteigt, so entlehnt Schiller das der wörtlichen Wiederholung von Versen und Versgruppen dem klassischen Epos und dramatisiert es zugleich. Verswiederholung umrahmt, gleichsam eine metrisierte Bühnenanweisung, den Auftritt des Eumenidenchors, ebenso wie sie, als Naturbeschreibung, die Unterbrechung der Handlung, die zeitliche Spanne zwischen dem Entschluß des Tauchers und seiner Rückkehr markiert. Auf dramatisierende Unmittelbarkeit zielt auch die Ökonomie der Balladeneinsätze. »Was rennt das Volk [...]« – der Gestus dieser typisch ›balladischen‹, vielfach nachgeahmten, Aufmerksamkeit für ein »Abenteuer« weckenden Frage entspringt einem Reporter-Ich, das noch Züge des Bänkelsängers hat *(Der Kampf mit dem Drachen)*. Am Einsatz des *Tauchers*, mehr noch dem des *Ring des Polykrates* sind solche Züge getilgt. Die wörtliche Figurenrede »Wer wagt es, Rittersmann oder Knapp« und das unerläuterte »Er« in »Er stand auf seines Daches Zinnen«, die unmittelbar die Handlung eröffnen, kennzeichnen Schillers reife Balladentechnik als die von dramatischen Kurzgeschichten. Ihr steht raffender Lakonismus – die Eingangsstrophe der *Bürgschaft* – ebenso zu Gebot wie ausschmückende Periphrastik – die Eingangsstrophe des *Graf von Habsburg*. Die jeweilige Wirkungsintention steuert das Umschalten von der Beschleunigung zur Retardation, deren auffällig glänzendes Mittel in Schillers Balladen die eingelegten Beschreibungen sind. Der Katalog der Meerestiere im schaudernd zurückblickenden Bericht des Tauchers soll zugleich vorbereitend die Kühnheit des zweiten Sprungs sinnlich erfahrbar machen. Im Bericht des Drachentöters tritt, übrigens in allzu ängstlicher Befolgung der Gebote von Lessings *Laokoon*, für die Beschreibung des wirklichen die des Übungsdrachens ein, damit der Kampfreport selbst dann desto rasanter ausfallen kann. Die Beschreibungen, in denen sich die Rhetorik von Schillers Balladen am effektvollsten ausbreitet, sind indessen nicht nur unter wirkungspsychologischem Gesichtspunkt zu sehen. Als erzähltechnische Umschlagplätze von ›Ideen‹ verknüpfen sie das Balladengeschehen mit seinem geschichtsphilosophischen Hintergrund. So soll die Beschreibung des Eumenidenchors der Versinnlichung der antiken Schicksalsideologie ebenso wie der praktischen Demonstration von Schillers Tragödienästhetik dienen, und im *Gang nach dem Eisenhammer* wird in der beschreibenden Konfrontation des Hammerwerks mit der Heiligen Messe die Widersprüchlichkeit des Mittelalters als einer ›frommen‹ und zugleich ›eisernen‹ Zeit symbolisch dargestellt.

Angesichts solcher symbolisierenden, idealisierenden, stilisierenden Techniken verbietet es sich, Schillers Balladen das Etikett eines ›klassischen Realismus‹ aufzukleben. Das Problem seiner »Idealisierkunst« sah Schiller gerade in der notwendigen »Reduktion empirischer Formen auf ästhetische«.[27] Je schwerer es aber war, einen bedeutenden Gehalt »aus den Tiefen des Gegenstandes« selbst zu schöpfen, nicht zuletzt weil Schiller seine Balladenstoffe nicht aus der ihn umgebenden geschichtlichen Wirklichkeit, sondern aus abseitigen literarischen Quellen entnahm, desto mehr bedurfte es einer imaginierenden Bearbeitung auch gegen Empirie und Wahrscheinlichkeit. Die von ihm selbst aufgestellte ästhetische Forderung, sich über das Wirkliche zu erheben und dennoch innerhalb des Sinnlichen zu bleiben, zwang den Balladenautor Schiller, Techniken der Idealisierung mit solchen der Versinnlichung ständig zu kombinieren. Die Realien der Balladen dienen dieser Versinnlichung, von ›Realismus‹ erlauben sie nicht zu sprechen, so genau sich Schiller in manchen Details etwa um naturkundliche Richtigkeit bemüht hat, indem er Goethe mehrfach um Auskunft und Material, z. B. Bücher über Fische, angegangen ist. Doch den »Klippenfisch« des *Tauchers* gibt es nicht als zoologische, sondern nur als poetische Spezies.[28] Goethe hat Schiller zwar, der für seinen Vers »Und es wallet und siedet und brauset und zischt« außer der literarischen Vorlage, Homers Beschreibung der Charybdis, als Anschauungsbasis allenfalls einen Mühlbach zur Verfügung hatte, die von ihm am Rheinfall von Schaffhausen eigens geprüfte empirische Genauigkeit recht artig bestätigt.[29] Und Schiller selbst verwies für seine von Körner als zu kühn empfundene Prägung »purpurne Finsternis« nicht etwa, wie es nahegelegen hätte, auf die Meerfarbe der Odyssee, sondern darauf, daß man unter Wasser wirklich »die Lichter grün und die Schatten purpurfarben« sehe.[30] Aber das ›realistische‹ Detail dient letztlich der Beglaubigung einer alles Wirkliche überhöhenden Vision.

Die Ästhetik von Schillers Balladen wird nicht mit der Kategorie des Realismus, eher mit der des Sensationellen getroffen, das in ihnen die wirkungsvolle Vermittlung von Stoff und Gehalt, empirischer Realität und Idee leisten soll. Das Programm einer Aufpeitschung der Sinne verbindet Schillers klassische Balladen mit jener Balladentradition, von der er sich distanzierte, deren Protagonist Bürger sich gewünscht hatte, daß es dem Leser bei der *Lenore* »eiskalt über die Haut laufen« müsse.[31] Nur sollen die Sensationen bei Schiller zugleich der Mobilisierung für die Idee dienen. Mit dem Interesse am Sensationellen knüpft Schillers Ballade an die Bänkelsangtradition bewußt an, deren massenwirksame Techniken Schiller für seine Ziele zu nutzen suchte, wie er überhaupt die Unterhaltungsliteratur seiner Zeit aufmerksam studierte.[32] Doch haftet den Versuchen, Sensation und Idee, Bildungshumanismus und Popularität in den Balladen zu verbinden, auch etwas Gewaltsames an. Es fragt sich, ob Schillers Rechnung, produktionsästhetisch: mangelnde Anschauung durch suggestive Stilisierungstechnik zu kompensieren, wirkungsästhetisch: den Massen spektakuläre, kolportagehafte, nervenkitzelnde Stoffe in den Rachen zu werfen, damit sie die darin verpackten Ideen schlucken, immer ganz aufgegangen ist. Schillers moderner, aufgeklärter Rationalismus widerspricht den altertümlichen Inhalten teilweise ebenso wie sein idealistischer Klassizismus dem Zurückgreifen auf grell sensationelle, triviale Effekte. Das ist ablesbar an dem für Schillers Balladen typischen Ineinander von Spektakel und Ethos, Nervenschauspiel und Freiheitsdemonstration *(Der Handschuh),* Mysterium und Kriminalpsychologie *(Die Kraniche des Ibykus),* Wahrscheinlichkeitsrechnung und Moira *(Der Ring des Polykrates),* quasi sportlicher Leistung und menschlichem Drama *(Die Bürgschaft, Der Taucher).*[33] Schillers Balladen, in denen es meist um Leben und Tod geht, werden von einer Dramaturgie der ›Grenzsituationen‹ gesteuert, die den Helden mit extremen Aufgaben und Entscheidungen konfrontiert, in denen er seine ›Freiheit‹ bewähren kann. Dahinter steht ein idealistisches Aktionsethos, das zwar einerseits die Wahrheit in sich enthält, daß aus der Idee ohne die Tat gar nichts werden könne,[34] das aber menschliches Handeln zur reinen Tat um ihrer selbst willen zu entleeren droht. Dies ist der Punkt, an dem das Pathos von Schillers Balladen leicht etwas Hohles bekommt. Andererseits gibt dieser subjektive Idealismus ihnen einen geradezu ›existentialistischen‹ Anstrich. Wenn irgendwo, dann sind sie hierin ›modern‹. Dieser Haltung entspringt als literarische Technik die von ›realistischen‹ Nebenumständen abstrahierende Konzentration auf ein Handlungsmodell, das exemplarisch, experimentierend vorgeführt wird. Literarische Modellbildung – das könnte ein über allen Klassizismus hinausweisendes Wahrheitsmoment der von Schiller geforderten Reduktion empirischer Formen auf ästhetische sein. Schillers Balladen sind, bei jeweils unterschiedlichen geschichtsphilosophischen Vorzeichen, moralische Erprobungsspiele, in denen die Geltung von Handlungsnormen zur Diskussion steht. Von daher gewinnt ihr Gehalt teilweise eine Offenheit, die einige von ihnen entgegen der wohl herrschenden Erwartung als noch nicht ›ausgeschöpft‹ erscheinen läßt. So wird der zweite, tödliche und von seinen eigenen Worten im voraus als Hybris verurteilte Sprung des Tauchers als von einer »Himmelsgewalt« angetrieben dargestellt, so daß die Beurteilungsalternative offenbleibt: Vermessenheit, Selbstüberschätzung – oder freier Entschluß angesichts eines eröffneten Glücks, worauf zu verzichten das Leben nicht mehr lebenswert machen würde.

Aktionsethos und Modellcharakter nähern den Schillerschen Typ der klassischen Ballade einer anderen Gattung an, die sich zur gleichen Zeit in Deutschland herausbildete, der ›moralischen Erzählung‹, der Novelle. Schillers Balladen sind dramatisch gebaute moralische Erzählungen in Strophen.

III

Goethes Beiträge zum klassischen Balladenjahr lassen sich viel weniger als die Schillers unter einen einheitlichen Gesichtspunkt bringen. Seine Balladenproduktion erstreckt sich durch sein ganzes Leben und zeigt thematisch wie formal eine breite Streuung. Über zwei Dutzend Texte hat Goethe 1815 als Balladen zu einer bunten Reihe zusammengestellt. Während Schillers klassische Balladen teilweise seinen im voraus und gleichzeitig entwickelten theoretischen Vorstellungen entsprechen, sperren sich die Goethes gegen das klassizistische Literaturprogramm und weisen auf die vor- wie nachklassische Kontinuität seiner literarischen Arbeit. Jahrzehntelang gehegt hat er einzelne ihm liebgewordene Balladenstoffe, wie er später bekannte.[35] Motive, Themen, Vorstellungswelten verbinden die Balladen der ›klassischen‹ Jahre mit früher und später entstandenen. Die am ehesten klassisch zu nennende *Braut von Korinth* greift wie der frühe *Untreue Knabe* das von Bürgers *Lenore* berühmt gemachte Wiedergängermotiv auf, und die »indische Legende« von Gott und Bajadere weist auf die große *Paria*-Legende des Spätwerks voraus, deren erster Teil auf sie anspielt. Goethes Verhältnis zu den Traditionen der Gattung ist behutsamer und zugleich spielerischer als dasjenige Schillers. Je gewaltsamer dieser das Bänkelsängerische sublimierte, desto verzerrter bleibt es gelegentlich sichtbar. Goethe hatte am Bänkelsang vorbei auf die Volksballade zurückgegriffen und den neuen Typus der Naturballade geschaffen, der das archaisch-modische Gespensterwesen bereits mit einem Moment von Aufklärung durchdrang,[36] das dann in der *Braut von Korinth* mit jenem zu dramatisch-paradoxer Identität gebracht ist. Gleichwohl gibt es Gesichtspunkte, unter denen sich die ›klassischen‹ Balladen aus Goethes übrigem Balladenwerk herausheben lassen. Humanistisch-ideelle Thematik läßt das Volkstümliche in den Hintergrund treten, wie es stilistisch in verfeinerte episch-lyrische Techniken überführt wird. Das Magisch-Extreme soll nun ins Exemplarisch-Menschliche umgeschmolzen werden, wobei ein aktivisches Element stärker hervortritt. Hier mag Schillers Einfluß, am ehesten in der *Braut* zu greifen, mitgespielt haben. Zwar holte Goethes »unbotmäßige Phantasie«[37] die Stoffe der beiden großen Balladen von 1797 dem erklärten Klassizismus gewissermaßen zum Trotz ans Licht, aber was an Balladen später, in nachklassizistischer Zeit, noch kam, blieb ihnen gegenüber bis auf einzelne Ausnahmen wie *Paria* zurück: poetisch gefällige Arbeiten auf Bestellung und zur Kinderunterhaltung.[38]

Die widerspruchsvolle Verknüpfung mit Klassik stellt die Balladen von 1797 in die Nähe des großen und mehr noch als sie ›ungehörigen‹ Projekts *Faust*, dessen ›balladeske‹ erste Fassung den nordischen ›Dunst‹ ausgelöst haben mag, in dem die Balladen gediehen. Faust, Schatzgräber und Zauberlehrling, so verschiedenartige Gestalten es sind, gleichen einander im Beschwören ›dämonischer‹ Kräfte. Das Erlösungsthema verbindet das ideelle Programm von *Faust* und *Der Gott und die Bajadere* aufs engste. Demgegenüber können die gleichzeitig entstandenen Müllerin-Romanzen, Rollenmono- und -dialoge, »Gespräche in Liedern«, nicht Balladen im strengen Sinn, als sekundäre Produkte eines klassizistischen Formalismus gelten, was nicht hinderte, daß sie endlose romantische Mühlbach-Lyrik mit angeregt haben. Das spielerische Moment, das an fortgeschrittenen Punkten von Goethes Werk mit Aufklärung, Humor, Freiheit konvergiert, ist hier ins Tändelnde zurückgefallen. Allenfalls worin diese Texte für Superintendenten zum roten Tuch werden konnten, ihre erotische Liberalität, verbindet sie mit Goethes großen Balladen. Andere balladenartige Texte in deren Umkreis und Folgezeit haben humoristische und lehrhaft-parabolische Züge. Im *Zauberlehrling* bildet eine ziemlich hölzerne Lehre, der wohl nicht ganz Unrecht geschieht, wenn man sie als revolutionsfeindlich überinterpretiert, den Zielpunkt für eine unterhaltsam-virtuose Erzählung. Die in Hans-Sachs-Manier erzählte *Legende* vom Hufeisen leistet sich einen doppelten Spaß, indem sie frech und fromm die bürgerliche Tugend der Sparsamkeit biblisch legitimiert dadurch, daß der Herr Jesus selbst sie vorexerziert.

Angesichts solcher Verschiedenartigkeit von Themen und Formen ist wenig Generelles über Goethes Balladen, auch die ›klassischen‹, zu sagen. Eine vereinheitlichende Balladentheorie gibt es 1797 bei Goethe noch nicht, und von der späteren hat er zwar praktisch so viel vorweggenommen, daß er die »Vortragsweise« und an ihr die lyrischen Elemente besonders sorgsam gestaltete, aber gleichermaßen werden auch die epischen im Wetteifer mit Schiller über simple frühere Formen hinausgebildet, etwa im kunstvollen Vor- und Rückschreiten der Erzählung in der *Braut von Korinth*.

Den Gehalt von Goethes klassischen Balladen – es sind im wesentlichen die beiden eigentümlich konträren und parallelen *Braut von Korinth* und *Gott und Bajadere* – kennzeichnet eine Spannung von magischen, mythologischen, religiösen, kurz: archaischen und modernen – aufklärerischen, humanistischen und kritischen – Momenten. Schon die spielerische Montage verschiedener Traditionselemente, in der *Braut* etwa die Versetzung des ›nordischen‹ Gespenstermotivs in eine spätantik-christliche Welt, in *Gott und Bajadere* die Verflechtung indischer mit christlich-abendländischen Motiven, schafft eine Distanz, welche allererst die in suggestiver, Nähe herstellender Darstellungskunst beschworenen Motive poetisch legitimiert, indem sie sie zugleich relativiert. Deren Grausamkeit ist durch eine Erzähleleganz aufgehoben, mit der Blöcke blinder Archaik wie Witwenverbrennung und Vampirismus in eine ›symbolische‹ Darstellung eingeschmolzen werden, die auf Allgemein-Menschliches verweisen möchte. Dieser Intention ist indessen nicht in der bequemen Weise zu willfahren, daß man – auf Ausgleich um jeden Preis bedacht – die konkreten Inhalte der Texte zu einem nord-südlichen und west-östlichen ›Weltevangelium‹ zusammenmengt. Der Rang, der über Klassizismus hinausweisende Gehalt der beiden großen Balladen Goethes wäre eher dort aufzusuchen, wo sie die Abstraktheit des Humanitätsideals hinter sich lassen und es wagen, Stellung zu beziehen, in ihrem kritischen Impuls.

Derjenige der *Braut von Korinth* war scharf genug, um den gerade konvertierenden Friedrich Schlegel zum Plan einer reaktionären Gegen-Ballade zu bewegen: *Der himmlische Bräutigam, oder St. Agathe als Gegensatz der Braut von Korinth*.[39] Auch spätere wissenschaftliche Interpretation neigte ihr gegenüber dazu, bei Abwehrgebärden Zuflucht zu suchen: Die vampirische Beilagergeschichte sei eine zu schmale Basis für die ihr aufgebürdete geschichtsphilosophische Last,[40] ihre sinnliche Wut verletze den geistigen Rang des Konflikts, man müsse einen »Anflug mehr des Humanen« vermissen,[41] endlich: es sei gar nicht antik-heidnische Sinnlichkeit als solche, sondern in ihrem Medium die klassische Utopie eines sich im Diesseits erfüllenden »tätigen Lebens« das Thema.[42] In solcher Formel wird interpretatorische Verallgemeinerung zur Verharmlosung. Die konkrete Materialität der Ballade, die schließlich nicht tätiges Leben überhaupt, sondern ganz bestimmte Lebenstätigkeiten provozierend genug darstellt und thematisiert, wird dabei in ihrem kritischen Gehalt unterschlagen. Demgegenüber ist an der Einsicht strikt festzuhalten, daß die Ballade »vergewaltigte Natur« zum Thema hat.[43] Dessen geschichtsphilosophischer Rahmen ist der Konflikt von Antike und Christentum, der weniger dem restaurativ gemeinten Satz des Novalis, wo keine Götter seien, da walteten Gespenster, entspricht, als der klassisch-utopischen Klage Schillers über den Verlust der ›Götter Griechenlandes‹. Das Gespenst der *Braut* hat nichts von der ironischen Phantasmagorie des *Faust II* nach dem Motto: »Ein echt Gespenst, auch klassisch hat's zu sein«,[44] es ist von bitterstem Ernst erfüllt, und es ist, als geschichtsphilosophisches Symbol, durch und durch christlich. Die alten Götter werden von ihm ganz wie in Schillers Elegie nur verbal beschworen. Nicht unter ihrem, unter dem Fluch des neuen Glaubens geht es seiner unglücklich-vampirischen Männerjagd nach. Anwesend sind jene allenfalls in der uneingeschüchtert robusten Liebeslust des Jünglings – einer absoluten Gegenfigur zu Schillers Ritter Toggenburg –, der es gelingt, vom »kranken Wahn« verursachte christliche Frigidität in Gestalt des kalten Liebchens ›hinwegzupriapisieren‹, so hat es Herder ebenso pikiert wie zutreffend ausgedrückt.[45]

Der christliche Rahmen, den Goethe der hellenistischen Gruselgeschichte gab, bringt seine Ballade in enge Beziehung zu Diderots Roman *La Réligieuse*, der, 1761 geschrieben, handschriftlich zirkulierte und dabei 1781 auch in Goethes Hände gelangte. 1797, im Entstehungsjahr der *Braut*, erschien die erste deutsche Übersetzung, nachdem Schiller bereits 1795 in der Korrespondenz mit Goethe eine solche für die *Horen* ins Auge gefaßt hatte. Diese Nähe der Ballade zu Diderots Roman, nicht nur mit dem Motiv der unglücklichen Nonne, das schon von den Sturm-und-Drang-Autoren mehrfach aufgegriffen worden war, sondern auch mit einzelnen Zügen der Handlung,[46] weist nicht so sehr auf eine literarische Abhängigkeit als vielmehr auf den aufklärerischen, religions- und gesellschaftskritischen Impuls der *Braut von Korinth*. Als ›klassische‹ unterscheidet sie sich von früheren Gespensterballaden dadurch, daß das Gespenst hier aus einem archaischen Motiv zu einem geschichtsphilosophischen Symbol und darüber hinaus, paradox und poetisch gewagt – ein Wagnis, das Heine in *Maria Antoinette* wiederholt –, zu einem Sprachrohr von Kritik und Aufklärung wird, wie sie sich von den Naturballaden darin unterscheidet, daß sie nicht äußere, sondern menschliche Natur thematisiert. In der Darstellung der Perversion gesellschaftlich-ideologisch bedingter Triebunterdrückung klagt sie gegen die ›Naturbeherrschung am Menschen‹. Doch mag das ein Licht auf jene als ›naturmagisch‹ abgestempelten Balladen zurückwerfen. Wo man Goethes ›magisches‹ Naturgefühl beredet, wird meist Schillers kritische Einsicht ignoriert, daß die Hinwendung zur Natur damit zusammenhängt, daß die Natur »aus der Menschheit verschwunden« ist.[47] Nun könnte aber moderne Naturlyrik, die also nach Schiller immer schon Unterdrückung menschlicher Natur mit ausdrückt, dies auch, mittelbar, thematisieren. Die auffallenden erotischen Züge in Goethes Naturballaden wie *Erlkönig* und *Der Fischer* wären dann nicht mehr immer nur als mythisch-personifizierende Einkleidung eines erotischen oder dämonischen ›Naturverhältnisses‹ zu lesen, sondern auch einmal umgekehrt: als mythisch-naturhafte Einkleidung der ›Naturseite‹ menschlicher Beziehungen, wie sie am greifbarsten in sexuellen sich zeigt. Hier wie in den klassischen Balladen sollte die konkrete Materialität des Dargestellten nicht vorschnell unter ›Ideen‹ subsumiert werden.

Solches Verfahren hat man besonders dem Gedicht vom Gott und der Bajadere gern aufgezwungen dergestalt, daß am Ende vom Gehalt nichts übrigblieb als das angeblich »dem Menschen eingeborene Verlangen zum Guten und Echten«.[48] Der fortbestehenden Provokation des Textes, der Herder sogar noch physisch krank gemacht hat,[49] ist damit nicht minder ausgewichen als in jenen Interpretationen des 19. Jahrhunderts, die bestätigen zu müssen meinen, so manche Prostituierte habe die Flecken ihres früheren Lebens durch eine spätere Ehe, die Metamorphose zur Hausfrau und Mutter, getilgt.[50] Unter den deutenden Reduktionen, welche das Verhältnis von Gott und Bajadere über sich ergehen lassen mußte, hält die biographische immerhin das Körnchen Wahrheit fest, daß die hämische Intoleranz, der Goethes Beziehung zu Christiane Vulpius in der Weimarer Hofgesellschaft ausgesetzt war, Anlaß genug für trotzige Wunschphantasien in Richtung der indischen Legende bot. Das landläufige Verfahren, im Sinne des klassischen Humanitätsideals und unter Heranziehung anderer Belegstellen, vor allem aus *Faust*, im Verhältnis von Mahadöh und Bajadere das des Menschen zum Göttlichen symbolisch dargestellt zu finden, reduziert die konkrete Intention des Autors auf eine aus seinen Werken abgezogene christlich-platonisierende Ideologie von gutem Kern und Erlösung, die sinnliche Materialität des Geschehens auf seinen bloßen Nachhall in der Schlußsentenz. Gewiß ist diese ebensowenig zu eliminieren wie aus dem übrigen Text die Rhetorik des ›Menschlichen‹, aber beide stellen nur Bestandteile eines komplexen Ganzen dar, das aus verschiedenartigen und widerspruchsvollen Form- und Traditionselementen geradezu montageartig gearbeitet ist. Anstatt einzelne von ihnen zu verabsolutieren oder sie voreilig miteinander zu harmonisieren, wobei dann allzu schnell eine die Religionen umgreifende Humanität bemüht wird, wäre nach dem Gehalt der ›Montage‹ selbst zu fragen. Kaum dürfte daran vorbeizukommen sein, daß diese »indische Legende« der biblisch-christlichen Heilsgeschichte auf provozierende Weise Konkurrenz macht. Wenn entgegen der scheinbar verallgemeinernden Schlußformel im Text vorher keine Spur von Sünde und Reue im christlichen Sinn zu finden ist, so wäre jene eher als ›verfremdendes‹ Zitieren zu nehmen und damit als Aufforderung, dieses Angebot einer Alternative zum christlichen Erlösungsmythos zu prüfen. Und in dem Textbezug auf Maria Magdalena, den als erster Hegel dazu mißbrauchte, in dem Gedicht nichts anderes als eine indische Einkleidung der christlichen Lehre zu sehen,[51] fungiert das biblische Motiv der Zuwendung Jesu zu den Armen und Sündern als sehr gewagte Legitimation einer ganz andersartigen ›Zuwendung‹: denn zu dieser Erlösung gehört ja nicht nur die gemeinsame Himmelfahrt, sondern die ganze vorausgegangene Begegnung unter Einschluß von »des Lagers vergnüglicher Feier«. (Das entspricht jenem selbstironisch-frivolen venetianischen Epigramm, in welchem sich Goethe zu den ›heiligen Leuten‹ zählt, weil diese besonders dem Sünder und der Sünderin wohlwollten.[52])

Solches fast beiläufige Anspielen und Hinüberspielen christlicher Motive in einen Kontext, der ihnen an sich widerspricht, wie es für Goethe bezeichnend ist, verrät eine Distanz, die Orthodoxe vielleicht mehr provozieren mußte als das polemische Pathos der *Braut von Korinth*. Goethe, der Kirchenliedstrophen auch sonst gern benutzte, etwa die ›Lutherstrophe‹ in der Ballade vom *Untreuen Knaben*,[53] hat sich hier des metrischen Schemas eines damals sehr beliebten Kirchenliedes, des Chorals *Eins ist not* von Johann Heinrich Schröder, bedient, aber die Beziehung aufs Kirchenlied geht, wie in Bürgers *Lenore*,[54] übers Metrische hinaus: Der trochäische Block der ersten Strophe könnte mit minimalen Änderungen – sagen wir »Jesus Christ« statt »Mahadöh« und »vom Himmelssaal« statt »zum sechsten Mal« – als Eingangsvers eines Kirchenchorals gelten. Ähnlich der Technik der Schlußzeilen verweisen einige Formulierungen dieser Versgruppe eher anspielend-verfremdend auf die Inkarnation Christi als auf das, was in der Ballade selbst folgt; so zeigt sich

schon zwei Strophen später dieser Gott zur Menschwerdung, »mit zu fühlen Freud'
und Qual«, nur begrenzt fähig, seine Leiden zumindest und letztlich auch seinen Tod
muß er heucheln.

Goethes indische Legende erweist sich, weit entfernt, eine ›Synthese‹ aus Christentum und Heidentum zu versuchen, eher als eine irritierende Montage, deren kritischer Gehalt verwischt wird, wenn man aus dem Gedicht nichts anderes als die Proklamation ›klassischer‹, undogmatischer und universeller Humanitätsreligion
heraushört oder auch, platter, die Apotheose der Ehe. Das Wahrheitsmoment dieser
Apotheose wäre vielmehr mit Brecht darin zu sehen, daß sie die »freie Vereinigung
von Liebenden als etwas Göttliches, d. h. Schönes und Natürliches« darstellt und
sich gegen die gesellschaftliche Institution einer formellen, von Besitzinteressen und
Klassenvorurteilen bestimmten Ehe wendet.[55] Freilich, nimmt man die materielle
Seite des Textes gegenüber aller spirituellen Bedeutung ernst: daß er, sollte er überhaupt ein Verhältnis ›des‹ Menschen zu dem, was über ihm ist, thematisieren, dieses
doch im Medium einer Darstellung tut, in der zugleich Verhältnisse von Mann und
Frau, von gesellschaftlichem ›Oben‹ und ›Unten‹ festgehalten sind – dann zeigen sich
auch seine Grenzen. In der herablassenden Liebe des Gottes zur Bajadere, der äu
ßerst ungleichen Rollenverteilung, verrät sich ähnlich wie in der späteren *Paria*-Trilogie ein bei aller freundlichen Wärme gegenüber den Niedrigen und Unterdrückten
konservativ-patriarchalisches Sozialmodell. So unbürgerlich sich die Begegnung des
Gottes mit der Dirne gibt, es ist doch, poetisch verklärt, das ganze Elend der Frau
in bürgerlicher Ehe, ihrer »Sklavendienste«, das jener, um den Lohn reiner Liebe,
in einer einzigen Nacht zugemutet wird: »Ist Gehorsam im Gemüte, / Wird nicht
fern die Liebe sein.« Der Balladenerzähler leistet der männlichen Selbstvergottung
des Haustyranns Formulierungshilfe, indem er die Mahnung ans Weib, beizeiten
dienen zu lernen, einmal mehr variiert. In einer Zeit, da andere bereits literarisch für
die »bürgerliche Verbesserung«, die Emanzipation der Frauen kämpften,[56] betrieb
Goethe mit seiner Ballade eine imaginäre Versöhnung der Geschlechter, sein Text
schreibt auch eine bis heute bestehende Ungleichheit mit fest. »Der approbierten
Großherzigkeit ist nicht zu trauen« – darin hat Adornos scharfe Abrechnung nicht
nur mit der Rezeption von Goethes Ballade durch »deutsche Freiheitsphilister«,
sondern auch mit dem Text selbst ihr Recht.[57] Unrecht tut sie dem Moment von
Aufklärung, das Goethes spielerisch-elegante Nacherzählung der archaisch-grausamen Mythe durchzieht und das auch in der bürgerlichen Ideologie, der sie unleugbar
ihren Tribut zollt, nicht untergeht.

Das poetisch wohl mehr als alle andern Balladen der Klassik vollendet gestaltete Gedicht verdient den alten Namen Ballade in einem wörtlichen Sinn: die in Tanzrhythmen zurückverwandelten Kirchenlieddaktylen des metrischen Refrains umspielen
die legendäre Gestalt der Bajadere: einer Tänzerin. So trifft auf Goethes Gedicht in
besonderer Weise eine Bestimmung zu, die für die Ballade überhaupt gegeben
wurde: ›freigewordenes Tanzlied‹.[58] Auch aufgrund dieser ›Freiheit‹ ist es »so lebendig und lieblich und kann mit Freude gelesen werden«[59] bei allem Einspruch gegen
das, was an ihm ideologisch ist. Es repräsentiert jene »schöne widersprüchliche einheit«,[60] die auch Brecht an dem Klassiker Goethe zu schätzen gewußt hat.

Anmerkungen

1 Theodor Fontane: Meine Kinderjahre. Sämtliche Werke. München 1973. Bd. 14. S. 131.
2 Vgl. Anm. 45.
3 Herbert Cysarz: Schiller. Halle (Saale) 1934. S. 290: »Schon der Begriff der ›klassischen Ballade‹ kann eines Widerspruchs in sich geziehen werden.«
4 Caroline Schlegel an August Wilhelm, 5. 5. 1801. In: Caroline. Briefe. Hrsg. von G. Waitz. Leipzig 1871. S. 77.
5 Schiller: Über Bürgers Gedichte. In: Schillers Werke. Nationalausgabe. Weimar 1943 ff. Bd. 22. S. 250.
6 Norbert Mecklenburg: Kritisches Interpretieren. München 1972. S. 145.
7 Schiller an Körner, 29. 10. 1798.
8 Kurt Berger: Die Balladen Schillers im Zusammenhang seiner lyrischen Dichtung. Berlin 1939. S. 64.
9 Benno von Wiese: Friedrich Schiller. Stuttgart 1959. S. 611.
10 Irma Emmrich: Die Balladen Schillers in ihrer Beziehung zur philosophischen und künstlerischen Entwicklung des Dichters. In: Wissenschaftliche Zeitschrift der Friedrich-Schiller-Universität Jena. Gesellschafts- und sprachwissenschaftliche Reihe 5 (1955/56) H. 1, S. 124.
11 An Goethe, 11. 1. 1797.
12 Vgl. Rudolf Dau: Geschichtsbild und klassische Lyrik. Phil. Diss. Berlin (Humboldt-Univ.) 1973 [masch.].
13 Vgl. die theoretische Legitimation dieser Betrachtungsweise zu Beginn von Schillers Vorrede zur Geschichte des Malteserordens.
14 Wolfgang Kayser: Schillers Balladen. In: Zeitschrift für deutsche Bildung 11 (1935) S. 504.
15 Cysarz (Anm. 3). S. 296.
16 Schiller an Charlotte von Stein, 17. 7. 1797; vgl. Emmrich (Anm. 10). S. 126f.
17 Kayser (Anm. 14). S. 509.
18 An Schiller, 21. 6. 1797.
19 Vgl. Martin Dyck: Die Gedichte Schillers. Bern 1967.
20 Cysarz (Anm. 3). S. 294.
21 Vgl. Karl Otto Conradys kritische Interpretation zu »Grenzen der Menschheit« in K. O. C.: Literatur und Germanistik als Herausforderung. Frankfurt a. M. 1974. S. 154–174.
22 Kayser (Anm. 14). S. 509.
23 Marx/Engels: Werke. Berlin 1956 ff. Bd. 21. S. 281.
24 Christian Bergmann: »Weltgeschichte« und »Weltgericht« in Schillers Balladen. In: Weimarer Beiträge 13 (1967) H. 1, S. 88, vgl. S. 100.
25 An Schiller, 5. 9. 1798.
26 Cysarz (Anm. 3). S. 301.
27 An Goethe, 14. 9. 1797.
28 Ernst Julius Saupe: Goethe's und Schiller's Balladen und Romanzen. Leipzig 1853. S. 100f.: »Unter dem Klippenfisch ist nicht der Kabeljau zu verstehen, der getrocknet Stockfisch und erst nach dem Einsalzen getrocknet Klippfisch heißt.« – Eine trockene und salzlose Erläuterung!
29 An Schiller, 25. 9. 1797.
30 Schiller an Körner, 21. 7. 1797. Schiller, für Goethe wichtiger Gesprächspartner auch zum Komplex Farbenlehre, mag sich hier Beobachtungen Goethes zunutze gemacht haben; vgl. Farbenlehre. In: Goethes Werke. Hamburger Ausgabe. Hamburg 1948 ff. Bd. 13. S. 349.
31 Bürger an Boie, 6. 5. 1773. Briefe. Hrsg. von Adolf Strothmann. Berlin 1874. Bd. 1. S. 111.
32 Vgl. Rudolf Dau: Friedrich Schiller und die Trivialliteratur. In: Weimarer Beiträge 16 (1970) H. 9, S. 162–189.
33 Diese treffenden Antithesen bei Cysarz (Anm. 3). S. 295–302.
34 An Goethe, 27. 3. 1801.

35 Bedeutende Fördernis durch ein einziges geistreiches Wort. In: Goethes Werke (Anm. 30). S. 36f.
36 Max Kommerell: Gedanken über Gedichte. Frankfurt a. M. ²1956. S. 344.
37 Emil Staiger: Goethe, 3 Bde. Zürich 1952–59. Bd. 2. S. 308.
38 Ebd., S. 314f.
39 Vgl. Josef Körner: Romantiker und Klassiker. Berlin 1924. S. 174.
40 Friedrich Gundolf: Goethe. Berlin 1916. S. 512f. Wolfgang Kayser (Geschichte der deutschen Ballade. Berlin 1936. S. 125) hat es Gundolf nachgesprochen.
41 Walter Hinck: Die deutsche Ballade von Bürger bis Brecht. Göttingen 1968. S. 20f.
42 Hans-Günther Thalheim: Zur Literatur der Goethezeit. Berlin 1969. S. 259.
43 Walter Müller-Seidel: Die deutsche Ballade. Umrisse ihrer Geschichte. In: Wege zum Gedicht. Bd. 2. Interpretation von Balladen. Hrsg. von Rupert Hirschenauer und Albrecht Weber. München 1964. S. 42.
44 Faust II. V. 6947.
45 Herder an Knebel: »Schiller hat mir vier Balladen des nächsten Almanachs mitgetheilt, zwei von ihm, zwei von Goethe. In den letzten spielt Priapus eine große Rolle, einmal als Gott mit einer Bajadere, so daß sie ihn Morgens an ihrer Seite todt findet; das zweite Mal als ein Heidenjüngling mit seiner christlichen Braut, die als Gespenst zu ihm kommt, und die er, eine kalte Leiche ohne Herz, zum warmen Leben priapisirt – das sind Heldenballaden!« Karl Ludwig von Knebel: Literarischer Nachlaß und Briefwechsel. Hrsg. von Karl August Varnhagen von Ense und Theodor Mundt. Leipzig 1835. Bd. 2. S. 270.
46 Arthur Brandeis: Die Braut von Korinth und Diderots Roman »La Réligieuse«. In: Chronik des Wiener Goethe-Vereins 4 (= Jg. 5. 1890). Nr. 12. S. 50–53.
47 Vgl. den ersten Abschnitt von Schillers Abhandlung über naive und sentimentalische Dichtung. In: Schillers Werke (Anm. 5). Bd. 20. S. 430.
48 Karl Vietor: Goethe. Bern 1949. S. 158.
49 »Mein Mann ist in voriger Woche bei Goethe in seinem Concert gewesen, ist aber krank davon geworden – mehr aber von der *Bajadere*, die gesungen worden war. Er kann nun einmal diese Sachen nicht vertragen« (Karl Ludwig von Knebel: Ungedruckte Briefe aus dem Nachlaß. Hrsg. von Heinrich Düntzer. Nürnberg 1858. Bd. 2. S. 42).
50 Victor Hehn: Über Goethes Gedichte. Stuttgart ²1912. S. 316f.
51 Hegel: Sämtliche Werke. Jubiläumsausgabe. Bd. 12: Ästhetik. S. 521.
52 Venetianische Epigramme. Nr. 71.
53 Vgl. Walter Hinck: Goethes Ballade »Der untreue Knabe«. Zur Geschichte der siebenzeiligen Strophe in mittelalterlicher und neuerer deutscher Lyrik. In: Euphorion 56 (1962) S. 25–47.
54 Vgl. Götz Eberhard Hübner: Kirchenliedrezeption und Rezeptionswegforschung. Tübingen 1969.
55 Brecht: Werkausgabe Edition Suhrkamp. Bd. 19. S. 425.
56 Theodor Gottlieb von Hippel: Über die bürgerliche Verbesserung der Weiber. Berlin 1792. Neuausgabe (Vorwort von Ralph-Rainer Wuthenow): Frankfurt a. M. 1977.
57 Theodor W. Adorno: Minima Moralia. Frankfurt a. M. 1969. S. 229 (Nr. 112).
58 Leopold Schmidt: Der Volksliedbegriff in der Volkskunde. In: Das deutsche Volkslied 38 (1936) S. 73–75; hier S. 75.
59 Brecht (Anm. 55).
60 Brecht: Arbeitsjournal (Werkausgabe Edition Suhrkamp). S. 124.

Literaturhinweise

Begriffsbestimmung der Klassik und des Klassischen. Hrsg. von Heinz Otto Burger. Darmstadt 1972.

Berger, Kurt: Die Balladen Schillers im Zusammenhang seiner lyrischen Dichtung. Berlin 1939.

Berghahn, Klaus L.: Volkstümlichkeit ohne Volk? Kritische Überlegungen zu einem Kulturkonzept Schillers. In: Popularität und Trivialität. Hrsg. von Reinhold Grimm und Jost Hermand. Frankfurt a. M. 1974. S. 51–75.

Bergmann, Christian: »Weltgeschichte« und »Weltgericht« in Schillers Balladen. In: Weimarer Beiträge 13 (1967) H. 1, S. 76–108.

Brandeis, Arthur: Die Braut von Korinth und Diderots Roman »La Réligieuse«. In: Chronik des Wiener Goethe-Vereins 4 (= Jg. 5.1890). Nr. 12. S. 50–53.

Brock, Julius: Die Grundgedanken der Romanzen (Balladen) Schillers. In: Zeitschrift für deutschen Unterricht 2 (1888) S. 247–276.

Cysarz, Herbert: Schiller. Halle 1934.

Dau, Rudolf: Friedrich Schiller und die Trivialliteratur. In: Weimarer Beiträge 16 (1970) H. 9, S. 162–189.

– Geschichtsbild und klassische Lyrik. Phil. Diss. Berlin (Humboldt-Univ.) 1973 [masch.].

Dyck, Martin: Die Gedichte Schillers. Bern 1967.

Elster, Ernst: Schillers Balladen. In: Jahrbuch des Freien Deutschen Hochstifts. Frankfurt a. M. 1904. S. 265–305.

Emmrich, Irma: Die Balladen Schillers in ihrer Beziehung zur philosophischen und künstlerischen Entwicklung des Dichters. In: Wissenschaftliche Zeitschrift der Friedrich-Schiller-Universität Jena. Gesellschafts- und sprachwissenschaftliche Reihe 5 (1955/56) H. 1, S. 111–139.

Fede, Nicolo di: La ballata tedesca da Gleim a Schiller. Mailand 1952.

Feise, Ernst: Die Gestaltung von Goethes »Braut von Korinth«. In: Modern Language Notes 76 (1961) S. 150–154.

– Goethes Ballade »Der Gott und die Bajadere«: Gehalt und Gestalt. In: Monatshefte für deutschen Unterricht 53 (1961) S. 49–58.

Feuerlicht, Ignace: Goethes Balladen. In: Monatshefte für deutschen Unterricht 45 (1953) S. 419–430.

Gundolf, Friedrich: Goethe. Berlin 1916.

Hinck, Walter: Die deutsche Ballade von Bürger bis Brecht. Göttingen 1968.

– Goethes Ballade »Der untreue Knabe«. Zur Geschichte der siebenzeiligen Strophe in mittelalterlicher und neuerer deutscher Lyrik. In: Euphorion 56 (1962) S. 25–47.

Hübner, Götz Eberhard: Kirchenliedrezeption und Rezeptionswegforschung. Tübingen 1969.

Kayser, Wolfgang: Geschichte der deutschen Ballade. Berlin 1936.

– Schillers Balladen. In: Zeitschrift für deutsche Bildung 11 (1935) S. 502–512.

– Schiller als Dichter und Deuter der Größe. In: Festschrift Beutler. Zürich 1960. S. 141–158.

Die Klassik-Legende. Hrsg. von Reinhold Grimm und Jost Hermand. Frankfurt a. M. 1971.

Kommerell, Max: Gedanken über Gedichte. Frankfurt a. M. ²1956.

Müller-Seidel, Walter: Die deutsche Ballade. Umrisse ihrer Geschichte. In: Wege zum Gedicht. Bd. 2. Interpretation von Balladen. Hrsg. von Rupert Hirschenauer und Albrecht Weber. München 1964. S. 17–83.

– Schillers Kontroverse mit Bürger und ihr geschichtlicher Sinn. In: Festschrift Böckmann. Hamburg 1964. S. 294–318.

Rodger, Gillian: Goethe's ›Ur-Ei‹ in Theory and in Practice. In: Modern Language Review 59 (1964) S. 225–235.

Saupe, Ernst Julius: Goethe's und Schiller's Balladen und Romanzen. Leipzig 1853.

Seeba, Hinrich C.: Das wirkende Wort in Schillers Balladen. In: Jahrbuch der Deutschen Schillergesellschaft 14 (1970) S. 275–322.

Seiferth, Wolfgang S.: Goethes Balladen des Jahres 1797 und ihr Verhältnis zum »Faust«. In: German Quarterly 34 (1961) S. 1–10.

Staiger, Emil: Goethe. 3 Bde. Zürich 1952–59.

– Friedrich Schiller. Zürich 1967.

Steffensen, Steffen: Schiller und die Ballade. In: Festschrift Borcherdt. München 1962. S. 251–261.

Stoye-Balk, Elisabeth: Untersuchungen zum weltanschaulichen Gehalt Goethescher Balladen unter Berücksichtigung ihrer Potenzen für die sozialistische Bildungs- und Erziehungsarbeit im Literaturunterricht. Phil. Diss. Berlin (Humboldt-Univ.) 1972 [masch.].

Thalheim, Hans-Günther: Zur Literatur der Goethezeit. Berlin 1969.

Wiese, Benno von: Friedrich Schiller. Stuttgart 1959.

LEIF LUDWIG ALBERTSEN

Goethes Lieder und andere Lieder

Zur klassischen Vollendung bürgerlicher Singkunst und ihrem Verhältnis zu benachbarten Gattungen

In einigen seiner Werke ist Goethe bemüht, bisher weniger hoch angesehene literarische Gattungen in würdigerer Form neuzugestalten. Das gilt z. B. für Goethes Arbeit am Roman und an der Novelle. Ein beträchtlicher Teil von Goethes Lyrik läßt sich auf ähnliche Weise auch als die Sublimierung jener Texte verstehen, die der Bürger von seiner Hausmusik her kannte, jener überwiegend anonymen Texte, die zu Zehntausenden von Dilettanten verfaßt und von Dilettanten am Klavier gesungen wurden. Man hat Goethes Lieder bisher von dieser Seite wenig betrachtet.

Es zu tun hat deshalb einen Sinn, weil Goethes Pflege einer bisher mehr subliterarischen Gattung zu einer Zeit stattfindet, als die bisherige naive Einheit von dilettantisch reproduzierbaren Texten und dilettantisch reproduzierbarer Musik zu zerbrechen droht. Einerseits wird sie durch reflektiertere Popularisierungstendenzen (z. B. von seiten Bürgers) und kräftig zunehmende Schlagerproduktion aufgelöst, anderseits kommt eine romantische Kunstmusik auf, die für den Dilettanten zu schwierig ist und ein schweigendes Publikum erfordert. In Goethes theoretischen Äußerungen und praktischen Bestrebungen läßt sich, nicht zuletzt in seiner klassischen Periode, der Wille feststellen, die gesellige Gattung des nicht zu komplizierten Lieds zu beschützen durch eine Abgrenzung der bürgerlichen Sphäre teils nach unten von jenen Bereichen, wo statt des Klaviers die Leier gepflegt wird, teils aber auch nach oben von der romantischen Musik, die aus den gesellig anwendbaren Strophen ein durchkomponiertes professionelles Konzertstück machen möchte.

In diesem Sinne lassen sich große Teile von Goethes Lyrik als die textlichen Hälften von kleinen Gesamtkunstwerken verstehen, die für das Großbürgertum eine deutliche soziale Funktion haben.

Man hat bei bisheriger Beschäftigung mit der Lyrik der deutschen Klassik das Hauptgewicht auf die Betrachtung ihres spekulativen Aspekts und auf die Konstituierung einer neuen Naturform der Lyrik gelegt, in der sich innerseelische Vorgänge unmittelbar gestalten. Wenn die klassische Form des deutschen Lieds zu Recht als die steigernde Weiterentwicklung von Ansätzen erklärt wurde, wie wir sie etwa im Kirchenlied, bei Johann Christian Günther und bei den Hainbündlern finden, legte die Literaturwissenschaft dabei das Hauptgewicht darauf, darzustellen, wie sich Neues bildet: die Erlebnisdichtung, die Entwicklung eines persönlichen dichterischen Kosmos.

Natürlich ist es auch möglich und legitim, Goethes Wortkunst von sich aus zu betrachten, als wäre sie durch keine Rücksicht auf andere Künste oder auf irgendeine ganz direkte gesellschaftliche Funktion relativiert. Aber diese Betrachtungsweise, die z. B. für die Auswahl der Gedichte weitgehend bestimmend gewesen zu sein scheint, die Erich Trunz für die Hamburger Ausgabe vornahm, ist nur eine unter mehreren möglichen. Goethe selber hat auch viele scheinbar in sich ruhende Gedichte wie *Über allen Gipfeln* oder *Um Mitternacht ging ich, nicht eben gerne* ausdrücklich zu denjenigen Liedern gerechnet, die nur in gesungener Form, als Einheit von Text und Musik, zu ihrem Recht kommen. Einen großen Teil seiner Lyrik schrieb Goethe für den Gesang.

Das heißt, daß sich die bürgerliche Klassik nicht nur individualistisch etabliert, sondern auch als kollektive Manifestation einer Klasse, z. B. in Weimars musischen Mittwochskränzchen, in denen der Liederdichter noch immer in alter direkter Verwandtschaft mit seinem Publikum wirkt und der Stolz der Originalität noch nicht die Reste des honorablen Dilettantismus besiegt hat.

Indem Goethe die Tradition des bürgerlichen gesellschaftlichen Lieds vollendet, aufhebt, muß er sie freilich zugleich sprengen und alles Bisherige auslöschen etwa in dem Sinne, in dem nach Johann Sebastian Bach keine Barockmusik mehr möglich war.

Wir werden im folgenden zunächst auf das Gesellschaftslied des 18. Jahrhunderts zurückblicken, dann Goethes Lieder zu charakterisieren versuchen und zuletzt Goethes Bestrebungen von einigen anderen Tendenzen der gesungenen Lyrik seiner Zeit abgrenzen.

Das gesungene Lied im bürgerlichen 18. Jahrhundert

Die Literaturwissenschaft hat sich mit den Poesien der namhaften Dichter aus dem 18. Jahrhundert befaßt. Die Volkskunde und z. T. auch die Literaturwissenschaft haben sich daneben mit dem Volkslied beschäftigt, das in immer zersungenerer Form von Generation zu Generation in den analphabetischen Schichten der Bevölkerung weitergereicht wurde. Aber zwischen diesen Außenpositionen findet sich ein umfangreiches fast nicht beachtetes Textmaterial, allenfalls von der Musikwissenschaft registriert: jene Liedertexte, die zu Zehntausenden an den Klavieren des Bürgertums gesungen wurden und insofern weitgehend die Bildung dieser Klasse, die lyrische Erfahrung des Bürgertums bestimmt haben. Es gilt, diese Lieder kurz zu charakterisieren; typisch lehnen sie sich an die Formen und Inhalte an, die der heutige Leser aus Günther und Hagedorn kennt. Ein umfassendes Material, freilich überwiegend auf gedruckte Quellen und entsprechend auf die kanonisierten Fassungen beschränkt, sammelte Max Friedlaender.[1] Daneben hat es aber unzählige handschriftliche Liedersammlungen für den privaten Gebrauch gegeben; ein paar davon sind in den letzten Jahren von Suppan und von Albertsen ediert worden.[2]
Diese weltlichen Lieder sind bis in die Goethezeit von den kirchlichen Liedern formal wenig unterschieden.[3] Da diese als Forschungsobjekt der Hymnologie eingehender analysiert wurden, mögen einleitend einige Ergebnisse dieser Analysen referiert werden.[4] Es hat sich gezeigt, daß sich ein Kirchenlied von Gesangbuch zu Gesangbuch nach einigen feststellbaren Prinzipien ändert, die die zersungene Fassung singbarer machen als die ursprüngliche Fassung. Um der Anwendbarkeit willen wird einiges verdrängt und anderes deutlich angestrebt. Verdrängt werden allmählich alle Elemente, die nicht unmittelbar einen Sinn ergeben, also sowohl die nur in der Makrostruktur verständlichen Aufbauelemente als auch Paradoxe und Gedan-

kengänge, die über mehr als ein paar Verse laufen. Ohne Interesse und deshalb auf die Dauer gefährdet sind die zusammenhängende Syntax und auch die in sich stimmige Metapher in ihrer Unterscheidung von Allegorie und Katachrese. Angestrebt wird dafür die Kürze und Prägnanz der einzelnen Gedanken, die ebenmäßige Länge und Abgewogenheit der Sätze und ihre Unterordnung unter die Metrik, ferner die für sich in der Mikrostruktur effektvollen Aufbauelemente wie schöne Wörter, Paarformeln, ornante Adjektive.

Diese Neigung zum Kumulativen und zur anonymen Formelhaftigkeit findet sich im weltlichen Lied des 18. Jahrhunderts ganz ähnlich. Natürlich werden dort etwa Paul Gerhardt, hier etwa Johann Christian Günther als besonders hervorragende Dichter gefeiert, aber das hindert nicht, daß ihre Texte pietätlos zersungen, banalisiert, verständlicher und einfacher singbar gemacht werden und als Formelarsenal für jeden kleinen Nachdichter dienen. Jeder Text darf von jedem neuen Sänger frei ausgewertet werden. Entsprechend ertrinkt der typische kleine dilettantische Dichter in einer vorgeprägten Sprache. Er strebt aber auch keine Unsterblichkeit an. Dieses Gemisch der Lieder von Zitat, Kontrafaktur und Originalbeitrag läßt sich stilistisch am ehesten mit dem pluralistischen Ethos vergleichen, das noch in späteren Zeiten in der Gattung der Stammbücher gepflegt wurde.

Die heute berühmteste, weil damals am prächtigsten ausgestattete Sammlung veranstaltete ein Autor mit dem Pseudonym Sperontes. Seine vier Bände unter dem Titel *Die singende Muse an der Pleiße* erschienen 1736 bis 1745; sie bringen etliche hundert damals beliebte kleine Instrumentalstücke als Klavierstücke mit passendem Text entweder von Sperontes selber oder (angepaßt und zurechtgeschnitten) von Johann Christian Günther.[5] Ihr anvisiertes Hauptpublikum ist eindeutig die Bürgerin an ihrem Klavier, die für sich singt, am Abend die Gäste unterhält oder sie auch noch zum Mitsingen locken kann.

Untypisch ist an diesen Sammlungen die Tatsache, daß hier ursprünglich reine Instrumentalstücke (also Kompositionen ohne Text) nachträglich mit Texten versehen wurden. Im Normalfall wird zu einer Arie ein neuer Text gedichtet, wird zu Gedichten neu komponiert, werden beliebte Arien mit oder ohne Noten abgeschrieben und zu neuen Sammlungen zusammengestellt, wobei vielfach aus dem Gedächtnis und ohne besondere Rücksicht auf die Vorlage zitiert wird. Das Vermischen und Verschmelzen gilt wie für die Texte so auch für die Musik.

Wir wissen nicht, ob die Sammlungen von Sperontes eine besonders dominierende Position einnahmen. Wir kennen nur einen kleinen Teil der unzähligen Flugblätter, auf denen die Lieder auch verbreitet wurden; und von den handschriftlichen Sammlungen, die es nach Suppan[6] in jedem deutschen Haus gab, wo man schreiben konnte, sind nur wenige überliefert. Aus dem bescheidenen Material können wir aber feststellen, daß die Fülle an Schäferliedern und anderen rollenhaften Liebesliedern unübersichtlich und die Beständigkeit der Lesarten äußerst gering gewesen ist. Die weniger modetypische Gattung des Volkslieds (wie *O Tannenbaum*[7]) tritt als gelegentliche stilistische Variante auf.

Ein kleines Hamburger Liederbuch von 1764, das für den Gebrauch in einem Klub privat gedruckt wurde, berichtet im Vorwort offen darüber, wie nach Belieben gesammelt und auch frei redigiert worden sei. Friedrich von Hagedorn sei deshalb nicht vertreten, weil man dessen Lieder bereits zur Verfügung habe.[8] Übrigens dominiert weder hier noch anderorts das Trinklied. Eher läßt sich neben den vielen Liebesliedern in erster und zweiter oder auch in dritter Person der Typus des kleinbürgerlichen eskapistischen Lieds hervorheben mit Aussagen wie *Ich bin vor mich,* also der Moral *Ich denke, was ich will* oder *Daß Canäpe ist mein Vergnügen,* ein Thema, das bis in unser Jahrhundert weiterlebte. Überall bleibt das Gleichgewicht zwischen Genuß und Moral gewahrt; entsprechend werden überraschende Gedanken, überraschende Formulierungen, überraschende Formen vermieden. Es kommt nicht auf die Pointe an, sondern auf die Bestätigung der gemeinsamen Gemütlichkeit.

Vor allem aber kommt es darauf an, daß weder der Text noch die Musik das leichte Singen und das leichte Verstehen des Singens stören.

Das bürgerliche Leben, wie es sein sollte, schildern die guten bürgerlichen Romane. In *Sophiens Reise von Memel nach Sachsen,* dem großen Roman von Johann Timotheus Hermes, der 1770–73 in fünf Bänden erschien, wird etwa fünfzigmal gesungen, meistens am Klavier. August Langen hat diese dichterische Darstellung des Klavierlieds in seiner sozialen Funktion analysiert im Aufsatz *Zur Liedparodie im deutschen Roman des 18. Jahrhunderts.*[9] Das Wort Parodie ist dabei musikwissenschaftlich zu fassen und heißt soviel wie Kontrafaktur, Nachahmen, Weiterdichten im vorgeprägten Stil.

Langen weist darauf hin, wie gegen Ende des 18. Jahrhunderts ein Gleichgewicht von Text und Musik erreicht wird, das zugleich jeden Teil auswechselbar macht. Hermes legt in weit über dreißig Fällen bekannten und vielgesungenen geistlichen und weltlichen Melodien seiner Zeit Texte unter, aber einige Jahre später gab umgekehrt Hiller die Gedichte von Hermes mit sowohl den ursprünglichen als auch neukomponierten Melodien heraus. Es wird also vorausgesetzt, daß der Romanleser, wenn er beim Lesen ein Gedicht antrifft, es sogleich am Klavier singt und spielt; auch noch Goethes *Wilhelm Meister* erforderte dies und erschien in der Erstausgabe mit Musikbeilagen.

Die Romanpersonen bei Hermes sind dadurch Kinder ihrer Zeit, daß alle auch als Verfasser der betreffenden Lieder auftreten. Dilettantisch dichten kann eben jeder, entweder ohne persönliche Beteiligung oder mit ihr. Hermes schildert seine Zeitgenossen, wie sie gern sein möchten.

Langen weist auf einen Zeitgenossen Sophiens hin, der ebenfalls »manche Lieder bekannten Melodien« unterlegte, Goethe in Sesenheim, und erinnert an Friedlaenders These, daß das Lied *Erwache Friedericke, / Vertreib die Nacht* von 1771 eine Parodie sei auf Hagedorns Gedicht *Uns lockt die Morgenröthe / In Busch und Wald* in der Vertonung eines gewissen Görner. Goethe verkehrte persönlich mit einem Publikum, für das das Klavierlied das wichtigste ästhetische Element des Alltags bedeutete.

Was wollte Goethe mit seinen Liedern?

Machte Goethe nur notwendige Konzessionen an sein Damenpublikum? Jedenfalls hat Goethe sein Leben lang teils Lieder zu bereits vorliegenden Melodien oder gar als Verbesserungen bereits vorliegender gesungener Texte, also sogenannte Kontrafakturen geschrieben, teils aber auch darauf geachtet, daß seine Lyrik so vertont wurde, daß eine sinnvolle Symbiose von liedhaftem Text und liedhafter Musik entstand.

Der Vorgang der Kontrafaktur ist im Vergleich der augenfälligere. Es bleibt noch nachzuweisen, daß er nicht auf Goethes peripherischstes lyrisches Œuvre beschränkt blieb.

Als Kontrafaktur ist z. B. eins der beliebtesten der gesungenen Lieder von Goethe zu bezeichnen, das dafür auch vielen als kein typisches Lied von Goethe erscheinen mag, das Trinklied *Ergo bibamus!: Hier sind wir versammelt zu löblichem Tun.* Dies Lied entstand, wie alle Kommentare berichten, 1810 als Kontrafaktur eines Trinklieds, das Friedrich Wilhelm Riemer nach Goethes Aufforderung verfaßt hatte.

Eine Kontrafaktur ist auch das Lied *Ich denke dein, wenn mir der Sonne Schimmer* (1795). Da in diesem Fall die gelungene Symbiose von Text (von Friederike Brun) und Vertonung (von Karl Friedrich Zelter) Goethe faszinierte und zur Kontrafaktur anregte und zugleich der erste Anlaß zur bedeutungsvollen Freundschaft zwischen Goethe und Zelter wurde, soll uns dieses Lied auch in späterem Zusammenhang beschäftigen.

Das Lied *Ich denke dein* steht in der Sammlung von Liedern, die Goethe später bewußt an den Anfang seiner Ausgabe letzter Hand stellte, so wie er auch einige frühere Ausgaben seiner Werke mit einer Gruppe von *Liedern* hatte anfangen lassen. Obwohl Goethes singbare Lyrik auch in andere Gruppen aufgegangen ist wie die *Geselligen Lieder* und die *Balladen*, scheint uns die Gruppe der als *Lieder* bezeichneten Gedichte ein geeignetes und genügendes Material, um darzustellen, in welchem Gleichgewicht zwischen Kontrafaktur und Originalität für Goethe diese Gattung steht, auch, wie er sich ihre Vertonung wünscht.

Von diesen 80 Liedern sind 16 oder 17, also um die 20 Prozent, nach Vorlagen verfaßt, das gilt für Lieder wie *Sah ein Knab' ein Röslein stehn* (für das Goethe nie ausdrücklich auf seine Autorschaft gepocht hat), *Wenn ich bei meiner Christel bin, ist alles wieder gut* (nach Hagedorn), *Ich ging im Walde / So für mich hin* (nach Gottlieb Konrad Pfeffel) usw. usw. Die Positivisten, nicht zuletzt Eduard von der Hellen in der Jubiläums-Ausgabe, haben die Vorlagen aufgezählt. Daß Goethe immer wieder besser dichtet als seine Vorlage, ist hier nicht entscheidend.

Wichtig ist, daß die Originalität nicht klar hervorzutreten wünscht. Zwei dieser 80 Lieder tragen z. B. denselben Titel *(Maylied)*, zwei fangen mit denselben Worten an *(Da droben auf jenem Berge)*, eins ist gar nicht von Goethe (und wurde deshalb später aus seinen Werken entfernt: *Im Sommer*). Goethe hat darauf wenig geachtet.

Von den 80 Liedern steht nur die Hälfte in der Hamburger Ausgabe. Was fehlt, sind nicht nur seichtere Stücke, sondern auch das abschließende, umrahmende Gedicht *An Lina*, in dem Goethe ganz gegen den Wunsch der Literaturwissenschaft fordert, diese Lieder immer nur am Klavier zu verwenden: »Nur nicht lesen! immer singen…«

Ein bisher nicht beachteter Umstand wie der, daß so verschiedene Gedichte wie *Ich ging im Walde / So für mich hin* und später in der Sammlung *Wie herrlich leuchtet / Mir die Natur* mit ihrer identischen auffallenden Metrik doch wohl zu derselben entsprechend neutralen Melodie geschrieben sind, sollte unter den formalen Vorlagen den Blick vom Text zur Musik rücken. Das 1812 entstandene Gedicht *Gegenwart: Alles kündet dich an* schrieb Goethe – so berichtet die Anekdote –, weil bei einem vorgetragenen Lied ihm die Musik gefiel, der Text aber nicht; entsprechend wenig hat Goethes Text mit dem früheren zu tun. Als musikalische Parodien, also als neue Texte zu beliebten Melodien faßt Frederick W. Sternfeld den Großteil der Lyrik Goethes auf.[10] Die Kulmination von Goethes Liedschaffen in diesem Sinne sieht Sternfeld in den klassischen Jahren gleich nach der Jahrhundertwende, als Goethe in Weimar seine Mittwochskränzchen um sich scharte. Für diese Kränzchen, die allerdings nur drei Monate am Leben blieben, ehe sie sich von August von Kotzebues Donnerstagskränzchen überwunden sehen mußten, sind einige der auf die *Lieder* folgenden *Geselligen Lieder* explizit gedichtet. Es gilt aber auch für andere Winter als den von 1801 auf 1802, daß Goethe fröhliche Dilettanten der guten Gesellschaft zu gegenseitiger Unterhaltung und produktiver Kunstdiskussion um sich versammelte.

Die Verachtung für den Dilettantismus, wie sie Goethes und Schillers Äußerungen in den Jahren unmittelbar vor der Jahrhundertwende prägt, ist im Leben Goethes eher als ein Intermezzo, als eine zeitweilige falsche Tendenz zu deuten. (Wie wäre sonst sein eigener Dilettantismus in den Naturwissenschaften zu rechtfertigen?) Zwar läßt sich Goethe im Briefwechsel von Juni und Juli 1799 hinreißen, mit Schiller zu wetteifern im Schimpfen auf Dilettanten und Philister und auf das Publikum überhaupt, das ist aber eine akute Folge von der Unverkäuflichkeit der *Propyläen*. Was die Musik angeht, hat Max Friedlaender darauf hingewiesen, daß in Weimar die professionellen Musiker schlechtere Komponisten waren als manche Mitglieder der adeligen Hofgesellschaft, durch die somit die dilettantische Produktion in der geschlossenen Gesellschaft ohne die feste Trennung zwischen Hersteller und Publikum auch auf gewissermaßen klassischer Ebene durchaus weiterleben konnte.[11]

Früh erschienen Gedichte von Goethe a priori mit Musik, so die 20 Erstveröffentlichungen im Leipziger Liederbuch 1769 mit Musik von einem Mitglied der Familie Breitkopf, hierunter *Die (schöne) Nacht* und die acht folgenden Lieder in der Ausgabe letzter Hand. Als Johann Friedrich Reichardt 1809 Vertonungen von 128 Goethe-Gedichten herausgab, waren hierunter 39 Erstveröffentlichungen. Daneben setzten dilettantische Freunde Gedichte in Musik, nicht zuletzt Corona Schröter[12] und die begabte Anna Amalia, deren Kompositionen laut Friedlaender fast an Gluck heranreichen[13]. Diese praktische Erfahrung kommt bei Goethe vor seinen theoretischen Äußerungen. Goethes Hauptkomponisten sind Reichardt und vor allem Zelter, Namen, die nicht als Beispiele für Goethes bürgerliche Nachwirkung genannt werden sollen, sondern die unmittelbar in Goethes Schaffensprozeß eine zentrale Rolle spielen.

Johann Friedrich Reichardt ist ein experimentierfreudiger und deshalb eigentlich weniger geeigneter Liederdichter im Sinne Goethes als Zelter. Von Reichardt stammen u. a. die Vertonungen in der ersten Ausgabe von *Wilhelm Meister*. Schwer singbar ist z. B. sein Lied *Geistes-Gruß*, wo über einem Orgelpunkt sechs Takte hindurch die Melodiestimme chromatisch ansteigt.[14] Aus Reichardts Musik zu *Claudine von Villa Bella* sollte das Lied *Cupido, loser, eigensinniger Knabe*[15] nicht unbemerkt bleiben. Über den Rhythmus dieses ungereimten Gedichts hat sich Goethe am 6. April 1829 Eckermann gegenüber geäußert, der gefragt hatte, wie es komme, daß man gleichsam doch einen Reim empfinde. Goethes textimmanenter Hinweis auf den innewohnenden Rhythmus läßt sich als ungenügend zurückweisen;[16] wer Reichardts Vertonung betrachtet, wird erkennen, daß Goethe eher sie als seinen Text rhythmisch interpretiert (sie besteht aus $(5+2)+(5+2)+(5+5+2)$ Dreiachteltakten in e-Moll; der zweite Vers wiederholt den ersten in der Dominante).

Karl Friedrich Zelter wurde der Komponist, der am deutlichsten in Zusammenarbeit mit Goethe das leistete, was Goethe unter dem strophischen Lied verstand. Man hat das oft belächelt, aber man sollte es eher zu verstehen suchen. Goethes Lieder scheinen zwar sehr verschiedenen Formkategorien zu entstammen; wir finden nebeneinander die alten 6–8zeiligen Arienstrophen, die vierzeiligen Volksliedstrophen und neue scheinbar unstrophische Gebilde, nicht zuletzt den seit Goethe verbreiteten Typ des lyrischen Gedichts in drei ungleichen Abschnitten wie *Auf dem See, Rastlose Liebe* und andere. Ein Blick in Zelters Kompositionen lehrt uns aber, was man auch aus den Liederbüchern des 18. Jahrhunderts erfahren kann, daß die scheinbar unstrophischen Gebilde durchaus als vertonbare einstrophische Lieder gedacht sind; ein Gedicht in dieser dreiteiligen Form, *Maylied: Zwischen Wayzen und Korn* wurde (nach von der Hellen) in dieser Form eigens für Zelter geschrieben. Seine Aufgabe wurde es, auch in große Gebilde einen einheitlichen Ton zu bringen. Besondere Stimmungen erlaubte er sich eher für das Volkslied, das auch im 18. Jahrhundert eine gelegentliche Möglichkeit der stilistischen Variation geboten hatte. Berühmt blieb seine Vertonung von *Es war ein König in Thule,* eine Art äolisches Exotikon (d. h. a-Moll, aber ohne gis). Seinen Annäherungsversuch an Goethe machte Zelter 1796 mit einer Vertonung von *Wer sich der Einsamkeit ergibt.* Goethe war aber bereits 1795 durch das Lied *Ich denke dein* auf ihn aufmerksam geworden. Was an Zelters Melodie genial ist und wie sie viel besser zu Goethes Text paßt als zu Friederike Bruns (d. h., wie sehr Goethe die Möglichkeiten dieser Melodie erkannt hat), analysierte Herman Meyer, der auch die Melodie bringt.[17]

Zelters Komposition von 1814 *Über allen Gipfeln ist Ruh* hat Goethe bis an sein Lebensende gelobt und sie 1820 besonders als Muster hervorgehoben für ein Lied, das den Hörer in die Stimmung versetze, welche das Gedicht angebe.[18] Zelters Komposition von 1818 *Um Mitternacht ging ich, nicht eben gerne* ist die Erstveröffentlichung von diesem »Lebenslied« Goethes; wie sehr Goethe Zelters Leistung seiner eigenen gleichsetzte, ist durch Jahre hindurch viele Male bezeugt.[19] Das Lied ist interessant, weil es zum Verständnis des Strophenlieds beiträgt; es bleibt im Prinzip strophisch, aber die Melodiestimme variiert etwas.

Daß Goethe diese strophische Form und ihr Verhältnis zwischen Text und Musik dialektisch auffaßt, geht aus den beiden oft zitierten Äußerungen zum *Erlkönig* und zu *Jägers Abendlied* hervor.[20] Der *Erlkönig* sei, so Goethe 1779, eins von den »Liedern, von denen man supponiret, daß der Singende sie irgendwo auswendig gelernt und sie nun in ein und der andern Situation anbringt. Diese können und müssen eigne, bestimmte und runde Melodien haben, die auffallen und jedermann leicht behält.«

Der Schauspieler Eduard Genast berichtet aus dem Jahre 1814, wie man nach Goethe »solche Strophenlieder vorzutragen hat«, nämlich, indem man in dieselbe Melodie verschiedenen Ausdruck legt je nach der Stimmung der einzelnen Strophe.

Dabei ist die Musik nicht als die Dienerin des Textes aufzufassen; vielmehr dienen beide dem Zweck der gelungenen Anwendbarkeit im Vortrag. Wie sehr das kontrafaktorische Formzitat diesem Zweck dient, wurde oben betont. Aber auch die formelhafte Seite des textlichen Inhalts deutet (bei aller Möglichkeit einer alternativen, existentielleren Interpretation von Goethes Gedichten) in diese Richtung.

Wir finden in den *Liedern* Gedichte wie *Der Musensohn*, in dem die Funktion des Sängers die ist, vor Tanzenden zu singen. Gedichte wie *Stirbt der Fuchs* oder *Blinde Kuh* leiten ebenfalls in die Sphäre der jugendlichen Gesellschaftsspiele. Die erotischen Pointen unterstreichen dabei, daß der Sänger weniger selber berührt ist als ein Publikum unterhält.

Besondere Konzessionen an die Zusammenarbeit mit der Musik liegen bei Goethe in einigen Fällen vor, wo er romantischer Klangspielerei vorgreift, aber nicht wie die Romantiker, um die Musik überflüssig zu machen, sondern um ihr zu dienen. Ohne seine Musik scheint ein Lied wie *Blumengruß* gleichsam ohne Richtung, nicht sehr aufschlußreich:

> Der Strauß, den ich gepflücket,
> Grüße dich viel tausendmal!
> Ich habe mich oft gebücket
> Ach wohl ein tausendmal,
> Und ihn an's Herz gedrücket
> Wie hunderttausendmal!

Sinnvoll wird das Gedicht aber in dem Augenblick, wo es Zelter als vierstimmigen Kanon komponiert und damit die Wiederholung zum Geflecht gestaltet.

Starke Formalisierung durch Reime liegt ebenfalls vor im *Goldschmiedsgesell* mit seinen sieben verschiedentlich wiederholten Reimen auf *Mädchen* und im später von Heinrich Heine parodierten und von Georg Herwegh angegriffenen Hohenlied der Monotonie *Nachtgesang*

> O gib, vom weichen Pfühle,
> Träumend, ein halb Gehör!
> Bei meinem Saitenspiele
> Schlafe: was willst du mehr?

Als einheitliche Gattung treten hier bei Goethe Gedichte auf, die teils ganz tiefe Gedanken anregen, teils gar keine. Es fragt sich, wieweit es Goethe bei seinen Liedern um Gedanken geht und wieweit vielmehr um das Ahnen von Gedanken, die aber während des Singens (»Nur nicht lesen! immer singen«) aneinandergereiht, unzusammenhängend, jedenfalls unreflektiert bleiben. Der Weg ist dann nicht fern zu Liedern, die bewußt unverständlich sind, indem sie aus Versen bestehen, die je für sich einen Sinn, als Gesamtheit aber nicht einen die Stimmung aufhebenden umfassenderen Sinn, sondern eine über die Gedanken erhebende Stimmung ergeben wollen. Solche Lieder gibt es bei Goethe neben seinen bewußten Rätselgedichten aus der Zeit um die Jahrhundertwende. Das gilt z. B. für die *Antworten bei einem gesellschaftlichen Fragespiel* und andere Lieder, die Goethe aus einem ursprünglichen sinnvollen Zusammenhang gerissen und unter seine Lieder gestellt hat, wo sie für sich ein schönes, aber nicht unbedingt verständliches Sprachmaterial ergeben.

Wie sehr auch die gedanklicheren Poesien Goethes als Abraxas gesungen worden sind, geht aus Zersingungen hervor, die uns unten beschäftigen sollen. Hier ging es darum, Goethes Arbeit am Lied als an einem Gesamtkunstwerk für das Klavier und die bürgerliche Geselligkeit zu skizzieren. Neben seiner jahrzehntelangen bewußten Zusammenarbeit mit Zelter lassen sich ergänzend auch noch ein paar Äußerungen Goethes anführen, in denen er verwandte Bestrebungen anderer Dichter lobend kommentiert.

Vielleicht sollte man das Lob, das Goethe Günther spendet,[21] mit der Tatsache zusammenhalten, daß Günther bei Sperontes und anderen (vielleicht neben Hagedorn) der einzige wirklich verbreitete Dichter des Klavierlieds war, und Goethes Äußerung über das Gelegenheitsgedicht als »die erste und echteste aller Dichtarten«[22] auch in dieser sozialen Dimension erkennen. In der Besprechung der Gedichte von Johann Heinrich Voß hebt Goethe (vielleicht mit Formulierungen des jüngeren Voß) hervor, wie sehr z. B. dessen lyrische Formulierung der Einsicht in die Metamorphose der Kartoffel als Arbeitslied die wahre Aufklärung fördern könne, wenn auch Goethe bedauert, daß deutlich nicht einer aus der Gemeine selber, sondern ein Dritter ihre Gefühle ausdrücke,[23] ein Problem der Trennung zwischen Autor und Publikum, das uns auch bei anderen Hainbunddichtern begegnen wird.

Eine noch glücklichere Erfüllung des Bedürfnisses nach Liedern für diejenigen Schichten der Bevölkerung, die ohne Klavier leben, findet Goethe in *Des Knaben Wunderhorn*. In seiner umfassenden Besprechung[24] wünscht er, daß das Buch dort liegen solle, wo sonst die Koch- und die Gesangbücher, vor allem aber, daß ein Dilettant oder ein professioneller Komponist am Klavier dem Volk Melodien für diese Lieder schaffen möge.

Der Dichter, der früh Erfahrungen in der Bibelphilologie gemacht hatte, weist schließlich auch darauf hin, daß weder diese noch andere heilige Bücher zuverlässige Texte bringen und auch der gebildete Redakteur das Recht habe wie der ungebildete, den Text abzuändern. Deutlich kommt es Goethe nicht auf ein möglichst wohlerhaltenes Museum an, sondern auf eine sozial funktionierende, lebendige und auch lebendig sich verändernde Kunst ohne kanonisierende Fixierungen.

Was Goethe wollte, zeigt er aber im Lied wie auf anderen Gebieten weniger in überzeugenden Theorien als in vorbildlicher Praxis.

Um den Sinn dieser Praxis zu verstehen, konfrontieren wir sie sinnvoll mit einigen anderen Liedern der Goethezeit. Der Hainbund, nicht zuletzt Gottfried August Bürger, suchte den Bedürfnissen einer anderen Klasse nachzukommen. Der eigentliche Schlager, in dem die Mechanisierung der Textentleerung Hand in Hand mit einer dynamischer motorischen musikalischen Rhythmik geht, wurde damals zum erstenmal so verbreitet, daß sich die Literatur vor ihm wehren zu müssen glaubte. Endlich löst sich schon zu Goethes Zeit jener gebildete Kunstdilettantismus auf, für den Goethe seine Lieder schrieb, und nicht ohne sich von Weimars Kunstandacht inspirieren zu lassen, schrieben die romantischen Komponisten kunstvolle Lieder, die professionelle Ausführende und ein von ihnen deutlich getrenntes andächtiges Konzertpublikum erforderten und somit den Vorstellungen Goethes vom sozial funktionierenden Strophenlied ganz zuwiderliefen, was Goethe denn auch mit einigem Unwillen bemerkte.

Das volkstümliche Lied der Hainbündler

Die Dichter des Göttinger Hains und ihre nächsten Kollegen haben bekanntlich das schlichte freundschaftliche Lied, dessen Autor ein Teil seines eigenen Publikums ist, eifrig gepflegt. Ganz im Gegensatz zu ihrem angeblichen Vorbild Klopstock (der ganz unmusikalisch war) pflegen diese Dichter das gesellige Klavierlied und das gesellige Lied im Freien für diejenigen Stände, deren Geschmack beim Klavier geschult wurde. Im Hainbund erhält die Gattungsbezeichnung des *Lieds* einen neuen, bedeutenden Sinn. Wir kennen alle die Bestrebungen, diese Lieder in einen sozialen Rahmen zu stellen, als *Lied auf dem Wasser zu singen, Lied hinterm Ofen zu singen, Badelied zu singen im Sunde* usw.

Der Mond ist aufgegangen von Matthias Claudius ist als steigernde Nachfolge des ebenso berühmten Abendlieds von Paul Gerhardt, dem es bis in einzelne Verse gleicht, ein schönes Beispiel für die große Symbiose von Kontrafaktur und Originalität, wie sie in Sternstunden gelingen kann. Neben Goethe gibt es kaum in der deutschen Literatur ein solches Beispiel für prächtige Naturbeseelung – wohlgemerkt in einem Lied, das nicht primär original und autonom sein will.

Das Problem des Hainbunds, wenn wir es so nennen dürfen, liegt u. E. in seinem reformistischen Versuch, das alte Rollenlied (der Hirt singt, die Hirtin singt) sozial sinnvoll neuzugestalten. Gottfried August Bürger schreibt z. B. das Rollenlied *Der Bauer an seinen durchlauchtigen Tyrannen*, das weder stilistisch noch inhaltlich von einem Bauern gesungen werden kann. Voß und Hölty schreiben Bauernlieder, zumal Erntelieder, die ebenfalls der Gefahr unterliegen, daß sich in ihnen die höhere Gesellschaft in rokokohaften Rollen spiegelt. Gewissermaßen unschuldig ist im Vergleich die Verfremdung, die durch den gelegentlichen Volksliedton entsteht, wie wir ihn in früheren Klavierliedern angetroffen hatten und bei Hölty und Overbeck wiederfinden. Daß aber dieser Trend zur Rolle immer weiter in die Affektation führen muß, zeigen die heute unfreiwillig ganz komisch anmutenden Versuche von Bürger, Hölty und Voß, *Minnelieder* zu schreiben, wie sie Walther von der Vogelweide (nicht) hätte schreiben können, mit eingestreuten mittelhochdeutschen Wörtern wie »Habedank« oder »die Preisliche« (Voß: *Minnelied*) oder »Ahi, Herr Mai, Ahi!« (Hölty: *Mailied*).

Ein Beispiel für dieses Problem bieten auch *Frizchens Lieder* von Christian Adolf Overbeck, in denen sich das noch bekannte Lied *Komm, lieber May, und mache* befindet. Es handelt sich um eine Liedersammlung, in denen ein kleiner, keineswegs nur wohlerzogener Junge spricht und seine Ansichten von der Welt verkündet. Overbeck hebt im Vorwort warnend hervor, daß die Lieder ja nicht von Kindern gesungen werden dürfen.[25] Wer das Lied *Komm, lieber May* heute harmlos findet, soll sich dabei nicht wundern. Die provozierenden mittleren Strophen sind inzwischen von erbaulicheren ersetzt worden, um das Lied für Kinder singbar zu machen.

Wir wollen in diesem Zusammenhang der vielleicht aufschlußreichen Frage nicht nachgehen, wie verschieden die Hainbündler auf die Französische Revolution und ihre Folgen, z. B. auf die Amtsenthebung des Hainbündlers und Jakobiners Karl Friedrich Cramer 1794 reagierten. Das gestörte Verhältnis des Liederreformismus der Hainbündler zur Wirklichkeit hatte bereits 1791 Schiller (allerdings anonym) nachgewiesen, als er Bürgers Gedichten seine bekannte Rezension widmete.

Bürger hatte bekanntlich ein paar Jahrzehnte hindurch dafür plädiert, daß Apoll vom Berg heruntersteige und nicht mehr nur für die Götter singe. Das Volkhafte sei nach Bürger eine Forderung an alle Poesie; Bürgers eigene Praxis wurde volkhaft durch vieles »Husch, husch« und »Hopp, hopp« und durch obszöne Anekdoten, die weniger volksnah als parfümiert anmuten. Demgegenüber behauptete Schiller, daß es die kulturelle Einheit des Volks bis auf weiteres nicht gebe, der Dichter also die Pflicht habe, die hohe Sprache der Zukunft zu sprechen. Es mußte Schiller, der selber nur wenige Lieder zu schreiben vermochte, stören, daß Bürger auch über die Grenzen Deutschlands hinaus einen so anhaltenden Ruhm verzeichnen konnte. Wie verhielt sich Goethe zu diesem Streit?

Er hat ihn gelegentlich registriert, aber sich eigentlich nie für Schiller gegen Bürger geäußert. Neben einer frühen Rezension von Johann Heinrich Merck ist die Hauptstelle die, an der er im Gespräch mit Eckermann vom 3. Mai 1827 über Robert Burns hervorhebt, daß dessen Lieder im Volk leben, wogegen Bürger und Voß, die ebenso gut gedichtet hätten, nur in Bibliotheken weiterlebten und dasselbe für ihn gelte: »Von meinen eigenen Liedern was lebt denn? Es wird wohl eins und das andere einmal von einem hübschen Mädchen am Klavier gesungen, allein im eigentlichen Volke ist alles stille.«

Wir sind allerdings nicht überzeugt, daß Goethe in erster Linie das »eigentliche Volk« als Publikum für seine Lieder anpeilte. Bürger hatte es getan, aber auch seine sehr weitgehenden Konzessionen an das Populäre waren schließlich ohne anhaltenden Erfolg geblieben.

Das Populäre als Entleerung oder das Aufkommen des Schlagers

Über gelungenen und nicht gelungenen Volkston, gute und schlechte Popularität streiten sich in jener Zeit nicht nur Bürger und Schiller. Aus der Untersuchung von Heinrich W. Schwab, die uns noch als Hauptquelle zum Verständnis des romantischen Kunstlieds dienen soll, seien hierfür ein paar Beispiele zitiert.[26]

So sucht der Hainbündler Overbeck sich z. B. durch den Begriff der Popularität künstlerisch zu rechtfertigen, während der Hainbündler Cramer für die Popularität, aber gegen die Gassenhauer spricht. Er rezensiert auch Lieder von Haydn und bemerkt, daß der Komponist für eine bestimmte *Classe* und entsprechend weniger vollkommen geschaffen habe. Man ist versucht, auch das spätere Dictum von Robert Schumann anzuführen: »Wer für Harfenmädchen schreibt, wird zuletzt von ihnen verführt.«

Für die Musik gilt, daß das Volkslied schon ohne Klavierbegleitung in seinen Harmonien verständlich sein muß. Man denke an Mozarts Gewohnheit, eine Melodie in der Form eines aufgelösten Akkords beginnen zu lassen wie etwa in *Komm lieber May, und mache*. Die wahre Popularität fordert aber, daß man auch die Leier als Instrument anerkennt, und an diesem Instrument scheiden sich die Geister. Die Leier erlaubt wie der Dudelsack nur einen Grundakkord, spricht somit jedem differenzierten Denken hohn und bleibt – abgesehen von einem kleinen Intermezzo als nostalgische Mode des eleganten Rokokos – ein Sinnbild der Plebs, das Instrument des Gassenhauers. Kotzebue hat das Leiermädchen und ihr Instrument gelobt[27], aber für die Romantiker ist die Leier ein Pöbelinstrument[28]. Auf ihr werden Lieder gespielt wie Usteris und Nägelis *Freut euch des Lebens*, das geradezu stellvertretend wird für alle Oberflächlichkeit, jeden Übergang des Lieds ins rein Schlagerhafte. *Freut euch des Lebens* hatte sich um 1795 schlagartig über ganz Deutschland verbreitet und hat sich als Evergreen unterhalb der Ebene der kanonischen Literatur bis heute erhalten.

Schlager hat es freilich immer gegeben. Wir kennen die annalistischen Bemerkungen aus dem Mittelalter, daß man in jenem Jahr dieses oder jenes Liedchen gepfiffen habe. Goethe klagte, als er 1772 an Herder schrieb, während er bei den alten Großmüttern Volkslieder sammelte, daß ihre Enkel nur noch den Schlager des Jahres sängen: *Ich liebte nur Ismenen, Ismene liebt' nur mich.*[29] In seinen *Römischen Elegien* gedenkt Goethe des Schlagers *Malbrouck s'en va-t-en guerre,* der in den späten 1780er Jahren ganz Europa plagte.[30] Wo laufen also die Grenzen? Das um 1770 entstandene Lied *Ihren Schäfer zu erwarten* und das um 1820 entstandene *Du, du liegst mir im Herzen* sind Kommerslieder geblieben, sind auch als Lieder *aus der Küche* zu bezeichnen, aber jedenfalls ist das frühere vom bürgerlichen Klavierlied nicht betont verschieden.

Wir wollen das Spezifikon des Schlagers, das, wodurch er den Dichtern und Literaten ein Ärgernis wird, in seinem prägnanteren Melodierhythmus sehen, durch den das Gleichgewicht von Text und Musik gestört wird, indem die Musik mit tranceför-dernden Mitteln den Text zur Schwundstufe des Ornaments zurückzudrängen droht. Nägelis *Freut euch des Lebens* läßt sich als Schunkellied singen. Das ist fundamental neu, ebenfalls der Ausbau des Kehrreims zum großen Zentralrefrain, neben dem der fortschreitende Text immer unbedeutender wird.

Die schlagerhafte und rhythmische Entwicklung des Lieds im Sinne des Komponisten Nägeli läßt sich besonders deutlich an einem Goethe-Text demonstrieren, am Gedicht *Auf dem See: Und frische Nahrung, neues Blut.* Dieses Gedicht vertonte Nägeli im Jahre 1799.[31] Die beiden ersten Abschnitte dieses dreiteiligen Gedichts sind bei Nägeli einleitend; dann setzt im Sechsachteltakt der Schunkelrefrain ein, der wohl kaum mehr diejenige Symbiose von Text und Musik ermöglicht, nach der Goethe strebte:

Die Zerstörung der Symbiose von Text und Musik im romantischen Kunstlied

Während es vom Text her vielleicht schwierig bleibt, den Unterschied zwischen Lied und Schlager zu definieren,[32] hat musikalisch nur der Schlager einen Rhythmus, der in Trance versetzen möchte. Daß in dieser Trance der Text nicht das wird, was Goethe wollte, wird einleuchten. Es bleibt aber noch daran zu erinnern, daß auch das durchkomponierte romantische Kunstlied bei Franz Schubert und anderen Goethes Vorstellung vom Lied zerstörte.

Mozarts Vertonung von Goethes *Ein Veilchen auf der Wiese stand* ist zu Recht berühmt. Zum erstenmal in der Musikliteratur fügt sich die Melodie bis ins kleinste Detail einfühlend dem Text, dramatisiert ihn, weint mit ihm und lacht mit ihm. Aber das, was Goethes Kunst war, wird dadurch gleichsam zweitrangig. Die Strophenform ertrinkt, die dramatische Gesamtkurve, mit Pausen, Seufzern, scheinbar spontanen Wiederholungen sprengt das strophische Ebenmaß. Heinrich W. Schwab hat für Schubert diese Entwicklung analysiert[33] und darauf hingewiesen, daß für Goethe eine klassische Vorstellung von der Gattung des Lieds existierte, die diese Extravaganzen nicht duldete. Wir möchten darüber hinaus soziologisch daran erinnern, daß auch das gepflegte Dilettantentum dadurch an die Seite geschoben wird. Diese Kunstlieder erfordern Künstler, sie erfordern ein andächtiges Publikum, man kann nicht nach Belieben mitsingen oder mitsummen, Künstler und Publikum sind nicht mehr eine gesellige Einheit.

Schubert hat mehr Lieder von Goethe vertont als von irgendeinem anderen Autor. Aber in seiner Regie wird Wilhelm Müller ein ebenso großer Texter.

Von Schuberts 61 Kompositionen zu Texten von Goethe geben nur 29 den Text unverändert wieder.[34] Wir finden Kürzungen *(Der Goldschmiedsgesell)* an Stellen, wo eben die Länge des Texts wichtig ist, Wiederholungen, die den Inhalt opernhaft verdeutlichen (»Warte nur warte nur balde«), und rhythmische Umstellungen, vor allem, um den Jambentrott zu brechen, damit das Detail prägnanter ausgesprochen werden kann – auf Kosten der formalen Einheit des Gesamttexts. Aber wichtiger und aufschlußreicher ist, daß der Text bei Schubert auch mit oder ohne Willen zersungen wird, so daß Banalitäten entstehen. Ein paar Beispiele:

Es heißt bei Schubert »Kindliche Schauer tief in der Brust«, wobei »tief in der Brust« eine Floskel ist. Bei Goethe heißt es »treu in der Brust«. Es heißt bei Goethe »Freudvoll und leidvoll, gedankenvoll sein, langen und bangen in schwebender Pein«. Das heißt: hin- und hergeworfen sein zwischen Hoffnung und Furcht, zwischen »langen« und »bangen«. Das versteht Schubert nicht, bei ihm heißt es »langen und hangen in schwebender Pein«, als hinge man baumelnd am Galgen, wobei der Hals immer länger wird.

Wir sind an einem Punkt, an dem der innere Widerspruch in Goethes Vorstellung vom Lied ersichtlich wird. Einerseits stellte sich Goethe mit seinen Liedern in eine Tradition, in der in ständig neuen Kontrafakturen (wie sie auch Goethe machte) das Textmaterial gesellschaftlich funktioniert, anderseits aber steigerte Goethe dieses Textmaterial zu einem non plus ultra, so daß jede weitere naive Entwicklung auch einen Rückschritt bedeuten mußte. Es wurde nachgewiesen, wie das romantische Kunstlied Goethes Konzeption vom einfachen Lied zerstörte. Wir möchten darüber hinaus an ein paar Beispielen zeigen, wie Goethes Lieder an den Stellen, wo sie für die bisherigen einfachen Gesetze des Lieds zu raffiniert wurden, anschließend wieder zersungen wurden, um sich den Prinzipien von der unmittelbaren Verständlichkeit des Details auch auf Kosten des Gesamtzusammenhangs anzugleichen, die wir oben für das geistliche und weltliche Lied vor Goethe nannten.

Das Zersingen von Goethes Liedern

Während des Singens wird weniger zusammenhängend gedacht. Das dadurch entstehende Zersingen ist nicht auf die niederen Stände ohne Klavier beschränkt, hat aber im »eigentlichen Volk« (Goethes Ausdruck) besondere Entfaltungsmöglichkeiten.
Wie sehr ein Lied, das im sozialen Kontext funktioniert, sein Profil aufgibt und unter vielen Varianten weiterlebt, hat Suppan an einigen Beispielen, u. a. an Joseph von Eichendorffs *In einem kühlen Grunde* nachgewiesen.[35] Goethes Gedichte bleiben eher in einer kanonisierten Fassung erhalten als manche andere, aber die Kommentare wissen z. B. zu berichten, daß das Lied *Ergo Bibamus!* früh in abweichenden Drucken erschien. Was wir am singbaren Lied erwarten müssen, ist die Vorliebe für die losgelöste Verständlichkeit des einzelnen Verses unter Zurücksetzung oder gar Nichtbeachtung des weiteren Zusammenhangs. Goethe war in seinen Liedern immer wieder bestrebt, die Sätze, zumal (wie seinerzeit Günther) die Anfangssätze, verständlich auf die Verse zu verteilen. In einem berühmten Fall hat er es aber unterlassen; erst im dritten Vers kennt man das Subjekt im Lied

> Kleine Blumen, kleine Blätter
> Streuen mir mit leichter Hand
> Gute junge Frühlingsgötter
> Tändelnd auf ein luftig Band.

Dies ist natürlich die primäre Ursache für die zersungenen Fassungen dieses Lieds, die Erich Schmidt sammelte, ohne ihre Genese zu analysieren.[36] Zunächst möchte der Singende ein Subjekt, also wird »mir« zu »wir«: »Streuen wir mit leichter Hand«. Die traurigen Reste mögen sich selber ihren Platz und Sinn finden, und so lesen wir zersungene Formen wie

> Kleine Blumen, kleine Blätter
> Pflücken wir mit leiser Hand;
> Holder Jüngling, Frühlingsgärtner,
> Wandle du auf Rosenbank.

oder

> Kleine Blumen, kleine Blätter
> Streuen wir mit leiser Hand,
> Guter junger Frühlingskelter
> Trinkt man auf ein Lustigsein.

Der Abbau derjenigen Diktion, die für das Singen zu ziseliert ist, findet sich auch in literarischeren Bevölkerungsschichten. Der Poet Johannes Falk hat 1819 zu Goethes *Über allen Gipfeln* zwei weitere, sehr christliche Strophen veröffentlicht, bringt aber dabei die erste in folgender Form, angeblich nach Goethe:[37]

> Unter allen Wipfeln ist Ruh;
> In allen Zweigen hörest du
> Keinen Laut;
> Die Vöglein schlafen im Walde;
> Warte nur, balde, balde
> Schläfst auch du.

Die kosmischen Spiegelungen bei Goethe sind auf ein pleonastisches Gerede von schlafenden Vögeln reduziert. Bei diesem Gedicht mag das lange Fehlen einer gedruckten kanonischen Fassung zu diesen und vielen anderen banalen Varianten beigetragen haben.

Da lächelt der Germanist und weiß es besser. Er ist nämlich erzogen, Goethes Gedichte als Ausdruck inneren Lebens zu interpretieren. Dabei wollte Goethe eben nicht zuletzt in seinen Liedern darstellend sein. Er wollte Rollenlieder schreiben und selber zurücktreten. Nicht ohne Grund hat er *Nadowessiers Totenlied* zu Schillers »allerbesten« Gedichten gerechnet, weil es seine Fähigkeit zum Objektiven bezeuge (an Eckermann 20. Februar 1829).

Wir müssen zumindest an Goethes Liedern beide Aspekte betrachten und es dabei nicht als ein Sakrileg beurteilen, daß sich die klaren Grenzen der großen Dichterpersönlichkeit verwischen, indem in stets weiterentwickelter Kontrafaktur von Text und Musik die bürgerliche Singkunst sozial funktioniert. Aber auch in diesem Sinne hat sie bei Goethe kulminiert.

Anmerkungen

1 Max Friedlaender: Das deutsche Lied im 18. Jahrhundert. 3 Bde. Stuttgart, Berlin 1902. Reprographischer Nachdruck Hildesheim 1970.
2 Wolfgang Suppan: Lieder einer steirischen Gewerkensgattin aus dem 18. Jahrhundert. Graz 1970. – Leif Ludwig Albertsen: Der Schenckin unschuldiger Zeitvertreib. Aarhus 1971.
3 Noch Mozarts fröhliches Liebeslied à la Papageno läßt sich für Höltys geistliches Lied »Üb immer Treu und Redlichkeit« verwenden. Novalis ist wohl der erste Dichter, dessen Kirchenlieder von seiner anderen Lyrik deutlich unterschieden sind.
4 Leif Ludwig Albertsen: Strophische Gedichte, die von einem Kollektiv gesungen werden. In: Deutsche Vierteljahrsschrift für Literaturwissenschaft und Geistesgeschichte 50 (1976) S. 84–102.
5 Philipp Spitta: Sperontes' »Singende Muse an der Pleiße«. In: Ph. S., Musikgeschichtliche Aufsätze. Berlin 1894. S. 175–296.
6 Suppan (Anm. 2). S. 7.
7 Albertsen (Anm. 2). S. 55–57.
8 Lieder zum unschuldigen Vergnügen. [Hamburg] 1764.
9 August Langen: Zur Liedparodie im deutschen Roman des 18. Jahrhunderts. In: Festschrift Walter Wiora. Hrsg. von Ludwig Finscher und Christoph-Hellmut Mahling. Kassel 1967.
10 Frederick W. Sternfeld: The Musical Springs of Goethe's Poetry. In: The Musical Quarterly 35 (1949) S. 511–527.

11 Max Friedlaender: Gedichte von Goethe in Compositionen seiner Zeitgenossen. Weimar 1896.
 – Max Friedlaender: Gedichte von Goethe in Kompositionen. Zweiter Band. Weimar 1916.
12 Friedlaender 1896 und 1916 (Anm. 11).
13 Friedlaender 1916 (Anm. 11). S. 227.
14 Friedlaender 1896 (Anm. 11). S. 30.
15 Friedlaender 1916 (Anm. 11). S. 30–32.
16 Leif Ludwig Albertsen: Die freien Rhythmen. Aarhus 1971. S. 63.
17 Herman Meyer: Vom Leben der Strophe in neuerer deutscher Lyrik. In: Deutsche Vierteljahrsschrift für Literaturwissenschaft und Geistesgeschichte 25 (1951) S. 436–473, bes. S. 470f.
18 Friedlaender 1896 (Anm. 11). S. 141.
19 Friedlaender 1916 (Anm. 11). S. 230.
20 Friedlaender 1896 (Anm. 11). S. 137 und 141. (Goethe an Kayser, 29. 12. 1779.)
21 Dichtung und Wahrheit. In: Goethes Sämtliche Werke. Jubiläums-Ausgabe. Stuttgart, Berlin 1902ff. Bd. 23. S. 60f.
22 Ebd., S. 220.
23 Ebd., Bd. 36, S. 225f.
24 Ebd., S. 247–263.
25 Leif Ludwig Albertsen: Komm, lieber May! In: Deutsche Vierteljahrsschrift für Literaturwissenschaft und Geistesgeschichte 43 (1969) S. 214–221.
26 Heinrich W. Schwab: Sangbarkeit, Popularität und Kunstlied. Studien zu Lied und Liedästhetik der mittleren Goethezeit 1770–1814. Regensburg 1965. S. 143, 127, 139, 132.
27 Kotzebues Vaudeville »Fanchon, das Leiermädchen« erschien 1805.
28 Leif Ludwig Albertsen: Freut euch des Lebens. Das Schicksal eines Gassenhauers in der Literatur. In: Germanisch-Romanische Monatsschrift NF 16 (1966) S. 277–283.
29 Max Friedlaender: Goethe und die Musik. In: Jahrbuch der Goethe-Gesellschaft 3. Weimar 1916. S. 275–340, bes. S. 285–292.
30 Besonders, nachdem er 1784 in »Figaros Hochzeit« gesungen worden war.
31 Friedlaender 1916 (Anm. 11). S. 54f. Das Original steht in E-Dur.
32 Nach Erich Seemann: Gassenhauer. In: Reallexikon der deutschen Literaturgeschichte. Berlin ²1958. S. 526 sind die Gassenhauer »in ihrer Frechheit und Instinktlosigkeit der gerade Widerpart des echten, aus bester Volksart entsprießenden Volksliedes«. Aber es gelingt nicht einmal Seemann, auf irgendeinen grundsätzlichen textimmanenten Unterschied hinzuweisen. Seine Volkslieddefinitionen passen auch auf den heutigen Schlager.
33 Schwab (Anm. 26).
34 Franz Schubert. Die Texte seiner einstimmig komponierten Lieder und ihre Dichter. Hrsg. von Maximilian und Lilly Schochow. Bd. 1. Hildesheim 1974. S. 96–152.
35 Wolfgang Suppan: Zum Problem der Trivialisierung in den Kunstliedern im Volksmund. In: Das Triviale in Literatur, Musik und bildender Kunst. Hrsg. von Helga de la Motte-Haber. Frankfurt a. M. 1972. S. 148–162.
36 Erich Schmidt: Kleine Blumen, kleine Blätter. In: E. S., Charakteristiken. Bd. 2. Berlin 1901. S. 177–189.
37 Zitiert nach Werner Kraft: Über allen Gipfeln. In: das silberboot 3 (1947) S. 115–124, bes. S. 115f.

Literaturhinweise

Friedlaender, Max: Gedichte von Goethe in Compositionen seiner Zeitgenossen. Weimar 1896.
– Gedichte von Goethe in Kompositionen. Zweiter Band. Weimar 1916.
– Goethe und die Musik. In: Jahrbuch der Goethe-Gesellschaft 3. Weimar 1916. S. 275–340.

188   *Leif Ludwig Albertsen*

– Das deutsche Lied im 18. Jahrhundert. 3 Bde. Stuttgart, Berlin 1902. Reprographischer Nachdruck Hildesheim 1970.

Langen, August: Zur Liedparodie im deutschen Roman des 18. Jahrhunderts. In: Festschrift Walter Wiora. Hrsg. von Ludwig Finscher und Christoph-Hellmut Mahling. Kassel 1967.

Meyer, Herman: Vom Leben der Strophe in neuerer deutscher Lyrik. In: Deutsche Vierteljahrsschrift für Literatur und Geistesgeschichte 25 (1951) S. 436–473.

Mitchells, K.: »Nur nicht lesen! Immer singen!«: Goethe's »Lieder« into Schubert Lieder. In: Publications of the English Goethe Society NS 44 (1974) S. 63–82.

Schmidt, Erich: Kleine Blumen, kleine Blätter. In: E. S., Charakteristiken. Bd. 2. Berlin 1901. S. 177–189.

Schochow, Maximilian und Lilly (Hrsg.): Franz Schubert. Die Texte seiner einstimmig komponierten Lieder und ihre Dichter. 2 Bde. Hildesheim 1974.

Schwab, Heinrich W.: Sangbarkeit, Popularität und Kunstlied. Studien zu Lied und Liedästhetik der mittleren Goethezeit 1770–1814. Regensburg 1965.

Spitta, Philipp: Sperontes' »Singende Muse an der Pleiße«. In: Ph. S., Musikgeschichtliche Aufsätze. Berlin 1894. S. 175–296.

Sternfeld, Frederick W.: The Musical Springs of Goethe's Poetry. In: The Musical Quarterly 35 (1949) S. 511–527.

Suppan, Wolfgang: Lieder einer steirischen Gewerkensgattin aus dem 18. Jahrhundert. Graz 1970.

Bürgerliche Epopöen?
Fragen zu einigen deutschen Romanen zwischen 1790 und 1800

Die Definition des Romans als »moderne *bürgerliche* Epopöe« findet sich in Hegels *Ästhetik*.[1] Dort wird er als Kunstform eines Prosazeitalters den Epen des Altertums gegenübergestellt, in denen ein »*ursprünglicher* poetischer Weltzustand« zum Ausdruck gekommen sei. Für das Individuum habe dieser Zustand damals »bereits die Form vorhandener Wirklichkeit« gehabt, das heißt: es habe sich nicht als dessen Urheber und Aufrechterhalter betrachten können, aber mit ihm »in dem engsten Zusammenhange ursprünglicher Lebendigkeit« gestanden, sich also als Teil eines natürlichen großen Ganzen empfunden. »Denn sollen die Helden, welche an die Spitze gestellt sind, erst einen Gesamtzustand gründen, so fällt die Bestimmung dessen, was da ist oder zur Existenz kommen soll, mehr als es dem Epos geziemt, in den subjektiven Charakter, ohne als objektive Realität erscheinen zu können.« Unser »heutiges Maschinen- und Fabrikwesen« und »die moderne Staatsorganisation« seien für einen solchen episch-poetischen »Lebenshintergrund« ganz unangemessen. Die Wirklichkeit sei »zur Prosa« geworden, und Prosa bedeute *»verständigen«* Zusammenhang »von Ursache und Wirkung, Zweck und Mittel und sonstigen Kategorien des beschränkten Denkens«. Allerdings gebe es auch für den Romanautor die Nötigung, die »Totalität einer Welt- und Lebensanschauung« darzustellen und »der Poesie, soweit es bei dieser Voraussetzung möglich ist, ihr verlorenes Recht« wiederzuerringen. Es tut sich aber im Roman vor uns nicht mehr »ein großer allgemeiner Zustand« auf, in dem die Schicksale des Helden eingebettet sind, sondern die Schicksale erscheinen eher auf der Ebene des Gleichwertigen als Kollisionen »der Poesie des Herzens und der entgegenstehenden Prosa der Verhältnisse«.

Hegel gibt für seine Theorie keine Beispiele aus den Büchern seiner Zeit; er könne die Geschichte des Romans – »selbst in den allgemeinsten Umrissen« – nicht weiter verfolgen. Als der *Wilhelm Meister* 1795/96 erschien, war Hegel Hauslehrer und Mitte Zwanzig; als um 1820 der Philosophieprofessor seine Gedanken zur Ästhetik formulierte, war die Romanernte aus der klassisch-romantischen Zeit eingebracht. In England hatte Jane Austen den bürgerlichen Gegenwartsroman in ein neues Jahrhundert hinübergeleitet und Walter Scott mit seinen *Waverley*-Romanen Zusammenhänge zwischen dem bürgerlichen Individuum und der Totalität einer Nationalgeschichte auszuforschen begonnen. Ob Hegel nun Beispiele gab oder nicht – diese Literatur stand als Anschauung für seine Theorie zur Verfügung. Außerdem war immer der Blick in die Literaturgeschichte offen. Rund 200 Jahre vor Hegels *Ästhetik* war das parodistische Romanepos des *Don Quijote* erschienen – zwischen 1799 und 1801 dann auch Ludwig Tiecks meisterhafte Übersetzung davon –, und 1719 waren *The Life and Strange Surprizing Adventures of Robinson Crusoe, of York. Mariner* ans Licht getreten. 27 Jahre hatte der Held von Defoes Roman als unfreiwilliger Einsiedler auf einer tropischen Insel gelebt und sein ganzes Trachten darauf eingestellt, dort nach und nach jene gesellschaftlichen und ökonomischen Verhältnisse zu reproduzieren, die er unfreiwillig hatte verlassen müssen. Robinson, der »homo economicus«,[2] wie ihn ein englischer Kritiker genannt hat, schafft sich sein kleines Imperium bürgerlicher Tüchtigkeit, das im Moment seiner Befreiung von der Inselexistenz ein Teil des größeren Ganzen wird: Robinson sieht sich sogleich als »Gouverneur« und Repräsentant seines Königs. Das Subjekt schafft sich seinen Gesamtzustand; die prekäre Balance zwischen Individuum und Verhältnissen ist hergestellt, allerdings nur für einen historischen Moment und unter den besonderen Voraussetzungen der politischen und ökonomischen Entwicklung einer Nation. Aber das Ideal des Gleichgewichts bleibt, und die Romanliteratur behielt es bei, wie immer kritisch sie den Verwirklichungsmöglichkeiten gegenüberstehen mochte. Schließlich war auch Hegels dialektischer Rückgriff auf den poetischen Weltzustand des Epos nur eine andere Form der skeptischen Sehnsucht nach einem solchen Ideal.

Im 18. Jahrhundert wurde der Roman zur beliebtesten und verbreitetsten Literaturform, was er bis heute geblieben ist. Die Soziologen, die diese Entwicklung und ihre verschiedenen Ursachen untersucht haben, sprechen von einer regelrechten Lesewut, die sich des Publikums bemächtigte. Man liest viel und vieles, und einzelne Bücher bilden sich zum Idol ganzer Gesellschaftsgruppen heraus. Das *Werther*-Fieber nach 1774 ist eine der bekanntesten Erscheinungsformen davon, und es hatte europäische Wirkung. Gegen Ende des Jahrhunderts ging die Führung in der Romanproduktion sogar durchaus auf Deutschland über, so daß behauptet werden konnte: »In England dominierte die Revolution in Außenhandel und Industrie, in Frankreich die politische Revolution, in Deutschland die Leserevolution.«[3] Friedrich Schlegel hatte schon 1798 im *Athenaeum* den Grundton für alle solchen und ähnlichen Feststellungen angeschlagen mit seiner gern zitierten Parallelsetzung von Französischer Revolution, dem *Wilhelm Meister* und Fichtes *Wissenschaftslehre*.[4] Das sind aphoristische Zuspitzungen, herausfordernd und zugleich auch nur die bekannte Tatsache umspielend, daß im deutschen Sprachbereich damals eben keine bürgerliche Revolution stattfand, sondern Veränderungen im gesellschaftlichen, politischen und wirtschaftlichen Bereich nur sehr langsam, wenn überhaupt, vonstatten gingen. Tatsache war zu gleicher Zeit aber auch eine Art literarischer Inflation, die keine Entsprechung in anderen europäischen Ländern hatte. Karl Goedeke zählt im *Grundriß* für die Bereiche des sogenannten »idealen« Romans, des Familienromans, des didaktischen Romans und des Ritter- und Räuberromans rund 100 Autoren auf, die zwischen 1780 und 1810 tätig waren,[5] was die große Zahl bibliographisch nur schwer oder gar nicht feststellbarer, auch pseudonymer oder anonymer Autoren noch ganz ausschließt. Für 1790 allein sind 120 publizierte Romane erschlossen worden;[6] im Bereich des didaktischen oder Erziehungsromans stieg die Produktionskurve von 28 Titeln im Jahre 1792 auf 47 im Jahre 1798, also zwei Jahre nach dem *Wilhelm Meister;* sie fiel dann erst 1805 auf 8 zurück.[7] Am Ausgang des 18. Jahrhunderts stieg aber nicht nur die Quantität deutscher Romane um ein beträchtliches an. Im Jahrzehnt zwischen 1790 und 1800 schrieb Jean Paul seine vier großen Werke: *Die unsichtbare Loge* (1793), *Hesperus* (1795), *Siebenkäs* (1796/97) und *Titan* (1800–03). Friedrich Hölderlins *Hyperion*, begonnen um 1792, erschien 1797 und 1799 in zwei Bänden, Ludwig Tiecks *William Lovell* 1795/96 und *Franz Sternbalds Wanderungen* 1798; Novalis' *Heinrich von Ofterdingen* stammt aus den Jahren 1799/1800, und sein Freund Friedrich Schlegel publizierte 1799 den ersten und einzigen Teil seiner *Lucinde*, die von ihm als eine Art Experimentalroman gedacht war. Projekte früherer Jahre wurden von den Älteren zu Ende geführt. Der vierte und letzte Teil von Karl Philipp Moritz' *Anton Reiser* kam 1790 heraus, und Friedrich Heinrich Jacobi veröffentlichte 1792 und 1794/96 die jeweils letzten Fassungen des *Allwill* und des *Woldemar*. Friedrich Maximilian Klinger, der einst mit seinem Drama *Sturm und Drang* (1776) einer ganzen literarischen Bewegung den Namen gegeben hatte, sandte als russischer Offizier aus St. Petersburg Romane wie *Fausts Leben, Taten und Höllenfahrt* (1791) oder die *Geschichte eines Teutschen der neusten Zeit* (1798) auf den Buchmarkt, und Wilhelm Heinse suchte den Erfolg des *Ardinghello* (1787) mit der weitschweifigen *Hildegard von Hohenthal* (1795/96) festzuhalten. Einen Roman zu schreiben wurde zur erstrebenswertesten Leistung vieler Autoren, und in ihm sah man sogar die geeignetste Form für die Erfüllung neuer literarischer Theorien. Der Roman sollte »romantisches Buch«[8] sein.

Alle die Romane dieser Jahre sind mit mehr oder weniger Beifall in die Literaturgeschichte eingegangen, wenn auch nicht unbedingt in die Gunst des Publikums. Tiefe Wirkungen gingen jedenfalls aus von *Wilhelm Meisters Lehrjahren* als dem Prototyp des sogenannten deutschen Bildungsromans, und weder er noch der *Hyperion* oder die Romane Jean Pauls sind allein historisches Dokument geblieben. Den großen, dauernden und internationalen Widerhall der englischen, französischen oder russischen Romane haben aber diese Bücher nie gefunden, und selbst die eigenen Zeitgenossen verschlangen eher die Schmöker der Karl Grosse, August Lafontaine, Ottokar Sturm alias Friedrich Rambach, Carl Gottlob Cramer oder Benedikte Naubert. Man genoß nach Schillers Wort die »Leichtigkeit des Leeren«[9] in einem Roman wie Johann Jakob Engels *Herr Lorenz Stark* (1795/96 und 1801), obwohl das Werk immerhin von Schiller selbst in seine *Horen* aufgenommen wurde. Die gleiche Zeitschrift brachte übrigens auch den Roman *Agnes von Lilien* (1796) von Schillers Schwägerin Caroline von Wolzogen, der, da er anonym erschien, zunächst von den Brüdern Schlegel sogar als ein Werk Goethes angesehen worden sein soll. Und noch einmal wurde Goethe wider Willen in die Romanproduktion verwickelt, denn schließlich trat 1799 auch *Rinaldo Rinaldini der Räuber Hauptmann* als Geschöpf von Goethes Schwager Christian August Vulpius seine erfolgreiche Laufbahn durch die Leserherzen an.

Die Liste nennenswerter Titel und Autoren ist damit nicht schon vollzählig, aber es wird auch so deutlich, daß das Jahrzehnt vor der Wende ins 19. Jahrhundert für die weitere Geschichte des deutschen Romans wichtiger wurde als jeder andere Zeitraum davor. Traditionelles wird fortgeführt, und zugleich beginnt Neues, Typenprägendes, das aber stark zwischen Wirkung und Wirkungslosigkeit schwankt, die jeden kritischen Leser immer wieder irritiert. Erklärungen für die Besonderheiten des deutschen Romans liegen allerdings nahe. Der Roman als »bürgerliche Epopöe« ist die Hauptsäule bürgerlicher Literatur, und wo es kein bürgerliches Selbstbewußtsein und mithin kein selbstbewußtes Bürgertum gibt, sind folglich Mangelkrankheiten wie Abnormitäten zu erwarten. Daß die Relation zwischen Individuum und Verhältnissen in der sogenannten ›deutschen Misere‹ andere Formen annehmen mußte als im bürgerlichen England oder im postrevolutionären Frankreich, ist bekannte Weisheit. Aber es entstehen damit in den literarischen Werken zugleich auch gewisse Verhaltensmuster und Handlungsmotivationen, die erst im Vergleich offensichtlich werden. Sie erweisen sich als spezifisch deutsche Charakteristika, die nicht nur helfen, diese Werke selbst genauer zu interpretieren, sondern die auch Ansätze bieten, deren Rolle und Rang innerhalb des europäischen Romans in Parallele oder Gegensatz besser zu verstehen. Innerhalb einer nationalliterarischen Betrachtung wird der Wert der einzelnen Romane gewöhnlich nicht in Frage gestellt; auch Ordnungskategorien wie Klassik oder Romantik sind dann zumeist schon gegeben. Nach solchen Charakteristika, Motivationen und Mustern soll im folgenden gefragt werden. Im Zentrum stehen die Helden; die Autoren als die Urheber der zu untersuchenden poetischen Realität sind in diesem Zusammenhang gar nicht oder nur beiläufig von Interesse. Ihre Gestalten werden uns von ihnen als selbständige Personen vorgestellt, obwohl wir sie nur durch sie kennenlernen; aber Schriftsteller betonen immer wieder, daß sich ihre Kunstfiguren gern selbständig machen und auf eigenen Beinen bewegen. Gewissenhafte Statistik ist bei den Antworten auf die Fragen nicht beabsichtigt, denn das verschiedene Gewicht von Details innerhalb der Romanzusammenhänge muß die Subjektivität des Kritikers im Urteil einschließen. Ohnehin ist man sich der Fragwürdigkeit aller statistischen Meinungsforschung hinsichtlich der tatsächlichen Repräsentativität des Erfaßten bewußt.

Wovon lebt der Held?

Die Frage hängt eng zusammen mit derjenigen nach der Rolle des Helden in der Gesellschaft überhaupt, nach seiner Herkunft und seinen Aspirationen. Geld ist eine bürgerliche Erfindung, und nur der Bürger muß seinen Lebensunterhalt verdienen; für den Adel ist die Existenz von vornherein erst einmal durch den Grundbesitz gesichert. Die Helden der zu betrachtenden Romane sind – wie ihre Autoren – fast ausschließlich bürgerlichen Standes, aber dennoch ist das Geld bei ihnen nicht sehr beliebt. »Um's Himmels willen«, sagt Wilhelm Meister ärgerlich zu seiner Mutter, »ist denn alles unnütz, was uns nicht unmittelbar Geld in den Beutel bringt, was uns nicht den allernächsten Besitz verschafft?«[10] Er lebt in diesem Sinne im leuchtenden Kontrast zu dem kaufmännischen Schwager Werner und dessen Maxime »Nichts als Geld«. Hyperion erhebt sich über »sterbliches Leben, dürftig Geschäft, wo der einsame Geist die Pfennige, die er gesammelt, hin und her betrachtet und zählt«.[11] Das ist zwar im übertragenen Sinne gemeint, verrät aber auch als Metapher wenig Respekt vor Zahlungsmittel und Gewinn. Franz Sternbald hat »keine Ehrfurcht vor dem Reichtum«,[12] und auch Siebenkäs hatte »aus den Alten und aus seinem Humor eine unleugbare Verachtung gegen das Geld, dieses metallne Räderwerk des menschlichen Getriebes«,[13] erworben. Allerdings ist nur in diesem letzteren Falle solche Aussage von unmittelbarem Einfluß auf das Leben des Helden. Nur in Jean Pauls *Siebenkäs* wird Armut ein Bestandteil der Romanhandlung und die Geldverachtung damit auf eine sehr viel härtere Probe gestellt als in den anderen Werken. Denn abgesehen von Siebenkäs und Anton Reiser haben die anderen Helden alle ihr Existenzminimum durchaus gesichert. Wilhelm Meister lebt zunächst von den Zuwendungen, dann von der Erbschaft seines Vaters. Er habe sich erst vor kurzem um seine Besitztümer gekümmert, meint er nicht ohne Überhebung am Ende der Lehrjahre zu

Jarno: »Vielleicht hätte ich wohl getan, sie mir noch länger aus dem Sinne zu schlagen, da ich bemerken muß, daß die Sorge für ihre Erhaltung so hypochondrisch macht.«[14] Er kann sich die Gesundheit leisten, besonders da ihm auch gleich noch ein kräftiger Anteil an Mignons adliger italienischer Erbschaft verliehen wird, ganz abgesehen von einem Versicherungsabkommen für die Mitglieder der Turmgesellschaft. Auch Hyperion hat von seinem Vater so viel »von seinem Überflusse« bekommen, um ein freies Leben in »goldner Mittelmäßigkeit« zu planen.[15] Franz Sternbald allerdings muß sich durch die Kunst ernähren, die er wiederum von dem Zwang zu »schnödem Gewinst« gern befreien möchte: »O wahrlich, kein größeres Glück könnte ich mir wünschen, als [...] daß ich so viel Vermögen besäße, um ganz ohne weitere Rücksicht meiner Kunst zu leben«.[16] Vermögen wird der überall wiederkehrende Begriff für den bereits existierenden, nicht erst selbst erworbenen Besitz; Vermögen zu haben ist der Wunschtraum des bürgerlichen Helden, denn es verschafft ihm jene Freiheit, die der Adlige durch den ererbten Grundbesitz schon in die Wiege mitbekommt. Um sich ihm gleichzustellen und die Verachtung oder Überlegenheit gegenüber dem Geld aufrechtzuerhalten, wird also die eigentliche Akkumulation des Besitzes im Roman gern in die Vergangenheit verlegt. Man versucht, Geld zu haben, ohne sich um seinen Erwerb kümmern zu müssen. Selbst Rinaldo Rinaldini erwirbt auf seine Brigantenart nur wenig während des erzählten Lebens, sondern fördert sich und seine Abenteuer hauptsächlich durch vergrabene Schätze, also durch die Gewinne früherer Heldentaten. Abgesehen von ihm wird die Vermögensbildung folglich zumeist auf den Vater übertragen. Bei Meister und Hyperion bleibt der Vater, über den man hinauswächst oder von dem man verwiesen wird, dezent im Hintergrund. Wilhelm, der wie Saul ausging, »seines Vaters Eselinnen zu suchen«, fand »ein Königreich«.[17] Im *William Lovell* gibt der Vater dem Sohn, der das Vermögen durchbringt, nur noch auf dem Totenbett nihilistisch-elegische Warnungen. Julius in Schlegels *Lucinde* verschweigt ganz und gar, von wem er sich seine »Lehrjahre der Männlichkeit« und den Abscheu gegen »bürgerliche Verhältnisse« sowie »das kleine Landgut«[18] bezahlen läßt. Auch die Herkunft von Siebenkäs' »Vermögen, bestehend in 1200 Fl. rhnl.«,[19] auf das er seine junge Ehe gründen will, um das er dann jedoch betrogen wird, ist nicht näher bezeichnet. Nur im Roman von J. J. Engel ist das anders; da ist der Vater selbst der Titelheld, und Gegenstand der Handlung ist ein Vater-Sohn-Konflikt. Herr Lorenz Stark, »wunderlich«, »vortrefflich« und »altdeutsch«, hat »schon längst die ersten Zwanzigtausend geschafft«, und der ausgabefreudige Sohn trifft ihn im Arbeitszimmer, »wo eben der Alte beim Geldzählen saß«.[20] Was hier positiv gemeint ist, wird später zum antikapitalistischen Topos; in Hölderlins Sprachbild war er schon vorgeprägt. Jedoch: die Probleme lösen sich, und der Sohn bekennt sich zu der Parole des Vaters, »zu wirken, nützlich zu werden«,[21] was Gelderwerb für das väterliche Geschäft bedeutet. Am Schluß steht die Apotheose bürgerlichen Adelsstolzes: »Die Familie hing, jedes Glied mit jedem, durch die zärtlichste Liebe zusammen. Herr Stark erfreute sich, bis ins höchste Alter hinauf, des Wohlstandes und der vollkommenen Eintracht aller der Seinigen.«[22] Warum aber Deutlichkeit hier und vorsichtiges Verbergen von Einkommensverhältnissen anderswo? Daß es sich nicht gehört, vom Gelde zu sprechen, ist im deutschen Roman und besonders unter seinen stark reflektierenden Helden verbreiteter als zum Beispiel bei englischen Autoren, wo das Ein-

kommen des Helden mit zu seinem Charakter gehört. Ein Dilemma wird beim Vergleich der Lebensläufe der beiden Kaufmannssöhne Stark und Meister sichtbar.
Meisters Erhebung über den Zwang zum Gelderwerb im positiven Kontrast zu seinem Schwager Werner wird erkauft durch den Verzicht auf die Einordnung in eine
tatsächlich existierende gesellschaftliche Realität. Der Ausbruch in die soziale und
ökonomische Utopie wiederum war die einzige Möglichkeit, den epischen »Weltzustand« und die »Totalität einer Welt- und Lebensanschauung« im dargestellten
Deutschland zu wahren, wenn der Held nicht darin untergehen sollte und bürgerliche Lebens-, nicht Sterbensmöglichkeiten künstlerisch ausprobiert werden sollten.
Im Falle von Stark jun. wird der Gegensatz offenbar: die Existenz als erfolgreicher
Bürger ist nur darstellbar, wenn auf den gesellschaftlichen Gesamtzustand keine
Rücksicht genommen wird und so zum Beispiel die politischen Regenten des Landes
einfach ausgeklammert bleiben. Durch einen solchen Vorgang wiederum entzieht
sich aber der Roman seine eigene Existenzgrundlage. Engels Werk geht bezeichnenderweise aus einem Drama hervor; daß er es zum Roman zu machen versuchte, erweist schon in der Konzeption den Unterschied zwischen seiner eigenen künstlerischen Potenz und derjenigen Goethes. Zugleich wird noch ein viel größeres Problem
aufgeworfen. Der Held der »bürgerlichen Epopöe« kann in Deutschland offenbar nur
dort seinen Untergang entweder als Person oder als glaubwürdige Kunstfigur vermeiden, wo er sich über jene Errungenschaft hinwegsetzt, die das Bürgertum erst geschaffen hat und auf die es seine Forderung nach sozialer Gleichheit stützt: den Gelderwerb, der nicht an Geburtsrechte gebunden ist. Er scheint nur als »homo anti-
economicus« Aussicht auf einen erfolgreichen literarischen Lebenslauf zu haben.

Welchem Stande gehört der Held an?

Die Frage scheint schon mit der vorausgehenden nach dem Lebensunterhalt des
Helden beantwortet zu sein: die Mehrzahl der Helden ist bürgerlicher Herkunft.
Aber einmal bleibt »Bürger« ein zu pauschaler Begriff, und zum anderen wäre es
auch nur eine statische Etikettierung. Übergänge zwischen den Ständen sind wiederum in Deutschland schwieriger, als sie der englische Roman zeigen kann. Sophie,
die Tochter des Vikars von Wakefield, heiratet Sir William Thornhill. Der Matrose
Robinson Crusoe sieht sich, wie gesagt, sogleich als Statthalter seines Königs, wenn
seine Insel Teil der großen Welt wird. Es wäre vorstellbar, daß ihm die Würden eines
»Sir« verliehen werden, wie es die britische Krone des öfteren mit Weltumseglern
oder selbst Piraten getan hat. Ein Wilhelm von Meister wäre undenkbar und literarischer Mord. Dennoch hat Novalis gerade Goethes Roman ärgerlich-kritisch eine
»Wallfahrt nach dem Adelsdiplom«[23] genannt. Aus der Realität der Zeit geurteilt,
lag der Verdacht nahe, denn die Gesellschaft liberaler Edelmänner und edler Liberaler, in die Wilhelm Meister am Ende seiner Lehrjahre aufgenommen wird, hatte wenig Grundlagen in dieser Wirklichkeit. Das »Evangelium der Ökonomie«, wie es der
Jüngere nannte, reflektierte Goethes Konzept von politischer Evolution und gesellschaftlicher Harmonie. Es darzustellen führte zur Gefahr der Auflösung des Romans, gegen die Goethe am Ende ohne völlig überzeugenden Erfolg die traditionellen Mittel des Romanhaft-Romantischen ins Feld rief mit Gift, Tod und den

Enthüllungen von Geheimnissen. Novalis wiederum hatte mit seinem Evangelium der Poesie im *Ofterdingen* bald darauf entsprechende Sorgen. »Jeder Versuch, das Utopische als seiend zu gestalten, endet nur formzerstörend, aber nicht wirklichkeitsschaffend«, bemerkt Lukács in seiner *Theorie des Romans*.[24] Während im außerdeutschen Roman die Realitäten von Hochzeit oder Tod die Handlung sichtbar abschließen, bleibt der Schluß des deutschen Romans dieser Zeit häufig fragmentarisch oder zumindest den Endgültigkeiten gegenüber vorsichtig abgetönt und über sich hinausweisend. Friedrich Schlegel nennt Natalie das »Supplement des Romans«,[25] und eine eheliche Verbindung zwischen ihr und Meister ist eher zu erschließen als zu erlesen; richtig handfest heiraten können nur Herr Lorenz Stark oder Agnes von Lilien. Und selbst der Tod wird gegenüber dem einstigen tragischen Höhepunkt von Werther eher Auflösung des abgewirtschafteten Helden, möge er nun William Lovell oder Rinaldo Rinaldini heißen. Jean Paul, von dem die genaueste Darstellung des Gesellschaftspanoramas der damaligen Zeit kommt, läßt Erfüllungen ebenfalls weitgehend offen, sobald sie der Durchbrechung gesellschaftlicher Barrieren bedürfen. Das wiederum ist es aber, worauf die Handlung seiner ersten beiden Romane, der *Unsichtbaren Loge* und des *Hesperus*, gerichtet ist. Beide sind Fragment geblieben, der erste deutlicher als der zweite. In beiden Fällen hat er auch in reichem Maße von den Bestandteilen des zeitgenössischen Abenteuerromans Gebrauch gemacht, von Geheimgesellschaften, Kindesvertauschungen, Duellen und Gift, um die Form des Romans zu stützen, in die er sich dann aber ironisch distanzierend als Autorenfigur hineinmengt. In der *Unsichtbaren Loge* wird die adlige Geburt des Helden zunächst überhaupt zurückgenommen; einer Forderung der Mutter entsprechend muß er die ersten acht Jahre seines Lebens unter der Erde verbringen, erzogen durch einen nur als »der Genius« bezeichneten Lehrer. Erst danach wird er der ständisch gegliederten Gesellschaft ausgesetzt. Der *Hesperus* dagegen ist ein Roman mit zwei Helden: dem Pastorensohn Viktor, der als Sohn eines Lords und Fürstenberaters aufwächst, und dem Fürstensohn Flamin, der zunächst als Pastorensohn erzogen wird. Das ist nicht nur Enthüllungskomödie und Triebmittel einer Romanhandlung, sondern ironische Vorführung der Relativität jeder Standestrennung überhaupt. Selbst der fiktive Autor Jean Paul entpuppt sich als illegitimer Fürstensprößling. Im *Hesperus* ist der Standestausch außerdem noch mit Hoffnungen auf die Zukunft verbunden. Der zum Fürsten verwandelte Pastorensohn Flamin will – und soll – »mehr andere umbessern«, der bürgerliche Lordsohn »mehr sich allein«.[26] Das Ende einer solchen Vereinigung von Gegensätzlichem ist dann allerdings eine Mischung von Apotheose und Komödie, denn weder ist für Flamin, wenn er erst Fürst ist, irgendeine Versicherung gegeben, daß er seine edlen Absichten in Wirklichkeit umsetzen werde oder könne, noch ist von der Selbsterziehung des bürgerlichen Intellektuellen – Viktor ist Arzt – notwendigerweise eine Heilkraft zu erwarten. Jean Paul hat dann die Möglichkeiten und Gefahren der beiden Standespositionen im *Siebenkäs* und *Titan* weiter auszuforschen versucht – im einen die Erhebungen und Risiken des auf sich verwiesenen Bürgers und seiner ästhetischen Einstellung zum Leben,[27] im andern Höhe und Versuchungen der Macht, die dem zweiten Stande gegeben ist. Denn so aufgefächert die gesellschaftliche Landschaft gerade von Jean Pauls Romanen ist, so sehr bleibt dieser Trennungsstrich bestehen, und die Gesellschaft fällt am Ende trotz aller Begegnungen immer wieder in die beiden Sphären auseinander. Auf der einen Seite stehen weiterhin die Fürsten von Flachsenfingen, Scheerau oder Hohenfließ, umgeben von Ministern und Höflingen, und unter ihnen die Rittergutsbesitzer oder kleinen Stadtadligen, die ihre Privilegien ausnutzen, wie sich etwa in Siebenkäs' Erbschaft oder, bei Caroline von Wolzogen, in den Intrigen um Agnes von Lilien und ihren in Ungnade gefallenen adligen Vater zeigt. Agnes selbst hätte ihren Grafen kaum bekommen, wenn sie das Kind eines Vikars geblieben wäre, das sie am Anfang zu sein scheint. »Albernes Uebel und Weh begegnet uns auf jedem Schritte, wenn wir über unsre angebornen Verhältnisse hinaus wollen«, meint Heinses Hildegard von Hohenthal,[28] als sie ihren bürgerlichen Musikfreund abdankt. Auf der anderen Seite leben in anderer Welt die Pastoren, Kaplane, Ärzte, Apotheker, Schulmeister des kleinen Bürgertums, die Schauspieler, die uns Goethe und Moritz vorführen, oder die Künstler, die Tieck darstellt. Auch bei Tieck gibt es übrigens wie bei Caroline von Wolzogens vermeintlicher Pastorentochter Agnes das Spiel mit einer unbekannten Herkunft als Triebmittel der Romanhandlung mit sozialen Konsequenzen. Tieck wollte Franz Sternbalds Herkunft aus dem deutschen Kleinbauerntum im unausgeführten zweiten Teil des Romans dadurch korrigieren, daß er ihm einen reichen Italiener als wirklichen Vater bestimmte. Die Standeserhebung und Geldfreiheit für den Künstler sollte nun wenigstens im Lande der Kunst blühen. Nur Hyperion ist von vornherein Abkömmling eines städtischen Bürgertums, das keinen Adel über sich erkennt, sondern lediglich Bauern und Landbewohner neben sich, die aber zugleich als Naturmenschen der städtischen Gesellschaft als Korrektiv gegenüberstehen: Diotima in dem Haus am Berg auf Kalaurea gehört offensichtlich in diese Sphäre. Die Übertragung der Handlung in ein Land anderer gesellschaftlicher Struktur hebt die Problematik des seinem Wesen nach deutschen Helden also nicht auf, wie das auch für Tiecks William Lovell gilt. Nur wird eben Hölderlins denkender und schreibender Held nicht in Konflikt gebracht speziell mit einer ständisch gegliederten deutschen Gesellschaft, sondern vielmehr mit der unfreien, unnatürlichen, den Menschen verunstaltenden und zerstörenden ›Zeitgenossenschaft‹ überhaupt. Die Weite von Hölderlins Vision enthüllt sich im Vergleich.

Am schwierigsten hat es der deutsche Roman mit der Darstellung jenes Berufs, der eigentlich die idealste Verkörperung bürgerlicher Tüchtigkeit sein sollte: mit dem Kaufmannsstand. Unter den hier betrachteten Werken aus den neunziger Jahren hat er nur in zwei eine prominente Rolle: in *Wilhelm Meister* und *Herr Lorenz Stark*. Friedrich Heinrich Jacobis *Woldemar* spielt zwar ebenfalls unter Kaufleuten, und zwar sehr reichen und vornehmen, aber die philosophisch-spekulativen Absichten des Autors unterdrücken ganz die epische Gestaltung eines »Lebenshintergrundes«. Mit anderen Worten: es wird nicht sichtbar, wo das Geld herkommt, der Bürger erscheint nicht in Aktion, und die Umstände werden rasch abgetan, damit man bald zur philosophischen Diskussion kommen kann. Zudem hat Jacobi für die letzte Ausgabe die einzige Stelle gesellschaftlicher Kontrastierung gestrichen, die der Roman in einer früheren Ausgabe hatte: den Besuch zweier Grafen, die allmählich Respekt vor Sitten und Lebensgewohnheiten der Bürger bekommen.[29]

Nur Engels Roman ist durch und durch eine Kaufmannsgeschichte. Dort hatte der junge Herr Stark die Erlaubnis zur Heirat seiner geliebten Witwe bekommen, als sich herausstellte, daß sie solider war, als es zunächst den Anschein hatte. Diese Solidität erweist sich nicht nur darin, daß sie der übermäßigen Romanlektüre abhold ist, sondern vor allem darin, daß sie sich entgegen manchen Verleumdungen bescheiden auf sich selbst zurückzieht. Mit dem Bekenntnis »Ich hatte – niemal Gesellschaft«[30] gewinnt die Geliebte des Sohnes den Segen ihres zukünftigen Schwiegervaters. Der Satz wäre als positives Charakteristikum in einem Roman von Jane Austen, die ihre jungen Damen von einem Ball zum andern schickt, nicht denkbar; und selbst Witwen brauchen sich im englischen Roman normalerweise solchen Zwang nicht aufzuerlegen. Gesellschaft bedeutet da die willkommene Öffnung der Stände zueinander. Ein gleiches Bekenntnis wäre allerdings auch nicht bei Jean Paul zu finden, nur geht der Weg in umgekehrte Richtung. Sein kleinstädtisches oder dörfliches Bürgertum der Pfarrer, Schulmeister oder Advokaten ist besonders in den Volksfesten einer Kirmes oder einer Hochzeit den unter ihnen stehenden Schichten verbunden und behält auf diese Weise eine gewisse Natürlichkeit bei allem Absonderlichen und Spießigen. Manche der kleinbürgerlichen Charaktere schützen sich außerdem gerade durch ihre Originalität oder Skurrilität vor der Verkümmerung in beengender Standesmoral und demütigenden Lebensverhältnissen. Aber gerade das bestätigt im Grunde nur, was aus der Geschichte vom Herrn Lorenz Stark hervorgeht: Beschränkung und Bescheidung in den gesamten Lebensformen bis hin zur Feier von Verzicht und Entsagung werden in Deutschland zu Bürgertugenden. Ursprünglicher Stolz gegenüber adliger Üppigkeit und Prunksucht wandelt sich nach und nach zur freiwilligen Aufgabe des Strebens nach Wirksamkeit und Herrschaft im Ganzen der Hegelschen »modernen Staatsorganisation«. Denn was bei Engel zunächst nur auf die im häuslichen Leben festgehaltenen Frauen bezogen zu sein scheint, gilt in verwandter Form auch für den Mann. Gerade der *Wilhelm Meister* ist das beste Beispiel dafür. Der Kaufmann Werner mit seinen Profitinteressen ist Kontrastfigur zu dem nach allseitiger Ausbildung seiner Fähigkeiten strebenden Helden. Im Gegensatz zu der Ausgewogenheit der anderen Gestalten gerät Goethe dieser Charakter jedoch zur völligen Karikatur. Werners Loblied auf den »Geist eines echten Handelsmannes«[31] am Anfang des Romans wird durch seine Verkümmerung am Ende drastisch widerlegt. So sehr bei einer solchen Überzeichnung persönliche Motive des Autors eine Rolle gespielt haben mögen, so sehr prägt sich doch in Werner auch ein Typus aus, der dann bald darauf in der romantischen Literatur weite Verbreitung fand: der des Philisters. Spitzes, farbloses Gesicht, lange Nase, Glatze, schrille Stimme, eingedrückte Brust, Hypochondrie, Arbeitsamkeit, Erwerbsstreben und die Lust an Familienbehaglichkeit sind Charakteristika, die ihm sein Autor verleiht. »Die Frauen im Hause, sagte er, sind vergnügt und glücklich, es fehlt nie an Geld«, denn man spart, und die Kinder »lassen sich zu gescheiten Jungen an«.[32] Alles das sind Züge und Eigenschaften, die dann in der Philisterkritik bis ins 20. Jahrhundert hinein ständig wiederkehren, bei wachsendem Kapital und bürgerlichem Selbstbewußtsein später ergänzt durch die Variation des feisten Bourgeois. Das Buch wird durch das Hauptbuch ersetzt: die Buchhaltung sei »eine der schönsten Erfindungen des menschlichen Geistes«, meint Werner.[33] In der Studentensprache war der Philister der ins bürgerliche Leben zurückgekehrte Akademiker, später auch der Nichtakademiker; allgemein wird daraus der ausgesprochene Nicht-Intellektuelle und Nicht-Künstler, der unmusische, selbstzufriedene Mensch. Der Studierte, Intellektuelle und Künstler ist damit aber auch, wie nun vollends deutlich wird, der absolut einsame Held, der in der Realität nirgendwo Halt suchen kann und will als in sich selbst. Allerdings sieht er sich in einer Mission begriffen. Will Werner »von den Torheiten anderer Vorteil [...] ziehen«, so Meister »die Menschen von ihren Torheiten [...] heilen«[34] – Profit gegen Prophet. Wo ihm die öffentliche Anerkennung fehlt, die Meister immerhin noch in der Gesellschaft des Turmes findet, bleibt dem Helden nichts übrig, als sich selbst zu verklären.

Was tut der Held?

Nicht jeder englische Romanheld des 18. Jahrhunderts ist so tätig wie Robinson Crusoe und nicht jeder in so viel zarte oder rauhe Abenteuer verstrickt wie Tom Jones. Aber kaum einer ist so skeptisch gegenüber dem Sinn und der Notwendigkeit allen Handelns wie die deutschen Heroen der Dekade von 1790 bis 1800. Hyperions Klage gibt das Leitmotiv dafür: »O hätt ich doch nie gehandelt! um wie manche Hoffnung wär ich reicher!« Zur Geschäftigkeit war er von jenen »weisen Herren« aufgefordert worden, »die unter euch Deutschen so gerne spuken«,[35] wie der Grieche an seinen Freund Bellarmin schreibt. Diotima hatte ihn dann inspiriert, seiner Seele zu folgen und einer der Befreier des Vaterlandes zu werden. Aber die Taten reiften ihm nirgends, und sinnlos scheint ihm nun alles Tun. Ihm bleibt allein das Schreiben. Hyperion steht nicht allein mit seiner Klage. Franz Sternbald möchte sich über alle »heftige und ängstliche Tätigkeit« erheben und in Freiheit und Ruhe nichts als Künstler sein, aber das Künstlertum wird ihm eher zur Lebensform als zur Kreativität wie einst dem verehrten Albrecht Dürer. »Alle meine Entwürfe, Hoffnungen, mein Zutrauen zu mir geht vor neuen Empfindungen unter, und es wird leer und wüst in meiner Seele.«[36] William Lovell hatte aus ähnlichen Erkenntnissen vorübergehend eine zynische Genußphilosophie entwickelt: »Ich begnüge mich mit der Empfindung, ein *Mensch* zu sein; rasch entflieht das Leben, wehe dem, der vom irdischen Schlafe erwacht, ohne angenehm geträumt zu haben, denn wüste und dunkel ist die Zukunft.«[37] Rinaldo Rinaldini klagt gleich zu Anfang seiner Geschichte die Menschheit an: »O! hätte sie mich bei meinen Ziegen gelassen.« Sein weiterer Lebenslauf über drei Bände ist der eines elegischen Räuberhauptmanns. »Vergeßt, daß man mich Rinaldini nannte«, rät er seinen Freunden. »Verbindet mit diesem Namen keine Erwartung an kühne Thaten, und laßt mich unbekannt und ungenannt in Ruhe sterben.« Auch ihm sind die Blütenträume nicht gereift. Schon früher hatte er stille Stunden geliebt: dann las er viel, »dachte noch mehr, machte sogar Verse, komponirte seine Lieder selbst und sang sie auch selbst zur Guitarre«.[38] Am Ende liebt er nur noch die Bücher und den Schoß dörflicher Natur wie den der Mädchen. Die wirklich Geliebte bleibt so unerreicht wie der Wunsch, Held zu sein und die Menschheit zu bessern. In Schlegels *Lucinde* findet sich sogar ein Preisgesang auf alle Tatenlosigkeit: die »Idylle über den Müßiggang«. »Nur mit Gelassenheit und Sanftmut, in der heiligen Stille der echten Passivität kann man sich an sein ganzes Ich erinnern, und die Welt und das Leben anschauen«, heißt es da. Der göttliche Mensch wird wieder Pflanze und Naturwesen, und Prometheus wird als Gegner solchen Müßiggangs und als »Erfinder der Erziehung und Aufklärung« von einem »Satanikus« verdammt.[39] Die Spitze gegen Goethe scheint unüberhörbar, aber der *Wil-*

helm Meister war Schlegel wiederum keineswegs als der vorbildhafte Lehrgang eines bürgerlichen Individuums erschienen, dem er mit der Skepsis einer jüngeren Generation gegenübertreten wollte, im Gegenteil: »Wir sehen auch, daß diese Lehrjahre eher jeden andern zum tüchtigen Künstler oder zum tüchtigen Mann bilden wollen und bilden können, als Wilhelmen selbst. Nicht dieser oder jener Mensch sollte erzogen, sondern die Natur, die Bildung selbst sollte in mannichfachen Beispielen dargestellt, und in einfache Grundsätze zusammengedrängt werden.«[40] In der Tat ist Goethes Roman alles andere als ein Leitfaden zu bürgerlicher Tüchtigkeit. Der Lehrbrief für den jungen Meister gibt nur zweideutigen Rat: »Handeln ist leicht, Denken schwer; nach dem Gedanken handeln unbequem.« »Der Sinn erweitert, aber lähmt; die Tat belebt, aber beschränkt.« So wenig Wilhelm am Ende seiner Lehrjahre allem Handeln prinzipiell absagt, so sehr drängt es ihn doch zunächst, »sich an den Gegenständen der Welt zu zerstreuen«[41] und nicht dem Trieb des Sohnes von Herrn Lorenz Stark zu folgen, also »zu wirken, nützlich zu werden, Hochachtung und Beifall von andern, wie von sich selbst, zu verdienen«.[42] Die Spannung zwischen Handeln und Nicht-Handeln durchzieht den gesamten *Wilhelm Meister,* und Goethe hat daraus sogar eine eigene Theorie des Romans entwickelt, dem er das Drama entgegenstellt; diesem nur seien Charaktere und Taten vorbehalten. Im Roman sollten dagegen »vorzüglich Gesinnungen und Begebenheiten vorgestellt werden«. Und Goethe beruft sich auf die englischen Romane von Smollett, Fielding, Richardson und Goldsmith, wenn er definiert, der Romanheld müsse »leidend, wenigstens nicht im hohen Grade wirkend sein«.[43] Das ist zunächst vom Ästhetischen her und speziell von Hegels Definition leicht zu akzeptieren, wenn man annimmt, daß der Roman – im Gegensatz zum Drama – die »Totalität einer Welt- und Lebensanschauung«, die ganze Breite einer Zeit und Gesellschaft durch die Vorgänge um den Helden zur Anschauung zu bringen hat, um eben diese Vorgänge in der Wechselbeziehung zwischen Individuum und »Zustand«, Subjekt und Objekt verständlich und sinnvoll erscheinen zu lassen. Aber Goethes Bezug auf den englischen Roman ist eine täuschende Stütze. In *Dichtung und Wahrheit* hat er selbst später über den Roman des »Doktor« Goldsmith bemerkt, daß der enge Kreis des Landpastors in all seiner Begrenztheit und Beschränktheit durch »den natürlichen und bürgerlichen Lauf der Dinge« dennoch in die »große Welt« mit eingreife: »Auf der reichen bewegten Woge des englischen Lebens schwimmt dieser kleine Kahn, und in Wohl und Weh hat er Schaden oder Hülfe von der ungeheuren Flotte zu erwarten, die um ihn hersegelt.«[44] Der Satz ließe sich auch auf Robinson, Tom Jones und selbst auf Glück und Unglück von Pamela Andrews oder Clarissa Harlowe beziehen; für Wilhelm Meister und sein Verhältnis zum deutschen Leben gilt er gewiß nicht, auch nicht für die »Familie« der Turmgesellschaft. In dieser relativen und absoluten Isolation stehen Meister dann auch die anderen deutschen Helden näher als ihren englischen Gefährten. Bisher war bei der Frage nach der Einstellung zum Handeln von den frühen Romanen Jean Pauls nicht die Rede. In der *Unsichtbaren Loge,* im *Hesperus* und im *Siebenkäs* kann auch zunächst von gesellschaftlicher Isolation der Helden keine Rede sein. Auch dort, wo sie als zu erziehende junge Leute zunächst nur eine passive Rolle spielen mögen, sind sie fest integriert in die ständisch gegliederte Gesellschaft der deutschen Residenzstädte, Landstädte oder Dörfer. Aber die *Unsichtbare Loge* bricht ab, ehe sich der Held Gustav für seine Aktivität in dieser deutschen Welt pro-

filieren kann. Im *Hesperus* verkörpern die zwei Helden dann zusammen die Tätig-
keitsmöglichkeiten, die in der Zeit überhaupt gegeben waren: der adlige Held mit
bürgerlicher Erziehung sollte als Regent den Menschen ›von außen‹ helfen, der bürgerliche mit adliger Erziehung als Arzt die Menschen ›von innen‹ heilen. Die Insel
der Vereinigungen blieb Wunschbild für die Harmonie aller Dualitäten und Gegensätze. In den folgenden beiden Romanen hatte dann Jean Paul Harmonie dieser Art
nicht mehr zu entwerfen versucht, sondern im Staatsroman des *Titan* sowohl mit
Sympathie wie Distanz einen idealen Fürsten zu erziehen versucht und im Intellek-
tuellenroman des *Siebenkäs* Wirksamkeit und Wirkungslosigkeit eines bürgerlichen
Schriftstellers analysiert. Darin besonders finden sich auch generellere Antworten
auf die Frage nach dem Handeln von Romanhelden in diesen Jahren. Der Armenad-
vokat und Schriftsteller Firmian Stanislaus Siebenkäs kann sich im Scheintod zwar
schließlich selbst erlösen aus der als lähmend empfundenen Enge seiner kleinbürgerlichen Existenz, aber er wird nicht zum Erlöser anderer. Der Befreiungsakt ist Theater und Komödie: ein in seinen menschlichen Motivationen und Wirkungen höchst
zweifelhaftes Spiel. Wesentliche Charakteristika werden deutlich. Der bürgerliche
Held hat in Deutschland nur als Intellektueller die Chance zum selbständigen, auf
die Gesellschaft bezogenen Handeln, wenn er überhaupt eine hat. Siebenkäs, Wilhelm Meister, Hyperion, Woldemar, Viktor im *Hesperus*, Julius in der *Lucinde*,
Anton Reiser sind solche Intellektuelle; William Lovell ist lediglich als englischer
Adliger kostümiert, und auch der junge adlige Frondeur Ernst von Falkenberg in
Klingers *Geschichte eines Teutschen der neusten Zeit* erweist sich durch seine Monologe und vergeblichen Predigten eher als in diese Kategorie gehörig. Franz Sternbald und Lockmann in *Hildegard von Hohenthal* sind – als Seitenstücke dazu –
Künstler. Heinrich von Ofterdingen wird ihnen folgen. Berührungspunkte zwischen den reflektierenden und kreativen Typen gab es viele. Selbst Rinaldo Rinaldini
paßt sich dieser Sphäre durch seine betonte Neigung zu Kunst und Büchern an. Allein von Stand und Beruf ihrer Helden her wenden sich also diese Romane bereits
an einen relativ begrenzten Leserkreis, dessen Probleme und Interessen sie wieder-
geben. Auch für die folgende Zeit galt dann, daß die Bildungsromane allzuoft nur
Romane über Gebildete für Gebildete waren. Ihre mehr intensive als extensive Wirkung im Hinblick auf das nationale und internationale Lesepublikum hat hier ganz
offensichtlich ihre Ursachen. Den Bezug zum »Weltzustand«, den der Romanheld
nicht durch sein direktes Handeln herstellen kann, weil er in dieser Welt nicht so
handeln möchte, wie sie es erwartet, und diese Welt ihn wiederum nicht so handeln
läßt, wie er es will, muß er dann aus sich heraus und für sich neu erschaffen.
Ein idealer Umschlagplatz für solche Problematik ist das Theater. Dahin strebt Anton Reiser, dahin strebt für lange Zeit auch Wilhelm Meister. Hier allein glaubte Anton Reiser »freier zu atmen, und sich gleichsam in seinem Elemente zu befinden«.[45]
Was in England Teil einer Nationalkultur ist und Schauspieler wie Zuschauer damit
verbindet, wird in Deutschland Instrument, sich jenen Ausgang aus der Isolation,
den die Gesellschaft nicht bietet, in Selbstbestätigung und elegischem Trost zu verschaffen. Die Mittel dazu sind englisch. Die Monologe des Hamlet hefteten Reisers
»Augenmerk zuerst auf das *Ganze* des menschlichen Lebens – er dachte sich nicht
mehr allein, wenn er sich gequält, gedrückt, und eingeengt fühlte; er fing an, dies
als das allgemeine Los der Menschheit zu betrachten«.[46] »Shakespeares Hamlet ist

meine tägliche Lektüre; hier finde ich mich wieder«, schreibt der Deutsche Balder an seinen Freund William Lovell, der ihn und sich vor allem Lebensernst durch den »jugendlichen mutwilligen Boccaz« gewaltsam bewahren möchte.[47] Daß schließlich im *Hamlet* »eine große Tat auf eine Seele gelegt« wird, »die der Tat nicht gewachsen ist«,[48] summiert nur knapp und von der eigenen Seite einige Gründe Wilhelm Meisters für seine langen Mühen um dieses Stück. Hamlet wird zum Archetyp für den über sich selbst reflektierenden Intellektuellen, der aus der Not seiner Tatenlosigkeit auf dem Theater eine Tugend macht. Zugleich läßt sich durch solche Projektion das Verhältnis zur Generation der Väter aufwerfen. Von hier ist es nur ein Schritt zu jenem anderen Sohn, dessen Leiden zur Präfiguration aller Leiden überhaupt wurden. Aus der Passivität wird die Passion, aber auch das nur wieder für den Romanhelden als Theater und als Literatur. Werther hatte hier das große Beispiel gesetzt und seine säkulare Leidensgeschichte, in der er sich dem Gottessohn nahe fühlte, mit literarischen Dokumenten untermauert. Er wird für andere Vorbild und mit ihm derjenige, den er nachahmt – »da der blauröckige Werther an jedem jungen Amoroso und Autor einen Quasichristus hat, der am Karfreitage eine ähnliche Dornenkrone aufsetzt und an ein Kreuz steigt«.[49] Das merkt Jean Paul im *Hesperus* an; Siebenkäs, Werthers bester Schüler, verzichtet auf Pistolen und spielt lediglich den Tod als Tragikomödie, um sich noch in diesem Leben zu erlösen. Die verhängnisvolle Wirkung einer Vermengung von Bühnenaktion und Leben hat Jean Paul später im *Titan* weiterverfolgt.

In der Geschichte von Ehestand, Tod und Hochzeit des Armenadvokaten Siebenkäs dominiert die Passion; die Parallelen zur Leidensgeschichte Christi sind ganz offensichtlich und werden direkt genannt mit Ehekreuz, Marterwerkzeugen, Dornenkrone, Karfreitag und Himmelfahrt. In anderen Romanen der Zeit sind es dagegen oft nur Anspielungen oder Verweise, aber das Vorbild bleibt. »Wer so den Tod erfuhr, wie du, erholt allein sich unter den Göttern«,[50] schreibt Diotima ihrem Hyperion nach dessen schwerer, fast tödlicher Verwundung im Freiheitskampfe, und in der Tat trägt der Übergang des Griechenjünglings aus der Welt des Handelns durch den Tod hindurch zur Erkenntnis und zum Priestertum unverkennbar Züge christlicher Passion. Franz Sternbald wiederum stellt sich als Künstler den Pharisäern und Philistern gegenüber und beschwört vor ihnen die Schöpferkraft, die ihm selbst abgeht, in seinem Meister Albrecht Dürer, der den anderen gegenübertritt und sagt: »Nun will ich einen Christuskopf malen!«[51] Sternbald versucht sich dafür am Gemälde einer Heiligen Familie und bekommt eine Marie zur Geliebten, denn auch auf dem Wege übers andere Geschlecht können sich einige Helden stellenweise in ihren Leiden erhöhen und erheben lassen, wie noch zu sehen sein wird. Werther selbst gehörte zu diesem Kreis, ihm folgen darin Siebenkäs, Woldemar, Julius, Wilhelm Meister und Rinaldo Rinaldini. William Lovell versucht es verzweifelt, wie er in seinen wertherlichen Briefen berichtet. Aber alle Marien können höchstens das Los der tatenarmen und gedankenvollen Helden erleichtern, sie jedoch nicht zu den tätigen Erlösern machen, die sie gern sein möchten. Deshalb ist auch schließlich der offenste, passivste oder kontemplativste Ausgang der Romane der akzeptabelste und ästhetisch überzeugendste. Die Rüstigkeit von Herrn Karl Stark wird banal. Müßiggang sowohl wie das Widerspiel von Sehnsucht und Ruhe, worin sich der »gebildete Liebhaber und Schriftsteller« Julius mit seiner Lucinde findet,[52] sind eine momentane

Lebensmöglichkeit, die Friedrich Schlegel in leichter, ironischer Balance darstellt. Weiter noch tritt Jean Paul in Liebe und Tadel von seinem Helden Siebenkäs zurück, den er nach seiner Auferstehung und mit seiner neuen Frau einem sehr unbestimmten Schicksal überläßt. Die Haltung Goethes seinem Helden und dessen Errungenschaften gegenüber hatte Schlegel schon in seiner Meister-Kritik zum Ausdruck gebracht. Und Hölderlin läßt seinen Hyperion schließlich im großen Kreislauf mit dem Ende beginnen. Über die »weisen Herren« unter den Deutschen, die ihn zum Handeln hatten anregen wollen, heißt es in Hyperions Bericht über deren Land: »Ein jeder treibt das Seine, wirst du sagen, und ich sag es auch. Nur muß er es mit ganzer Seele treiben, muß nicht jede Kraft in sich ersticken, wenn sie nicht gerade sich zu seinem Titel paßt, muß nicht mit dieser kargen Angst, buchstäblich heuchlerisch das, was er heißt, nur sein, mit Ernst, mit Liebe muß er das sein, was er ist, so lebt ein Geist in seinem Tun, und ist in ein Fach gedrückt, wo gar der Geist nicht leben darf, so stoß ers mit Verachtung weg und lerne pflügen! Deine Deutschen aber bleiben gerne beim Notwendigsten, und darum ist bei ihnen auch so viele Stümperarbeit und so wenig Freies, Echterfreuliches.«[53] Nicht einmal sein Hyperion-Schicksal, so scheint es, hätten sie ihm gegönnt und gelassen.

Wen liebt der Held?

Dem Helden erschien die Schöne, »als sei ihr Haupt mit Strahlen umgeben, und über ihr ganzes Bild verbreite sich nach und nach ein glänzendes Licht«. »Die Heilige« verschwindet zwar wieder vor seinen Augen, aber immerhin macht die »Erscheinung jenes hülfreichen Engels« ihn fürs erste »mild und sanft«.[54] Der junge Mann, dem auf solche Weise zum erstenmal seine spätere Geliebte und Ehefrau begegnet, ist nicht mit allen Wassern der Romantik gewaschen und heißt nicht etwa Franz Sternbald oder gar Heinrich von Ofterdingen, sondern sein Name ist Wilhelm Meister. Das »Evangelium der Ökonomie« schließt offenbar sakrale Klänge keineswegs aus. Überdies heißt der Engel Natalie, das ›Geburtstagskind‹; die Verbindung mit ihr soll später einmal besiegeln, daß der Held neugeboren und zu einem neuen Menschen geworden ist. Gleiches geschieht dem Advokaten Siebenkäs, der seine büßende Magdalenen-Gestalt Lenette im alten Leben zurückläßt und gleichfalls durch eine Natalie wie von einer Himmelskönigin zu »einem neuen Himmel und einer neuen Erde«[55] erhoben zu werden glaubt. Solche Beobachtungen an zwei des Sakralen so relativ unverdächtigen Romanen wie denen Goethes und Jean Pauls machen aufmerksam auf eine ganze Reihe ähnlicher Natalien- und Mariengestalten. Julius fühlt »mit ewigem Entzücken […] das göttliche Haupt der hohen Gestalt« seiner Lucinde »auf seine Schultern sinken«; sie war bereits Mutter eines inzwischen gestorbenen Sohnes gewesen, ehe Julius ihr begegnet war. Auch von ihm wird sie ein Kind haben, und »in den Armen der Mutter […], die mir ewig Braut sein wird«, die er als »holdselige Madonna« vergöttert, will der junge Vater sich fortan erquicken.[56] Von dem gemäßigten Libertin Franz Sternbald erwartet man es kaum anders, als daß er am Ende in der Nähe der Kunst- und Gottesstadt Rom die ferne, mehr geahnte als gekannte Geliebte aus dem »Geburtsdorfe« unter dem Namen Marie wiederfindet.[57] Auch Jean Paul hatte übrigens nicht gezögert, direkte Parallelen zwischen seiner Natalie und der »umstrahleten Maria«[58] im Himmel zu ziehen. Daß der kleine Felix Meister von einer Mariane geboren ist und samt Vater von der mit Strahlen umgebenen Heiligen Natalie angenommen wird, hieße vermutlich, die Analogien zu weit treiben. Das ist auch gar nicht nötig, um zu demonstrieren, daß die Relationen des Helden zum weiblichen Geschlecht in den hier betrachteten Romanen nur selten zu jenem durchschnittlichen Ausgang führen, den Hegel mit Bezug auf seine bürgerlichen Epopöen so beschrieben hat: »Zuletzt bekommt er meistens doch sein Mädchen und irgendeine Stellung, heiratet und wird ein Philister so gut wie die anderen auch: die Frau steht der Haushaltung vor, Kinder bleiben nicht aus, das angebetete Weib, das erst die Einzige, ein Engel war, nimmt sich ohngefähr ebenso aus wie alle anderen, das Amt gibt Arbeit und Verdrießlichkeiten, die Ehe Hauskreuz, und so ist der ganze Katzenjammer der übrigen da.«[59] Was immer man für Spekulationen über den zukünftigen Ehebund zwischen Wilhelm Meister und Natalie anstellt – derartiges wird einem durch den Text des Buches nicht nahegelegt, und man sieht sie eher getrennte Wege gehen, als sich die Töpfe an den Kopf werfen. Was bei Pamela Andrews und Mr. B., bei Tom Jones und Sophie Western, bei Sophie Primrose und Sir William Thornhill sowie bei den vielen von Jane Austen gestifteten Ehen dann und wann nicht auszuschließen ist, das kann für die deutschen Romane keineswegs als wahrscheinlich angesehen werden. Finden sich die englischen Liebenden, um schließlich eine mehr oder weniger gute bürgerliche Ehe zu begründen, so ist das für die deutschen nur selten in ihren Charakteren angelegt. Das zeigten vor 1790 schon die Parodien auf Goethes *Werther;* denn eine Ehe zwischen Werther und Lotte wäre schlechterdings ein Witz – je weniger er sie haben kann, desto mehr liebt er sie. In seiner Nachfolge begehrt auch der noch extremere William Lovell die unerreichbare, mit einem Freunde verheiratete Frau und verachtet die erreichbaren: »Am liebsten aber begleite ich irgendeines der vorüberstreifenden Mädchen, oder besuche eine meiner Bekanntinnen und träume mir, wenn mich ihre wollüstigen Arme umfangen, ich liege und schwelge an Amaliens Busen.«[60] Der Bruder der Angebeteten verschafft ihm den tragischen Abgang von dem verachteten Welttheater. Jacobis Woldemar sorgt fürs Überleben, indem er solche Spannung des Unerfüllten überwindet und neben der Ehefrau Allwina auch noch die Seelenfreundin – »Henriette! Schwester!« – als Persönlichkeitsformerin des nach sich selbst Suchenden im Hause behält: »Der Himmel war ihm aufgethan in Henriettens Seele; in seiner eigenen die Hölle.« Die gesellschaftlichen und persönlichen Unbequemlichkeiten oder Komplikationen eines solchen Arrangements werden nicht weiter erörtert, es sei denn, man nähme Henriettes Bemerkung dafür, daß nicht genug bedacht werde, »welche nützliche Sache in einer großen Familie, ja im *Staat*, eine *ledige Tante* ist«.[61] Im *Siebenkäs* wird die verwirrende und zugleich tragische Konsequenz versuchter Liebe auf zwei verschiedenen Ebenen vorgeführt. Die häusliche Lenette wird im alten Leben zurückgelassen, aber die Aussichten für das neue bleiben unbestimmt, denn Natalie als rundlich werdende Inspektorsgattin im zweiten, Vaduzer Haushalt höbe den Geist ihrer Verbindung mit Siebenkäs auf und führte den Roman nur zu seinem Anfang zurück. Eine bürgerliche Ehe zwischen Julius und Lucinde im Rahmen eines größeren gesellschaftlichen Ganzen, so wie es Hegel umreißt, entspräche ebenfalls nicht den inneren Voraussetzungen dieses Bundes. Schlegel entwirft ein neues »Heiligtum der Ehe«, das ihm »das Bürgerrecht im Stande der Natur« gibt.[62] Die Darstellung einer solchen über das historisch Bürgerliche hinausgehenden »echten Ehe« geschieht aber deutlich auf Kosten des Romans als Form; die »bürgerliche Epopöe« zerbröckelt in Hymnisch-Lyrisches, Meditatives und Episodisches. Insgesamt also läuft die in den deutschen Romanen dargestellte Entwicklung des Verhältnisses zweier Liebender zueinander der Gründung einer Familie als Teil einer größeren gesellschaftlichen Totalität zuwider – da umgibt keine ungeheure Flotte den kleinen Kahn – während im Gegensatz dazu die Vorstellungen des Lesers über das spätere Eheglück der angelsächsischen Paare ganz natürlich aus der erzählten Geschichte herauswachsen. Die Chancen für ihre Zukunft sind schon in der vorgeführten Erziehung zu gesellschaftlichem Verhalten inbegriffen, wie es bereits einige positiv oder kritisch gemeinte Titel andeuten: *Pamela, or Virtue Rewarded, Pride and Prejudice, Sense and Sensibility.*

Franz Sternbald malt statt dessen eine *heilige* Familie: »In der Madonna habe ich gesucht, die Gestalt hinzuzeichnen, die mein Inneres erleuchtet, die geistige Flamme, bei der ich mich selbst sehe«.[63] Solche Egozentrik läßt nicht nur für die spätere Verbindung mit seiner Marie Bedenken aufkommen, sie erinnert auch an einen anderen werdenden Künstler, an Heinrich von Ofterdingen, der für sein welterkennendes Dichtertum sogar des Todes der Geliebten bedarf. Das ist nicht sarkastisch gemeint, sondern bezeichnet lediglich ein Verhaltensmuster für einige deutsche Romanhelden. Denn schließlich steht es ähnlich auch mit der großen tragischen Liebesgeschichte zwischen Hyperion und Diotima. Wenn Hyperion seinen Fluchtplan in »ein heilig Tal der Alpen oder Pyrenäen« verkündet und dazu in einer visionären Dithyrambe das Leben mit der Geliebten »in den Tiefen der Gebirgswelt« entwirft, so denkt auch er nicht an die paradiesische Gründung einer neuen Urfamilie, sondern an die Erneuerung einer kinderlosen Priesterschaft der Natur. Die Geliebte soll Hyperion seinen Tag mit ihrer Grazie segnen. Aber die Idylle ist nur Traum, da es Statik, Zeit- und Schicksallosigkeit für den sterblichen Menschen nicht gibt. So rettet Hölderlin, wie später Novalis, den Mann nur durch den Tod der Frau, durch ihre Auflösung in die Elemente der Natur. »Wenn ich auch zur Pflanze würde, wäre denn der Schade so groß? – Ich werde sein«, schreibt Diotima. In Quellen, Licht, Äther und Erde will Hyperion sie behalten: »Wie der Zwist der Liebenden, sind die Dissonanzen der Welt. Versöhnung ist mitten im Streit und alles Getrennte findet sich wieder.«[64] So führt der Kreislauf das Ende – auch des Romans – zum Anfang zurück. Wie bei der Erörterung von Stand und Tätigkeit des Helden, so ergibt sich hier ebenfalls, daß Hölderlin wohl am weitesten über die Themen, Bedingungen und Grenzen des Romans als bürgerliche Epopöe hinausgeht, so wie sie sein Studienfreund Hegel zu bestimmen versuchte. Die Einordnung des Helden in eine »zur *Prosa* gewordene Wirklichkeit« oder seine Konflikte mit ihr treten zurück hinter der Andeutung eines generellen, ursprünglicheren epischen Weltzustands, in dem nach Hegel der Mensch noch im »lebendigen Zusammenhange mit der Natur« stand.[65] Da eben Natur gegenüber allen gesellschaftlichen Formationen tatsächlich das einzig Dauernde ist, sind Hölderlins Gedanken nicht nur Rückblick, sondern Ausblick. Welche Rolle die Frau in solchem sehr viel weiteren Panorama hat, läßt sich nur in Andeutungen fassen. Denn einerseits taucht hier aus mythischen Tiefen der Begriff einer großen Mutter auf, andererseits aber erscheint am Horizont das Verständnis der Frau als einer dem Manne gleichgeordneten, emanzipierten Gefährtin jenseits allen Gebärertums.

Friedrich Schlegel hatte Ähnliches in seiner *Lucinde* zu konzipieren versucht, und die deutsche epische Literatur der Folgezeit hat sich gerade dieser Perspektiven besonders angenommen.[66] Je weniger dabei der Autor die Realität einer gesellschaftlich sanktionierten Bindung seiner Charaktere wahrscheinlich machen kann und will, desto weniger kann allerdings auch der Roman als Kunstform solche Dimensionen bewältigen. Im *Hyperion* werden, wie in der *Lucinde*, lyrisch und philosophisch meditative Ausdrucksformen verwendet, nur eben ohne die artistische Experimentierabsicht Schlegels und zugleich durch das große Formbewußtsein Hölderlins zusammengehalten. Daß sich eine »klare Geschichte« wie die »werdende Welt« aus dem Innern eines »strebenden Geistes« entfaltete, konnte Friedrich Schlegel allerdings nur von den ersten Teilen des *Wilhelm Meister* sagen.[67]
Unterschiede und Gemeinsamkeiten erweisen sich. Die bevorzugte Rolle der Frau als Heilige, Madonna, Mutter, Schützerin und Führerin des Mannes ist sichtbar geworden. Durch sie soll und will er seiner selbst bewußt werden, aber damit auch seiner Isolation und Einsamkeit, durch sie kann er sich darin verklären. Sie erscheint ihm als Engel im Strahlenkranze, mit ihr ist er oft auch schon längst bekannt, und alles Erkennen ist dann nur Wiedererkennen. Das findet sich bei Tieck oder Novalis, später in Dramen Kleists und Werners, aber der Gedanke steht schon in Goethes Zeilen:

Ach, du warst in abgelebten Zeiten
Meine Schwester oder meine Frau.[68]

Liebe wird hinter Gesellschaftliches zurückgeführt oder darüber hinaus. Wer sich so begegnet, kann durch Konventionen nicht getrennt werden. Es ist das einzige Recht, das man ihnen gegenübersetzen kann. Der geliebte adlige Partner wird zur häufigen Metapher für das in der Realität schwer oder gar nicht Erreichbare. Das gilt für Meister und Siebenkäs mit ihren beiden Natalien, für Agnes von Lilien und ihren Grafen, für Viktor und Klotilde im *Hesperus*, für Lockmann und Hildegard von Hohenthal und selbst für Rinaldo Rinaldini und seine Aurelie.
Die sogenannte Ehescheu, die bei romantischer Literatur gern diagnostiziert wird, ist nur ein Symptom, das in einem größeren Zusammenhang gesehen und verstanden werden muß. Bei Sternbald erweckt das Wort Ehe die Vorstellung von Szenen ruhiger Häuslichkeit, also »Kinder, die ihn umgaben, er hörte die Gespräche seines Schwiegervaters und der Freunde, er fühlte seine frische Jugend verschwunden und sich eingelernt in die ernsteren Verhältnisse des Lebens; seine wunderbaren Gefühle und Wünsche, das zauberische Bild seiner Geliebten, alles hatte Abschied genommen, und sein Herz hing an nichts mehr glühend«.[69] Variationen davon finden sich später zahlreich, besonders bei Brentano, Hoffmann und Eichendorff. Es ist die gefürchtete Enge des Philistertums; Heiraten wird so beengend und frustrierend wie Handeln, Nicht-Handeln so selbstzerstörerisch wie die Unfähigkeit des Helden, seine Geliebte an sich binden zu können. Das Dilemma ist unaufhebbar. Die verständnisvollen, engelhaften Frauen, die den nach Selbst- und Weltverständnis und einem Ort in der Gesellschaft suchenden Helden zu Erfüllung und Erlösung führen sollen, sind ihm tatsächlich nur selten auf dieser Welt bestimmt, in der sie eher den Tatmenschen ausgeliefert werden und ihnen zum Opfer fallen. Die Beispiele reichen von Werthers Lotte über Hoffmanns verschiedene Julien bis zu den Isolden von

Wagner und Thomas Mann, wobei die gesellschaftlich Hohen und die Reichen unter den Männern allmählich miteinander verschmelzen. Aber gerade die deutschen Romane des Jahrzehnts nach 1790 passen dann wieder insgesamt nicht ganz in ein so düsteres Bild. Gewiß gibt es die einfachen, zufriedenstellenden Lösungen nur im unteren Bereich der geringer reflektierenden Literatur bei J. J. Engel und, trotz mancher Qualitätsunterschiede in der Charakterzeichnung, bei Caroline von Wolzogen. Aber auch Untergänge wie der des Räubers Rinaldo Rinaldini finden sich eher in dieser Sphäre. Schon die Geschichte von der Selbstzerstörung William Lovells zwischen Schwester und Bruder Wilmont läßt am Ende Möglichkeiten zu einer allerdings verwirkten Umkehr erkennen. Vergleichbares ereignet sich im höchsten Reflexionsbereich bei Hölderlin, wo die Tragik alles der Zeit ausgesetzten Handelns und Sich-Bindens im Zeitlosen aufgehoben ist, denn »was ist alles, was in Jahrtausenden die Menschen taten und dachten, gegen Einen Augenblick der Liebe? Es ist aber auch das Gelungenste, Göttlichschönste in der Natur! dahin führen alle Stufen auf der Schwelle des Lebens. Daher kommen wir, dahin gehen wir.«[70] In Anbetracht dessen, was die bürgerlichen Verhältnisse den Romanautoren an Beschränkungen für die Bewegungen ihrer Helden auferlegen, ist in diesen Jahren sogar ein mehr oder weniger vorsichtiger Optimismus zu erkennen. Die Bindung Wilhelm Meisters an Natalie ist nicht von vornherein aufs Scheitern angelegt, was immer sonst daraus werden mag. Ähnliches gilt für Viktor und Klotilde, Siebenkäs und seine Natalie, Sternbald und Marie, Lucinde und Julius. Hildegard von Hohenthal und ihr musikalischer Verehrer finden sich vergnügt mit einem englischen Lord und einer schönen Italienerin ab. Auch Woldemar ist offensichtlich dazu bestimmt, zwischen Allwina und Henriette eher zu genesen als zu zerbrechen. Nur sind die Ausführungbestimmungen in jedem Fall noch nicht durch die bürgerlichen Konventionen gegeben und der Roman damit eben ohne eigentlichen Schluß. Das setzt sich dann schließlich im *Titan* mit den »Lehrjahren der Männlichkeit« des zukünftigen Regenten Albano bis zur idealen Geliebten und im *Ofterdingen* mit der Apotheose der Liebe überhaupt fort. Das Ideal selbst hat im Jahrzehnt nach der Französischen Revolution und zur Zeit der Koalitionskriege nicht nur Novalis bewegt. Schon im *Hesperus* hatte Jean Paul an das gleiche gedacht und dabei auch auf jene Vielfalt von Geschlechtsbeziehungen verwiesen, durch die die Autoren zu höheren Zwecken ihre Helden sich bewegen lassen mußten: »O, wenn Schwesterliebe, Kindesliebe, Mutterliebe, Geliebtenliebe und Freundschaft nebeneinander auf den Altären brennen: so tut es dem guten Menschen wohl, daß das Menschenherz so edel ist und den Stoff zu so vielen Flammen verwahrt, und daß wir Liebe und Wärme nur fühlen, wenn wir sie außer uns verteilen.«[71] In den Erfüllungen der Liebe ließ sich allenfalls das Utopische bereits als »seiend« darstellen. Manche bedeutenden poetischen und philosophischen Konzepte für die Herstellung gesellschaftlicher Harmonie und für die Aufhebung von Gegensätzen haben in diesen Jahren in Deutschland ihren Ursprung.

Noch andere Fragen wären an die Helden der betrachteten Romane zu stellen. Fragte man nach den Orten, wohin sie aus ihrem kleinstädtischen Deutschland reisen, um Erziehung zu erfahren oder Freunde zu finden, so fänden sich England und Italien an erster Stelle. Das eine erscheint als das Land bürgerlicher Freiheit und Geschäftspraxis, aber auch großstädtischer Unmoral und Korruption. Schließlich hatte man Fielding und Richardson gelesen und neben der belohnten Pamela Siechtum und friedlichen Tod der Clarissa Harlowe miterlebt, und außer der Harmonie von Goldsmiths Pfarrersfamilie war man auch mit der Ironie Sternes vertraut. Das andere – Italien – wiederum war das außergesellschaftliche Land der Kunst, der Sinnlichkeit, der Räuberbanden und Geheimgesellschaften großen Stils wie des unangefochtenen Glaubens. Denn auch dem Glauben des Helden wäre weiter nachzufragen, obwohl der mehrfach beobachtete Wunsch, an sich selbst Passionsschicksal zu erfahren, schon darauf hindeutet, daß sich bei ihm in seiner Einsamkeit gesellschaftliche und metaphysische Isolation die Hand reichen: schließlich gehört zum Risiko der Freiheit und Gottähnlichkeit auch die Verlassenheit. Jean Pauls *Rede des todten Christus vom Weltgebäude herab, daß kein Gott sei* steht, obwohl früher konzipiert, bekanntlich im *Siebenkäs*. Das Denken der Helden wäre genauer zu vergleichen, also ihre Pläne, Konzepte und Bergpredigten. Und außerdem wären noch die Gefährten, Freunde und Feinde näher zu betrachten, mit denen sie der Autor umgeben hat. Wahrscheinlich und hoffentlich würde sich zeigen, daß die ihnen bereits gestellten Fragen schon an den Kern ihres Wesens und ihrer Existenz gerührt haben. Literaturhistorische Fragen zu den Romanen insgesamt ergeben sich darüber hinaus. Deutlich wachsen einige Romane aus der Erzählkunst der Aufklärung hervor. Nicht nur an die Engländer, sondern auch an Wieland, Miller, Sophie La Roche oder Wezel wäre als Vorbilder zu erinnern. Goethe und Heinse waren ohnehin vor 1790 bereits mit epischen Werken hervorgetreten, und Moritz wie Jacobi reichten überhaupt nur noch in diese Zeit hinein. Die anderen allerdings – Jean Paul, Tieck, Hölderlin oder Friedrich Schlegel – hatten erst in diesen Jahren zu schreiben begonnen. Zeigen sich drastische Unterschiede? Lassen sich Aufklärung, Klassik und Romantik klar voneinander absetzen? Ganz offenbar ist das bei der hier versuchten Fragestellung nicht der Fall. Literaturgeschichte erscheint als Entwicklungsprozeß, der die Kategorisierung nur zur Not erträgt. Natürlich gibt es zwischen Roman und Roman Unterschiede, wie es zwischen Autor und Autor, Mensch und Mensch Unterschiede gibt. Aber Werke und Verfasser lassen sich nicht zufriedenstellend in Gruppen arrangieren. Versucht man aus der Übersicht über die gesamte literarische Produktion dieses Zeitabschnitts heraus Formen und Tendenzen zu summieren, so wird man zwar im Hinblick auf gemeinsame Ideale und deren literarische Realisation eine Anzahl jüngerer Schriftsteller unter dem Sammelbegriff einer im Entstehen begriffenen *Romantik* durchaus zusammenbringen können und die älteren vielleicht unter denen von Aufklärung und Klassik. Aber im Hinblick auf den Roman allein läßt sich das mit einiger Überzeugung nicht tun. Wohl findet man bei Goethe den Versuch zu einer Lösung der Konflikte innerhalb einer evolutionären Gesellschaft im Unterschied zu den Hoffnungen auf die harmonisierende Wirkung der Kunst bei Tieck und Novalis oder zu der noch weiteren, auf den Gang der Natur verweisenden Perspektive bei Hölderlin. Jean Paul andererseits wäre überhaupt nur mühsam in eine solche Skala zu zwingen, und es hilft gewiß nicht, wenn man »evolutionär« durch »revolutionär« ersetzt. Der *Siebenkäs* erweist die Skrupel des Autors nur zu deutlich. So wird man sich bescheiden müssen, von dieser Zeit als von einer Art Gründerjahren des deutschen Romans zu sprechen oder, genauer, von einer typenprägenden Periode. Mit Jean Pauls Büchern, mit *Meister, Hyperion, Ofterdingen* und selbst der

Lucinde treten in einem kurzen Zeitraum Werke ans Licht, die nicht nur für die unmittelbare Folgezeit, also etwa für Brentano, Arnim, Fouqué, Eichendorff oder Mörike von gewichtigem Einfluß waren, sondern weiterhin dann auch für Keller, Stifter, Raabe oder in diesem Jahrhundert Kafka, Hesse, Musil, Thomas Mann und selbst Günter Grass. Solche Genesis ist allgemein bekannt. Manche Charakterprägungen und Verhaltensmuster aus der Frühzeit wurden in Variationen beibehalten, und der einsame deutsche Held ist, zumeist als Intellektueller und Künstler, noch durch viele Buchseiten gewandert; aber erst als Josef K., Hans Castorp, Adrian Leverkühn, Joseph Knecht oder Oskar Matzerath fand er nach und nach Gunst bei einem größeren nationalen und internationalen Publikum. Für die Vorgänger aus den Jahren zwischen 1790 und 1800 läßt sich das bis heute nicht sagen. Die Bücher sind weitgehend ›Ausbildungsromane‹, also vorgeschriebene Studienlektüre, oder Gebildetenromane geblieben. Für den *Prozeß*, den *Doktor Faustus*, das *Glasperlenspiel* oder die *Blechtrommel* dagegen gilt das gewiß nicht mehr.

Der deutsche bürgerliche Roman um 1800 hatte allerdings von vornherein keine Chance, populäre Literatur im gleichen Sinne wie die Romane der Engländer oder später die der Franzosen und Russen zu werden. Er mußte vielmehr der eigenen Definition widersprechen und sozusagen aus dem Gegensatz zwischen dem Epischen und dem Bürgerlichen existieren. Das Subjekt in Triumph oder Untergang erzählend, also poetische Realität schaffend, dem Objekt des gesellschaftlichen »Gesamtzustandes« zu verbinden oder zu konfrontieren war unter den gegebenen deutschen Verhältnissen für den Autor nicht möglich, wie sich immer wieder zeigte. Bürgerliche Epopöen, so wie sie Hegel verstand, sind also diese Romane nicht oder höchstens in Ansätzen da und dort. Das ist jedoch nicht das letzte Wort über sie. Der »allgemeine nationale Weltzustand«, von dem Hegel spricht, die »gesamte Weltanschauung und Objektivität eines Volksgeistes«, die er im Zusammenhang mit der »eigentlichen Epopöe« erwähnt, schließen letztlich auch die »ganze Totalität« dessen ein, »was zur Poesie des menschlichen Daseins zu rechnen ist« und was Hegel unter die Begriffe Natur, Gott und Gesellschaft faßt.[72] Gerade die zeitliche Not fördert gelegentlich den Ausblick auf größere Zusammenhänge. In Erzählung wie poetisch-philosophischer Reflexion sandten die deutschen Autoren ihre Helden auf die Suche nicht nur nach historischer und sozialer, sondern eben auch nach metaphysischer Orientierung. Das wurde dann dem Leser oft anschaulich gemacht durch den Bezug auf mythische oder utopische Konstellation; dem epischen Ganzen des Romans bekam es selten, und der Leser wird es deshalb mit diesen Büchern auch immer etwas schwerer haben als mit den eigentlichen »bürgerlichen Epopöen« aus England oder Frankreich. Aber damit ist noch kein Werturteil gefällt.

Anmerkungen

1 Georg Wilhelm Friedrich Hegel: Vorlesungen über die Ästhetik. Stuttgart 1971. Teil 3. S. 177. Die weiteren Zitate S. 124 ff., 177, 26, 178, 149, 177, 200.
2 Ian Watt: Robinson Crusoe as a Myth. In: Essays in Criticism. A Quarterly Journal of Literary Criticism 1 (1951) S. 95–119. – Auf diese Zusammenhänge bin ich zuerst eingegangen in meinem

Aufsatz »The Lonely Hero, or: The Germans and the Novel«. In: AUMLA. Journal of the Australasian Universities Language and Literature Association 43 (1975) S. 5–23.

3 Rolf Engelsing: Zur Sozialgeschichte deutscher Mittel- und Unterschichten. Göttingen 1973. S. 140.

4 Friedrich Schlegel: Fragmente. In: Kritische Friedrich-Schlegel-Ausgabe. München, Paderborn, Wien. Bd. 2 [1967]. S. 198.

5 Vgl. Karl Goedeke: Grundriß zur Geschichte der deutschen Dichtung. Bd. 5. Dresden 1893. Teil 2. S. 459–539; Bd. 6. Leipzig, Dresden, Berlin 1898. S. 375–435.

6 Vgl. Michael Hadley: The German Novel in 1790. A descriptive account and critical bibliography. Bern 1973.

7 Vgl. Helmut Germer: The German Novel of Education 1792–1805. A complete bibliography and analysis. Bern 1968.

8 Friedrich Schlegel: Brief über den Roman. In: Gespräch über die Poesie (1800). (Anm. 4). Bd. 2. S. 335.

9 Schiller an Goethe, 23. 12. 1795.

10 Goethes Werke. Hamburger Ausgabe. Hamburg 1948ff. (Im folgenden zitiert als: HA.) Bd. 7. S. 11. Das folgende Zitat S. 287.

11 Hölderlin: Sämtliche Werke. Kleine Stuttgarter Ausgabe. Stuttgart 1958. Bd. 3. S. 75.

12 Ludwig Tieck: Franz Sternbalds Wanderungen. Studienausgabe. Hrsg. von Alfred Anger. Stuttgart 1974. S. 39.

13 Jean Paul: Werke. München 1960. Bd. 2. S. 34.

14 HA 7, 563.

15 Hölderlin (Anm. 11). S. 138.

16 Tieck (Anm. 12). S. 179.

17 HA 7, 610.

18 Schlegel (Anm. 4). Bd. 5 [1962]. S. 37 und 62.

19 Jean Paul (Anm. 13). Bd. 2. S. 55.

20 Der Vorabdruck etwa der Hälfte des Romans erschien in den »Horen«, 1. Jg. (1795) 10. Stück, S. 1–67, und 2. Jg. (1796) 2. Stück, S. 1–19. Der angekündigte »Beschluß« ist nicht gefolgt. Die erste Buchausgabe erschien 1801 in Berlin, nach Angabe von Christian Gottlob Kaysers »Bücher-Lexicon« als 2. Auflage. Zitiert wird nach dem Nachdruck in Kürschners Deutscher National-Litteratur, Bd. 136. Zitate hier S. 321 und 323.

21 Engel (Anm. 20). S. 438.

22 Ebd., S. 451.

23 Novalis. Werke. München 1969. S. 546.

24 Georg Lukács: Die Theorie des Romans. Neuwied, Berlin 1971. S. 137.

25 Schlegel: Über Goethes Meister. (Anm. 4). Bd. 2. S. 144.

26 Jean Paul (Anm. 13). Bd. 1. S. 1203.

27 Eine ausführlichere Darstellung dieser Problematik findet sich in meiner Interpretation des »Siebenkäs« in: Aspekte der Goethezeit. Göttingen 1977.

28 Wilhelm Heinse: Sämmtliche Werke. Leipzig 1903. Bd. 6. S. 164.

29 Friedrich Heinrich Jacobi: Werke. Leipzig 1820 (Neudruck Darmstadt 1976). Bd. 5. Anhang S. 4–10.

30 Engel (Anm. 20). S. 431.

31 HA 7, 37.

32 HA 7, 497–501.

33 HA 7, 37.

34 HA 7, 36f.

35 Hölderlin (Anm. 11). S. 8.

36 Tieck (Anm. 12). S. 76 und 34.

37 Ludwig Tieck: Frühe Erzählungen und Romane. Werke in vier Bänden. Bd. 1. München 1967. S. 344f.
38 Christian August Vulpius: Rinaldo Rinaldini der Räuber Hauptmann. 18 Teile in 3 Bänden. Nachdr. d. Ausg. von 1799. Hildesheim, New York 1974. Bd. 1. S. 18; Bd. 3. S. 161; Bd. 1. S. 262.
39 Schlegel (Anm. 4). Bd. 5, S. 27–29.
40 Schlegel: Über Goethes Meister. (Anm. 4). Bd. 2. S. 143.
41 HA 7, 496. 550. 569.
42 Engel (Anm. 20). S. 438.
43 HA 7, 307.
44 HA 9, 428.
45 Karl Philipp Moritz: Anton Reiser. Hrsg. von Wolfgang Martens. Stuttgart 1972. S. 382.
46 Ebd., S. 267.
47 Tieck (Anm. 37). S. 349 und 351.
48 HA 7, 245f. – Als Kuriosum sei eine Stelle aus Jane Austens Roman »Sense and Sensibility« (1811) zitiert: »We have never finished *Hamlet*, Marianne; our dear Willoughby went away before we could get through it« (Kap. 16). Aber Shakespeare wird als Nationaldichter verehrt.
49 Jean Paul (Anm. 13). Bd. 1. S. 1026.
50 Hölderlin (Anm. 11). S. 134.
51 Tieck (Anm. 12). S. 39.
52 Schlegel (Anm. 4). Bd. 5. S. 78 und 9.
53 Hölderlin (Anm. 11). S. 160.
54 HA 7, 228. 230.
55 Jean Paul (Anm. 13). Bd. 2. S. 409.
56 Schlegel (Anm. 4). Bd. 5. S. 54, 62 und 71.
57 Tieck (Anm. 12). S. 398f.
58 Jean Paul (Anm. 13). Bd. 2. S. 574.
59 Hegel (Anm. 1). Teil II. S. 659.
60 Tieck (Anm. 37). S. 403.
61 Jacobi (Anm. 29). S. 229, 459 und 233.
62 Schlegel (Anm. 4). Bd. 5. S. 62.
63 Tieck (Anm. 12). S. 201.
64 Hölderlin (Anm. 11). S. 138f., 154 und 166.
65 Hegel (Anm. 1). Teil 3. S. 177 und 126.
66 Es sei erinnert an Werke wie Musils »Grigia« und dann vor allem »Der Mann ohne Eigenschaften«, an Brochs »Bergroman« und an die Studie des Weiblichen in Günter Grass' »Blechtrommel«. Im 19. Jh. nimmt die Gestaltung solcher Problematik in ihren bedeutendsten Beispielen bemerkenswerterweise nicht die Form des Romans an, sondern die einer episch-dramatischen Gestaltung, durch die Mythos direkt als Szenarium erscheinen kann. Beispiele sind Goethes »Faust II« und Wagners »Götterdämmerung«.
67 Schlegel: Über Goethes Meister (Anm. 4). Bd. 2. S. 126.
68 Goethe: »Warum gabst du uns die tiefen Blicke« (14. 4. 1776). In: HA 1, 122f.
69 Tieck (Anm. 12). S. 183.
70 Hölderlin (Anm. 11). S. 57.
71 Jean Paul (Anm. 13). Bd. 1. S. 1212.
72 Hegel (Anm. 1). Teil 3. S. 170, 115 und 159.

EBERHARD MANNACK

Der Roman zur Zeit der Klassik:
»Wilhelm Meisters Lehrjahre«

Als ein Textzeugnis von klassischer Vollendung galt schon bald nach seinem Erscheinen Goethes Roman *Wilhelm Meisters Lehrjahre;* er entstand am Ende eines Jahrhunderts, in dem die Poetizität der Gattung Roman nur allmählich Anerkennung zu erlangen vermochte. Die literarische Situation in Deutschland war bis weit über die Mitte des Jahrhunderts kaum geeignet, diesen Prozeß zu beschleunigen; der höfisch-galante Roman mit seinen Nachbildungen fand ungeachtet der vielfach geäußerten Kritik noch immer reges Interesse, und nur gering war die Zahl der Texte, denen ein innovatorischer Wert zugesprochen werden konnte. Zu ihnen zählen Schnabels *Insel Felsenburg* (1. Teil 1731), Gellerts *Leben der Schwedischen Gräfin von G**** (1747/48), Wielands *Geschichte des Agathon* (1. Fassg. 1766/67) und Sophie von La Roches *Geschichte des Fräuleins von Sternheim* (1771/72). Gemeinsam ist diesen Texten die Adaptation von Mustern der englischen Literatur; neben Defoe und Fielding war es vor allem Richardson, der den deutschen Roman entschieden beeinflußte. Seine Wirkung bezeugen romantheoretische Abhandlungen ebenso wie der *Werther,* der den Deutschen die erhoffte Mitsprache in der Weltliteratur verschaffte.[1]

Ließen schon Gottscheds Bemühungen um das Drama und die vielfachen Versuche einer Aneignung Shakespeares erkennen, daß das Theaterleben in Deutschland gegenüber der Entwicklung bei den westlichen Nachbarn zurückgeblieben war, so konnte den führenden Geistern nicht verborgen bleiben, daß auch in der zunehmend beachteten Romangattung der Rückstand sich mehr und mehr vergrößerte. Blanckenburg entwickelte seine Gedanken zwar vor allem am *Agathon,* sah sich aber häufig genug veranlaßt, auf Beispiele der englischen Prosaliteratur zu verweisen. Auch wenn der Verfasser des *Versuchs über den Roman* (1774) nicht als besonders zuverlässiger Zeuge angesehen werden darf, bleibt dieses Faktum ebenso wie der auffallend umfangreiche Rekurs auf die Romane Richardsons überaus signifikant. An deutschen Textbeispielen der Gattung erwähnte er neben Ziglers *Banise* – also einem älteren Zeugnis – Hermes' *Sophiens Reise von Memel nach Sachsen* (1769–73) und Nicolais *Das Leben und die Meinungen des Herrn Magister Sebaldus Nothanker* (1773, 75 u. 76), beide wiederum evidente Belege für die exemplarische Bedeutung des englischen Romans.[2]

Der *Versuch* erschien im selben Jahr wie Goethes *Werther,* der neben Richardsons Briefromanen auch dem von Rousseau verpflichtet war. Wenn er auch außerhalb Deutschlands Beachtung fand, so lag das nicht zuletzt an der Umformung des tradierten Musters zum ›Tagebuchroman‹, der dem Text den Charakter einer Bekenntnisschrift verlieh.[3] In den Briefen kam nur ein Verfasser zu Wort, dem es ein Bedürfnis war, von seinem ›Inneren‹, von den Regungen seines ›Herzens‹ einer Gemeinde

von Gleichgesinnten Mitteilung zu machen. »Und du gute Seele, die du eben den Drang fühlst wie er, schöpfe Trost aus seinem Leiden [...].«[4]
Der Bekenntnischarakter wie auch die in der Vorbemerkung angesprochene Zielgruppe verweisen auf eine das deutsche Geistesleben des 18. Jahrhunderts prägende religiöse Strömung, die ungeachtet ihrer Polemik gegen die Gattung dem neuen Roman wesentliche Impulse verlieh; spezifische Formen der pietistischen Frömmigkeit förderten den Wandlungsprozeß, den der Roman jener Zeit vollzog. Formelhaft kann dieser Prozeß als Ablösung des exemplarischen Romanhelden durch den ›Individualcharakter‹ umschrieben werden.[5] Die unmittelbare Einwirkung der religiösen Bewegung auf die deutsche Prosaliteratur war gerade in der Zeit nach 1775 besonders nachhaltig; die 1777 erschienene Autobiographie J. H. Jungs enthielt die Bekenntnisse und Erweckungsgeschichte eines Mannes, der den ›Stillen im Lande‹ angehörte, und schon der Anfang des ›ersten psychologischen Romans‹, Moritz' *Anton Reiser* (1785–90), legte mit der Schilderung des streng pietistischen Elternhauses die Herkunft des psychologischen Interesses offen dar. Eine permanente Selbstbeobachtung kennzeichnet den Helden dieses stark autobiographisch gefärbten Romans; es ist die Reaktion auf eine als unerträglich empfundene Außenwelt, deren Verdrängung durch poetische Lektüre und Theaterleidenschaft zunehmend erstrebt wird. Goethes Werther-Roman übernimmt dabei die Funktion, die Homer und Ossian für den *Werther* selbst besaßen, und die für das Zeitalter repräsentative Theatromanie bildet den Grund für eine vom Helden erstrebte Entwicklung. Er scheitert, da ihm der Weg zur Bühne versperrt wird.
Zu den Zeitgenossen, bei denen Moritz' Werk einen tiefen Eindruck hinterließ, gehörte Goethe – auch deshalb, weil er selbst die Geschichte eines theaterbegeisterten Jünglings zu schreiben unternommen hatte. 1777 erwähnte er erstmals den Titel der Schrift; 1785 geriet die Arbeit am Werk, das bis zum sechsten Buch gediehen war, ins Stocken. Mit der Umarbeitung begann Goethe 1794 – nach Erscheinen des *Anton Reiser*. »An ihm konnte dieser in größtmöglicher Deutlichkeit erkennen, wie individuelle menschliche Entfaltung und verantwortliche Eingliederung in die Gesellschaft nicht zustande kommen können.« »Das Problem des Entwicklungsromans« war damit aufs schärfste bezeichnet.[6]
Die – nach übereinstimmender Meinung der Interpreten – entscheidende Veränderung gegenüber der *Theatralischen Sendung*, der Funktionswechsel des Theaters für den Helden, wurde freilich nicht durch Moritz' Werk allein veranlaßt.[7] Nicht nur persönliche Erfahrungen, sondern auch die historische Entwicklung mußten die ursprüngliche Intention als überholt erscheinen lassen; die uneingeschränkte Übernahme der von den Gefährten des Sturm und Drang einst mitgetragenen und forcierten Theaterleidenschaft als Movens der Entwicklung des Individuums hätte den Charakter des Privaten, der dem Werk von Moritz anhaftet, eher verstärkt und der Repräsentanz der Entwicklung im Sinne einer vermittelten Allgemeinheit geschadet. Schon Wieland schrieb seine *Geschichte des Agathon* in der erklärten Absicht, »das Bild eines wirklichen Menschen« zu zeigen, »in welchem viele ihr eigenes erkennen sollten«.[8] Indem er die einem schwärmerischen Jüngling begegnenden Hemmnisse mit den daraus sich ergebenden Konflikten in das noch immer als einzigartig verehrte klassische Altertum zurückprojizierte, gab er deutlich zu verstehen, daß für eine

harmonische Bildung des Menschen die zeitgenössische Wirklichkeit nur unzureichende Voraussetzungen bot.[9]

Wenn Goethe bereits im *Werther* deutlich genug die Aktualität der Begebenheiten
herausstellte, so schloß er sich einer Tendenz an, die – von den englischen Beispielen
entschieden gefördert – auch das Romanschaffen in Deutschland zunehmend prägte.
Das gilt für Gellerts Text und erst recht für die Romane Nicolais, der La Roche und
Wezels *Herrmann und Ulrike*. Für diese – vom Zeitpunkt des Beginns der Arbeit
an den *Lehrjahren* her gesehenen – älteren Textzeugnisse ist bezeichnend, daß Denken und Tun der Helden an vorgegebenen Normen orientiert bleiben, deren Geltung
auch durch Enttäuschungen und Verfolgungen nicht ernsthaft erschüttert wird.[10]
Mit den Stürmern und Drängern jedoch war eine Generation hervorgetreten, die,
beeinflußt von Ideen Leibniz', Shaftesburys und Rousseaus, überindividuellen Normen zu folgen sich nicht mehr bereit fand. Herders Vorstellung von der Ausbildung
aller im Menschen angelegten Fähigkeiten wurde zwar als allgemein verbindlich akzeptiert, setzte aber mit der Betonung des je Besonderen im Sinne des individuellen
Glückes das wesentliche Moment der früheren Normen außer Kraft.[11] Werther und
Anton Reiser waren auf ihrer Suche nach individuellem Glück gescheitert; der fiktive
Reiser verwies deutlich genug auf den realen Autor und damit auf ein Schicksal, das
Goethe an manchen seiner frühen Mitstreiter – allen voran J. M. R. Lenz – beobachten konnte. Eine Überprüfung der neuen Idealvorstellung war dringend geboten angesichts des Verdachtes, daß die zeitgenössische Wirklichkeit dem Ideal entgegen-
stehe.

Die Forschung hat des öfteren den zeitgeschichtlichen Gehalt der *Lehrjahre* betont;
er tritt besonders auffällig in Wilhelms theatralischer Laufbahn hervor, in der die
Entwicklung des deutschen Theaterlebens, wie sie sich über einen längeren Zeitraum
vollzog, in ihren verschiedenen Ausprägungen vergegenwärtigt wird.[12] Er zeigt sich
nicht minder deutlich in den einer bestimmten Richtung der pietistischen Frömmigkeit gewidmeten Partien des Bekenntnisbuches und des letzten Romanteiles. Hingewiesen wurde ferner auf Momente der Rokokokultur, die ihren Niederschlag in der
Lebensform jener Adligen findet, denen Wilhelm zuerst begegnet und die er im Besitz wahrer menschlicher Vorzüge wähnt.[13] Als Beleg für das zeitgeschichtliche Kolorit darf schließlich auch der Nachweis gelten, daß die als bevorzugte Lektüre der
fiktiven Personen erwähnten bzw. durch Anspielungen zu identifizierenden Texte
mit den vom Lesepublikum der Zeit rezipierten Texten kongruent sind.[14] Neben
Fragen der vieldiskutierten Geschmacksbildung – der Terminus wird bereits im Titel
von Abhandlungen Bodmers und Königs genannt – sind es sodann vor allem die
Auffassungen von Kunst und Leben, wie sie seit dem Ausgang der 60er Jahre mit
besonderem Nachdruck programmatisch verkündet wurden. Wilhelms ›Apotheose‹
des Dichters könnte u. a. direkt den Lenzschen *Anmerkungen übers Theater* entnommen sein,[15] und in Abwehr der von Serlo intendierten Verstümmelung des Sha-
kespearischen *Hamlet* bedient er sich des Pflanzengleichnisses, das seit Herder zum
Gemeingut der Kunstbetrachter geworden war.[16] Ebenfalls auf Herders in vielen
Schriften entwickelte Vorstellung geht jenes Ideal der Bildung zurück, von dem an
einer Stelle des Lehrbriefes die Rede ist:

»Von dem geringsten tierischen Handwerkstriebe bis zur höchsten Ausübung der
geistigsten Kunst, vom Lallen und Jauchzen des Kindes bis zur trefflichsten Äuße-

rung des Redners und Sängers, vom ersten Balgen der Knaben bis zu den ungeheuren Anstalten, wodurch Länder erhalten und erobert werden, vom leichtesten Wohlwollen und der flüchtigsten Liebe bis zur heftigsten Leidenschaft und zum ernstesten Bunde, von dem reinsten Gefühl der sinnlichen Gegenwart bis zu den leisesten Ahnungen und Hoffnungen der entferntesten geistigen Zukunft, alles das und weit mehr liegt im Menschen und muß ausgebildet werden [...].«[17]

Und wiederum seit Herder galt als unbezweifelbar, daß der Kunst und besonders der Literatur dabei eine mäeutische Funktion zukommt. Schon Werther wertete das Kunsterleben als die wesentliche Voraussetzung für eine vom Glücksverlangen gesteuerte Entwicklung des Menschen; doch eben dadurch, daß er sie verabsolutiert, macht er die Grenzen dieser Auffassung sichtbar: indem er poetische Bilder auf die ihn umgebende Wirklichkeit appliziert, umgibt er sich mit einer Scheinwelt, deren Inkonsistenz ihn zunehmend irritiert. Lenz' *Waldbruder* führt diese Einstellung ad absurdum; er existiert, Poesie und Wirklichkeit verwechselnd, als Werther-Imitation und macht so sein Leben zur Donquichotterie. Eine andere Variante bietet Anton Reiser; für ihn bedeutet die Werther-Lektüre eine bewußte Weltflucht, weil sie allein gewährt, was die Wirklichkeit versagt. Nicolai zieht gegen dieses Fehlverhalten zu Felde, wenn er in Gestalt des »Säugling« einen schwärmerischen Poeten vorführt, dessen Narrheit erst durch eine landwirtschaftliche Tätigkeit geheilt wird.[18]

Der junge Wilhelm erweist sich auch darin als repräsentativ; wenn er vom Altan des väterlichen Hauses auf das weite Land hinabschaut, durch Täler und Berge dem befreundeten Handelshaus zustrebt oder mit der Theatertruppe durch den Wald streift, verklären poetische Bilder die Umwelt oder identifiziert er sich mit dem Helden eines Shakespeare-Dramas; daß er diesem Autor im wesentlichen seine Weltkenntnis verdankt, wird ausdrücklich vermerkt. Gerade die Bewertung der Poesie durch Wilhelm aber ist – entgegen den von einzelnen Interpreten vorgebrachten Einwänden – ein wichtiges Indiz dafür, daß auch der Held dem von Herder formulierten Bildungsideal sich verpflichtet fühlt. Die Kontroverse über die Bedeutung des Briefes, in dem Wilhelm das Ziel seines Strebens darlegt, resultiert daraus, daß Wilhelm die auf Castiglione zurückgehende Norm des europäischen Adels« mit dem neuen Ideal verbindet. Nicht nur am Anfang heißt es ausdrücklich:

»Daß ich Dir's mit *einem* Worte sage: mich selbst, ganz wie ich da bin, auszubilden, das war dunkel von Jugend auf mein Wunsch und meine Absicht.« – auch nach dem Bekenntnis, eine öffentliche Person werden zu wollen, kommt er auf diesen Gedanken zurück:

»Dazu kömmt meine Neigung zur Dichtkunst und zu allem, was mit ihr in Verbindung steht, und das Bedürfnis, meinen Geist und Geschmack auszubilden, damit ich nach und nach auch bei dem Genuß, den ich nicht entbehren kann, nur das Gute wirklich für gut und das Schöne für schön halte.«[19]

Wilhelms Wunsch nach vollständiger, durch Dichtung vermittelter Bildung steht für die »Poesie des Herzens«, die mit der »entgegenstehenden Prosa der Verhältnisse sowie dem Zufalle äußerer Umstände« in Konflikt gerät – nach Hegel stellt dies »eine der gewöhnlichsten und für den Roman passendsten Kollisionen« dar.[20] Wilhelm selbst kleidet diesen Konflikt in ein dichterisches Bild; neben dem strahlenden Glanz der Muse verblaßt die Erscheinung des personifizierten Gewerbes. Die *Lehrjahre* suchen zu ermitteln, ob sich das von Wilhelm adaptierte Ideal im Kontext der sozialen und ökonomischen Verhältnisse seiner Zeit realisieren läßt.

Es gehört zu den Verdiensten der neueren Forschung, Anteil und Bedeutung dieses Kontextbereiches im Roman von Goethe erkannt und herausgearbeitet zu haben. Daß auch der höfische Bereich nicht ausgespart bleibt, wurde freilich bislang kaum bemerkt. Über ihre Erfahrungen mit dem Hof und den Hofleuten, die ihr nahestehen, berichtet die schöne Seele mehrfach in ihrem Bekenntnisbuch. Als lästig gelten ihr die Etikette und die auf bloße Zerstreuung bedachte Geschäftigkeit; ihr gebildeter Bräutigam unterliegt bei der Bewerbung für ein Amt einem »viel geringeren Konkurrenten«,[21] und der mit außergewöhnlichen Fähigkeiten ausgestattete Oheim quittiert vorzeitig aus Einsicht in seine unzureichende Wirkungsmöglichkeit den Dienst.[22] So kann ihr hartes Urteil kaum überraschen, mit dem sie die bei Hofe spielenden Begebenheiten einleitet:

»Die Leute, mit denen ich umgeben war, hatten keine Ahnung von Wissenschaften; es waren deutsche Hofleute, und diese Klasse hatte damals nicht die mindeste Kultur.«[23]

Antihöfische Tendenzen dieser Art sind im Roman des 18. Jahrhunderts allenthalben anzutreffen. Differenzierter, als das – allerdings mit dem Hinweis auf einen früheren Zustand eingeschränkte – Urteil der Stiftsdame ausfällt, erscheint der Adelsstand im Roman selbst. Wilhelms erste Begegnung mit der von ihm so geschätzten Welt der Edelleute zeigt freilich die wiederum dem Hofe nahestehenden Vertreter dieses Standes nicht im besten Licht. Der kunstbeflissene Baron ist ebenso selbstgefällig wie dilettantisch, der Graf hegt Ansichten von der Schauspielkunst, deren Lächerlichkeit offensichtlich ist, und der Gräfin Existenz erschöpft sich nahezu in putzhaftem Schein und glänzender Oberflächlichkeit. Daß auch noch ihre religiöse Bekehrung einem törichten Aberglauben entspringt, macht das Scheinhafte ihres Verhaltens vollends deutlich. Indem Wilhelm sein Ideal eng mit dem Adelsstand verknüpft, wird es durch diese Begegnung hinreichend verdächtig.

Eine Korrektur erfährt diese Standessatire erst durch die Darstellung der Turmgesellschaft, und im besonderen durch Lothario und Natalie. Sie setzen fort, was ihnen der Oheim beispielhaft vorlebte. Hatte dieser nach seinem Abschied vom Hofe die Bewirtschaftung der ausgedehnten Güter selbst übernommen, so richtet auch Lothario nach dem Amerikaabenteuer sein Interesse ausschließlich auf Fragen der Ökonomie. Daß er sich nur zu behaupten vermag, wenn er sich der scheinbaren Vorteile seines Standes selbst entäußert und aus seinem Besitz den größtmöglichen Nutzen herauszuwirtschaften trachtet, hat ihn die Zeit gelehrt. Sein Denken und Tun werden von marktwirtschaftlichen Prinzipien bestimmt, die in der bürgerlichen Gesellschaft – deutlich ablesbar an der städtischen Kaufmannschaft – sich durchgesetzt haben. Werner, der diesen Prinzipien uneingeschränkt folgt, ist der selbstverständlich akzeptierte Partner der Männer vom Turm, und in der haushälterischen bürgerlichen Therese findet Lothario die ihm gemäße Ehefrau. Der fortschrittliche Adlige, dem – wie die Urteile der Turmgesellschafter über das Grafenpaar zeigen – die leere Repräsentanz der Standesgenossen nur mehr lächerlich erscheint, und der handeltreibende, auf Gewinnmaximierung bedachte Bürger paktieren nicht miteinander, sondern sehen sich zur Annahme derselben Prinzipien gedrängt. Die Unterscheidung zwischen bornierten Adligen, die häufig dem Landjunkertum angehören, und fortschrittlichen Adligen ist in der Romanliteratur aus der zweiten Hälfte des 18. Jahrhunderts durchaus geläufig. Millers *Siegwart* (1776) und J. G. Müllers *Siegfried von Lindenberg* (1779) ebenso wie Hippels *Lebensläufe* (1778–81) und Pestalozzis *Lienhard und Gertrud* (1781–87) kennen diese Differenzierung. Im *Fräulein von Sternheim* sind es Bürgerliche, die eine Verbesserung der Lage adliger Gutsbesitzer herbeiführen; in *Lienhard und Gertrud* wird an den Reformwillen der Adligen appelliert, der wegen des immer mehr steigenden Geldverkehrs als unvermeidliche Konsequenz erscheint.[24] Es ist offensichtlich, daß die Literaten damit Tendenzen aufgreifen und verstärken, die sich in der historischen Entwicklung des ausgehenden 18. Jahrhunderts in einzelnen Territorien Deutschlands abzeichnen. Man hat in diesem Zusammenhang auf die Verhältnisse in Kursachsen hingewiesen.[25] Daß ebenso schon vor den Reformen in Preußen fortschrittliche Gutsbesitzer – hier zumeist durch das Beispiel der Domänen veranlaßt – wie auch andernorts auf Verbesserungen bedacht sind, ist seit längerem bekannt.[26]

In den *Lehrjahren* erscheint Lothario als herausragender Vertreter des fortschrittlichen Adels; er ist der Protagonist einer Gesellschaft, deren Beliebtheit im Roman der Zeit wiederum als Reflex auf den historischen Kontext verstanden werden muß. Die geheimen Gesellschaften des 18. Jahrhunderts bieten die Möglichkeit, »that men of different civil rank could meet on a footing of equality«.[27] Schon mit Eintritt in die Turmgesellschaft sieht sich Wilhelm auf seine Herkunft verwiesen – im ersten längeren Gespräch mit Lothario ist fast ausschließlich von Geschäften, von Gutsverwaltung und einem zu erarbeitenden Gewinn, die Rede, und auch in der Folgezeit bilden Fragen der Ökonomie, der bestmöglichen Nutzung von Zeit, Geld und Kräften das beherrschende Thema. Dichtung und Theater finden in diesem Kreis kaum Beachtung oder erregen sogar Verdacht: nach Meinung von Natalie verschleiert Dichtung nur zu oft die Wahrheit, und in der Überzeugung, daß eine ernsthafte Beschäftigung mit dem Theater nicht lohnt, stimmen die Mitglieder des Turmes voll überein. Hatten sie schon früh Wilhelm vom Theater zu entfernen versucht, so können sie sich nach seinem ersten Aufenthalt im Schloß zugute halten, daß es ihnen gelungen ist, Wilhelm entschieden dem Theater zu entfremden. Poesie und Theater aber waren die Medien, mit deren Hilfe Wilhelm sein Bildungsideal zu verwirklichen trachtete. Vor den Augen der Edelleute, die ihren Bedingungen nach alle Möglichkeiten für eine Realisierung des Ideals besaßen, findet dieses offensichtlich nur bedingt Gnade. Es erscheint ihnen hinsichtlich der ökonomischen und sozialen Veränderungen als problematisch.

Diese Einsicht verdanken sie nicht zuletzt der Fürsorge des Oheims, der im Gespräch mit der Stiftsdame das Neue der Entwicklung klar umreißt. Entschiedenheit und Folge sind die Eigenschaften, die von Menschen gefordert werden und deren sie gerade so oft ermangeln:

»Aber ich bin weit entfernt, die Menschen deshalb zu tadeln; denn sie sind eigentlich nicht schuld, sondern die verwickelte Lage, in der sie sich befinden und in der sie sich nicht zu regieren wissen. So werden Sie zum Beispiel im Durchschnitt weniger üble Wirte auf dem Lande als in den Städten finden, und wieder in kleinen Städten weniger als in großen; und warum? Der Mensch ist zu einer beschränkten Lage geboren; einfache, nahe, bestimmte Zwecke vermag er einzusehen, und er gewöhnt sich, die Mittel zu benutzen, die ihm gleich zur Hand sind; sobald er aber ins Weite kommt, weiß er weder, was er will, noch was er soll, und es ist ganz einerlei, ob er durch die Menge der Gegenstände zerstreut, oder ob er durch die Höhe und Würde derselben außer sich gesetzt werde. Es ist immer sein Unglück, wenn er veranlaßt wird, nach etwas zu streben, mit dem er sich durch eine regelmäßige Selbsttätigkeit nicht verbinden kann.«[28]

Die ›verwickelten‹, unüberschaubar gewordenen Verhältnisse – diese Charakterisierung nimmt Lothario beim Vergleich der weitläufigen Geschäfte des Mannes und der beschränkten Tätigkeit der Frau wieder auf[29] – stellen das Ideal einer ›ganzen‹ Ausbildung, der die Gefahr der ›Zerstreuung‹ wie der Mangel an ›regelmäßiger Selbsttätigkeit‹ inhärent ist, entschieden in Frage. Nur wer seine Neigungen und Wünsche klar zu erkennen vermag und sie durch regelmäßige Tätigkeit in ein größeres Ganzes einzupassen bereit ist, wird der ›verwickelten Lage‹ gewachsen sein. Verstand, klare Erkenntnis des Zweckes und der dazugehörigen Mittel, Ordnung, Nutzen und regelmäßige Tätigkeit sind die Worte, die von den zum Turm Gehörenden mit Vorliebe verwendet werden. Für Wilhelms Leben waren seit der Flucht aus dem Elternhaus Phantasie und Gefühl, zufällige Anstöße und nutzloses Spiel konstitutiv.

Mit den Postulaten der klaren Erkenntnis und der Nützlichkeit ebenso wie in der Lebenspraxis knüpfen die Vertreter der Turmgesellschaft an das Erbe der Aufklärung an; eine philanthropisch-erzieherische oder eine ökonomische Tätigkeit auf einem Landgut oder in einem Staatswesen bilden das leitende Prinzip der Romanhelden im *Agathon* und im *Fräulein von Sternheim,* in *Herrmann und Ulrike* und im *Sebaldus Nothanker,*[30] dessen allgemeine Verbindlichkeit von vornherein akzeptiert wird. Die Agierenden der *Lehrjahre* aber sehen sich am Ende des Jahrhunderts einer veränderten Situation hinsichtlich der geistesgeschichtlichen wie ökonomischen Entwicklung gegenüber. Mit der Entdeckung des ›Herzens‹ und d. h. mit der Emanzipation des Gefühlsbereiches erhebt der Mensch Ansprüche, deren Durchsetzung von der ›verwickelten Lage‹ hintertrieben wird. Wer sich einem schrankenlosen Glücksverlangen überläßt, läuft Gefahr, als Mitglied der Gesellschaft unglücklich zu werden, weil sie ihren Verhältnissen nach die Einschränkung der einzelnen fordert. Diesen Konflikt zugunsten des gemeinen Ganzen einseitig lösen zu wollen, bedeutet einen Verlust an Menschlichkeit.

In der Person Werners begegnet ein Vertreter, dessen Tun und Denken sich in einer nutzbringenden Tätigkeit erschöpfen. Er vollzieht, was – nach einer Formulierung Wilhelms in den *Wanderjahren* – »das Natürlichste« wäre, nämlich: »daß der Sohn des Vaters Beschäftigung ergriffe«.[31] Der Verlust, den er als Mensch durch eine von Anfang an eingepaßte beschränkte Tätigkeit erleidet, wird bei der Wiederbegegnung mit Wilhelm sogar in der äußeren Gestalt sichtbar. Gleichsam das andere Extrem mit einer uneingeschränkten Pflege der Sphäre des Gefühls vertritt die ›schöne Seele‹. Daß diese Haltung der Korrektur bedarf, läßt sie der Oheim unmißverständlich wissen; ein Arzt ist eigens dazu bestellt, sie mit der Welt allererst bekannt zu machen. Er unterzieht sich dieser Aufgabe mit großem pädagogischen Geschick.

Damit ist die Frage der Erziehung berührt, die im Roman der Zeit wie in den *Lehrjahren* ausführlich behandelt wird. Im Bereich des Turmes widmen sich Natalie und Therese der Ausbildung junger Menschen; eine Erziehung nach genau bedachten Grundsätzen hatte der Oheim Natalie und ihren Geschwistern angedeihen lassen. Im Turm selbst ist die Frage Gegenstand von Erörterungen, wobei divergierende

Meinungen bestehen. Daß Wilhelm der pädagogischen Aufsicht bedarf, steht für die Gesellschafter fest; die Methode, den Zögling durch Irrtümer sich selbst ausbilden zu lassen und nur in seltenen Fällen mahnend oder warnend einzugreifen, bleibt hingegen umstritten.[32] Wenn sie dennoch praktiziert wird, so geschieht dies kraft eines Verständnisses der Welt, das in den *Wanderjahren* explizit, in den *Lehrjahren* metaphorisch formuliert wird. Nach der Aufnahme in die Turmgesellschaft bezeichnet Wilhelm selbst den bislang zurückgelegten Lebensweg und insbesondere seine Theaterlaufbahn als einen großen Irrtum. Doch eben darin irrt er sich. Als er gegenüber Jarno seine Erfahrungen mit dem Theater in schwärzesten Farben schildert, antwortet dieser:
»Wissen Sie denn, [...] daß Sie nicht das Theater, sondern die Welt beschrieben haben [...]?«
Und später heißt es:
»Das Theater war ihm, wie die Welt, nur als eine Menge ausgeschütteter Würfel vorgekommen [...].«[33]
Der aus einer langen Tradition vertraute Vergleich verrät ein Verständnis von Welt, das für die *Lehrjahre* wie auch für die *Wanderjahre* konstitutiv ist. Es begegnet u. a. bei Lothario, wenn er wiederholt die Überzeugung äußert, daß Staatsverwaltung und private Haushaltung einander entsprechen; die auf den eingeengten Raum ihres kleinen Gutshofes eingeschränkte Therese teilt diese Meinung, indem sie bekennt, über die ihr fremde Landesökonomie mitreden zu können:
»denn es wiederholte sich nur im großen, was ich im kleinen so genau wußte und kannte«.[34]
Die Welt wird hier als vom Prinzip der Analogie – der Entsprechung von Makro- und Mikrokosmos – geprägt verstanden. Daraus folgt u. a., daß selbst aus der Beschäftigung mit abgelegenen und in keinem Zusammenhang mit einer späteren Tätigkeit stehenden Aufgaben Einsichten gewonnen werden können, die sich gerade auch für diese Tätigkeit nutzbar machen lassen. Das gilt durchaus für die als Irrweg apostrophierte Einlassung Wilhelms mit dem Theater. Nach dem Aufbruch aus dem Schloß und den dort erlebten Enttäuschungen droht die Theatertruppe in den früheren Schlendrian zurückzufallen; Wilhelm sucht dem entgegenzuwirken, indem er für eine kodifizierte Ordnung eintritt und die Schauspieler zu einer regelmäßigen Tätigkeit zwingt. Das Denken in Analogien wird auch hier sogleich deutlich; in bezug auf das Trüppchen ist von einer »Form des neuen Staates« die Rede,[35] und zur Annahme seiner Vorschläge vermag er die Schauspieler durch einen Vergleich mit einem Orchester zu überreden.[36] Mit der darin enthaltenen Forderung nach Einordnung in ein größeres Ganzes nimmt er einen Gedanken vorweg, der den Normvorstellungen der Turmgesellschaft genau entspricht. In diesem Sinne hat das Theater zu Wilhelms Bildung beigetragen.
Der für das Theater wie für die Dichtung konstitutive Charakter des Scheinhaften aber ist geeignet, den Menschen die Wirklichkeit zu verdecken. Insofern besitzen diese Medien nur einen begrenzten Bildungswert. Daß sich Wilhelm ihnen zuwendet, zeichnet ihn vor anderen aus: daß er ihnen nach einiger Zeit entsagt, ist – nicht nur wegen des Mangels an schauspielerischer Fähigkeit – dringend geboten. In dieser Überzeugung wissen sich die Männer vom Turm einig:
»Es ist gut, daß der Mensch, der erst in die Welt tritt, viel von sich halte, daß er sich

viele Vorzüge zu erwerben denke, daß er alles möglich zu machen suche; aber wenn seine Bildung auf einem gewissen Grade steht, dann ist es vorteilhaft, wenn er sich in einer größeren Masse verlieren lernt, wenn er lernt, um anderer willen zu leben und seiner selbst in einer pflichtmäßigen Tätigkeit zu vergessen. Da lernt er erst sich selber kennen: denn das Handeln eigentlich vergleicht uns mit andern.«[37] Jarno spricht damit, das Ideal Wilhelms korrigierend, die zeitgemäße Verhaltensnorm aus. Im Kontext der ›verwickelten Lage‹ kann dem Bedürfnis nach ›ganzer‹ Ausbildung nur ein begrenzter Zeitraum zugestanden werden; er ist lediglich Vorstufe für eine realitätsangemessene eingeschränkte Tätigkeit. Insofern waren die vom Turm unternommenen warnenden Eingriffe in Wilhelms Theaterleben gerechtfertigt. In den *Wanderjahren* erfährt sodann diese Vorstellung eine weitere Einschränkung; angesichts der ›veloziferischen‹ Zeit, die den Spezialisten fordert, erscheint eine Bildung durch Irrtum als nicht mehr verantwortbarer Umweg; was diesem zu leisten zugebilligt wurde, wird nun der Pädagogischen Provinz überantwortet, die in verkürztem Verfahren Bildung vermittelt, wobei wiederum – entsprechend dem gleich am Anfang vorgeführten Kohlenmeilergleichnis – die Einsicht von der durchgehenden Analogie zum Tragen kommt.[38] Im Vorgriff auf die *Wanderjahre* – sie sind von Goethe schon beim Abschluß der *Lehrjahre* geplant – haftet schon der am historischen Kontext orientierten modifizierten Norm der Turmgesellschaft das Moment des Transitorischen an; dies erklärt die Ironie, mit der der Erzähler nicht allein Wilhelms ›Poesie des Herzens‹ und deren Folgen, sondern auch die auf Aktualität bedachten Grundsätze und Aktivitäten des Turms behandelt. Mit der distanzierenden Ironie enthüllt der Erzähler die nur temporäre Gültigkeit von Normvorstellungen, deren immer erneute Überprüfung an den sich wandelnden Verhältnissen unerläßlich ist.[39] Wer sie versäumt, läuft Gefahr, zu erstarren und zu scheitern; wer ihr nicht ausweicht, gehorcht dem Gesetz der Metamorphose.[40]
Die Bedeutung der Metamorphose für die naturwissenschaftlichen Untersuchungen Goethes ist hinreichend bekannt; daß er ihr über das Pflanzen- und Tierreich hinaus eine universale Geltung zuerkannte, machen zahlreiche Belege evident. Auch hierbei wirken Anregungen Herders nach, dessen organologische Betrachtungsweise schon bald als unentbehrliche Erkenntnishilfe angesehen wurde. Mit der systematischen Anwendung dieser Vorstellung auf das menschliche Gemeinwesen, die Nation oder den Staat, bot er zugleich die Lösung eines Problems, das sich seit der Aufklärung zunehmend stellte. Der Gegensatz von Einzelinteresse und Gemeinwohl erfuhr im Organismusmodell durch die Bestimmung von ›Mittel und Zweck zugleich‹ seine Aufhebung, und die dem Modell implizite Selbstregulierung verwies auf eine übergreifende Vernunft, die den harmonischen Ausgleich garantierte. In Adam Smiths System der klassischen Nationalökonomie finden diese Vorstellungen eine konsequente Anwendung; daß sich der Autor der *Lehrjahre* ihnen entschieden anschloß, ist in jüngster Zeit dargelegt worden.[41]
Gerade die Auffassung, wonach der einzelne autonomes Subjekt ist und zugleich Gefahr läuft, durch zufällige Umstände korrumpiert zu werden, bot Gelegenheit zur kritischen Auseinandersetzung mit Erscheinungen der Zeit, deren Einfluß bereits erwähnt worden ist. Im pietistischen Bekenntnisbuch der Stiftsdame kommt eine durchaus aktuelle Haltung zu Wort, die sich bereitfindet, zugunsten der einer überirdischen Macht überstellten Umstände auf die Autonomie des einzelnen zu ver-

zichten. Der Oheim – so berichtet die Schreiberin selbst – belehrt sie durch den Vergleich mit einem Baumeister, der die »zufälligen Naturmassen« durch seine schöpferische Kraft formt.[42] Es gehört zu den – oft mißverstandenen – Funktionen des sechsten Buches, dem Helden selbst eine Lehre zu erteilen, die zunächst nur für die Schreiberin bestimmt zu sein scheint. Denn gerade er läßt sich – allem Streben nach freier, den Zwängen der eingeschränkten Tätigkeit enthobener Selbstverwirklichung zum Trotz – in einem Ausmaß von zufälligen Umständen bestimmen, das er mit der Berufung auf das Schicksal verbal zu kaschieren versucht.

Die Gesellschaft vom Turm vertritt entschieden die Seite der Autonomie. Im Rahmen des eben dargelegten Modells kann dies freilich nicht mehr bedeuten, als daß ihre Entscheidungen nach Maßgabe der jeweiligen Situation getroffen werden. Der Hinweis auf die durch die Französische Revolution geschaffene Lage macht dies besonders deutlich. Daß die Männer vom Turm indessen nicht immer der Macht zufälliger Umstände zu entgehen vermögen, wird ihnen durch die Verwirrungen im Hause Natalies am Ende des Romans bewußt.

Der an den konventionellen Komödienschluß gemahnende glückliche Ausgang resultiert aus der Überzeugung von der sich entfaltenden allgemeinen Vernunft, in der das Denken in Analogien wie die Vorstellung des Gesetzes der Metamorphose ihre Begründung finden. Die schon von Goethe als den Sinn des Romans erhellend gekennzeichnete, in der neueren Forschung vielbeachtete Anspielung Friedrichs auf das unverhoffte Glück Sauls bringt Anschauungen einer christologischen Tradition ins Spiel, von deren Wirkung sich der Autor der *Lehrjahre* in den Schriften des von ihm verehrten Hamann überzeugen konnte. Wenn Hamann in der Geschichte Israels im Sinne der Präfigurationslehre die gesamte Menschheitsgeschichte abgebildet sieht, so legitimiert er den von Friedrich benutzten Vergleich. Nicht nur das seiner Entstehung nach zeitlich nahe Werk *Hermann und Dorothea,* in dem die vor den Revolutionstruppen Fliehenden mit den »durch Wüsten und Irren« vertriebenen Völkern Israels und ihr Anführer mit Josua und Moses verglichen werden,[43] kann als Beleg dafür gelten, daß der Goethe der klassischen Weimarer Jahre an diese Tradition anknüpft. Indem er aktuelle Begebenheiten mit einem biblischen Geschehen kommentiert, macht er im einmaligen historischen Ereignis die ahistorische Konstante im Sinne seines Symbolverständnisses sichtbar. So unterstellt er auch den ›verwickelten‹ Verhältnissen in einer Zeit ökonomischer und sozialer Wandlungen eine sich gesetzmäßig entfaltende Vernunft.

Es scheint, daß freilich die so vollzogene Apologie des Zeitgeschehens ebenfalls nicht völlig undistanziert geleistet wird. Vor allem der Tod Mignons stellt ein Faktum dar, das im Bemühen um seine Bewältigung das Unzureichende des Versuchs nurmehr enthüllt. Mignon stirbt, als Wilhelm die Prinzipien der Turmgesellschaft zu akzeptieren sich bereit findet. Nachdem er Besitz und Geld zu schätzen gelernt hat, vermißt der nüchterne Werner an ihm gerade »Etwas von seiner alten Treuherzigkeit«.[44] Ein Defizit an Menschlichkeit ist nach dieser Charakterisierung offensichtlich der Preis, der für die Annahme der neuen, am aktuellen Geschehen orientierten Prinzipien gezahlt werden muß. Natalie, die schon früh durch das Motiv der Amazone als Leitbild Wilhelms im Sinne der harmonischen Ganzheit gekennzeichnet wird, verkörpert eine Existenzform, die sich von den Prinzipien der auf der Höhe der Zeit Lebenden abhebt. Der Unterschied wird in der Beschreibung der besonderen Eigenschaften Natalies im Buch der schönen Seele evident: sie zeichnet sich gerade durch eine »auf keinen Gegenstand eingeschränkte Tätigkeit« aus und kann nur verrichten, »was in der Zeit und am Platz« ist. Darin zeigt sie eine Unmittelbarkeit, die auch ihr Verhältnis zum Geld bestimmt; was sie von der Tante an Geld für die Armen erhielt, »verwandelte sie immer erst in das nächste Bedürfnis«.[45] Nach Meinung der Turmgesellschafter selbst schließt die ›verwickelte‹ Lage eine Nachahmung solchen Verhaltens aus. Natalies Unmittelbarkeit, die ein Tätigsein ohne Einbuße an Menschlichkeit impliziert, erweist sich im historischen Kontext als Projektion des Wünschbaren, das mit der Annäherung an den Amazonenmythos und durch die Distanz, die Wilhelm auch weiterhin von ihr trennt, umschrieben wird.[46] Die von Natalie repräsentierte Einheit von Verstand und Herz erhält im Kontext der zeitgeschichtlichen Entwicklung den Charakter des Utopischen.

Wilhelm Meisters Lehrjahre fanden schon bald Bewunderer wie Kritiker. Daran hat sich bis heute wenig geändert. Novalis, der das Werk zunächst begeistert begrüßte, nahm bald Anstoß daran, daß die »Oeconomische Natur [...] die Wahre – Übrig bleibende« sei und der Adel das Leitbild für Wilhelm abgebe.[47] Die besondere Bedeutung der ökonomischen Thematik ist in der jüngsten Forschung herausgearbeitet worden – verständlicherweise ohne Übernahme von Novalis' Verdikt.[48] Sein Mißverständnis in bezug auf den Adel hingegen erweist sich als zählebiger, obschon es an Versuchen nicht mangelt, die oft undifferenzierten Interpretationen soziologischer Provenienz zu korrigieren.[49] Zeigte sich Novalis durch die Abwertung des Poetischen zugunsten der Lebensprosa irritiert, so diente schon bald zeitgenössischen Dichtern der Roman als Legitimation für ihre auf die Prosa der Philisterwelt zielende Schelte.

Die Fülle der in einem Text angelegten Rezeptionsmöglichkeiten darf als Kriterium für die Qualität eines Kunstwerkes angesehen werden. Wenn es ferner erlaubt ist, ein Werk als ›klassisch‹ zu bezeichnen, weil es als Muster über einen längeren Zeitraum gewirkt hat, so kann den *Lehrjahren* dieses Prädikat uneingeschränkt zugesprochen werden. Mit Novalis' *Heinrich von Ofterdingen* beginnt eine literarische Reihe, die in der Folgezeit unter verschiedenartigen Voraussetzungen an diesem ›idealtypischen‹ Textzeugnis der Spezies ›Entwicklungs- bzw. Bildungsroman‹ orientiert bleibt.[50] Daß es diese Funktion auch in der Gegenwart nicht eingebüßt hat, beweisen zahlreiche Beispiele der jüngsten Romanliteratur. Kann für die DDR-Literatur – das gilt in besonderem Maße für einen bestimmten Abschnitt ihrer Entwicklungsgeschichte – festgestellt werden, daß Romanautoren in bewußter Fortführung des kulturellen Erbes eine direkte Übernahme des Goetheschen Romanmusters für angemessen halten,[51] so ist für den deutschen Nachkriegsroman in der Bundesrepublik eine kritisch-distanzierte Haltung zu diesem Modell charakteristisch, die bereits in den *Buddenbrooks* vorgegeben scheint. Der Verfasser der *Blechtrommel* ordnet das Werk selbst der Tradition des deutschen Bildungsromanes zu und spricht von einem »ironisch-distanzierten Verhältnis«.[52] Die vorwiegend parodistische Verwendung des auf die *Lehrjahre* bezogenen Musters scheint freilich den Verdacht zu erhärten, daß Goethes Roman endgültig der Vergangenheit anheimgefallen ist. Dem widerspricht, daß sich das der Tradition entnommene Muster durchaus bewährt; indem Grass durch die Demonstration der Unangemessenheit des Modells für den von ihm dargestellten Abschnitt deutscher Geschichte die Pervertierung menschlichen Handelns evident zu machen versucht, erhebt er das Modell in den Rang einer überzeitlich-gültigen Norm. Seine angemessene Reaktivierung – sie wird in der *Blechtrommel* nicht ausgeschlossen – wäre dann ein Signal dafür, daß die historische Entwicklung zur Vernunft zurückgefunden hat.

Anmerkungen

1 Zur Bedeutung von Richardson vgl. jetzt Wilhelm Voßkamp: Romantheorie in Deutschland. Von Martin Opitz bis Friedrich von Blanckenburg. Stuttgart 1973.
2 Friedrich von Blanckenburg: Versuch über den Roman. Faksimiledruck der Originalausgabe von 1774. Mit einem Nachwort von Eberhard Lämmert. Stuttgart 1965.
3 Über den »Werther« als Tagebuchroman handelt Gerhard Storz: Goethe-Vigilien. Stuttgart 1953. S.19–60.
4 Goethes Werke. Hamburger Ausgabe. Hamburg 1948ff. (Im folgenden zitiert als: HA.) Bd. 6. S.7.
5 Voßkamp (Anm. 1). S. 129ff.
6 Hans Joachim Schrimpf: Moritz, Anton Reiser. In: Der deutsche Roman. Vom Barock bis zur Gegenwart. Struktur und Geschichte. Bd. 1. Düsseldorf 1963. S. 119 u. 120. Vgl. ferner Jürgen Jacobs: Wilhelm Meister und seine Brüder. Untersuchungen zum deutschen Bildungsroman. München 1972. S. 49ff.
7 Über das Verhältnis von »Theatralischer Sendung« und »Lehrjahren« handeln ausführlich Wolfgang Baumgart im Nachwort zum 7. Band der Goethe-Gedenkausgabe (Zürich 1948) und Wolfgang Hecht: Von der Theatralischen Sendung zu den Lehrjahren. Studie zur Umarbeitung des Wilhelm-Meister-Romans (Diss. Halle 1952).
8 Christoph Martin Wieland: Geschichte des Agathon. Unveränderter Abdruck der Editio princeps (1767). Bearb. von Klaus Schaefer. Berlin 1961. Vorbericht S. 3.
9 Dies gilt in ähnlicher Weise auch für Heinses »Ardinghello« (1787).
10 Vgl. dazu Jacobs (Anm. 6). S. 42ff.
11 Zum Bildungsideal bei Herder verweisen wir insbes. auf seine geschichtsphilosophischen Schriften.
12 Zusammenfassend dazu Erich Trunz in den Anmerkungen zu HA 7 (⁸1973) S. 690f., 743ff.
13 Walter H. Bruford: Goethe's Wilhelm Meister as a picture and a criticism of society. In: Publications of the English Goethe Society NS 9 (1933) S. 32; Rolf Peter Janz: Zum sozialen Gehalt der Lehrjahre. In: Literaturwissenschaft und Geschichtsphilosophie. Festschrift für Wilhelm Emrich. Berlin, New York 1975. S. 324.
14 HA 7, 707. 717. 720. 731f. 738. 752. 754. 766. 798.
15 HA 7, 82f. 120. Den göttergleichen Standpunkt des Genies entwickelt Lenz in seinen »Anmerkungen übers Theater« (1774).
16 HA 7, 294.
17 HA 7, 552. Die Textstelle weist m. E. direkte Anklänge an Herders frühe Schriften, so an die »Abhandlung über den Ursprung der Sprache« (1772) auf.
18 Jakob Michael Reinhold Lenz: Werke und Schriften I. Hrsg. von Britta Titel und Hellmut Haug. Stuttgart 1966. S. 283–322; Karl Philipp Moritz: Anton Reiser. Ein psychologischer Roman. Hrsg. von Wolfgang Martens. Stuttgart 1972. S. 292ff.; Friedrich Nicolai: Das Leben und die Meinungen des Herrn Magister Sebaldus Nothanker. In: Deutsche Literatur in Entwicklungsreihen, Reihe Aufklärung. Bd. 15. Leipzig 1938. S. 294.
19 HA 7, 291f. Zur Kontroverse um die Deutung des Briefes vgl. Heinz Otto Burger: Europäisches

Adelsideal und deutsche Klassik. In: Dasein heißt eine Rolle spielen. Studien zur deutschen Literaturgeschichte. München 1963. S. 219; Thomas P. Saine: Über Wilhelm Meisters Bildung. In: Lebendige Form. Interpretationen zur deutschen Literatur. Festschrift für Heinrich E. K. Henel. München 1970. S. 63–81. Über den Gegensatz von Bürger–Edelmann in der zeitgenössischen Literatur (insbes. bei Garve): Elizabeth M. Wilkinson und L. A. Willoughby: Having and Being, or Bourgeois versus Nobility. Notes for a Chapter on Social and Cultural History or for a Commentary on Wilhelm Meister. In: German Life & Letters 22 (1968/69) S. 101–105.

20 Georg Wilhelm Friedrich Hegel: Ästhetik. Mit einem einführenden Essay von Georg Lukács. Berlin 1955. S. 983.

21 HA 7, 376.

22 HA 7, 384.

23 HA 7, 364.

24 Ludwig Fertig: Der Adel im deutschen Roman des 18. und 19. Jahrhunderts. Diss. Heidelberg 1965. S. 44–90.

25 Janz (Anm. 13). S. 338f. Trunz verweist auf ein Beispiel in Schleswig-Holstein. HA 7 (⁸1973) S. 780.

26 Vgl. hierzu u. a. Wilhelm Treue: Wirtschafts- und Sozialgeschichte vom 16. bis zum 18. Jahrhundert. In: Handbuch der deutschen Geschichte. Bd. 2. Stuttgart ⁸1965. S. 419–424; Walter H. Bruford: Die gesellschaftlichen Grundlagen der Goethezeit. Weimar 1936. S. 127f. Auf die vorwiegend negativen Folgen des Preußischen Allgemeinen Landrechts verweist freilich Günter Birtsch: Zur sozialen und politischen Rolle des deutschen, vornehmlich preußischen Adels am Ende des 18. Jahrhunderts. In: Der Adel vor der Revolution. Göttingen 1971. S. 77–95.

27 Bruford (Anm. 13). S. 40; Rosemarie Haas: Die Turmgesellschaft in Wilhelm Meisters Lehrjahren. Zur Geschichte des deutschen Geheimbundromans im 18. Jahrhundert. Diss. Kiel 1964.

28 HA 7, 406f.

29 HA 7, 452f.

30 Der mit den Angehörigen des Turmes befreundete Arzt spricht in Verbindung mit den Bemühungen um eine Heilung des Harfners von »wahrer Aufklärung« (HA 7, 348).

31 HA 8, 269.

32 Natalie übt deutlich Kritik an dieser Methode (HA 7, 527).

33 HA 7, 434. 502.

34 HA 7, 455. Zur Analogie von Staat und Haushalt ferner S. 453 und 508.

35 HA 7, 216.

36 HA 7, 214f.

37 HA 7, 493.

38 Zum Gleichnischarakter des Kohlenmeilers HA 8, 39f.

39 Die Ironie als durchgehende Erzählstruktur der »Lehrjahre« arbeitet Hans-Egon Hass heraus in: Goethe. Wilhelm Meisters Lehrjahre. In: Der deutsche Roman (Anm. 6). S. 132–210. Vgl. ferner Ursula Cillien: Die Ironie in Goethes Wilhelm Meister. In: Neue Sammlung 5 (1965) S. 258–264.

40 Zur Metamorphose vgl. insbes. Günther Müller: Gestaltung – Umgestaltung in Wilhelm Meisters Lehrjahren. In: G. M., Morphologische Poetik. Gesammelte Aufsätze. Darmstadt 1968. S. 419–510.

41 Stefan Blessin: Die radikal-liberale Konzeption von Wilhelm Meisters Lehrjahren. In: Deutsche Vierteljahrsschrift für Literaturwissenschaft und Geistesgeschichte 49 (1975) Sonderheft 18. Jahrhundert. S. 191.

42 HA 7, 405.

43 HA 2, 477. Als Beleg dafür, daß Goethe diesen Gedanken Hamanns direkt übernimmt, kann die Bilderreihe in der Halle der Pädagogischen Provinz gelten (HA 8, 159). Zu Hamann vgl. insbes. »Biblische Betrachtungen eines Christen« und »Betrachtungen über Newtons Abhandlung von den Weissagungen«.

44   HA 7, 498.
45   HA 7, 417f.
46   William Larrett: Wilhelm Meister and the Amazons. The Quest for Wholeness. In: Publications of the English Goethe Society NS 39 (1964) S. 31–56.
47   Novalis. Schriften. 3. Bd. Das philosophische Werk II. Hrsg. von Richard Samuel. Stuttgart 1968. S. 646.
48   Vor allem von Blessin (Anm. 41). S. 190–225.
49   Als Beispiel für die restaurativen Bestrebungen interpretiert Baioni den Turm. Er gilt ihm als utopische Projektion der auf feudal-aristokratische Werte des Grundbesitzes begründeten Gesellschaftsstruktur des Absolutismus (Giuliano Baioni: Märchen – Wilhelm Meisters Lehrjahre – Hermann und Dorothea. Zur Gesellschaftsidee der deutschen Klassik. In: Goethe-Jahrbuch 92 [1975] S. 73–127). Einen fehlerhaften Ansatz in den Interpretationen von Lukács, Löwenthal und Habermas weist Blessin nach (Anm. 41). Georg Lukács: Wilhelm Meisters Lehrjahre. In: G. L., Werke. Bd. 7. Neuwied, Berlin 1964. S. 69–88; Leo Löwenthal: Erzählkunst und Gesellschaft. Die Gesellschafts-Problematik in der deutschen Literatur des 19. Jahrhunderts. Neuwied, Berlin 1971. S. 40–64; Jürgen Habermas: Strukturwandel der Öffentlichkeit. Untersuchungen zu einer Kategorie der bürgerlichen Gesellschaft. Neuwied, Berlin [4]1969. S. 23f.
50   Über Begriff und Geschichte des Entwicklungs- bzw. Bildungsromans und die umfangreiche Forschungsliteratur informieren die Arbeiten von Lothar Köhn (Entwicklungs- und Bildungsroman. Stuttgart 1969) und Jacobs (Anm. 6). Zum Begriff des Klassischen in Goethes »Lehrjahren« vgl. Wolfdietrich Rasch: Die klassische Erzählkunst Goethes. In: Begriffsbestimmung der Klassik und des Klassischen. Darmstadt 1972. S. 391–412.
51   Frank Trommler: Von Stalin zu Hölderlin. Über den Entwicklungsroman in der DDR. In: Basis 2 (1971) S. 141–190; Edith Braemer: Zu einigen Problemen in Goethes Roman Wilhelm Meisters Lehrjahre. In: Studien zur Literaturgeschichte und Literaturtheorie. Berlin [Ost] 1970. S. 156 und 194–200.
52   Text und Kritik. Günter Grass. H 1/1a ([4]1971) S. 6. In den Analysen der »Blechtrommel« wird dieser Hinweis häufig genutzt.

Literaturhinweise

Aus der Fülle von Untersuchungen zu Goethes »Lehrjahren« wurden vorwiegend Arbeiten der jüngeren Forschung ausgewählt. Die in den Anmerkungen zitierten Arbeiten bleiben hier unberücksichtigt.

Ammerlahn, Hellmut Hermann: Natalie und Goethes urbildliche Gestalt. Untersuchungen zur Morphologie und Symbolik von Wilhelm Meisters Lehrjahren. Diss. Austin (Texas) 1965.
– Wilhelm Meisters Mignon – ein offenbares Rätsel. Name, Gestalt, Symbol, Wesen und Werden. In: Deutsche Vierteljahrsschrift für Literaturwissenschaft und Geistesgeschichte 42 (1968) S. 89–116.
– Mignons nachgetragene Vorgeschichte und das Inzestmotiv: Zur Genese und Symbolik der Goetheschen Geniusgestalten. In: Monatshefte 64 (1972) S. 15–24.
Baioni, Giuliano: Classicismo e Rivoluzione. Goethe e la Rivoluzione francese. Neapel 1969.
Baumgart, Wolfgang: Wachstum und Idee. Schillers Anteil an Goethes Wilhelm Meister. In: Zeitschrift für deutsche Philologie 71 (1951/52) S. 2–22.
– Philine. In: Lebende Antike. Symposion für Rudolf Sühnel. Berlin 1967. S. 95–110.
Blackall, Eric A.: Sense and Nonsense in Wilhelm Meisters Lehrjahre. In: Deutsche Beiträge zur geistigen Überlieferung 5 (1965) S. 49–72.
Citati, Pietro: Goethe. Mailand 1970. S. 11–181.

Eichner, Hans: Zur Deutung von Wilhelm Meisters Lehrjahren. In: Jahrbuch des Freien Deutschen Hochstifts. Tübingen 1966. S. 165–196.

Emmel, Hildegard: Was Goethe vom Roman der Zeitgenossen nahm. Zu Wilhelm Meisters Lehrjahre. Bern, München 1972.

Farrelly, Daniel J.: Goethe and inner Harmony. A Study of the schöne Seele in the Apprenticeship of Wilhelm Meister. Shannon (Ireland) 1973.

Fleischer, Stefan: The theme of Bildung in The Prelude, Hyperion and Wilhelm Meisters Lehrjahre. Diss. Ithaca (N. Y.) 1967.

– Bekenntnisse einer schönen Seele: Figural Representation in Wilhelm Meisters Lehrjahre. In: Modern Language Notes 83 (1968) S. 807–820.

Gerhard, Melitta: Der deutsche Entwicklungsroman bis zu Goethes Wilhelm Meister. Halle (Saale) 1926.

Gille, Klaus F.: Wilhelm Meister im Urteil seiner Zeitgenossen. Ein Beitrag zur Wirkungsgeschichte Goethes. Assen 1971.

Hatfield, Henry: Wilhelm Meisters Lehrjahre and progressive Universalpoesie. In: The Germanic Review (1961) S. 221–229.

Henkel, Arthur: Versuch über den Wilhelm Meister. In: Ruperto-Carola, Mitteilungen der Vereinigung der Freunde der Studentenschaft der Universität Heidelberg 31 (1962) S. 59–67.

Hering, Robert: Wilhelm Meister und Faust. Frankfurt a. M. 1952.

Heselhaus, Clemens: Die Wilhelm-Meister-Kritik der Romantiker und die romantische Romantheorie. In: Nachahmung und Illusion. Hrsg. von Hans Robert Jauß. München 1964. S. 113–127.

Heuser, Magdalene: Formen der Personenbeschreibung im Roman. Dargestellt an Beispielen aus Wielands Agathon, Goethes Wilhelm Meisters Lehrjahre, Brentanos Godwi, Immermanns Münchhausen. Bochum 1967.

Jost, François: La tradition du Bildungsroman. In: Comparative Literature 21 (1969) S. 97–115.

Kurth, Lieselotte: Johann Wolfgang Goethe, Wilhelm Meisters Lehrjahre. In: L. K., Die zweite Wirklichkeit. Studien zum Roman des 18. Jahrhunderts. Chapel Hill 1969. S. 204–232.

Lukács, Georg: Die Theorie des Romans. Ein geschichtsphilosophischer Versuch über die Formen der großen Epik. Neuwied, Berlin 1963. S. 135–147.

May, Kurt: Wilhelm Meisters Lehrjahre, ein Bildungsroman? In: Deutsche Vierteljahrsschrift für Literaturwissenschaft und Geistesgeschichte 31 (1957) S. 1–37.

Müller, Joachim: Phasen der Bildungsidee im Wilhelm Meister. In: Goethe. Neue Folge des Jahrbuchs der Goethe-Gesellschaft 24 (1962) S. 58–80.

Neufeld, Evelyn: The Historical Progression from the Picaresque Novel to the Bildungsroman as shown in El Buscón, Gil Blas, Tom Jones and Wilhelm Meisters Lehrjahre. Diss. St. Louis (Miss.) 1970.

Petritis, Aivars: Die Personendarstellung in Goethes Wilhelm Meisters Lehrjahren und Wilhelm Meisters Wanderjahren. Diss. Köln 1967.

Roberts, David: Wilhelm Meister and Hamlet. The inner Structure of Book III of Wilhelm Meisters Lehrjahre. In: Publications of the English Goethe Society NS 45 (1975) S. 64–100.

Röder, Gerda: Glück und glückliches Ende im deutschen Bildungsroman. Eine Studie zu Goethes Wilhelm Meister. München 1968.

Schlechta, Karl: Goethes Wilhelm Meister. Frankfurt a. M. 1953.

Schumann, Detlev W.: Die Zeit in Wilhelm Meisters Lehrjahren. In: Jahrbuch des Freien Deutschen Hochstifts. Tübingen 1968. S. 130–165.

Staiger, Emil: Goethe. Bd. 2. 1786–1814. Zürich, Freiburg 1956. S. 128–174.

Storz, Gerhard: Wilhelm Meisters Lehrjahre. In: G. S., Goethe-Vigilien. Stuttgart 1953. S. 61–103.

Thüsen, Joachim von der: Der Romananfang in Wilhelm Meisters Lehrjahren. In: Deutsche Vierteljahrsschrift für Literaturwissenschaft und Geistesgeschichte 43 (1969) S. 622–630.

EHRHARD BAHR

Goethes »Natürliche Tochter«:
Weimarer Hofklassik und Französische Revolution

Die Problematik der deutschen Literatur zur Zeit der Klassik läßt sich kaum ohne
Berücksichtigung der jüngsten Rezeptionsgeschichte erfassen, da sie ein Bewußtsein
der Antithetik der Verbindung von ›Weimarer Hofklassik‹ und ›Französischer Revolution‹ vermittelt. Diese beiden Begriffe bezeichnen die extremen Pole der Diskussion: Ästhetik gegen Politik, wobei beide Pole sowohl negativ als auch positiv
bewertet werden. Im Zusammenhang mit den Klassiker-Denunziationen, wie sie in
den Jahren 1969 bis 1972 im Schwange waren, suchte man die Literatur jener Zeit
mit dem Begriff der ›Weimarer Hofklassik‹ auf einen »höchst forcierten Versuch«
zu reduzieren, »nach einsamer Höhe und strenger Zucht zu streben, der sich nur
an einem Hof verwirklichen ließ, wo Phänomene wie Einsamkeit, Größe und Distanz zu den Tugenden eines adligen Lebensstils gehörten«.[1] Diese ästhetisierende
Tendenz wurde mit einer fortschreitenden politischen Distanzierung von den Ereignissen und Ergebnissen der Französischen Revolution in Verbindung gebracht. Das
Wesen dieser Literaturperiode erschien den Kritikern der sogenannten ›Klassik-Legende‹ darin zu liegen, »daß hier zwei hochbedeutende Dichter die Forderung des
Tages bewußt [ignorierten] und sich nach oben [flüchteten]: ins Allgemein-Menschliche, zum Idealisch-Erhabenen, zur Autonomie der Schönheit, um dort in Ideen
und poetischen Visionen das Leitbild des wahren Menschen zu feiern«.[2] Die in der
Diskussion verwendeten Begriffe wie ›obrigkeitsfromm‹, ›apolitisch‹, ›Bildungsari-
stokrat‹, ›reaktionäres Machwerk‹ und ›Fluchttendenzen ins Idyllische oder Hö-
fisch-Zeremonielle‹ lassen erkennen, daß es den Kritikern weniger um einen historisch-analytischen Befund als um die Projizierung einer bestimmten Literaturvor-
stellung ging.[3]
Die Literaturwissenschaft der Deutschen Demokratischen Republik nahm Goethe
und Schiller gegen diesen forsch vorgetragenen Angriff aus dem Westen in Schutz,
indem sie auf die Fortschrittlichkeit der Klassik und deren sofortige Reaktion auf
die gesellschaftlichen Bewegungen und geistigen Emanationen des 18. Jahrhunderts
verwies. Helmut Holtzhauer, der damalige Präsident der Goethe-Gesellschaft, umriß den Standpunkt der Literaturwissenschaft der Deutschen Demokratischen Republik, als er die Klassik als eine der Perioden der deutschen Literatur bezeichnete,
»in denen das gesellschaftliche Bewußtsein – und nicht nur das des einzelnen – auf
ein höheres Niveau gebracht« wurde.[4] Das Gegenteil von dem, was die Kritiker der
Klassik-Legende im Westen behauptet hatten, wurde hier für bewiesen ausgegeben
und der Opposition Ziel- und Inhaltslosigkeit vorgeworfen. Im Rückblick erscheint
die jüngste Kontroverse um die Klassik, die hier reaktionär und überholt, dort progressiv und vorbildlich verstanden wird, wenigstens im Hinblick auf Goethe als
Neuauflage der bekannten Alternative des Jungen Deutschland: Goethe als Dichterfürst oder Fürstenknecht.[5]

Inzwischen meldete sich auch die intellektuelle Linke der Bundesrepublik Deutschland zum Problem der Klassikrezeption zu Worte, allerdings noch mit dem verschämten Fragezeichen im Titel: »Von Goethe lernen?« Während Martin Walser noch in gewohnter Weise die kleinbürgerliche Existenz Jean Pauls gegen Goethes Programm der herrschenden Klasse ausspielte, sprach Friedrich Tomberg davon, die »Leistung der deutschen Klassik [...] in die Theorie und Praxis der Gegenwart hineinzunehmen«, und rief zu einer »Neuanknüpfung« an die Klassik auf.[6] Wenn er schließlich den Gemeinplatz des Klassiker-Kults neu formulierte, daß den »Deutschen [...] in ihrer klassischen Literatur ein unausschöpfbar reiches Werk« vorliegt, so kehrt die Kritik fast in einer Kreisbewegung zu ihrem ästhetischen Ausgangspunkt zurück, wenn nicht ausdrücklich von der falschen Alternative die Rede gewesen wäre, Goethe entweder zum Revolutionär oder Reaktionär umzufunktionieren.[7]

In der Rezeptionsgeschichte der *Natürlichen Tochter* läßt sich eine ähnliche Konstellation erkennen: die Urteile, ob sie nun positiv oder negativ ausfallen, sind entweder politisch oder ästhetisch orientiert. Bei Caroline Herder stehen z. B. beide Auffassungen unvermittelt nebeneinander: »Das Thema des Stücks [...]: der ewige Kampf der menschlichen Verhältnisse mit den politischen [...], ausgesprochen in einer schönen, klassischen Sprache, in den schönsten Jamben.« Herder selbst betrachtete das Werk vom ästhetischen Standpunkt: »Goethe zeichnet mit einem feinen Silberbleistift.«[8] Ebenso Fichte und Zelter. Fichte schrieb am 18. August 1803 über die Berliner Aufführung an Schiller, daß er »kaum etwas Höheres für möglich gehalten habe« und »es für das dermalig höchste Meisterstück« Goethes halte, während Zelter in einem Brief vom 24. Oktober 1803 das Trauerspiel »ein eigentliches Kunstwerk« nannte: »Wenn dies die höchste Gattung des ernsten Dramas ist, so hätten die Deutschen also nun schon eins.«[9] Dagegen wählte Karl Ludwig von Knebel den politischen Standpunkt und beurteilte das Stück und die darin zum Ausdruck kommende politische Einstellung Goethes als negativ.[10]

Dabei ist zu beachten, daß das ästhetische Urteil nicht unbedingt einer positiven, das politische Urteil einer negativen Bewertung gleichzusetzen ist. So wurde z. B. in der *Neuen Leipziger Literaturzeitung* vom 29. Februar 1804 die Poesie der *Natürlichen Tochter* abwertend als »marmorglatt und marmorkalt wie [...] die poetischen Säle des poetischen Herzogs und Königs in diesem Drama« bezeichnet,[11] während der Hegelschüler Karl Rosenkranz und Hermann Hettner das Drama vom politischen Standpunkt aus positiv beurteilten. Es gehe nicht um das Schicksal und die Geschichte der Hauptfigur, sondern um die Darstellung des Wesens des staatlichen und gesellschaftlichen Revolutionstreibens; das Ganze habe eine Art von Philosophie und Naturgeschichte der Revolution werden sollen, erklärte Hettner in seiner Literaturgeschichte, während Rosenkranz die politische Beziehung des Königtums und der Aristokratie zu den unveräußerlichen Rechten des Menschen und die gesellschaftliche Bedeutung des Eigentums und der Ehe als Achsen des Stücks betrachtete.[12]

Die Reihe der Deutungen von Friedrich Gundolf bis zu Emil Staiger weist das gleiche Bild auf. Politisches und ästhetisches Urteil stehen unvermittelt nebeneinander.[13] Nur selten wird bei der Interpretation der *Natürlichen Tochter* der Versuch einer dialektischen Verbindung des politischen Inhalts mit der ästhetischen Form gemacht – eine Verbindung, die bei *Hermann und Dorothea* inzwischen zu einer Selbstverständlichkeit geworden ist.[14] Dabei ist die *Natürliche Tochter* in demselben Sinne unpolitisch und politisch zu nennen wie das bürgerliche Epos.[15] Zu den wenigen Stimmen, die das dialektische Verhältnis von Dichtung und Politik als Voraussetzung zum Verständnis der *Natürlichen Tochter* angesetzt haben, gehört Hannelore Schlaffer. Ohne daß sie zu einer positiven Bewertung des Dramas gelangt, ist ihr Interpretationsansatz doch von modellhafter Bedeutung. In der Analyse der dramatis persona ›Volk‹ wirft sie Goethe vor, daß er zur Behandlung des politischen Stoffes eine Form gewählt habe, die es ihm ermöglichte, das Volk als Träger der Revolution aus dem Drama zu verdrängen. Im Vergleich zu dem traditionellen Personal der ›tragédie classique‹, das in der *Natürlichen Tochter* auf der Bühne erscheint, könne das Volk in dieser Gattung nur anonym – d. h. als nichthandelnde Figur – auftreten. »Durch die Verwendung der traditionellen, geschlossenen Form der ›tragédie classique‹«, erklärt Hannelore Schlaffer, sei es Goethe gelungen, »als Figur zu verdrängen, was er als Ereignis revidieren wollte.«[16] Wenn sie auch keinerlei Beweise für diesen von ihr als ›reaktionär‹ charakterisierten Rückgriff Goethes auf die Tradition zu erbringen vermag, so versteht sie es doch, in vorbildlicher Weise politischen Inhalt und ästhetische Form in eine dialektische Beziehung zu setzen. Die Frage erhebt sich nur, ob man so ohne weiteres Goethes Kunstgriff als reaktionär bezeichnen kann und nicht vielleicht in Erwägung ziehen sollte, daß Goethe die ästhetische Form der ›tragédie classique‹ gegen ihre gesellschaftlichen Repräsentanten verwendet. Denn genau so, wie der König, der Herzog, die Hofmeisterin und der Weltgeistliche in der *Natürlichen Tochter* nur scheinbar »Tragödienfiguren alten Stils« sind,[17] so ist ebenfalls in Betracht zu ziehen, ob nicht auch Sprache und Form des Trauerspiels nur eine scheinbare Verwirklichung der Staatsaktion der ›tragédie classique‹« darstellen und sie nicht vielleicht dazu verwendet werden, um den Zustand der Auflösung und des Verfalls dieser Dramenform und der sie bedingenden Gesellschaftsordnung zu erkennen zu geben. Bereits im *Torquato Tasso* läßt sich in der Verwendung der Tragödienform Racines eine Kritik der höfischen Gesellschaft, die diese Form bestätigt, feststellen.[18] In der *Natürlichen Tochter* wird diese Kritik dann in verstärktem Maße fortgesetzt.

Der zweite Einwand, der gegen Hannelore Schlaffers These von Goethes bewußter Eliminierung des Volks aus dem Trauerspiel zu erheben ist, ergibt sich aus der historischen Analyse der Französischen Revolution und deren Rezeption in Deutschland. Das Volk war nicht Träger des gesellschaftlichen Umsturzes in Frankreich, wie Hannelore Schlaffer vorauszusetzen scheint, sondern es war das Bürgertum. Die Französische Revolution war zunächst eine Revolution der Bourgeoisie, die sich in ihrem Kampfe gegen den Feudalabsolutismus auf das Volk als Bundesgenossen stützte. Das Bürgertum beanspruchte, als Vertreter der gesamten übrigen Gesellschaft gegenüber dem König und dem Feudaladel aufzutreten. Erst mit der Ausstoßung der Girondisten aus dem Nationalkonvent 1793 trat das Volk als Träger der Revolution auf. Bis zu diesem Zeitpunkt ist die Französische Revolution durch die Herrschaft der Bourgeoisie charakterisiert.[19] Ebenso war es in Deutschland vorwiegend das Bürgertum und nicht das Volk, das die Ideen der Französischen Revolution rezipierte.[20] Gattungsmäßig gesehen ergibt sich daraus die Folgerung, daß Revolutionsdrama nicht notwendig Volksdrama, d. h. Drama mit ›Volk‹ als dramatis persona, sein muß, besonders wenn es sich um ein nahezu zeitgenössisches Drama der Französischen Revolution wie die *Natürliche Tochter* handelt.

Obwohl sich Äußerungen über die politischen Ereignisse in Frankreich äußerst selten in Goethes Briefen und Schriften finden, wird man die Französische Revolution zu den großen Erschütterungen in seinem Leben rechnen müssen.[21] Die Zeit nach der Rückkehr aus Italien gehört noch heute zu den vergleichsweise dunklen Jahren seines Lebens. Erst dreißig Jahre später, in der *Campagne in Frankreich* und in den *Tag- und Jahresheften* war Goethe in der Lage, sich Rechenschaft über die historischen Veränderungen zu geben, die für ihn damals »unmittelbar und persönlich das fürchterliche Zusammenbrechen aller Verhältnisse« bedeuteten.[22] Im Gespräch mit Eckermann erklärte Goethe im Januar 1824, daß er »kein Freund der Französischen Revolution sein« konnte, »denn ihre Greuel« hätten ihm zu nahegestanden und ihn täglich und stündlich empört, »während ihre wohltätigen Folgen damals noch nicht zu ersehen« gewesen wären.[23]

Die drei »verfehlten« Lustspiele *Der Groß-Cophta*, *Der Bürgergeneral* und *Die Aufgeregten* aus der Zeit von 1791 bis 1793 bezeugen Goethes vergebliche Versuche, das Phänomen der Revolution aus der satirischen Perspektive der Komödie zu erfassen.[24] Die Pläne zu dem Trauerspiel *Das Mädchen von Oberkirch* lassen erkennen, daß Goethe sich im Laufe der Zeit bewußt wurde, daß die Darstellungsform der Komödie dem Thema der Revolution nicht gerecht werden konnte. Er sprach später vom Zwang zum Tragischen aufgrund der Bedrohung durch die »tosende Weltbewegung«.[25]

Im Jahre 1799 erhielt Goethe von Schiller die *Mémoires historiques de Stéphanie-Louise de Bourbon-Conti*, die ihm den Stoff zu seinem Trauerspiel *Die natürliche Tochter* vermittelten.[26] Aus dem Rückblick der *Tag- und Jahreshefte* von 1823 schrieb Goethe, daß er sich damals »in dem Plane«, den er aus der Memoirenquelle entwickelte, »ein Gefäß« bereitet hatte, worin er alles, was er »so manches Jahr über die französische Revolution und deren Folgen geschrieben und gedacht, mit geziemendem Ernst niederzulegen hoffte«.[27] Im gleichen Jahr machte er in dem Aufsatz *Bedeutende Fördernis durch ein einziges geistreiches Wort* das Zugeständnis, daß ihm die Französische Revolution als ein »unübersehlicher Gegenstand« erschien, der lange Zeit sein »poetisches Vermögen fast unnützerweise« aufzuzehren drohte; die *Natürliche Tochter* sei ein Beispiel der »grenzenlosen Bemühung«, dieses »schrecklichste aller Ereignisse in seinen Ursachen und Folgen dichterisch zu gewältigen«.[28]

Goethes Trauerspiel, wie es heute vorliegt, befaßt sich mit der Vorgeschichte der Französischen Revolution, ihren »Ursachen und Folgen«, und so erhebt sich die Frage, ob Goethe nicht seine Zeit sehr präzis damit erfaßt hat und es nicht eine Art von politischem und dichterischem Realismus darstellt, wenn er, wie im *Wilhelm Meister,* auch in seinem Trauerspiel die Verbindung von Adel und Bürgertum als dichterische und politische Lösung anbietet.

Wie die Paralipomena zur *Natürlichen Tochter* zeigen, wuchs Goethe das Werk unter den Händen, so daß er es schließlich als Trilogie zu gestalten plante. Jedoch nur der erste Teil wurde vollendet. Über den zweiten und dritten Teil geben die Stichwörter und Szenenentwürfe der Paralipomena gewisse Aufschlüsse. Sie beweisen auf jeden Fall eindeutig, daß Goethe keineswegs plante, das ›Volk‹ als Handlungsträger auszuschließen. Da ist die Rede von der »Gärung von unten«: »Die Masse wird absolut. Vertreibt die Schwankenden. Erdrückt die Widerstrebenden. Erniedrigt das Hohe. Erhöhet das Niedrige.«[29] Soldaten und Handwerker sind als Vertreter des Volks vorgesehen. Jedoch über den Schluß der Trilogie fehlen auch in den Paralipomena jegliche Andeutungen. Ob Eugenie, die Hauptfigur, als Retterin oder Opfer der bestehenden Gesellschaftsordnung enden sollte, darüber gibt es keinerlei Aufschluß.[30] Den überlieferten Schemata läßt sich nur entnehmen, daß der Gang der Handlung die weiteren Phasen der Französischen Revolution mit Szenen am Hofe des Königs, auf dem Landgut des Gerichtsrats, auf einem Platze der Hauptstadt und im Gefängnis einschließen sollte. Die Frage läuft also weniger darauf hinaus, warum das Volk nicht im ersten Teil auftritt, sondern vielmehr, warum Goethe die beiden weiteren Teile der Trilogie nicht ausführt, in denen das Volk mit Sicherheit auftreten sollte. Goethe mag den Plan zur Trilogie aufgegeben haben, als ihm die historische Rolle des Volks in der Französischen Revolution bewußt wurde. Einerseits war er zu sehr Realist, als daß er eine utopische Handlung entworfen hätte, die im Widerspruch zur historischen Entwicklung verlaufen wäre und eine Flucht aus der Wirklichkeit bedeutet hätte. Trotz seiner Tendenz zur Typisierung war Goethe sich bewußt, daß der Dramatiker »sich vom rein Menschlichen« entferne und »die Poesie [...] ins Gedränge« komme, wenn er nicht der Besonderheit der historischen Situation Rechnung trage.[31] Andererseits konnte Goethe die historische Entwicklung, die der von ihm angestrebten Lösung widersprach, nicht als vorbildlich betrachten, weil er erkannte, daß in Deutschland keine revolutionäre Situation wie in Frankreich vorlag. Wie Goethe im Gespräch mit Eckermann im Januar 1824 erklärte, wehrte er sich dagegen, »daß man in Deutschland *künstlicherweise* ähnliche Szenen herbeizuführen trachtete, die in Frankreich Folge einer großen Notwendigkeit waren«.[32]

Goethes angebotene Lösung eines feudal-bürgerlichen Kompromisses, wie er in den *Lehr-* und *Wanderjahren* im einzelnen dargestellt wird, ist historisch gesehen nicht unbedingt als reaktionär zu interpretieren, sondern kann ebensogut als eine weitsichtige Analyse der ökonomisch und politisch rückständigen Verhältnisse in Deutschland gedeutet werden.[33]

Auf jeden Fall ist es in der *Natürlichen Tochter* schließlich bei einer Darstellung der »Ursachen und Folgen« der Vorgeschichte der Französischen Revolution geblieben. Goethe hatte ein außerordentliches Gespür für die herannahenden politischen Umwälzungen in Frankreich bewiesen, als er bereits 1785 in der berühmten Halsbandaffäre ein gespenstisch warnendes Vorzeichen der bevorstehenden Revolution wahrnahm. In diesem Skandal, der die gesamte Hofgesellschaft und den Staat erschütterte, glaubte Goethe schon damals die daraus erwachsenden politischen Folgen erahnen zu können. Wie verstört er durch den Skandal war, bezeugten seine Zeitgenossen und Freunde, die ihm später, als die Revolution längst ausgebrochen war, gestanden, daß er ihnen damals im Jahr 1785 wie wahnsinnig vorgekommen sei.[34] Später, im Gespräch mit Eckermann, erklärte Goethe im Januar 1824, daß er überzeugt sei, daß für irgendeine große Revolution die Regierung und nicht das Volk verantwortlich zu machen seien. »Revolutionen sind ganz unmöglich, sobald die Regierungen fortwährend gerecht [...] sind«, stellte er fest.[35]

Diese Situation suchte Goethe in seinem Trauerspiel *Die natürliche Tochter* symbolisch darzustellen: die Desintegration des Staates aufgrund einer ungerechten Regierung. Durch Rechtsbruch, Konspiration, Intrige und Gewalt verwirken die herrschenden Schichten die Legitimität ihres Regierungsanspruches. Es ist die Situation des »absoluten Despotism, ohne eigentlich Oberhaupt«, wie Goethe sie im Schema zur *Natürlichen Tochter* charakterisiert hat. Der König versucht, die ethischen Werte der Monarchie zu bewahren, aber er ist zu schwach, um sie durchzusetzen. Herzog und Graf, die lediglich auf ihren eigenen Vorteil bedacht sind, unterminieren in skrupellosen Machtkämpfen die Staatsautorität und verursachen damit den Untergang der bestehenden Gesellschaftsordnung. Kirche (Äbtissin) und Verwaltung (Gouverneur) werden mit versteckten Drohungen eingeschüchtert. Die moralische Verkommenheit des Adels durchdringt »in der Ramification von oben« die gesamte Gesellschaft. Sekretär, Hofmeisterin und Weltgeistlicher erweisen sich als willfährige Werkzeuge bei der Durchführung der verbrecherischen Pläne des Grafen, ohne daß dieser auf ihre Loyalität rechnen kann. Goethe bezeichnet dieses Phänomen als »Verlieren nach unten«. Die Hofangestellten sind beherrscht von der »Sucht nach Genuß« und suchen sich bei diesen Machtkämpfen ihren eigenen Vorteil zu verschaffen. Eugenie, die Hauptfigur, erscheint als Gestalt von kindlicher Naivität und Integrität in die Mitte dieses Parteienkampfes gestellt. An ihre Seite tritt der Gerichtsrat als Vertreter des Bürgertums. Beide finden sich als »Edle« vereint in ihrem Streben nach der Verwirklichung von »Gesetz und Ordnung«.[36]

Mit dieser Personenkonstellation hat Goethe die Politik des absolutistischen Hofes unter Ludwig XVI. für die »Ursachen und Folgen« der Französischen Revolution verantwortlich gemacht. Die herrschenden Schichten hätten ihre historische Sendung, »Gesetz und Ordnung« zu bewahren, vergessen und verraten. Während der König ein Opfer seiner Schwäche geworden sei, habe der Feudaladel den eigenen Untergang selbst herbeigeführt, indem er nicht bereit gewesen sei, seine Vorrechte aufzugeben und seinen Beitrag zu einer gerechten Regierung zu leisten. Die Bourgeoisie dagegen habe sich als Vertreter der Gerechtigkeit und Humanität das moralische Recht zur Regierung erworben. Selbst die marxistische Geschichtsschreibung hat die Goethesche Theorie bestätigt, wenn sie von den drei Hauptetappen der Französischen Revolution spricht.[37]

Jedoch darf man die *Natürliche Tochter* nicht als historisches Drama, wie z. B. Schillers *Wallenstein*, betrachten und nicht den König mit Ludwig XVI. und den Herzog mit Philippe Égalité gleichsetzen. Sie sind als symbolische Typen in einer symboltypischen Situation zu verstehen. Aus diesem Grunde findet sich im Personenverzeichnis mit Ausnahme von Eugenie auch keine einzige Figur beim Namen genannt. Die Personen vertreten lediglich ihren Stand und ihre Funktion, aber keine Individualität. Ebenso fehlen jegliche Orts- und Zeitangaben. Goethe sonderte das Allgemeine von der spezifischen historischen Situation ab. Es ging ihm um das Urphänomen der Revolution, um ihre Struktur und Gesetzmäßigkeit. Im Gespräch mit Friedrich Wilhelm Riemer im April 1814 erklärte Goethe, »daß nur die Jugend die Varietät und Spezifikation, das Alter aber die *Genera,* ja die *Familias* habe«. In seiner *Natürlichen Tochter* sei er ins Generische gegangen.[38] Obwohl das Trauerspiel der Form nach zu den klassischen Weimarer Dramen gehört – es ist das letzte der Goetheschen fünfaktigen Blankversdramen –, stellt es zugleich den entscheidenden Schritt auf dem Wege zum symbolischen Drama der Goetheschen Altersdichtung,

wie z. B. *Pandora* und *Faust II*, dar. *Die natürliche Tochter* bedeutet für die Dramatik den Höhepunkt und Abschluß der klassischen Periode.[39]
Eugenie, die ›Wohlgeborene‹, wie ihr Name besagt, ist die ›natürliche Tochter‹, d. h., von der Natur ist sie als Tochter des Herzogs und Nichte des Königs mit allen Tugenden und Eigenschaften des Adels ausgezeichnet, von der Gesellschaft aber wird ihr als illegitimer Tochter die öffentliche Anerkennung der fürstlichen Geburt versagt:

> Aus edlem Blut entsproß die Treffliche;
> Von jeder Gabe, jeder Tugend schenkt'
> Ihr die Natur den allerschönsten Teil,
> Wenn das Gesetz ihr andre Rechte weigert.   (IV, 1; V. 1760–63)[40]

Das Drama handelt davon, wie und ob es Eugenie gelingt, ihr ›natürliches Recht‹ zu erlangen. Oder umgekehrt formuliert: Das Problem, das Goethe hier zur Darstellung bringt, ist die Frage, ob die herrschende Gesellschaft, die von einer politischen Veränderung bedroht ist, sich fähig erweist, sich auf ihre traditionellen Grundwerte zu besinnen und einem Menschen sein angestammtes Recht zukommen zu lassen, oder ob diese Schicht bereits so korrupiert ist, daß sie sich der Praktiken und Mittel ihrer Gegner bedient, dem Einzelmenschen sein Recht verweigert und damit ihren eigenen Untergang herbeiführt. In der *Natürlichen Tochter* stellt Goethe die Existenzberechtigung der höfischen Gesellschaft unter der Bedrohung der bevorstehenden Revolution zur Diskussion. An Eugenies Legitimierung bewährt oder entlarvt sich die Legitimität dieses Regierungsanspruches.
Abgesondert von der Gesellschaft und beschützt vom »Bollwerk der Natur« (I, 1; V. 22), ist Eugenie in einem paradiesartigen Bereich aufgewachsen. Ihre einzige fürstliche Betätigung ist das Jagdreiten. Nach dem Tod ihrer Mutter soll sie in die höfische Gesellschaft eingeführt werden, und es soll ihr das Recht der fürstlichen Geburt zuerkannt werden. Zu diesem Zweck hat der Herzog den König zur Jagd in den paradiesartigen Bereich eingeladen, der von den politischen Wirren der Zeit unberührt geblieben ist. In der Abgeschiedenheit dieser Ideallandschaft entdeckt der Herzog dem König das Geheimnis von Eugenies Abkunft, das »für Hof und Stadt« längst »ein offenbar Geheimnis« ist (I, 3; V. 188 f.).[41] Mit dem traumatischen Sturz vom Pferde, der symbolisch vorausweisende Funktion hat, wird Eugenie unvermittelt in die höfische Gesellschaft hineingestellt. Sie ist damit, wie ihr Vater sagt, »in den Kreis / Der Sorgen der Gefahr herabgestürzt« (I, 6; V. 466 f.). Dieser Sturz bewirkt eine Wiedergeburt zu ihrem rechtmäßigen Leben.[42] In ihrer Huldigung des Königs beweist sie, daß sie von den traditionellen Werten der höfischen Gesellschaft durchdrungen ist. Im Königtum glaubt sie, »nur sichre Würde mit Zufriedenheit« (I, 5; V. 327) zu finden. Unverständlich sind ihr die Worte von »vermummter Zwietracht« und von »Widersachern« des Fürsten unter den herrschenden Schichten. Der König warnt sie vor den »fürchterlichen Zeichen« der Zeit:

> Das Niedre schwillt, das Hohe senkt sich nieder,
> Als könnte jeder nur am Platz des andern
> Befriedigung verworrner Wünsche finden,
> Nur dann sich glücklich fühlen, wenn nichts mehr
> Zu unterscheiden wäre, [...].   (I, 5; V. 362–366)

Er vertritt eine patriarchalisch-monarchische Regierungs- und Staatsauffassung, die
Eugenie zu begeisterten Worten hinreißt:

> Wir sind ihm nicht Verwandte nur, wir sind
> Durch sein Vertraun zum höchsten Platz erhoben.
> Und wenn die Edlen seines Königreichs
> Um ihn sich drängen, seine Brust zu schützen,
> So fordert er uns auf zu größerm Dienst.
> Die Herzen dem Regenten zu erhalten,
> Ist jedes Wohlgesinnten höchste Pflicht.   (I, 5; V. 380–386)

Aber das Wesen des politisch berechnenden Verhaltens, dessen sich der König bedienen muß, verhindert die unmittelbare Anerkennung und gebietet Verschwiegen-
heit und Geheimnis (s. I, 5; V. 407–417).

Von Szene zu Szene wird deutlicher, daß die traditionellen Werte des Königtums
nur noch formal bestehen und praktisch durch politisch berechnendes Verhalten ersetzt worden sind. Das Vasallenverhältnis wird nur noch zum Schein aufrechterhalten, während Konspiration und Kabalen das Denken und Handeln des Adels beherrschen. Der Graf intrigiert gegen den Herzog, der Herzog gegen den König, der
keinem von beiden traut. Goethe hat diesen Strukturwechsel im politischen Leben
des 18. Jahrhunderts klar erfaßt. »Die Politik ist Schicksal geworden«, wie Napoleon
später sagen sollte, und niemand kann sich ihr entziehen oder sich ihr gegenüber als
Individuum behaupten. Erst die Französische Revolution hat die Politik zum Mas-
senerlebnis gemacht.[43] Goethe sieht das Wesen dieser modernen Politik in Eigennutz und einem amoralischen Machtstreben sowie in Täuschung und Verstellung
begründet. Schein und Wesen sind auseinandergefallen, entsprechen einander nicht
mehr. Nur Eugenie besteht noch in völliger Verkennung des politischen Lebens auf
dieser Entsprechung:

> Der Schein, was ist er, dem das Wesen fehlt?
> Das Wesen, wär' es, wenn es nicht erschiene?   (II, 5; V. 1066 f.)

Ihr fürstliches Wesen bedarf des äußeren Zeichens, um in der Gesellschaft in Erscheinung treten zu können. Auf tragisch-ironische Weise ist Eugenie, der unpoli-
tische Mensch, der in eine politische Welt »gestürzt« wurde, an die Entsprechung
von Schein und Wesen gebunden.

Gold und Schmuck spielen als Symbole des modernen politischen Lebens die entscheidende Rolle in diesem Drama: Gold als Mittel zur Macht und Schmuck als Zeichen fürstlicher Anerkennung und Legitimität. Der Graf, der sich als einziger Sohn
gefühlt hat, neidet seiner Schwester Eugenie das Gold, das ihr als Erbteil zufällt, und
berechnet, wie lange sein Vater, der Herzog, noch zu leben hat. Er benützt das vorhandene Gold, um den Sekretär seines Vaters und den Weltgeistlichen als Helfers-
helfer zu dingen und seine Anschläge gegen Vater, Schwester und König durchzu-
führen. Die Hofmeisterin soll durch Aussicht auf ein luxuriöses Leben gewonnen
werden. Als Besitzer von Gold, dem Symbol der politischen Macht, kennt der Graf
weder Rücksicht noch Mäßigung: »Genug besitzen hieße darben. Alles / Bedürfte
man!« (II, 1; V. 780f.). Mit einem Zynismus, der an Brechts Kapitalismus-Kritik

erinnert, wird die Anwendung von Gewalt gerechtfertigt: »Und was uns nützt, ist unser höchstes Recht« (II, 1; V. 861).[44]
Eugenies ethische Bewährung ist auf widersprüchliche Weise mit der politischen Geheimhaltung verbunden. Sie soll den Schmuck, der ihr vom Vater gesendet wird, nicht eher anlegen, als sie das geheime Zeichen dazu erhält. Erst wenn sie im fürstlichen Schmuck in der Öffentlichkeit der höfischen Gesellschaft erscheint, ist ihre Legitimierung vollzogen. Die aus politischen Gründen auferlegte Geheimhaltung wird für Eugenie zu einer ethischen Entsagungsprobe, die sie nicht besteht. Gegen das Gebot des Vaters und die Warnung der Hofmeisterin öffnet Eugenie den Putzschrank und legt den ihr bestimmten Schmuck vorzeitig an.[45]
Das Verhältnis von Politik und individuellem Schicksal wird dadurch schlagartig beleuchtet, daß Eugenies ethisches Versagen in keinerlei ursächlichem Zusammenhang mit dem politischen Anschlag steht, der auf ihre Person verübt wird. Ob sie die Entsagungsprobe besteht oder nicht, gibt keinerlei Ausschlag für den Erfolg oder Mißerfolg der politischen Aktion gegen sie. Die Partei des Grafen weiß um das Geheimnis ihrer Abkunft, ist informiert über ihre bevorstehende Erhebung zur Nichte des Königs und hat von der Bereitstellung der Kleider und Juwelen in dem Putzschrank erfahren. Nichts ist ihrer Überwachung entgangen, und der Anschlag gegen Eugenie kann, wie geplant, durchgeführt werden. Die Kritik hat Goethe hier einen Mangel an Motivation vorgeworfen, aber es scheint ihm wohl darum gegangen zu sein, darzustellen, wie die Politik das individuelle Schicksal negiert. Wenn Eugenie später einen Zusammenhang von Vergehen und Strafe herzustellen sucht und dabei auf den Sündenfall verweist (IV, 2; V. 1916 ff.), so bezeugt sie damit nur, daß sie ein völlig unpolitischer Mensch ist, der dem Wesen der modernen Politik verständnislos gegenübersteht. Vergeblich versucht sie, ihre individuelle Menschlichkeit in einer Welt zu bewahren, die kein individuelles Schicksal mehr kennt.[46]
Man kann die *Natürliche Tochter* nicht im Sinne eines antiken Schicksalsdramas mit der Verknüpfung von Frevel und Sühne interpretieren, denn dann verfehlt man Goethes Einsicht in das Wesen der modernen Politik, die den Menschen einem anonymen Apparat ausliefert, gegen den er sich als Individuum nicht behaupten kann.[47] Der Mensch verschwindet in der Unpersönlichkeit der modernen Politik. Er ist bedroht vom anonymen Untergang: Eugenie wird für tot ausgegeben und soll auf die Fieberinseln verschleppt werden, wo sie »gewissem Tod« entgegensieht (IV, 1; V. 1767).
Während im zweiten Akt die Vertreter der modernen Politik und ihre Anschläge enthüllt werden, zeigt der dritte Akt die Verunsicherung der Sprache durch die moderne Politik. Schein wird als Wirklichkeit ausgegeben. Der Herzog glaubt der Nachricht, Eugenie sei tot, vom Pferd gestürzt und bereits beigesetzt, weil sie ihm mit Worten innerer Anteilnahme und Ergriffenheit mitgeteilt werden. Die Kritik hat Goethe hier einen Mangel an Charakterisierung vorgeworfen. Die Personen sprächen edler, »als sie nach unseren psychologischen Maßstäben sprechen dürften«.[48]
Aber diese angebliche Nachlässigkeit in der Charakterzeichnung ist im Grunde nichts anderes als die Darstellung des Mißbrauchs der Sprache in der modernen Politik. Das schöne Wort der Anteilnahme und des Trostes erweist sich als verbrecherische Lüge. Aus dem Gespräch zwischen Sekretär und Weltgeistlichen erfährt der Zuschauer, zu welchen Zwecken hier die Sprache verwendet wird:

Sekretär. Auf deiner Fabel Vortrag kommt es an.
Weltgeistlicher. Der Irrtum soll im ersten Augenblick,
Auf alle künft'ge Zeit, gewaltig wirken. (III, 1; V. 1175 f.)

In der Sprache des Betrugs wird Eugenies Leben im Bewußtsein ihres Vaters ausgelöscht. Der Schein der Sprache vernichtet ihre Existenz. Das Resultat des kunstvollen Vortrags besteht darin, daß sie für alle »ins Nichts der Asche« schwindet (III, 1; V. 1184). Dem Zuschauer wird vorgeführt, wie die ›Seelensprache‹ des klassischen Dramas von der Politik pervertiert wird, wie die Form der ›tragédie classique‹ von den politischen Emporkömmlingen gegen den Herzog und seine Tochter, die Repräsentanten dieser Gattung, verwendet wird. Damit wird die Autonomie der Schönheit der Sprache und Form in Frage gestellt. Mit dem dritten Akt erreicht Goethe, daß der Zuschauer weiß, daß von nun an der ›Seelensprache‹ nicht mehr zu trauen ist. Er muß erkennen, daß der letzte Trost des Herzogs eine grausame Täuschung mit Hilfe dieser Sprache ist und daß Eugenie als Totgeglaubte jetzt aller Grausamkeit und Gewalttätigkeit schutzlos ausgeliefert ist.

Im vierten Akt kommt die Anonymität des politischen Geschehens, die das individuelle Schicksal aufhebt, besonders klar zum Ausdruck. Die Kritik hat die ungeklärten Fronten des Parteienkampfes und die verhüllte Identität der politischen Gegenspieler bemängelt. »Steht der Herzog auf seiten des Königs? Wenden sich beide gegen den übermütigen Adel oder das Volk? Oder ist der König mehr aristokratisch, der Herzog mehr demokratisch gesinnt? [...] Welche Rolle spielt der Graf [...]? Richtet sich seine Verschwörung gegen die Krone, oder gegen den Vater, der revolutionäre Ideen begünstigt«, hat Emil Staiger gefragt.[49] Gerade in dieser Undurchsichtigkeit des politischen Handelns und dieser Anonymität der Handlungsträger sieht Goethe das Wesen der Politik begründet, das er in diesem Drama zur Darstellung bringen wollte. Eugenie ist unschuldig einer anonymen Macht ausgesetzt, vor der sie sich weder rechtfertigen noch verteidigen kann, weil sich diese Macht ihrem Einspruch durch Anonymität entzieht und alle, die ihr Hilfe leisten wollen, mit Repressalien bedroht. Vergeblich wendet sich Eugenie an das Volk und die Vertreter von Staat und Kirche: alle verweigern ihr unter dem Eindruck des Blatts mit »des Königs Hand und Siegel« den Beistand, der jedem Hilfesuchenden zusteht. Eugenie muß erkennen, daß man sie »ohne Recht und Urteil« aus der Gesellschaft verstößt:

Man schließt mir die Asyle, niemand mag
Zu meinen Gunsten wenig Schritte wagen. (V, 6; V. 2615 f.)

Ein anonymer politischer Bannspruch lastet auf ihr, dem sie sich nur durch Einwilligung in die verfügte Verbannung oder durch Heirat mit einem Bürgerlichen entziehen kann.

Das Blatt ist ein weiteres Symbol der modernen Politik.[50] Es ist das Instrument des ›Schreibtischmörders‹, der mit Schrift und Siegel über die Anwendung von Gewalt verfügt, ohne an der grausamen Ausführung persönlich teilnehmen zu müssen. Dabei spielt es keine Rolle, ob der Brief echt oder gefälscht ist. Entscheidend ist seine Wirkung auf die beteiligten Personen. Der Gerichtsrat reagiert mit Schauder, aber er wagt nichts gegen den Brief zu unternehmen:

Nicht ist von Recht, noch von Gericht die Rede:
Hier ist Gewalt! entsetzliche Gewalt.   (IV, 1; V. 1747f.)

Für Eugenie bedeutet das Blatt die Zerstörung jeglicher Hoffnung auf eine Rettung
durch den König. In ihrer Verzweiflung wendet sie sich an den Mönch, der ihr den
folgenden Ratschlag gibt:

> [...] wähle, was dir noch den meisten Raum
> Zu heil'gem Tun und Wirken übrigläßt,
> Was deinen Geist am wenigsten begrenzt,
> Am wenigsten die frommen Taten fesselt.   (V, 7; V. 2731–34)

Der Bereich, den Eugenie wählt, ist die bürgerliche Ehe, aber nicht als Ausflucht und
Rettung vor der Verbannung, sondern als Bereich der Berufung und Bewährung. Sie
bleibt, weil ihrem Vaterland »ein jäher Umsturz« droht und weil sie den Beistand
und die Treue, die sie dem König »im Glücke zugesagt, / Aus tiefem Elend zu erfüllen strebt« (V, 8; V. 2863f.). Die bürgerliche Ehe gibt ihr den ausreichenden Handlungsraum, diesem »dringenden Beruf« zu folgen und sich als »reiner Talisman« für
die politische Zukunft zu bewahren. Dazu bedarf es allerdings einer Form der Ehe,
die die Grenzen der bürgerlichen Ehe transzendiert. Es ist die Entsagungsehe, die
Goethe als Symbol der ethisch-politischen Regeneration wählt, die er sich von dem
Bündnis von Adel und Bürgertum für die Zukunft erhofft. Man kann hier weder von
einer Bestätigung der Werte des biedermeierlichen Bürgertums noch von einer
Scheinehe sprechen.[51] Wilhelm Meister und Natalie schließen eine ähnliche Form
der Ehe in den *Lehrjahren*. Die Entsagungsehe ist als ein Symbol der politischen Lösung zu verstehen, die Goethe als deutsche Alternative zur Französischen Revolution anbietet. Die Forschung der letzten zwanzig Jahre hat mit Recht darauf hingewiesen, daß das Entsagungsmotiv bei Goethe positive Kräfte enthält.[52] Alle
Eigenschaften der Entsagungsehe sind auf die Zukunft einer »beglückten Aufersteh-
hung« angelegt. Eugenie reicht dem Gerichtsrat die Hand zum höchsten symbolischen Beweis, den sie als Frau zu geben vermag, daß sie seinen Worten traut und
entschlossen ist, sich in Zukunft auf sein Mitgefühl und seine Gerechtigkeit, Tätigkeit und Redlichkeit zu verlassen (V, 9; V. 2949–55).

Das Bürgertum bedarf des Adels, um aus seiner »Enge reingezognem Kreis« (IV,
1; V. 1802) in die Öffentlichkeit des politischen Lebens integriert zu werden. Gesetze
und Ordnung verlieren ihren Sinn, wenn sie nur in den »abgeschloßnen Kreisen«
(IV, 2; V. 2009) des bürgerlichen Privatlebens verwirklicht werden können, aber
nicht im Bereich der politischen Öffentlichkeit.[53] Goethe zeigt eindeutig, daß der
Feudaladel der politischen Aufgabe nicht gewachsen ist, diesen Strukturwandel herbeizuführen, sondern nur Eugenie, die auf alle Adelsprivilegien verzichtet hat, aber
auf den ursprünglichen Verpflichtungen des Adels besteht. Damit wird deutlich, daß
es Goethe keinesfalls um die Restauration der alten feudalistischen Gesellschaft geht,
sondern darum, im Bündnis mit dem fortschrittlichen Adel die bürgerlichen Privattugenden in der politischen Öffentlichkeit zu institutionalisieren. Die feudaladlige
Gesellschaft erweist sich als illegitim, da sie Eugenie nicht zu legalisieren vermag,
und verschuldet damit ihren eigenen Untergang,[54] während sich die neue Gesellschaft, die aus dem Bündnis von fortschrittlichem Adel und Bürgertum hervorgehen
soll, nicht nur dadurch legitimiert, daß sie Eugenie zu ihrem Privatrecht verhilft,

sondern vor allem durch die Garantie von Recht und Ordnung als Prinzipien der Herrschaftsgewalt.

Goethe hat also nicht vor der historischen Wirklichkeit der Französischen Revolution kapituliert und sich in ein »freies Reich des Geistes« geflüchtet, sondern die Dialektik zwischen Individuum und moderner Politik gestaltet und eine differenzierte Antwort auf die Zeitproblematik gegeben.[55] Daß Goethe sein Drama nur aus der Perspektive der oberen Schichten dargestellt hat, läßt sich darauf zurückführen, daß er sie allein für schuldig an den politischen Umwälzungen hielt. Es entspricht seinem Geschichtsrealismus, wenn auch nicht unbedingt seiner Meinung –, daß das Volk aus dieser Perspektive als anonyme Masse und chaotische Bedrohung erscheinen mußte. Goethes weitsichtige politische Analyse und seine Kritik an der Hofgesellschaft in der *Natürlichen Tochter* sprechen gegen die Setzung einer absoluten Antithese von ›Französischer Revolution‹ und ›Weimarer Hofklassik‹. Wie das Drama zeigt, hat Goethe keineswegs die Forderung des Tages ignoriert.

Er hat mittels seiner neuentwickelten Symbolik die politischen Veränderungen durchaus historisch-objektiv erfaßt und besonders die Gefährdung und Gefährlichkeit der Autonomie der klassischen Dichtung vor Augen geführt. Goethes Trauerspiel *Die Natürliche Tochter* liefert einen eindrucksvollen Gegenbeweis für die Verengung des Klassikbegriffs auf die ›Weimarer Hofklassik‹, wie er zuletzt von den Kritikern der sogenannten Klassik-Legende vorgeschlagen worden ist.

Anmerkungen

1 Reinhold Grimm, Jost Hermand (Hrsg.): Die Klassik-Legende. Frankfurt a. M. 1971. S. 10f.

2 Ebd., S. 11.

3 Zum Teil rennen Grimm und Hermand offene Türen ein, zum Teil verwechseln sie die deutsche Klassik mit der Klassik-Legende. Was nicht heißen soll, daß man nicht einmal untersucht, welche Bedingungen in der deutschen Klassik vorliegen, um solche Folgeerscheinungen wie die Klassik-Legende hervorzurufen. Ein typisches Beispiel für die Verwechslung von Ursache und Wirkung ist der folgende Satz von Jost Hermand in seinem Referat über »Heines ›Ideen‹ im Buch Le Grand«: »Was Goethe [...] in vorbildlicher Position befürwortet und befördert, ist jene gefährliche Haltung [... der] ›Innere[n] Emigration als Lebensform‹ [...], die von weiten Kreisen des deutschen Bürgertums [...] so lange naiv und bildungsbewußt imitiert wurde, bis eines Tages die SA in die ›gute Stube‹ trampelte« (Heine-Studien. Internationaler Heine-Kongreß 1972. Hamburg 1973. S. 374).

4 Helmut Holtzhauer: Von Sieben, die auszogen, die Klassik zu erlegen. In: Sinn und Form 25 (1973) S. 181f. Siehe auch Werner Mittenzwei: Brecht und die Probleme der deutschen Klassik. Ebd., S. 135–168; Hans-Heinrich Reuter: Die deutsche Klassik und das Problem Brecht. Ebd., S. 809–824; Hans-Dietrich Dahnke: Sozialismus und deutsche Klassik. Ebd., S. 1083–1107; Lothar Ehrlich: Bertolt Brecht und die deutsche Klassik. In: Sinn und Form 26 (1974) S. 221–227. Siehe ferner die Diskussion um Ulrich Plenzdorfs Erzählung »Die neuen Leiden des jungen W.« In: Sinn und Form 25 (1973) S. 219–252, 672–676, 848–887.

5 Siehe Walter Dietze: Junges Deutschland und deutsche Klassik. Berlin 1958.

6 Friedrich Tomberg: Dichterfürst oder Fürstenknecht? Überlegungen zu einer falschen Alternative im Umgang mit der deutschen Klassik. In: Literaturmagazin 2 (1974) S. 21, 26. Diese Nummer des Magazins erschien unter dem Titel »Von Goethe lernen? Fragen der Klassikrezeption«.

7 Ebd., S. 14, 7.

8 Zitiert nach Heinrich Düntzer: Goethes Trilogie Die natürliche Tochter. Leipzig ²1874. S. 14–16. Caroline Herder änderte später unter dem Einfluß von Karl Ludwig von Knebel ihre Meinung. Es erübrigt sich, auf Herders vielzitierte Bemerkung einzugehen, daß ihm Goethes »Natürliche Tochter« besser gefallen habe als sein natürlicher Sohn (s. Hans Gerhard Gräf: Goethe über seine Dichtungen. Bd. 5. Frankfurt a. M. 1906. S. 532). Über Goethes Entfremdung von Herder wegen der »Natürlichen Tochter« s. ebd., S. 556 ff.

9 Johann Gottlieb Fichte: Briefwechsel. Hrsg. von Hans Schulz. Bd. 2. Leipzig 1930. S. 362–366; Der Briefwechsel zwischen Goethe und Zelter. Hrsg. von Max Hecker. Neuverlegt Bern 1970. S. 60f. Zur Berliner Aufführung s. Paul Hoffmann: Goethes »Natürliche Tochter« und das Berliner Theater-Publikum. In: Euphorion 18 (1911) S. 482–484. Siehe auch Johann Friedrich Ferdinand Delbrücks ausführliche Rezension in der »Jenaischen Allgemeinen Literatur-Zeitung« vom 1.–4. Oktober 1804, die sich auf die Schönheit und den Adel der Sprache des Dramas konzentriert (abgedruckt bei Oscar Fambach: Goethe und seine Kritiker. Düsseldorf 1953. S. 72–99).

10 Düntzer (Anm. 8). S. 19. Knebel schrieb: »Es ist das raffinierteste Werk [...] von Kunst, Talent und – [...] – Seelenbüberei, das jemals aus Goethes Feder geflossen. [...] O, wie muß man im Herzen verdorben sein, ein solches Werk hervorzubringen! Vermutlich weil es schwer sein möchte, nicht bei irgendeinem *Individuum* eine selbständige, freie Seele zu finden, so nahm Goethe die *Stände*, und diese sind alle, *par état* und *de par le roi*, Schurken. Sie mögen es mitnehmen, da ihre Häupter Narren und Schwächlinge sind. [...] Und da ist weiter kein Mittel, wenn man doch fortleben will, als daß man auch ein Bube werde.«

11 Zitiert nach Düntzer (Anm. 8). S. 28. Die Rezension stammte von Ludwig Ferdinand Huber, und dieser Satz wurde zu einem Topos der Kritik an der »Natürlichen Tochter«.

12 Hermann Hettner: Geschichte der deutschen Literatur im 18. Jahrhundert. Bd. 2. Neu verlegt Berlin 1961. S. 530; Karl Rosenkranz: Göthe und seine Werke. Königsberg 1847. S. 357. Während Rosenkranz von einem »ästhetischen Mangel« (S. 351) sprach, spielte Georg Gottfried Gervinus das Trauerspiel gegen »Götz« und »Egmont« aus und kritisierte, daß die Politik das Stück beherrsche (Geschichte der deutschen Dichtung. Bd. 5. Leipzig ⁴1853. S. 368).

13 Neben der politischen und ästhetischen Interpretation des Werkes existiert als dritte Richtung die biographische Deutung. Siehe dazu Adolf Grabowsky: Goethes »Natürliche Tochter« als Bekenntnis. In: Goethe. Neue Folge des Jahrbuchs der Goethe-Gesellschaft 13 (1951) S. 1–27; Hans M. Wolff: Goethe in der Periode der Wahlverwandtschaften (1802–1809). Bern 1952. S. 65–81; Ronald Peacock: Goethes »Die Natürliche Tochter« als Erlebnisdichtung. In: Deutsche Vierteljahrsschrift für Literaturwissenschaft und Geistesgeschichte 36 (1962) S. 1–25.

14 Siehe Oskar Seidlin: Über Hermann und Dorothea. In: O. S., Klassische und moderne Klassiker. Göttingen 1972. S. 20–37.

15 Zitiert nach Heinz Moenkemeyer: Das Politische als Bereich der Sorge in Goethes Drama »Die Natürliche Tochter«. In: Monatshefte für deutschen Unterricht, deutsche Sprache und Literatur 48 (1956) S. 140.

16 Hannelore Schlaffer: Dramenform und Klassenstruktur. Eine Analyse der dramatis persona »Volk«. Stuttgart 1972. S. 5.

17 Schlaffer (Anm. 16). S. 1.

18 Das Textbuch der Bremer Tasso-Aufführung arbeitet diese Kritik an der höfischen Gesellschaft deutlich heraus. Siehe Goethe u. a.: Torquato Tasso. Regiebuch der Bremer Inszenierung. Frankfurt a. M. 1970.

19 Siehe dazu Albert Soboul: La Révolution Française, 1789–1799. Paris 1948; ders.: Les Sans-culottes parisiens en l'An II. Mouvement populaire et gouvernement révolutionnaire, 1793–1794. Paris 1958; ders.: Précis d'Histoire de la Révolution Française. Paris 1962; Georges Lefèbvre, La Révolution Française. Paris ⁶1968. Siehe auch Friedrich Engels' Analyse der Französischen Revolution in seiner Schrift »Die Entwicklung des Sozialismus von der Utopie zur Wissenschaft« (1880): »Wir wissen jetzt, daß dies Reich der Vernunft weiter nichts war als das idealisierte Reich

der Bourgeoisie; daß die ewige Gerechtigkeit ihre Verwirklichung fand in der Bourgeoisiejustiz; daß die Gleichheit hinauslief auf die bürgerliche Gleichheit vor dem Gesetz; daß als eines der wesentlichsten Menschenrechte proklamiert wurde – das bürgerliche Eigentum; und daß der Vernunftstaat [...] nur ins Leben treten konnte als bürgerliche, demokratische Republik« (Karl Marx/Friedrich Engels: Werke. Hrsg. vom Institut für Marxismus-Leninismus beim ZK der SED. 39 Bde. Berlin 1956 ff. Bd. 19. S. 190). In Engels' Vorrede zur 3. Auflage von Marx' Schrift »Der achtzehnte Brumaire« heißt es, daß »Frankreich in der großen Revolution den Feudalismus zertrümmert und die reine Herrschaft der Bourgeoisie begründet [hat] in einer Klassizität wie kein anderes europäisches Land« (ebd., Bd. 21, S. 249). Siehe ferner Marx/Engels: Deutsche Ideologie (ebd., Bd. 3, S. 176 f.).

20 Siehe Friedrich Engels' Analyse in: Deutsche Zustände, I: »Plötzlich schlug die Französische Revolution wie ein Donnerschlag in dieses Chaos, das Deutschland hieß. Die Wirkung war gewaltig. Das Volk, das zu wenig aufgeklärt und von alters her zu sehr daran gewöhnt war, blieb unbewegt. Aber das Bürgertum und der bessere Teil des Adels begrüßten die Nationalversammlung und das Volk Frankreichs mit einem einzigen Ruf freudiger Zustimmung« (Marx/Engels [Anm. 19]. Bd. 2, S. 567). Darüber sollen weder die Bauernunruhen in Schlesien und Bayern noch die deutschen Jakobiner und die Mainzer Revolution vergessen werden, aber dabei handelt es sich um isolierte lokale Ereignisse. Siehe dazu Heinrich Scheel: Süddeutsche Jakobiner. Klassenkämpfe und republikanische Bestrebungen im deutschen Süden des 18. Jahrhunderts. Berlin 1962; ders.: Deutscher Jakobinismus und deutsche Nation. Ein Beitrag zur nationalen Frage im Zeitalter der Großen Französischen Revolution. Berlin 1966; Claus Träger: Aufklärung und Jakobinismus in Mainz 1792/93. In: Weimarer Beiträge 11 (1963) H. 4, S. 684–704; Walter Grab: Deutsche revolutionäre Demokraten. Darstellung und Dokumentation. 5 Bde. Stuttgart 1971 ff.

21 Siehe dazu Melitta Gerhard: Goethes Erleben der französischen Revolution im Spiegel der »Natürlichen Tochter«. In: Deutsche Vierteljahrsschrift für Literaturwissenschaft und Geistesgeschichte 1 (1923) S. 281–308; Wilhelm Mommsen: Die politischen Anschauungen Goethes. Stuttgart 1948. S. 91 ff.; Hans Mayer: Goethe. Ein Versuch über den Erfolg. Frankfurt a. M. 1973. S. 35–40; Walter Müller-Seidel: Deutsche Klassik und Französische Revolution. In: Deutsche Literatur und Französische Revolution. Sieben Studien. Göttingen 1974. S. 39–62; Claude David: Goethe und die Französische Revolution. Ebd., S. 63–86.

22 Goethes Werke. Hrsg. im Auftrage der Großherzogin Sophie von Sachsen. Weimar 1887 ff. (Im folgenden zitiert als: WA). Abt. I. Bd. 35. S. 23. Die Hamburger Ausgabe enthält nur eine gekürzte Fassung der »Tag- und Jahreshefte«.

23 Johann Peter Eckermann: Gespräche mit Goethe in den letzten Jahren seines Lebens. Hrsg. von Heinrich Hubert Houben. Wiesbaden 1925. S. 434.

24 Siehe Fritz Martini: Goethes ›vervehlte‹ Lustspiele: Die Mitschuldigen und Der Groß-Cophta. In: Natur und Idee. [Festschrift] für Bruno Wachsmuth. Hrsg. von Helmut Holtzhauer. Weimar 1966. S. 164–210.

25 Goethes Werke. Hamburger Ausgabe. Hamburg ²1952. (Im folgenden zitiert als: HA.) Bd. 10. S. 361.

26 Der vollständige Titel lautet: Mémoires historiques de Stéphanie-Louise de Bourbon-Conti, écrits par elle-même. A Paris, chez l'auteur, rue Cassette No. 914, Floréal, an VI [1798]. Tome I: 307 pp. II: 358 pp. Außerdem las Goethe die »Mémoires historiques et politiques du regne de Louis XVI. depuis son mariage jusqu'a sa mort« von I. L. Soulavie, die ihm Herzog Karl August 1802 zusandte. Zur Inhaltsanalyse der Memoiren der Stéphanie-Louise de Bourbon-Conti s. Düntzer (Anm. 8). S. 31–69; Gustav Kettner: Goethes Drama Die natürliche Tochter. Berlin 1912. S. 14–34.

27 HA 10, 449.

28 HA 13, 39.

29 HA 5, 504.

30 Goethe wandte sich im Gespräch mit Falk im Januar 1813 gegen die Rekonstruktion der Trilogie,

da er befürchtete, daß sie »auf ungeschickte Weise« fortgesetzt werden könnte (Gräf [Anm. 8]. S. 548). Düntzer (Anm. 8), der Eugenie eine »fürstliche Dorothea« nennt, hat von der »Wiederherstellung der reinen ausschließlichen Monarchie« gesprochen (S. 87f.). Kettner (Anm. 26) vermutete dagegen, daß in der letzten Szene Eugenie zum Tode verurteilt abgeführt wird und ein Triumvirat der Vertreter des Volkes, des Bürgertums und des Heeres nach dem Vorbild des Konsulats vom 18. Brumaire die Regierung übernimmt (S. 157–159). Mit Ausnahme von Hermann Boeschenstein (Goethe's »Natürliche Tochter«. In: Publications of the English Goethe Society NS 24 [1954/55] S. 21–40) sehen die meisten der modernen Autoren Eugenie ebenfalls als tragisches Opfer der Revolution enden. Claude David (Anm. 21) erklärt, daß seit der »Natürlichen Tochter« für Goethe Revolution und Tragödie nicht mehr voneinander zu trennen sind (S. 77).

31 WA IV, 14, S. 161f.

32 Eckermann (Anm. 23). S. 434. Ein weiterer Grund für die Nichtvollendung der Trilogie ist sicher in Goethes »Vermeidung der Tragödie« zu sehen. Siehe dazu Erich Heller: Die Vermeidung der Tragödie. In: E. H., Essays über Goethe. Frankfurt a. M. 1970. S. 47–80.

33 Hartmut Engelhard: Das Inkommensurable empfiehlt sich. In: Neue Rundschau 85 (1974) S. 681. Sogar Karl Marx und Friedrich Engels analysierten die Situation in Deutschland auf ähnliche Weise in ihrer Schrift »Die deutsche Ideologie« von 1846: »Wo sollte politische Konzentration in einem Lande herkommen, dem alle ökonomischen Bedingungen derselben fehlten? Die Ohnmacht jeder einzelnen Lebenssphäre [...] erlaubte keiner einzigen, die ausschließliche Herrschaft zu erobern« (Marx/Engels [Anm. 19]. Bd. 3. S. 178). Siehe auch Anm. 20.

34 HA 10, 433.

35 Eckermann (Anm. 23). S. 434.

36 HA 5, 504.

37 Siehe Claus Träger (Hrsg.): Die Französische Revolution im Spiegel der deutschen Literatur. Leipzig 1975. S. 20f.; Eberhard Schmitt und Matthias Meyn: Ursprung und Charakter der Französischen Revolution bei Marx und Engels. Bochum 1976.

38 Gespräch mit Riemer, 4. 4. 1814. Siehe Gräf (Anm. 8). S. 550.

39 Zitiert nach Hans-Egon Hass: Goethe. Die Natürliche Tochter. In: Das deutsche Drama vom Barock bis zur Gegenwart. Interpretationen. Hrsg. von Benno von Wiese. Bd. 1. Düsseldorf 1964. S. 219.

40 Zitate aus der »Natürlichen Tochter« werden im Text durch Angabe von Akt, Szene und Verszahl belegt. Der Text dieses Trauerspiels befindet sich in Bd. 5 der Hamburger Ausgabe (textkrit. durchges. und mit Anm. vers. von Josef Kunz).

41 Zu Goethes Begriff »Offenbar Geheimnis« s. Henri Birven: Goethes offenes Geheimnis. Zürich 1952.

42 Zur Symbolik des Sturzes s. Hass (Anm. 39). S. 241ff.; Josef Kunz (HA 5, 487).

43 Formuliert in Abwandlung des Zitates aus Georg Lukács: Der historische Roman. In: Werke. Bd. 6. Neuwied, Berlin 1965. S. 27.

44 Zur Goldsymbolik s. Wilhelm Emrich: Die Symbolik von Faust II. Sinn und Vorformen. Frankfurt a. M. ³1964. S. 196ff.; Theo Stammen: Goethe und die Französische Revolution. Eine Interpretation der »Natürlichen Tochter«. München 1966. S. 184–194.

45 Zur Symbolik des Schmucks und Kastens s. Emrich (Anm. 44). S. 188ff.; Hass (Anm. 39). S. 234ff.; Stammen (Anm. 44). S. 184–194; Wolfgang Staroste: Symbolische Raumgestaltung in Goethes »Natürlicher Tochter«. In: Raum und Realität in dichterischer Gestaltung. Studien zu Goethe und Kafka. Heidelberg 1971. S. 109ff.

46 Siehe dazu Emil Staiger: Goethe. Bd. 2. Zürich 1956. S. 377; Paul Böckmann: Die Symbolik in der »Natürlichen Tochter«. In: Worte und Werte. Bruno Markwardt zum 60. Geburtstag. Hrsg. von Gustav Erdmann und Alfons Eichstaedt. Berlin 1961. S. 16ff.

47 Staiger (Anm. 46). S. 384, 392–394.

48 Ebd., S. 380. Siehe ferner Kurt May: Goethes »Natürliche Tochter«. In: Form und Bedeutung. Interpretationen deutscher Dichtung des 18. und 19. Jahrhunderts. Stuttgart 1957. S. 100.

49 Staiger (Anm. 46). S. 374.
50 Ebd., S. 394–396.
51 May (Anm. 48). S. 94, 104; Düntzer (Anm. 8). S. 65, 74.
52 Siehe Arthur Henkel: Entsagung. Eine Studie zu Goethes Altersroman. In: Hermaea, N. F. 3. Tübingen ²1964. S. 37ff., 62ff., 76ff., 94ff., 142ff.; Hass (Anm. 39). S. 226, 247f.; Böckmann (Anm. 46). S. 15ff.; Bernd Peschken: Entsagung in Wilhelm Meisters Wanderjahren. Bonn 1968; Ehrhard Bahr: Die Ironie im Spätwerk Goethes. Diese sehr ernsten Scherze. Studien zum West-östlichen Divan, zu den Wanderjahren und zu Faust II. Berlin 1972. S. 122ff.; Bernd Peschken: Goethe, bürgerlicher Schriftsteller, in sozialgeschichtlichem Zusammenhang. In: Literaturmagazin 2 (1974) S. 44; Eric A. Blackall: Goethe and the Novel. Ithaca, N. Y., 1976. S. 248f., 320f.
53 Siehe dazu Jürgen Habermas: Strukturwandel der Öffentlichkeit. Untersuchungen zu einer Kategorie der bürgerlichen Gesellschaft. Neuwied, Berlin ⁶1974. S. 94ff.
54 Wilhelm Emrich: Marquis de Sade und die natürliche Tochter. In: W. E., Polemik. Streitschriften, Pressefehden und kritische Essays um Prinzipien, Methoden und Maßstäbe der Literaturkritik. Frankfurt a. M. 1968. S. 55f.
55 Siehe Hass (Anm. 39). S. 220; Emrich (Anm. 54). S. 55f.

Literaturhinweise

Abbé, Derek van: Truth and illusion about Die natürliche Tochter. In: Publications of the English Goethe Society NS 41 (1970/71) S. 1–20.
Bach, Rudolf: O diese Zeit hat fürchterliche Zeichen. Ein »unbekanntes« Drama Goethes. In: R. B., Leben mit Goethe. München 1960. S. 102–115.
Bänninger, Verena: Goethes Natürliche Tochter. Bühnenstil und Gehalt. Zürich 1957.
Böckmann, Paul: Die Symbolik in der »Natürlichen Tochter« Goethes. In: Worte und Werte. Bruno Markwardt zum 60. Geburtstag. Hrsg. von Gustav Erdmann und Alfons Eichstaedt. Berlin 1961. S. 11–23.
Boeschenstein, Hermann: Goethe's »Natürliche Tochter«. In: Publications of the English Goethe Society NS 25 (1955/56) S. 21–40.
Bréal, Michel: Une héroine de Goethe. Les personnages originaux de La fille naturelle. In: Revue de Paris 5, I (1898) S. 501–536, 803–825. – Wiederabdruck in: M. B., Deux études sur Goethe. Paris 1898. S. 51–174.
Burckhardt, Sigurd: »Die natürliche Tochter«, Goethes Iphigenie in Aulis? In: Germanisch-Romanische Monatsschrift 41 (1960) S. 12–34.
Çakmur, Belma: Goethes Gedanken über Lebensordnung in seinem Trauerspiel Die natürliche Tochter. Ankara 1958.
Castle, Eduard: Die natürliche Tochter. Ein Rekonstruktionsversuch des Trauerspiels von Goethe (Vortrag). In: Chronik des Wiener Goethe-Vereins 24 (1910) S. 37–50. – Wiederabdruck in: E. C., In Goethes Geist. Vorträge und Aufsätze. Wien 1926. S. 237–265.
Düntzer, Heinrich: Goethes Trilogie Die natürliche Tochter. 2., neu durchges. Aufl. Leipzig 1874.
Emrich, Wilhelm: Marquis de Sade und die natürliche Tochter. In: W. E., Polemik. Streitschriften, Pressefehden und kritische Essays um Prinzipien, Methoden und Maßstäbe der Literaturkritik. Frankfurt a. M. 1968. S. 52–56.
Ernst, Fritz: Goethe. Die Natürliche Tochter. In: F. E., Meisterdramen. Olten 1956. S. 43–55. – Wiederabdruck in: F. E., Späte Essais. Zürich 1963. S. 138–145.
Fries, Albert: Goethes Natürliche Tochter. Berlin 1912.
Gerhard, Melitta: Goethes Erleben der französischen Revolution im Spiegel der »Natürlichen Tochter«. In: Deutsche Vierteljahrsschrift für Literaturwissenschaft und Geistesgeschichte 1

(1923) S. 281–308. – Wiederabdruck in: M. G., Leben im Gesetz. Fünf Goethe-Aufsätze. Bern 1966. S. 7–33.

Grabowsky, Adolf: Goethes »Natürliche Tochter« als Bekenntnis. In: Goethe. Neue Folge des Jahrbuchs der Goethe-Gesellschaft 13 (1951) S. 1–27.

Hass, Hans-Egon: Goethe. Die Natürliche Tochter. In: Das deutsche Drama vom Barock bis zur Gegenwart. Interpretationen. Hrsg. von Benno von Wiese. Bd. 1. Düsseldorf 1964. S. 215–247.

Heuschele, Otto: Goethes Natürliche Tochter. In: O. H., Essays. Nürnberg 1964. S. 123–130.

Hoffmann, Paul: Goethes »Natürliche Tochter« und das Berliner Theater-Publikum. In: Euphorion 18 (1911) S. 482–484.

Jenkins, Sylvia P.: Goethe's »Die Natürliche Tochter«. In: Publications of the English Goethe Society NS 28 (1958/59) S. 40–63.

Kettner, Gustav: Goethes Drama Die natürliche Tochter. Berlin 1912.

Kilian, Eugen: Die natürliche Tochter auf der Bühne. In: Goethe-Jahrbuch 32 (1911) S. 62–72.

Lamport, F. J.: Entfernten Weltgetöses Widerhall. Politics in Goethe's Plays. In: Publications of the English Goethe Society NS 44 (1973/74) S. 41–62.

Loiseau, Henri: Les contemporains de Goethe et sa Fille naturelle. In: Revue de l'enseignement des langues vivantes 39 (1922) S. 241–251.

May, Kurt: Goethes »Natürliche Tochter«. In: Goethe. Neue Folge des Jahrbuchs der Goethe-Gesellschaft 4 (1939) S. 147–163. – Wiederabdruck in: K. M., Form und Bedeutung. Interpretationen deutscher Dichtung des 18. und 19. Jahrhunderts. Stuttgart 1957 (^{2}1963). S. 89–106.

Möller, Marx: Unser großes vaterländisches Frauendrama. Studien zu Goethes »Natürlicher Tochter«. Berlin 1917.

Moenkemeyer, Heinz: Das Politische als Bereich der Sorge in Goethes Drama »Die natürliche Tochter«. In: Monatshefte für deutschen Unterricht, deutsche Sprache und Literatur 48 (1956) S. 137–148.

Morris, Max: Die Paralipomena zur Natürlichen Tochter. In: M. M., Goethe-Studien. Bd. 2. Berlin 1898. S. 223–231. (2. Aufl. 1902. S. 273–281.)

Peacock, Ronald: Incompleteness and discrepancy in »Die natürliche Tochter«. In: The Era of Goethe. Essays presented to James Boyd. Oxford 1959. S. 118–132.

– Goethes »Die natürliche Tochter« als Erlebnisdichtung. In: Deutsche Vierteljahrsschrift für Literaturwissenschaft und Geistesgeschichte 36 (1962) S. 1–25.

Sauer, August: Die natürliche Tochter und die Helenadichtung. In: Funde und Forschungen. Eine Festgabe für Julius Wahle. Leipzig 1921. S. 110–134.

Schröder, Rudolf Alexander: Ein Wort über die »Natürliche Tochter«. In: Goethe-Kalender 31 (1938) S. 63–100. – Letzter Wiederabdruck in: R. A. S., Die Aufsätze und Reden. Bd. 1. Berlin 1952. (R. A. S., Gesammelte Werke in fünf Bänden. Bd. 2.) S. 472–495.

Staiger, Emil: Die natürliche Tochter. In: E. S., Goethe. 1786–1814. Bd. 2. Zürich 1956. S. 366–402.

Stammen, Theo: Goethe und die Französische Revolution. Eine Interpretation der »Natürlichen Tochter«. München 1966.

Staroste, Wolfgang: Symbolische Raumgestaltung in Goethes »Natürlicher Tochter«. In: Jahrbuch der Deutschen Schillergesellschaft 7 (1963) S. 235–252. – Wiederabdruck in: W. S., Raum und Realität in dichterischer Gestaltung. Studien zu Goethe und Kafka. Heidelberg 1971. S. 104–122.

Weber, Wilhelm Ernst: Über Göthe's Natürliche Tochter. Vorlesungen. In: W. E. W., Vorlesungen zur Ästhetik, vornehmlich in Bezug auf Göthe und Schiller. Hannover 1831. S. 77–192.

Willige, Wilhelm: Wachstum und Verantwortung. Betrachtungen über Goethes Mannesjahre, besonders über »Die natürliche Tochter«. In: Zeitschrift für Geschichte der Erziehung und des Unterrichts 24 (1934) S. 249–259.

– Verantwortung und Gemeinschaftsgesinnung in Goethes Mannesjahren. In: Zeitschrift für Deutschkunde 49 (1935) S. 111–119.

HARRO SEGEBERG

Deutsche Literatur und Französische Revolution. Zum Verhältnis von Weimarer Klassik, Frühromantik und Spätaufklärung

In der neueren Forschungsliteratur zum Verhältnis von Französischer Revolution und deutscher Literatur fällt auf, daß das Interesse häufig auf die Rechtfertigung einer der vielen zeitgenössischen Positionen gerichtet ist, wobei die alternativen Strömungen bestenfalls als polemische Folie der Argumentation präsent sind.[1] Dieses Ausspielen konkurrierender Positionen gegeneinander übersieht jedoch wichtige gemeinsame Problemstellungen: die Verklammerung aller Richtungen im Diskussionshorizont einer Zeit, die sich mit dem unerwartet widersprüchlichen Verlauf einer revolutionären Epochenwende konfrontiert sah, und: die Schwierigkeiten einer literarisch-philosophisch ambitionierten Intelligenz bei der Deutung einer sozialgeschichtlich determinierten Revolutionsdynamik.

Der folgende knappe Überblick versucht daher, anhand einiger als typisch geltender Positionen ein Erklärungsmuster plausibel zu machen, das die Bestimmungselemente der historischen Problemsituation stärker berücksichtigt.

Einleitung: Realhistorisches Bezugsfeld und Deutungsproblem

Am Vergleich der modernen sozialgeschichtlichen Rekonstruktion der Französischen Revolution mit den Interpretationen der deutschen Zeitgenossen fällt eine eigentümliche Differenz sofort ins Auge. Während heute diese *bürgerliche Revolution* gedeutet wird als krisenhaft zugespitzte Auflösung von spätfeudaler Ständegesellschaft und absolutistischer Königsherrschaft, ist in den Reaktionen der Zeitgenossen der *soziale Konflikt* überlagert vom Vorgang einer *moralisch-philosophischen Umwälzung*, bei der Staat und Gesellschaft auf den »Begriff des Rechts« (G. W. F. Hegel) sich gründen.[2] Dieses *emphatische Revolutionsverständnis* traf sich durchaus mit den Auffassungen der Akteure: in ihrem Denkhorizont stellte sich die Revolution dar als die Realisierung universaler klassenneutraler Rechtsprinzipien, bei der sich die natürlichen Rechte aller Menschen gegen die ständische Differenzierung der Gesellschaft nach Geburt und Herkommen durchsetzten; Freiheit, Eigentum und Sicherheit sind in der »Erklärung der Menschen- und Bürgerrechte« vom 26. August 1789 aus dem Naturrecht der Aufklärung abgeleitet.[3]

Nicht nur in Frankreich galt daher die Revolution als »der erste praktische Triumph der Philosophie«, die sich bei der Reorganisation der Gesellschaft an der ursprünglich-unverfälschten Natur des Menschen orientiere[4]. Tatsächlich aber prägten sich bald die Konturen einer konkurrenzkapitalistischen Klassengesellschaft mit krasser sozialer Ungleichheit aus.[5] Im revolutionären Planungsmodell einer Gesellschaft konkurrierender Einzelindividuen war der Schutz von Kleineigentümern, Lohnabhängigen oder Erwerbslosen gegen die Folgen einer unbegrenzten Eigentums-, Gewerbe- und Verkehrsfreiheit nicht vorgesehen. Sansculotten (kleine Handwerksmeister, Ladeninhaber, Gesellen und Arbeiter) und die große Mehrheit der Landbevölkerung, die als revolutionäre Massenbasis der Revolution erst zum Sieg verholfen hatten, mußten feststellen, daß ihre materielle Notlage (Lebensmittelknappheit, Teuerungswellen, z. T. auch Erwerbslosigkeit) rapide zunahm. Resonanz fanden ihre Forderungen nach einer Kontrolle der Wirtschaft durch den Staat jedoch nur bei dem radikaldemokratisch-jakobinischen Flügel der mittleren und Kleinbourgeoisie. Der daraus resultierende Konflikt mit der reichen Geschäftsbourgeoisie aus Handel und Industrie hat sich jedoch schon im Argumentationsarsenal der Revolutionsparteien nicht als Kampf konfligierender Sozialinteressen abgezeichnet.

Typisch ist eher die Ableitung ganz gegensätzlicher Argumente aus der Berufung auf Vernunft, Moral und Recht. Das gilt nicht nur für die sogenannte zweite Revolution vom August/September 1792, die das Kompromißexperiment einer Integration der grundbesitzenden Aristokratie in den neuen Staat der Besitzenden gewaltsam beendet hat, sondern ebensosehr für den Kampf zwischen *Gironde* und *jakobinischer Montagne*. Denn während für den girondistischen Wirtschaftsliberalismus jeder sozialstaatliche Eingriff in die Freiheit von Erwerb und Eigentum den natürlichen Wettstreit der Individuen verzerrt und gerade dadurch die Herstellung eines erträglichen sozialen Gleichgewichts stört, erklärt Robespierre als Wortführer der jakobinischen Montagne in einer revolutionären Interpretation der Rousseauschen Idee der ›volonté générale‹ das Volk zur Verkörperung des moralischen Gesamtinteresses.[6] Republikanische Religion, die die Tugend erweckt, und revolutionärer Terror, der sie schützt, bilden so die Eckpfeiler der jakobinischen Erziehungsdiktatur, die die Girondisten ausschaltet und liquidiert (»dritte« Revolution, Juni 1793).

Die 35 000 bis 40 000 Toten der *Terreur* sind für die Mehrzahl der Zeitgenossen in Deutschland zum endgültigen Signal einer Entartung der Revolution geworden (der weiße Terror nach 1795 und die Drohungen der in Frankreich vorrückenden Interventionstruppen blieben dabei meist ebenso unberücksichtigt wie die Verzerrungen einer konterrevolutionären Greuelpropaganda). Die moderne Historiographie urteilt heute, insgesamt gesehen, distanzierter. Die Jakobinerherrschaft wird als ein Resultat der bedrohten innen- und außenpolitischen Lage Frankreichs (Vendée-Aufstand, Koalitionskriege) erklärt, die die Mobilisierung aller Kräfte erzwang; auch der wirtschaftliche Terror, der Wirtschaftslenkung und staatliche Sozialpolitik gegen die »Reichen, Wucherer, Spekulanten und Tyrannen« (Robespierre) verteidigt, erscheint dann als ein notwendiges Mittel zur Existenzsicherung der hungernden Sansculotten.[7]

Der historische Rückblick überwindet so, ohne Zweifel, zeitbedingte Erkenntnissperren. Nur, die *aporetische Struktur der historischen Erkenntnissituation* selber kann er nicht auflösen, da die historische Rückschau für die Jakobinerherrschaft ein Erklärungsmuster vorschlägt, in dem ihr Selbstverständnis keineswegs aufgeht; als institutionalisierter und perfektionierter Schrecken hat die ›terreur‹ (seit Frühjahr 1794) ihre ursprüngliche Selbstrechtfertigung als Notwehr längst überschritten und sich zum Terror in Permanenz erklärt.[8] Die generelle Kriminalisierung abweichender Sozialinteressen antwortet auf die immer deutlicher sich abzeichnenden Diskrepanzen zwischen moralischer Idealgesellschaft und tatsächlicher privatkapitalistischer Konkurrenzgesellschaft, deren gerade freigesetzte ökonomische Dynamik die jakobinische Idee einer Republik ohne soziale Spannungen zur Illusion degradierte; der totale Terror, der nicht mehr bestraft, sondern vernichtet, versucht, unbegriffene realökonomische Entwicklungsdeterminanten moralistisch-terroristisch außer Kraft zu setzen.[9]

Daraus läßt sich folgern: Dem Zeitgenossen bietet sich das Bild einer Gewaltdiktatur, die ihren sozialen Grund selber nicht gesehen und daher in ihren Legitimierungen nur moralisch artikuliert hat. Dieses *Deutungsproblem* verschärfte sich noch, als der Umschwung des *Thermidor* (Juli 1794) die Führer der jakobinischen Montagne liquidierte und die Errungenschaft der politischen Demokratie beseitigte; ein scharfes Zensuswahlrecht differenzierte nun wieder – wie 1791 – politische Rechte nach Eigentumsinteressen. *Directoire* (seit 1795) und *Diktatur* und *Empire* Napoleons (1799/1804) haben im Bewußtsein der Zeitgenossen die besitzbürgerlichen Errungenschaften als endgültiges Ergebnis der Revolution hervortreten lassen; der *bourgeois* nimmt den *citoyen* zurück. Napoleon hat ja mit der Kodifizierung der formalen Gleichheit vor dem Gesetz bei tatsächlicher Ungleichheit in der Gesellschaft das materielle Revolutionsresultat einer am freien Egoismus der Wirtschaftsindividuen orientierten Erwerbsgesellschaft gefestigt.[10]

Damit hatte sich als Handlungsraum von Klasseninteressen herausgestellt, was als Verwirklichung eines Naturprinzips gedacht war. Das Resultat der Revolution war mit ihren eigenen Zielen nur schwer vereinbar. Das gleiche gilt von ihrem Verlauf. Revolutionäre Gewaltanwendung, die politische Mobilisierung von Unterschichten und das Auseinanderfallen der ursprünglich als Einheit gedachten Revolutionsbewegung, dies alles widersprach dem Anspruch eines konsensorientierten Gesellschaftswandels, dem das breite Einverständnis nahezu der gesamten deutschen Intelligenz gegolten hatte.[11] Kennzeichnend ist, daß das Auseinanderfallen dieser Einheitsmeinung zwar die Artikulierung unterschiedlicher Sozialinteressen hervorruft und insofern, insbesondere in der sogenannten *Spätaufklärung*, ein politisches Meinungsspektrum freisetzt; nicht zu unterschätzen ist allerdings der Einfluß diffiziler Wahrnehmungsprobleme, die die Aporien der Revolution noch komplizierten. In *Weimarer Klassik* und *idealistischer Philosophie und Kunst* ist der ›politische‹ Standpunkt häufig erst das Resultat solcher Einschätzungsschwierigkeiten, die mit sozialen Standortproblemen durchaus zusammenhängen.

Weimarer Klassik

Man wird nicht hoch genug veranschlagen können, daß der soziale Handlungsraum der Französischen Revolution nicht ins Blickfeld der deutschen Intelligenz fiel: der ökonomisch gefestigten Bourgeoisie dort stehen hier Händler, Kaufleute und Manufakturbesitzer gegenüber, die ihren Wohlstand der gezielten staatlichen Wirtschaftsförderung verdanken und die Grenzen des merkantilistischen Dirigismus kaum verspüren,[12] während sich zur politisch organisierten Sansculotterie der Pariser Handwerker- und Arbeitervorstädte in Deutschland überhaupt nichts Vergleichbares findet. Für Goethes profundes Mißverständnis der Revolution ist die begrenzte Sozialperspektive aufgrund seiner Herkunft aus der Freien Reichsstadt Frankfurt mitverantwortlich; Bürgertum hieß hier Kompromiß mit Adel und absolutistischen Souveränen, deren höfisch aufwendiger Lebensstil als Absatzsphäre für Handel und Produktion unentbehrlich schien.[13] In Goethes ersten dramatischen Reaktionen fehlt daher jede politische oder gar soziale Dimension; an ihre Stelle tritt im *Bürgergeneral* (1793) und den *Aufgeregten* (1793) ein »ärmliches Moralisieren und Psychologisieren«:[14] rebellische Aufrührer sind hier Schurken und aufständische Bauern verführte Dummköpfe. *Politisch* nähert sich Goethe der *reformabsolutistischen Spätaufklärung*, die das Sozialproblem der Revolution nach Art der Fürstenspiegel und Staatsromane lösen wollte: dem aufgeklärten Monarchen dort, der die Journale nicht schikaniert, entspricht die reformbereite Gräfin hier *(Die Aufgeregten)*, die in der gnädig gewährten Freiheit der Kritik die Garantie gegen die Fortdauer sozialer Mißstände sieht.

Andererseits ist Goethe bestrebt, seine *Distanz zur reaktionären Apologetik* ständischer Herrschaft, die die Frage nach den Ursachen der Revolution gar nicht stellt,[15] deutlich zu machen. Das Trauerspiel *Die natürliche Tochter* (1799–1803) entfaltet die alternative Position. Die Revolution erscheint als notwendiger Zerfall einer korrumpierten aristokratischen Ordnung, in der das Aristokratische nur als individuelle Verhaltensform überdauern kann.[16] Darin ähnelt der *bürgerlich-höfische Kompromiß von Weimar reformkonservativen Positionen,* die am Adelsprinzip den Zusammenhang von Privileg und Leistung wiederherstellen wollen; Erfahrungsgrundlage dieser Auffassung ist die – in aufgeklärt-absolutistischen Staaten wie Sachsen-Weimar[17] nicht seltene – Nobilitierung juristisch qualifizierter Verwaltungseliten, die sich durch die Erhebung in den Adelsstand in ihrem Selbstverständnis bestätigt fühlten: aufgrund ihrer Distanz zum Erwerbsbürgertum nahmen sie Merkmale adliger Lebensführung für sich in Anspruch.[18] Der Geheime Rat von Goethe stellt darin keine Ausnahme dar. Goethe stilisiert Verhaltensweisen des Adels zum Ideal einer Lebensform, in der allein eine »gewisse allgemeine, wenn ich sagen darf, personelle Ausbildung« möglich erscheint.[19] Daraus erwachsen für Adel und Monarch Verpflichtungen; beide sind berufen, ein gesellschaftliches Ordnungsgefüge aufrechtzuerhalten, dessen Notwendigkeit zur Regulierung widerstreitender Einzelinteressen für Goethe – als eine Grundtatsache gesellschaftlichen Lebens – außer Frage stand. Revolutionen sind für ihn nur mit dem zerstörerischen Chaos vulkanischer Eruptionen vergleichbar.[20]

Die Dynamik einer sozialgeschichtlich determinierten gewaltsamen Auflösung ständisch-absolutistischer Herrschaft war in den Denkformen eines *naturgeschichtlichen Weltbildes* nicht erklärbar, in dem am Historisch-Konkreten nur das zugrundeliegende Strukturgesetz als Urphänomen interessierte.[21] Im Urteil über die Französische Revolution schiebt sich vor die Kritik am Ancien régime – dessen innerer Verfall für Goethe seit der berühmten Halsbandaffäre um Marie Antoinette unzweifelhaft war[22] – der Eindruck einer leichtfertig entfesselten Sozialanarchie, die ein neues politisches Ordnungsgefüge von außen gewaltsam aufgezwungen werden mußte. Bezeichnenderweise hat erst das Empire Napoleons Goethe eine vorurteilsfreiere Analyse des neu heraufziehenden Bürgerlichen Zeitalters erlaubt.[23]

Goethe hat immer auf langfristige gesamtgesellschaftliche Bildungs- und Erzie-

Deutsche Literatur und Französische Revolution

hungsprozesse gesetzt, die sich ungestört im Rahmen der jeweils geltenden Ordnung vollziehen sollten, der Verzicht auf die Kritik am Historisch-Konkreten war hier einkalkuliert. In dieser Grundeinstellung stimmte Goethe mit Schiller überein, der sich freilich auf einem ganz anderen Wege dem prekären Kompromiß von Weimar genähert hat. An der Entfaltung eines teleologischen Geschichtsdenkens, das von der Verwirklichung der »theoretischen Kultur« der Aufklärung²⁴ die Umkehr einer Geschichte erwartete, die als ›Entfremdung‹ von der menschlichen Natur begriffen wurde, hatte Schiller noch 1789 mit seiner Jenaer Antrittsvorlesung teilgenommen.²⁵ Schiller hat daher, im Unterschied zu Goethes Skepsis von Anfang an, die Französische Revolution als schneidenden Kontrast von Anspruch und Wirklichkeit gedeutet. Dieser Problemhorizont, der Schiller mit den Autoren der Frühromantik (Friedrich Schlegel, Novalis), aber auch mit Jean Paul und Hölderlin, verbindet, soll im folgenden skizziert werden.

Jakobinerdiktatur und Directoire haben hier zum Irrewerden an der Revolution geführt. Denn die Zerstörung der politischen Demokratie hat die Zielsetzung der Jakobinerherrschaft entstellt oder doch zumindest als undurchführbar erscheinen lassen. Der Triumph des Bourgeois über den Citoyen im Thermidor hat für Novalis die Idee der politischen Gleichheit erledigt: die »freie Konkurrenz« der »eigennützigen« gesellschaftlichen Menschen untereinander mache die Vorstellung vom Staat als der »Emanation« des Gemeinsinns zur Schimäre.²⁶ Deutlich prägt sich im Urteil die Erfahrung einer als Revolutionsresultat gedeuteten bürgerlich-liberalen Erwerbsgesellschaft aus. Ratlos machte dabei nicht nur die im utopisch-moralischen Geschichtsverständnis angelegte mangelnde Einsicht in den sozialen Grund der Fraktionskämpfe.²⁷ In der aporetischen Struktur des Problemhorizontes ist darüber hinaus ein Reflex der revolutionär-terroristischen Handlungsaporie selber deutlich wahrnehmbar: am Versuch, unbegriffene soziale Antagonismen moralistisch-terroristisch zu überspringen, fällt dem Zeitgenossen das Moment übereilten Handelns ins Auge, bei dem der Staat als »Sittenschule« die Erneuerung des Menschen erzwingen will (Friedrich Hölderlin)²⁸. Novalis bemerkt scharfsichtig die Koinzidenz von Freisetzung des Terrorismus und Erweckung einer republikanischen Religion und kritisiert an dem »Versuch jener großen eisernen Maske« Robespierre²⁹ die hybridaussichtslose Idee einer erzwungenen Erweckung demokratischer Tugend in einer freien Konkurrenzgesellschaft³⁰. Prinzipieller noch haben Hölderlin und Schiller argumentiert. Sie verbinden die Kritik am revolutionären Verlauf mit der Kritik an Staat und Gesellschaft ihrer Zeit, deren arbeitsteilige Organisation die auf Selbstbestimmung und Selbstverwirklichung hin angelegte menschliche Natur zerstückelt habe. Der auf die Verfolgung seiner weltlichen Interessen und Berufsgeschäfte eingegrenzte Mensch erweise sich deshalb als unfähig zum gemeinschaftlichen Handeln.³¹

Als Kapitalismuskritik interpretiert – wie häufig vorgeschlagen –, sind der zeitgenössischen Kritik jedoch klassenspezifische Analyseverfahren unterlegt, die sie selber keineswegs so anwenden. Vielmehr entsteht aus der begrenzten Reichweite der Einsicht in realgesellschaftliche Determinanten, die den Erfolg revolutionären Handelns verhindert haben, das spezifische Pathos idealistischer Philosophie und Kunst. Dem Konkurrenzprinzip der Ökonomie (Novalis) und dem Stigma spezialisierter Arbeitsteilung (Hölderlin) sind alle Mitglieder einer Gesellschaft ausgesetzt, zu der daher als Opposition nur der Dichter denkbar ist, der die Reinheit seiner Weltauslegung dem *außergesellschaftlichen Status* seiner *poetischen Sonderexistenz* verdankt.[32] Die Idee der *Autonomie der Kunst* entsteht aus dieser Transzendenz zur Gesellschaft, die als Ganzes – und nicht nur in klassenspezifischer Ausprägung – korrumpiert erscheint.[33] So gesehen, verlangt das Scheitern der Revolution nach diagnostischer Aufklärung mit Hilfe einer Philosophie und Kunst, die sich vorerst von aller Praxis fernhalten[34], indem sie im utopischen Bild deren Probleme zu lösen versuchen.

Als revolutionäre Theorie, als *Präfiguration künftigen Handelns* erheben – so heißt es – Philosophie und Kunst den Anspruch, den »Streit von Theorie und Praxis hinter sich zu lassen«, in der Antizipation der Praxis bestimme die *Poesie* selber sich als *revolutionär*.[35] Doch die Anforderungen, die dabei einzulösen wären, sind nicht gering: geklärt werden muß, wie weit die Theorie die Probleme der Praxis aufgenommen hat und ob sie ferner die – prinzipiell ja nicht auflösbare – Differenz der im literarischen Kontext entworfenen Handlungsidee zur geschichtlich-gesellschaftlichen Erfahrungswelt bedacht hat.

Im Lösungsvorschlag *Schillers* setzt sich die Grundidee der *Weimarer Klassik* wieder durch. In den *Briefen über die ästhetische Erziehung* (1795) ist die Kunst gerade aufgrund ihrer »autonomen Erlebnisstruktur« dazu geeignet, den Menschen vom Widerstreit zwischen Vernunft und Sinnlichkeit, der ihr egoistisches gesellschaftliches Handeln bestimmt, zu reinigen; im ästhetischen Spiel sind beide miteinander versöhnt.[36] In diesem Sinne hebt Schiller den Abstand des ästhetischen Zustands zur Erfahrungswelt hervor, die nur als negative Folie in der Konfliktlösung präsent ist. Doch anderseits bliebe das Programm folgenlos, wenn es für die Utopie keinen empirischen Anknüpfungspunkt gäbe.[37] So führt bei Schiller die Differenz zwischen Utopie und Empirie, die wieder überbrückt werden muß, zur reformpolitischen Einschränkung der Idee, die doch ursprünglich mit der revolutionären Emanzipation konkurrieren sollte.[38] Als soziales Substrat des Programms ist nur noch eine Elite denkbar, die sich aufgrund ihrer materiellen Privilegierung dem Umgang mit Philosophie und Kunst ganz widmen kann; von ihrer geglückten ästhetischen Erziehung versprach sich Schiller soziale Reformen für die, die von ihr ausgeschlossen bleiben.[39] Gebildetes Bürgertum und reformbereite Aristokratie sind also auch bei ihm Träger der *Weimarer Kompromißlösung*.[40]

Erst im *Wilhelm Tell* (1804), so heißt es weithin, vermag Schiller den Anspruch der ästhetischen Utopie einzulösen, die die Französische Revolution überbieten sollte. Allerdings, im ästhetischen Zugriff ist die soziale Dynamik der Revolution getilgt; Schiller ›löst‹ das Problem, indem er es eliminiert. Im *Tell* sind die konstitutiven Merkmale revolutionären Handelns ausgespart; denn es geht nicht, wie in der Französischen Revolution, um die gewaltsame Rekonstruktion des Naturzustandes gegen eine als Abkehr von der Natur gedeutete Gesellschaftsform.[41] Sondern eine auf das alte Recht sich stützende, naturwüchsig-intakte Gesellschaft wendet sich gegen gewaltsame Eingriffe von außen: »eine Naturgesellschaft wehrt sich, wandelt sich, aber hält sich durch.«[42] Da deren Angehörige besondere soziale Interessen noch gar nicht ausgebildet haben, kann in der Naturidylle gelingen, was sich in der Französischen Revolution als undurchführbar herausgestellt hatte: das Entstehen einer Nation rechtsgleicher Bürger aufgrund eines freiwilligen Verzichts des Adels auf ständische Rechte.[43]

Man kann an dieser Integration der Geschichte in die Idylle die regulative Kraft der Idee herausstellen, die der Empirie immer vorausgreift: Der Zwiespalt zwischen beiden ist jedenfalls nicht überbrückt. Beim Versuch zur Realisierung der Utopie zeigt sich erneut deren Differenz zur Empirie, die Schiller in den großen Weimarer Geschichtstragödien auch immer im Blick behalten hat.[44] Die Integration der Idee in die Wirklichkeit kann er nur leisten, indem er die »Mächtigkeit des Historischen« ausblendet.[45]

Die politische Insuffizienz des Modells überrascht nicht, wenn man bedenkt, daß die Auflösung des Revolutionsproblems bei Schiller von Anfang an die Negation der politischen Praxis als Sphäre interessenorientierten Handelns vorausgesetzt hat; davon sollte ja die ästhetische Erziehung den Menschen befreien. Das Bewußtsein ihrer Differenz zur Realität führte schon bei der Entfaltung der Theorie nicht dazu, daß Schiller die Dominanz der ästhetischen Auflösung eingeschränkt und die Regeln sozialen Handelns auch nur als empirischen Anknüpfungspunkt im Modell kalkuliert hätte; als Nahtstelle zwischen Empirie und Utopie fungierte ja, wie gezeigt, der »Staat des schönen Scheins«. Schillers Sehweise versperrt ihm die Lösung, weil klassenspezifische Analyseverfahren fehlen.[46] In diesem Sinne kann die Theorie die Praxis nicht verarbeiten. Denn da die Korrumpierung der revolutionären Leitidee der Gesellschaft im ganzen angelastet ist, blendet die Utopie die Probleme des Handelns in ihr einfach aus. Deshalb muß sie dann – als Kompromiß – resignieren oder – als vermeintlich radikales Modell – vor der Empirie versagen, und so wird gleichzeitig die Fortdauer blinder Vorurteile verstärkt: »Wenn sich die Völker selbst befrein, da kann die Wohlfahrt nicht gedeihn« (*Die Glocke*, 1800).

Die Revolution in der Frühromantik (Schlegel und Novalis)

Den Kompromißcharakter der Weimarer Klassik haben die Exponenten einer ›revolutionären‹ Frühromantik, Friedrich Schlegel und Friedrich von Hardenberg (Novalis), nicht ohne Polemik herausgestellt. Die neuere Romantikforschung hat hieraus Argumente zur Klassikkritik gewonnen. So ist der *Heinrich von Ofterdingen*-Roman (1802) des Novalis als die »ästhetisch umgesetzte ›Teleologie der Revolution‹« interpretiert worden; das offene System der Darstellung repräsentiere – im Gegensatz zur Geschlossenheit klassisch-weimarischer Gattungspoetik – die Liberalität bürgerlich-kapitalistischer Ökonomie in der Absicht, ihre progressive Selbstüberwindung zu initiieren.[47]

Auf die Subtilitäten der Argumentation bei der Vermittlung von Ästhetik und Ökonomie kann hier nicht eingegangen werden. Allerdings fällt auf, daß der Anspruch einer poetischen Überwindung realökonomischer Determinanten – wie so häufig – immer nur vom ästhetischen Modell her als eingelöst expliziert wird. Kaum wird erörtert, ob das Verfahren einer Integration der empirischen Geschichte in die poetische Realitätskonstitution nicht ein prekäres Verhältnis zur Wirklichkeit begründet. Denn im ›Romantisieren‹ als der ›qualitativen Potenzierung‹ der Realität treten deren empirische Bedeutungsgehalte zugunsten ihrer poetischen Verwei-

sungsfunktion ja zurück.[48] So bedeutet die Wendung von der republikanischen Antike zum katholischen Mittelalter keine Rechtfertigung der tatsächlichen katholischen Kirche; in der Vereinigung von »Geschichtstheologie, Geschichtsphilosophie
und Geschichtspoesie« in der Rede *Christenheit und Europa* (1799) hat die Idee einer
geeinten »echtkatholischen« Christenheit vielmehr metaphorische Bedeutung. Im
poetischen Akt wird aus dem Rückblick in die Vergangenheit ein Leitbild für die
Zukunft gewonnen, »indem das, was als Potenz, als ideale Möglichkeit in der Vergangenheit des Mittelalters steckte, als ihr Telos, als wirklich, als verwirklicht dargestellt ist.«[49]
Doch die *metaphorische Rede über Politik und Gesellschaft* schärft nicht gerade den
Blick für deren konkrete Erscheinungsformen. Das wurde besonders deutlich, als
Novalis seine politischen Fragmente *Glauben und Liebe* (1798) dem preußischen
Königspaar Friedrich Wilhelm III. und Königin Luise übersandte, von denen er
glaubte, sie könnten sich dem Ideal einer ›republikanischen Monarchie‹ annähern,
die die Beschädigung der menschlichen Natur durch das bürgerliche Erwerbsleben
wieder heilen soll; zunächst einmal wurden jedoch die Berliner Zensurbehörden aktiv.[50]
Sicherlich dokumentiert dies den Abstand der Frühromantik zu reaktionären Legitimationstheorien absolutistischer Herrschaft. Die poetische Verwandlung einer realen Monarchie in die *approximative Repräsentation* einer Idee war ja als Anreiz zur
politischen Veränderung gedacht. Doch die Idee des Staates als einer durch »Liebe«
geeinten personalen Gemeinschaft, die den materiellen Interessenantagonismus des
Wirtschaftslebens überwinde,[51] übersah ja völlig die Verknüpfung des Staatsinteresses selber mit der bürgerlichen Erwerbswirtschaft: ihre Förderung stellte die Voraussetzung zur Entfaltung einer territorialstaatlichen fürstlichen Souveränitäts- und
Militärpolitik dar.[52] Die Differenz des tatsächlichen preußischen Absolutismus zu
seiner metaphorisch entfalteten Idee kann im poetischen Bild zwar aufgehoben werden; dessen Reintegration in die historische Erfahrungswelt durch die Annahme einer herstellbaren Approximation zwischen poetischer und politischer Handlung
stellte sich jedoch als Selbsttäuschung heraus. Der Autor kann solche Desillusionierungen ironisch reflektieren oder – als Dialektik von »Selbstschöpfung und Selbstvernichtung« literarischer Fiktionswelten – die Reflexion hierüber zum Regelprinzip
einer *progressiven Universalpoesie* erheben (Friedrich Schlegel).[53] Lösbar ist das
Problem kaum, solange an die Stelle einer empirischen Berechnung politisch-gesellschaftlicher Sachverhalte deren Deutung mit Hilfe poetischer Imaginationsverfahren
tritt.
Friedrich Schlegels republikanisches Engagement beginnt zunächst in größerer Praxisnähe. Seine *Frühschriften zur Antike* (1795/96) und sein Essay *Über den Republikanismus* (1796) versuchen ja, durch die Verknüpfung von Geschichtswissenschaft
und spekulativer Geschichtsphilosophie die Idee der moralischen Vervollkommnung der Menschheit als Ziel der Geschichte zu begründen, wobei die Staatsform
der Republik zur notwendigen Voraussetzung erklärt wird; die politische Gleichheit
verlange sogar staatliche Eingriffe in den Konkurrenzmechanismus von Wirtschaft
und Gesellschaft.[54] Trotz ›terreur‹ und Parteienkampf verteidigt Schlegel daher, unter Berufung auf den deutschen Revolutionär und Jakobiner Georg Forster,[55] die
Französische Revolution als Konkretisierung einer geschichtsphilosophischen Ziel-

vorgabe, zu deren Verwirklichung der »gesellschaftliche Schriftsteller« (*Forster-Essay*, 1797) beitragen kann. Dem desillusionierenden tatsächlichen Revolutionsverlauf begegnet Schlegel mit einer Radikalisierung der philosophischen Zukunftserwartung, die eschatologische Züge annimmt: »der revolutionäre Wunsch, das Reich Gottes zu realisieren, ist der Anfang der modernen Geschichte«.[56] Der wachsende Anspruch an die Philosophie, das absolute Ziel der Geschichte zu entfalten, ohne daß dessen Konkretisierung in einem historischen Ereignis noch denkbar ist, führt Schlegel um 1800 zur Annäherung an die Idee einer erneuerten Religion, die das »Centrum der Menschheit« in die innere Geschichte des Individuums verlagert;[57] dadurch ist ein christlich-katholisches Geschichtsverständnis vorbereitet, in dem nach 1800 Revolutionen nur noch als Zerstörung legitimer ständisch-monarchischer Sozialverfassungen deutbar sind.[58]

Man kann diese in der Tat erstaunliche Entwicklung ignorieren[59] oder als Folge eines Bruchs im Denken zwischen Früh- und Spätphase herausstellen[60]. Immer übersieht man dabei die Elemente der Kontinuität in der Denkstruktur, die dem Wandel vom ›Republikaner‹ zum ›Konservativen‹ bei aller Veränderung zugrunde liegen. In der Französischen Revolution und der ständischen Restauration sieht Schlegel die Chance, der *Gefahr empirieloser Geschichtsphilosophien* durch deren *Projektion auf historische Sachverhalte* zu entgehen. Praxis ist hier immer spekulativ, d. h. von der Bewegung des Gedankens her, in die Theorie integriert gewesen; durchgesetzt hat sich, nach dem Scheitern des revolutionären Paradigmas, allerdings die Neigung, historische Sachverhalte ohne die Analyse ihrer tatsächlichen Bedeutung in das System aufzunehmen.[61]

Schlegels Konversion zum Katholizismus und seine Karriereversuche als Beamter und philosophischer Propagandist der Metternichschen Restauration sind weniger interessengeleitete politische Entscheidungen als vielmehr Ausdruck eines Verlangens, dem sozialen Standortproblem einer »*freischwebenden Intelligenz*« (Karl Mannheim) zu entkommen, die die Wirklichkeit stets aus der Perspektive einer esoterisch-literarischen Salonkultur gesehen hat.[62] Die literarische Verklärung von Katholizismus und Adelswelt bezeugt für die Romantik insgesamt die Fortdauer von Wahrnehmungsweisen, die soziale Tatbestände in ästhetisierende Denkfiguren auflösen.[63]

Hölderlin und Jean Paul

Daran läßt sich die Differenz der Frühromantik zum *Republikanismus* Friedrich Hölderlins bestimmen: die Dichtung als »›durchgehende Metapher‹ der Revolution«[64] vergißt hier nicht ihren Abstand zur Gegenwart. Der fiktive Entwurf revolutionärer Handlungen und die poetischen Reflexionen über deren Voraussetzungen sehen davon ab, gesellschaftliche Hierarchien in Repräsentationen der Idee zu verwandeln (Frühromantik) oder die bestehende politische Ordnung als institutionellen Rahmen kultureller Reformen hinzunehmen (Weimarer Klassik).

Die Forschung hat, aufgeschreckt durch Pierre Bertaux' These vom »Jakobinismus« Hölderlins,[65] in einer Reihe sorgfältiger Einzelstudien nachgezeichnet,[66] wie der Weg Hölderlins von der sozialeschatologischen Hoffnung auf die Realisierung des

»Reiches Gottes« in der Französischen Revolution über die Phase der Kritik an Jakobinismus und Schreckensherrschaft bei gleichzeitiger Verwicklung in revolutionäre Umsturzpläne in Süddeutschland[67] hinführt zur Ausbildung einer *Poesie,* die sich versteht als *Diagnose gescheiterten Handelns* und als *utopisches Bild künftiger Praxis.*[68]

Doch Hölderlins Dichtungen entfalten sich nicht aus den Problemstellungen eines konkreten politischen Kontextes, und sie setzen sich auch nicht der Veränderung durch Erfahrungen eingreifenden Handelns aus.[69] Im thematischen Komplex der »Geduld« hat Hölderlin selbst diese Distanz als aufgezwungenen Verzicht bedacht, der den »heiligen Sängern« auferlegt sei, die »vor der Zeit« zu erscheinen berufen sind.[70] Nur im utopischen Modell also, das die Dichtung entfaltet, sind die ökonomischen und sozialen Entwicklungsdeterminanten, die die Revolution scheitern ließen, überwunden.

Vor der desillusionierenden Gegenwart rettet Hölderlin die republikanische Idee, indem er sie mit heroischen Figuren der Antike verknüpft. Als »erinnerte Vergangenheit« entfalten auch Jean Pauls Revolutionsromane (*Unsichtbare Loge,* 1793; *Hesperus,* 1795; *Titan,* 1803) die Idealität politischer Handlungen, die von der Korrumpierung durch eigensüchtige Sozialinteressen ganz frei sind.[71] Vom Fürsten erwartet Jean Paul die Realisierung einer *Revolution von oben*: eine augenfällige Parallele zu reformabsolutistischen Überlegungen, die den Monarchen vom Widerstreit der gesellschaftlichen Interessen ausgenommen sehen.[72] In der Verpflichtung des Fürstensohns Albano auf das ›Volksglück‹, das auch als Ziel der Gesellschaft in der jakobinischen Verfassung von 1793 genannt ist, besteht die eigentliche Pointe des *Titan*-Romans (1800/03). Dabei sind politische Handlungsvorstellungen hier weniger chiffriert als bei Hölderlin; man muß sie nur aus der verwirrenden Vielfalt sich überkreuzender Handlungsstränge in subtiler Sorgfalt herauspräparieren.[73] Jedoch darf die so rekonstruierte politische Fabel nicht für den Roman als Ganzes stehen. Denn die detailliertere Kenntnis von Absolutismus und Adelsherrschaft – vor allem in den satirischen Erzählschichten entfaltet – zeigt ja zugleich mit dem Tatendrang des Helden die Ursachen der fortschreitenden Handlungshemmung auf; die *Revolution* bleibt auch bei Jean Paul ein *poetisches Ereignis,* das nur als Versprechen für die Zukunft oder als Erinnerung an vergangenen Taten antiker Heroen gestaltet ist.[74]

Blickt man zurück, so zeigt sich, daß Hölderlin den *revolutionär-republikanischen* Impuls des Versuches, Praxis durch Poesie zu fundieren, nur dadurch bewahren kann, daß er der Dichtung – anders als in Klassik und Frühromantik – jede Integration ihrer Handlungsidee in die empirische Wirklichkeit verwehrt, während Jean Paul solche Konkretisierungen vorschlägt und zugleich verwirft. So dokumentiert gerade die Radikalität beider die Einschränkung, unter der der Anspruch einer revolutionären Poesie nur zu verwirklichen war: die Utopie muß den Gedanken ihrer Verwirklichung konsequent ausklammern, Praxis ist hier daher nicht als empirisch-geschichtliche in die Theorie integriert. Insofern ist die Vermittlung beider auch hier nicht geleistet. Deshalb auch können Hölderlin und Jean Paul dem politischen Jakobinismus der Spätaufklärung nicht zugeordnet werden, der handlungsorientierte Konzepte entwirft.

Spätaufklärung und Jakobinismus

Ganz andere Wege hat die auch nach 1789 breit entfaltete Literatur der Spätaufklärung eingeschlagen: die Französische Revolution wird hier als Signal gewertet, das die Notwendigkeit einer unmittelbar politischen Konkretisierung der Aufklärungsphilosophie durch deren Umsetzung in realitätsbezogene Handlungskonzepte zwingend nahelegt. Das klassisch-weimarische Literaturprogramm ist von hieraus vor allem unter drei Aspekten kritisiert worden, die Positionen moderner Klassikkritik vorwegnehmen: die Idee der ästhetischen Erziehung vergesse die vorrangige Bedeutung materiell-politischer Determinationsfaktoren (Friedrich Christian Laukhard)[75]; die Herausbildung literarisch-philosophischer Eliten isoliere die Kunst vom breiten mittelständisch-bürgerlichen Publikum, deren gerade begonnene Aufklärung es fortzusetzen gelte (Friedrich Nicolai, August von Hennings)[76]; und die Bereitschft zur Schonung der alten Gewalten lasse die behauptete Distanz zum politischen Meinungsstreit der Gegenwart nur allzu leicht in unverhüllt gegenrevolutionäre Stellungnahmen umschlagen (Johann Friedrich Reichardt)[77]. Dennoch ist das Spektrum der zeitgenössischen »Oppositionsmänner« (Goethe an Schiller, 19. 10. 1796) keineswegs einheitlich. Konsens besteht immerhin darin, daß die vorwiegend *reflexive* Verarbeitung der Französischen Revolution in die falsche Richtung führt, da sie die Dominanz des »nur [...] literarischen Geistes« in Deutschland verstärkt statt vermindert: dadurch werde dessen »politische leidende Lage« eher befestigt (Friedrich Maximilian Klinger). Die jungdeutsche Kritik am »quietisierenden Einfluß« der klassisch-romantischen Periode, die darin ja zum Leitmotiv moderner Klassikkritik geworden ist, findet sich also schon in der Spätaufklärung in wesentlichen Argumenten formuliert.[78] Scharfe Meinungsunterschiede ergeben sich allerdings bei der Frage, wie denn eine eher *handlungsorientierende Literatur* auf den Zusammenbruch vertrauter politischer Erwartungshorizonte reagieren solle. Manche Kontroversen in der Forschung um die politische Einordnung spätaufklärerischer Autoren erübrigten sich, wenn schärfer gesehen wäre, wie einflußreich – trotz Adel- und Despotenkritik im Sturm und Drang und Göttinger Hain – das Vorbild des aufgeklärten Absolutismus Preußens (Friedrich II.) und Österreichs (Joseph II.) geblieben ist. Während die moderne Historiographie den Versuch einer zeitgemäßen Rationalisierung von Monarchie und Ständegesellschaft bei prinzipiell unveränderten Sozial- und Herrschaftsverhältnissen herausstellt, ist für die Zeitgenossen die Erfahrung großer privatrechtlicher Kodifikationsbewegungen prägend geworden, die – jenseits der Geltung von Geburts- und Standesprivilegien – dem bürgerlichen Untertan als Individuum eine allgemeine Rechts- und Geschäftsfähigkeit zugesprochen haben.[79] Hieraus entstand vor allem in Bürokratie, Justiz, Schul- und Universitätseinrichtungen, deren Ämter unter den meist mittellosen Schriftstellern sehr begehrt waren, die Idee einer vom Widerstreit der Sozialinteressen unberührten, vernünftig handelnden Monarchie.[80]

Es fällt jedenfalls auf, wie sehr Christoph Martin Wieland zum Beispiel bei der auch von ihm als säkulares Ereignis gefeierten Institutionalisierung des Rechts- und Verfassungsstaates in Frankreich durch die gewaltsamen Aufstände der städtischen Sansculotterie irritiert wurde, deren eigenmächtiges Handeln im *reformabsolutistischen Denkhorizont* nicht vorgesehen war; Wielands Staatsromane – darin ganz der

Tradition der Fürstenspiegel folgend – kannten Bauern, Handwerker oder Gesellen nur als Objekt der vormundschaftlich-aufgeklärten Lenkung.[81] Die fortgesetzte revolutionäre Gewalt von unten führte dann auch zum Bruch mit der Revolution. Wieland, Christian Garve, Immanuel Kant, Friedrich Maximilian Klinger, Friedrich Nicolai, Ludwig August Schlözer wenden sich ab. Für sie tritt an die Stelle des revolutionären Widerstandsrechts das Recht auf die Freiheit der öffentlichen Kritik; sie entbindet zwar nicht von den Pflichten als Untertan, erlaubt aber dem Gelehrten, auf den sie begrenzt sein soll (Kant), die Notwendigkeit vernünftiger Reformen zu beweisen, deren Versäumnis die Französische Revolution erst unvermeidlich gemacht habe.[82] So gesehen liegt die Pressefreiheit geradezu im Interesse der Monarchen; »Bücher« gelten nicht als »Urheber«, sondern als »Resultate« der öffentlichen Meinung: »aus ihnen lernet man den Geist oder das Gefühl des Publikums kennen«, und »kluge Despoten« achten hierauf, solange es noch Zeit ist (August von Hennings).[83] Mit diesem Bündnisangebot macht sich der ›gelehrte‹ Mittelstand zum Sprecher des ›besitzenden‹: die beibehaltene Monarchie soll als äußeres Ordnungsgefüge einer vom Feudalismus gereinigten Erwerbsgesellschaft die Ansprüche des besitzlosen »Pöbels« im Zaum halten.[84] Deshalb kann die *liberale Idee der Publizität* als *literarische Strategie* zur Verwirklichung des *besitzindividualistischen Liberalismus* gelten.

Immer ist dabei die Vernunftfähigkeit des Monarchen vorausgesetzt. Politisches Handeln erscheint als Resultat moralisch-vernünftiger Vervollkommnung, die prinzipiell – nach oben – nicht vom sozialen Standort des Individuums abzuhängen scheint. Die Dominanz dieses idealistischen Politikverständnisses erklärt seine nur widerspruchsvolle Modifikation bei Autoren, die an der Französischen Revolution das Recht auf Selbsthilfe verteidigen, aber anderseits für Deutschland weiterhin die freilich grundlegende Reform vorschlagen. Das Spektrum der Positionen reicht dabei von der *Radikalisierung des liberalen Widerstandsrechts* (Waldemar Friedrich von Schmettow) bis hin zur Rezeption der *Theorie der Volkssouveränität*.[85] Johann Gottlieb Fichte hat diese Argumentationsrichtung als Theorie eines *Fortschritts »auf zweierlei Art«* konsequent entfaltet: immer noch versteht sich der Nachweis eines kollektiven Notwehrrechts in Frankreich als Warnung an die noch uneinsichtigen Fürsten.[86] Noch auffälliger ist der Kontrast beim Publizisten Friedrich Christian Laukhard. Während er in seiner Autobiographie die Jakobinerdiktatur aus einer spezifischen politisch-militärischen Notwehrsituation begründet ableitet,[87] versteht er anderseits seine *Zuchtspiegel für Fürsten und Hofleute, Adliche etc.* (1799) als Aufrufe zur Selbstreform.[88] Dabei spielt die Einsicht in die begrenzten Handlungsmöglichkeiten eine maßgebende Rolle; obwohl dem Ziel einer republikanisch-demokratischen Verfassung verpflichtet, vertraut Laukhard vorerst auf die *Gewalt der öffentlichen Meinung*, die die »Verminderung des Monarchensinns« fördern und dadurch den Übergang erleichtern könnte.[89]

Ähnlich offen argumentiert Adolph Freiherr von Knigge, der zur Theorie des Fortschritts auf ›zweierlei Art‹ die literarischen Entsprechungen formuliert, indem er die noch bei Laukhard geltende Eingrenzung des Publizitätsprinzips auflöst: nicht mehr nur Schriftsteller und Fürsten, sondern das »gesamte Volk« – Bauern und andere nicht-bürgerliche Schichten, sofern sie mit der Aufklärung bei sich selbst beginnen, eingeschlossen – sollen den »Richtstuhl des Publikums« einnehmen, vor dem die

»allgemeinen Klagen« über die Verfassung erörtert werden.[90] Die revolutionäre Variante dieser *demokratisierten Publizitätsidee* (die Knigge später wieder zurückgenommen hat[91]) entfaltet der Autor, gedeckt durch die Fiktivität einer räsonierenden Leitfigur, in *Wurmbrands politischem Glaubensbekenntnis* (1792) als historisch-distanzierende Überlegung zur Französischen Revolution, bei der die popularisierte Aufklärungsphilosophie dem Dritten Stand die Argumente zum Umsturz von Despotie und Ständegesellschaft geliefert habe. So ist, noch im Horizont der Aufklärung selber, deren Funktion als handlungsanleitende Philosophie in ein Revolutionsverständnis integriert, das von der Erkenntnis entgegengesetzter Sozialinteressen ausgeht. Anderseits offenbart der Aufruf zum Bündnis von »Regent« und »Schriftsteller«, der auf die Radikalisierung der Publizitätsvorstellung sogleich folgt, die Kontinuität eines aufklärerischen Denkens, dem es schwerfällt zu begreifen, daß Sozial- und Herrschaftsinteressen das Handeln aus vernünftiger Einsicht blockieren können.[92] Schon in der Sozialutopie der *Geschichte der Aufklärung in Abyssinien* (1791) führte ein Prinz aus königlichem Hause die Staatsform einer bürgerlichen ›Republik‹ ein, bei der dem König nur die Befugnisse eines gewählten Staatsoberhauptes blieben.[93] Im Aufruf zu einer organisatorischen Verbindung aller *Freunde der Wahrheit, Rechtschaffenheit und bürgerlichen Ordnung* (1795) hat Knigge – selber seit 1790 Beamter in Hannover – die Perspektive einer Revolution »nur mit geistigen Waffen« am ausgeprägtesten formuliert. Diese idealistische Hoffnung ist nur erklärbar als ein Versuch, der konfliktträchtigen Aporie der eigenen sozialen Stellung zu entkommen: selber Beamte der absolutistischen Territorialfürsten, sollen die aufgeklärten »Philosophen, Gelehrten und Staatsmänner« ja gleichwohl die Idee einer revolutionären Vertragstheorie ausbreiten, die die Legitimität monarchischer Alleinherrschaft bestreitet, indem sie Verfassungen aus einem Gesellschaftsvertrag zwischen Volk und Regent ableitet.[94] Nur das Vertrauen auf den unaufhaltsamen Fortschritt der Idee, der weder durch die Zensur noch die Verfolgung der Schriftsteller aufzuhalten sei, kann die Hoffnung auf den freiwilligen Herrschaftsverzicht begründen: niemand hat besser als Andreas Georg Friedrich Rebmann die *Koexistenz von demokratisierter Öffentlichkeit und aufgeklärt-konstitutionalisierter Monarchie* als ein Programm zur Vermeidung revolutionärer Gewalt auf den Begriff gebracht: bei völlig unbehinderter Pressefreiheit »blüht die Demokratie um den Thron«.[95] Gerade das Studium solcher Übergangspositionen macht die unterscheidende Grenze zum sogenannten *Deutschen Jakobinismus* deutlich. Denn Rebmanns expliziter Widerruf – nach handgreiflicher Erfahrung der Grenzen aufgeklärter Toleranz von oben[96] – legt klar: Vertragstheorie, Widerstandsrecht und die Demokratisierung der liberalen Publizitätsidee werden erst bei ihrer Integration in *dezidiert revolutionäre Handlungsvorstellungen* zu *Theorieelementen eines Deutschen Jakobinismus*.[97] Weder aber nimmt dieser die radikalen Klassenpositionen der französisch-jakobinischen Montagne ein, noch legitimiert er die Jakobinerdiktatur als ganzes: Rechtfertigungen heben hier – wie schon bei Laukhard – die Situation politischer Notwehr hervor, was die Kritik an Methodik und Vollzug des Terrorismus einschließt.[98] Brauchbar ist der Begriff Deutscher Jakobinismus dagegen als Kennzeichnung einer politischen Praxis, die in Organisationsform, Sozialstruktur und politisch-gesellschaftlichen Zielvorstellungen die bisher gültige Eingrenzung der Aufklärung auf die Schichten von Besitz und Bildung aufbricht zugunsten eines

Bündnisses von *Bürgertum und bäuerlichen* oder – soweit überhaupt vorhanden – *städtischen Unterschichten;* erst dadurch erschließen sich tatsächlich neue Handlungschancen, die die Idee der Reform von oben überschreiten.[99] Die Nähe oder Ferne zu den im Rheinland und in Süddeutschland vorrückenden französischen Revolutionstruppen hat dabei weniger die intellektuelle Radikalität im einzelnen als vielmehr den Grad der erreichten Präzision und Homogenität im politischen Programm erkennbar beeinflußt; denn angesichts der noch ganz im Rahmen der bestehenden Sozialverfassung sich entwickelnden Erwerbsbourgeoisie blieben die deutschen Jakobiner auf die militärische Hilfe der Franzosen angewiesen, die ihrer revolutionären Praxis den äußeren Rahmen setzte. Den häufig zwischen radikal-liberalen und demokratischen Theorien schwankenden Einzelpersonen an der Peripherie (Norddeutschland: H. C. Albrecht, H. Würzer, F. W. Schütz; Österreich: A. Riedel, aber auch, als ›Frühkommunist‹, F. Hebenstreit) stehen im Elsaß und im besetzten Rheinland relativ autonome politische Bewegungen gegenüber, die auf die Fürstenaufklärung ganz verzichten und den jakobinischen Radikaldemokratismus sogar bis zur Idee einer Nivellierung der Besitzverhältnisse ausdehnen.[100]
Erst bei einer eindeutigen Auflösung der Konkurrenz von reformerischen und revolutionären Handlungsmodellen kann der *Literarische Jakobinismus* – als Vorbereitung oder integraler Bestandteil des politischen – seine neue Qualität entfalten: die Vermittlung autonomer politischer Handlungsfähigkeit setzt das Überschreiten der bisher gelehrten Aufklärung insbesondere deshalb voraus, weil jetzt auch Handwerker, Bauern und besitzlose Unterschichten als Adressaten wichtig werden. Deshalb knüpfen die Autoren des Literarischen Jakobinismus an die *plebejischen Traditionen* volkstümlicher Lyrik an, wie sie sich im Umkreis des Sturm und Drang herausgebildet hatte, und verbinden hiermit die *politische Funktionalisierung* der eingeführten Kommunikationsformen einer *spezifisch bürgerlich-literarischen Öffentlichkeit:* Zeitschrift, Fabel, Satire oder Dialog.[101] Qualitativ neu und die literarischen Zweckformen verändernd, wirkt sich deren *operative* Verwendung im Rahmen einer *organisierten politischen Willensbildung* aus, wie sie zuerst im Mainzer Jakobinerklub von 1792/93 sich durchsetzte, in dem Georg Forster eine herausragende Rolle gespielt hat.[102] In der dialogischen Struktur der Prosa dokumentiert sich am augenfälligsten der Versuch, die bisher abstrakt argumentierende Theorie als Instrument zur Veränderung der sozialen Wirklichkeit auszuweisen. Denn der als Objektivation der Vernunft aus der Menschenrechtslehre der Aufklärung deduzierte neue Mensch bedurfte als *bourgeois* wie *citoyen* der sozialen Konkretisierung, die beide mit den realen Bedürfnissen der Adressaten vermittelte; deshalb wird die Freiheit von Handel und Gewerbe als *Klasseninteresse* von Kaufleuten und Handwerkern in Reden, Flugschriften und Zeitungen verhandelt, während in den agitatorischen Genres zur Mobilisierung der Landbevölkerung die Aufhebung von Leibeigenschaft, Frondiensten, Wege- und Kopfgeldern oder Jagdrechten so entwickelt wird, daß die präzis benannte *Klassenlage* der Betroffenen mit dem wegweisenden französischen Beispiel verknüpft ist.[103] Predigt, Katechismus oder Kalender als literarische Formen signalisieren eindrucksvoll die Absicht, sich auf die in den Unterschichten allein vorhandenen Lektüregewohnheiten einzustellen, während in der revolutionären Lyrik, die meist an populäre Kirchen-, Trink- oder Volkslieder anknüpft, selbst der Horizont

einer »Kunst von Gelehrten... für das Volk«[104] noch überschritten ist: in anonymen Revolutionsliedern dominieren jetzt genuin plebejische Literaturformen[105].

Schluß

Im Jakobinismus hat sich die zur Klassik und Frühromantik entgegengesetzte Tendenz der Spätaufklärung am entschiedensten verwirklicht: die Vermittlung von Denken und Handeln vom praktischen Engagement her zu begründen. Die Reaktion der Weimarer Klassiker verrät ihre Betroffenheit: die berühmt-berüchtigten *Xenien* (1797) gegen die deutschen ›Freiheitshelden‹ bewegen sich mit ihren gehässigen Unterstellungen ganz auf dem Niveau der Revolutionsdramen Goethes.[106] Aber auch in der mutigen Aneignung Friedrich Schlegels kündigt sich die ganz andere Sehweise bereits an. Höchst aufschlußreich sind ja die Verkürzungen, die er im *Forster-Essay* (1797) den *Parisischen Umrissen* (1794) zukommen läßt. Zwar stellt Schlegel richtig fest, daß Forster die *terreur*-Phase der Revolution nicht mehr als Ausdruck eines vernunftbestimmten Geschichtsverlaufes interpretieren konnte; aber während der Jakobiner Forster im eigenverantwortlichen Engagement des einzelnen den Widerschein der Vernunft noch verbürgt sah, rühmt Schlegel an Forster vor allem die geschichtsphilosophische Auflösung irritierender empirischer Erfahrungen: »die Betrachtung der Weltbegebenheiten im großen und ganzen« erlaube es, an der Revolution als einer notwendigen Etappe zur Herstellung der moralischen Vervollkommnung des Menschen festzuhalten.[107]
Gleichwohl: Auch Forster hat den sozialen Grund der ›terreur‹, »die rohe Kraft der Menge«, nur als Widerspruch zum Vernunftprinzip begreifen können; am Ziel der Revolution kann er nur dadurch festhalten, daß er zwischen Endzweck und konkreter Gesellschaftsbewegung, die »dem Gesetze der Notwendigkeit huldigt«, unterscheidet.[108] Revolutionäre Praxis und moralische Zielvorgabe können also auseinandertreten. Nicht mehr auflösbar waren die Diskrepanzen für die deutschen Revolutionäre, die die Abkehr der Directoire-Bourgeoisie vom Revolutionsideal der politischen Demokratie und die Militärdiktatur Bonapartes erleben mußten. Während einige, wie Joseph Görres, auf die endgültige Desillusionierung der Idee mit einer konservativ-nationalen Kehre reagierten, die das eigene praktische Scheitern mit Hilfe neuer Totalideen zu verarbeiten suchte,[109] haben andere – wie A. G. F. Rebmann – als Beamte und Richter im Napoleonischen Empire auf radikale Zielvorgaben ganz verzichtet und sich dem bescheideneren Geschäft einer Reform von oben gewidmet. Immerhin geht ihr Ertrag weit über den der sogenannten Preußischen Reformzeit hinaus.[110]
Die widersprüchlichen Reaktionen der Revolutionäre verweisen auf die Grenze der jakobinischen Praxisversuche: Politik vollzieht sich hier im Horizont einer Theorie, die den entgegengesetzten Verlauf der empirischen Geschichte weder hat vorhersehen noch verarbeiten können. Über das Feststellen unauflöslicher Gegensätze sind auch die *reflexiven* Antworten der Spätaufklärung nicht hinausgekommen. Als fortgeschrittenes Beispiel können F. M. Klingers Romane gelten, weil sie, als *Romandekade* (1791–98), auf die Form des gesellschaftskritischen Romanzyklus vorgreifend, die Revolutionsanalyse einfügen in die Kritik von Ökonomie und Gesellschaft

des Konkurrenzkapitalismus. Allerdings: Erklärbar ist der neue Geschichtsverlauf, der ins Utopische verlängert wird, nur als radikaler Gegensatz zur Aufklärung, die sich in der Kritik der neuen Gesellschaftsform dem Prozeß ihrer fortschreitenden Desillusionierung ausgeliefert sieht.[111]

So gesehen, rücken Spätaufklärung, Jakobinismus, Weimarer Klassik und idealistische Philosophie und Kunst näher zusammen, als häufig angenommen. Ihnen allen ist gemeinsam, daß sie das Problem einer Revolution, deren Resultat ihrem eigenen Ziel widersprach, nicht haben auflösen können – weder praktisch, noch spekulativ. Diese Grenze konnte nur überwunden werden, wenn empirisch-historisch analysiert wurde, was als unauflöslicher Widerspruch allen bisherigen Erhellungsversuchen zugrunde lag: der Zusammenhang von Aufklärung und Revolution selber. Im Überschreiten des naturrechtlichen Konstruktivismus, der die reale Geschichte dem rationalen Planungszugriff selbstabgeleiteter Vernunftprinzipien aussetzt, gelingt es ›frühsoziologischen‹ Theoriebildungen, Klassenstruktur und Verkehrsformen der bürgerlichen Gesellschaft nicht mehr nur als Korrumpierung ihrer Leitidee, sondern als Folge ihrer Bewegungsgesetze zu begreifen (Friedrich Buchholz).[112] G. W. F. Hegel integriert solche soziologischen Erklärungsmodelle (die die moralischen ablösen) in das spekulative System einer idealistischen Philosophie, in der – anders als bei Schlegel oder Novalis – die Kraft des Gedankens am Eigengewicht des empirischen Materials sich bewähren muß.[113] Im historisch-analytischen Zugriff ist nun auch die Aporie von Naturrecht und Revolutionsresultat erklärbar; Hegel begreift die Berufung auf das Naturprinzip als Legitimationsstrategie der bürgerlichen Konkurrenzgesellschaft: nur so konnte sie die Notwendigkeit ihrer Entfaltung gegenüber dem Ancien régime begründen.[114]

Allerdings: Hegels Philosophie versteht sich als Erklärung der Wirklichkeit, deren revolutionäre Veränderungen bereits vollzogen sind; im Unterschied zum Schriftsteller der radikalen Spätaufklärung urteilt Hegel aus der Perspektive des Zuschauers, der sich oberhalb des politischen Geschehens ansiedelt.[115] Deshalb spielt die als Vermittlung von Erkenntnis und Handeln gedachte Idee der öffentlichen Meinung bei ihm keine Rolle mehr: von ihrem Konsensprinzip als einer demokratischen Urteilsinstanz über das Recht oder Unrecht von Sozialverfassungen (A. Frhr. von Knigge) distanziert sich Hegel ausdrücklich: die »Tyrannei als reine entsetzliche Herrschaft« ist legitimierbar, wenn der Weltgeist, den die spekulative Vernunft ergründet, solcher Mittel bedarf.[116] Vielleicht zeigt das Verschwinden radikal-demokratischer Tradition im Horizont der weiterführenden Sozialphilosophie am deutlichsten den Verlust an, den auszugleichen Philosophie und Kunst des 19. Jahrhunderts nicht wenig Mühe gehabt haben.

Anmerkungen

1 So rechtfertigt sich das Engagement für die radikale Spätaufklärung zum Beispiel mit der Konstruktion einer einheitlich-›reaktionären‹ Weltanschauung der Romantik (Inge Stephan: Grundpositionen der Literaturästhetik und Kunsttheorie am Ende des 18. Jahrhunderts. In: Bodo Lecke und Bremer Kollektiv [Hrsg.], Literatur der Klassik II. Stuttgart 1975. S. 10–47. S. 37), während bei der Abwehr solcher politischer Zensurierungen die geschichtsphilosophi-

sche Transzendenz der Frühromantik als vorwärtsweisende Überwindung zeitbedingter ›reflexartiger‹ Reaktionen herausgestellt wird (Richard Brinkmann: Deutsche Frühromantik und Französische Revolution. In: Deutsche Literatur und Französische Revolution. Sieben Studien. Göttingen 1974. S. 172–191. S. 175).

2 Georg Wilhelm Friedrich Hegel: Vorlesungen über die Philosophie der Geschichte. In: G. W. F. H., Werke in zwanzig Bänden. Frankfurt a. M. 1970. Bd. 12. S. 529.

3 Vgl. allgemein Bernhard Groethuysen: Philosophie der Französischen Revolution. Neuwied, Berlin 1971. Bes. S. 181–192; Walter Grab (Hrsg.): Die Französische Revolution. Eine Dokumentation. München 1973. S. 37ff.

4 Friedrich von Gentz an Christian Garve, 5. 12. 1790. In: Friedrich Carl Wittichen (Hrsg.), Briefe von und an F. Gentz. München 1909. Bd. 1. S. 179.

5 Zur Französischen Revolution vgl. einführend: Karl Griewank: Die französische Revolution 1789–1799. Graz, Köln ³1970 (zuerst Berlin 1948). Grundlegend: Albert Soboul: Die Große Französische Revolution. Ein Abriß ihrer Geschichte (1789–1799). Frankfurt a. M. 1973. 2 Bde. Sonderausg. in einem Bd. Frankfurt a. M. 1976. Weiterführend: Eberhard Schmitt (Hrsg.): Die Französische Revolution. Anlässe und langfristige Ursachen. Darmstadt 1973. Zur Rolle der Sansculotten vgl. Walter Markov: Volksbewegungen der Französischen Revolution. Hrsg. von Manfred Hahn. Frankfurt a. M., New York 1976.

6 Iring Fetscher: Rousseaus politische Philosophie. Zur Geschichte des demokratischen Freiheitsbegriffs. Frankfurt a. M. 1975. S. 276–291.

7 Soboul (Anm. 5). S. 343–364; Albert Mathiez und Georges Lefèbvre: Die französische Revolution. 5 Teile in 3 Bdn. Hamburg o. J. [1950]. Albert Mathiez: Die Schreckensherrschaft. Bd. 2. S. 457–671.

8 Helmut Kessler: Terreur. Ideologie und Nomenklatur der revolutionären Gewaltanwendung in Frankreich von 1770–1794. München 1973. S. 98–116, bes. S. 112ff.

9 Zu den Grenzen des Jakobinismus vgl. Markov: Grenzen des Jakobinerstaates (1955), jetzt in: Markov (Anm. 5). S. 17–57.

10 Vgl. auch den Überblick bei Jörn Garber: Ideologische Konstellationen der jakobinischen und liberalen Revolutionsrezeption in Deutschland (1790–1810). Nachwort zu: J. G., Revolutionäre Vernunft. Texte zur jakobinischen und liberalen Revolutionsrezeption in Deutschland 1789–1810. Kronberg (Taunus) 1974. S. 170–236. S. 177f.

11 Am besten informieren darüber immer noch die älteren breitangelegten Arbeiten von Alfred Stern: Der Einfluß der französischen Revolution auf das deutsche Geistesleben. Stuttgart, Berlin 1928; Fritz Valjavec: Die Entstehung der politischen Strömungen in Deutschland 1770–1815. München 1951.

12 Als Überblick die einschlägigen Kapitel aus Friedrich-Wilhelm Henning: Das vorindustrielle Deutschland 800–1800. Paderborn 1974; ders.: Die Industrialisierung in Deutschland 1800 bis 1914. Paderborn 1973.

13 Jürgen Schlumbohm: Freiheit – Die Anfänge der bürgerlichen Emanzipationsbewegung in Deutschland im Spiegel ihres Leitwortes. Düsseldorf 1975. S. 21–38. bes. S. 35f.

14 Hans Mayer: Goethe. Ein Versuch über den Erfolg. Frankfurt a. M. 1973. S. 36.

15 Die konterrevolutionäre Publizistik ersetzt die Ursachenanalyse durch eine Verschwörertheorie: die aufgeklärte Intelligenz habe die Revolution entfesselt. Vgl. Klaus Epstein: Die Ursprünge des Konservativismus in Deutschland. Der Ausgangspunkt: Die Herausforderung durch die Französische Revolution 1770–1806. Frankfurt a. M., Berlin, Wien 1973. S. 583 bis 632.

16 Theo Stammen: Goethe und die Französische Revolution. Eine Interpretation der »Natürlichen Tochter«. München 1966.

17 Zur Rolle des ›Aufgeklärten Absolutismus‹ vgl. unten S. 253.

18 Ursula Vogel: Konservative Kritik an der Bürgerlichen Revolution. August Wilhelm Rehberg. Darmstadt, Neuwied 1972. S. 168–183 und S. 344, Anm. 152.

19 Wilhelm Meisters Lehrjahre. 5. Buch, 3. Kap. Zitiert nach Goethes Werke. Hamburger Ausgabe. Bd. 7. Hamburg [5]1962. S. 290.
20 So noch in: Faust. Zweiter Teil. V. 7851 ff. und 10025 ff. Die positive Darstellung der neuen bürgerlichen Arbeits- und Lebensformen hat Goethe daher, in »Hermann und Dorothea« (1797), vom chaotischen Stoff ihrer revolutionären Ausprägung zu reinigen versucht und deshalb auf den stilisierend-zeitlosen Wirklichkeitsbegriff des klassizistischen Epos zurückgegriffen. Vgl. die informative Neuausgabe: Goethe: Hermann und Dorothea. Mit Aufsätzen von W. v. Humboldt, G. W. F. Hegel und H. Hettner. Frankfurt a. M. 1976.
21 Mayer (Anm. 14). S. 31–35.
22 Wilhelm Mommsen: Goethes politische Anschauungen. Stuttgart 1948. S. 94 ff.
23 Heinz Hamm: Der Theoretiker Goethe. Grundpositionen seiner Weltanschauung, Philosophie und Kunsttheorie. Kronberg (Taunus) 1976 (zuerst Berlin [DDR] 1975). S. 118–168.
24 Schillers Briefe. Kritische Gesamtausgabe. Hrsg. von Fritz Jonas. 7 Bde. Stuttgart 1892–96. Bd. 3. S. 332 f.
25 Friedrich Schiller: Was heißt und zu welchem Ende studiert man Universalgeschichte? Eine akademische Antrittsrede (1789). In F. S., Sämtliche Werke. Hrsg. von Gerhard Fricke und Herbert Georg Göpfert. Bd. 4. München [4]1966. S. 749–767.
26 Novalis: Politische Aphorismen 1798, Nr. 66–68. Zitiert nach N.: Werke. Hrsg. und komm. von Gerhard Schulz. München 1969. S. 372 f.
27 Kurt Wölfel: Zum Bild der Französischen Revolution im Werk Jean Pauls. In: Deutsche Literatur… (Anm. 1). S. 149–171. S. 159 f.
28 Friedrich Hölderlin: Hyperion oder der Eremit in Griechenland (1797/99). 1. Bd., 1. Buch. Zitiert nach F. H.: Sämtliche Werke und Briefe. 2 Bde. Hrsg. von Günter Mieth. München 1970. Bd. 1. S. 607.
29 Novalis: Die Christenheit oder Europa. Ein Fragment 1799. Zitiert nach N.: Werke (Anm. 26). S. 511.
30 Novalis: Politische Aphorismen (Anm. 26). Nr. 67. S. 372 f.
31 Zu Schiller vgl. Hans Freier: Ästhetik und Autonomie. Ein Beitrag zur idealistischen Entfremdungskritik. In: Bernd Lutz (Hrsg.), Literaturwissenschaft und Sozialwissenschaften 3: Deutsches Bürgertum und literarische Intelligenz 1750–1800. Stuttgart 1974. S. 329–384. S. 366 ff. – Zu Hölderlin vgl. Gerhard Kurz: Mittelbarkeit und Vereinigung. Zum Verhältnis von Poesie, Reflexion und Revolution bei Hölderlin. Stuttgart 1975. S. 142.
32 Zu Novalis vgl. Rolf Peter Janz: Autonomie und soziale Funktion der Kunst. Studien zur Ästhetik von Schiller und Novalis. Stuttgart 1973. S. 98–102. Bei Hölderlin vgl.: Hyperion (Anm. 28). S. 737 f.; Brief v. Jan. 1799, in Hölderlin (Anm. 28). Bd. 2. S. 820–827. Zu den sozialhistorischen Voraussetzungen vgl. grundlegend Hans J. Haferkorn: Zur Entstehung der bürgerlich-literarischen Intelligenz und des freien Schriftstellers in Deutschland zwischen 1750 und 1800. In: Lutz (Anm. 31). S. 113–275, bes. S. 230–239.
33 Schiller: Über die ästhetische Erziehung des Menschen in einer Reihe von Briefen (1795). 9. Brief.
34 Insofern stimme ich Brinkmann (Anm. 1), S. 172, zu: Die Zuordnung der Romantik zu politischen Programmen übersieht, wie sehr die politisch-gesellschaftlichen Fragen in ästhetisch-philosophische verwandelt sind.
35 Brillant exponiert ist dieser Anspruch bei Kurz (Anm. 31). Zitat S. 9.
36 Rolf Grimminger: Ideologiekritische Aspekte zum Autonomiebegriff am Beispiel Schillers. In: Walter Müller-Seidel (Hrsg.), Historizität in Sprach- und Literaturwissenschaft. Vorträge und Berichte der Stuttgarter Germanistentagung 1972. München 1974. S. 579–597. S. 592.
37 Freier (Anm. 31). S. 371 ff.
38 Janz (Anm. 32). S. 65 ff.
39 Schiller: der »Staat des schönen Scheins [… existiert] der Tat nach […] in einigen wenigen auserlesenen Zirkeln« (Schiller: Über die ästhetische Erziehung des Menschen in einer Reihe von

Briefen [1795]. Stuttgart 1975. S. 128). Den politischen Reformaspekt hebt her\
Williams: The ambivalences in the plays of the young Schiller about contemporar\
In: Lutz (Anm. 31). S. 1–112. S. 13 ff.

40 Ralph Fiedler: Die klassische deutsche Bildungsidee. Ihre soziologischen Wurzeln u\
gischen Folgen. Weinheim 1972. S. 38.

41 Zu diesem ideologischen Selbstverständnis der Französischen Revolution vgl. Jürgen Habermas: Naturrecht und Revolution. In: J. H., Theorie und Praxis. Sozialphilosophische Studien.
Frankfurt a. M. 1971 (zuerst 1963). S. 89–127.

42 Gerhard Kaiser: Idylle und Revolution. Schillers »Wilhelm Tell«. In: Deutsche Literatur...
(Anm. 1). S. 87–128. S. 110.

43 Schiller: Wilhelm Tell, V. 2471 f.

44 Das Konfliktschema der Tragödien unterstützt die Analyse der Eigenmacht der Geschichte.
Vgl. hierzu ausführlich Gert Sautermeister: Idyllik und Dramatik im Werk Friedrich Schillers.
Zum geschichtlichen Ort seiner klassischen Dramen (Stuttgart, Berlin u. a. 1971), obwohl ich
seiner speziellen »Tell«-Deutung nicht zustimmen kann: die »vollendete Geschichte« kann man
im »Tell« nur sehen, wenn man meint, sie gehe in der idyllischen Perspektive auf.

45 Kaiser (Anm. 42). S. 96.

46 Schiller bildet sein Urteil über die Regeln sozialen Handelns anhand der Französischen Revolution; dabei bleibt das Bild einer Totalkorruption der Gesellschaft beherrschend. Schiller kann
so aber weder den materiellen Grund der Klassenauseinandersetzungen in der Revolution erkennen noch deren enttäuschendes Resultat als Realisierung eines Klasseninteresses (bürgerliche Erwerbsgesellschaft) gegen ein Allgemeininteresse (politische Gleichheit, politische Demokratie) erklären (s. oben S. 245). Soziale Kategorien beschreiben bei Schiller lediglich die
spezifische Ausprägung des Konfliktes zwischen Vernunft und Sinnlichkeit, der nach Schiller
menschliches Handeln ja insgesamt determiniert; während in den niederen Klassen »rohe ge-
setzlose Triebe« ohne Vernunftkontrolle den Zwangsstaat des Ancien régime rechtfertigen, sind
die »zivilisierten Klassen« auf eine »materialistische Sittenlehre« verfallen, deren raffiniertes
Kalkül die ursprüngliche Natur verleugnet, um im »Egoismus« als Handlungsmotiv deren gesellschaftlich gebrochene Bedürfnisstruktur zu legitimieren. Vgl. Über die ästhetische Erziehung... 5. Brief. Aus allen diesen Gründen würde ich Schillers Theorie von Gesellschaftstheo-
rien, wie sie Hegel oder Marx begründet haben, trennen: ihre empirischen Anknüpfungspunkte
sind jedenfalls nicht ästhetischer Natur. Anders Kaiser (Anm. 42). S. 116.

47 Hans Joachim Beck: Friedrich von Hardenberg »Oeconomie des Styls«. Die »Wilhelm Meister«-Rezeption im »Heinrich von Ofterdingen«. Bonn 1976. S. 121, 124 f., 134 f. In die Nähe
des jungen Marx rückt Novalis bei Roland Heine: Transzendentalpoesie. Studien zu F. Schlegel,
Novalis, E. T. A. Hoffmann. Bonn 1974. S. 7, 90.

48 Poeticismen Nr. 105. In: Novalis. Schriften. Die Werke F. v. Hardenbergs. Bd. II, 1: Das philosophische Werk I. Darmstadt ²1965. S. 545.

49 Wilfried Malsch: »Europa«. Poetische Rede des Novalis. Deutung der französischen Revolution und Reflexion auf die Poesie in der Geschichte. Stuttgart 1965. S. 24; Brinkmann (Anm.
1). S. 182. Auf das Verhältnis von Fichte-Rezeption und poetischer Realitätskonstitution kann
ich hier nicht eingehen.

50 Friedrich Schlegel an Novalis im Juli 1798, zitiert bei Max Preitz (Hrsg.): F. Schlegel und Novalis. Biographie einer Romantikerfreundschaft in ihren Briefen. Darmstadt 1957. S. 122.

51 Glauben und Liebe oder Der König und die Königin, Nr. 36. In: Novalis (Anm. 48). S. 494 f.
Ich glaube nicht wie Beck (Anm. 47), S. 172, daß damit einer Liberalisierung der Ökonomie
das Wort geredet wird: zu entschieden lehnt Novalis den »gemeinen Egoismus« als »Keim der
Revolution unserer Tage«, den »groben Eigennutz« als ökonomisches Handlungsmotiv ab.

52 Vgl. neben Henning (Anm. 12) nur Rolf Engelsing: Sozial- und Wirtschaftsgeschichte
Deutschlands. Göttingen 1973. S. 84–94.

53 Hans Joachim Mähl: Die Idee des goldenen Zeitalters im Werk des Novalis. Studien zur We-

sensbestimmung der frühromantischen Utopie und zu ihren ideengeschichtlichen Voraussetzungen. Heidelberg 1965. S. 336 ff. Schlegel: Lyceum-Fragment 28, 37; Athenäum-Fragment 116 (Anm. 56). S. 149, 151, 182 f.

54 Vgl. Werner Weiland: Der junge Friedrich Schlegel oder Die Revolution in der Frühromantik. Stuttgart 1968. S. 28 f.

55 Zur spezifischen Perspektive Schlegels vgl. allerdings unten S. 257.

56 Athenäum-Fragment Nr. 222. Zitiert nach Friedrich Schlegel: Charakteristiken und Kritiken I (1796–1801). Hrsg. von Hans Eichner. Zürich 1967. (Krit. Schlegel-Ausg. II.) S. 201. Gleichzeitig lockert sich in Schlegels eigener Kunstpraxis der ursprünglich enger konzipierte Bezug zwischen ästhetischer und politischer Revolution: Schlegel nähert sich in der Zeit des »Athenäum« (1798–1800) der Konzeption einer künstlerischen Autonomie, bei der die Poesie als »Schein von Handlung« darstellt (Athenäum-Fragment 100), was die Realität zunehmend verweigert (Schlegel [Anm. 56]. S. 180).

57 Ideen-Fragment 41. In: Schlegel (Anm. 56). S. 259.

58 So in den »Philosophischen Vorlesungen« (1804–06) und der »Philosophie der Geschichte« (1828). Auszüge bei Claus Träger: Die Französische Revolution im Spiegel der deutschen Literatur. Frankfurt a. M. 1975. S. 403–410.

59 Stephan (Anm. 1). S. 36: Literaturpraxis und Theorieansätze deutscher Jakobiner blieben »für die Romantiker bezeichnenderweise ganz unter der Wahrnehmungsgrenze«. Das befreit natürlich von der Notwendigkeit zur Darlegung der Wahrnehmungsunterschiede (vgl. dazu unten S. 257).

60 Dagegen richtet sich mit Recht Christa Krüger: Georg Forsters und Friedrich Schlegels Beurteilung der Französischen Revolution als Ausdruck des Problems einer Einheit von Theorie und Praxis. Göppingen 1974. S. 214–239.

61 Diese Radikalisierung der spekulativen Weltsicht beschreibt exakt Krüger (vgl. Anm. 60).

62 Weiland (Anm. 54). S. 53.

63 Karl Mannheim: Das konservative Denken. Soziologische Beiträge zum Werden des politisch-historischen Denkens in Deutschland. In: K. M., Wissenssoziologie. Auswahl aus dem Werk. Hrsg. von Kurt H. Wolff. Neuwied, Berlin ²1970 (zuerst 1964). S. 408–508. S. 459.

64 Pierre Bertaux: Hölderlin und die Französische Revolution. Frankfurt a. M. 1969. S. 11.

65 Zum Teil greift Bertaux dabei auf Material bei Stern (Anm. 11) zurück.

66 Neben Kurz (vgl. Anm. 31) und Szondi (Anm. 67) vor allem: Adolf Beck: Hölderlin als Republikaner. In: Hölderlin-Jahrbuch (1967/68). S. 28–52; Christoph Prignitz: Friedrich Hölderlin. Die Entwicklung seines politischen Denkens unter dem Einfluß der Französischen Revolution. Hamburg 1976; Lawrence J. Ryan: Hölderlin und die Französische Revolution. In: Festschrift für Klaus Ziegler. Tübingen 1968. S. 159–179. Auch in: Deutsche Literatur… (Anm. 1). S. 129–147; Jürgen Scharfschwerdt: Die pietistisch-kleinbürgerliche Interpretation der Französischen Revolution in Hölderlins Briefen. Erster Versuch zu einer literatursoziologischen Fragestellung. In: Jahrbuch der Deutschen Schillergesellschaft 15 (1971) S. 174–230.

67 Peter Szondi: Der Fürstenmord, der nicht stattfand. Hölderlin und die Französische Revolution. In: P. S., Einführung in die literarische Hermeneutik. Frankfurt a. M. 1975. S. 409 bis 426.

68 Vgl. am eindringlichsten Kurz (Anm. 31).

69 Darin unterscheidet sich Hölderlin vom politischen Jakobinismus im eigentlichen Sinn, vgl. unten S. 256.

70 Vgl. Kurz (Anm. 31). S. 148–156, Zitat S. 271, Anm. 227.

71 Kurt Wölfel: Zum Bild der Französischen Revolution im Werk Jean Pauls. In: Deutsche Literatur… (Anm. 1). S. 149–171. S. 164.

72 Vgl. unten S. 253.

73 Das hat hervorragend geleistet Wolfgang Harich: Jean Pauls Revolutionsdichtung. Versuch einer neuen Deutung seiner heroischen Romane. Reinbek 1974. Zur Entwicklung der politischen

Auffassungen Jean Pauls vgl. daneben Heidemarie Bade: Jean Pauls politische Schriften. Tübingen 1974.

74 Heinz Schlaffer: Epos und Roman. Tat und Bewußtsein. Jean Pauls »Titan«. In: H. S., Der Bürger als Held. Sozialgeschichtliche Auflösungen literarischer Widersprüche. Frankfurt a. M. 1973. S. 15–50. Den Desillusionierungsprozeß einer »scheiternden Aufklärung« hat Burkhardt Lindner am Erzählmodell der Romane analysiert: Jean Paul. Scheiternde Aufklärung und Autorrolle. Darmstadt 1976.

75 Friedrich Christian Laukhard: Vorerinnerung zu: F. C. L., Zuchtspiegel für Adliche (1799). Auszug in: Peter Stein (Hrsg.), Theorie der politischen Dichtung. Neunzehn Aufsätze. München 1973. S. 55–61.

76 Friedrich Nicolai: Beschreibung einer Reise durch Deutschland und die Schweiz im Jahre 1781. Bd. 11. Berlin, Stettin 1796. S. 190f. August von Hennings: Zweck der Journäle (1795). Am besten zugänglich in Oscar Fambach: Schiller und sein Kreis in der Kritik ihrer Zeit. Berlin [DDR] 1957. S. 116–119.

77 Johann Friedrich Reichardt rec. »Die Horen« (1795), abgedruckt in Fambach (Anm. 76), S. 225–252, bes. S. 225ff.

78 Zitiert nach Harro Segeberg: Friedrich Maximilian Klingers Romandichtung. Untersuchungen zum Roman der Spätaufklärung. Heidelberg 1974. S. 50.

79 Als Einführung und Überblick vgl. Karl Otmar Frhr. von Aretin (Hrsg.): Der Aufgeklärte Absolutismus. Köln 1974. Zu Umfang und Bedeutung der Naturrechtsgesetzbücher in Preußen und Österreich vgl. Franz Wieacker: Privatrechtsgeschichte der Neuzeit unter besonderer Berücksichtigung der deutschen Entwicklung. Göttingen ²1967. S. 322–339.

80 C. M. Wieland versuchte sich sogar als Prinzenerzieher in Weimar.

81 Bernd Weyergraf: Der skeptische Bürger. Wielands Schriften zur Französischen Revolution. Stuttgart 1972. Am leichtesten zugänglich sind wichtige Schriften Wielands zur Revolution in der Ausgabe von Dieter Lohmeier: Chr. M. Wieland: Aufsätze zu Literatur und Politik. Reinbek 1970.

82 Franz Schneider: Pressefreiheit und politische Öffentlichkeit. Studien zur politischen Geschichte Deutschlands bis 1848. Neuwied, Berlin 1966. S. 98. Kants, Klingers und Wielands Bedeutung vor allem erschöpft sich nicht in diesen Reaktionen auf die Revolution; Kant hat später weiterreichende theoretische Verarbeitungen der Revolution vorgelegt, Klinger und Wieland können als hervorragende Vertreter des lange unterschätzten Romans der Spätaufklärung gelten. Zu Klinger s. unten S. 257, zu Kant: Dieter Henrich: Über den Sinn vernünftigen Handelns im Staat. Einleitung zu: D. H. (Hrsg.), Kant – Gentz – Rehberg. Über Theorie und Praxis. Frankfurt a. M. 1967.

83 August von Hennings: Vorurteilsfreie Gedanken über Adelsgeist und Aristokratism. In: A. v. H., Kleine ökonomische und kameralistische Schriften, 3. Sammlung. Altona 1792. S. 3, Anm.

84 Vgl. Textauszug aus Hennings: Doktor Martin Luther (1792) in: Garber (Anm. 10). S. 137–142.

85 Harro Segeberg: Literatur als politisches Mittel im Deutschen Jakobinismus. In: Text und Kontext 4 (1976) S. 3–30. S. 10ff. Textauszüge von Schmettow (hier Schmettau!) in: Träger (Anm. 58). S. 908–912.

86 Johann Gottlieb Fichte: Schriften zur Revolution. Hrsg. und eingel. von Bernard Willms. Frankfurt a. M., Berlin, Wien 1973. S. 55. Der theoretische Horizont der Rechtfertigung der Französischen Revolution trennt Fichte vom Deutschen Jakobinismus.

87 Friedrich Christian Laukhard: Leben und Schicksale, von ihm selbst beschrieben. 5 Teile. Halle, Leipzig 1792–1802. Teil 4.2, Leipzig 1797. S. 93–128.

88 Vorerinnerung zu: Zuchtspiegel für Adliche. Paris 1799. S. XXXIV. Vgl. Harro Segeberg: Literarischer Jakobinismus in Deutschland. Theoretische und methodische Überlegungen zur Erforschung der radikalen Spätaufklärung. In: Lutz (Anm. 31). S. 509–568. S. 524ff.

89 »Große Monarchien« bereiten für Laukhard schon aufgrund ihrer geographischen Ausdehnung »zur republikanischen Verfassung vor«, da die Kontrolle der Macht nicht mehr gewährleistet

ist; deshalb reizen »Unterschleifen oder Bedrückung« der »Unterregenten« zum Übergang vom »raisonnierenden Raffinnement [...] zur Selbsthilfe« (Laukhard: Schilderung der jetzigen Reichsarmee nach ihrer wahren Gestalt. Nebst Winken über Deutschlands künftiges Schicksal. Köln 1796. S. 251 f.). Für seine Publizistik beruft sich Laukhard andererseits (Leben 4.2, S. 247) auf [Franz Josias von Hendrich:] Über den Geist des Zeitalters und die Gewalt der öffentlichen Meinung (Leipzig 1797), die die liberale Hoffnung auf die Überzeugungskraft einer zur »habituellen Denkweise« entfalteten Idee auf geradezu klassische Weise exponiert (Zitat S. 58). Im häufig recht grob geführten Streit der Forschung (vgl. Gerhard Kaiser: Über den Umgang mit Republikanern, Jakobinern und Zitaten. In: Deutsche Vierteljahrsschrift für Literaturwissenschaft und Geistesgeschichte 49 [1975] Sonderheft »18. Jahrhundert«, S. 226–242) um die politische Zuordnung der Autoren könnte die Bemerkung Laukhards dämpfend wirken, mit der er sicherlich nicht nur den Frontwechsel zum konterrevolutionären Armee-Korps der Emigranten, nach der Rückkehr aus dem jakobinischen Frankreich, verständlich machen wollte: »Es ist überhaupt eine große Verkehrtheit, über Handlungen und deren Moralität im allgemeinen urteilen zu wollen. Diese muß jedesmal nach der individuellen Lage des Handelnden bestimmt werden« (Leben 4.2, S. 191). Und diese ›Lage‹ des Intellektuellen in Deutschland macht den konsequenten Jakobinismus nur unter besonderen Voraussetzungen möglich (vgl. unten S. 256).

90 Adolph Frhr. von Knigge: Josephs von Wurmbrand politisches Glaubensbekenntniß mit Hinsicht auf die französische Revolution und deren Folgen (1792). Hrsg. von Gerhard Steiner. Frankfurt a. M. 1968. S. 94.

91 Adolph Frhr. von Knigge: Über Schriftsteller und Schriftstellerei. Hannover 1792. Schon im berühmten »Über den Umgang mit Menschen« (3. Aufl. 1790. Eingel. und hrsg. von Max Rychner. Bremen 1964. S. 340) hatte Knigge einen Ausschluß des niederen Standes von der politischen Aufklärung gefordert. Auch in der 6. Auflage (1796) findet sich diese Bemerkung (Kaiser [Anm. 89]. S. 228f.).

92 Stephan (Anm. 1) läßt beim Abdruck des Textes diesen Absatz weg und kann so Knigge und Laukhard (!) für das »jakobinische Lager« in Anspruch nehmen (S. 39). Als jakobinischer Text (so auch bei Wolf Kaiser) ist der »Wurmbrand« jedoch überstrapaziert. Vgl. ders.: Welche Art von Revolution in den Staats-Verfassungen zu erwarten, zu befürchten oder zu hoffen sey? Zur politischen Publizistik A. Frhr. Knigges. In: Gert Mattenklott, Klaus R. Scherpe: Demokratischrevolutionäre Literatur in Deutschland: Jakobinismus. Kronberg (Taunus) 1975. S. 205–242.

93 Vgl. Jürgen Walter: Adolph Freiherrn Knigges Roman »Benjamin Noldmanns Geschichte der Aufklärung in Abyssinien«. Kritischer Rationalismus als Satire und Utopie im Zeitalter der deutschen Klassik. In: Germanisch-Romanische Monatsschrift 21 NF (1971) S. 155–180. Ich würde allerdings stärker betonen, daß die Idee einer Staatsreform durch einen Prinzen, der abseits vom korrumpierten Hof aufwächst, zum klassischen Argumentationsarsenal des Staatsromans gehört (vgl. Segeberg [Anm. 78]. S. 135–139).

94 Zugänglich ist der aufschlußreiche Text bei Adolph Frhr. von Knigge: Der Traum des Herrn Brick. Essays, Satiren, Utopien. Hrsg. von Hedwig Voegt. Berlin [DDR] 1968. S. 601 bis 633.

95 A. G. F. Rebmann. Wanderungen und Kreuzzüge durch einen Teil Deutschlands, von Anselmus Rabiosus dem Jüngeren (²1796). In: A. G. F. R., Hanskiekindieweltsreisen in alle vier Weltteile und andere Schriften. Berlin [DDR] 1958. S. 157–314, S. 311. Rebmann sieht dadurch eine »republikanische Verfassung« gewährleistet. Zum weitergefaßten Republik-Begriff am Ausgang des 18. Jh.s vgl. Inge Stephan: Joh. Gottfried Seume als politischer Schriftsteller. Ein Beitrag zur Spätaufklärung in Deutschland. Stuttgart 1973. S. 69–75. Sein – bald geschwundenes – Vertrauen auf die Macht der ›Publizität‹ hat Rebmann dargelegt in: Bruchstücke aus meinem politischen Glaubensbekenntnis. Winke für Regierungen [...]. Altona 1796.

96 A. G. F. Rebmann: Vollständige Geschichte meiner Verfolgungen und meiner Leiden. Ein Beitrag zur Geschichte des deutschen Aristokratism (1796). In: A. G. F. R., Hanskiekindiewelts-

reisen... (Anm. 95). S. 418f. Ähnlich in [Rebmann:] Die Geissel. Upsala [vielmehr Altona] 1797–99. Neudruck Nendeln (Liechtenstein) 1973. Jg. 1 (1797) H. 5, S. 10 und 26.

97 Zu ihnen vgl. Walter Grab: Demokratische Strömungen in Hamburg und Schleswig-Holstein zur Zeit der Ersten Französischen Republik. Hamburg 1966; Heinrich Scheel: Süddeutsche Jakobiner. Klassenkämpfe und republikanische Bestrebungen im deutschen Süden Ende des 18. Jahrhunderts. Berlin ²1971 [zuerst 1962]; ders. (Hrsg.): Jakobinische Flugschriften aus dem deutschen Süden Ende des 18. Jahrhunderts. Berlin [DDR] 1975.

98 Laukhard (Anm. 87). 4.2, S. 93–128; Segeberg (Anm. 88). S. 521f.

99 Axel Kuhn: Jakobiner im Rheinland. Der Kölner konstitutionelle Zirkel von 1798. Stuttgart 1976. S. 163–181.

100 Ebd., S. 171ff.

101 Inge Stephan: Literarischer Jakobinismus in Deutschland (1789–1806). Stuttgart 1976. S. 54ff., 148ff.

102 Heinrich Scheel: Die Mainzer Republik. Protokolle des Mainzer Jakobinerklubs. Berlin [DDR] 1975. Einleitung S. 9–51. (Weitere Bände sind angekündigt.) Immer noch informativ ist die Sammlung von Claus Träger (Hrsg.): Mainz zwischen Rot und Schwarz. Die Mainzer Revolution 1792–1793 in Schriften, Reden und Briefen. Berlin [DDR] 1963. Als weitere wichtige Textausgaben vgl. Walter Grab (Hrsg.): Deutsche revolutionäre Demokraten. Darstellung und Dokumentation. [Bisher erschienen 4 Bde.] Stuttgart 1971–73.

103 Offensichtlich hat Stephan (Anm. 101), S. 45, die die rechte ›Volksverbundenheit‹ vermißt, den zentralen Gedankengang meines Aufsatzes von 1974 (Anm. 88) nicht verstanden, der eben diese Artikulierung der Klasseninteressen von ›Bürgertum‹ und ›Volk‹ als spezifisch literarische Leistung des Jakobinismus deutlich machen wollte. Aufgenommen wird damit ein auch nicht gerade klarer wirkender Einwand von Klaus Scherpe, der meint, ich hätte – horribile dictu – mich zu sehr am Habermasschen Öffentlichkeitsmodell orientiert. Vgl. Klaus R. Scherpe: »[...] daß die Herrschaft dem ganzen Volk gehört!« (Literarische Formen jakobinischer Agitation im Umkreis der Mainzer Revolution. In: Mattenklott/Scherpe [Anm. 92]. S. 195.)

104 So definiert Gottfried August Bürger die Volkspoesie: Vorrede zur zweiten Ausgabe der Gedichte (1789). In: G. A. B., Werke. Berlin, Weimar 1973. S. 347–363. S. 353.

105 Segeberg (Anm. 88). S. 544ff.; Stephan (Anm. 101). S. 172ff.

106 Auch Goethes Revolutionsdramen werden nicht intelligenter dadurch, daß sie, im Kontext der Xenien gesehen, als Polemik gegen deutsche Republikaner gelesen werden, wie Claude David (Goethe und die Französische Revolution. In: Deutsche Literatur... [Anm. 1]. S. 63–86. S. 71) vorschlägt.

107 So zitiert Schlegel Forster (Anm. 56). S. 89. Dazu Krüger (Anm. 60). S. 204ff., 212, 216–221.

108 Vgl. Textauszug bei Garber (Anm. 10). S. 2–4.

109 Reinhardt Habel: Joseph Görres. Studien über den Zusammenhang von Natur, Geschichte und Mythos in seinen Schriften. Wiesbaden 1960; László Tarnói: Joseph Görres' Entwicklung von der Französischen Revolution zu der deutschen Romantik. Diss. phil. Berlin (Humboldt-Univ.) 1969 [masch.].

110 Zu Rebmann vgl. Walter Grab: Eroberung oder Befreiung? Deutsche Jakobiner und die Franzosenherrschaft im Rheinland 1792–1799 [zuerst 1969]. In: Hans Pelger (Hrsg.), Studien zu Jakobinismus und Sozialismus. Bonn-Bad Godesberg 1974. S. 1–103. Am Vergleich der Preußischen Reformen mit den Napoleonischen orientiert sich die Bewertung der Cisrhenanen bei Lore Häger und Bodo Heimann: Literatur im bürgerlichen Zeitalter. In: Bettina und Lars Clausen (Hrsg.), Spektrum der Literatur. Gütersloh, Berlin u. a. 1975. S. 190–205. S. 195. Zur Bedeutung des im Rheinland eingeführten Code Napoleon vgl. Wieacker (Anm. 79). S. 339–347.

111 Segeberg (Anm. 78). S. 205–213. Daß Klinger damit den »Erkenntnisstand zeitgenössischer Philosophie [...] weit überschritt«, würde ich heute, nach Kenntnis der Jenaer Realphilosophie Hegels, so nicht mehr schreiben.

112 Vgl. Garber (Anm. 10). S. 213–220.
113 Vgl. nur Shlomo Avineri: Hegels Theorie des modernen Staates. Frankfurt a. M. 1976 [zuerst 1972]. S. 160–187; Manfred Riedel: Studien zu Hegels Rechtsphilosophie. Frankfurt a. M. 1970.
114 Joachim Ritter: Hegel und die Französische Revolution. Frankfurt a. M. 1965.
115 Hella Mandt: Tyrannislehre und Widerstandsrecht. Studien zur deutschen politischen Theorie des 19. Jahrhunderts. Darmstadt, Neuwied 1974. S. 188.
116 Georg Friedrich Wilhelm Hegel: Jenenser Realphilosophie. Die Vorlesungen von 1805/06. Hrsg. von Johannes Hoffmeister. Leipzig 1931. S. 248.

BURKHARDT LINDNER

Das Lachen im Tempel des Schönen.
Zur Subversivität des Komischen in der Autonomieperiode

> »Man kann das Lachen nicht in Ernst verwandeln,
> ohne den Inhalt der sich im Lachen eröffnenden
> Wahrheit zu vernichten oder zu entstellen.«
> Michail Bachtin

Bis heute hat das Lachen dort, wo man sich mit ernsten Gegenständen beschäftigt, keinen guten Ruf. Einer durch Kunst und Philosophie geläuterten Lebenseinstellung erscheint es als beunruhigend, aus der Bloßstellung eines Wehrlosen Genuß zu ziehen oder ins Gelächter des Wahnsinns zu verfallen, mit dem der späte Nietzsche einen zufälligen Passanten begrüßen möchte: »siamo contenti? son dio, ho fatto questa caricatura...«[1].

Nun läßt sich umgekehrt freilich argumentieren, daß mit der kulturellen Distanz gegenüber dem Komischen dessen immerhin vitaler Funktion am wenigsten gedient ist; ja, daß hier Rationalisierungen im Spiel sind, die weniger der Sorge um Sitte und Bildung, als der Abwehr der subversiven Tendenzen des Komischen entstammen. Das Komische, das nach Freuds zutreffender Analyse die durch Realitätsanpassung auferlegten Verdrängungen vorübergehend aufhebt, wurde selbst Gegenstand einer kulturellen Verdrängung. So haben klassische Kulturnormen das Lachen reduziert und die Derbheit des Volkes als Objekt, nicht als Repräsentanten des Lachens zugelassen. Schiller, der in den *Ästhetischen Briefen* und im *Horen*-Projekt das Programm einer sittlich-schönen Bildung der Nation aufstellt, schreibt dementsprechend: »Es gibt zwar Fälle, wo das *Niedrige* auch in der Kunst gestattet werden kann; da nämlich, wo es Lachen erregen soll. Auch ein Mensch von feinen Sitten kann zuweilen, ohne einen verderbten Geschmack zu verraten, an dem rohen, aber wahren Ausdruck der Natur und an dem Kontrast zwischen den Sitten der feinen Welt und des Pöbels sich belustigen. Die Betrunkenheit eines Menschen von Stande würde, wo sie auch vorkäme, Mißfallen erregen; aber ein betrunkener Postillon, Matrose und Karrenschieber macht uns lachen. Scherze, die uns an einem Menschen von Erziehung unerträglich sein würden, belustigen uns im Mund des Pöbels. Von dieser Art sind viele Szenen des Aristophanes, die aber zuweilen auch diese Grenze überschreiten und schlechterdings verwerflich sind.«[2]

Es ist das Verdienst des russischen Literaturhistorikers Michail Bachtin, die Zwiespältigkeit gegenüber dem Komischen als Resultat der Verdrängung einer langen Tradition des Lachens aufgewiesen zu haben. Er nennt diese Tradition »volkstümliche Lachkultur«, die von einem »karnevalistischen Weltempfinden« durchdrungen ist und in der die »groteske Gestalt des Leibes« gefeiert wird. Der Terminus Lachkultur macht deutlich, daß es sich hierbei um eine soziale Institutionalisierung des Lachens handelt, um öffentliche Formen komischer Lustbarkeit: Karneval, Saturnalien, Satyrspiel, Jahrmarkt, Maskenzüge, Schwänke, Narrenfeste. Welche Elemente charakterisieren sie? Zum einen geht die Befreiung des Lachens »mit der Genehmigung des Fleisches, des Specks und des geschlechtlichen Lebens« einher.[3] Ein unbefangenes Einverständnis mit dem sinnlich-materiellen Dasein hebt vorübergehend die Normen kultureller Sublimierung auf. »Die wesentlichen Ereignisse im Leben des grotesken Leibes, sozusagen die Akte des Körper-Dramas, Essen, Trinken, Ausscheidung (Kot, Urin, Schweiß, Nasenschleim, Mundschleim), Begattung, Schwangerschaft, Niederkunft, Körperwuchs, Altern, Krankheiten, Tod, Zersetzung, Zerteilung, Verschlingung durch einen anderen Leib – alles das vollzieht sich an den Grenzen von Leib und Welt, an der Grenze des alten und des neuen Leibes. In allen diesen Vorgängen des Körper-Dramas sind Lebensanfang und Lebensende untrennbar ineinander verflochten.«[4] Zum andern bedeutet die Befreiung des Lachens eine vorübergehende Legalisierung der nicht offiziellen Wahrheit des Volkes. Indem die verinnerlichte Zensur kultureller Normen aufgehoben wird, werden auch die gesellschaftlichen Herrschaftsinstanzen, die sie durchsetzten, in Frage gestellt. »Die Rechte des Narren waren im Mittelalter genauso heilig und unantastbar wie jene des Pileus während der römischen Saturnalien.«[5] Es ist die fröhliche Umkehr der herrschenden Welt: »Das Lachen hält Liturgien ab, bekennt sein Credo, vermählt, trägt zu Grabe, schreibt Grabinschriften, wählt Könige und Bischöfe.«[6] Soziologisch gesehen läßt sich die Legalisierung des Lachens als ein auf bestimmte Zeitspannung begrenztes Zugeständnis gegenüber den unterdrückten Massen begreifen; es hat eine Ventilfunktion gegenüber dem kulturellen und sozialen Druck, so wie auf die strengen Fasten ausschweifende Festlichkeiten folgten. Diese Betrachtungsweise greift dennoch zu kurz. Der Terminus Lachkultur bezeichnet eine Einheit von Ernsthaftem und Komischem, die unseren heutigen Vorstellungen widerspricht. Wenn auf die griechische Tragödie das obligate Satyrspiel folgte, wenn sich die Teilnahme an der christlichen Messe mit obszönen und sakrilegischen Parodien vertrug, so charakterisiert gerade diese Einheit der gegensätzlichen Formen die Lachkultur. Sinnliche Lust und Ekel, Geburt, Zeugung, Tod, der individuelle Leib und der Leib der Gattung verlieren ihre streng hierarchische Abgrenzung. Darin ist der utopische Kern der Tradition der Lachkultur zu erkennen. Denn bleiben ihre alten Formen in der Tat mit geprägt vom Druck unbewältigter Naturkräfte und rigider Herrschaftsverhältnisse, so verweisen sie doch auf einen gesellschaftlichen Zustand materieller und sinnlicher Freiheit: während die neuzeitlichen Utopien einer freien Gesellschaft diese ausschließlich in der Vernünftigkeit der gesellschaftlichen Einrichtungen und der Individuen gegeben sahen, kann sich die Utopie der Lachkultur vielmehr erst im befreiten Zusammenhang von Lachen und Vernunft realisieren. Humorlosigkeit und Sinnenfeindlichkeit der Vernunft ist selbst Resultat einer Verdrängung, die seit dem 16. Jahrhundert zur Abwertung und Isolierung des Lachens führt. Bachtin spricht von einer »Reduzierung« des Lachens in der neuzeitlichen Literatur; seine Furchtlosigkeit und Vitalität schwindet zugunsten reduzierter Formen der Ironie, des Humors und der nihilistischen Groteske, in denen freilich das »gattungsmäßige Gedächtnis« dieser Tradition fortwirkt. Aus der Verdrängung der Lachkultur erklärt sich auch die besondere Schwierigkeit, die das Komische der philosophischen Theorie machte. Nicht nur boten die aggressiven und herabsetzenden Elemente des Komischen ein Hindernis, den lustvollen Lachvorgang moralisch zu akzeptieren, schon die Fragestellung selbst, was das Wesen des Komischen sei, mißdeutete dieses als Erscheinungsform der Vernunft. Zu einer wirklichen Einsicht und Anerkennung kam es deshalb nur dort, wo der Mechanismus des Komischen für sich betrachtet wurde. Dann erst ist es möglich, die ›Substanz‹ des Lachens nicht in den Ernst zu verwandeln, sondern als etwas zu fassen, das nicht in Ernst verwandelbar ist. Dann erst wird die Subversivität des Lachens erkennbar. Schopenhauer, der scharfsinnig den Mechanismus des Komischen aus der plötzlich wahrgenommenen Inkongruenz zwischen der Nötigung der Sprache zu Allgemeinbegriffen und einem sie scheinbar dementierenden Anschaulichen bestimmt, gelangt auf diese Weise zu einer klaren Würdigung. »In der Regel ist das Lachen ein vergnüglicher Zustand: die Wahrnehmung der Inkongruenz des Gedachten zum Angeschauten, also zur Wirklichkeit, macht uns demnach Freude.« Es ist ein »Medium der Gegenwart, des Genusses und der Fröhlichkeit«.[7] Eine solche positive Wertung kommt zustande, weil Schopenhauer die subversive Kraft des Komischen anerkennt: »Diese strenge, unermüdliche, überlästige Hofmeisterin Vernunft jetzt ein Mal der Unzulänglichkeit überführt zu sehen, muß uns daher ergötzlich seyn.«[8]

Das Lachen hebt nicht die Vernunft auf, sondern begrenzt ihren Universalitätsanspruch: »Je mehr ein Mensch des ganzen Ernstes fähig ist, desto herzlicher kann er lachen«.[9] Schopenhauers Beobachtung, daß das Lachen »mit keiner Anstrengung verknüpft« sei,[10] nimmt Freud[11] wieder auf, wenn er die komische Lust auf eine Ersparung psychischen Aufwands zurückführt. Im Lachen werden die verinnerlichten Mechanismen realitätsgerechten Denkens und Handelns vorübergehend eingeschränkt und aufgehoben. Deshalb verbindet sich das Komische mit einer subversiven Nichtanerkennung herrschender sozialer Normen und Werte in ausgelassener Fröhlichkeit oder gezielter Satire. Von den Weisen der gesellschaftlichen Institutionalisierung des Lachens hängt es freilich ab, ob die befreiende Kraft des Komischen wirksam wird oder ob die Lachlust in den Dienst gesellschaftlicher Unterdrückung gestellt wird, wozu die kulturelle Verpönung des Lachens Vorschub leistet.

I

Die folgenden Überlegungen gelten in Anknüpfung an Bachtin dem Schicksal des Lachens unter den Bedingungen der Autonomisierung der Literatur als Kunst. Autonomisierung bezeichnet den allgemeinen Prozeß, in dem sich die Kunst von moralischen oder wirkungs- und regelpoetischen Begründungen ablöst und sich durch die Formulierung einer Ästhetik (als Philosophie der Kunst) zur autonomen Gestalt der ›Wahrheit‹ emanzipiert. Der Versuch, eine klassische Kunst und Literatur in Deutschland zu begründen, bildet in diesem Prozeß nur einen – zweifellos bedeutsamen – Teil. Was unter dem Blickwinkel des neuen ästhetischen Subjekts als Emanzipation der Kunst erscheint, läßt sich freilich zugleich als weitgehende Isolierung aus gesellschaftlichen und politischen Wirkungszusammenhängen begreifen und gerade auch in der ästhetischen Einschränkung des Komischen näher verfolgen.

Die folgenden Überlegungen gehen zunächst von der *Satire* aus, die ob ihrer engagierten und aggressiven Verwendung des Komischen und ihrer gattungspoetischen Unbestimmbarkeit der Autonomisierung der Literatur als Kunst besondere Schwierigkeiten machen mußte. Denn waren auch die Satire und das Komische in der Auf-

klärungsliteratur durch den Legitimationszwang moralischer Vernünftigkeit eingeschränkt – in Deutschland zumal, wo sich die materiell-sinnliche Seite der
Aufklärung kaum entwickeln konnte –, so bildeten sie doch einen integralen Be-
standteil der literarischen Öffentlichkeit. Überhaupt stellte Literatur ein publizisti-
sches Medium dar, in dem Schauspiel, Zeitung, Satire und Abhandlung gleicherma-
ßen anerkannte Funktionen besaßen. Mit der Wendung zur Schönen Kunst
(Baumgartens Begründung der Ästhetik durch Annahme einer cognitio sensitiva;
Winckelmanns Wiederentdeckung der antiken Plastik) tritt dieser publizistische
Wirkungszusammenhang zurück, während sich ›zweckfreie‹ Literatur, Malerei,
Musik usw. im einheitlichen Kunstbegriff zusammenschließen.
Die Nobilitierung des Ästhetischen zu einem besonderen Erkenntnisbereich ruft
eine Tendenz zur Universalisierung hervor, die von Schiller mit aller Entschiedenheit ausgesprochen wird. »Die Dichtkunst führt bei dem Menschen nie ein besonderes Geschäft aus [...]. Ihr Wirkungskreis ist das Total der menschlichen Natur
[...].«[12] Die Vorstellung vom »Ganzen Menschen«, die Schiller hier und sonst gegen
die Arbeitsteilung und Zweckorientiertheit der bürgerlichen Gesellschaft kehrt,
hat einen emphatisch idealisierten Naturbegriff zu ihrem Gegenstand. Ob als ersatz-
politisches Mittel einer ästhetischen Erziehung zur Freiheit oder als erster Bereich
der Realität des Ideals legitimiert: in jedem Fall repräsentiert das Schöne als ideales
Bild der »Natur« die vollendete Menschheit. Dem höheren Zweck, die verlorene
Totalität in der Natur des Menschen wiederherzustellen, entspricht eine wechselsei-
tige Einschränkung von Vernunft und Sinnlichkeit, vollendete Versöhnung und
Harmonie. Schillers Weigerung, die philosophische Aburteilung der Sinnlichkeit
mitzumachen, wird erkauft durch deren klassizistische Veredelung: »denn nichts
streitet mehr mit dem Begriff der Schönheit, als dem Gemüt eine bestimmte Tendenz
zu geben«.[13]
Nur unter diesem Aspekt vermag er die Satire anzuerkennen.
In der Ausarbeitung des Gegensatzes von naiver und sentimentalischer Dichtung
skizziert Schiller zwei Arten sentimentalischer Dichtung, die die Entfernung von der
Natur und vom Ideale darstellen: Während die Elegie das Bild der Natur und des
Ideals mit poetischen Mitteln uns wiedererwecken will, bleibt die Satire (die satirische »Empfindungsweise«) beim Verlust und beim Widerspruch stehen. »In der Satire wird die Wirklichkeit als Mangel dem Ideal als der höchsten Realität gegenübergestellt.«[14] Schillers Ausführungen lassen über die Sublimierung der Satire keinen
Zweifel: Da alle echte Poesie aus der Freiheit des Gemüts entspringen und alle Beziehungen auf ein Bedürfnis verbannen muß, wird der »gemeine Satiriker«, der ein
»materielles Interesse [...] ins Spiel bringt«,[15] vom wirklichen Satiriker geschieden.
Bei diesem »ist es ein hoher Geist, der auf das Niedrige herabblickt, und unsere Stimmung ist wahrhaft poetisch, weil nur die Höhe, worauf er selbst steht und zu der
er uns zu erheben wußte, seinen Gegenstand niedrig machte«.[16]
Offenkundig geschieht die hier skizzierte Anerkennung der Satire eher aus dem systematischen Interesse an einer Dynamisierung des Gegensatzes von naiver und sentimentalischer Poesie als aus dem Interesse einer Beförderung der satirischen Literatur selbst. Schon deshalb ist die später in der Germanistik vertretene These, mit
Schiller habe eine Aufwertung und ein gattungsmäßiges Verständnis für die Satire
eingesetzt,[17] irreführend. Der Satire dadurch »das Bürgerrecht in der Welt des schö-

nen Scheins«[18] zu verschaffen, daß die Frage nach Funktion und Wirkung abgewiesen wird zugunsten ihrer Qualität als autonomes und zweckloses Kunstwerk, läßt sich eher als Domestizierung denn als Rehabilitierung begreifen. Denn der Vernichtungswille der Satire ebenso wie ihre Bindung an konkrete gesellschaftliche Mißstände und Personen wird damit verworfen; sie hat sich aus dem Aufklärungskontext des Literaturkampfes herauszuhalten (trotz der *Xenien*). Es ist dabei nur konsequent, daß Schiller in der Typologie der sentimentalischen Dichtung der Satire den untersten Rang zuspricht, ihr also die Elegie überordnet, welche selber wieder von der Idylle überboten wird. In der Idylle ist »aller Gegensatz der Wirklichkeit mit dem Ideale, der den Stoff zu der satirischen und elegischen Dichtung hergegeben hat, vollkommen aufgehoben«.[19]

Hofft Schiller im Zuge seiner Überlegungen das normative Vorbild der griechischen Kunst einzuholen und zu übertreffen, so gilt Hegel die griechische Antike als Epoche klassischer Kunstvollendung, die durch die moderne romantische Kunst nie wieder erreicht werden kann, sondern aufgelöst wird. Von einer Rehabilitierung der Satire kann indessen noch weniger die Rede sein. Im Sinne der historisch-systematischen Konstruktion seiner Ästhetik bestimmt er die Satire als historisch begrenzte Literaturgattung: als Übergangsgestalt zwischen der klassischen und romantischen Kunstepoche. Der klassischen Kunst gelang eine »vollendete Ineinsbildung der Bedeutung und Gestalt«.[20] Da aber dem denkenden Bewußtsein die Versöhnung mit der Unmittelbarkeit seines Daseins nicht genügen konnte, treten Realität und Selbstbewußtsein des Ideals auseinander. »In dieser Weise bringt die Kunst jetzt einen denkenden Geist, ein auf sich als Subjekt beruhendes Subjekt in abstrakter Weisheit mit dem Wissen und Wollen des Guten und der Tugend in einen feindlichen Gegensatz gegen das Verderben seiner Gegenwart«, die »als eine götterlose Wirklichkeit und ein verdorbenes Dasein erscheint.«[21] Hegel faßt deshalb die römische Welt, die vom Staat und seinem abstrakten Gesetz beherrscht ist, als den eigentlichen Boden der Satire: es sind dies nicht eigentlich poetische Kunstwerke, sondern rhetorisch schöne, letzthin verdrießliche und abstrakte Deklamationen unerschütterlicher, selbstbezogener Tugend.

Einen dritten, wiederum anders ausgerichteten Lösungsversuch hat schließlich Herder konzipiert. Sein Dialog zwischen *Kritik und Satyre* aus der *Adrastea* verdient Aufmerksamkeit, weil er ausdrücklich im größeren Zusammenhang steht, die Fortschritte der Aufklärung und des geschichtlichen Verständnisses, die dem 18. Jahrhundert zu verdanken sind, festzuhalten, zu sichten und weiterzuführen. Nimmt Herder die erbitterte Feindschaft zwischen Bentley und Swift zum Anlaß seines Dialogs, so geht es ihm insgesamt darum, die Verwandtschaft von kritischer Vernunft und satirischem Witz zu erweisen. Gerade weil die Satire ob ihrer proteischen, gestaltwandelnden Kraft nicht eine selbständige Gattungsform begründen kann, gerade weil ihr »alle Gestalten zu Gebot« stehen,[22] kann sie bald lachend, bald ernsthaft sich allen Gattungen als Stimme der Kritik verbinden: dem Epos wie dem Drama, der Erzählung, dem Sinngedicht und, vor allem, dem Roman. »Jeder Gattung laße ich ihre Regeln wie ihre Namen. [...Ich] zeige mich nur Augenblicke und verschwinde.«[23]

Freilich tritt um so auffallender auch bei Herder die Wirkung des Autonomiepostulats hervor, bestimmt er doch den Sinn seines Lösungsvorschlages darin, die Satire

»aus Grundsätzen der Kunst selbst zu rehabilitieren«.[24] Dieser ästhetische Anspruch verlangt nichts Geringeres als den Abschied von der rohen Tradition der Satire: von der öffentlichen Verhöhnung, von der Karikatur, von der parodistischen Nachäffung, von der bitteren Strafpredigt kehrt sich der kultivierte Geschmack ab. Zum Zeichen dieser Wandlung legt die Satire die »verhaßte Geißel« für immer vor dem Thron der Wahrheit nieder und nimmt, um nicht mehr an ihre Abkunft vom Satyr erinnert zu werden, den Namen der Ironie an.

II

Die Rekapitulierung zeitgenössischer Theorien macht deutlich, daß von einer Rehabilitierung der Satire im Prozeß der Autonomisierung der Literatur als Kunst nicht die Rede sein kann. Die Satire bereitet der neuen Norm größte Schwierigkeiten: zum einen, weil sie nicht in die formalen Regeln einer Gattung zu bringen ist, sondern parodistisch alle Gattungen und Formen aufgreifen kann; zum andern, weil ihre Wirkungsabsicht, Mißstände zu attackieren, der Autonomie des Schönen Scheins widerstrebt; schließlich, weil die Satire zum Bereich des Literarisch-Komischen gehört, der einer klassisch gereinigten und dem philosophischen Idealismus korrespondierenden Kunst zu unernst erscheinen muß. Denn wahre Kunst hat das Maß ihrer Autonomie vorab durch Darstellung geistiger Totalität im sinnlichen Schein. Gegenstand der Kunst ist das Schöne als Ideal, wodurch »das Ewige, Göttliche, an und für sich Wahre in realer Erscheinung und Gestalt für unsere äußere Anschauung, für Gemüt und Vorstellung geoffenbart wird«.[25] Dem höheren Zweck der Kunst, »Wahrheit in Form der sinnlichen Kunstgestaltung« zu repräsentieren, entspricht die organische Einheit des Kunstwerks, in der die Konzeption »absichtslos und unschuldig sein und scheinen muß«[26] und der Zusammenhang der Teile sich zur versöhnten Totalität entfaltet.

Daß unter diesen normativen Bedingungen die Tradition der Lachkultur und des Komischen der Aufklärung besonderen Einschränkungen ausgesetzt war, liegt auf der Hand. Immerhin bezeugt die Gegensätzlichkeit der angeführten Versuche einer Bestimmung der Satire, daß offenbar weniger ein zeitgenössischer Konsens als ein ungelöstes Problem zugrunde liegt. Und dies um so mehr, als weniger den Zeitgenossen als der späteren germanistischen Überlieferung der Anteil des Komischen und der Satire an der Literaturentwicklung im 18. Jahrhundert verborgen blieb. Denn in der Germanistik wurden die Begriffsanstrengungen der Autonomieperiode enthistorisiert und ihrem Selbstverständnis abstrakt zugrunde gelegt. Die Wirksamkeit dieses Selbstverständnisses zeigt sich gerade dort noch, wo das literaturgeschichtliche Interesse am Komischen und an der Satire sich neu belebte. Dabei ist die bereits zitierte ›Aufwertung‹ der Satire als Gattung autonomer Kunstwerke weniger repräsentativ als die literaturgeschichtliche These von der Sublimierung der satirischen Tradition in literarischen Formen der *Ironie* und des *Humors*. Unterschiedliche Arbeiten stimmen in der Konstruktionsperspektive überein, die Satire dadurch anzuerkennen, daß sie als Evolutionselement für die Ausbildung der modernen Romanform begriffen wird.[27] Was Herder als Rehabilitierungsvorschlag formuliert, wird nunmehr als faktischer Vollzug gesehen. Aus bestimmten Formen der Satire – dem räsonierenden, d. h. unepischen Charakter, den demonstrierenden Verfahren, den Verfremdungsverfahren, die die Menschen auf Rollen und Stände reduzieren – wird abgeleitet, daß die Satire im 18. Jahrhundert an die Grenze der episch-fiktionalen Darstellung stößt, die damit nicht als historische Grenze einer bestimmten satirischen Tradition, sondern als strukturelle Barriere gefaßt wird.

Da die Satire sich nicht zur Totalität der epischen Form entfalten könne, muß sich ihre historische Funktion darauf beschränken, Zubringerdienste für die Entfaltung der neuen Romanform zu leisten. In der Romanstruktur werden Elemente der Satire aufgesogen und am erzählerischen Aufbau einer genuinen Kunstwirklichkeit beteiligt. Denn im Vergleich zum Roman erscheint die satirische Personendarstellung flach und überholt; gegenüber der Pluralität der Weltaspekte, die der Roman vermittelt, erscheint der Normativitätsanspruch der satirischen Kritik rationalistisch. Somit läßt sich erklären, warum etwa Lichtenbergs Programm eines satirischen Romans nicht bloß an seiner Unfähigkeit zu epischem Erzählen scheitert, sondern in anderen satirischen Romanen der Spätaufklärung (Knigge, Nicolai, Pezzl, Wezel, Klinger) ebensowenig eingelöst werden konnte. Hingegen erscheint es als konsequent, daß Jean Paul nach zehnjährigem Verfertigen räsonierender (d. h. unepischer) Prosasatiren eine Kehrtwendung zum romantischen Roman vornimmt. »So entwickelt sich auf der Basis der Relativierungen und im Spiel mit Illusion, Fiktivität und Historizität […] eine höchst bewegliche Erzählhaltung […]. Man ist geneigt, dieses erzählerische Vorgehen mit ›Humor‹ zu umschreiben.«[28] Damit ist zugleich der formgenetische Übergang ins 19. Jahrhundert gesichert: Konnte man zunächst (mit Berufung auf Herder) das strukturelle Aufsaugen der Satire in den neuen Formen des Romans rekonstruieren, so läßt sich weiter (mit Berufung auf Hegel) der epische Humor als neues Produktionsprinzip beschreiben, welches eine auf dem Niveau autonomer Kunst befindliche Totalitätsdarstellung in der kunstfeindlichen Welt des 19. Jahrhunderts fortführt.[29]

Eine literaturgeschichtliche Rekonstruktion, wie sie hier resümiert wird, findet zwar Belege bei Hegel, Jean Paul, in der Romantik und erst recht im Humorbegriff des 19. Jahrhunderts. Jedoch ist damit nicht schon eine zweifellose Begründung gefunden. Denn – wie darzulegen – muß die ästhetisch-theoretische Selbstreflexion nicht mit der literarischen Praxis zusammenfallen. Und zudem enthebt ein nachweislicher Zusammenhang zwischen den Autonomiekonzeptionen und der Sublimierung von Komik und Satire zum Humor bzw. zur Ironie keineswegs von der Nötigung, die Autonomieperiode vom Standpunkt historischer Kritik zu betrachten. Denn so widerspruchslos ist eben der nachweisliche Zusammenhang gar nicht. Gerade Hegels Ästhetik faßt ja die vollendete Autonomie des Schönen als griechisch-vergangene Periode, die unwiederbringlich ist: Philosophie (Ästhetik) kann nachträglich ihren historischen Gehalt wissenschaftlich erfassen, nicht aber zum Programm der gegenwärtigen Kunst erheben. Die utopisch gerichtete Konzeption Schillers, in der die Totalitätsdarstellung der Kunst die moderne Entfremdung überwindet und langfristig die Realisierung eines ästhetischen Staates vorbereitet, wird von Hegel nicht ernst genommen. Kunst kann nicht hinter den Gang der Vernunft in der Geschichte zurückfallen, sondern muß sich auf die Prosaik der bürgerlichen Verhältnisse einlassen.

Aufgrund dieser historischen Konstruktion sieht Hegel nicht im Humor die Chance einer ironisch gebrochenen Realisierung ästhetischer Totalität in der Moderne, sondern mißt dem *Komischen* einen erstaunlich positiven Rang zu. Damit treten Elemente der Lachkultur in den Blick, wenngleich ohne Würdigung der Satire und um das aggressive Moment des Auslachens gemildert. Hegel schreibt, man müsse beim Komischen »sehr wohl unterscheiden, ob die handelnden Personen für sich selbst komisch sind oder nur für die Zuschauer«.[30] Ausschließlich die erste Möglichkeit ist wahrhaft komisch, weshalb er die Komödien Molières ebenso wie die Satire hiervon ausschließt und Aristophanes und Shakespeare als Muster hinstellt. »Zum Komischen dagegen gehört überhaupt die unendliche Wohlgemutheit und Zuversicht, durchaus erhaben über seinen eigenen Widerspruch und nicht etwa bitter und unglücklich darin zu sein: die Seligkeit und Wohligkeit der Subjektivität, die ihrer selbst gewiß die Auflösung ihrer Zwecke und Realisationen ertragen kann.«[31] Hegels Begriff des Komischen hebt die Wohlgemutheit und Fröhlichkeit hervor, mit der das Subjekt sich durch alle Verwicklungen hindurch behauptet. Deshalb relativiert sich für ihn die Ständeklausel, indem sich die Figuren des Komischen in ihrer zuversichtlichen Selbstgewißheit als höhere Naturen kundtun. Ein positives Verständnis für die Phänomene der Lachkultur deutet sich bei Hegel immerhin an. Zwar wird das klassizistische Antikebild nicht schon umgewertet. Aber die Selbstverständlichkeit des Obszönen, die grotesk überdimensionierten Phalloi, Bäuche und Gesäße, die rücksichtslose Verunglimpfung realer Personen kann Hegel nicht abgestoßen haben, wenn er über Aristophanes schreibt: »Ohne ihn gelesen zu haben, läßt sich kaum wissen, wie dem Menschen sauwohl sein kann.«[32]

Nun läßt sich der Einwand denken, daß Hegel gerade den neuzeitlichen Charakter des Humorbegriffs unterschlage, daß er auf das Komische zurückprojiziere, was sich gerade von diesem als Humor emanzipiert hat. Denn die Unterscheidung zwischen Personen, über die man lacht, weil sie selbst ihre Lächerlichkeit nicht bemerken, und der Fähigkeit, seine eigene Lächerlichkeit wahrnehmen zu können, bildet geradezu das Paradigma der Herausbildung des Humorbegriffs. Bezeichnete Humor im Mittelalter als neutraler medizinischer Terminus die Körpersäfte, so verändert sich der Begriff im Zuge der Herausbildung des bürgerlichen Individuums und bezeichnet eine Lebenseinstellung, die eigene und fremde Sonderbarkeiten und Launen anerkennt. Dieser psychologische Humorbegriff wiederum erweitert sich zur humoristischen Auffassung der ›condition humaine‹ schlechthin. Schopenhauer kann rückblickend zusammenfassen: »Das Wort Humor ist von den Engländern entlehnt, um eine, bei ihnen zuerst bemerkte, ganz eigenthümliche, sogar [...] dem Erhabenen verwandte Art des Lächerlichen auszusondern und zu bezeichnen«.[33] Der Humor ist »zunächst nur für das eigene Selbst da«. Er beruht auf »einer subjektiven, aber ernsten und erhabenen Stimmung, welche unwillkürlich in Konflikt geräth mit einer ihr sehr heterogenen, gemeinen Außenwelt, der sie weder ausweichen, noch sich selbst aufgeben kann«.[34] Die Literaturgeschichte kann die Entwicklung zum Humor als Weltanschauung, wie sie vor allem das 19. Jahrhundert vollzieht, wiederum vor allem an der Romanentwicklung beschreiben. Über die psychologische Differenzierung statischer Charaktere nach subjektiven Grillen, Launen, fixen Ideen und hobby-horses hinaus gewinnt die komische Schreibart, die humoristische Darstellungsweise des Autors, eigenen Rang (Sterne). Es entsteht eine Spannung zwischen Autorfunktion, die lediglich die Wahrscheinlichkeit und Objektivität des Erzählten garantieren soll, und der (impliziten oder auktorialen) Subjektivität des Autors, die als ›epischer Humor‹ oder ›poetischer Realismus‹ beschrieben wird. Humor oder Ironie als Strukturprinzipien erlauben die Fortexistenz des Autonomiegebots. Jedoch sieht Hegel gerade in dieser Entwicklung des Komischen zum »subjektiven Humor« eine besondere Gefahr, die durch die »vollendete Zufälligkeit und Äußerlichkeit des Stoffs« und die universelle Verfügbarkeit der Kunstmittel in der Gegenwart allerdings nahegelegt wird. Denn weil in der Prosaik der bürgerlichen Verhältnisse der Künstler nicht mehr auf einen absoluten Gehalt vertrauen kann, sondern auf sich selbst zurückgeworfen ist, entsteht die Versuchung, subjektive Spinnereien als besondere Tiefe auszugeben – was Hegel an Friedrich Schlegels Ironie und Jean Pauls Humor kritisiert – oder wieder katholisch zu werden. Obschon er sich über die Möglichkeit von Kunst nach ihrer Abdankung als Form des absoluten Geistes äußerst spärlich äußert, scheint Hegel am ehesten eine Verweltlichung der Kunst vorzuschweben, die nunmehr alle Lebenssphären und Gegensätze der empirischen Wirklichkeit frei zur Kenntnis nimmt und damit dem Komischen einen besonderen Wert gibt. Wiederum verweist er auf Shakespeares Stücke, wo »Narren, Rüpel und allerhand Gemeinheiten des täglichen Lebens, Kneipen, Fuhrleute, Nachttöpfe und Flöhe« Platz haben,[35] oder auf die holländische Genremalerei: »in ihren Schenken, bei Hochzeiten und Tänzen, beim Schmausen und Trinken geht es, wenn's auch zu Zänkereien und Schlägen kommt, nur froh und lustig zu, die Weiber und Mädchen sind auch dabei, und das Gefühl der Freiheit und Ausgelassenheit durchdringt alles und jedes.«[36]

III

Hegels streng historische Zentrierung der klassischen Kunstautonomie auf die griechische Antike läßt ihn das Komische freier beurteilen. Und indem er dem zeitgenössischen Autonomieanspruch widerspricht, Kunst könne in der Gegenwart absolute Gehalte substantiell zur Darstellung bringen, verwirft er gerade auch metaphysisch-spekulative Umdeutungen des Komischen als subjektivierende Brechungen des Schönen Scheins. Was aber Hegels Historisierung der Ästhetik nicht zu sehen erlaubt, ist die gesellschaftlich-ideologische Realität des Autonomiekonzepts in seiner Gegenwart: dieses förderte ja keineswegs nur – wie die Einleitung seiner *Ästhetik* nahelegt – die Ästhetik als philosophische Wissenschaft, sondern es beeinflußte die literarische Praxis selber. Und auch gerade dort, wo der Anspruch des Komischen wirklich ernst genommen und eingelöst werden soll. Aus diesem Übersehen rührt Hegels ungerechte Kritik Jean Pauls, obgleich doch gerade dieser in herausragender Weise die Tradition der Lachkultur erneuerte: Abgesondert von den Exzentrizitäten und Mystizismen der ›romantischen Schule‹ erscheint er als einziger Antipode der Klassik, denn »die Weimarer waren, da sie sich zu einer Art geistigen Herrentums erzogen hatten, betont humorlos«.[37]
In Jean Pauls Ästhetik und erst recht in seinen erzählerischen Werken erscheint in erstaunlicher Weise ein Traditionsbewußtsein mittelalterlicher Eselsfeste, aristophanischen und rabelaisschen Humors und der Witzkultur der Aufklärung präsent.[38] Gleichzeitig bezeugt Jean Paul in herausragender Weise die metaphysische

Radikalisierung des Komischen und der Satire: die Satire wird – wie die Figur des Humoristen in den Romanen zeigt (Schoppe, Leibgeber, Giannozzo u. a.) – zur Weltsatire, die in parodistischen Selbst- und Menschenhaß umschlägt, während sich gleichzeitig Jean Paul bemüht, die »weltverachtende«, satirische Idee des Humors als göttlich inspirierte Liebe zum Einzelnen und Besondren abzumildern. Unter den Bedingungen der Autonomisierung der Literatur totalisieren Aufklärungssatire und humoristisches Kontingenzbewußtsein. Die metaphysische Dichtungskonzeption reflektiert gerade den Anteil des Komischen im bedrohlichen Solipsismus ästhetischer Verinnerlichung, welche den traditionellen Diesseits-Jenseits-Dualismus zugleich romantisch restauriert und atheistisch unterminiert.

Wird damit eine metaphysische Tiefendimension des Komischen sichtbar, so bot sie der germanistischen Literaturgeschichtsschreibung einen Ansatzpunkt, das Komische ›ernst‹ zu nehmen. Nicht die These von der Autonomie der Satire, nicht die These vom Strukturwandel zum episch-versöhnenden Humor, sondern eine Theorie der Groteske bzw. des Humors als Entfremdungsbewußtsein stellte hier einen Zusammenhang zur Krise der Kunst in der Moderne her.[39] Jedoch auch in dieser Interpretation bleiben die Grundannahmen der Autonomieauffassung in Kraft, so daß der Gehalt und die Darstellungsform letztlich nur negativ – als Zerfall natürlicher Proportionen, als Verlust der Weltgewißheit, als pathologische Faszination des Grauens und des Nihilismus – beschrieben und gedeutet werden kann. Die utopische und subversive Tradition der Lachkultur tritt deshalb nicht in den Blick. Eine andere Interpretation ergibt sich, gerade im Falle Jean Pauls, hingegen, wenn das Interesse an der Satire und am Komischen aus dem *Fortwirken eines aufklärerischen Literaturmodells* erklärt und an der auktorialen Produktionsstruktur der Texte selbst nachgewiesen wird.[40] Daß die Position ›humoristischer‹ Innerlichkeit nicht bloß existential-ontologisch als Entfremdungserfahrung (oder mit Hegel als gehaltlose Subjektivität) zu deuten ist, sondern die politische Krise der Aufklärung bewußthält und literarisch verarbeitet, relativiert die historische Repräsentanz des autonomen Werkmodells.

In dieser Perspektive treten weitere Werke in den Blick, die bislang ebenfalls als Zeugnisse nihilistischer Entfremdungserfahrung überinterpretiert wurden, weil sie nur so in die Schubfächer der Klassik/Romantik hineinpaßten: zumal die einzigartigen *Nachtwachen* des Bonaventura,[41] die nicht umsonst pseudonym publiziert wurden und ohne zeitgenössische Wirkung blieben.[42] Konnte die Provokation dieses Textes damals nicht zugelassen werden, so können wir heute gerade darin seine Bedeutung erkennen: Hier wird – wenngleich reduziert – die Tradition der Lachkultur und der Aufklärungssatire fortgeführt und eine Darstellungsform erprobt, die die Normen der Autonomieperiode bewußt verletzt.

Betrachten wir zunächst die Phänomene der *Reduzierung*: Die Hauptfigur – zugleich Ich-Erzähler – bleibt eine einsame, in sich reflektierende Gestalt, die ihre Lust zu lachen und Satiren zu verfertigen, eher als Sonderbarkeit erlebt. Das Volk als Matrix der Lachkultur kommt nicht mehr vor; karnevalistische Praktiken des gesellschaftlichen Lebens können nicht aufgegriffen werden. Deshalb ist auch die groteske Gestalt des Leibes nicht mehr Zentrum des Lachens; die sinnlich-materialistischen Erfahrungen des Leiblichen schwinden. In der vormodernen Lachkultur bildeten die vitalen Körperfunktionen wie Essen, Trinken, Beischlaf zusammen mit Deformation, Krankheit, Tod einen kollektiven, ›kosmischen‹ Zusammenhang; Körperausdehnungen und -öffnungen (Nase, Phallos, Gesäß, Bauch, Mund) markieren Übergangspunkte ins gesellschaftliche Leben. Diese groteske Gestalt des Leibes wird durch den neuzeitlichen Leibkanon tabuisiert, besonders greifbar in der Bedeutung, die die klassische griechische Skulptur für die Autonomie der Kunst erhält. Kopf, Gesicht, Augen, Haltung und Gebärde treten als Ausdruck der innerlichen Seele in den Mittelpunkt. »Alle Handlungen und Ereignisse bekommen ausschließlich auf der Ebene des individuellen Lebens einen Sinn. Sie drängen sich zwischen Geburt und Tod ein in und desselben individuellen Leibes zusammen.«[43] Die Ich-Erfahrung bleibt, auch wo sie leiblich ist, polarisiert zwischen Geburt und Tod, Jugend und Alter; sie wird beherrscht von der Frage nach der Unsterblichkeit der Seele. Und gerade je weniger die Sublimierungsanstrengung der ästhetischen Autonomie und der idealistischen Philosophie anerkannt wird oder gelingt, desto stärker treten die Reaktionsbildungen der Verzweiflung, des Nihilismus und des Wahnsinns hervor. Die fröhliche Relativität, mit der die Lachkultur Ernst und Komik, Geburt und Tod, Lust und Entsetzen verband, läßt sich nicht einfach erneuern. Die Rettung des Lachens wird in dieser Konstellation einem ungeheuren kulturellen Druck abgerungen. Es verliert an Unverwüstlichkeit und wird selbst ambivalent: »wie ich denn oft bei einer echten ernsten Tragödie brav zu lachen pflege, und im Gegenteile beim guten Possenspiele dann und wann weinen muß« (33). Das reduzierte Lachen wird zum Fluchtort. »Wo gibt es überhaupt ein wirksameres Mittel jedem Hohne der Welt und selbst dem Schicksale Trotz zu bieten, als das Lachen? [...] Was beim Teufel, ist auch diese ganze Erde nebst ihrem empfindsamen Begleiter, dem Monde, anders wert als sie auszulachen – ja sie hat allein darum noch einigen Wert, weil das Lachen auf ihr zu Hause ist. [...] Laßt mir nur das Lachen, mein Lebelang, und ich halte es hier unten aus« (126).

Entspringt das Lachen der Zone der Verzweiflung, so ist es doch das einzige Heilmittel gegen sie; es ist nicht lediglich verzweifelt. Vielmehr führt seine *Ambivalenz* dazu, die drückenden Widersprüche selbst ambivalent zu machen. Dadurch gewinnt es seine subversive Kraft zurück. Ambivalent ist bereits die Hauptfigur des Nachtwächters, in der die Aufklärungsrolle des Satirikers und Narren mit der des isolierten poetischen Ichs verbunden wird. »Ich bin Nachtwächter hier, und zugleich Nachtwandler, wahrscheinlich weil sich beide Funktionen in *einer* Person vorstellen lassen« (24). So erlebt er gleichzeitig die Verzweiflung des Nichts, die Verlockung einsamer Naturerfahrung und den Wunsch nach einem satirischen Weltgericht. Die Rolle des Nachtwächters bietet einen ›bürgerlich-soliden‹ Fluchtort (6), um die Erfahrungen der Poesie, der Satire und der metaphysischen Spekulation machen und, statt ihnen anheimzufallen, im Lachen auffangen zu können. Die Ambivalenz der Motive wird erzähltechnisch durch das Abgehen vom Schema einer kontinuierlichen Geschichte ermöglicht. Alle Motive kehren mehrfach wieder, illustrieren und relativieren sich wechselseitig. Es gibt keine endgültige, ernsthafte Aussage; die Erfahrungen fügen sich nicht in einen teleologischen Lebenssinn. So wird am Anfang die Situation des Künstlers exponiert im Kontrast zwischen Poeten/Satiriker, der klugerweise Nachtwächter geworden ist, und dem verunglückten Poeten, der sich nach einer Absage des Verlegers aufhängt. Diesem Selbstmord korrespondiert einerseits der Selbstmord des Marionettenbühnen-Direktors, andererseits die Selbstmörder-Rolle eines Schauspielers. Dem gescheiterten Poeten korrespondiert zugleich der Dichter, der durchs Plagiieren großer Männer beim Publikum Unsterblichkeit erlangte. Die erstaunliche Kühnheit des Verfahrens des Autors besteht also darin, die Variation der Motive nicht in die Bedeutungshierarchie einer Aussage zu überführen. Hält er (als Nachtwächter) den berühmten Dichter in einer zweideutigen Situation fest, so läßt er (als Autor) ihn durchaus zur sarkastischen Selbsteinsicht gelangen, um dann (als Autor und Nachtwächter) »den Narren« (101) laufen zu lassen. Ebenso wechselnd erscheint er etwa, wenn er den Selbstmord im Falle des Poeten zuerst anerkennend, dann mitleidsvoll aufnimmt, dann wieder (im Falle des Marionettendirektors) höchst lakonisch berichtet oder (im Falle des Schauspielers) einen lächerlichen Rettungsversuch unternimmt, weil er an einen echten Selbstmord glaubt. Teppichhaft verwoben und zugleich kontrastiv changierend durchdringen sich die Motive. Ebenso das Thema der Liebe, das bald als banaler Ehebruch, bald als Treue bis in den Tod, bald als sinnliches Vergnügen, bald als romantischer Bruderzwist – und dieser wiederum als Hanswurstiade wie als Novelle – demonstriert wird. Nicht anders das Thema des Todes, das sowohl als Selbstmord, als juristischer Vollzug, als Königsenthauptung, als atheistische Stärke, als Entsetzen vor dem endgültigen Ende erscheint.

Es dürfte kaum einen Text geben, der derart durch Bedeutungsumkehrungen und -vermischungen geprägt ist wie die *Nachtwachen*. Die eingespielten Grenzen zwischen Gut und Böse, Teufel und Gott, Vernunft und Narrheit werden ständig dementiert. Was immer als definitive Gewißheit der Autoraussage erscheint, bleibt sogleich auf der Strecke – bis auf das Lachen selbst, das als »giftabtreibendes Mittel« dem Zeitalter verordnet wird (146). Denn scheint sich das Lachen zunächst in die absolute Tollheit der Bedeutungsvernichtung zu totalisieren, so bleibt es in einem Punkt doch Mittel: die Subversivität des Komischen wird durch die *Satire* gestärkt und objektiviert. Sie markiert die Etappen im Lebenslauf des Nachtwächters. Bereits in seinen ersten poetischen Versuchen ließ er sich auch zur Satire verleiten, die, von einem Einflußreichen als Pasquill gedeutet, den Autor ins Gefängnis brachte. Wieder freigelassen, schlägt er sich als »Rhapsode« mit Moritatensingen durch, bis er wiederum größere und reale Mordgeschichten des Staats und die Kirche satirisch besingt. Vor Anklage gestellt plädiert er dafür, daß die Richter ihre Verbrechen selbst ausüben mögen, woraufhin er in eine Irrenanstalt gesperrt wird. Als Marionettendirektor verfertigt er wiederum aufrührerische Stücke, so daß sämtliche Marionetten vom Staat konfisziert werden, er aber als Nachtwächter unterkommen kann. Auch als Nachtwächter treibt er satirische Späße, bis er eines Nachts den Hereinbruch des Jüngsten Gerichts verkündet. Die peinlichen Folgen dieses satirischen Einfalls – Reiche und Mächtige fallen in den Staub und beschuldigen sich selbst ihrer Verbrechen – trägt ihm das Verbot ein, Lieder zu singen und sein Horn zu benützen. Er wird zum »stummen Nachtwächter« und schreibt die »Nachtwachen«, in denen er den Lebenslauf episodisch und ohne Chronologie mit erzählt.

Zum komischen Ineinanderumschlagen der poetischen Motive und zur aggressiven Satire auf die Moralität von Herrschaft und Kultur tritt schließlich – freilich weniger ausgeprägt – als weiteres Element der Lachkultur, daß die Tabuisierung ›niederer‹ *leiblicher Vorgänge* nicht eingehalten wird. Die zur metaphysischen Satire gesteigerten Motive der Entlarvung des Leiblichen – Totenkopf, Maske, Affe, Echo – behaupten nicht unangefochten das Feld. Des Autors Liebesglück im Irrenhaus erschöpft sich eben nicht im platonischen Briefwechsel. Um »das dahintersteckende Tier« kennenzulernen (115), schlägt ›Hamlet‹ der ›Ophelia‹ vor: »Laß uns lieben und fortpflanzen und alle die Possen miteinander treiben« (120). Und neben allem Weltekel fühlt sich der Autor zeitweilig »fast human und kleinlaut gegen die Welt gestimmt« (116) und ist »fast glücklich«, ehe er wegen Schwängerung seiner Geliebten aus dem Irrenhaus herausgeworfen wird. Seine eigene Erzeugung wiederum verdankt sich dem Umstand, daß den Eltern bei der Teufelsbeschwörung nicht bang, sondern »warm« zumute wird, so daß der Teufel gerade beim besten Beischlaf erscheint und sein unpassendes Auftreten durch das Angebot der Patenschaft ausgleicht. Die pseudo-teuflische Herkunft gibt dem Autor die Lizenz, zu blasphemieren und den Sublimierungswert der Kultur in Frage zu stellen. So veranschaulicht er die zeitgenössische Antikeverehrung im satirischen Bild eines Kunstbegeisterten, der vergeblich die Mediceische Venus zu erklimmen sucht, und verwarnt diesen: »Der göttliche Hintere liegt Ihnen zu hoch, und Sie kommen bei Ihrer kurzen Gestalt nicht hinauf, ohne sich den Hals zu brechen! [...] Ach, man soll die alten Götter wieder begraben! Küssen Sie den Hintern, junger Mann, küssen Sie, und damit gut!« (108 f.). Verweist die obszöne Wendung darauf, wie armselig sich der verinnerlichte Kunstgenuß vor den wirklichen Dimensionen der Antike ausnimmt, so gilt dem Autor überhaupt die Erinnerung an leibliche Vorgänge als Remedium. Statt am Zustand der Welt zu verzweifeln, empfehle es sich, sie vom Standpunkt des Magens zu betrachten: »an allem was je Großes und Vortreffliches in der Welt geschah, ist meistenteils der Magen schuld. [...] Welche weise Einrichtung des Staates dahero, die Bürger – wie die Hunde, die man zu Künstlern ausbilden will – periodisch hungern zu lassen! Für eine Mahlzeit schlagen die Dichter wie die Nachtigallen, bilden die Philosophen Systeme, richten die Richter, heilen die Ärzte, heulen die Pfaffen, hämmern, klopfen, zimmern, ackern die Arbeiter, und der Staat frißt sich zur höchsten Kultur hinauf« (103 f.). Mißtrauen gegenüber einer Kultur, die den Höhenflug des Gedankens und der Seele an die Stelle der Wirklichkeit setzen will, ist am Platze. Um ihrem Schwindel nicht zu verfallen, macht der Autor es sich zur Gewohnheit, »in der Nähe erhabener Gegenstände Nebengeschäfte zu betreiben, z. B. [...] während der Katastrophe einer Tragödie Makkaroni zu speisen [...]« (125).

Bonaventuras *Nachtwachen* sind nichts weniger als ein frühes Dokument nihilistischer Weltverzweiflung, denn vielmehr eines der Fortexistenz der verdrängten Lachkultur. Ihr verdankt dieser Text die bis heute wirksame Wildheit und Frische: Revolte gegen das Opfer an Sinnlichkeit und Gesellschaftskritik, das der Kult des Schönen Scheins und das klassisch-humanistische Maß verlangten. Solchen Text (oder anders einen Roman Jean Pauls) zu lesen erfordert ein Abrücken von literaturwissenschaftlichen Leitvorstellungen, die der Autonomiekonzeption entstammen. Denn die hervorgehobenen Aspekte – Bedeutungsnegation, Satire, Leiblichkeit – können sich überhaupt nur aufgrund einer besonderen, *paradigmatischen Schreibweise* entfalten. Die Abgerissenheit der epischen Sukzession, die Montage verschiedener Textarten, der große Anteil räsonierender und rhetorischer Passagen dementieren das syntagmatisch geschlossene Werkmodell. Während letzteres die organische Verknüpfung der Teile zu einem Sinnzentrum verlangt und die innere Verlaufsfigur eines Geschehens, eines Prozesses entfaltet, werden hier Episoden,

Motive, Aussagen in assoziativer Kontingenz gereiht, ohne gleichwohl beliebig zu werden. Vielmehr sprengt der offene Text die der Realität und dem Ich übergestülpten Normativitätsschemata und konstituiert eine kritische Subjektivität, wie sie erst die Technik der Heineschen Reisebilder aufnimmt und fortführt. Der ›Rückschritt‹ gegenüber der Romanform[44] erweist sich als avanciertes Verfahren.

Anmerkungen

Indem die vorliegende Skizze an die Verdrängung des Komischen und der Satire erinnert, lenkt sie den Blick auf die verdeckte Seite des Autonomisierungsprozesses und dessen Kanonisierung in der Germanistik, deren Interpretationen (Satire als autonome Gattung, Abschnitt I; epischer Humor als höhere Form, Abschnitt II; grotesker Humor als Ausdruck der Entfremdung, Abschnitt III) die Autonomiedoktrin nicht kritisch erkennen, sondern nachträglich festschreiben.

1 Friedrich Nietzsche: Werke. Hrsg. von Karl Schlechta. München 1956. Bd. 3. S. 1352 (aufgenommen in Bretons »Anthologie de l'humour noir«).
2 Friedrich Schiller: Sämtliche Werke. Hrsg. von Gerhard Fricke und Herbert Georg Göpfert. München ⁴1967. Bd. 5. S. 539.
3 Michail Bachtin: Literatur und Karneval. Zur Romantheorie und Lachkultur. München 1969. S. 33.
4 Ebd., S. 17.
5 Ebd., S. 33.
6 Ebd., S. 32.
7 Arthur Schopenhauer: Sämtliche Werke. Hrsg. von Arthur Hübscher. Die Welt als Wille und Vorstellung. Bd. 2. Wiesbaden 1972. S. 107f.
8 Ebd., S. 108.
9 Ebd.
10 Ebd.
11 Sigmund Freud: Der Witz und seine Beziehung zum Unbewußten. In: Studienausgabe. Hrsg. von Alexander Mitscherlich, Angela Richards, James Strachey. Frankfurt a. M. 1970. Bd. 4. S. 9–219. Ders.: Der Humor. Ebd., S. 275–282.
12 Schiller (Anm. 2). S. 535.
13 Ebd., S. 640.
14 Ebd., S. 722.
15 Ebd.
16 Ebd., S. 723.
17 Klaus Lazarowicz: Verkehrte Welt. Vorstudien zu einer Geschichte der deutschen Satire. Tübingen 1963. – Lazarowicz faßt die Satire als Gattung autonomer, zweckloser Kunst, wie sie sich im 18. Jh. herausgebildet habe und bei Schiller und Goethe dann vorbildlich begriffen werde.
18 Ebd., S. 244.
19 Schiller (Anm. 2). S. 751.
20 Georg Wilhelm Friedrich Hegel: Ästhetik. Hrsg. von Friedrich Bassenge. Frankfurt a. M. o. J. [1966]. Bd. 1. S. 493.
21 Ebd., S. 494. – Aus der historischen Fixierung der Gattung zieht er die Konsequenz: »Heutigentags wollen keine Satiren mehr gelingen« (ebd., S. 497).
22 Johann Gottfried Herder: Sämtliche Werke. Hrsg. von Bernhard Suphan. Berlin 1886. Bd. 24. S. 195.
23 Ebd.

24 Ebd., S. 196.
25 Hegel (Anm. 20). Bd. 2. S. 585.
26 Ebd., S. 374.
27 Kurt Wölfel: Epische Welt und satirische Welt. Zur Technik des satirischen Erzählens. In: Wirkendes Wort 10 (1960) S. 85–98; Jörg Schönert: Roman und Satire im 18. Jahrhundert. Ein Beitrag zur Poetik. Stuttgart 1969; Maria Tronskaja: Die deutsche Prosasatire der Aufklärung. Berlin 1969.
28 Schönert (Anm. 27). S. 49.
29 Wolfgang Preisendanz: Humor als dichterische Einbildungskraft. Studien zur Erzählkunst des poetischen Realismus. München 1963.
30 Hegel (Anm. 20). Bd. 2. S. 552.
31 Ebd.
32 Ebd., S. 571.
33 Schopenhauer (Anm. 7). S. 111.
34 Ebd., S. 110. Materialien zur Wortgeschichte bei Wolfgang Schmidt-Hidding u. a.: Humor und Witz. München 1963. – Über die Depravierung des Humors zur versöhnlichen Weltanschauung unterrichtet Georgina Baum: Humor und Satire in der bürgerlichen Ästhetik. Zur Kritik ihres apologetischen Charakters. Berlin 1959.
35 Hegel (Anm. 20). Bd. 1. S. 569.
36 Ebd., S. 170 (vgl. S. 571 f.).
37 Max Kommerell: Jean Paul. Frankfurt a. M. ⁴1966. S. 279.
38 Jean Paul: Vorschule der Ästhetik (bes. das 6., 7., und 9. Programm). In: J. P., Werke. Hrsg. von Norbert Miller. München 1963. Bd. 5.
39 Neben Kommerell (Anm. 37), der der Legende vom gutmütigen Humoristen Jean Paul das Ende bereitete, vor allem Wolfgang Kayser: Das Groteske in Malerei und Dichtung. Reinbek bei Hamburg 1960.
40 Burkhardt Lindner: Jean Paul. Scheiternde Aufklärung und Autorrolle. Darmstadt 1976; ders., Autonomisierung der Literatur als Kunst, klassisches Werkmodell und auktoriale Schreibweise. In: Jahrbuch der Jean-Paul-Gesellschaft 10 (1975) S. 85–107.
41 Außer Kayser (Anm. 39) insbesondere: Dorothee Sölle-Nipperdey: Untersuchungen zur Struktur der Nachtwachen von Bonaventura. Göttingen 1959.
42 Als Verfasser der 1804 pseudonym und entlegen publizierten Schrift hat Jost Schillemeit kürzlich Ernst August Friedrich Klingemann (1777–1831) identifiziert, vgl. J. S.: Bonaventura. Der Verfasser der ›Nachtwachen‹. München 1973. – Ich zitiere nach der Ausgabe von Wolfgang Paulsen, Stuttgart 1964, da hier auch Klingemanns Ankündigung »Des Teufels Taschenbuch« mit enthalten ist. Die Seitenbelege folgen direkt nach dem Zitat.
43 Bachtin (Anm. 3). S. 22.
44 Nachtwachen (Anm. 42). S. 48: »Was gäbe ich doch darum, so recht zusammenhängend und schlechtweg erzählen zu können, wie andre ehrliche protestantische Dichter und Zeitschriftsteller, die groß und herrlich dabei werden, und für ihre goldenen Ideen goldene Realitäten eintauschen.«

Literaturhinweise

Die in den Anmerkungen zitierten Arbeiten bleiben unberücksichtigt.

Zur Autonomiediskussion

Bürger, Peter: Theorie der Avantgarde. Frankfurt a. M. 1974.
Müller, Michael u. a.: Autonomie der Kunst. Zur Genese und Kritik einer bürgerlichen Kategorie. Frankfurt a. M. 1972.
Müller-Seidel, Walter (Hrsg.): Historizität in Sprach- und Literaturwissenschaft. Vorträge und Berichte der Stuttgarter Germanistentagung 1972. München 1974. S. 563–616.

Zum Komischen

Brummack, Jürgen: Zu Begriff und Theorie der Satire. In: Deutsche Vierteljahrsschrift für Literaturwissenschaft und Geistesgeschichte. Sonderheft Forschungsreferate 1971, S. 275–377.
Plessner, Helmuth: Philosophische Anthropologie. Frankfurt a. M. 1970.
Rommel, Otto: Die wissenschaftlichen Bemühungen um die Analyse des Komischen. In: Deutsche Vierteljahrsschrift für Literaturwissenschaft und Geistesgeschichte 21 (1943) S. 161–195.

FRANZ NORBERT MENNEMEIER

Klassizität und Progressivität.
Zu einigen Aspekten der Poetik des jungen Friedrich Schlegel

In seinem Aufsatz *Georg Forster. Fragment einer Charakteristik der deutschen Klassiker* umreißt Schlegel 1797 ein zentrales poetologisches Problem seiner und nicht nur seiner Zeit: »Es soll Philosophen geben, welche glauben: wir wüßten noch gar nicht, was Poesie eigentlich sei. Dann könnten wir auch durchaus gar nicht wissen, was *Prosa* ist: denn Prosa und Poesie sind so unzertrennliche Gegensätze, wie Leib und Seele. Vielleicht auch nicht, was *klassisch*. Und jenes unbesonnene Todesurteil über den Genius der deutschen Prosa«, die Behauptung nämlich: »*Wir hätten keine klassischen Schriftsteller, wenigstens nicht in Prosa*«, »wäre also um vieles zu voreilig«.[1]

Die literaturtheoretische Reflexion Friedrich Schlegels, die von seiner »produzierenden« Literaturkritik prinzipiell nicht zu trennen ist – einer »Kritik, die nicht so wohl der Kommentar einer schon vorhandnen, vollendeten, verblühten, sondern vielmehr das Organon einer noch zu vollendenden, zu bildenden, ja anzufangenden Literatur«[2] sein wollte –, führte von der in der Forster-Charakteristik bezeichneten Fragestellung zu einer neuen Definition des Klassischen ebenso wie zu dem Konzept eines »gesellschaftlichen Schriftstellers«[3] und trieb in den folgenden Jahren rasch weiter zu Idee und Programm der »romantischen« Poesie bzw. – wie Schlegel sinngleich sagt – »Roman«-Poesie. Das berühmte *Athenäum-Fragment 116*[4] bestimmt die »romantische Poesie« herausfordernd als die »progressive Universalpoesie«. Sowohl der Begriff des Klassischen als auch der des Gesellschaftlichen sind in dem Manifest von 1798 bewahrt: Durch ihre allseitige Bildungsfähigkeit, heißt es hier, wird der romantischen Poesie »die Aussicht auf eine grenzenlos wachsende Klassizität eröffnet«, und ferner: Es ist ihre Bestimmung, »die Poesie lebendig und gesellig, und das Leben und die Gesellschaft poetisch [zu] machen«.

Zugleich unternahm Schlegel in ebendieser Phase den Versuch, die für ihn zum Problem gewordene Beziehung zwischen »Poesie« und »Prosa« durch eine transzendentale Reflexion theoretisch neu zu begründen. Nicht zuletzt aus ebendieser Reflexion, die hinter die herkömmliche Poesie-Prosa-Dichotomie zurückgriff, gewann die frühromantische Literaturrevolution einen Teil ihres poetologischen und schriftstellerisch-praktischen Elans und ihrer literaturgeschichtlichen Explosivkraft.[5] Stets aber entdeckt man im Hintergrund aller einschlägigen Bemühungen das wie immer gedeutete oder umgedeutete Phänomen des modernen Prosaschriftstellers – entsprechend der Feststellung, die Friedrich Schlegel, hier allerdings gegen die eigene Einsicht in die Irreversibilität einer epochalen Entwicklung noch revoltierend, bereits in dem Aufsatz *Über das Studium der griechischen Poesie* (geschrieben 1795) getroffen hatte: »Prosa ist die eigentliche Natur der Modernen«.[6]

Ein Vorspiel der frühromantischen Diskussion über den modernen Prosaschriftsteller fand in Goethes Essay *Literarischer Sansculottismus*[7] von 1795 statt. So einfach der Aufsatz scheint – er verweist nachdrücklich auf den mit dem Thema verknüpften konkreten gesellschaftlich-politischen Aspekt und auf das entsprechende komplizierte literatursoziologische Methodenproblem, das sich hier stellt.

Zunächst: Goethe wehrt, wie bereits das pejorativ gemeinte Reizwort des Aufsatztitels andeutet, eine radikal abwertende Kritik an der zeitgenössischen Literatur, insbesondere an »Prosa und Beredsamkeit der Deutschen«, ab. Überzeugt, »daß kein deutscher Autor sich selbst für klassisch hält«, verteidigt er den zumindest relativen Rang der deutschen (Prosa-)Literatur. – Solches Argumentieren steht mehr oder minder noch in der Tradition der ›Querelle‹. Goethe, obwohl durchaus eine Art reformistischen Optimismus im Feld der Literaturkritik behauptend, nimmt die Position eines ›Ancien‹ ein, und indem er die Frage stellt und beantwortet »Wann und wo entsteht ein klassischer Nationalautor?«, rückt er dem Leser zugleich die ungünstigen »Umstände« vor das Bewußtsein, »unter denen die besten Deutschen dieses Jahrhunderts gearbeitet haben«.

Goethes Ausführungen liegt die – übrigens auch von Schlegel oft ausgesprochene – Überzeugung zugrunde, daß eine klassische Literatur und eine freie, republikanische Gesellschaft zusammengehörten, daß jene in der geschichtlich rückständigen deutschen Gesellschaft ohne eine Revolution nicht zu haben sei. Aber ebendiese Einsicht führt bei Goethe zu der Schlußfolgerung: »Wir wollen die Umwälzungen nicht wünschen, die in Deutschland klassische Werke vorbereiten könnten.« Die Möglichkeit einer revolutionären Veränderung der deutschen Verhältnisse erscheint in diesem lapidaren Goethe-Satz als offenbar unerträgliche Katastrophe; der Verzicht auf eine wahrhaft klassische deutsche Literatur gilt als geringeres Übel, das sich verkraften läßt.

Der Rückblick auf die gedämpft hoffnungsvolle, eine überaus realistische Haltung bekundende knappe Abhandlung Goethes hat den methodischen Vorzug, das Dilemma zu verdeutlichen, in das die zum Teil stürmischen Versuche des jungen Friedrich Schlegel geraten mußten, den Begriff eines klassischen deutschen (Prosa-) Schriftstellers, gewissermaßen Goethe zum Trotz, als einen gleichwohl aktuellen, positiven Begriff zu entwickeln, den Begriff nicht nur eines klassischen, sondern auch eines gesellschaftlichen, nicht nur eines gesellschaftlichen, sondern auch eines progressiven, ja revolutionären Schriftstellers aufzustellen.

Denn fraglos war die konkrete politische Einschätzung der deutschen Lage seitens Friedrich Schlegels[8] wie fast der gesamten Frühromantik von der Position Goethes kaum oder gar nicht unterschieden – ein Faktum, dessen Bedeutung durch gewisse Tendenzen der allerneuesten Klassik-Romantik-Forschung, die darauf abzielen, in rückwärtsgekehrter Prophetie allenthalben Bekundungen des revolutionären Geschichtsprinzips zu entdecken, manchmal verkleinert zu werden pflegt. Die Zurückweisung des Gedankens einer deutschen Revolution im Sinn einer aktuellen, die gesellschaftlichen Grundstrukturen angreifenden Veränderung war bereits wenige Jahre nach dem Ausbruch der Französischen Revolution auch unter den jüngeren der geistig führenden deutschen Intellektuellen so allgemein und fast selbstverständlich, daß man ihn kaum ernsthaft öffentlich diskutierte, und dies keineswegs etwa aus Angst vor staatlicher Zensur, die damals noch nicht die penetrante, alles erstickende Gewalt wie unter dem späteren, Metternichschen System besaß.[9]

Noch schärfer läßt sich das handfeste gesellschaftliche Dilemma, mit dem das Konzept eines »progressiven« Prosaschriftstellers im damaligen Deutschland seinen Urheber konfrontieren mußte, in den Blick heben, wenn man nicht nur auf Goethe und seine Betrachtung des Themas, sondern auf den Autor zurückgreift, dessen Schriften Schlegel 1797 als das Modell eines klassischen Autors, vorbildlich für die zu entwikkelnde deutsche Prosaliteratur, hinstellte und der der Anlaß für sein *Fragment einer Charakteristik der deutschen Klassiker* war: Georg Forster (1754–94).

Forster, der als führendes Mitglied des Mainzer Klubs die Sache der Revolution zu seiner eigenen gemacht hatte und dieses politische Engagement mit der Zerstörung seiner bürgerlichen Existenz bezahlen mußte (er starb völlig isoliert, jedoch – trotz Anfechtungen – an seinem revolutionären ›Glauben‹ keineswegs verzweifelnd, im Pariser Exil) – selbst Forster war weit davon entfernt, den Deutschen eine buchstäbliche Nachahmung der Französischen Revolution zu empfehlen. Vielmehr plädierte er für die organische Anwendung der mit der Revolution gemachten Erfahrungen; es war sein »Wunsch«, »daß [...] ein reiner Gewinn für Deutschland, oder warum nicht lieber gleich für das ganze Menschengeschlecht, durch die richtigere Beurtheilung und die darnach unausbleibliche Benutzung unserer Revolution erwachsen möge«.[10]
»Diese frühzeitigen Regungen des Freiheitsgeistes [in Mainz], und insbesondere die Hoffnung, auf deutschem Boden die fränkischen Grundsätze der Volksregierungen fortzupflanzen, schienen in manchem Betracht nicht nur voreilig, sondern auch sogar der Begründung eines Systems, welches dem wahren Interesse der Menschheit angemessen wäre, hinderlich zu sein. Deutschlands Lage, der Charakter seiner Einwohner, der Grad und die Eigenthümlichkeit ihrer Bildung, die Mischung der Verfassungen und Gesetzgebungen, kurz seine physischen, sittlichen und politischen Verhältnisse, haben ihm eine langsame, stufenweise Vervollkommnung und Reife vorbehalten; es soll durch die Fehler und Leiden seiner Nachbaren klug werden und vielleicht von oben herab eine Freiheit allmälig nachgelassen bekommen, die Andere von unten gewaltsam und auf einmal an sich reißen müssen.«[11]
Forster gehört auch deshalb in den Kontext einer Erörterung des Problems eines progressiven gesellschaftlichen Prosaschriftstellers im Deutschland jener Zeit, weil kaum ein Autor so genau wie er das Phänomen der »öffentlichen Meinung« erkannt und als eine der zentralen ideellen Voraussetzungen einer materiellen revolutionären Veränderung beschrieben hat. »Die öffentliche Meinung [...], und ihre Einflüsse«, heißt es in *Parisische Umrisse*, »sind Dinge, wovon man vor der jetzigen Revolution keinen richtigen, wenigstens keinen vollständigen, Begriff gehabt haben mag«. Diese »öffentliche Meinung«, »das Werkzeug der Revolution, und zugleich ihre Seele«, jedoch gibt es in Deutschland noch nicht, *»es kann keine geben, wenn das Volk nicht zugleich losgelassen wird«*, und Forster setzt hinzu, hier ganz übereinstimmend mit Goethe und dessen Satz »Wir wollen die Umwälzungen nicht wünschen, die in Deutschland klassische Werke vorbereiten könnten«: »Es [das Volk] dort loslassen, diese ungemessene, unberechnete Kraft auch in Deutschland in Bewegung setzen: das könnte jetzt nur der Feind des Menschengeschlechtes wünschen.«[12]
Forsters Beschreibungen und Analysen lassen, wie die zitierten Äußerungen schon zeigen, ein deutliches Bewußtsein von jener zirkelhaften Logik republikanischer Aktivitäten erkennen, die darin besteht, daß eine freiheitliche »öffentliche Meinung« eine der Grundbedingungen für die Prozesse universeller materieller Gesellschaftsveränderung ist, ohne die jene »öffentliche Meinung« ihrerseits weder eigentlich ent-

stehen noch befestigt werden kann. Mit anderen Worten: Forster hat das soziologische Paradoxon erkannt oder vielmehr am eigenen Leib erfahren, daß ein progressiver gesellschaftlicher Schriftsteller bereits die »öffentliche Meinung« braucht, um an deren Entwicklung mitwirken zu können, und daß er sie, ferner, nur zu erzeugen imstande ist, wenn er Ziele und Inhalte einer materiellen Gesellschaftsveränderung mit reflektiert, ohne die die hier in Frage stehende »öffentliche Meinung« sich nicht durchsetzen kann.

Ebendieses gesellschaftliche Paradoxon, das sich in der Schärfe wahrscheinlich erst mit der modernen, das Phänomen Masse ins Spiel bringenden Geschichte darstellt, ist Schlegel offenbar nicht in gleicher Weise wie Forster bewußt gewesen. Das deutet sich in der Georg-Forster-Charakteristik selbst an: Schlegel plädiert einerseits für die Schaffung von Prosaschriften als einem literarischen Medium, das mehr als »eigentlich künstlerische Schriften«[13] geeignet sei, den »Mittelstand, den gesundesten Teil der Nation«[14], anzusprechen und die vom Autor vermißte freiheitliche öffentliche Meinung in Deutschland herzustellen. Andererseits aber bestimmt Schlegel den entscheidenden Inhalt solcher Prosaschriften mit eher realitätsenthobenen Wendungen wie »Geist gesetzlicher Freiheit«[15], »Streben nach dem Unendlichen«, »echte Sittlichkeit«[16] usw. und läßt damit erkennen, daß er die für seine Hermeneutik zentrale, ein Kantisches Denkmotiv verarbeitende Maxime des »Studium[s], d. h. uninteressierte[r], freie[r], durch kein bestimmtes Bedürfnis, durch keinen bestimmten Zweck beschränkte[r] Betrachtung und Untersuchung, wodurch allein der Geist eines Autors ergriffen und ein Urteil über ihn hervorgebracht werden kann«[17], auch auf den von ihm gezeichneten Umriß des Begriffs eines gesellschaftlichen Schriftstellers anzuwenden gedacht.

Infolgedessen weist Schlegels Konzept die in puncto ›eingreifender‹ gesellschaftlicher Praxis konstitutionelle Schwäche auf, daß es die Möglichkeit, bei konkreten materiellen ›Interessen‹ des »Mittelstandes« anzusetzen und damit der herbeigewünschten öffentlichen Meinung ein Fundament in der Realität zu verleihen, eher behindern als erleichtern mußte. Die in den Nuancen äußerst sensible und zutreffende Darstellung des Forsterschen schriftstellerischen Charakters, die gleichwohl ein wesentliches Moment verfehlt, nämlich die gründliche Diskussion der Beziehung dieses Charakters und seines Schicksals zur zeitgenössischen politischen Wirklichkeit, ferner die den Deutschen damals wie heute höchst nötige Beschwörung einer liberalen, urbanen Denkens- und Verhaltensweise, diese ins Forster-Lob allenthalben eingeschlossene nationale Polemik, die sich gegen die Kalamitäten der teils gelehrtenhaft-gravitätischen, teils rohen und verklemmten »öffentlichen Sitten«[18] in Deutschland richtet – alle diese Positiva des Forster-Aufsatzes können nicht die einfache Tatsache vergessen lassen, daß der junge Kritiker hier mit seinem beredt vorgetragenen Ideal eines progressiven gesellschaftlichen Schriftstellers im Grunde lediglich seine eigene Feinsinnigkeit, sie verdoppelnd und überhöhend, beschreibt.

Ja, wie ein Wasserzeichen eingeprägt in den Text dieser schönen Utopie eines gleichsam geistgezeugten Republikanismus offenbart sich andeutungsweise schon jene Vision menschlichen Zusammenlebens, die der spätere Schlegel mit religiösen Vorstellungen wie denen der Kirche und der Gemeinschaft der Gläubigen umschreiben wird. Es ist eine spiritualistische Vision, weit entfernt von jener dem Materiellen entstammenden und auf materielle Veränderung gerichteten, darum aber nicht auch schon niederen Hoffnung, die Forster in einem enthusiastisch-hellsichtigen, spekulativen Geschichtsaugenblick als sittlich-gesellschaftliches Ursprungsmotiv der Französischen Revolution, als die »letzte und mächtigste Wirkung der Revolution und der ihr inwohnenden Kraft der öffentlichen Meinung« erkannte: daß sie »der Habsucht, der Gewinnsucht, dem Geize, mit einem Worte, der ärgsten Knechtschaft, zu welcher der Mensch hinabsinken konnte, der Abhängigkeit von leblosen Dingen, einen tödtlichen Streich versetzt« hat.[19]

Für die richtige Beurteilung des Begriffs eines progressiven Prosaschriftstellers, wie er den Theorie-Fragmenten und der literarischen Praxis Schlegels zugrunde liegt, und für die eigentümliche Art, in der dieser Begriff sich weiterhin ›entwickelte‹, ist ein auf ersten Blick nicht ins Auge fallender Umstand zu berücksichtigen: das Schwanken Schlegels zwischen einer optimistischen und einer pessimistischen Einschätzung sowohl der geschichtlichen Situation des damaligen Deutschland als auch der Möglichkeiten empirischer Geschichte überhaupt. Jenes Schwanken ist grundverschieden von dem Hin- und Hergerissensein, das Forsters Bewußtsein angesichts der Greuel des ›Terreur‹ in Paris durchlitt. Recht eigentlich der Schauplatz dieses inneren Forsterschen Dramas war ein unzerstörbarer, geschichtsimmanent fundierter, insofern echt republikanischer Optimismus. In Schlegels Frühwerk dagegen, dessen Oberflächenstrukturen eine euphorische, chiliastisch getönte Geschichtshoffnung allerdings häufig erkennen lassen, ist, schaut man genauer hin, der Zusammenhang zwischen jenen ›inhaltlich‹ konträren, einander wechselseitig bedingenden und potenzierenden optimistischen und pessimistischen Impulsen allenthalben wahrzunehmen. Er muß vom Interpreten nicht psychologisierend hypostasiert, kann vielmehr mit zahlreichen Stellen semantisch präzis belegt werden; und es dürfte keine Frage sein, daß sich in dieser Tiefenstruktur der Schlegelschen Frühschriften eine möglicherweise geradezu als ambivalent charakterisierbare Haltung ausprägt, die durch das speziell deutsche Gesellschaftsmanko einer fehlenden »öffentlichen Meinung« (im Forsterschen, ›republikanischen‹ Sinn) leicht motiviert werden konnte, sich zu jenem heftigen, Geschichte und empirische Realität transzendierenden sehnsuchtsvollen Streben zu ›verdeutlichen‹, das, noch im poetologischen Kontext, der vielsagenden Begeisterung einer frühen Sophokles-Charakteristik zu entnehmen war, in der es heißt: »Mit Zaubermacht entrückt seine [Sophokles'] Dichtung die Geister ihren Sitzen und versetzt sie in eine höhere Welt.«[20]

Zwei Abschnitte aus dem rhapsodisch positiv sich gebenden, aber bereits eine individualistische Lösung anstrebenden Aufsatz *Über die Philosophie* von 1799 seien stellvertretend für zahlreiche ähnliche Äußerungen des jungen Friedrich Schlegel zitiert, die dessen weitgehend negative, entmutigte Ansicht der konkreten (deutschen) gesellschaftlichen Realität widerspiegeln.

Da klagt der Verfasser in jener Schrift, die sich quasi dialogisch intim »An Dorothea« wendet: »[...] es geht alles in der einfachsten Ordnung zu, und ist sogar im beständigen Fortschreiten. Der häusliche Mensch bildet sich nach der Herde, wo er eben gefüttert wird, und besonders nach dem göttlichen Hirten; wenn er reif wird, so pflanzt er sich an, und tut Verzicht auf den törichten Wunsch, sich frei zu bewegen, bis er endlich versteinert, wo er denn oft noch auf seine alten Tage als Karikatur in bunten Farben zu spielen anfängt. Der bürgerliche Mensch wird zuvörderst freilich nicht ohne Mühe und Not zur Maschine gezimmert und gedrechselt. Er hat sein Glück gemacht, wenn er nun auch eine Zahl in der politischen Summe geworden ist, und er kann in jeder Rücksicht vollendet heißen, wenn er sich zuletzt aus einer menschlichen Person in eine *Figur* verwandelt hat. Wie die Einzelnen, so die Masse. Sie nähren sich, heiraten, zeugen Kinder, werden alt, und hinterlassen Kinder, die wieder eben so leben, und eben solche Kinder hinterlassen, und so ins Unendliche fort.«[21]

Was hier als abstrakt-pessimistisch formulierter Ausblick auf einen unendlichen negativen Reproduktionsprozeß der »bürgerlichen« Sozietät erscheint, begründet sich im zweiten Textstück einigermaßen konkret mit Rücksicht auf den Widerspruch einer Gesellschaft, die eben das nicht ist, was der Name eigentlich bedeutet. Schlegel ermuntert hier die Freundin wie überhaupt die Frauen – ein emanzipatorischer, aber zugleich auch, in seiner klassentranszendierenden Vagheit, eskapistischer Aspekt romantischer Gesellschafts›theorie‹ –, den von ihm beschworenen »allgemeinen Weltgeist« »durch Umgang mit sich selbst, und mit Freunden, die dasselbe wollen«, »an[zu]beten« und zu entwickeln, und er fährt fort: »Gern setzte ich auch noch die *Gesellschaft* hinzu, die den Geist biegsam, und den Witz leicht erhält, wenn sie nur nicht so gar selten wäre, daß man kaum auf sie rechnen darf. Wollen wir nur das Gesellschaft nennen, wenn mehrere Menschen beisammen sind: so weiß ich kaum, wo wir sie finden werden. Denn gewiß ist das gewöhnliche Beisammensein ein wahres Alleinsein, und alles andre pflegen die Menschen eher zu sein, nur keine Menschen. Ich will Dir selbst zu bestimmen überlassen, wie klein eine Anzahl von Personen sein darf, welche nach diesem Maßstabe schon den Namen einer verhältnismäßig sehr großen Gesellschaft verdienen können, und wie viel sie wert sei? Denn Geselligkeit ist das wahre Element für alle Bildung, die den ganzen Menschen zum Ziele hat […]«.[22]

Das im allgemeinen sehr ausgeprägte Bewußtsein der Frühromantiker von der dialektischen Spannung zwischen esoterischer und exoterischer Form als Bedingung jeder substantiellen öffentlichen Mitteilung und als Voraussetzung wahrhafter »Popularität«[23] deutet sich an dieser – auf die Lösung des Problems fast schon resignierenden – Stelle wie an vielen anderen[24] des Schlegelschen Frühwerks an. (Später, nach der Hinwendung zu Restauration und Spiritualismus, wird dieses Bewußtsein Schlegels vollends seine Intensität einbüßen bzw., wenn man so will, sich bis zur Unfruchtbarkeit verschärfen; dort legt der gesellschaftliche Autor F. Schlegel – einem Wort seines Bruders August Wilhelm zufolge – nicht zufällig »conciliatorische Filzschuhe« an.) Zugleich tritt in jenen Bemerkungen des *Philosophie*-Aufsatzes die Crux einer auf kulturelle gesellschaftsverändernde Praxis abzielenden Schriftstellerei hervor, die die Kluft zwischen den schmerzhaft einander entgegengesetzten gesellschaftlichen Bereichen nicht-republikanischer Öffentlichkeit durch einen gewissermaßen von Haus aus esoterischen, verschwiegenen Inhalt meinte überwinden zu können: durch einen schon hier, 1799, religiös gefärbten Begriff »allgemeinen Weltgeistes«.

Zahlreiche äußere und innere Umstände der Produktion wirkten so zusammen, um die politische Effektivität des Schlegelschen Konzepts eines gesellschaftlichen Schriftstellers zu neutralisieren. Auch die eigene literarische Tätigkeit des jungen Schlegel nahm im ganzen eine Richtung zum ideenhaft Abstrakten. Was er schrieb, besaß und besitzt manchmal etwas von jener spezifischen »Stubenluft« geisteswissenschaftlicher Gelehrsamkeit, deren Abwesenheit Schlegel an den Schriften des einstigen Weltumseglers Forster mit freudiger Zustimmung konstatierte.[25] Allein der Vergleich der Schlegelschen Fragmente mit den Epigrammen des Franzosen Chamfort, durch deren Form jene mit inspiriert wurden, ist in diesem Zusammenhang lehrreich – weniger wegen des Unterschieds der literarischen Charaktere als wegen der hier sich spiegelnden verschiedenartigen gesellschaftlichen Lebensformen. Manche Schlegel-Fragmente sind aller angestrebten provokanten »Urbanität« zum Trotz wegen des Fehlens einer kongenialen »öffentlichen Meinung« doch nur philologische und philosophische »Grotesken«[26] geworden (um eine polemische Vokabel des Autors auf ihn selbst anzuwenden).

Doch wäre es abwegig, wollte man dem gesellschaftlichen Schriftsteller Schlegel wegen der epoche- und situationsbedingten Mängel und Grenzen seines Schaffens rückblickend den Prozeß machen. Der schriftstellerische Rang des jungen Schlegel, der in gewisser Weise ein völlig neues Literaturgenre schuf, sollte unangetastet bleiben. In den Fragmenten und Fragmentsammlungen, in den kunstvoll arabeskenhaft strukturierten Literaturgesprächen, in dem Aufsatz *Über die Unverständlichkeit*, nicht zu vergessen den Roman *Lucinde*, triumphiert, ungeachtet der erwähnten Einschränkungen, durchweg eine in deutscher Literatur seltene Kunst der »Ironie« und des »Witzes« – zwei Begriffe Schlegels, die ebenso komplex sind wie die Sache, die sie bezeichnen, und deren genaue Unterscheidung zu einem besonders verzwickten Geschäft der Schlegel-Forschung geworden ist.

Bis heute haben die Deutschen Schlegel die »Ironie« und den »Witz« nicht ganz verziehen – ironischerweise aus Ursachen, um deren Abschaffung willen eben jene Mitteilungsformen erfunden worden waren. Bei den mit »Witz« und »Ironie« produzierten literarischen Gebilden Schlegels handelt es sich nicht nur, aber ganz wesentlich auch um gesellschaftlich-gesellige Experimente eines Autors, der sich auf sich selbst und einige Gleichgesinnte zurückgeworfen fand und gleichwohl für seine ›Botschaft‹, mehr noch vielleicht für die logische und sprachliche Form, die jene »symbolisch reflektiert«,[27] öffentliche Resonanz erzwingen wollte. Insbesondere die Literaturgespräche in ihrer fesselnden intellektuellen Brillanz, ihrem schriftlich erzeugten Schein von Spontaneität[28] erweisen sich als ein – aus der gesellschaftlichen Lage Deutschlands im allgemeinen und den Verkehrsformen der deutschen ›Gelehrtenrepublik‹ im besonderen erklärbarer – öffentlich subversiver Akt, der den Zweck verfolgte, durch rhetorisch-mimisches Vorspielen einer ›zukünftigen‹ Form liberaler, humorvoll-toleranter und eben deshalb wahrhaft wissenschaftlicher Geselligkeit ähnliche kommunikative Handlungen beim ›gebildeten‹ Publikum zu erzeugen. Diese Wirkungsabsicht war für Schlegel zum Teil wichtiger als die Mitteilung der bloßen Inhalte selbst – ein Aspekt, der für den »Ironie«-»Witz«-Komplex konstitutiv ist.

In der impliziten und expliziten Reflexion auf solche – zugegeben – partiell formal bleibenden kommunikationstheoretischen Strukturen, die durch ihren Mangel an materiellem Inhalt um den wirklich durchschlagenden gesellschaftlichen Erfolg gebracht wurden, gründet die noch heute aktuelle methodologische Progressivität der schriftstellerischen Verfahren und der Theorie-Entwürfe des jungen Friedrich Schlegel. Die Fichtesche transzendentale Freiheitsphilosophie, von der Schlegel seinen Ausgang nahm, führte damals im literarischen und poetologischen Bereich zur

ihr entsprechenden Betonung eines – idealistisch motivierten – Primats von Praxis;
es handelt sich um ein Dichtungskonzept, das später selbst unter andersgearteten,
ja konträren theoretischen Voraussetzungen, z. B. im Werke Bertolt Brechts, noch
oder wieder auftaucht und dessen Grundgedanke dort in – sei es bewußt, sei es unbewußt – systematisch vollzogenem Anschluß an die ältere, idealistische Position produktiv fortentwickelt worden ist.

Ein Aspekt dieses idealistischen poetologischen Praxisprimats ist die erwähnte Vorstellung von literarischer Wirkung. *Lyceum-Fragment 112*, das die mit Schlegels Begriff der »Transzendentalpoesie«[29] eng verknüpfte antizipatorische ›republikanische‹ Wirkungsästhetik am bündigsten umreißt, unterscheidet den idealen,
»synthetischen Schriftsteller« vom »analytischen Schriftsteller«. Während dieser den
Leser »beobachtet [...], wie er ist«, und entsprechend seine »Maschinen« anlegt, »um
den gehörigen Effekt auf ihn zu machen«, »konstruiert und schafft« sich der »synthetische Schriftsteller« »einen Leser, wie er sein soll«.[30] »Er läßt das, was er erfunden hat, vor seinen Augen stufenweise werden, oder er lockt ihn es selbst zu erfinden.
Er will keine bestimmte Wirkung auf ihn machen, sondern er tritt mit ihm in das
heilige Verhältnis der innigsten Symphilosophie oder Sympoesie«.

Die konventionelle Auffassung vom Autor-Leser-Verhältnis, der zufolge dem Autor der Part des aktiv Schaffenden, dem Leser der des passiv Entgegennehmenden
zugewiesen ist, wird in diesem Fragment ersetzt durch ein tendenziell völlig neues
Konzept: Als Produkt des ästhetischen Prozesses erscheint nicht mehr in erster Linie
das autonome Werk, sondern die durch dieses mit erzeugte, qualitativ andere bzw.
höhere gesellige Dimension, in welcher Autor und Rezipient als potentiell ebenbür-
tig Schaffende einander begegnen. »Sympoesie« – Novalis spricht einmal von »Gemütserregungskunst« – meint eben dieses außerhalb des eigentlichen ästhetischen
Produkts sich konstituierende, es in gewisser Weise als erledigt hinter sich lassende Verhältnis schöpferischer Interdependenz gleichgesinnter ›handelnder‹ Partner.[31]

Die in Schlegels Werk häufig sich findende Betonung des romantischen Dichters,
der »frei von allem realen und idealen Interesse auf den Flügeln der poetischen Reflexion in der Mitte« schwebt und schafft, »kein Gesetz über sich« anerkennend,[32] hat,
rezeptionsgeschichtlich betrachtet, zweifellos das gesellschaftlich prekäre Autono-
mie-Ideal moderner Poesie bis in gewisse extreme Positionen des französischen
Symbolismus hinein mitbestimmt. Doch wird über dieser Rezeptionsgeschichte
gern vergessen, daß im Ursprung des romantischen Programms bei Schlegel noch
Tendenzen wirksam waren, die das autonome, ›fertige‹ Kunstwerk zugunsten des
Prozesses seiner Hervorbringung und den Prozeß seiner Hervorbringung zugunsten
eines prinzipiell nicht-individuellen, gemeinschaftlichen Schöpfungsaktes relativier-
ten, dessen Ziel nicht mehr unbedingt die Kunst, sondern etwas Universelleres: die
»Lebenskunst«[33] war. – Die von Schlegel zur Beschreibung seiner Literaturvorstellungen reichlich benutzten Republikanismus-Metaphern[34] waren, wie man sieht,
nicht nur Ersatzrhetorik eines verhinderten Revolutionärs. Sie umschrieben auch,
ähnlich wie der allzuoft als geheimniskrämerisch empfundene »Ironie«-Begriff, tatsächliche Fortschritte im Bereich poetischer Liberalisierung, z. B. in Gestalt neuer,
emanzipatorischer Kommunikationsformen der Literatur.

Vor dem Hintergrund der charakterisierten Liberalisierungsbestrebungen des jun-

gen Friedrich Schlegel offenbart die zunächst geschichtsphilosophisch leer sich aus-
nehmende Kühnheit seiner Neubestimmung des »Klassischen« im *Georg-Forster-*
Aufsatz ihren prägnanten literaturkritischen, literaturproduzierenden Sinn. Werden
›Werke‹ so verstanden, wie es beispielsweise in den *Lyceum-Fragmenten 103* und
112, in *Athenäum-Fragment 116* und *238*, im *Abschluß des Lessing-Aufsatzes*[35],
selbst in der partiell noch Genievokabular bemühenden Wilhelm-Meister-Charakteristik der Fall ist, dann können und sollen sie, die ›Werke‹, sich gegen die universelle gesellschaftliche Praxis, die tendenziell nunmehr den Primat erhält, nur als Mittel noch behaupten. Insbesondere klassische Werke (im Sinn der Deutung der
›Anciens‹) mit ihrem lastenden Prestige, »unübersteigliche Grenzen der Vervollkommnung« darzustellen, müssen als Hindernis jener Praxis gelten; als bloße poetologische Idee bereits bilden sie einen Widerstand für die unendliche Fortschreitung
und Perfektibilität, die der junge Schlegel als Prinzip und Auftrag der »modernen«,
»künstlichen« »Bildung« im Gegensatz zur »natürlichen« der alten Griechen begriff.
Folgerichtig polemisiert Schlegel in der Forster-Charakteristik gegen die, die sich
»das *Klassische* gar nicht denken, ohne Meilenumfang, Zentnerschwere und Äonen-
dauer.«[36] Er versetzt den neuen, individualistischen Genie-Begriff wie den älteren,
klassizistischen in den zweiten Rang; er hebt, anders als zwei Jahre vorher Goethe
noch, seinerseits nicht ohne Sansculotten-Radikalität verfahrend, den bislang geringgeschätzten »gesellschaftlichen Schriftsteller«, den »Prosaisten« an herausra-
genden Platz und umreißt, diese Umwertung rechtfertigend, in knappen, hingewor-
fenen Sätzen, die gleichwohl Resultat einer längeren, intensiven Denkbemühung
sind, das Programm einer neuen, dem progressiven frühromantisch-idealistischen
Geschichtsdenken entsprechenden Klassizität: »[…] in einem gewissen Sinne, der
wohl der eigentliche und ursprüngliche sein mag, haben alle Europäer keine klassischen Schriftsteller zu befürchten. Ich sage, befürchten: denn schlechthin unüber-
treffliche Urbilder beweisen unübersteigliche Grenzen der Vervollkommnung. In
dieser Rücksicht könnte man wohl sagen: der Himmel behüte uns vor ewigen Werken. Aber die Menschheit reicht weiter, als das Genie. Die Europäer haben diese
Höhe erreicht. Es kann fernerhin kein schriftstellerischer Künstler so nachahmungs-
würdig werden, daß er nicht einmal veralten, und überschritten werden müßte. Der
reine Wert jedes Einzelnen wirkt ewig mit fort: aber die Eigentümlichkeit auch des
Größten verliert sich in dem Strome des Ganzen. Wenn wir aber unter *klassischen*
Schriften einer Nation nur solche verstehen, die in irgendeiner nachahmungswürdi-
gen Eigenschaft noch nicht übertroffen sind, bis dahin also Urbilder bleiben sollen:
so haben die Deutschen deren so gut, wie die übrigen gebildeten Völker Europas.«[37]
Die Stelle enthält einen entschieden dialektisch pointierten Gedanken. Die opposi-
tionellen Begriffe der Dauer und des Transitorischen bezeichnen keine realen Gegensätze. Sie sind ›aufgehoben‹ in dem umfassenderen Begriff einer Geschichte, deren Schöpfer »die Menschheit« ist. Ästhetische Werte ›an sich‹, die einem Werk
›Ewigkeit‹ verleihen könnten, gibt es in dieser Sicht nicht. Die geschichtliche Bedeutung der einzelnen Werke und Genies wird vielmehr von deren Fähigkeit her gedacht, mitwirkender Teil einer unendlich fortschreitenden Praxis zu sein. Zugespitzt: Nicht trotz, sondern wegen der Fähigkeit, durch den Schaffensprozeß der

»Menschheit« überholt zu werden, dauert das »klassische« Werk: Nachahmungs-
würdigkeit wird als Noch-nicht-übertroffen-Sein definiert; literarische Größe erscheint als Stimulans ihrer eigenen Aufhebung. – Dies ist Schlegels weitester Vorstoß
in die Dimension der sogenannten Historisierung moderner Poetik. (Daß er damit
noch längst nicht historischem Relativismus zuzuschlagen ist, zeigt allein schon der
Kontext der Forster-Charakteristik.) Die außerordentliche Modernität des Schlegelschen Ansatzes ermißt man, wenn man bedenkt, daß erst gegen 1930, in Brechts
großem Lehrgedicht *Über die Bauart langdauernder Werke*[38] die gleiche, polemisch
an die Wurzel des traditionellen Klassikbegriffs gehende Dialektik von Dauer und
Überholtwerden wieder aufgegriffen und entfaltet wird, freilich in anderer ›gesellschaftlicher‹ Absicht.

Zu den einschneidendsten Folgen dieser frühen Phase einer historisierten Poetik
dürfte die zu Eingang des vorliegenden Aufsatzes erwähnte Aufhebung der Poesie-
Prosa-Dichotomie gehören. Der »klassische Prosaist«[39] und »gesellschaftliche
Schriftsteller« ist in der Genese der Schlegelschen Theorie eine bloße, allerdings für
deren Tendenz aufschlußreiche Vorform des »romantischen«, des »Roman«-Dich-
ters, der laut *Athenäum-Fragment 116* ebenfalls im selben Maße klassisch ist, wie
er progressiv ist, und das heißt: fähig zum Fortschritt und zum Überholtwerden.
(Auch und gerade Goethe wird von Schlegel übrigens unter diesem Gesichtswinkel
gedeutet; Goethes Arbeiten sind, wie es bezeichnend genug heißt, eine »lehrreiche
Suite von Werken, Studien, Skizzen, Fragmenten, Versuchen«[40].) »Prosaist« und
»Poet« – diese bei Schlegel grundsätzlich nicht mehr unterscheidbaren Begriffe werden konsequent außerhalb des traditionellen Schemas der poetischen Gattungen und
außerhalb der traditionellen, jenem Schema vorausliegenden Trennung von Poesie
und Prosa angesiedelt. Schlegel, zum Teil mit neuen Tiefenstrukturbegriffen wie
»innere Form«, »symbolische Form« usw. sich versehend,[41] die am Tag liegenden
Textinhalte und -intentionen und deren historisch-empirische Veranlassungen
transzendierend, geht daran, »Poesie« auch und gerade in philosophischen, didaktischen, polemischen literarischen ›Gebrauchsformen‹ zu entdecken: Lessing z. B.
erscheint jetzt als Dichter im *Anti-Goeze*, als Nicht-Dichter in *Emilia Galotti*
usw.[42]

Mit anderen Worten: Die ›niederen‹ Gattungen werden aus dem Getto geholt, in
welchem die konventionelle Poetik sie jahrhundertelang eingesperrt hielt, so wie die
»Poesie« in dem neuen, universellen Sinn des Worts aus ihrem alten Gehäuse norma-
tiver Bestimmungen und Regeln heraus in Freiheit gesetzt wird (womit für Schlegel
– er war literarischer Radikalist, nicht Extremist – die Gültigkeit geschichtlicher Bil-
dungsgesetze, auch im Bereich der Gattungen,[43] keineswegs umgestoßen war). In
letzter Konsequenz erscheint die Sprache selbst bei Schlegel als transzendentalpoe-
tische Qualität.[44] Es ist Sprache, die den alltäglichen, ›prosaischen‹ Verkehrsformen
des Sprechens wie überhaupt den historisch-empirisch bedingten und verfestigten
Sprachsystemen ›voraus‹geht und die man sich, nach zahlreichen Andeutungen
Schlegels (wie auch des Novalis), als ein in musikalisch-rhythmischer, syntaktischer
und semantischer Hinsicht liquides schöpferisches Grundelement des gestaltenden
Vermögens vorzustellen hat: als ein »Chaos« (im positiven, Schlegelschen Sinn des
Worts), fähig, den historischen kulturellen Prozessen immer wieder neue Energien
zuzuführen.

Eine unendliche poetologische Reflexion deutet sich in solchen und ähnlichen Gedanken an. Daß sie vielfach irritierend unfertig anmuten, hat mit der absichtsvoll so und nicht anders gehaltenen Form einer ›gesellschaftlichen‹ Mitteilung zu tun, die Denk- und Produktionsanstöße geben sollte. Es hängt zum anderen, wesentlichen Teil mit der Logik der verhandelten Sache selbst, der in ungeheure Bewegung geratenen modernen Literatur, zusammen. Im Blick auf jene Logik und auf die Schwierigkeit, sie begrifflich einzuholen, hat Schlegel, mit emphatischer Übertreibung, geschrieben: »Die romantische Dichtart ist noch im Werden; ja das ist ihr eigentliches Wesen, daß sie ewig nur werden, nie vollendet sein kann. Sie kann durch keine Theorie erschöpft werden, und nur eine divinatorische Kritik dürfte es wagen, ihr Ideal charakterisieren zu wollen.«[45]

In diese unendliche Perspektive des Gedankens und der Geschichte ist auch Schlegels »Projekt« eines »klassischen« und »progressiven« »Prosa«- bzw. »Roman«-Schriftstellers gestellt. In ihr wirkt es zugleich groß und klein. Groß erscheint es, weil es nicht nur unter dem Gesichtswinkel von damals, sondern auch dem von heute beanspruchen kann, »Fragment aus der Zukunft«[46] zu sein: Es zeichnet Strukturen einer freiheitlichen Textkonstitution und Autor-Leser-Beziehung, die auch gegenwärtig noch zu den Desideraten gesellschaftlicher Schriftstellerei gehören. Klein erscheint es, weil es solche Strukturen hauptsächlich formal entwickelt und im allgemeinen von dem materiellen gesellschaftlichen Produktionsprozeß schweigt, dessen partiell authentischer geistiger Reflex es ist und auf den es gerade mit der Universalität und Progressivität seines intellektualistischen Republikanismus energisch verweist.

Anmerkungen

1 Kritische Friedrich-Schlegel-Ausgabe. München, Paderborn, Wien. (Im folgenden zitiert als: KA.) Bd. 2 (1967). S. 79 (Hervorhebung Schlegel).
2 KA 3 (1975), S. 82.
3 KA 2, 91.
4 KA 2, 182f.
5 Vgl. Franz Norbert Mennemeier: Freier Rhythmus im Ausgang von der Romantik. In: Poetica 2 (1971).
6 Friedrich Schlegel: Kritische Schriften. Hrsg. von Wolfdietrich Rasch. München 1964. S. 151.
7 Goethes Werke. Hamburger Ausgabe. Hamburg 1948ff. Bd. 12 ([7]1973). S. 239ff.
8 Schlegels Republikanismus-Aufsatz (KA 7 [1966], S. 11ff.) war, trotz einiger begrifflicher ›demokratischer‹ Kühnheiten gegenüber Kants »Zum ewigen Frieden«, durchaus geeignet, in concreto politische Reformideen zu befördern. Republikanisches Vorbild waren für Schlegel – wenn überhaupt – nicht die Franzosen und ihre Revolution, sondern die Athener und ihre Polis. Die Französische Revolution schien ihm eine Tendenz »ohne gründliche Ausführung« (KA 18 [1963], S. 85, Nr. 662), im Grunde die »furchtbarste Groteske des Zeitalters«, eine »Tragikomödie« (Athenäum-Fragment 424) und bestenfalls »eine vortreffliche Allegorie auf das System des transzendentalen Idealismus« (KA 2, 366).
9 Vgl. Walter H. Bruford: Die gesellschaftlichen Grundlagen der Goethezeit. Frankfurt a. M., Berlin, Wien 1975. S. 286.
10 Georg Forster's sämmtliche Schriften. Bd. 6. Leipzig 1843. S. 319.
11 Ebd., S. 404.

12 Ebd., S. 307, 316, 313 (Hervorhebung F. N. M.).

13 KA 2, 80.

14 KA 2, 78.

15 KA 2, 81.

16 KA 2, 82.

17 KA 2, 111.

18 Vgl. Schlegel (Anm. 6). S. 123.

19 Forster (Anm. 10). S. 322.

20 Schlegel (Anm. 6). S. 184.

21 KA 8 (1975), S. 49.

22 KA 8, 54f.

23 Vgl. Friedrich Schlegels Briefe an seinen Bruder August Wilhelm. Hrsg. von Oskar Walzel. Berlin 1890. S. 321.

24 Vgl. etwa Athenäum-Fragment 275.

25 KA 2, 81.

26 Vgl. Athenäum-Fragment 389.

27 KA 3, 100.

28 Vgl. »Gespräch über die Poesie« (KA 2, 284ff.).

29 Vgl. Athenäum-Fragment 238. Vgl. als eine der Konkretisierungen dieses Theorie-Entwurfs die Wilhelm-Meister-Charakteristik (KA 2, 126ff.).

30 Vgl. hierzu die kommunikationstheoretischen Implikationen des Aufsatzes »Über die Unverständlichkeit« (KA 2, 363ff.).

31 Vgl. auch Schlegels Vision einer »ganz neue[n] Epoche der Wissenschaften und Künste«, in der »die Symphilosophie und Sympoesie so allgemein und so innig würde, daß es nichts Seltnes mehr wäre, wenn mehre sich gegenseitig ergänzende Naturen gemeinschaftliche Werke bildeten« (Athenäum-Fragment 125).

32 Athenäum-Fragment 116. Vgl. auch Schlegel (Anm. 6). S. 148; ferner die Definition des »Sentimentalen« im »Brief über den Roman« (KA 2, 334).

33 Vgl. KA 2, 143f. u. ö.

34 Vgl. u. a. Schlegel (Anm. 6). S. 120; KA 2, 73, Lyceum-Fragment 65, Athenäum-Fragmente 116, 118.

35 Vgl. hierzu Schlegels Skizze des »Enzyklopädie«-Projekts (KA 2, 410f.).

36 KA 2, 92.

37 KA 2, 79f.

38 Bertolt Brecht: Gesammelte Werke. Frankfurt a. M. 1967. Bd. 8. S. 387ff.

39 KA 2, 93.

40 KA 2, 302; vgl. KA 2, 344. 347 und Schlegel (Anm. 6). S. 154f.

41 Vgl. KA 2, 412ff.

42 Vgl. KA 2, 100ff. (Schlegel schreibt, offenbar in satirischer Absicht, ANTI-GÖTZE). Vgl. Franz Norbert Mennemeier: Friedrich Schlegels Poesiebegriff dargestellt anhand der literaturkritischen Schriften. München 1971. S. 195ff.

43 Vgl. Mennemeier, ebd. S. 325, Anm. 1.

44 Vgl. etwa KA 2, 348, wo es heißt, »daß die Sprache dem Geist der Poesie näher steht, als andre Mittel derselben. Die Sprache, die, ursprünglich gedacht, identisch mit der Allegorie ist, das erste unmittelbare Werkzeug der Magie.«

45 Athenäum-Fragment 116.

46 Vgl. Athenäum-Fragment 22.

Literaturhinweise

Behler, Ernst: Einleitung zu: Friedrich Schlegel: Studien zur Geschichte und Politik. Kritische Friedrich-Schlegel-Ausgabe. Bd. 7. München, Paderborn, Wien 1966.

Benjamin, Walter: Der Begriff der Kunstkritik in der deutschen Romantik. In: W. B., Schriften. II. Frankfurt a. M. 1955.

Brinkmann, Richard: Deutsche Literatur und Französische Revolution. Göttingen 1974.

Deubel, Volker: Die Friedrich Schlegel-Forschung 1945–1972. In: Deutsche Vierteljahrsschrift für Literaturwissenschaft und Geistesgeschichte. Sonderheft 1973.

Eichner, Hans: Friedrich Schlegel's Theory of Romantic Poetry. In: Publications of the Modern Language Association of America LXXI (1956).

Heiner, Achim: Der Topos ›goldenes Zeitalter‹ beim jungen Friedrich Schlegel. In: Peter Jehn (Hrsg.), Toposforschung. Eine Dokumentation. Frankfurt a. M. 1972.

Krüger, Christa: Georg Forsters und Friedrich Schlegels Beurteilung der Französischen Revolution als Ausdruck des Problems einer Einheit von Theorie und Praxis. Göppingen 1974.

Lutz, Bernd (Hrsg.): Deutsches Bürgertum und literarische Intelligenz 1750–1800. Mit Beiträgen von Ulrich Dzwonek u. a. Stuttgart 1974.

Mennemeier, Franz Norbert: Fragment und Ironie beim jungen Friedrich Schlegel. Versuch der Konstruktion einer nicht geschriebenen Theorie. In: Poetica 3 (1968).

– Friedrich Schlegels Poesiebegriff dargestellt anhand der literaturkritischen Schriften. Die romantische Konzeption einer objektiven Poesie. München 1971.

– Freier Rhythmus im Ausgang von der Romantik. In: Poetica 2 (1971).

Schanze, Helmut: Romantik und Aufklärung. Untersuchungen zu Friedrich Schlegel und Novalis. Nürnberg 1966.

Schlaffer, Hannelore: Friedrich Schlegel über Georg Forster. Zur gesellschaftlichen Problematik des Schriftstellers im nachrevolutionären Bürgertum. In: Joachim Bark (Hrsg.), Literatursoziologie. Bd. 2. Stuttgart 1974.

Szondi, Peter: Friedrich Schlegel und die romantische Ironie. In: P. S., Satz und Gegensatz. Frankfurt a. M. 1964.

Weber, Heinz-Dieter: Über eine Theorie der Literaturkritik. Die falsche und die berechtigte Aktualität der Frühromantik. München 1971.

Weiland, Werner: Der junge Friedrich Schlegel oder Die Revolution in der Frühromantik. Stuttgart 1968.

Wuthenow, Ralph-Rainer: Vernunft und Republik. Studien zu Georg Forsters Schriften. Bad Homburg 1970.

ROLF-PETER CARL

Sophokles und Shakespeare?
Zur deutschen Tragödie um 1800

Eine neue kritische Gesamtdarstellung der Rezeption und Adaption der Antike in den Jahrzehnten vor und nach der Französischen Revolution bleibt Desiderat der Literaturgeschichtsschreibung.[1] Hier soll nur ein Teilaspekt erörtert werden: das Bemühen um die griechische Tragödie um 1800 oder besser: die Versuche, das jeweilige Verständnis der antiken Tragödie fruchtbar zu machen für die Entwicklung einer ›modernen‹ Tragödienkonzeption. Im Mittelpunkt der Untersuchung stehen drei Autoren, deren praktische und theoretische Auseinandersetzung mit dem Vorbild der griechischen Tragödie zeitlich sehr eng beieinander liegen. Den Beginn der Arbeit Hölderlins an der ersten Fassung seines *Empedokles* (Oktober 1798) und Kleists Scheitern am *Robert Guiskard* (Oktober 1803) trennen nur fünf Jahre, Entstehung und Uraufführung von Schillers *Braut von Messina* fallen in diesen Zeitraum. Der Abbruch des *Empedokles*-Projekts führt bei Hölderlin zur Abkehr vom Drama überhaupt, sein Bemühen um eine zeitgemäße Adaption der griechischen Tragödie verlagert sich auf die Übersetzung und Kommentierung des *König Ödipus* und der *Antigone* des Sophokles. Die *Guiskard*-Krise Kleists bewirkt einen nie mehr ganz überwundenen Zweifel an den eigenen Fähigkeiten, das realisieren zu können, was ihm als Idee vorschwebte; und Schiller verläßt trotz der Befriedigung, die er über die Weimarer Aufführung seiner *Braut von Messina* empfand, den damit beschrittenen Weg wieder und wendet sich dem Schauspiel zu *(Wilhelm Tell)*.[2]
Die unterschiedlichen Ansätze und Ergebnisse der Hinwendung zur antiken Tragödie um 1800 sind als Aspekte eines größeren Prozesses, der Auswirkung des historischen Bewußtseins auf die Gattungspoetik, zu verstehen. Des geschichtlichen Abstands der eigenen Zeit zur Antike ist man sich im Kreis der ›Klassiker‹ allgemein bewußt[3] und ebenso der Tatsache, daß diese eigene Zeit auch andere tragische Sujets fordert und bereithält. Es läßt sich nachweisen, daß der Erwartungshorizont des Theaterbesuchers und -kritikers in dieser Zeit von zwei Gattungsmustern geprägt war: der antiken Tragödie und dem ›modernen‹ Geschichtsdrama nach dem Vorbild Shakespeares.[4] In diesen beiden Modellen standen sich aber nicht nur zwei verschiedene dramaturgische Konzeptionen gegenüber, sondern grundsätzlich andersartige Geschichts- und Wirklichkeitsauffassungen.[5]
Wenn Dramatiker wie Schiller und Kleist also nach der »Synthese von Sophokles und Shakespeare« suchten, so war das Problem primär nicht dramentechnischer, sondern weltanschaulicher Natur. Ein ›Formelement‹ wie der die Handlung reflektierend begleitende Chor, ein Motiv wie die Pest, ein präzipitierendes Moment wie das vorausdeutende Orakel ließen sich nicht einfach aus der griechischen Tragödie herauspräparieren und in gleicher Funktion einer aus dem Horizont von 1800 gesehenen Tragödie einpflanzen. Diese weltanschauliche Rückbindung vermeintlich bloß struktureller Momente mußte jedoch zunächst erkannt sein, bevor der Versuch

einer Synthese mit der Aussicht auf Erfolg unternommen werden konnte. Das Ziel: eine zeitgemäße Tragödie, die den religiösen Vorstellungen, dem Geschichts- und Individualitätsbewußtsein des durch die Aufklärung hindurchgegangenen modernen Menschen entsprach, deren Geschehen aber dennoch den Eindruck von Geschlossenheit und tragischer Notwendigkeit erweckte, der die antike Tragödie auszeichnete, dieses Ziel war Schiller, Kleist und auch Hölderlin gemeinsam. Für das Gelingen dieses Strebens kam es auf ein ›griechisches‹ Sujet, also eine dem antiken Mythos entnommene stoffliche Vorlage nicht an – einen Gegenstand der altgriechischen Tragiker behandelt auch keines der hier zugrundegelegten Stücke. Doch auch die Gegenwart oder die nationale Vergangenheit bieten nicht die Themen, an denen sich die programmatische Auseinandersetzung mit der griechischen Tragödie abspielt. Nähe und Distanz zur Antike lassen sich bereits an der Wahl der Raum-Zeit-Koordinaten in diesen Dramen erkennen.

Die Vorstellung einer Synthese von zwei Tragödienmodellen (Sophokles und Shakespeare) ist zunächst eine Abstraktion, die nicht konkretisiert werden kann, solange Gemeinsames und Trennendes, Vereinbares und Unvereinbares, Gültiges und Veraltetes nicht unterschieden sind. Ehe nicht das Distanzbewußtsein – als bloße Erfahrung einer (zeitlichen) Ferne zwischen der Gegenwart und der klassischen Antike – zum Geschichtsbewußtsein – dem Innewerden einer grundsätzlichen Verschiedenheit zwischen mythischem und historischem Weltbild – geworden war, konnte auch die gesuchte Synthese nur als Kombination verschiedener ›Charakteristika‹ der Tragödientechnik bei Sophokles und Shakespeare gedacht werden. Der gemeinsame Nenner in den Versuchen Hölderlins, Schillers und Kleists, sich antikes Tragödienverständnis anzueignen und nutzbar zu machen, liegt in eben dieser Erkenntnis: die Geschichte wird als Signum der Moderne begriffen und thematisiert.[6]

Die Perspektive der Untersuchung – die Korrelation zwischen dem Geschichtsbild und der Auffassung des Tragischen, zwischen der Beurteilung der eigenen geschichtlichen Epoche und dem Funktionsverständnis der Tragödie – setzt die Akzente für die Betrachtung der einzelnen Dramen: Im *Empedokles* geht es um die historische Funktion des (großen) Individuums, um die Notwendigkeit seines Opfers für seine Zeit. *Die Braut von Messina* stellt die Konfrontation eines Naturzustandes mit der Geschichte dar und postuliert die moralische Selbstbestimmung des Menschen als deren Ziel. Im *Robert Guiskard* kann die Vorstellung eines geschichtlich notwendigen Untergangs dramaturgisch noch nicht adäquat umgesetzt werden, erst mit der *Penthesilea* gelingt es, die historische Dimension in die subjektive Motivation des Freitods zu integrieren.

In einem Aufsatzfragment aus der Homburger Zeit – *Der Gesichtspunct aus dem wir das Altertum anzusehen haben*[7] – charakterisiert Hölderlin das unhistorische, die kulturellen Leistungen der Antike kanonisierende Verhältnis als »Knechtschaft, womit wir uns verhalten haben gegen das Altertum«. Und angesichts der fatalen Alternative, entweder »erdrükt zu werden von Angenommenem, und Positivem, oder, mit gewaltsamer Anmaßung, sich gegen alles erlernte, gegebene, positive, als lebendige Kraft entgegenzusezen«, plädiert er nachdrücklich für die »Originalität«, die »eigene lebendige Natur«, die »eigene Richtung [...], die bestimmt wird, durch die vorhergegangenen reinen und unreinen Richtungen, die wir aus Einsicht nicht wiederhohlen«.[8] Daß diese »eigene Richtung« weder Originalität um jeden Preis, den »Schein des Neuen«, meint noch aus der wissentlichen Ignoranz gegenüber der Tradition gewonnen werden kann, daß sie vielmehr zur Bedingung der Möglichkeit heutigen Produzierens wird, verdeutlicht der Brief an Neuffer vom 3. Juli 1799.[9] Wieder die scheinbar unausweichliche Alternative (»Regellosigkeit« oder »blinde Unterwerfung«) und wieder die Erkenntnis, daß für das Ziel der Übereinstimmung von »Form« und »Stoff« kein Muster unbesehen als Vorbild dienen kann: »Aber es ist eben keine andere Wahl; so wie wir irgend einen Stoff behandeln, der nur ein wenig modern ist, so müssen wir, nach meiner Überzeugung die alten klassischen Formen verlassen, die so innig ihrem Stoffe angepaßt sind, daß sie für keinen andern taugen.«[10] Noch Ende 1801 – nach der Aufgabe des *Empedokles*-Projekts – wird dieses Ergebnis festgehalten, wenngleich mit neuer spekulativer Begründung: es ist »gefährlich sich die Kunstregeln einzig und allein von griechischer Vortreflichkeit zu abstrahiren«.[11]

Um einen »modernen Stoff« im Sinne des zitierten Briefes an Neuffer ging es Hölderlin auch in seinem *Tod des Empedokles*, dessen erste Fassung er zu diesem Zeitpunkt bereits aufgegeben hatte. Die ›Modernität‹ des Themas wird durch seine »fremde« Einkleidung in das griechische Sizilien des 5. vorchristlichen Jahrhunderts nicht tangiert. Daß das »Bild« (= die Tragödie) die »Empfindung« (= die Idee, die Intention) »so wohl der Form als dem Stoffe nach verläugnen« muß,[12] darf wohl auch in diesem Kontext als eine von den Zeitumständen aufgenötigte Tarnung verstanden werden.[13] Für die moderne Tragödie, um deren Bestimmung und Realisierung es ihm auch noch in dem Brief an Böhlendorff vom 4. Dezember 1801, also mehr als ein Jahr nach dem Abbruch der eigenen Bemühungen um den *Empedokles*, zu tun war, erschien ihm die klassische Form von vornherein nicht brauchbar. Das zeitlos Vorbildliche der griechischen Tragödie lag für Hölderlin nicht in formalen oder inhaltlichen Bauelementen, es war ein reines Stilprinzip: ihre Strenge, die »Verläugnung alles Accidentellen«.[14] Deren Verwirklichung aber war prinzipiell unabhängig von der Übernahme oder Erprobung solcher Elemente wie Chor, Orakel oder kultischer Akte. Hölderlins Verhältnis zur griechischen Tragödie ist von einem höheren Abstraktionsgrad gekennzeichnet als das Schillers und auch Kleists (zur Zeit des *Robert Guiskard*). Ausdrücklich wendet er sich weiterhin dagegen, »die strengste aller poëtischen Formen« für irgendeinen beliebigen Stoff in Anspruch zu nehmen; der Stoff, dessen tragische Gestaltung sich zu dem ihm vorschwebenden »Ideal eines lebendigen Ganzen« aufschwingen sollte, mußte sorgfältig gewählt werden.[15] Im *Tod des Empedokles* hatte sich Hölderlin einem solchen zentralen Thema zugewandt – dem Anbruch einer neuen Zeit, bewirkt durch ein großes Individuum.

An den Stadien der Arbeit am *Empedokles*-Projekt – in der durch Friedrich Beißner gesicherten Abfolge – fällt zweierlei auf: einmal die zunehmende künstlerische Konzentration, zum andern die Antwort auf den gleichzeitigen Ablauf der geschichtlichen Ereignisse, eine Antwort, die als Verstummen gewertet werden muß. Bereits eine Gegenüberstellung des »Frankfurter Plans«[16] und der ersten Fassung des Trauerspiels zeigt, wie zunächst vorgesehene Episoden und Nebenfiguren verworfen werden. Auf Lokalkolorit und Milieuzeichnung wird verzichtet. Zugleich drängt sich der dargestellte Zeitraum aus dem Schicksal des Empedokles zusammen; Vorgeschichte wird schon in der ersten Fassung nicht mehr gezeigt, sondern im Dialog der indirekt exponierenden Szenen und im Auftrittsmonolog des Empedokles eingeholt. Dieser Prozeß setzt sich fort, zunächst mit der Streichung der vorgezogenen Mädchenszene in der zweiten Fassung, dann, im letzten Anlauf, wenn der bereits zum Freitod entschlossene Empedokles mit seinem Monolog eröffnet. Die Verengung des dramatisch gestalteten Zeitausschnitts geht einher mit einer Reduzierung des äußeren Geschehens. Das erhaltene Fragment der letzten Fassung läßt dem Monolog der Titelfigur zwei große Streitgespräche folgen, bevor es mit dem Entwurf eines Chorgesangs abbricht. Die Notizen zur Fortsetzung[17] zeigen zwar, daß der weitere Verlauf durchaus noch handlungsmäßige Bewegung bringen sollte, lassen aber den dramatischen Nexus, Funktion und Motivation der verschiedenen Personen vielfältig im dunkeln. Offensichtlich wichtiger als die Skizzierung eines geschlossenen Handlungsgangs war Hölderlin in diesem Stadium, die Qualität des »Tons« einzelner Szenen festzulegen, den »naiven«, »heroischen« oder »idealischen« Grundgestus, deren harmonischer Wechsel die Tragödie auszeichnen soll.[18] Die Verbindungslinien zwischen der Tragödientheorie der Homburger Zeit und der Arbeit am *Empedokles* liegen gerade in diesen Konzepten zur dritten Fassung offen zutage.

Das Streben nach ›griechischer‹ Formstrenge ist aber nur die eine Seite; parallel zu dieser bewußten künstlerischen Entscheidung Hölderlins verläuft ein anderer Prozeß, der seinem Wollen entzogen war, gleichwohl Größe und Modernität des Stoffes sehr nachdrücklich beeinflußte. Nicht nur der doppelte Neubeginn und schließliche Abbruch des einzigen Tragödienprojekts (bei unverändertem Interesse an den Problemen dieser Gattung![19]) fordern ja eine Erklärung heraus, irritierend wirkt auch, daß die zweite und dritte Fassung gegenüber der ersten ein entscheidendes Defizit aufweisen. Nur in der frühesten wurde versucht, Vermächtnis und Wirkung des Empedokles zu gestalten. Zwar führen das mittlere Fragment mit seinem Ansatz zu einer Problematisierung der Todessehnsucht des Helden (»Zu gern nur, Empedokles, / Zu gerne opferst du dich«[20]) und das späte, das im Dialog Manes–Empedokles erstmals Funktion und Notwendigkeit dieses Freitodes wirklich in Frage stellt,[21] an wichtigen Punkten zweifellos über das hinaus, was im umfangreichsten ersten Konzept vorliegt, doch in dieser zentralen Aussage bleiben sie hinter ihm zurück. Nun läßt sich mit guten Gründen behaupten, daß die Botschaft des Empedokles und ihre Aufnahme durch das Volk von Agrigent von der Anlage der ersten Fassung insgesamt nicht recht getragen werden. Das Erscheinungsbild des Volkes, seine Manipulierbarkeit durch den Priester Hermokrates, auch die Einschätzung des Volkes als »Pöbel« durch Empedokles selbst[22] wecken Zweifel an seiner kollektiven Reife, die gesellschaftliche Umwälzung selbst in die Hand zu nehmen, die des Meisters Verkündigung vor ihm entwirft. Dazu kommt, daß Empedokles erst sehr spät diesen rein verbalen Versuch einer Erziehung des Volkes unternimmt, nachdem er und sein Schülerkreis zuvor ein eher elitäres Distanzbedürfnis gegenüber den Agrigentinern an den Tag gelegt hatten, und daß nicht einmal der engste Vertraute Pausanias sein Verhalten und die Beispielfunktion seines Freitodes wirklich begreift.[23]

Friedrich Beißners Begründung für die »Unterbrechung« der Arbeit am *Empedokles* (d. h. für den Fragmentcharakter des Werkes) – Hölderlins Hinwendung zum Pindarischen Gesang[24] – kann historisch nicht befriedigen. Was als dramaturgische

Schwäche oder unerklärlicher Bruch erscheinen will, stellt sich in ganz anderem Licht dar, wenn die ›Unfähigkeit‹ Hölderlins, ein schon so weit fortgeschrittenes Trauerspiel zu vollenden, im Zusammenhang gesehen wird mit der politischen Entwicklung im südwestdeutschen Raum 1798/99.[25] Hölderlin hatte konkrete politische Hoffnungen auf eine geschichtliche Umwälzung in seiner Gegenwart auf das Volk von Agrigent projiziert: ungeachtet aller offenbaren Unreife scheint ihm – durch äußeren Anstoß – ein spontanes Reifwerden für das Verständnis der historischen Stunde möglich. Mit dem politischen Umschwung, bewirkt durch das unvorhergesehene Verhalten der französischen Truppen in Württemberg, von deren Auftreten sich Hölderlin diesen Anstoß versprochen haben dürfte,[26] brach diese Hoffnung in sich zusammen, soweit sie auf die Realität bezogen war. Aber auch in der literarischen Projektion kann diese Hoffnung nun nicht mehr gestaltet werden: das Volk als antwortender Partner des Empedokles fällt aus, damit aber auch dessen Botschaft selbst, die eben auf spontane Kommunikation hin angelegt war. Es dürfte nicht nur die Furcht gewesen sein, einer »jakobinischen Gesinnung« überführt zu werden, wenn er seine Tragödie, deren zentrale Szene II, 4 als ›revolutionärer‹ Aufruf verstanden werden mußte, in die veränderte politische Landschaft hinein hätte veröffentlichen wollen[27] – es dürfte Hölderlin schlechterdings unmöglich gewesen sein, seine ursprüngliche Intention mit der neuen Lage zu vermitteln. Wenn es keinen Partner für die Botschaft mehr gab, dann hatte auch diese selbst ihren Sinn verloren, ja sie war dann nicht mehr zu formulieren.[28] Die zerstörten politischen Hoffnungen könnten sowohl den Verzicht auf die Vollendung des weithin fertigen ersten Entwurfs, als auch den zweimaligen Neuansatz, der jeweils nicht mehr bis zu einer vergleichbaren Verkündigungsszene geführt werden kann, als auch schließlich die resignierende Aufgabe des ganzen Projekts verständlicher erscheinen lassen.

Am Ende der dritten Fassung – so der Plan – sollte Manes dem Volk den letzten Willen des Empedokles »verkünden«,[29] auch eine Wiederannäherung zwischen dem Volk und Empedokles war vorgesehen,[30] aber in den ausgeführten Teilen wird seine Mission nur ansatzweise und auf hoch abstrakter Ebene reflektiert. Vom Volk und seinen Verhältnissen ist in der Rhesis des Manes gar nicht, in der des Empedokles zwar mehrfach, aber stets in der Perspektive der Vergangenheit die Rede.[31] Daß dieses Volk eine Zukunft haben und seinem »freien Tod« eine diesseits- und zukunftsgerichtete Bedeutung für dieses Volk zukommen sollte, läßt sich noch nicht erkennen. Die jetzt neu eingeführte Figur des Manes zwingt Empedokles zur Reflexion (»[...] Doch sollst du mir / Nicht unbesonnen, wie du bist, hinab, / [...]«[32]) und zur Offenlegung der subjektiven und objektiven Beweggründe für seinen Todesentschluß – was bislang weder der Vertraute (Pausanias) noch die Gegenspieler (Hermokrates, Kritias/Mekades) vermocht hatten. Nur der Anfang dieses Klärungsprozesses ist allerdings im Streitgespräch des ersten Akts realisiert; nach dem »Entwurf zur Fortsetzung« sollten die Sprecher zumindest im dritten Akt und in der dritten Szene des vierten noch einmal aufeinandertreffen. Zweifel an der Identität des Empedokles mit dieser von Manes verkündeten Heilsfigur des »neuen Retters« läßt diese Rede vielleicht nicht übrig, wohl aber Skepsis gegenüber seiner ›Reife‹ für diese Mission, deren er sich ja auch in seinem Auftrittsmonolog und im Dialog mit Pausanias keineswegs klar bewußt zu sein scheint.[33]

In der geschichtsphilosophischen Begründung des Opfertodes, in der Bestimmung

der historischen Rolle des Empedokles geht jedenfalls die Abhandlung *Grund zum Empedokles*, die zeitlich zwischen zweitem und drittem Fragment anzusetzen ist, weit über das in den dramatischen Entwürfen Gestaltete hinaus. Die Manes-Szene basiert zwar schon auf dieser theoretischen Abklärung des Opferthemas, der größere Teil der szenisch-dialogischen Umsetzung hätte aber im folgenden erst geleistet werden müssen. Eine Interpretation des schwierigen Aufsatzes kann hier nicht gegeben werden;[34] es kommt in diesem Zusammenhang nur darauf an zu zeigen, daß der historisch-aktuelle Aspekt des *Empedokles*-Themas auch hier im Vordergrund steht.[35] Empedokles wird vorgestellt als Gestalt in einer bestimmten historischen Situation; in ihm ist eine neue Qualität verwirklicht, die Gegensätze seiner Zeit (»Natur« und »Kunst«) sind in ihm ausgetragen und versöhnt. Seine Aufgabe wird darin gesehen, die in ihm selbst verwirklichte ›augenblickliche Vereinigung‹ (die Vorwegnahme der nächsten geschichtlichen Entwicklungsstufe) ›aufzulösen‹, d. h. allgemein werden zu lassen.[36] Der historische Ort verlangt darüber hinaus von ihm aber auch eine besondere Ausdrucksform dieser »Tendenz zur Allgemeinheit«, nämlich weder die dichterische Verkündigung (den »Gesang«) noch die »eigentliche Tat«, sondern das »Opfer«.[37] Die künftige Tendenz der Zeit muß in einer ›vorzeitigen‹ Verkörperung sichtbar werden. Das Individuum, das diese Rolle übernimmt, muß doppelt unvermeidlich untergehen: weil die geschichtliche Entwicklung diesen Anstoß braucht, um einen notwendigen Schritt voranzukommen, und weil es selbst als »vorzeitiges Resultat des Schiksals« nicht dauern kann.[38] Empedokles erscheint damit als Individualisierung, als ›temporäre Lösung‹ einer geschichtlichen Umbruchsituation – und dies ist zugleich Hölderlins Sicht des tragischen Konflikts überhaupt, seine Deutung der Funktion des tragischen Untergangs.[39]
Dieser Kerngedanke seiner Tragödientheorie läßt den Abstand zur antiken Tragödie noch einmal deutlich hervortreten. Ihre Weltordnung war nicht mehr die Hölderlins, und darin konnte so wenig ihre Leitbildfunktion bestehen wie in ihrer Dramaturgie. Die Konvergenz zwischen Strenge der Form und Größe des Stoffes war das Prinzip, das Hölderlin wiedergewinnen wollte. Das zeitgemäße große Thema glaubte er auch gefunden zu haben – gescheitert ist er an der politischen Entwicklung, die seiner Auffassung von Zeitgemäßheit entgegenstand, nicht an der griechischen Tragödie, um deren Nachahmung es ihm nicht zu tun war.

So zahlreich die Äußerungen Schillers über die Vorbildlichkeit der griechischen Tragödie auch sind, sie lassen doch nie einen Zweifel daran, daß dieses Urteil im Bewußtsein des geschichtlichen Abstands ausgesprochen wird und daß daraus weder auf die Möglichkeit noch auf die Wünschbarkeit ihrer Nachahmung geschlossen werden darf.[40] Auch für Schiller sind die ›Alten‹ in erster Linie ein Objekt des Studiums, um sich daran stilistisch zu schulen. Er strebt auf dem Wege von Übersetzungen »nach dem Griechischen Stil«[41] und hofft so, seine »rhetorische Manier«[42] zu überwinden. Einfachheit (»Simplizität«, »Classicität«) und Strenge der Form gelten ihm als die Kennzeichen dieses Stils[43] – die Parallelität der Begriffe zu gleichzeitigen Bemerkungen Hölderlins fällt ins Auge. Schiller sieht sehr genau, daß eine Reproduktion der antiken Tragödie im Horizont des modernen Autors wie in dem des Publikums unmöglich wäre.[44] Die Verabsolutierung ihres Vorbilds müßte den heutigen Schriftsteller in ein Verhältnis der Abhängigkeit und Unfreiheit gegenüber dem Altertum bringen, das Schiller ebenso unerträglich schien wie Hölderlin. Sein Brief an den Kritiker Johann Wilhelm Süvern vom 26. Juli 1800 ist das eindeutigste Zeugnis für Schillers Überzeugung, die selbstverleugnende Nachahmung der antiken Muster könne kein sinnvolles Ziel sein, auch nicht als Maßstab des Rezensenten: »Ich theile mit Ihnen die unbedingte Verehrung der Sophokleischen Tragödie, aber sie war eine Erscheinung ihrer Zeit, die nicht wieder kommen kann, und das lebendige Produkt einer individuellen bestimmten Gegenwart einer ganz heterogenen Zeit zum Maßstab und Muster aufdringen, hieße die Kunst, die immer dynamisch und lebendig entstehen und wirken muß, eher tödten als beleben«.[45]

Es besteht kein Grund, daran zu zweifeln, daß diese grundsätzliche Erkenntnis auch noch Gültigkeit für die knapp ein Jahr später beginnende Arbeit an der *Braut von Messina* hat. Jedenfalls kann aus Äußerungen, die aus der Euphorie des Abschlusses dieser Tragödie heraus fallen, nicht gefolgert werden, Schiller habe alle seine früheren Einsichten vergessen und sich wirklich – wenn auch nur zeitweilig – als Mitbewerber um den altgriechischen Tragikerpreis gefühlt.[46]

Als Ganzes bleibt die Tragödie der Alten auch für Schiller ›fremd‹, d. h. an die Zeit ihrer Entstehung und Aufführung gebunden, nur einzelne Elemente, Merkmale ihrer strengen Form und der Zwangsläufigkeit ihres Handlungsablaufs, versucht er zu übernehmen, in ihrer Verwendbarkeit für einen eigenen Tragödienentwurf zu erproben. Die »neue« Form ist zugleich das »Antikere«,[47] und dessen Wesen sieht Schiller stets im Formalen, im herrschenden Prinzip.[48] Zweifellos gibt es zahlreiche Anklänge an griechische Tragödien (nicht nur an den *König Ödipus* des Sophokles[49]) – in Motiven, in der Komposition, selbst in Teilen des Dialogs. Ob Schiller mit diesem Experiment eine fruchtbare Entscheidung getroffen hat, ob dieser Weg dahin geführt hat, daß »antiker und moderner Geist miteinander vermengt«[50] oder daß »die griechischen Archetypen schöpferisch ergriffen, erneuert, anverwandelt und verwandelt wurden«,[51] darüber mag man streiten (Schillers Abkehr von diesem Weg ist sicher auch als gewisse Antwort zu werten). Durch die Übernahme von Strukturelementen und Handlungsmotiven wird aber das moderne Drama noch nicht zur Nachahmung der antiken Tragödie; Schiller konnte und wollte den Kosmos der alten Tragiker, in dem auch noch der tragische Held seinen Ort hatte, nicht zurückgewinnen.[52]

Unter Hinweis auf Schillers Kommentar zum *König Ödipus*[53] hat man vor allem in dieser Sophokles-Tragödie eine Art Vorlage für die *Braut von Messina* sehen wollen.[54] Der Versuch mußte in eine Sackgasse führen: einmal qualifizieren sich weder Don Cesar noch etwa Isabella als tragischer Held im Sinne des Ödipus. Dazu kommt, daß das von Schiller am *König Ödipus* gerühmte Strukturprinzip, die reine »tragische Analysis«,[55] für seine *Braut von Messina* gar nicht zutrifft. Deren Bauform ist als Kombination einer analytischen mit einer progressiven Technik charakterisiert worden.[56] Diese ›Abweichung‹ aber entspringt nicht Schillers Unfähigkeit, eine rein analytische Fabel analog zum *König Ödipus* zu entwerfen, sondern bewußter Entscheidung. Theoretisch wäre ein solcher Entwurf natürlich denkbar gewesen, aber er war historisch nicht möglich. Er hätte allen Vorstellungen von szenischer Handlung und dramatischer Spannung widersprochen: hier zeigt sich der Einfluß Shakespeares in seiner Vermittlung durch Herder, Lenz und den jungen Goethe.[57] Die tragische Analysis setzte zudem ein geschlossenes und im wesentlichen fraglos akzeptiertes Weltbild voraus, das durch die Enthüllungshandlung von neuem bestätigt wurde. War diese Prämisse – wie zur Zeit Schillers – nicht mehr gegeben, so mußte ein in dieser Weise angelegtes Drama zur fatalistischen ›Schicksalstragödie‹ führen, die Schiller ablehnte. Das Ausgeliefertsein des Menschen an ›blinde‹ Schicksalsmächte wie seine völlige und willenlose Unterordnung unter ein von den Göttern verhängtes Geschick, beides erschien ihm als eine empörende Vorstellung.[58] Im Blick auf die *Braut von Messina* sollte das davor warnen, den Geschlechterfluch oder die beiden Träume in den Rang solcher Schicksalsmächte zu erheben. Die dramaturgische Funktion der Antizipation, die dem Orakel der griechischen Tragödie auch zukommt, ließ sich durch andere, zeitgemäßere Formen ›ersetzen‹, aber darin ging seine Bedeutung eben nicht auf. Als Ausdruck einer intakten Ordnung zwischen Göttern und Menschen war es nicht in eine Welt zu verpflanzen, die neben deutlichen historischen Krisensymptomen auch eine Vermischung – und damit Relativierung – verschiedener Religionsvorstellungen offenbart,[59] wie Schillers mittelalterliches Sizilien. Für den Schluß der *Braut von Messina*, für die Begründung und Sinngebung des Freitodes des Don Cesar, war das Orakel vollends unbrauchbar; er durfte weder vorherbestimmt noch der Entscheidung des Helden entzogen sein, sollte die Idee des moralisch freien Menschen nicht verletzt werden.

Schillers formales Experiment des »Trauerspiels mit Chören« trägt historischen Akzent. Seine Ablehnung jeder normativen Vorbildlichkeit der Antike entspringt neuzeitlichem Abstands- und Fortschrittsbewußtsein. Das findet seinen Ausdruck nicht nur in dem Versuch, das mit den eigenen Vorstellungen Vereinbare aus den dramaturgischen Kristallisationen zweier gegensätzlicher Weltbilder zum Ideal einer neuen »wahren Tragödie« zusammenzuzwingen, es schlägt sich in der Problemkonstellation des Stückes selbst nieder. Ein Gedanke wie der, der »freie Tod« des sich – als moralisches Wesen – selbst bestimmenden Menschen könne die »Kette des Geschicks« brechen[60] (sei diese nun von Göttern oder Dämonen um ihn gelegt), geht aus einer geschichtsphilosophischen Konzeption hervor, die Geschichte als Progression erfährt und ihre moralische Höherentwicklung postuliert. Auch der zu Anfang stark betonten, dann scheinbar ganz aufgegebenen Konfrontation der Fürsten von Messina als fremder Eroberer mit der einheimischen Gefolgschaft liegt ein historisch aufgefaßter Konflikt zugrunde. Und schließlich darf der Chor nicht unkritisch allein von Schillers Vorrede her gesehen werden: er ist keineswegs von vornherein die »ideale Person, die die ganze Handlung trägt und begleitet«[61], sondern deutlich »in die Spannung des Dramas einbezogen«[62], und seine Reflexionen am Ende bilden einen merklichen Kontrast zu seinem anfänglichen Auftreten: die Thematisierung geschichtlicher Erfahrung ist auch in dieser sonderbaren Entwicklung des Chors wiederzufinden.

Zwischen der Rolle des Chors und dem Motiv des Gegensatzes von Fremden und Einheimischen, von Herrschaft und Knechtschaft besteht offenbar ein Zusammenhang. Am Ende des ersten Auftritts bringt die Fürstin Isabella dieses Konfliktpotential zur Sprache (V. 69 ff., 92 ff.); ihre Worte unterstreichen die Dringlichkeit einer raschen Versöhnung der feindlichen Brüder, doch dazu hätte es eines so weit ausgreifenden Motivs nicht bedurft. Den Part der zunächst angesprochenen Ältesten von Messina (die später nie wieder in Erscheinung treten) übernimmt dann der Chor. Als Gefolge der verfeindeten Fürsten wird er im dritten Auftritt in zwei gegnerischen

Halbchören eingeführt; zumindest im »Ersten Chor« ist allerdings das Bewußtsein des ›natürlichen‹ Interessengegensatzes gegenüber dem »fremden Geschlecht« noch lebendig.[63] Es wird jedoch – besonders beim Gegenchor – überlagert von Äußerungen einer geradezu willenlosen Knechtsgesinnung.[64] Den Versöhnungsappell der Mutter kommentiert der vereinigte Chor:

> Höret der Mutter vermahnende Rede,
> Wahrlich, sie spricht ein gewichtiges Wort!
> Laßt es genug sein und endet die Fehde,
> Oder gefällt's euch, so setzet sie fort.
> Was euch genehm ist, das ist mir gerecht,
> Ihr seid die Herrscher, und ich bin der Knecht.   (V. 433–438)

Von hier scheint kein Weg zu den abgeklärten Reflexionen des gleichen Chors am Schluß führen zu können (»Die Welt ist vollkommen überall, / Wo der Mensch nicht hinkommt mit seiner Qual«, V. 2588f.; »Das Leben ist der Güter höchstes nicht, / Der Übel größtes aber ist die Schuld«, V. 2839f.). Sieht man in jener frühen Äußerung nichts als »die charakterlose Gleichgültigkeit, die eben die spezifische Bedeutung des Chors betonen soll«[65], nimmt man sie als Beleg der »sittlich-religiösen Unentschiedenheit« des Chors, die dem bewußten Verzicht auf »ein auch nur einigermaßen geschlossenes ideologisches System« im ganzen Stück entsprechen soll,[66] so bleibt ein unaufgelöster Rest von Zweifel an der gedanklichen Klarheit oder der sprachlichen Disziplin Schillers zurück.

Zu einem anderen Ergebnis führt der Versuch, eine Entwicklung des Chors zu unterstellen und diese auf die in Umrissen dargestellte geschichtliche Konstellation zu beziehen. Die befremdliche Standpunktlosigkeit des Chors zu Beginn wäre dann auf den zunächst so stark betonten Gegensatz zwischen fremden Eroberern und eingeborener Bevölkerung zurückzuführen. Aus gegenwärtiger Perspektive könnte eine politische Deutung dieses Gegensatzes naheliegen: das Fürstengeschlecht repräsentierte dann die überlebte historische Stufe, der Chor offenbarte in seinem Verhalten die Folgen ›kolonialer‹ Unterdrückung.[67] Daß aber gerade der Fürst am Ende die Stufe der moralischen Autonomie, der Überwindung der Geschichte, erreicht und daß der Chor fähig wird, seine Wandlung als »ideale Person« reflektierend zu begleiten, muß in diesem Interpretationsansatz widersinnig erscheinen.

Im Horizont der Geschichtsphilosophie Schillers stellt sich der Gegensatz anders dar. *Die Braut von Messina* läßt sich dann als Thematisierung des triadischen Geschichtsverlaufs auslegen[68]: sie zeigt den Weg vom ›arkadischen‹ Naturzustand (Sizilien vor der Eroberung durch die Fremden) durch die Geschichte als Naturentfremdung (Chor und Fürsten in der Entzweiung) zum Ziel der Geschichte in der Bewährung der sittlichen Freiheit des Menschen (Freitod des Don Cesar). Mit dem Einsatz der Handlung ist die ursprüngliche Idylle schon zerstört, der Chor ist »herausgefallen aus dem Naturstand«[69] und in die Konfrontation der Geschichte einbezogen, die die Fremden verkörpern. Dieser Einbruch der Geschichte in die idyllische Existenz ist jedoch nicht als Verfall, sondern als notwendige Progression zu werten: die vorgeschichtliche Idylle muß untergehen, um als höhere Naturharmonie in der Vollendung des geschichtlichen Prozesses wiedergewonnen zu werden.[70] Das Individuum – der Held Don Cesar – kann am Ende mit seinem sittlich unbedingten Entschluß den Schritt zur Überwindung des geschichtlichen Zustands tun; die Entwicklung des Volkes – vertreten durch den Chor – findet ihr Ziel in seiner Fähigkeit, diese Entscheidung als einen »Akt der Freiheit« zu begreifen.[71]

So verstanden ist der Gegensatz der »fremden Eroberer« (V. 253) zu den einheimischen »Knechten« (V. 210) kein blindes Motiv, er steht vielmehr für die Antithese Natur und Geschichte und wird als solche zum eigentlichen Thema des Dramas. Ihre Aufhebung findet sie in der die Geschichte transzendierenden sittlichen Entscheidung Don Cesars am Ende. Daß diese Überwindung der Geschichte nur dem Individuum und auch diesem nur im Tode möglich ist, darin liegt die Tragik des Stückes – die realisierte Idee der Idylle hätte die »Ruhe der Vollendung« als einen allgemeinen und zeitlosen Zustand zu zeigen.[72] Vor diesem geschichtsphilosophischen Hintergrund nimmt *Die Braut von Messina* keine Sonderstellung in der Schillerschen Dramatik der zweiten Schaffensperiode ein. Das Experiment der strukturellen Annäherung an die griechische Tragödie soll seinem modernen Geschichtsdrama neue Aussagemöglichkeiten gewinnen. Deswegen wird der Chor eingeführt, deswegen erhält er aber auch einen »doppelten Charakter«[73] zugewiesen, als Reflexionsorgan und Demonstrationsobjekt. Aus der Perspektive seiner antinaturalistischen Kunsttheorie mochte Schiller die Nähe seines Chors zu dem der alten Tragiker größer scheinen als sie ist, daß dieser aber tatsächlich »nie wieder auf der Bühne« erscheinen konnte, war dem Verfasser der Vorrede trotz der anderslautenden Versicherung recht gut bewußt.[74]

Im Vergleich zu Hölderlin und Kleist treibt Schiller in der *Braut von Messina* die Adaption der griechischen Tragödie am weitesten. Er nimmt sogar noch die »blinde Unterwürfigkeit unter das Schicksal«, in der er den Kern der tragischen Notwendigkeit bei den Griechen sieht,[75] als Gedanken in sein Trauerspiel mit auf, allerdings nur, um dieser Auffassung eine andere, moderne entgegenzusetzen. Wie Hölderlin fasziniert ihn die Unausweichlichkeit des tragischen Ausgangs in einem Stück wie *König Ödipus;* diesen Eindruck von Notwendigkeit möchte er wahren, dabei aber so motivieren, daß seine Vorstellung von Menschenwürde nicht verletzt wird. In seinem Stück gibt es zwei ›moderne‹ Ansätze zur Motivation der Katastrophe, die miteinander konkurrieren und einem dritten, ›alten‹ konfrontiert werden. Eine konsequente psychologische (›innere‹) Notwendigkeit erscheint (noch) als unbefriedigend, die Idee einer geschichtsphilosophischen Notwendigkeit erweist sich als kaum dramatisierbar. Hier berührt sich die Problematik des vollendeten Trauerspiels *Die Braut von Messina* mit der des Fragments *Der Tod des Empedokles,* auch dort zeigen noch die letzten ausgeführten Teile eine gewisse Unentschiedenheit zwischen individuellem Vorrechtsanspruch und historisch notwendiger Opferbereitschaft.[76]

In die Entscheidung Don Cesars, die doch die höchste Möglichkeit moralischer Autonomie des Menschen erkennen lassen soll, mischen sich bis zuletzt heterogene Antriebsfaktoren wie Neid, Leidenschaft und Lebensüberdruß hinein.[77] Den vermeintlichen Fremdeinflüssen (Geschlechterfluch, Träume) kommt zwar keinerlei determinierende Wirkung zu, die Personen bewegen sich tatsächlich nur im »Bann ihres eigenen magischen Weltverständnisses«[78], das aber weist sie als auf einer sehr frühen Stufe des geschichtlichen Bewußtseins stehend aus, die als Widerspruch zu der am Schluß postulierten sittlich freien Entscheidung empfunden werden muß, kann doch diese Möglichkeit erst auf dem Höhe- und Endpunkt des geschichtlichen

Bewußtseins gedacht werden. Von den auf *Die Braut von Messina* folgenden
›Schicksalstragödien‹ her muß festgestellt werden, daß gerade die Auffassung von
tragischer Notwendigkeit den Sieg davongetragen hat, die Schiller hier in bewußter
Auseinandersetzung mit der griechischen Tragödie (wie sie sich ihm darstellte) überwinden wollte. Zum Paradigma einer neuzeitlichen Tragödie aus dem Horizont von
1800 ist dieser Versuch einer Synthese von griechischer Tragödie und modernem Bewußtsein damit nicht geworden;[79] das »damals moderne Drama« hatte Schiller bereits realisiert: im *Wallenstein,* in dem sich die Auseinandersetzung mit der antiken
Tragödie indirekter und vielleicht gerade darum souveräner abspielt.[80]

So aufschlußreich die erhaltenen Briefe Kleists für die Krisen und Stimmungen seines
Lebens, für seine religiösen Anschauungen und sein Verhältnis zu Staat und Staats-
dienst sind, so spärlich und vieldeutig sind die Zeugnisse, die aus erster Hand Auskunft über seine Kunsttheorie und seine Beziehung zur literarischen Tradition geben. Gelegentliche Zitate, Parenthesen über einzelne Werke oder literarische
Figuren verraten eine gewisse Werkkenntnis, aber detaillierte Urteile, programmatische Auseinandersetzungen mit anderen Autoren, Epochen, Stilrichtungen sucht
man vergebens. Daß Shakespeare oder die altgriechischen Tragiker von größerer Bedeutung für sein eigenes Werk gewesen sein könnten, läßt sich den Schriften direkt
nicht entnehmen. Um so mehr fällt auf, wie häufig in der zeitgenössischen Kritik
Parallelen zu diesen Leitbildern des dramatischen Geschmacks gezogen werden. Bekannt ist das hohe Lob Wielands über *Robert Guiskard:* »Wenn die Geister des
Äschylus, Sophokles und Shakespeare sich vereinigten, eine Tragödie zu schaffen,
so würde das sein, was Kleists *Tod Guiscards des Normanns,* sofern das Ganze demjenigen entspräche, was er mich damals hören ließ«.[81] In das gleiche Bezugsfeld, dabei aber stärker auf die Unvereinbarkeit der beiden Pole als auf ihre durch Kleist bereits geleistete Vermittlung abhebend, stellt eine Sammelrezension zu neuen
deutschen Dramen die *Penthesilea:* »[…] die Funken eines vielverheißenden Geistes
leuchten überall auch in dieser Übung. Er [Kleist] kommt mir wie ein werdender
Shakespeare vor, der sich in den tragischen Formen des *Sophokles* bewegen
möchte«.[82]
Ob Kleist diese Urteile kannte, ist aus seinen Briefen nicht zu belegen. Er selbst hat
solche Vergleiche nicht gesucht und eine Synthese dieser Tragödienmuster nirgends
als Ziel seiner Bemühungen ausgesprochen. Gerade im Zusammenhang mit seinen
Tragödien – in der *Guiskard*-Krise im Herbst 1803 und wieder beim Abschluß seiner
Penthesilea Ende 1807 – ist er sich jedoch einer grundlegenden Diskrepanz zwischen
seiner Idealvorstellung und dem Geschmack des Publikums bzw. den Erwartungen
seiner Zeit bewußt. Und zunächst – trotz des Scheiterns seines Versuchs – ist sein
Selbstbewußtsein stark genug, diesen Abstand aus dem Zukunftsweisenden seiner
Entwürfe heraus zu begreifen, nicht als Zurückbleiben seiner Möglichkeiten hinter
den Erfordernissen des Zeitgeistes. Mit dem charakteristischen Pathos seiner Briefe
an die wenigen wirklich Vertrauten schreibt er mitten in einem Bekenntnis der Verzweiflung: »Das Schicksal, das den Völkern den Zuschuß zu ihrer Bildung zumißt,
will, denke ich, die Kunst in diesem nördlichen Himmelsstrich noch nicht reifen lassen. Töricht wäre es wenigstens, wenn *ich* meine Kräfte länger an ein Werk setzen
wollte, das, wie ich mich endlich überzeugen muß, für mich zu schwer ist. Ich trete

vor einem zurück, der noch nicht da ist, und beuge mich, ein Jahrtausend im voraus, vor seinem Geiste«.[83]

Drei Jahre später erscheint ihm zwar selbst die Vorstellung von seiner Fähigkeit »nur noch der Schatten von jener ehemaligen in Dresden«,[84] doch die Erleichterung über die Vollendung der *Penthesilea* läßt ihn noch einmal an die damalige Beurteilung des Verhältnisses von Zeit und Kunst anknüpfen. Bei aller scheinbaren Devotion in seinem (einzigen) Brief an Goethe ist es doch alles andere als das Bewußtsein eines Epigonen, das aus ihm spricht.[85]

Eine der wichtigsten Andeutungen über kunsttheoretische Erkenntnisse, auf die Kleist die Erwartung seiner »großen Bestimmung« stützte, stammt aus der Zeit der ersten Beschäftigung mit dem *Guiskard*. Geradezu betont beiläufig erwähnt er »eine gewisse Entdeckung im Gebiete der Kunst«, die er nur noch »völlig ins Licht« stellen müsse.[86] Unverkennbar ist, daß Kleist sein Streben und vor allem sein Scheitern unter dem Gesichtspunkt des historisch Möglichen sieht. Das, was er erreichen will, erscheint ihm als notwendige qualitative Steigerung künstlerischer Ausdrucksmöglichkeiten, und aus dem Mißlingen folgert er, die Zeit sei noch nicht reif für diesen Schritt. An die Stelle des bei Hölderlin und Schiller beobachteten Distanzbewußtseins gegenüber der Antike und des Aufbegehrens gegen ihre Kanonisierung tritt also bei Kleist das Bewußtsein, etwas Neuem – auch in der Antike noch nicht Realisierten – auf der Spur zu sein. Für das Verständnis seiner – offenbar mehr geahnten als klar umrissenen – »Entdeckung« ist man auf die Kombination der Zeugnisse aus erster und zweiter Hand angewiesen. Daß es sich um ein Formproblem handelt, läßt sich sowohl dem Bericht Wielands[87] als auch Kleists eigenen Hinweisen[88] entnehmen, ob er jedoch die historischen Implikationen dieses Formproblems 1803 bereits voll durchschaut hat, muß bezweifelt werden. Allgemein wird angenommen – gelegentlich mit dem Blick auf die nahezu gleichzeitig entstehende *Braut von Messina*[89] –, Kleist habe eine Synthese von griechischer und moderner Tragödie, von Antike und Shakespeare verwirklichen wollen.[90]

Das theoretisch ungeklärte Verhältnis zwischen den beiden Tragödienkonzeptionen mußte zu Schwierigkeiten bei der szenischen Realisation ihrer ›Synthese‹ führen. Im *Guiskard*-Fragment treten sie in der Figur des Helden offen zutage. Guiskard ist nicht nur leidender – er ist aber auch nicht bis zuletzt selbsthandelnder, aktiver Held.[91] Entscheidende Bedeutung erhält damit die Motivation seines Scheiterns. Sollte Guiskard wirklich nur seiner Krankheit zum Opfer fallen, so scheint die tragische Fabel unbefriedigend konzipiert, soll seinem Scheitern aber die Qualität tragischer Notwendigkeit zukommen, so bleibt zu fragen, worin das dramatisch faßbar wird.

Erklärt man kurzerhand die Pest zum eigentlichen »Gegenspieler des Helden«,[92] dann reduziert sich Kleists Ahnung eines künftig möglichen Verständnisses von Tragik auf das Symptom eines ›privaten‹ Mangels: fehlende dramentechnische Gewandtheit. Erst dann bekäme seine pathetische Diagnose von der Unreife der Zeit einen Sinn, wenn im »Zufälligen« der Pest tatsächlich ein »Notwendiges« erkannt werden könnte.[93] Der Fall Guiskard wird von Kleist weder unter dem Zeichen einer »mythischen Notwendigkeit« (als Demonstration einer zeitlos-göttlichen Ordnung an einem ›beliebigen‹ Opfer) noch als Gottesurteil im Horizont des christlichen Mittelalters aufgefaßt. Kleist war wohl wirklich auf dem Weg zur Erkenntnis einer historischen oder gesellschaftlichen Notwendigkeit, die sich ihm am Beispiel Guiskard offenbarte.[94]

In der Intention, den Zusammenbruch des Guiskard-Unternehmens als historisch notwendig zu erkennen und dramatisch zu gestalten, dürften sich verschiedene Gedanken verknüpft haben: die Auffassung von der notwendigen Begrenzung jeder Machtentfaltung, angeregt nicht zuletzt durch die Expansion Frankreichs unter Napoleon als Erstem Konsul,[95] eine negative Erwartung hinsichtlich des Volkes und seiner Bedeutung für den Verlauf der Geschichte[96] und eine schon in der *Familie Schroffenstein* erkennbare Skepsis gegenüber jeder positiv-rechtlich fixierten Ordnung gesellschaftlicher Verhältnisse.[97] Denn das hier geschilderte normannische Staatswesen steckt ja deutlich in einer Krise, deren Symptome sich in der Familie des Fürsten, aber auch im Auftreten des Volkes zeigen.[98] Daß Kleist mit angenommenen Umständen arbeitet, die für das Verständnis der Tragödie entscheidend sind, unterstreicht er selbst durch das ungewöhnliche Mittel zweier Anmerkungen zum Text.[99] Beide Erläuterungen wären für die Einsicht in den Handlungszusammenhang der vollendeten Tragödie entbehrlich. Sie akzentuieren jedoch den Charakter des Helden oder besser: sie heben das krisenhafte Moment hervor.

Der junge Guiskard hatte – mit der spontanen Zustimmung des Volkes – gegen das Schema der Erbfolge ein ursprünglicheres Verhältnis zwischen Herrscher und Volk wiederhergestellt. Dem damals übergangenen Prätendenten Abälard – inzwischen ›idoneus‹ wie einst er selbst – wird der gleiche ›naturrechtliche‹ Anspruch auf den Thron mit dem Hinweis auf das Erbrecht des (weniger geeigneten) Sohnes jedoch verweigert. Zugleich ist Guiskard – wenn auch kaum mehr aus freier Entscheidung – bereit, für sich noch einmal eine Ausnahme von dem starren Prinzip zuzulassen und selbst die Krone von Byzanz anzunehmen, die seiner Tochter für ihre Kinder ›zustünde‹. Der Entschluß ist allerdings eher ein Zeichen von Schwäche als Ausdruck des erklärten Willens, die Kraft natürlicher Spontaneität aus ihrer Umklammerung durch Satzungen und festgeschriebene Regelungen wieder freizusetzen. Diese ursprüngliche Kraft ist verlorengegangen; der junge Guiskard hatte noch Anteil an ihr, weil er die geschichtlichen Fixierungen ›naiv‹ nicht zur Kenntnis nahm, der alte jedoch kennt sie und bedient sich ihrer, er ist selbst von der Geschichte korrumpiert. Insofern er als großes Individuum den Kampf für Naturrecht und Spontaneität einmal geführt hat, ist er positiver Held. Daß es auch diesem einzelnen – von der Masse in keiner Weise unterstützt – nicht gelingt, den Verfall der Spontaneität im Verlauf der Geschichte aufzuhalten, daß er den Versuch selbst wieder aufgibt, ist weniger seine Tragik als seine Schuld, und es ist zugleich die Tragik der geschichtlichen Entwicklung überhaupt, deren ›Notwendigkeit‹ Kleist als Verhängnis empfindet. Daneben ist Guiskard aber auch Machtmensch, ein Welteroberer ohne Rücksicht auf das Leid seines Volkes, und in dieser Komponente seines Charakters ist er kein positiver Held.[100] Auch hier ist sein Scheitern notwendig, aber diese Notwendigkeit wird bejaht. Kleists Verhältnis zu seinem Helden ist gespalten, die Notwendigkeit des Untergangs ist widersprüchlich konzipiert, und das Motiv, das die Klammer für beide Vorstellungen bilden soll, ist damit überfordert.

Wahl und Verwendung dieses Motivs – der Pest – lassen sich nur von Kleists Auseinandersetzung mit der antiken Tragödie her verstehen. Die Anlage seines Stückes verweist in vielen Zügen auf den Prolog des *König Ödipus*,[101] das einzige griechische

Drama, das Kleist gelegentlich direkt nennt.[102] Thebaner wie Normannen suchen den Herrscher mit der Bitte um Hilfe auf, Ursache ihrer Not ist hier wie dort eine Seuche. Verknüpft mit dem Hilfeersuchen ist in beiden Fällen die Erwartung, der Fürst verfüge über die Mittel zur Rettung, weil er auch früher schon geholfen habe (vgl. V. 31 ff. / V. 520 ff.[103]). Damit wird die Bitte zum Anspruch, im *Ödipus* kultisch, im *Guiskard* eher von der Vertragstheorie Rousseaus her begründet, in beiden Dramen bis zur Andeutung einer möglichen Auflehnung (vgl. V. 47 ff. / V. 31 ff. und 49 ff.). Doch in der griechischen Tragödie wird bereits mit dem Orakelspruch deutlich, daß das ›Schicksal‹ der Pest von Apollon über die Stadt verhängt wurde, weil sie Schuld auf sich geladen hat. Ödipus selbst muß sich als Ursache für die Unreinheit Thebens entdecken, und die Pest in der Stadt ist die Objektivation dieser Befleckung durch den Herrscher.[104] Im Horizont der antiken Tragödie steht der Zusammenhang zwischen Schicksal (Pest) und Schuld (Unreinheit) außer Zweifel. Die Gültigkeit dieser Ordnung ist aber für Kleist nicht mehr gegeben; an die Pest als das sichtbare Zeichen göttlichen Eingreifens glaubt er nicht länger, auch nicht in christlicher statt mythologischer Deutung. Wenn in der Seuche »des Schicksals Hand« (V. 494) gesehen werden soll, dann stellt sich die Frage, welche Instanz sich hinter diesem ›Schicksal‹ verbirgt. Diese Frage bleibt in Kleists Stück unbeantwortet. Zwar ist Guiskard ›schuldig‹ als maßloser Eroberer wie als ›positivistischer‹ Renegat, die Notwendigkeit seines Scheiterns liegt in ihm selbst begründet, aber sie tritt – als Pest – von außen an ihn heran. Daß ihm das Schicksal in Gestalt der Pest in den Weg treten muß, kann dramatisch nicht plausibel gemacht werden. Nachteilig für die Annahme ihrer Notwendigkeit muß sich sowohl ein aufgeklärtes Verständnis der Seuche als eines rational erklärbaren Ereignisses als auch der Vergleich mit der Tragfähigkeit des Motivs in der antiken Tragödie auswirken: von einer wirklichen Schicksalsmacht ist sie zum künstlerischen Symbol geworden,[105] das der Fülle seiner Funktionen nicht gewachsen ist.

Kleist wollte eine entmythisierte, geschichtliche Notwendigkeit gestalten; da er selbst jedoch dieser Vorstellung keine konkrete Größe oder Instanz substituieren konnte, war es ihm auch nicht möglich, ein adäquates dichterisches Symbol dafür zu finden. Die Ersetzung einer metaphysischen durch eine irdische (geschichtlichgesellschaftliche) Notwendigkeit, darin könnte Kleist die Aufgabe des modernen Tragikers (seine »Entdeckung«) gesehen haben, deren Lösung ihm greifbar nahe zu liegen schien. Aber die Pest (deren geschichtsmächtige Auswirkung ihm im Fall des abgebrochenen syrischen Feldzugs Napoleons 1799 vor Augen stehen konnte[106]) erwies sich als dramatisch nicht tragfähige Objektivation dieser Notwendigkeit. Die Gemeinsamkeit der drei behandelten Dramen liegt in dem Problem, die intendierte geschichtliche Bedeutung des Vorgangs dramatisch sinnfällig werden zu lassen. Die geschichtliche Notwendigkeit sollte weder durch eine ›bloß‹ subjektive Motivation noch durch die Zufälligkeit eines Schicksalsschlags entwertet werden. *Der Tod des Empedokles* und *Robert Guiskard* bleiben darüber Fragment, *Die Braut von Messina* wird als ›Schicksalstragödie‹ mißverstanden, was von der gerade entgegengesetzten Intention her betrachtet einem Scheitern gleichkommt.

Kleists *Penthesilea* kann in diesem Rahmen nur unter dem Gesichtspunkt der Thematisierung der Geschichte vergleichend herangezogen werden. Ein besonders enger

Zusammenhang des Trauerspiels mit dem *Guiskard*-Fragment im Bewußtsein des Autors ist unschwer zu belegen. Ganz sicher ist das Drama auch als Versuch der Befreiung aus der Schaffenskrise von 1803 zu werten.[107] Der zweite Versuch, die Vorstellung von Tragik geschichtlich zu begründen, geht von einem anderen Ansatz aus und weist eine Reihe einschneidender Änderungen gegenüber *Robert Guiskard* auf. Zunächst einmal ist das dramatische Geschehen in eine mythische Vorzeit zurückverlegt: der Durchbruch zu geschichtlichem Bewußtsein erhält damit den angemessenen Ort. Der tragische Ausgang, Penthesileas Ende, ereignet sich nicht als Scheitern an einem von außen gesetzten Widerstand, sondern konsequent aus innerer Notwendigkeit. Diese von innen heraus wirkende Motivation enthält die historische Dimension in sich, auf ein vermittelndes Symbol wie die Pest kann daher verzichtet werden. Die Aufgabe dieses im *Guiskard* tragenden Motivs ist auch als »Selbstbefreiung von der Orientierung an der Antike« zu werten,[108] als Einsicht in die Unmöglichkeit, sich der antiken Motive zur Artikulation moderner Fragestellungen zu bedienen. Ebenso klärend für die Konzeption wirkt sich aus, daß die Ambivalenz in der Heldenfigur aufgegeben wird. Penthesilea ist – im Unterschied zu Guiskard – positive Heldin,[109] so wie die fallende Kurve dort sich hier in eine steigende umgekehrt hat. Ihre Lösung aus der Ordnung des Tanaïs-Gesetzes ist eine epochale Tat, mit der der Übertritt aus dem mythischen ins geschichtliche Dasein vollzogen wird.[110] Der Freitod wird – wie bei Don Cesar und Empedokles – zum Fanal eines Fortschritts der Geschichte.

Nicht am Ende wie im *Guiskard* erfolgt der Rückfall in das Ordnungsdenken, sondern als Krise im Verlauf des dramatischen Geschehens.[111] Die Wirkung dieser Krise ist eine zeitweilige Sinnverrückung, ausgelöst durch einen Zustand von Freiheit, der in dieser Phase nur als Verlust jedes Halts, als Leere, erfahren werden kann: aus ihrer alten Ordnung rituell ausgeschlossen (V. 2329f.), innerlich aber noch nicht völlig frei, dazu von der Gegenseite weder verstanden noch aufgenommen, sondern scheinbar zurückverwiesen auf eben diese alte Ordnung. In diesem Zeitpunkt ereignet sich der Mord an Achill. Als sie wieder ›bei sich‹ ist, empfindet sie Reue über diese Tat des Wahnsinns, und aus dieser Reue erwächst ein starkes Motiv für ihren Freitod. Doch wird ihr Tod dadurch nicht primär zu einem Akt ›privater‹ Sühne; er behält seine geschichtliche Bedeutung als Opfer, das mit »Hoffnung« (V. 3031) – für die Zukunft – verbunden ist.[112] Ob diese Hoffnung, die sich ja nur darauf richten kann, daß das Volk den Sinn dieses Opfers begreift und den Schritt aus der Reflexionslosigkeit des Mythos in die Geschichtlichkeit nachvollzieht, allerdings berechtigt ist, das bleibt offen[113] – wie im *Empedokles*-Fragment. In der Idee des Individuums als Vorläufer des geschichtlichen Fortschritts kommt ein Element der Hoffnung zum Vorschein, dem der Zweifel an der Nachfolgebereitschaft und -fähigkeit der Masse jedoch die Waage hält. Als Ausdruck eines optimistischen Geschichtsbildes kann daher auch die *Penthesilea* nicht in Anspruch genommen werden.

Penthesilea bezeichnet gegenüber *Robert Guiskard* in doppelter Hinsicht einen Fortschritt: in der Akzentuierung des Themas und in der Auffassung des Synthesegedankens.[114] Dem Anspruch auf Verwirklichung der eigenen Persönlichkeit auch gegen Tradition und etablierte Ordnung und dem Bedürfnis nach gesellschaftlicher Anerkennung, ohne diesen Anspruch aufgeben zu müssen, kommt für das Preußen des Zusammenbruchs nach 1806 und für Kleists eigenes spannungsreiches Verhältnis zu seiner Zeit und seinem Staat höchst aktuelle Bedeutung zu.[115] Die Absicht, einen tragischen Untergang geschichtlich-gesellschaftlich zu motivieren, bestimmte schon den *Guiskard,* daran wird hier festgehalten. Die Objektivation dieser Vorstellung stellt sich jedoch anders dar: als falsche Lebensordnung eines Gemeinwesens, gegen die ein Individuum aufbegehrt. Das Schicksal verbirgt sich hier also nicht mehr im ›Zufall‹ der Pest. Wie Kleist auf den direkten Rückgriff auf die antike Tragödienform verzichtet, so verweigert er auch die Anpassung an die klassizistische Regelform des dramatischen Fünfakters. In der Synthese der *Penthesilea* verwirklicht sich ein Neues, das die in ihm vermittelten Elemente als getrennte nicht mehr erkennen läßt.[116]

Die intensive Beschäftigung mit Bauform und Gesetzen der griechischen Tragödie um 1800 hat zur vertieften Erkenntnis des weltanschaulichen Abstands geführt und zur Entdeckung des geschichtlichen Fortschritts als des Kriteriums, an dem Tragik und tragische Notwendigkeit sich fortan messen lassen müssen. In der Radikalität der Motivation ganz aus dem Inneren der Protagonistin heraus und in der Integrierung von individuellem und geschichtlichem Entwicklungsvorgang geht die *Penthesilea* auch über die *Braut von Messina* hinaus. Kleists Trauerspiel ist darin am ehesten mit dem *Empedokles* vergleichbar; dort allerdings wird die Integration nicht szenisch bewältigt, sondern – im *Grund* – theoretisch konzipiert. Die geschichtsphilosophische Sinngebung des tragischen Geschehens ist der entscheidende Schritt zur Säkularisierung nach der mythischen und der christlich-religiösen, ihm folgt ausgangs des 19. Jahrhunderts die Konkretisierung der Schicksalsvorstellung zu sozialen Prozessen und Kräften, die grundsätzlich der Steuerung durch den Menschen zugänglich sind.

Anmerkungen

1 Die Darstellung von Walther Rehm (Griechentum und Goethezeit. Geschichte eines Glaubens. München 1936) ist heute veraltet.

2 Angeregt wurde der vorliegende Beitrag vor allem durch folgende Untersuchungen: Lawrence J. Ryan: Kleists »Entdeckung im Gebiete der Kunst«: »Robert Guiskard« und die Folgen. In: Gestaltungsgeschichte und Gesellschaftsgeschichte. Hrsg. von Helmut Kreuzer. Stuttgart 1969. (Festschrift für Fritz Martini.) S. 242–264; Helmut Koopmann: Schillers Wallenstein. Antiker Mythos und moderne Geschichte. Zur Begründung der klassischen Tragödie um 1800. In: Teilnahme und Spiegelung. Festschrift für Horst Rüdiger. Hrsg. von Beda Allemann und Erwin Koppen. Berlin, New York 1975. S. 263–274.
In der Fragestellung verwandt, aber stärker auf die theoretische Auseinandersetzung mit der griechischen Tragödie ausgerichtet, sind die folgenden Arbeiten zu Hölderlin: Peter Szondi: Überwindung des Klassizismus. Der Brief an Böhlendorff vom 4. Dezember 1801. In: P. S., Hölderlin-Studien. Mit einem Traktat über philologische Erkenntnis. Frankfurt a. M. 1970. S. 95–118; Wolfgang Binder: Hölderlin und Sophokles. In: Hölderlin-Jahrbuch 16 (1969/70) S. 19–37.

3 Vgl. Johannes Haupt: Geschichtsperspektive und Griechenverständnis im ästhetischen Programm Schillers. In: Jahrbuch der Deutschen Schillergesellschaft 18 (1974) S. 407–430, bes. S. 412 ff.

4 Koopmann (Anm. 2). S. 264.
5 Vgl. ebd., S. 268.
6 Benno von Wiese (Die deutsche Tragödie von Lessing bis Hebbel. Hamburg ⁴1958) will Hölderlin von diesem Prozeß ausgenommen wissen; ihm allein sei es »vergönnt« gewesen, »auf eine ursprüngliche, direkte Weise den Mythos zurückzugewinnen«, während »der gesamten übrigen Dramatik von Lessing bis Hebbel [...] der Weg in den Mythos versagt« geblieben sei (S. 19).
7 Hölderlin. Sämtliche Werke. Große Stuttgarter Ausgabe. Stuttgart 1943 ff. (Im folgenden zitiert als: StA.) Bd. IV, 1. S. 221 f.
8 StA IV, 1, S. 221 f.
9 StA VI, 1, S. 338–341.
10 StA VI, 1, S. 339.
11 Hölderlin an Böhlendorff, 4. 12. 1801 (StA VI, 1, S. 425–428; Zitat S. 426).
12 »Grund zum Empedokles«. StA IV, 1, S. 150.
13 Vgl. Pierre Bertaux: Hölderlin und die Französische Revolution. Frankfurt a. M. ³1974. S. 169 f.; vgl. auch Bertaux' Bemühungen, die ›verschlüsselte Botschaft‹ Hölderlins an anderen Beispielen zu dechiffrieren (ebd., S. 114–138).
14 StA VI, 1, S. 339.
15 StA VI, 1, S. 339. Vgl. auch die aus der gleichen Zeit stammende Reflexion »Grund zum Empedokles«, StA IV, 1, S. 149–162, hier S. 151: der Dichter wählt danach den Stoff seines Trauerspiels, »weil er ihn analog genug fand, um seine Totalempfindung in ihn hineinzutragen, [...]«.
16 Vgl. StA IV, 1, S. 145–148.
17 Vgl. StA IV, 1, S. 163–168.
18 Vgl. Hölderlin an Neuffer, 3. 7. 1799 (StA VI, 1, S. 339); dazu den Aufsatz »Wechsel der Töne« (StA IV, 1, S. 238–240). Auf die verschiedenen Deutungsbemühungen zu Hölderlins Lehre vom Wechsel der Töne kann hier nicht weiter eingegangen werden; vgl. dazu Szondi (Anm. 2), S. 111 ff., sowie ders.: Gattungspoetik und Geschichtsphilosophie. Mit einem Exkurs über Schiller, Schlegel und Hölderlin. Ebd., S. 119–169; vor allem aber Lawrence J. Ryan: Hölderlins Lehre vom Wechsel der Töne. Stuttgart 1960.
19 Vgl. den Brief an Böhlendorff (Anm. 11).
20 StA IV, 1, S. 115.
21 Vgl. StA IV, 1, S. 135 ff.
22 StA IV, 1, S. 53, vgl. S. 56.
23 Vgl. StA IV, 1, S. 76 f.
24 Friedrich Beißner: Hölderlins Empedokles auf dem Theater. In: studi germanici N. S. 2 (1964) S. 46–61, hier S. 60; ähnlich Emil Staiger: Der Opfertod von Hölderlins Empedokles. In: Hölderlin-Jahrbuch 13 (1963/64) S. 1–20, hier S. 19 f.
25 Vgl. hierzu Bertaux (Anm. 13). S. 85–113. Ähnlich schon Klaus Pezold: Zur Interpretation von Hölderlins »Empedokles«-Fragmenten. In: Wissenschaftliche Zeitschrift der Karl-Marx-Universität Leipzig. Gesellschafts- und sprachwissenschaftliche Reihe 12 (1963) S. 519–524. Als Beleg für Hölderlins Teilnahme an solchen Umsturzhoffnungen zitieren beide aus seinem Brief an die Mutter (undatiert; wohl Februar/März 1799): »Im Falle, daß die Franzosen glüklich wären, dürfte es vielleicht in unserem Vaterlande Veränderungen geben« (StA VI, 1, S. 317).
26 Bertaux (Anm. 13) sieht in der Proklamation des französischen Befehlshabers Jourdan vom 16. 3. 1799 das Ereignis, das den Hoffnungen auf eine »Schwäbische Republik« den Boden entzog (vgl. S. 86, 102).
27 Bertaux (Anm. 13). S. 110.
28 Vgl. dagegen Beißner (Anm. 24). S. 58: »[...] darin vor allem mag sich die zweite Fassung gegen die erste abgesetzt haben, dass der Dichter sich hier im zweiten Akt zurückgehalten und den Empedokles nicht schon die ganze Fülle seiner Prophetie hat verströmen lassen.«
29 StA IV, 1, S. 168.
30 Vgl. StA IV, 1, S. 166.

31 Vgl. StA IV, 1, S. 135f., 137f.
32 Vgl. StA IV, 1, S. 135.
33 Vgl. StA IV, 1, S. 121–133; dazu Jürgen Söring: Die Dialektik der Rechtfertigung. Überlegungen zu Hölderlins Empedokles-Projekt. Frankfurt a. M. 1973. S. 185, 188. Sörings Analyse der Szene I, 3 (S. 196–212) ist in vielem zuzustimmen, seine Qualifizierung des Streits als nur »scheinbar« (211, ähnlich schon 177) mag für die Beziehung Empedokles–Manes insgesamt, so wie sie sich entwickeln *sollte*, richtig sein, ihrer vorliegenden ersten Phase wird sie nicht gerecht. Vgl. auch Maria Cornelissen: Die Manes-Szene in Hölderlins Trauerspiel »Der Tod des Empedokles«. In: Hölderlin-Jahrbuch·14 (1965/66) S. 97–109, bes. S. 102 ff.); Klaus-Rüdiger Wöhrmann: Hölderlins Wille zur Tragödie. München 1967. S. 131–139.
34 Vgl. dazu Söring (Anm. 33). S. 157–176; Wöhrmann (Anm. 33), bes. S. 74–126; auch Christoph Prignitz: Friedrich Hölderlin. Die Entwicklung seines politischen Denkens unter dem Einfluß der Französischen Revolution. Hamburg 1976. S. 332–337.
35 Vgl. Bertaux (Anm. 13). S. 126f.
36 Vgl. StA IV, 1, S. 155, 157.
37 StA IV, 1, S. 156.
38 Vgl. StA IV, 1, S. 157f., Zitat S. 157.
39 Vgl. StA IV, 1, S. 157; dazu Bertaux (Anm. 13). S. 127.
40 Zahlreiche Belege für das Distanzbewußtsein Schillers gegenüber der griechischen Antike bei Haupt (Anm. 3). S. 413 ff. Vgl. auch Hans Robert Jauß: Schlegels und Schillers Replik auf die »Querelle des Anciens et des Modernes«. In: H. R. J., Literaturgeschichte als Provokation. Frankfurt a. M. 1970. S. 67–106, bes. S. 75 ff., 95 ff.
41 Schiller an Körner, 24. 10. 1791 (Schillers Briefe. Hrsg. von Fritz Jonas. Stuttgart 1892–96. [Im folgenden zitiert als: Jonas.] Bd. 3. S. 163).
42 Schiller an Goethe, 2. 10. 1797 (Jonas 5, 270). In dieser Gegenüberstellung verweisen beide Briefstellen auf Goethes Aufsatz von 1788 »Einfache Nachahmung der Natur, Manier, Stil«. In: Goethes Werke. Hamburger Ausgabe. Bd. 12. Hamburg 1953. S. 30–34.
43 Vgl. etwa Schiller an Körner, 20. 8. 1788, 9. 3. 1789 und 13. 5. 1801; an Humboldt, 17. 2. 1803 (Jonas 2, 106. 248; 6, 277; 7, 13f.).
44 Vgl. weiterhin Schiller an Körner, 3. 6. 1797 und 8. 1. 1798 (Jonas 5, 198f. 320); vgl. auch an Goethe, 2. 10. 1797 (ebd., S. 271).
45 Schiller an Süvern, 26. 7. 1800 (Jonas 6, 175f.); vgl. aus dem Brief an Goethe vom gleichen Tag: »Man muß [...] sich durch keinen allgemeinen Begriff fesseln, sondern es wagen, bei einem neuen Stoff die Form neu zu erfinden, und sich den Gattungsbegriff immer beweglich erhalten« (ebd., S. 177).
46 Vgl. Schiller an Humboldt, 17. 2. 1803 (Jonas 7, 13f.); ähnlich auch an Iffland, 22. 4. 1803 (ebd., S. 34f.). Diese Äußerung gegenüber Humboldt nimmt Florian Prader zum Ausgangspunkt seiner Untersuchung (Schiller und Sophokles. Zürich 1954. S. 56 und 96). Daraus gewinnt er seine Leitfrage (»Wie besteht Schiller in seinem Wettstreit mit Sophokles?«, S. 57 und 94), die folgerichtig zu einer schiefen Perspektive führt. Gegen diese »naive« Art des Vergleichs wendet sich auch Friedrich Sengle: »Die Braut von Messina«. In: F. S., Arbeiten zur deutschen Literatur 1750–1850. Stuttgart 1965. S. 94–117; hier S. 104.
47 Vgl. Schiller an Körner, 15. 11. 1802 (Jonas 6, 427), ähnlich schon am 9. 9. 1802 an denselben Empfänger (ebd., S. 414).
48 Vgl. Schiller an Iffland, 24. 2. 1803 (Jonas 7, 17); vgl. auch an Körner, 28. 3. 1803 (ebd., S. 29f.).
49 Vgl. Theodor C. van Stockum: Deutsche Klassik und antike Tragödie. Zwei Studien. I. Schillers »Braut von Messina«, ein gelungener Versuch der Neubelebung der antiken Tragödie? In: Neophilologus 43 (1959) S. 177–193, bes. S. 185 ff.; Wolfgang Schadewaldt: Antikes und Modernes in Schillers »Braut von Messina«. In: Jahrbuch der Deutschen Schillergesellschaft 13 (1969) S. 286–307, bes. S. 294 ff.
50 Prader (Anm. 46). S. 76.

51 Schadewaldt (Anm. 49). S. 288.

52 Vgl. Walter Jens: Antikes und modernes Drama. In: Eranion. Festschrift für Hildebrecht Hommel. Hrsg. von Jürgen Kroymann. Tübingen 1961. S. 43–62; hier S. 48.

53 Vgl. Schiller an Goethe, 2. 10. 1797 (Jonas 5, 271).

54 Vgl. besonders Prader (Anm. 46). S. 56–96. Hermann Weigand (»Oedipus Tyrannus« and »Die Braut von Messina«. In: Schiller 1759/1959. Commemorative American Studies. Ed. by John R. Frey. Urbana [Ill.] 1959. S. 171–202) bezieht Schillers Tragödie zwar auch auf den »König Ödipus«, stellt aber vor allem die grundlegenden Unterschiede heraus (vgl. S. 177f., 195ff.) und interpretiert »Die Braut von Messina« konsequent als romantische Schicksalstragödie. Van Stockum (Anm. 49) unternimmt den Versuch, »Die Braut von Messina« »strukturell der altgriechischen Tragödie anzugleichen« (S. 184ff.), d. h., er analysiert das Drama, ›als ob‹ er eine solche vorliegen hätte. Uwe Petersen (Goethe und Euripides. Untersuchungen zur Euripides-Rezeption in der Goethezeit. Heidelberg 1974.) hebt zwar die dramaturgischen und funktionalen Parallelen zum »Ion« des Euripides stärker hervor (vgl. S. 122ff.), bleibt damit aber prinzipiell dem gleichen Frageansatz verhaftet: statt des ›falschen‹ glaubt er nun eben das ›richtige‹ Vergleichsdrama herangezogen zu haben.

55 Schiller an Goethe, 2. 10. 1797 (Jonas 5, 271).

56 Vgl. Sengle (Anm. 46). S. 106; ähnlich Prader (Anm. 46): »analytische« und »aktuelle Handlung« (S. 64).

57 Vgl. Sengle (Anm. 46). S. 106f.

58 Vgl. »Über die tragische Kunst« (1792). In: Schillers Sämtliche Werke. Säkular-Ausgabe. Stuttgart, Berlin o. J. (Im folgenden zitiert als: Säk.-Ausg.) Bd. 11. S. 155–179; hier S. 165.

59 Vgl. »Über den Gebrauch des Chors in der Tragödie«. In: Säk.-Ausg. 16, 128. Vgl. dazu Schiller an Goethe, 2. 10. 1797: »Das Orakel hat einen Antheil an der Tragödie [»König Ödipus«], der schlechterdings durch nichts anderes zu ersetzen ist; [...]« (Jonas 5, 271).

60 V. 2641f. Säk.-Ausg. 7, 112.

61 »Über den Gebrauch des Chors in der Tragödie«. In: Säk.-Ausg. 16, 127.

62 Sengle (Anm. 46). S. 107.

63 Vgl. V. 175–177, 197–211, 231–254, 524–529.

64 Vgl. V. 178–180, 181–189, 370–375, 435–438. Vgl. dazu Joachim Müller: Die Tragik in Schillers »Braut von Messina«. In: Wissenschaftliche Zeitschrift der Friedrich-Schiller-Universität Jena 5 (1955/56). Gesellschafts- und sprachwissenschaftliche Reihe. H. 1. S. 61–71, bes. S. 64f.; Weigand (Anm. 54). S. 198f.

65 Prader (Anm. 46). S. 90; vgl. auch Weigand (Anm. 54). S. 199ff.

66 Sengle (Anm. 46). S. 107 und 112.

67 So Müller (Anm. 64). S. 65f.

68 Ich folge hier den Überlegungen Gerhard Kaisers (Die Idee der Idylle in Schillers »Braut von Messina«. In: Wirkendes Wort 21 (1971) S. 289–312; hier S. 292f. Kaiser geht auf die ältere Untersuchung Müllers (Anm. 64) nicht ein.

69 Vgl. Kaiser (Anm. 68). S. 292ff.; Zitat S. 295.

70 Vgl. ebd., S. 297f.

71 Vgl. ebd., S. 307ff.; Zitat S. 309.

72 Über naive und sentimentalische Dichtung. In: Säk.-Ausg. 12, 229; dazu Kaiser (Anm. 68). S. 309ff.

73 Schiller an Körner, 10. 3. 1803 (Jonas 7, 24).

74 Über den Gebrauch des Chors in der Tragödie. In: Säk.-Ausg. 16, 127; vgl. auch S. 123f.

75 Über die tragische Kunst. In: Säk.-Ausg. 11, 165; vgl. oben S. 303.

76 Vgl. dazu u. a. Söring (Anm. 33). S. 87–132; Ingeborg Gerlach: Natur und Geschichte. Studien zur Geschichtsauffassung in Hölderlins »Hyperion« und »Empedokles«. Frankfurt a. M. 1973. S. 115–156, bes. S. 122f.; Staiger (Anm. 24). S. 11f.

77 Die Frage der »sittlichen Freiheit« Don Cesars ist denn auch sehr umstritten. Sie wird von Her-

bert Seidler (Schillers »Braut von Messina«. In: Literaturwissenschaftliches Jahrbuch 1 [1960]
S. 27–52; passim) entschieden bezweifelt; vgl. auch Stuart Atkins: Gestalt als Gehalt in Schillers
»Braut von Messina«. In: Deutsche Vierteljahrsschrift für Literaturwissenschaft und Geistesgeschichte 33 (1959) S. 529–564, hier S. 540f. und 548f.; Sengle (Anm. 46). S. 112. Wolfgang Düsing (Schillers Idee des Erhabenen. Phil. Diss. Köln 1967) lehnt die These von der »Läuterung«
Don Cesars ab, erkennt aber eine »Wandlung« an, durch die er »die zum Vollzug des Erhabenen
unabdingbare innere Freiheit« gewinne (S. 260f., vgl. 256f.). Für Kaiser (Anm. 68) ist die sittliche Unbedingtheit (vgl. S. 303ff., 311ff.), für Müller (Anm. 64) die Freiheit der Entscheidung
Don Cesars (vgl. S. 70f.) der Angelpunkt ihres Verständnisses des Stücks. Schadewaldt (Anm.
49) sieht in dem reinigenden Freitod Don Cesars die »neue, eigene Form der Katharsis« begründet, die Schiller hier gefunden habe (S. 304ff.).

78 Kaiser (Anm. 68). S. 301; vgl. Atkins (Anm. 77). S. 545ff.

79 Den uneingeschränkt positiven Gesamturteilen Kaisers (Anm. 68; S. 311) und Schadewaldts
(Anm. 49; S. 306f., vgl. schon S. 288) kann ich mich nicht anschließen.

80 Vgl. dazu Koopmann (Anm. 2). S. 272ff.; Zitat S. 274.

81 Christoph Martin Wieland an Georg Wedekind, 10. 4. 1804 (Heinrich von Kleists Lebensspuren. Dokumente und Berichte der Zeitgenossen. Hrsg. von Helmut Sembdner. München 1969.
S. 70). Vgl. dazu Wielands Brief an Kleist vom Juli 1803, den dieser seinem Brief an Ulrike vom
20. 7. 1803 beilegte (Heinrich von Kleist. Sämtliche Werke und Briefe. 2 Bde. Hrsg. von Helmut
Sembdner. Darmstadt ²1961. [Im folgenden zitiert als: SW.] Bd. 2. S. 733f.)

82 Lebensspuren (Anm. 81). S. 212; der Herausgeber vermutet Heinrich Zschokke als Verfasser
der im Dezember 1808 ungezeichnet erschienenen Besprechung.

83 Kleist an Ulrike, 5. 10. 1803 (SW 2, 735f.).

84 Kleist an Rühle von Lilienstern, 31. 8. 1806 (SW 2, 769).

85 Kleist an Goethe, 24. 1. 1808 (SW 2, 805f.); s. auch dessen Antwort vom 1. 2. 1808 (SW 2, 806f.).

86 Kleist an Ulrike, 3. 7. 1803 (SW 2, 733). Vgl. auch den Brief vom 5. 10. 1803 (Anm. 83): »[...]
in der Reihe der menschlichen Erfindungen ist diejenige, die ich gedacht habe, unfehlbar ein
Glied, und es wächst irgendwo ein Stein schon für den, der sie einst ausspricht« (SW 2, 736).

87 Lebensspuren (Anm. 81). S. 70.

88 Vgl. außer den Briefen an Ulrike vom 3. 7. und 5. 10. 1803 auch an Collin, 14. 2. 1808 (SW
2, 810).

89 Vgl. Ernst Fischer: Heinrich von Kleist. In: Heinrich von Kleist. Aufsätze und Essays. Hrsg.
von Walter Müller-Seidel. Darmstadt ²1973. S. 459–552, hier S. 490; Siegfried Streller: Das dramatische Werk Heinrich von Kleists. Berlin 1966, hier S. 44f.; Ryan (Anm. 2). S. 250, 253f.

90 Vgl. Fischer (Anm. 89). S. 489ff.; Streller (Anm. 89). S. 45f.; Ryan (Anm. 2). S. 244, 250ff.,
261ff. Vgl. auch Heinz Ide: Kleist im Niemandsland? In: Kleist und die Gesellschaft. Eine Diskussion. Hrsg. von Walter Müller-Seidel. Berlin 1965. S. 33–66, hier S. 39ff.; Walter Gausewitz:
Ein Nochmaliger Weg zu »Guiskard«. Zum Kleist-Problem. In: Festschrift für M. Blakemore
Evans. Columbus 1945. S. 53–66, hier S. 60.

91 Vgl. Fischer (Anm. 89). S. 489.

92 Georg Lukács: Die Tragödie Heinrich von Kleists. In: G. L., Deutsche Realisten des 19. Jahrhunderts. Berlin 1952. S. 19–48; Zitat S. 31.

93 Diese Möglichkeit – und damit zugleich die »objektive Notwendigkeit« für Guiskards Scheitern
– bestreitet Fischer (Anm. 89); vgl. S. 490.

94 Vgl. ebd.

95 Vgl. dazu Kleists Briefe vom Februar/März 1802 (SW 2, 718ff.).

96 Vgl. dazu Streller (Anm. 89). S. 54f.; Ryan (Anm. 2). S. 248f.

97 Vgl. Streller (Anm. 89). S. 33ff.; Fischer (Anm. 89). S. 480ff.; Ryan (Anm. 2). S. 252f.

98 Die folgenden Überlegungen gehen von der Untersuchung Ryans (Anm. 2) aus, ohne deren
Ergebnisse in allen Punkten zu übernehmen. Vgl. daneben Streller (Anm. 89). S. 49–56.

99 Vgl. SW 1, 164. 167.

100 Auf die Spiegelung des ambivalenten Verhältnisses zu Napoleon in der Guiskard-Figur legt Fischer (Anm. 89) besonderes Gewicht (S. 488, 491f.); vgl. dagegen Streller (Anm. 89). S. 51.
101 Vgl. zu diesen Parallelen auch Ryan (Anm. 2). S. 250f.; Jochen Schmidt: Heinrich von Kleist. Studien zu seiner poetischen Verfahrensweise. Tübingen 1974. S. 234.
102 Vgl. das Epigramm »Der Ödip des Sophokles« (SW 1, 22) und die Vorrede zum »Zerbrochenen Krug« (ebd., S. 176); s. auch den Ausleihbeleg über Sophokles-Dramen: Lebensspuren (Anm. 81). S. 83.
103 Die vor dem Schrägstrich genannten Verszeilen beziehen sich auf »König Ödipus«, die dahinter auf »Robert Guiskard«.
104 Vgl. Wolfgang Schadewaldt: Der »König Ödipus« des Sophokles in neuer Deutung. In: W. S., Hellas und Hesperien. Gesammelte Schriften zur Antike und zur neueren Literatur. Zürich, Stuttgart 1960. S. 277–287; hier S. 284ff.
105 Vgl. Ryan (Anm. 2). S. 251.
106 Vgl. die Anmerkung Helmut Sembdners (SW 1, 922).
107 Vgl. Kleist an Wieland, 17. 12. 1807 (SW 2, 800); vgl. auch an Collin, 14. 2. 1808 (ebd., S. 810).
108 Ryan (Anm. 2). S. 264.
109 Der Umwertung der Penthesilea-Gestalt zur Verkörperung der »Dimension des Bösen« (S. 428) und der Interpretation ihrer Tragik als radikal »hoffnungs- und ausweglos« (S. 382) bei Albrecht Sieck (Kleists Penthesilea. Versuch einer neuen Interpretation. Bonn 1976) kann ich mich nicht anschließen.
110 Ganz anders Josef Kunz (Die Tragik der Penthesilea. In: Literatur und Geistesgeschichte. Festgabe für Heinz Otto Burger. Hrsg. von Reinhold Grimm und Conrad Wiedemann. Berlin 1968. S. 208–224), der »Penthesilea« als metaphysische Tragödie versteht und in der »Verwechslung der Zeitstufen«, in dem Versuch, eine künftige Daseinsstufe vorzeitig zu erzwingen, gerade die tragische Schuld Penthesileas erkennt (vgl. S. 220ff.; Zitat S. 221).
111 Vgl. V. 2402f. (SW 1, 404); dazu die noch deutlichere Variante (ebd., S. 880): »Ich will den Bogen wieder reinigen«.
112 Gegen Kunz (Anm. 110). S. 222f.
113 Vgl. dazu die folgende Bemerkung aus einem frühen Brief an Ulrike: »[...] und wer weiß, was Sokrates und Christus getan haben würden, wenn sie voraus gewußt hätten, daß keiner unter ihren Völkern den Sinn ihres Todes verstehen würde« (12. 11. 1799; SW 2, 495).
114 Vgl. dazu Schmidt (Anm. 101). S. 230ff. und Ryan (Anm. 2). S. 262f. G. Lukács (Anm. 92) sieht die Modernität der »Penthesilea« unter dem (für ihn) negativen Gesichtspunkt der »Subjektivierung und Relativierung des Tragischen« (S. 44; vgl. S. 38f.).
115 Vgl. besonders Kleists Briefe an Wilhelmine von Zenge vom 13. 11. 1800 und 10. 10. 1801 (SW 2, 584ff. 691ff.), an Ulrike vom 25. 11. 1800 (ebd., S. 600ff.) und an Marie von Kleist vom 10. 11. 1811 (ebd., S. 883f.).
116 Die Unterscheidung antiker und shakespearischer Elemente, wie sie Streller (Anm. 89) vornimmt, scheint mir für die »Penthesilea« nicht hilfreich (S. 121).

Literaturhinweise

Atkins, Stuart: Gestalt als Gehalt in Schillers »Braut von Messina«. In: Deutsche Vierteljahrsschrift für Literaturwissenschaft und Geistesgeschichte 33 (1959) S. 529–564.
Beißner, Friedrich: Hölderlins Trauerspiel »Der Tod des Empedokles« in seinen drei Fassungen. In: F. B., Hölderlin. Reden und Aufsätze. Weimar 1961. S. 67–91.
– Hölderlins Empedokles auf dem Theater. In: studi germanici N. S. 2 (1964) S. 46–61.
Berghahn, Klaus L.: Schiller und die Tradition. In: Monatshefte 67 (1975) S. 403–416.
Bertaux, Pierre: Hölderlin und die Französische Revolution. Frankfurt a. M. ³1974.

Binder, Wolfgang: Hölderlin und Sophokles. In: Hölderlin-Jahrbuch 16 (1969/70) S. 19–37.

Cornelissen, Maria: Die Manes-Szene in Hölderlins Trauerspiel »Der Tod des Empedokles«. In: Hölderlin-Jahrbuch 14 (1965/66) S. 97–109.

Düsing, Wolfgang: Schillers Idee des Erhabenen. Phil. Diss. Köln 1967.

Durzak, Manfred: Das Gesetz der Athene und das Gesetz der Tanaïs. Zur Funktion des Mythischen in Kleists »Penthesilea«. In: Jahrbuch des Freien Deutschen Hochstifts. Tübingen 1973. S. 354–370.

Fritz, Kurt von: Tragische Schuld und poetische Gerechtigkeit in der griechischen Tragödie. In: K. v. F., Antike und moderne Tragödie. Neun Abhandlungen. Berlin 1962. S. 1–112.

Gausewitz, Walter: Ein Nochmaliger Weg zu »Guiskard«. Zum Kleist-Problem. In: Festschrift für M. Blakemore Evans. Columbus 1945. S. 53–66.

Gerlach, Ingeborg: Natur und Geschichte. Studien zur Geschichtsauffassung in Hölderlins »Hyperion« und »Empedokles«. Frankfurt a. M. 1973.

Grimm, Reinhold, und Jost Hermand (Hrsg.): Die Klassik-Legende. Second Wisconsin Workshop. Frankfurt a. M. 1971.

Haupt, Johannes: Geschichtsperspektive und Griechenverständnis im ästhetischen Programm Schillers. In: Jahrbuch der Deutschen Schillergesellschaft 18 (1974) S. 407–430.

Hölderlin. Beiträge zu seinem Verständnis in unserm Jahrhundert. Hrsg. von Alfred Kelletat. Tübingen 1961.

Hoffmeister, Johannes: Hölderlins Empedokles. Aus dem Nachlaß hrsg. von Richard Matthias Müller. Bonn 1963.

Jauß, Hans Robert: Schlegels und Schillers Replik auf die »Querelle des Anciens et des Modernes«. In: H. R. J., Literaturgeschichte als Provokation. Frankfurt a. M. 1970. S. 67–106.

Jens, Walter: Antikes und modernes Drama. In: Eranion. Festschrift für Hildebrecht Hommel. Hrsg. von Jürgen Kroymann. Tübingen 1961. S. 43–62.

Kaiser, Gerhard: Die Idee der Idylle in Schillers »Braut von Messina«. In: Wirkendes Wort 21 (1971) S. 289–312.

Heinrich von Kleist. Aufsätze und Essays. Hrsg. von Walter Müller-Seidel. Darmstadt [2]1973.

Kleist und die Gesellschaft. Eine Diskussion. Mit Beiträgen von Eckehard Catholy, Karl Otto Conrady, Heinz Ide, Walter Müller-Seidel. Berlin 1965.

Heinrich von Kleists Lebensspuren. Dokumente und Berichte der Zeitgenossen. Hrsg. von Helmut Sembdner. München 1969.

Koopmann, Helmut: Schillers Wallenstein. Antiker Mythos und moderne Geschichte. Zur Begründung der klassischen Tragödie um 1800. In: Teilnahme und Spiegelung. Festschrift für Horst Rüdiger. Hrsg. von Beda Allemann und Erwin Koppen. Berlin, New York 1975. S. 263–274.

Kunz, Josef: Die Tragik der Penthesilea. In: Literatur und Geistesgeschichte. Festgabe für Heinz Otto Burger. Hrsg. von Reinhold Grimm und Conrad Wiedemann. Berlin 1968. S. 208–224.

Lukács, Georg: Die Tragödie Heinrich von Kleists. In: G. L., Deutsche Realisten des 19. Jahrhunderts. Berlin 1952. S. 19–48.

Malsch, Wilfried: Geschichte und göttliche Welt in Hölderlins Dichtung. In: Hölderlin-Jahrbuch 16 (1969/70) S. 38–59.

Mayer, Hans: Heinrich von Kleist. Der geschichtliche Augenblick. Pfullingen 1962.

Müller, Joachim: Die Tragik in Schillers »Braut von Messina«. In: Wissenschaftliche Zeitschrift der Friedrich-Schiller-Universität Jena 5 (1955/56). Gesellschafts- und sprachwissenschaftliche Reihe. H. 1. S. 61–71.

Petersen, Uwe: Goethe und Euripides. Untersuchungen zur Euripides-Rezeption in der Goethezeit. Heidelberg 1974.

Pezold, Klaus: Zur Interpretation von Hölderlins »Empedokles«-Fragmenten. In: Wissenschaftliche Zeitschrift der Karl-Marx-Universität Leipzig. Gesellschafts- und sprachwissenschaftliche Reihe 12 (1963) S. 519–524.

Prader, Florian: Schiller und Sophokles. Zürich 1954.

Prignitz, Christoph: Friedrich Hölderlin. Die Entwicklung seines politischen Denkens unter dem Einfluß der Französischen Revolution. Hamburg 1976.

Rehm, Walther: Griechentum und Goethezeit. Geschichte eines Glaubens. München [3]1952.

Ryan, Lawrence J.: Hölderlins Lehre vom Wechsel der Töne. Stuttgart 1960.

– Kleists »Entdeckung im Gebiete der Kunst«: »Robert Guiskard« und die Folgen. In: Gestaltungsgeschichte und Gesellschaftsgeschichte. Hrsg. von Helmut Kreuzer. Stuttgart 1969. (Festschrift für Fritz Martini.) S. 242–264.

Schadewaldt, Wolfgang: Der »König Ödipus« des Sophokles in neuer Deutung. In: W. S., Hellas und Hesperien. Gesammelte Schriften zur Antike und zur neueren Literatur. Zürich, Stuttgart 1960. S. 277–287.

– Antikes und Modernes in Schillers »Braut von Messina«. In: Jahrbuch der Deutschen Schillergesellschaft 13 (1969) S. 286–307.

– Die Empedokles-Tragödie Hölderlins. In: W. S., Hellas und Hesperien. Gesammelte Schriften zur Antike und zur neueren Literatur in zwei Bänden. Bd. 2. Zürich u. Stuttgart [2]1970. S. 261–275.

Schiller. Zur Theorie und Praxis der Dramen. Hrsg. von Klaus L. Berghahn und Reinhold Grimm. Darmstadt 1972.

Schmalzriedt, Egidius: Inhumane Klassik. Vorlesung wider ein Bildungsklischee. München 1971.

Schmidt, Jochen: Hölderlins Entwurf der Zukunft. In: Hölderlin-Jahrbuch 16 (1969/70) S. 110–122.

– Heinrich von Kleist. Studien zu seiner poetischen Verfahrensweise. Tübingen 1974.

Schrader, Hans: Hölderlins Deutung des »Oedipus« und der »Antigone«. Die »Anmerkungen« im Rahmen der klassischen und romantischen Deutungen des Antik-Tragischen. Bonn 1933.

Seidler, Herbert: Schillers »Braut von Messina«. In: Literaturwissenschaftliches Jahrbuch 1 (1960) S. 27–52.

Sengle, Friedrich: »Die Braut von Messina«. In: F. S., Arbeiten zur deutschen Literatur 1750–1850. Stuttgart 1965. S. 94–117.

Sieck, Albrecht: Kleists Penthesilea. Versuch einer neuen Interpretation. Bonn 1976.

Söring, Jürgen: Die Dialektik der Rechtfertigung. Überlegungen zu Hölderlins Empedokles-Projekt. Frankfurt a. M. 1973.

Staiger, Emil: Der Opfertod von Hölderlins Empedokles. In: Hölderlin-Jahrbuch 13 (1963/64) S. 1–20.

Stockum, Theodor C. van: Deutsche Klassik und antike Tragödie. Zwei Studien. I. Schillers »Braut von Messina«, ein gelungener Versuch der Neubelebung der antiken Tragödie? In: Neophilologus 43 (1959) S. 177–193.

Streller, Siegfried: Das dramatische Werk Heinrich von Kleists. Berlin 1966.

Szondi, Peter: Gattungspoetik und Geschichtsphilosophie. Mit einem Exkurs über Schiller, Schlegel und Hölderlin. In: P. S., Hölderlin-Studien. Mit einem Traktat über philologische Erkenntnis. Frankfurt a. M. 1970. S. 119–169.

– Überwindung des Klassizismus. Der Brief an Böhlendorff vom 4. Dezember 1801. Ebd., S. 95–118.

Weigand, Hermann: »Oedipus Tyrannus« and »Die Braut von Messina«. In: Schiller 1759/1959. Commemorative American Studies. Ed. by John R. Frey. Urbana (Ill.) 1959. S. 171–202.

Wentzlaff-Eggebert, Friedrich Wilhelm: Schiller und die Antike. In: F. W. W.-E., Belehrung und Verkündigung. Schriften zur deutschen Literatur vom Mittelalter bis zur Neuzeit. Hrsg. von Manfred Dick und Gerhard Kaiser. Berlin, New York 1975. S. 254–267.

Wiese, Benno von: Die deutsche Tragödie von Lessing bis Hebbel. Hamburg [4]1958.

Wöhrmann, Klaus-Rüdiger: Hölderlins Wille zur Tragödie. München 1967.

WOLFGANG WITTKOWSKI

Hölderlin, Kleist und die deutsche Klassik

Um das Ansehen der deutschen Klassik ist es heute schlecht bestellt. Der Schule empfiehlt man »mehr Brecht als Goethe«, wie ein Slogan lautet; »man kann nicht Hölderlin rühmen und den Weimarer Goethe nicht schmähen« – so Martin Walser in einer vielgedruckten Rede,[1] und so ist Klassikschelte weithin Brauch. Wird Ähnliches geschehen, wenn das Schweigen über Kleist in seinem 200. Geburtsjahr 1977 endet? In der Ära des Existentialismus spielte man ja mit Vorliebe ihn gegen die Klassik aus. Drohen hier Einseitigkeit, Ungerechtigkeit, so bietet die Spezialforschung wenig Widerstand. Sie konzentriert sich jeweils auf einen Autor; nicht einmal für Goethe und Schiller gibt es vergleichende Studien von Rang, geschweige denn für Hölderlin und Kleist miteinander oder mit einem der Klassiker. Das Bild verwirrt sich vollends, wo man die Betrachtungsweise, die an einem Autor sich bewährte, auf einen anderen anwendet, auf den sie gar nicht paßt, und ihm damit nicht gerecht wird. Man sah Kleist und Schiller durch die Brille Hölderlins, diesen freilich schon bis Heidegger durch die Brille der romantischen Metaphysik von Novalis und Schelling. Hier bleibt noch vieles zu ergänzen und auszubalancieren: Hölderlin und Kleist auch einmal von der Klassik her zu sehen und sich dabei mehr um historisch-sachliche Gerechtigkeit zu sorgen als um weltanschaulich-philosophische Aktualität wie nach dem Krieg; heute ist sie außerdem politisch.

Als 1966/67 Robert Minder und Pierre Bertaux Hölderlin einen Jakobiner nannten, griff man das so begierig auf, daß man die zusammen mit Bertaux' Rede gedruckte Widerlegung durch Adolf Beck ignorierte.[2] Inmitten der studentischen Proteste gegen das akademische und soziale Establishment begrüßte man frohlockend den etwas unerwarteten Bundesgenossen und Gewährsmann, zumal sich damit auch der Klassik samt ihrer kultisch hochgespielten Autorität eins auswischen ließ. Das Unternehmen, eine traditionelle Klassik-Legende nachzuweisen, versprach leichten Erfolg, tendierte jedoch zur Schaffung einer neuen. Im Geiste Walsers karikierte das Hölderlindrama von Peter Weiss (1970) die Klassiker auf denkbar plumpe und kleinkarierte Weise. Die Kritik rügte das, verhalf den Invektiven aber durch ausgiebiges Zitieren zu einer offenbar gezielten Wirkung.[3] So warfen die Herausgeber der *Klassik-Legende*[4] der »Weimarer Hofklassik« vor, sie habe unter Abweisung von Autoren wie Hölderlin und Kleist »die Forderung des Tages«, »das Politische«, verraten zugunsten einer feudalen Kunstpflege. Der hierzu angeführte berühmte Goethe-Satz (*Literarischer Sansculottismus*, in Schillers *Horen* 1795) »Wir wollen die Umwälzungen nicht wünschen, die in Deutschland klassische Werke vorbereiten könnten« widerlegt jedoch expressis verbis den unterstellten Vorrang der Kunst vor dem Leben und besagt im Gegenteil, nicht einmal der Kunst zuliebe – es geht um die Möglichkeit klassischer Nationaldichter – sei ein blutiger Umsturz wie in Frankreich zu begrüßen. Das spiegelt auch nicht einfach partikularistisch-reaktionäres oder obrigkeitsfromm-apolitisches Denken im Sinne einer ideologischen Position. Vielmehr fand Goethe durch die Tatsachen seine Befürchtungen bestätigt, die er

1787, am Vorabend der Revolution, im *Egmont* niederlegte: die Unmenschlichkeit des ideologischen totalen Staates, dort spanisch-katholisch, in Frankreich jakobinisch; das Schwanken der unzuverlässigen Masse zwischen Freude an Klamauk und Furcht vor dem Terror. »Seine gesellschaftliche Realität« beschränkte sich keineswegs »eindeutig« auf den »Hof«. Seine und Weimars Verbindungen[5] reichten über die Grenzen Thüringens und Deutschlands; und nicht bloß die ersten zehn Jahre, die der berühmte Autor als Minister der Verwaltung opferte, brachten ihn mit allen Schichten und Belangen des Fürstentums zusammen, bis hin zu der notwendigen Beschäftigung mit der Lederhose eines Husaren, bei welcher Gelegenheit er ausrief: »Von oben herein sieht man alles falsch«.[6] Analoges galt für seine Abneigung gegen das Denken ausschließlich »von oben« her, welches für Hölderlin charakteristisch ist und eine lange Tradition hat. Goethe setzt sich damit auseinander am Anfang seiner *Einleitung zum Entwurf einer Farbenlehre* und in seinem Aufsatz *Der Versuch als Vermittler von Objekt und Subjekt* (1792).

Der Forscher hat behutsam und geduldig »nur das Nächste ans Nächste zu reihen«, die so gereihten Fälle zu »Erfahrungen höherer Art« zusammenzufassen und »abzuwarten, inwiefern sich auch diese unter ein höheres Prinzip rangieren«. »Dieses in irgendeinem Fache nur einigermaßen zu leisten, wird eine anhaltende strenge Beschäftigung nötig. Deswegen finden wir, daß die Menschen lieber durch eine allgemeine theoretische Ansicht, durch irgendeine Erklärungsart die Phänomene beiseitebringen«. Nun bleibt ohnehin jede »Vorstellungsart [...] nur ein Versuch, viele Gegenstände in ein gewisses faßliches Verhältnis zu bringen, das sie streng genommen, unter einander nicht haben«. Die unkontrollierte »Neigung zu Hypothesen, zu Theorien, Terminologien und Systemen« aber führt nur allzuleicht dazu, daß »ein guter Kopf«, »ein kluger Redner«, um »gleichsam seine Herrschaft zu zeigen, [...] aus den vorliegenden Datis nur wenige Günstlinge herauswählt, die ihm schmeicheln; daß er die übrigen so zu ordnen versteht, wie sie ihm nicht geradezu widersprechen, und daß er die feindseligen zuletzt so zu verwickeln, zu umspinnen und beiseitezubringen weiß, daß wirklich nunmehr das Ganze nicht mehr einer freiwirkenden Republik, sondern einem despotischen Hofe ähnlich wird«.

Goethe spricht von Naturwissenschaft, meint aber (1792!) offenkundig auch Politik, Theologie, Philosophie; die Jakobiner und Theologen-Philosophen wie Lavater und Jacobi, später die idealistischen Metaphysiker, die seiner Meinung nach nie zu den Fakten gelangten. Was da von Spinoza über Leibniz auf der Grundlage der heilsgeschichtlichen Teleologie in die Systeme Fichtes, Schellings, Hegels einging, verzweigte sich weiter zu Marx und Heidegger. Manche Vorzeichen kehrten sich um, die Grundstrukturen blieben und behaupteten sich vielfach auch in der Literaturwissenschaft. Der vom Luthertum eingeimpfte deutsche Hang zu Verinnerlichung, Intellekt und Autorität, weiter der Emanzipations- und Machtwille des zum Zusehen verurteilten Bürgertums nährten und erhielten die autoritative System- und Theoriebildung bzw. die autoritätshörige System- und Theoriegläubigkeit, die universalen Weltentwürfe, die »von oben« oder »von unten« her das Ganze erschöpfend in den Griff bekommen wollten, ferner die Überbetonung von Denken, Erkennen, Bewußtsein, Weltanschauung und Gesinnung gegenüber dem praktischen Handeln und Verhalten samt ihrer Theorie, der Ethik. Darf man den Vorreden Schopenhauers zu vielen seiner Schriften trauen, so war diese Entwicklung ein Ergebnis der preußischen Bildungspolitik in der Restaurationsepoche. Sie setzte mit Schelling und Hegel die Metaphysik wieder auf den philosophischen Thron, von welchem Kants Kritizismus sie herabgestoßen hatte. Unterhielten jene Männer ein friedliches Einvernehmen mit Thron und Altar der Obrigkeit, so hatte diese allen Grund, Kant systematisch abzuschaffen. Er galt als Revolutionär, eben wegen seiner Religionskritik und seiner Lehre von der ethischen Autonomie des Menschen.

Das war auch die Position der Klassiker. Ihr revolutionäres Denken machte sie allerdings sowenig wie Kant zu politischen Revolutionären. Ja, es veranlaßte sie, die Revolution in Frankreich abzulehnen. Mit Hölderlin steht es in diesem Punkt ähnlich, wie wir gleich sehen werden. Zunächst aber hat man die Unterscheidung z. B. Ernst Müllers[7] anzuzweifeln: Hölderlin begreife die Revolution als welthistorisches Ereignis, während die Klassiker sie bloß verneinten, demnach also nicht begriffen. Wo nur Zustimmen als Begreifen gilt, verdrängt ideologische Parteilichkeit die Freiheit zur Objektivität. Hier heißt das, man kehrt sich nicht daran, daß die Klassiker allein dank ihrer umfangreichen, bahnbrechenden Historiographik als solide Kenner der Geschichte gelten müssen. Ferner standen sie einem Hof nahe, der ihnen wie jedermann die Freiheit der politischen Überzeugung ließ (ein Kabinettsmitglied war erklärter Anhänger der Revolution), ein Ort politischer Entscheidungen und Umschlagplatz mannigfaltiger Informationen war. Sie waren mit Staatsmännern Europas bekannt und befreundet, z. B. mit Wilhelm von Humboldt. Dessen *Ideen zu einem Versuch, die Grenzen der Wirksamkeit des Staates zu bestimmen,* veröffentlicht 1792 in Schillers *Thalia,* antworten auf die Revolution und wurden vollständig gedruckt erst nach dem Tode des Ministers, den der preußische König wegen zu liberaler Verfassungsvorschläge entließ. Hölderlin las im Tübinger Stift französische Zeitungen und erhitzte sich mit den Kommilitonen für die Revolutionsideen. Am Homburger Hof konnte er Eduard Sinclair zum Freund haben und ihn beim Fürstenkongreß 1798 in Rastatt und 1804 in Regensburg treffen. Ihn, den politischen Aktivisten, nennt er »Adler«, sich selbst, den passiven Beobachter und Sänger, »Schwan«.[8]

Verlegt diese Ode *An Eduard* den »Ort der Erfüllung«, der Schlacht und des Opfers, ins »Lied über die Schlacht«,[9] so räumt Hölderlin damit doch keineswegs der Vorstellung, der Kunst, den Vorrang vor dem Leben ein. Er bewältigt solche Unterscheidungen, die ihm, wie man sieht, nur allzudeutlich sind, mit Dialektik und gewinnt so die Identität von Theorie und Praxis, die den politischen Intellektuellen heute gleichfalls wichtig ist und die sie sich u. a. von ihm testieren lassen. Nur geht er von metaphysischen Voraussetzungen aus, die nicht mehr ganz die unseren sein dürften.

Wie Schelling und Hegel verbindet er Platon, Spinoza und Leibniz so, daß der Weltgeist oder das Göttliche sich im Bewußtsein der Menschen verwirklicht und damit die geschichtlichen Veränderungen herbeiführt. »Der gesetzliche Kalkül« konstruiert in den Gedichten Hölderlins einen »Wechsel der Töne«, entsprechend den »verschiedenen Vermögen des Menschen«, zu einem komplizierten Ganzen. Der »Vollzug« des Gedichts soll bewirken »Erkenntniß des Harmonischentgegengesetzten in ihm, in seiner Einheit und Individualität, und hinwiederum Erkenntniß seiner Identität, seiner Einheit und Individualität im Harmonischentgegengesetzten«. Das ist seine »Freiheit«; ihre »Erkenntniß« seine »Bestimmung«, ihr Vollzug sein »Handeln«. Diese letzte Folgerung zieht erst der moderne Interpret,[10] der freilich zugibt, daß die Menschen sich von dieser »Gemütserregungskunst« (à la Novalis) nicht haben dialektisch in Freiheit setzen lassen, und zwar »weil ihnen bis auf wenige das praxisbezogene dialektische Denken abhanden gekommen war, nachdem Hegel die Einschränkung auf die ursprünglich nur theoriebezogene Dreier-Dialektik vorgenommen hatte«.

Es fragt sich indessen, ob dieser Unterschied dermaßen ins Gewicht fällt. Ulrich Gaier muß ja weiter zugeben, »daß Hölderlins Dichtung die wenigsten ihrer Leser zu Revolutionären gemacht oder auch nur zur tätigen Veränderung ihrer Sphäre angeregt hat«, und zwar darum, weil »Hölderlin den Menschen nur bedingt als Subjekt der Geschichte betrachtet hat«. Seine Gedichte fordern ja hauptsächlich dazu auf, die Erinnerung an die Götter zu bewahren, um ihre Wiederkunft feiern zu können. Also selbst wenn man sie ästhetisch-formal »vollzieht«, beschränkte sich das Handeln auf eine Änderung des Bewußtseins, des Erkennens, Denkens; doch dessen Inhalte lüden durchaus nicht eo ipso ein zu dem, was man Handeln, Verhalten im mitmenschlichen Bereich zu nennen pflegt. Genau besehen ist die Identität von Handeln und Erkennen problematisch, sind beide verschieden, steht bei Hölderlin das Erkennen ganz im Vordergrund, und zwar auf Kosten des Handelns. Das Denken »von oben her« gelangt nicht bis in die konkrete Sphäre des praktischen Verhaltens und Entscheidens.

Auf diese Seite des metaphysischen Idealismus werden wir immer wieder stoßen. Zunächst verfolgen wir ihre Konsequenzen für die Ethik, den Kern der Humanitätsidee in Aufklärung und Klassik. Schelling, Hegel und Hölderlin nennen ihren gemeinsamen Entwurf, *Das älteste Systemprogramm des deutschen Idealismus*, gleichfalls eine »Ethik«. Sie erörtern da freilich nicht, wie sich der Mensch verhalten, sondern wie die Welt beschaffen sein soll:

»[...] gleiche Ausbildung aller Kräfte, des Einzelnen sowohl als aller Individuen [...] allgemeine Freiheit und Gleichheit der Geister« wird es geben, wenn der Staat aufhört (fast wie Humboldt in der erwähnten Schrift verlangt) und eine »ästhetische Philosophie«, »eine neue Mythologie« geschaffen ist – für alle »Geister, die die intellektuelle Welt in sich tragen, und weder Gott noch Unsterblichkeit außer sich« zu suchen brauchen; freilich ein »höherer Geist, vom Himmel gesandt, muß diese neue Religion unter uns stiften, sie wird das letzte, größte Werk der Menschheit sein«. Grundsätzlich sind die drei dabei geblieben. Nur haben Schelling und Hegel jenen Geist dann spinozistisch in der Welt angesiedelt, Hölderlin in der Natur und auch im Himmel. In Hegels Historismus rechtfertigte dann das Endziel von Menschheit, Geschichte und Weltgeist jede Geschichtsphase, jede Staatsherrschaft und jedes Tun, das dorthin führte, und was führt nicht direkt oder dialektisch-indirekt dahin? Dieses Denken hat das Naturrecht, die politische und allgemeine Ethik schwer geschädigt. Es bedeutete die Wiederauferstehung kirchlich-religiöser Totalansprüche und ihre Potenzierung zum ideologischen totalen Staat – also genau das, was die Klassiker bekämpften. Praktisch waren Hegel und Hölderlin allerdings mit ihnen einig in der ethischen Ablehnung des revolutionären Terrors.

Nichts war daher irreführender, als Hölderlin gleichsam mit Marat in eine Badewanne zu setzen, wie Weiss es tat, indem er seinem *Marat/Sade* (1963) das Dokumentarstück vom Jakobiner Hölderlin folgen ließ. Dabei zitiert schon Beck dessen

Urteil über den Ermordeten: »der schändliche Tyrann«. »Die heilige Nemesis wird auch den übrigen Volksschändern […] den Lohn ihrer niedrigen Ränke und unmenschlichen Entwürfe angedeihen lassen« (Juli 1793 an den Bruder). Genauso sprach Hölderlin von fürstlichen Tyrannen wie Karl Eugen. Am 21. August 1794 findet er auch Robespierres Hinrichtung »gerecht«. Und wie so oft, fügt er für die Zukunft eine Gebetsbitte hinzu: »Laß erst die beiden Engel, die Menschlichkeit und den Frieden, kommen, was die Sache der Menschheit ist, gedeihet dann gewiß! Amen.« Ja, seine utopischen Erwartungen gehen schon dahin, daß die Politik »ihre überwichtige Rolle ausgespielt« hätte. Mit »Krieg und Revolution« »hört auch […] der Geist des Neides auf, und eine schönere Gesellichkeit, als nur die ehern-bürgerliche mag reifen«.[11] Der letzte Punkt erinnert an Schillers Briefe *Über die ästhetische Erziehung des Menschen* 1795. Tatsächlich plante Hölderlin Briefe zum selben Thema und eine Zeitschrift wie die *Horen.* Diese sollten, laut Schillers *Ankündigung* 1794 »zu dem Ideale veredelter Menschheit, welches durch die Vernunft aufgegeben, in der Erfahrung aber so leicht aus den Augen gerückt wird, einzelne Züge sammeln und an dem stillen Bau besserer Begriffe, reinerer Grundsätze und edlerer Sitten, von dem zuletzt alle wahre Verbesserung des gesellschaftlichen Zustandes abhängt, nach Vermögen geschäftig sein«.

Das Hegel-Hölderlinsche Denken wirkt in unsere Tage nach, wenn ein Fontane-Buch mit jenen Worten Schillers schließt, dabei aber nur das Denken, die Begriffe zitiert, nicht dagegen das Ethische, die Grundsätze und Sitten.[12] Hölderlin steht Schiller da sogar noch näher. September 1793 nennt er dem Bruder als »das heilige Ziel« seiner »Wünsche«, seiner »Tätigkeit – dies, daß ich in unserm Zeitalter die Keime wecke, die in einem künftigen reifen werden«: »Bildung, Besserung des Menschengeschlechts«. »Diese Keime von Aufklärung, diese stillen Wünsche und Bestrebungen Einzelner zur Bildung des Menschengeschlechts werden sich ausbreiten und verstärken, und herrliche Früchte tragen.« Wie bei Schiller stilles Bilden, Bessern. Zugleich aber »seligste Hoffnung« und stärkender »Glaube« an pflanzenhaftes, unaufhaltsames Wachsen, während Schiller sich beschränkt auf das entschlossene Bauen »nach Vermögen« und in Richtung auf das Ideal. Gewiß hält Hölderlin wie die Klassiker an ethischen Werten fest. Auf ihnen basieren seine Ablehnung des Terrors und der Inhalt seiner Utopie. Gleichwohl ist das Ethische nicht zentral, weil Handeln und Verhalten nicht zentral sind, sondern Vehikel und Resultat, Folge und Begleiterscheinung von Vorgängen, Zuständen der Welt.

»Verbesserung« heißt, »daß der Egoismus in allen seinen Gestalten sich beugen wird unter die heilige Herrschaft der Liebe und Güte, daß Gemeingeist über alles in allem gehen, und daß das deutsche Herz in solchem Klima, unter dem Segen dieses neuen Friedens erst recht aufgehn, und geräuschlos, wie die wachsende Natur, seine geheimen weitreichenden Kräfte entfalten wird, diß mein ich, diß seh' und glaub ich […].«

So schreibt Anfang 1801, beim Friedensschluß von Lunéville, der priesterliche Seher und Volkserzieher, der das, was er hofft, auch glaubt, im voraus sieht. Wo idealistisch der Weltgeist im Geist des Ganzen und seines Verkünders zu sich selbst kommt, verwischt sich die »Unterscheidung von Bewußtsein und Sein«.[13] Wenn man den Gedanken hat, das Wort, hat man bereits die Sache. Wenn Hölderlin Pindar übersetzt, beweist ihm die sprachliche Assoziationsmöglichkeit schon den tatsächli-

chen Zusammenhang; und diesen bekräftigt er, indem er ihn »als pneumatische Erfahrung«, als Offenbarung, kurz indem »sich das Subjektive objektiv gibt«. So verfahren auch Schelling und Heidegger. Und wie Heidegger Hölderlin, so deutet Hölderlin Sophokles ganz willkürlich und ist doch ohne weiteres überzeugt, ihn als erster richtig zu verstehen.[14]
Papier ist allerdings geduldiger als die Wirklichkeit des Lebens. Und »Leicht bei einander wohnen die Gedanken, doch hart im Raume stoßen sich die Sachen«.[15] Vermutlich hat diese Denkweise sich deshalb unter den soziologisch isolierten Philosophie- und Literaturbeflissenen Deutschlands so verbreitet.[16] Sie bearbeitet hauptsächlich ihre mitgebrachten Voraussetzungen und vermittelt sich kaum mit dem Wirklichen. Je größer der Abstand wird, um so mehr zieht sie sich in sich selbst zurück, ins Allgemein-Abstrakte, um so mehr vergrößert sich wiederum die Kluft und so fort im Teufelskreis von Verzweiflung und Über-Harmonisierung. Wo der Zusammenhang der Menschen romantisch aus ihrem Zusammenhang mit einem höheren Ganzen, Allgemeinen folgt, soll er sich wenigstens realisieren, wo dieses Allgemeine, Ideale ausgesprochen wird, »wo es uns endlich einmal gelingt, einander etwas Rechtes herausgesagt zu haben«. Das ist die »Tat«, die den einzigen Streit in der Welt entkräftet, »was nämlich mehr sei, das Ganze oder das Einzelne«. Denn wer »aus dem Ganzen wahrhaft handelt«, der ist »von selber zum Frieden geweihter und alles Einzelne zu achten darum aufgelegter« – das ist »die Einigkeit, die heilige, die allgemeine Liebe, der die Liebe des Bruders so leicht wird«.[17]
Welche feierliche Vereinfachung! Und wie schrecklich ihre ständige Widerlegung durch das eigene Unvermögen zu Liebe und Freundschaft.[18] Goethe und Schiller bilden auch hier den denkbar größten Gegensatz. Wieder stoßen wir auf das problematische Verhältnis zwischen Idealismus und Ethik. Hölderlin liebte von Schiller besonders die elegische Mittelszene der *Räuber;* und die »Unterredung des Marquis Posa mit dem König« war sein »Leibstück«.[19] Sie war es für Generationen, zumal im zaristischen und bolschewistischen Rußland, und führte im Hitler-Deutschland noch zum Verbot des *Don Carlos* (den schon die Restauration samt *Egmont* verbot). Schiller wünschte in dem Drama 1787 wie dann in der *Geschichte des Abfalls der vereinigten Niederlande* 1788 mit dieser Modell-Revolution ein »Denkmal bürgerlicher Stärke« »gegen die trotzigen Anmaßungen der Fürstengewalt« aufzustellen, im Leser »ein fröhliches Gefühl seiner selbst zu erwecken und ein neues unverwerfliches Beispiel zu geben, was Menschen wagen dürfen für die gute Sache und ausrichten mögen durch Vereinigung«.
So noch in der Einleitung zur 2. Auflage 1801. Die Qualifikation »unverwerflich« war inzwischen aktuell geworden. Schiller durchdachte sie indessen schon am Vorabend der Revolution kritisch und selbstkritisch. Die *Briefe über Don Carlos* (1788) analysieren an dem revolutionären Idealismus auch seine fragwürdige Seite, »daß der uneigennützigste, reinste und edelste Mensch aus enthusiastischer Anhänglichkeit an seine Vorstellung von Tugend und hervorzubringendem Glück sehr oft ausgesetzt ist, ebenso willkürlich mit den Individuen zu schalten, als nur immer der selbstsüchtigste Despot«; daß kein Ordensstifter, keine Ordensverbrüderung – »bei den reinsten Zwecken und bei den edelsten Trieben – von Willkürlichkeit in der Anwendung, von Gewalttätigkeit gegen fremde Freiheit, von dem Geiste der Heimlichkeit und der Herrschsucht immer rein« geblieben sei, vielmehr »unvermerkt wären fort-

gerissen worden, sich an fremder Freiheit zu vergreifen, die Achtung gegen anderer Rechte, die ihnen sonst immer die heiligsten gewesen, hintanzusetzen und nicht selten den willkürlichsten Despotismus zu üben, ohne den Zweck selbst umgetauscht, ohne in ihren Motiven eine Verderbnis erlitten zu haben«.

»Liebe zu einem wirklichen Gegenstande und Liebe zu einem Ideal« unterscheiden sich eben nach Wesen und Wirkung. Aus der »allgemeinen Hinneigung unsers Gemütes zur Herrschbegierde, oder dem Bestreben, alles wegzudrängen, was das Spiel unsrer Kräfte hindert«, erwächst der beschränkten Vernunft das Bedürfnis, »ihren Weg abzukürzen, ihr Geschäft zu vereinfachen und Individualitäten, die sie zerstreuen und verwirren, in Allgemeinheiten zu verwandeln«. »Durch praktische Gesetze, nicht durch gekünstelte Geburten der theoretischen Vernunft soll der Mensch bei seinem moralischen Handeln geleitet werden. Schon allein dieses, daß jedes solche moralische Ideal oder Kunstgebäude doch nie mehr ist als eine Idee, die, gleich allen andern Ideen, an dem eingeschränkten Gesichtspunkt des Individuums teilnimmt, dem sie angehört, und in ihrer Anwendung also auch der Allgemeinheit nicht fähig sein kann, in welcher der Mensch sie zu gebrauchen pflegt«, macht »sie zu einem äußerst gefährlichen Instrument in seinen Händen«; »noch weit gefährlicher« durch die erwähnte übliche Verbindung mit den »Leidenschaften« »Herrschsucht [...], Eigendünkel und Stolz«.

Posas Beispiel bekräftigt mit alledem die »nie genug zu beherzigende Erfahrung [...], daß man sich in moralischen Dingen nicht ohne Gefahr von dem natürlichen praktischen Gefühl entfernt, um sich zu allgemeinen Abstraktionen zu erheben, daß sich der Mensch weit sicherer den Eingebungen seines Herzens oder dem schon gegenwärtigen und individuellen Gefühle von Recht und Unrecht vertraut als der gefährlichen Leitung universeller Vernunftideen, die er sich künstlich erschaffen hat – denn nichts führt zum Guten, was nicht natürlich ist«.

Dagegen Hölderlin im Brief an den Bruder vom September 1793: Wie Posa liebt er »das Geschlecht der kommenden Jahrhunderte [...]. Und so, glaub ich, geschieht es, daß ich mit etwas weniger Wärme an einzelne Menschen mich anschließe. Ich möchte ins Allgemeine wirken, das Allgemeine läßt uns das Einzelne nicht gerade hintansetzen, aber doch leben wir nicht so mit ganzer Seele für das Einzelne, wenn das Allgemeine einmal ein Gegenstand unserer Wünsche und Bestrebungen geworden ist«. Kurz: »Ich hänge nicht mehr so warm an einzelnen Menschen.«

Genau darin sah Schiller die Gefahr; und im genauen Gegensatz dazu dichteten und dachten die Klassiker möglichst auf das konkret Wirkliche hin und auf das menschlich Wichtigste daran, das Ethische. Umgekehrt wurde Hölderlins »Tendenz zur Allgemeinheit« von den verschiedensten Seiten begrüßt und mit den verschiedensten Inhalten gefüllt. Die Marxisten betrachten seine Berufung auf Gott und Götter mit Reserve, mit Beifall dagegen seine antizipierte Utopie,[20] seine dialektische Vermittlung von Gegensätzen in einem notwendigen welthistorischen Prozeß. Walser feiert das vollständige Bewußtsein, den »Blick auf das Ganze«, wo »keine Kraft monarchisch ist«, und »möchte davon träumen, was geschehen wäre, wenn Deutschland diesen Anstoß empfunden hätte«. Hätte man gehandelt »nach Vermögen«, wäre das in Schillers Geist geschehen – und man fragt sich, warum Stimmen wie Walser und Minder nicht lieber ihn zitieren.[21] »Hölderlin zu entsprechen« hieße offenbar, sich einer Kollektivbewegung anzuschließen. Höbe deren Moralsystem die unverbrüch-

lichen Menschenrechte auf, monarchischer als die Monarchien, widerspräche das
zwar den Wünschen der Klassiker und Hölderlins, doch könnte man sich auf letzteren – trotz seiner ausdrücklichen Ablehnung des monarchischen Prinzips – berufen,
sobald es um einen derartigen Autoritätsanspruch geht.

Das hat zu tun mit der theologischen Substanz und Struktur, die Ernst Müller und
Wolfgang Binder seinem Denken zusprechen. Sie wollen dabei unterscheiden zwischen Idealismus und Religion, zwischen der Orientierung an Naturgöttern und der
am deus absconditus. Binder erinnert aber selbst daran, daß »die Philosophie des
Idealismus [...] weithin auf umgedachter Theologie beruht«.[22] Man darf daher wohl
doch von Hölderlins religiösem Idealismus sprechen. Und der diktatorische Gestus
des Priesters scheint von Anfang an nicht »unhölderlinisch«,[23] zumal er sich später
verstärkt, der Ausdruck immer esoterischer, das Postulat der Nachfolge immer rich-
terlicher werden.

Darin bezeugt sich neben der Kluft zur Wirklichkeit die weitere zu Gott; der hy-
bride, von Kant und den Klassikern verhöhnte Anspruch des metaphysischen Idealismus Schellings, Hegels, Hölderlins, man könne die Erkenntnisgrenzen, die jene
respektierten, überschreiten und sich der intellektualen Anschauung der letzten
Dinge nähern. Momme Mommsen[24] rät, man solle endlich zugeben, daß man Hölderlins religiöse Aussagen der inhaltlichen Substanz nach gewaltig übertrieben habe.
Beweist ihre Dürftigkeit indessen, daß Hölderlin ein mystisches Wissen hatte und
es bloß verschwieg, wie Mommsen will? Setzt sich da nicht doch wieder die fromme
deutsche Gleichsetzung von feierlicher Unklarheit mit geheimnisträchtigem Tiefsinn durch? Hölderlin hat sie – im genauen Gegensatz zu den Klassikern, denen dergleichen tief verhaßt war – kräftiger als irgendein deutscher Dichter genährt. Ja, er
hat befürchten wollen, er selbst könnte den Göttern zu nahe kommen, zu viel erfahren und verraten über sie; es gehe ihm »am Ende, wie dem alten Tantalus, dem mehr
von Göttern ward, als er verdauen konnte«;[25] sie möchten »den falschen Priester,
ins Dunkel«, »tief unter die Lebenden« werfen[26] und sich den Menschen ins Gedächtnis bringen durch »die schröcklichstfeierlichen Formen« eines »Ketzerge-
richts«[27]. (Anmerkungen zu *Antigonä*.)

Ein solches will Empedokles an sich vollziehen. Gern will er heimkehren zu seinen
Göttern, doch es kommt weder zum Tatvollzug noch zur Veranschaulichung des
Göttlichen. Damit und mit dem Fragmentbleiben des Werkes markiert Hölderlin
Grenzen, die er teils seiner Art nach, teils als Mensch nicht überschreiten konnte,
die er in dem Drama aber überschreiten wollte. Der *Grund zum Empedokles* weicht
in die Mittellösung aus, die dann die Anmerkungen zu Sophokles aufnehmen. Im
Schnittpunkt dialektischer Weltgeschichtsprozesse wird der Held zum »Opfer«,
dessen die Zeit mehr bedürfe denn der »Tat« und des Gesanges. Die Schuld dieses
passiven Dichtermenschen wird zum Ausweis seiner Größe und ebenso wie seine
Echolosigkeit der stumpfen und beleidigenden Reaktion des Volkes und seiner Priester angelastet. Hölderlin idealisiert das Volk zum Teil romantisch, neigt aber mehr
dazu, es zu verachten, während die Klassiker es kritisch sahen, zugleich aber seine
einfachen Tugenden ehrten. Exzellenz von Goethe philosophierte mit dem Diener
im gemeinsamen Schlafzimmer, heiratete eine ehemalige Arbeiterin und war am engsten befreundet mit dem früheren Maurermeister Zelter. Der Theologiestudent Hölderlin stieß einem Stiftsangestellten den nichtgezogenen Hut vom Kopf. Sein Held

formuliert seine kommunistischen Empfehlungen nach der Vision des Goldenen Zeitalters, dessen Heraufführung der schwäbische Pietist Oetinger von höherer Macht erwartete.[28] Empedokles denkt nicht an eine äußerliche Volkssouveränität,[29] sondern an eine Gemeinde, die sich urchristlich erneuert unter dem Eindruck seines Predigens und seines Sterbens.

Zunehmend hat Hölderlin seine Existenz, sein Ringen und Scheitern in Kunst und Leben derart nach Christus modelliert. Damit machte er eine Tugend aus der Not, aus der Sackgasse seiner anspruchsvollen Konzeption eine heroische Überanstrengung und ein heiliges Opfer. Die Monotonie seiner Begeisterung erhielt dadurch eine kräftigere und sein Unglück besser treffende Nuance, als der *Wechsel der Töne* bot: »Es fehlt mir [...] weniger an Ideen, als an Nuancen, weniger an einem Hauptton, als an mannigfaltig geordneten Tönen [...] ich scheue das Gemeine und Gewöhnliche im wirklichen Leben zu sehr [...], weil ich mich fürchte, von der Wirklichkeit in der innigen Teilnahme gestört zu werden, mit der ich mich gern an etwas anderes schließe.« Er erklärt es damit, daß er für die Erfahrungen, die er machen mußte, »nicht fest und unzerstörbar genug organisiert war«.[30]

Schiller hat sich Hölderlins Dichten ebenso erklärt.[31] Er förderte den jungen Mann, der ihn unterwürfig verehrte, »nach Vermögen«, veröffentlichte Gedichte und *Hyperion. Ein Fragment*, setzte den Druck des Romans bei Cotta durch. Gewiß verstanden er und Goethe nicht die Großartigkeit der Hölderlinschen Sprache. Sie lachten über die Sophokles-Übersetzungen, und Goethe ermunterte den jungen Voß, sie spöttisch zu rezensieren. Hätten sie ihn genauer gekannt, hätten sie ihn gewiß noch entschiedener abgelehnt. Das spekulative Denken, das er mit den idealistischen Philosophen teilte, und das religiöse, das sein ganzes Schaffen prägt,[32] waren ihnen zutiefst suspekt. Schiller vermerkt an ihm mit Sorge »heftige Subjektivität [...] philosophischen Geist und Tiefsinn«.[33] Er mahnt ihn zu »Nüchternheit«, zum »klaren, einfachen Ausdruck«, empfiehlt als Muster immerhin entgegenkommend »Moses und die Propheten«.[34] Er weiß, er hat es mit einem »Sentimentalischen« zu tun, einem Anhänger Klopstocks und seiner »hohen, geistreichen Wehmut« – »Keusch, überirdisch, unkörperlich, heilig, wie seine Religion«. Vernachlässigung des Empirisch-Sinnlichen führt freilich leicht zu Schwärmerei und Überspannung bei diesem »Abgott der Jugend«; und man hat »in Deutschland Früchte genug seiner gefährlichen Herrschaft gesehen«.[35] Auch Hölderlins »Zustand ist gefährlich«,[36] und gewiß nicht bloß vom klassischen Standpunkt.

Er verwirklichte und verband Idylle und Elegie vollendeter und ganz anders als Schiller. Dessen berühmteste Elegie *Der Spaziergang* kehrt von der Geschichte und ihren Zusammenbrüchen zurück zum beständig gegenwärtigen und sicheren Boden der Natur. Damit gibt Hölderlin sich nicht zufrieden. Elegien wie *Der Wanderer, Stuttgart, Heimkunft* enden zwar idyllisch in der irdischen Heimat, verbinden damit aber feiernd die geistige. In Schillers *Ideal und das Leben* bleibt der ideelle Bereich geschieden vom gleichwohl ebenso intensiv vorhandenen irdischen. Hölderlin verkündet den Prozeß seiner irdischen Verkörperung. *Ermunterung* verheißt die Epiphanie des Göttlichen, des Geistes überhaupt, in Wort, Seele, Äther – das Goldene Zeitalter, versinnlicht für Ohr und Auge. Gerade das bestreiten Schillers *Worte des Wahns*. Allein im Innern kann und soll der Mensch, der Fremdling auf Erden, das Gute, Schöne, Wahre, rein hervorbringen und vernehmen. Schillers Dualismus begnügt sich mit dem Trotzdem der Teillösung je »nach Vermögen« in einer unidealen Welt. Hölderlin will wie sein Hyperion Alles, das Göttliche auf Erden. Dessen Annäherung verkündet er immer wieder viel zu früh, z. B. mit der *Friedensfeier*. Diesen Frieden von Lunéville 1801 mustert Schiller *Zum Antritt des neuen Jahrhunderts* nüchtern-skeptisch mit geschichtskundigem Blick. In dem brutalen Machtkampf der großen Nationen bleibt auf der ganzen Erde »für zehn Glückliche nicht Raum«. Vielmehr

> In des Herzens heilig stille Räume
>   Mußt du fliehen aus des Lebens Drang,
> Freiheit ist nur in dem Reich der Träume,
>   Und das Schöne blüht nur im Gesang.

Das ist die vielbeschrieene Flucht aus dem Leben. Sie geschieht indessen nur in der Phantasie – bei vollem Bewußtsein der unidealen Wirklichkeit, die aber nun innerlich frei, heiter ertragen und »nach Vermögen« gemeistert wird. Diese »Independenz« gibt Hölderlin preis, indem er das Göttliche, das auch er als Schönes, Wahres, Gutes definiert, ontologisch als Weltzustand materialisiert sehen will; ein eigenwillig-illusionäres Postulat, das regelmäßig zu bodenloser Enttäuschung und erneuter Flucht in Illusionen, Utopien führt:

»Es ist ein Kennzeichen guter und schöner, aber jederzeit schwacher Seelen, immer ungeduldig auf Existenz ihrer moralischen [= geistigen] Ideale zu dringen und von den Hindernissen derselben schmerzlich gerührt zu werden. Solche Menschen setzen sich in eine traurige Abhängigkeit von dem Zufall und […] der Materie […]. Das moralisch Fehlerhafte soll uns nicht *Leiden* und Schmerz einflößen, welches immer mehr von einem unbefriedigten Bedürfnis als von einer unerfüllten Forderung zeugt. Diese muß einen rüstigern Affekt zum Begleiter haben und das Gemüt eher stärken und in seiner Kraft befestigen, als kleinmütig und unglücklich machen.«[37]
Der erste Satz redet von der Ungeduld, die Schiller auch an Posa tadelte. Sie verführte den idealistischen Aktivisten, dieselben ethischen Werte zu verletzen, für die er kämpfte. Sie verführt den idealistisch spekulierenden Utopisten, der sich brüstet mit der prinzipiellen Negation des Wirklichen, die Praxis zu ignorieren, nämlich sie kurzerhand gleichzusetzen mit der Theorie oder sie zu entmoralisieren, d. h. abzusehen von der politisch-sozialen Ethik, die allein die Menschlichkeit der Praxis gewährleistet, ja in der doch wohl allein die Wirklichkeit des Ideals bestünde. Die Inquisition, Robespierre, Stalin und Hitler opferten den Vorstellungen einer allgemeinen »Tugend« und einer allgemeinen heilsgeschichtlichen Gesetzlichkeit das individuelle Daseinsrecht von Hunderttausenden kaltblütig auf und damit das Grundprinzip der Humanitätsethik.
Hiergegen wandten sich die Klassiker. Hölderlin teilte ihre Kritik im einzelnen, leistete jedoch der Tendenz zum Theoretisieren von oben her und zur Auslassung des Ethischen Vorschub. Hegel, Marx und Heidegger übten hier neuerdings gewiß den größten Einfluß. Deutet man in ihrem Zeichen die Klassiker, verwischt man deren Gegensatz zu jenen und zu Hölderlin. Das gilt für die existenztheologisch orientierten *Demetrius*-Deutungen Gerhard Frickes und Benno von Wieses ebenso wie für die dialektische des Hölderlin-Forschers und Hegelianers Peter Szondi.[38] Ihnen zufolge schafft hier der Idealismus selbst eine Realität, an der er scheitert. Die innere

Stimme des Herzens, der Ideale, der Natur, des Göttlichen, soll sich als trügerisch erweisen. Zu einem so sensationellen Resultat gelangt man freilich nur, wenn man jene Begriffe so direkt und materiell nimmt, wie Hölderlin das tut, und daher verkennt, daß der idealistisch erscheinende Held ethisch ein Charakter vom Typ Wallensteins ist. Ihn scheidet die dramatische Echtheitsprobe von jenen Begriffen; die erweisen sich damit als trügerisch beansprucht, jedoch nicht selbst als trügerisch. Ähnlich die *Wallenstein*-Deutung Walter Müller-Seidels.[39] »Wie in keinem Drama zuvor werden Handeln und Entscheidung eingeschränkt. Die Determiniertheit in der Herrschaft des Notwendigen ist umfassend.« Wallensteins moralische Verurteilung verbietet sich deshalb und auch weil er »revolutionärer Idealist« ist, eine staatsmännische »Vision« hat: »das Irrationale – also das Schöne, das Menschliche, das Neue und Lebendige im weitesten Sinn«, die Idylle. Es ist sympathisch, wie er das Alte, Besitz und Gewohnheit, ironisiert. Hier spürt man »die Nähe zur Französischen Revolution«, welche die Klassiker freilich nicht befürworten.
Aber daß sie einfach ein »Drittes« wollen, die »›Vermittlung‹ zwischen Vergangenheit und unmittelbarer Gegenwart«, ist allzu allgemein. Es verschleiert, daß sie die alte Tyrannei ablehnen und ebenso die neue, eben wenn z. B. Wallenstein mit der alten Ordnung, mit Gewohnheit und Besitz zugleich den zwischenmenschlichen Grundwert der »Treue« verletzt. Sie muß er fürchten, ihren Feind und also sich selber als »den gemeinen Feind der Menschlichkeit« verurteilen.[40] Als solcher fällt er und bekräftigt damit die Gültigkeit sittlicher Werte. Schiller hat den Fanatikern immer am meisten vorgeworfen, daß sie ihren Gegnern gegenüber sich nicht an »Treu und Glaube« hielten.[41] Um solche ethischen Fundamente geht es der Klassik, und keineswegs ist die »Idee des Neuen [...], der Geschichtlichkeit und des Wandels der Geschichte« ihre »bestimmende« Idee, die zudem in diesem Drama scheitern würde, wie das schon Hegel mit zerrissenem Gemüt irrtümlich glaubte.[42]
Was die Geschichte angeht, so hat Schiller ihre vernunftgemäße Teleologie auf die Idylle hin mit Kant für ein fragwürdiges »Als-ob« erklärt[43] und gerade in den Jahren, als Hölderlin ihn kennenlernte, immer entschiedener abgelehnt. Goethe leitete sein Dichten aus den Kräften der göttlichen Natur ab und berief sich dabei auf Spinoza.[44] Ähnlich Hölderlin, doch sah er sein Verhältnis zu Natur, den Göttern, Gott, dem Unaussprechlichen, viel unmittelbarer. Deshalb spricht er in intellektueller Anschauung[45] direkt von den Göttern und meint es nicht symbolisch.[46] Das klassische Symbol dagegen erfaßt das Göttliche, Ideale an seinen Ausläufern im konkreten Gegenstand, von wo es sich erstreckt in Fernen, die unaussprechlich sind und bleiben. Metaphorisches »Als-ob« sind in der *Marienbader Elegie* Ausdrücke wie Himmelstor, Paradies und Hölle, Götter, der Vergleich mit Tantalus. Erinnerung weckt das »Bild« der Geliebten, und Liebe »begeistet« (ein Lieblingswort auch Hölderlins) zur Frömmigkeit,

> Sich einem Höhern, Reinern, Unbekannten
> Aus Dankbarkeit freiwillig hinzugeben,
> Enträtselnd sich den ewig Ungenannten...

Das alles bleibt »ein Streben«. Anders raunt in *Menons Klagen um Diotima* der »Schutzgeist« Diotima aus Geistersphäre dem Klagenden tatsächlich »höhere Dinge« zu. Den Ungläubigen soll er weiterverkünden, daß ein goldenes Zeitalter kommen wird. »Liebe«, »Hoffnungen«, »Begeisterungen«, »heilige Ahnungen, Fromme Bitten« sollen endlich den wirklichen Eingang zu wirklichen Halbgöttern und Göttern erzwingen. Entsprechend potenziert Hyperion seine »Reflexion auf das Verhältnis des ›Idealen‹ zum ›Realen‹« romantisch über die Menschheit hinaus zum Bewußtsein des betrachtenden Eremiten.[47] Dagegen wird Wilhelm Meister vom Leben durch Irrtümer, fragwürdige Experimente und Erziehungssentenzen hindurch zum tätigen Gesellschaftsmenschen gemacht, im Bündnis mit dem Adel und jenseits des Unterschieds von Adel und Bürgertum. Die »Hofdichter« der Klassik fordern und gestalten in den höfisch-aristokratischen Formen des Epos und des hohen Dramas für Politik und Leben die Ethik der christlich-bürgerlichen Aufklärung, die Basis der republikanischen Verfassungskämpfe. Sie zeigen Adlige und Bürger in Auseinandersetzung mit der Revolution, analysieren die sittlichen Ursachen der sozialen Krise und zeigen – in einer ganz vom Wort lebenden Dichtweise und während Hölderlin um die Wort-Werdung des Göttlichen ringt – sittlich tätiges Verhalten. Denn nicht das Wort, »Die Tat allein beweist der Liebe Kraft«.[48]

Nur selten rückt Goethe nahe an Hölderlin heran. Schlaf bewahrt Epimenides während des Krieges, damit er weiter rein empfindet. Kunst und Wissenschaft befreien Glauben, Liebe, Hoffnung und den Geheimbund der Tugend, als es Zeit ist zur tätigen Erneuerung. Epimetheus sucht im Schlaf Trost über den Verlust Pandoras. Man soll die Götter gewähren lassen, die zu dem »ewig Guten, ewig Schönen« leiten. Wort und Tat senken sich vom Himmel segnend nieder. Gleichwohl lernt der Grübler Epimetheus, zur Rettung der Nächsten zu handeln. Und Prometheus lernt, des Gegenwärtigen auch mit Hilfe von Erinnerung und Hoffnung »tätig Herr zu werden«. »Denken und Tun, Tun und Denken« halten sich als der Weisheit letzter Schluß die Waage.[49]

Das ist nicht der Fall bei Hölderlin und auch nicht bei Jean Paul, dem Tun und Denken antithetisch auseinanderklaffen und dem die Kunst Ersatz ist für die Tat.[50] Kleist dagegen gehört hier ganz entschieden an die Seite der Klassiker. Allerdings gibt er das klassische Gleichgewicht von Kunst und Leben, die Scheidung und Verbindung beider im Symbol, zugunsten einer radikalen Wirklichkeitsdirektheit auf, also umgekehrt wie Hölderlin. Zwingt dieser das Göttliche ins Wort, so Kleist seine Sprachbilder in die Wirklichkeit der Dichtung, seines Lebens und Sterbens. Penthesilea wird wie die Bestien, mit denen sie verglichen wurde, und wie der Eichenstamm, dem sie in der großen Mittelszene immer näher rückte. Kleist tötet sich mit Worten Penthesileas und Homburgs, so die Todesseligkeit, die er mit Hölderlin teilt, in die Tat verwandelnd. Er hätte es lange vorher tun können und tut es endlich, weil sich gerade die Gelegenheit eröffnet. Ihn und seine Helden kennzeichnet eine denkbar unklassische Austauschbarkeit der Absichten und Ziele. Kleist nahm für und gegen Napoleon Partei. Sein Hermann kämpft für Germanien mit einer ethischen Rücksichtslosigkeit, die gerade sein ethisches Opfer sein soll; doch wäre ihm der Untergang kaum weniger willkommen. Ebenso Kleist selbst mit seinem zwiespältigen *Homburg*,[51] den wüsten patriotischen Gedichten und seinem Entschluß zum Sterben.

Schwärmt Hölderlin von einer religiös erneuerten Gemeinde, werben die Klassiker für den geduldigen Bau einer vernunftgemäßen Ordnung, so fordert Kleist entweder die patriarchalische Gemeinschaft als Garanten des einen Individuums (Kohlhaas,

Homburg), oder ihre Auflösung (Kohlhaas, Penthesilea). Das gottdurchwaltete Ganze ersetzt er durch die romantische Unendlichkeit des chaosbedrohten Ichs. Daher wirkt er so modern. Der Jupiter seines *Amphitryon* wird innerhalb des Spiels um seine pantheistische und sittlich legitime Göttlichkeit gebracht. Beide Ansprüche werden als Ideologie entlarvt, und das gilt durchweg auch von der christlichen Religion. Szondi und Müller-Seidel gehören mit dem Hölderlin-Forscher Lawrence Ryan zu den vielen Interpreten,[52] die hier eine dialektische Synthese konstruieren, derzufolge der Gott seine Autorität behauptet, indem er Alkmenes nachträgliche Zustimmung zu seinem unerbetenen Besuch gewinnt bzw. ihren Glauben an seine pantheistische Identität mit dem gehörnten Rivalen. Von den platterdings lächerlichen Konsequenzen abgesehen, demaskuliert dieser autoritäts- und glaubensfromme Idealismus die Satire Kleists auf Autorität und institutionalisierte Religion; er vernichtet die Komödie, nämlich die Komödie des Gottes, der sich wie Richter Adam selbst den Hals ins Eisen judiziert, bloß sich (wie der Kurfürst) geschickt aus der Affäre zieht; und er vernichtet die sittliche Größe und ›Progressivität‹ Alkmenes. Ihre ethische Autonomie durchbricht das ideologiehörige Denken der gegenwärtigen Gesellschaft. Das und überhaupt dieses »Lustspiel nach Molière« hätte den Klassikern gefallen können. Doch Goethe glaubte dem Herausgeber Adam Müller, der das Thema als Analogon zur unbefleckten Empfängnis interpretierte und damit die Reihe der Fehldeutungen bis zu den genannten hin eröffnete. In Goethes Augen fügte Kleist hier zu *Penthesileas* Ausschweifung ins Tierisch-Elementare die weitere in die religiöse Mystik und vervollständigte damit das negative Bild des Romantikers.

Kleist verdiente dergleichen weder von alten noch neuen Kritikern. Immerhin fehlt ihm die klassische Objektivität der Dinge und die Allgemeinverbindlichkeit des Sittlichen. Dies letztere bildet zwar den einzigen Festpunkt: »Nun, o Unsterblichkeit, bist du ganz mein«. Es beschränkt sich indes auf die Preisgabe des Ich in Vertrauen, in Einsatz und Opferung des Lebens, zudem ist dergleichen wichtiger als die Gegenstände, das Du und die Nation. Die Selbstpreisgabe in würdevoller Grazie vollendet aber Schillers Ringen um die Vereinigung von Anmut und Würde im göttlich-edlen Menschen des paradiesischen Bewußtseins ohne Paradies.

Goethe hatte mit der gegenständlichen Welt aller Stufen vertrauten Umgang, symbolisch und konkret. Hölderlin schien ihm »mit der Natur nur durch Überlieferung bekannt zu sein«,[53] doch suggerierte er den innigen Kontakt mit ihr und Gott. Schiller rückt den Himmel fern und zeigt den Menschen als Fremdling auf der Erde. Kleists ontologische Entfremdung radikalisiert Kants Erkenntnisskeptizismus. Äußere und innere Realität verschlüsseln sich fast völlig zu chaotischer Undurchschaubarkeit. Daher das hektische Hin und Her, das hartnäckige Inquirieren und Insistieren auf Erkenntnis und dann das paradoxe Abweichen der Ergebnisse von den Erwartungen, das kurzsichtige Betasten einer Stoffüberfülle und andererseits im Kontrast deren souveräne Überformung durch opernhafte Symmetrien, musikartige Spielfreiheit und Ironie – extreme Strapazierungen des klassischen Gleichgewichts von Dichtersubjektivität, Stoff und Form, Realität und Idealität.

Die Überwindung des Klassizismus war ein Problem für Hölderlin,[54] der thematisch und formal auch durch das Griechische sein Werk kompliziert und unzugänglich machte. Die Klassiker überwanden das antike Muster in ihren Meisterwerken ohne

weiteres nach Stoff und Stil. Kleists Erzählungen übertreffen ihr Vorbild, Goethes *Erzählungen deutscher Ausgewanderten* und die wenigen Novellen Schillers, jene an Schwung und Dichte, diese an Differenziertheit. Auch im Drama, dem sein Hauptehrgeiz galt, überbietet der *Homburg* seine Muster *Egmont, Iphigenie, Jungfrau von Orleans*, gewiß an märchenhaft-musikartiger Schönheit. Gleichwohl teilen alle diese seine Werke den einen oder anderen unklassischen Zug der übrigen: *Penthesilea* schockierte im Anschluß an Euripides durch die archaischen Extreme des Elementaren und Monumentalen. *Guiskard* vereinigte laut Wielands Urteil »die Geister des Äschylus, Sophokles und Shakespeare« und verhieß Kleist den erstrebten Platz über »Goethe und Schiller«.[55] Das Werk scheiterte wohl daran, daß der Stoff einen klassischen Schicksals- und Schuldzusammenhang verlangte, den Kleist nicht schaffen mochte. Wie stark er der antiken und klassizistischen Tradition folgt, wenn er im *Zerbrochnen Krug* den *Ödipus* und die Bibel parodiert, bemerkt nur Gelehrsamkeit; klassische Klarheit, Durchsichtigkeit fehlen. Man erwartet sie trotz der theologischen Bearbeitung im klassizistischen *Amphitryon*; doch kein Stück mißdeutete man gründlicher. Beide Lustspiele, *Homburg* und die späten Legenden vom *Zweikampf* und der *Heiligen Cäcilie* verschlüsseln den wahren Sinn mit einer Ironie, die zwischen Publikum und Dichter eine unüberbrückbare Kluft aufreißt.[56] Wie bei Hölderlin kam zur thematischen Esoterik noch eine befremdliche Sprachmanier. Kultivierte jener eine priesterliche Mystik, so hat Kleist uns clownisch bitter zum besten. Die Höchstschätzung des Ethischen, seine Meisterschaft in Drama und Erzählung und seine große Komik rücken ihn von dem humorlosen Metaphysiker Hölderlin weg näher zu den Klassikern. Doch zu ihnen gehört er nicht. Vor allem teilt er mit Hölderlin den Mangel an Einfachheit, Verständlichkeit und daher Volkstümlichkeit – Züge, die man seit den Romantikern an den Klassikern, besonders Schiller, bespöttelte. Dabei sprach Schiller ihnen allen aus dem Herzen, wenn er verlangte, der Dichter solle seinem Jahrhundert entgegentreten, »nicht, um es zu erfreuen mit seiner Erscheinung, sondern furchtbar wie Agamemnons Sohn, um es zu reinigen«.[57] Kleist läßt seinen Zarathustra beten:
»Stähle mich mit Kraft, den Bogen des Urteils rüstig zu spannen, und, in der Wahl der Geschosse, mit Besonnenheit und Klugheit, auf daß ich jedem, wie es ihm zukommt, begegne: den Verderblichen und Unheilbaren, dir zum Ruhm, niederwerfe, den Lasterhaften schrecke, den Irrenden warne, den Toren, mit dem bloßen Geräusch der Spitze über sein Haupt, necke.«[58]
Statt vertraulichen Miteinanders herrscht romantische Distanz. Noch weiter geht Hölderlin. Er fürchtet, den Göttern zu nahe zu kommen und sorgt sich – so hat man das Bruchstück Nr. 68 der Stuttgarter Ausgabe entschlüsselt – mit Moses um die Reinigung des Priesters, welcher derart sündigte.[59] Sicher lehnt er entschieden ab, was Schiller, der ihm Moses und die Propheten als Vorbilder empfahl, selbst über Moses sagte:
»Er paßt [seinen Gott] dem Volke an, dem er ihn verkündigen will, er paßt ihn den Umständen an, unter welchen er ihn verkündiget, und so« legt er »seinem Gott diejenigen Eigenschaften bei, welche die Fassungskraft der Hebräer und ihr jetziges Bedürfnis eben jetzt von ihm fordern.« Um »ihn den schwachen Köpfen faßlich und empfehlungswürdig [zu] machen«, wird er, »zum Besten der Welt und der Nach-

welt, ein Verräter der Mysterien und läßt eine ganze Nation an einer Wahrheit teilnehmen, die bis jetzt nur das Eigentum weniger Weisen war«.[60] Zu etwas Entsprechendem konnte Hölderlin sich nicht entschließen, und Kleist ebensowenig. Schiller dagegen – und Goethe gleichfalls – möchte mit Gottfried August Bürger »Popularität eines Gedichts für das Siegel der Vollkommenheit« erklären können, freilich so, daß der geläuterte Geist des Dichters, »eingeweiht in die Mysterien des Schönen, Edeln und Wahren, zu dem Volke bildend herniedersteigt, aber auch in der vertrautesten Gemeinschaft mit demselben nie seine himmlische Abkunft verleugnet«. Durch »glückliche Wahl des Stoffs und höchste Simplizität in Behandlung desselben«, nämlich dessen, »was alle Menschen ohne Unterschied mitempfinden müssen«, wird ein solcher Dichter selbst »die erhabenste Philosophie des Lebens […] in die einfachen Gefühle der Natur auflösen«. »Ein Vorläufer der hellen Erkenntnis, brächte er die gewagtesten Vernunftwahrheiten, in reizender und verdachtloser Hülle, lange vorher unter das Volk, ehe der Philosoph und Gesetzgeber sich erkühnen dürfen, sie in ihrem vollen Glanze heraufzuführen. Ehe sie ein Eigentum der Überzeugung geworden, hätten sie durch ihn schon ihre stille Macht an den Herzen bewiesen, und ein ungeduldiges einstimmiges Verlangen würde sie endlich von selbst der Vernunft abfodern.«

Die Sätze klingen an andere Lehren an, die »von oben« der Allgemeinheit eingetrichtert und nachher als ›volonté générale‹ ausgegeben werden. Die Unterschiede liegen offenbar in der Art der Lehre und des Lehrens – z. B. ob sie abstrakte Universaltheorien und Kollektivhaltungen übermittelt oder wie bei den Klassikern die konkrete Wertethik der allgemeinmenschlichen Einzelsituation und des Verhaltens in ihr veranschaulicht. Hölderlin neigte zum ersten, Kleist zum zweiten; doch behalten beide ihr Werk einer Elite vor. Gewiß, auch die Klassiker dichteten esoterisch, über die Köpfe der Ungebildeten hinweg. Zugleich aber boten sie eben sehr viel, und viel Solides, was breitere Kreise aufnehmen konnten. Vielleicht helfen solche Vergleiche, jenen Sätzen Schillers besser gerecht zu werden und ebenso seiner Definition des klassischen Dichters. Er stellt sie den Esoterikern nicht weniger entgegen wie den reinen Popularautoren. Sie lautet in jener Rezension *Über Bürgers Gedichte* – von welcher Goethe schon vor dem Freundschaftsbund »öffentlich erklärt hatte, er wünschte Verfasser davon zu sein«[61]: »der aufgeklärte, verfeinerte Wortführer der Volksgefühle«.

Anmerkungen

1 Hölderlin zu entsprechen. In: Hölderlin-Jahrbuch 1969/70. S. 1–18, hier S. 10.

2 Robert Minder: Hölderlin unter den Deutschen (1965) [mit anderen Arbeiten unter diesem Titel]. Frankfurt a. M. 1968. S. 20–45. – Pierre Bertaux: Hölderlin und die Französische Revolution. In: Hölderlin-Jahrbuch 1967/68. S. 1–27. – Adolf Beck: Hölderlin als Republikaner. Ebd., S. 28–52.

3 Z. B. Klaus L. Berghahn: »Wenn ich so singend fiele…« Dichter und Revolutionär, gestern und heute, Hölderlin und Weiss. In: Der andere Hölderlin. Hrsg. von Thomas Beckermann und Volker Canaris. Frankfurt a. M. 1972. S. 171–190.

4 Reinhold Grimm, Jost Hermand: Die Klassik-Legende. Frankfurt a. M. 1971. S. 11 f.

5 Vgl. Arnold Hauser: Sozialgeschichte der Kunst. München 1972. S. 622, 630. – Franz Schnabel: Deutsche Geschichte im 19. Jahrhundert. Freiburg i. Br. 1. Bd. 1929, 3. Bd. 1934. – Fritz Hartung: Das Großherzogtum Sachsen unter der Regierung Carl Augusts 1775–1828. Weimar 1923.

6 An Karl August, 8. 3. 1779.

7 Ernst Müller: Der antiautoritäre Dichter. Hölderlin und die Religion. In: Festschrift für Friedrich Beißner. Hrsg. von Ulrich Gaier und Werner Volke. Bebenhausen 1974. S. 288–332, hier S. 291. Entsprechend S. 298: Hegel opponierte nicht gegen die orthodoxe Theologie, da er sie – genau kannte.

8 Beck (Anm. 2). S. 49 f. (Schwan, Adler).

9 Cyrus Hamlin: Hölderlins Mythos der heroischen Freundschaft: die Sinclair-Ode »An Eduard«. In: Hölderlin-Jahrbuch 1971/72. S. 74–95, hier S. 92. Vgl. auch Jürgen Scharfschwerdt: Die Revolution des Geistes in Hölderlins »Hymne an die Menschheit«. Ebd., S. 56–73.

10 Ulrich Gaier: Über die Möglichkeit, Hölderlin zu verstehen. In: Hölderlin-Jahrbuch 1971/72. S. 96–116; Hölderlin: Über die Verfahrungsweise des poetischen Geistes.

11 An Christian Landauer, Februar 1801.

12 Walter Müller-Seidel: Theodor Fontane. Soziale Romankunst in Deutschland. Stuttgart 1975. Vgl. Wolfgang Wittkowski zu der hier angeschnittenen Problematik in: Denken und Tun. Raabes »Horn von Wanza« und Fontanes »Irrungen Wirrungen«, im Zusammenhang der Dinge ethisch betrachtet. In: Wege der Worte. Hrsg. von Donald Riechel. Köln [voraussichtl. 1977].

13 Jochen Schmidt: Hölderlins Entwurf der Zukunft. In: Hölderlin-Jahrbuch 1969/70. S. 110–122, hier S. 119, 121.

14 Walther Killy: Hölderlins Interpretation des Pindarfragments 166. In: Über Hölderlin. Hrsg. von Jochen Schmidt. Frankfurt a. M. 1970. S. 294–319, hier S. 317 f. – Wolfgang Schadewaldt: Hölderlins Übersetzung des Sophokles. In: Hölderlin-Jahrbuch 1969/70. S. 237–293. – Wolfgang Binder: Hölderlin und Sophokles. Ebd., S. 19–37.

15 Wallensteins Tod, II, 2.

16 Ernst Topitsch: Zur Soziologie des Existentialismus. Kosmos-Existenz-Gesellschaft. In: E. T., Sozialphilosophie zwischen Ideologie und Wissenschaft. Neuwied 1971. Vgl. Anm. 5.

17 An den Bruder, 1801.

18 Vgl. Walser (Anm. 1). S. 7 f., 12.

19 An den Bruder, September 1793.

20 Walter Dietze: Rede zum 200. Geburtstag Friedrich Hölderlins. Sitzungsberichte des Plenums […] der Deutschen Akademie der Wissenschaften zu Berlin 1970, 2. Vgl. Anm. 28, 29. Zur antizipierten Utopie auch Anm. 13, Schmidt, sowie Anm. 28, Malsch.

21 S. 10, 14 f. Minder (Anm. 2), S. 44, denkt nur an Heine und Schopenhauer. Anders Emil Staiger: Das Geburtsjahr 1770 (Hölderlin, Hegel und Beethoven). In: Hölderlin-Jahrbuch 1969/70. S. 98–109: Im weltentlegenen Tübinger Stift bildeten Hölderlin und Hegel soziale Vorurteile aus. Der Prophet Hölderlin erwartet noch »alles Heil von den Göttern«, als Hegel »sich längst mit der Gegenwart ausgesöhnt hat« und »auf die Vermittlung aller Gegensätze« drängt, da »ihm die erleichterte Brust so unentbehrlich war«. Deshalb zerriß ihm Schillers »Wallenstein« das Herz. Lieber bejahte er jede geschichtliche Wendung, Tat und Untat »als dialektischen Fortschritt« und stellte das Denken über das Handeln. Beethoven, der die Gesellschaft kannte, forderte sie mit Schiller auf, »sich aufzuraffen aus eigener Kraft« (S. 100–103).

22 Wolfgang Binder: Hölderlin – Theologie und Kunstwerk. In: Hölderlin-Jahrbuch 1970/71. S. 1–29, hier S. 2. Vgl. Anm. 24.

23 Wolfgang Binder: Einführung in Hölderlins Tübinger Hymnen. In: Hölderlin-Jahrbuch 1973/1974. S. 1–19, hier S. 12. Vgl. Anm. 24.

24 Momme Mommsen: Die Problematik des Priestertums bei Hölderlin. In: Hölderlin-Jahrbuch 1967/68. S. 53–74, hier S. 74.

25 An Böhlendorff, 4. 12. 1801.

26 Wie wenn am Feierabend.
27 Anm. zu »Antigonä«.
28 Wilfried Malsch: Geschichte und göttliche Welt in Hölderlins Dichtung. In: Hölderlin-Jahrbuch 1969/70. S. 38–59, hier S. 48.
29 Vgl. Klaus Pezold: Zu Hölderlins »Empedokles«. In: Der andere Hölderlin (Anm. 3). S. 48–64. Ders.: Hölderlins Platz in der Literaturgeschichte. In: Weimarer Beiträge 17 (1971) S. 211–214.
30 An Neuffer, 12. 11. 1798.
31 An Goethe, 17. 8. 1797.
32 Das betonen Mommsen und Binder, der Hölderlins Wort »Von Gott aus gehet mein Werk« ins Zentrum rückt (Anm. 22), S. 1 und 29.
33 An Goethe, 30. 6. 1797.
34 24. 11. 1796.
35 Über naive und sentimentalische Dichtung.
36 An Goethe, 30. 6. 1797.
37 Schiller: Über das Erhabene.
38 Peter Szondi: Der tragische Weg von Schillers Demetrius. Satz und Gegensatz. Frankfurt a. M. 1964. Vgl. meine Interpretation im Jahrbuch der Deutschen Schillergesellschaft 3 (1959) S. 142–179.
39 Die Idee des neuen Lebens. In: The Discontinuous Tradition. Hrsg. von Peter Felix Ganz. Oxford 1971. S. 79–98, hier S. 96, 93, 82–84, 97, 98, 95.
40 Wallensteins Tod, I, 7. – Müller-Seidel hält nichts von solchen »Interpretationsinteressen« an der Ethik, zumal der politischen. Er bagatellisiert Wallensteins egoistische Machtpolitik und glaubt nicht, daß er sich in »Wallensteins Tod«, I, 4, das Urteil spricht (84). Denn er verkennt die dramatische Ironie, die dort und öfter die Position des Helden widerlegt. Er vertraut dessen Ehrlichkeit im Monolog, wo Wallenstein doch sein Gewissen hintergeht. Seine Vision erschließt M.-S. (84f.) aus seiner Negation des Bestehenden, aus *naiver und sentimentalischer Dichtung* und aus dem orakelhaften Hinweis auf eine »Erfüllung der Zeiten [...], die Hohen fallen, und die Niedrigen erheben sich« (IV, 3). Die positive Gültigkeit der ›Revolutions-Idylle‹ widerlegt aber gerade Wallenstein, dessen am Schluß gewonnene Menschlichkeit M.-S. selbst (94) ausschließlich damit belegt, daß er nun das Besitzdenken der kleinen Leute gelten läßt. Gert Sautermeister (Idyllik und Dramatik im Werk Friedrich Schillers, Stuttgart 1971) sucht die These seines Lehrers Müller-Seidel zu stützen und beruft sich (70) auf den Kellermeister (Die Piccolomini, IV, 5). Dessen Kritik an der gegenwärtigen Ordnung kommt aber von einem fanatischen Hussiten und trifft andererseits gerade die Ablösung der emanzipierten Condottieres von Sitte und Sittlichkeit. Vgl. Gerhard Kaisers kritische Rezension in Zeitschrift für deutsche Philologie 91 (1972) S. 172–181, ferner Wittkowski: Octavio Piccolomini. Zur Schaffensweise des ›Wallenstein‹-Dichters. In: Jahrbuch der Deutschen Schillergesellschaft 5 (1961) S. 10–57, und in: Schiller, Theorie und Praxis der Dramen. Hrsg. von Klaus Leo Berghahn und Reinhold Grimm. Darmstadt 1972. S. 407–465.
41 Geschichte des dreißigjährigen Kriegs. 1. Buch.
42 Vgl. Staiger (Anm. 21).
43 Was heißt und zu welchem Ende studiert man Universalgeschichte? – Auch Gerhard Kaiser (Anm. 40), der das Idyllenthema bei Schiller scharfsinnig verfolgte, engt seine Funktion zunehmend ein auf diejenige einer regulativen Idee. Nachhegelsches Denken will Synthese, findet daher leicht Widersprüche, wo ein Gleichgewicht der Pole herrscht. So halten sich bei Schiller Geschichtsoptimismus und -skepsis die Waage. Jener ist regulative Idee, Als-ob, Prinzip Hoffnung; diese ist Realismus. In der Praxis braucht man beides; Theorie möchte nur eines gelten lassen. Berghahn z. B. erkennt nur Schillers Optimismus als wahrhaft historisches und progressives Denken an (Friedrich Schiller. Zur Geschichtlichkeit seines Werkes. Hrsg. von Klaus Leo Berghahn. Kronberg [Taunus] 1975. S. 9–24). Johannes Haupt (Geschichtsperspektive und Griechenverständnis im ästhetischen Programm Schillers. In: Jahrbuch der Deutschen Schillergesell-

schaft 18 [1974] S. 407–430) betont umgekehrt die durchgehende Progressivität, beanstandet aber ihren rein theoretisch-ästhetischen Charakter.

44 Dichtung und Wahrheit. 16. Buch.

45 Vgl. S. 54–56. (Anm. 24). S. 54–56.

46 Paul Böckmann: Hölderlins mythische Welt. In: P. B., Formensprache. Hamburg 1966.

47 Lawrence J. Ryan: Hölderlins ›Hyperion‹ – ein ›romantischer‹ Roman? In: Über Hölderlin (Anm. 14). S. 175–212, hier S. 212.

48 Die natürliche Tochter (Schluß).

49 Wilhelm Meisters Wanderjahre, 2. Buch, 10. Kap.

50 Kurt Wölfel: Zum Bild der Französischen Revolution im Werk Jean Pauls. In: Deutsche Literatur und Französische Revolution. Göttingen 1974. S. 149–171, hier S. 161 f., 167 f. Vgl. auch die Aufsätze des Bandes zu Wieland, Goethe, Klassik, Hölderlin.

51 Vgl. Wolfgang Wittkowski: Absolutes Gefühl und absolute Kunst in Kleists »Prinz Friedrich von Homburg«. In: Der Deutschunterricht 13 (1961) S. 27–71.

52 Vgl. meine Forschungskritik: Die Verschleierung der Wahrheit in und über Kleists »Amphitryon«. Zur dialektischen Aufhebung eines ›Lustspiels‹ oder ›Über den neuen mystischen Amphitryon und dergleichen Zeichen der Zeit‹ (Goethe, Tagebuch, 15. Juli 1807). In: Wahrheit und Sprache. Hrsg. von Wilm Pelters und Paul Schimmelpfennig. Göppingen 1972. S. 151–170; ferner: Weltdialektik und Weltüberwindung. Zur Dramaturgie Kleists. In: Deutsche Dramentheorien. Hrsg. von Reinhold Grimm. Frankfurt a. M. 1971. S. 270–292.

53 An Schiller, 28. 6. 1797.

54 Vgl. Peter Szondi: Hölderlins Überwindung des Klassizismus. In: Über Hölderlin (Anm. 14). S. 320–338.

55 Heinrich von Kleists Lebensspuren. Hrsg. von Helmut Sembdner. München 1957.

56 Vgl. Wolfgang Wittkowski: »Die Heilige Cäcilie« und »Der Zweikampf«. Kleists Legenden und die romantische Ironie. In: Colloquia Germanica (1972) S. 17–58.

57 Über die ästhetische Erziehung des Menschen in einer Reihe von Briefen, 9. Brief.

58 Gebet des Zoroaster.

59 Mommsen (Anm. 24). S. 72 f.

60 Die Sendung Moses.

61 Schiller an Körner, 3. 3. 1791.

DETLEV LÜDERS

Hölderlin. Welt im Werk

> [...] und wohl
> Sind gut die Sagen, denn ein Gedächtnis sind
> Dem Höchsten sie, doch auch bedarf es
> Eines, die heiligen auszulegen.
>
> Hölderlin: Stimme des Volks.
> 2. Fassung. V. 69–72[1]

> Die Sage versucht das Unerklärliche zu erklären.
> Da sie aus einem Wahrheitsgrund kommt, muß sie
> wieder im Unerklärlichen enden.
>
> Kafka: Prometheus[2]

> Wir müssen die Mythe nämlich überall *beweisbarer* darstellen.
>
> Hölderlin: Anmerkungen zur Antigonä
> [des Sophokles][3]

I

»Ich bin mir tief bewußt«, schreibt Hölderlin am 16. November 1799 an seine Mutter, »daß die Sache, der ich lebe, edel und daß sie heilsam für die Menschen ist [...].«[4]

Heute gilt Hölderlins Dichtung, in der seine »Sache« sich manifestiert, weithin kaum als »heilsam«. Es ist vielmehr so weit gekommen, daß man hie und da versucht, ihre Aussage – allen vor Augen liegenden Zeugnissen zum Trotz – auf Bezüge zur Zeitgeschichte, die dem geläufigen Vorstellen faßbar sind, zu reduzieren[5] – als sei es das Wesen der Dichtung, allbekannte historische Ereignisse in poetischer Form zu Wort zu bringen. So erfindet man zum Beispiel auch einen »Hölderlin ohne Mythos«[6]; denn die heutige Gesellschaft, deren Weltbild man übernimmt und für die man Hölderlin ›aktualisieren‹ möchte, kennt den Mythos nicht oder nur als Zerrbild. Man verschließt, was kaum glaublich erscheint, die Augen davor, daß der Mythos konstituierend zum Kern von Hölderlins Werk gehört.

Wo man heute überhaupt noch den Mythos wahrnimmt, begreift man ihn – aufgeklärt, wie man zu sein meint – mehr oder weniger als ein Märchen. Die Götter, von denen der Mythos spricht, werden zwar möglicherweise als ein religionsgeschichtlich oder ästhetisch bedeutsames Phänomen aufgefaßt; man hält sie aber nicht für einen Faktor, mit dem im Ernst zu rechnen wäre, sondern für unwirklich, für ein Produkt der poetischen Phantasie.

Immerhin ist so der Mythos, wenn auch bis zur Unkenntlichkeit entstellt, überhaupt einmal ins Blickfeld getreten. Damit ist, ohne daß wir es schon wüßten, ein erster Schritt auf einem Wege getan, der in Hölderlins Dichtung die Wirklichkeit erfahren läßt und so die Dichtung als heilsam erweist.

Aber der erste Schritt bleibt ohne den zweiten wirkungslos. Denn das Entscheidende steht noch aus: das alltägliche Denken, das sich in jenen vordergründigen Deutungen des Mythos manifestiert, muß sich radikal ändern, damit der Mythos unentstellt als der Wegweiser zur Wirklichkeit erfahren wird. Er ist, wesentlich genommen,[7] weder ein Märchen noch ein in poetische Form transponierter historischer Stoff aus der kindlichen Frühzeit der Völker, noch überhaupt ein Phänomen, das sich mit ästhetisch oder kulturell orientierten Kategorien fassen ließe.

Angesichts der Schwierigkeiten, die die angemessene Erfahrung des Mythos dem Menschen der Neuzeit bereitet, sagt Hölderlin in seinen *Anmerkungen zur Antigonä* des Sophokles: »Wir müssen die Mythe nämlich überall *beweisbarer* darstellen«; und demgemäß verfährt er in seiner Dichtung. Die beweisbarer dargestellte Mythe erleichtert es dem in der Neuzeit überall nach Beweisen fragenden Menschen, jenen zweiten Schritt zu tun. Freilich ist die Mythe nie im mathematischen Sinne zu beweisen. Das ist kein Mangel, sondern eine Auszeichnung: es ist das Anzeichen dafür, daß die Mythe den vordergründigen Bereich, innerhalb dessen Beweise möglich und tragfähig sind, hinter sich läßt. Die Mythe stammt »aus einem Wahrheitsgrund«, den Beweise nie erreichen, der aber der tragende Grund alles Beweisbaren ist. Sie muß daher auch, ihrer Herkunft entsprechend, »wieder im Unerklärlichen enden«.

Die Mythe wird nicht beweisbar, wohl aber »beweisbarer«. Die ›Darstellung‹ nämlich, die dies bewirkt, die Gestalt der Dichtung Hölderlins, läßt es sichtbar und ›einsehbar‹ werden, daß in der Mythe der Wahrheitsgrund bereitliegt. Die beweisbar dargestellte Mythe gestaltet die faktische Existenz der Götter und nimmt ihnen den Schein des Unwirklichen. Sie spricht die unlösbare Bindung der Götter an Menschen und Dinge aus und gestaltet so die Einheit von Himmel und Erde. Sie bahnt damit dem Menschen den Weg zur Erfahrung der vollen Wirklichkeit der Welt und läßt den Mythos das werden, was er eigentlich ist: das Erscheinen des Wesens der Wirklichkeit.

Die Mythe ermöglicht es, anders gesagt, dem Menschen, den Bereich des Beweisbaren – unbeschadet seiner Bedeutung – in seinen Grenzen zu erkennen, ihn daher als den im ganzen leitenden Bezirk seines Vorstellens zu verlassen und den tieferen, nämlich immer ›unerklärlichen‹ »Wahrheitsgrund«, der seit je im Menschen und in den Dingen ruht, als den Grund seines Wesens aufzusuchen. Die Mythe fordert vom Menschen das Höchste und zugleich Einfache: Bescheidung zu lernen; anzuerkennen, was ist; und – unbeirrt durch die Versuchungen scheinbarer ›Aufklärung‹ – »im Unerklärlichen« auszuharren – im Unerklärlichen, das, wesentlich genommen, das tragende Weltfaktum ist.

> Aber
> Furchtbar ungastlich windet
> Sich durch den Garten die Irre,
> Die augenlose, da den Ausgang
> Mit reinen Händen kaum
> Erfindet ein Mensch.[8]

Heute überzieht die Irre, furchtbarer als zu Hölderlins Zeit, die Erde. Sie verwüstet nachgerade das Wesen des Menschen. Der »Wahrheitsgrund« steht in unserem kulturellen und wissenschaftlichen Betrieb kaum noch irgendwo im Blickfeld. Die Beachtung des »Unerklärlichen« und die Achtung vor ihm werden so vehement als ›Irrationalismus‹ attackiert, daß die Angst vor dem Unerklärlichen und seinem Gleichmut mit Händen zu greifen ist.

Die Mythe – und vermutlich sie allein – kann, als die Dichtung der Wahrheit, die Irre in ihre Schranken weisen. Daher hängt an der Einsicht in sie das Überleben des Menschen als Menschen.

Man sollte also auch nicht länger einem »Hölderlin ohne Mythos« nachjagen, denn es gibt ihn nicht. Wir müssen uns das von der Mythe in greifbare Nähe gebrachte Rätsel aneignen, statt es zu verdrängen. Es ist nicht in unser Belieben gestellt, welche Bereiche und Dimensionen der Welt wir wahrnehmen und welche nicht. Wir müssen lernen, die Mythe so gründlich wie weniges sonst zu begreifen und zu beherzigen. Nur durch sie eröffnet Hölderlins Werk uns den befreienden Gesamthorizont der ›Welt‹.[9]

Demnach gilt es heute vor allem, den Zusammenhang zwischen Mythe, Wahrheit, Wirklichkeit und Welt wieder aufzufinden. Dieser Zusammenhang darf weder bloß behauptet noch bloß geglaubt werden. Manches bisher einleitend Gesagte mag als bloße Behauptung erscheinen – was nur erhärten würde, daß die beweisbarere Darstellung der Mythe *not-wendig* (und in diesem einzigen Sinne »heilsam«) ist.

Alle Ungeduld und Hast des Wissenwollens sind bei den folgenden Versuchen, die Wahrheit der Mythe und so die ›Welt‹ in Hölderlins Werk aufzufinden, fernzuhalten. Mit raschem Zur-Kenntnis-Nehmen ist hier nichts auszurichten. Was auf uns wartet, ist kein historischer Stoff, der in einer Reihe mit hundert anderen zu erlernen wäre,[10] sondern die *eine* Erfahrung, die uns und unsere verwüstete Welt sachgerecht ändern könnte: das Hineinfinden in das Alte, im Wandel Dauernde und lange Verschüttete; das Hineinfinden in unsere menschliche *Welt*.

Vermutlich dauert es lange, bis diese Erfahrung möglich wird, und es ist nicht absehbar, ob sie je wieder epochal wirksam werden kann. Indessen gilt Hölderlins Satz:

> Lang ist
> Die Zeit, es ereignet sich aber
> Das Wahre.[11]

II

»Das Wahre« ist auch ein Thema des Hymnenfragments *Die Titanen* aus Hölderlins Spät- und Reifezeit (um 1802). Eine frühere Fassung der Verse 47–54 lautet:

> Denn, wann ist angezündet
> Der geschäftige Tag
> Und rein das Licht und trunken
> Die Himmlischen sind
> Vom Wahren, daß ein jedes
> Ist, wie es ist,
> Muß unter Sterblichen auch
> Das Hohe sich fühlen.[12]

Die Verse spielen im Bereich zwischen »Himmlischen« und »Sterblichen« und somit im Ganzen der ›Welt‹. Sofort zeigt sich hier dasjenige, was für den heutigen Menschen befremdlich ist: daß überhaupt »Himmlische« zum Weltganzen gehören sollen – und zwar nicht als ein frag- oder liebenswürdiges Phantasieprodukt, sondern als ein konstituierendes Element der Wirklichkeit. Der Mythos ist anwesend; und alles kommt darauf an, ihn nicht vielwissend totzureden, sondern von ihm zu lernen.

Die Verse sprechen antizipierend (vgl. V. 47) vom »Tag«, der »angezündet« und »geschäftig« ist: sie nehmen die glückliche Zeit vorweg, wo die ›Weltnacht‹, in der Hölderlin die Menschheit seit dem Ausgang der Antike versunken sah, beendet und ein neuer ›Göttertag‹, der hesperisch-abendländische, angebrochen ist.[13] Die Weltnacht wird dadurch bestimmt, daß »in dürftiger Zeit«[14] die Götter weithin vergessen sind. Dieses nachantike Schicksal hat sich zunächst, im Christentum, im Rückzug des Göttlichen aus dem Irdischen manifestiert: in Christi Himmelfahrt und in der christlichen Annahme, das irdische ›Jammertal‹ sei als vom Göttlichen gründlich getrennt vorzustellen. Die nächste, furchtbarere, für Hölderlin erst in Ansätzen sichtbare, von ihm aber gleichwohl in ihren Konsequenzen schon voll erkannte Phase der zunehmenden Weltverfinsterung kam – nunmehr unter jeglicher Ausschaltung des Göttlichen – im neuzeitlichen Materialismus herauf.

Wodurch kann das ›Anzünden‹ des »Tags«, der Umschwung im Weltgeschick also, der die Weltnacht beendet, möglich werden? Wie ist es – ohne blinden Glauben, ohne Schwärmerei und ohne Naivität – sachgerecht zu denken, daß ein ›neuer Göttertag‹ anbricht? Steigen Göttergestalten, wie der antike Mythos es wohl sagte, auf die Erde herab? Göttergestalten, deren Herkunftsbereich und Wesen wir uns schlechterdings nicht vorzustellen vermögen?

Allen derartigen Spekulationen und aller Ratlosigkeit geben Hölderlins Verse einen nüchternen Hinweis: Wenn der Tag anbricht, ereignet sich nicht mehr und nicht weniger als jenes einfach »Wahre«, von dem auch die Hymne *Mnemosyne* sprach. Es besteht darin,

> daß ein jedes
> Ist, wie es ist.

Der Göttertag *ist da,* sobald auf der Erde und im Himmel alles, was ist, in seinem wahren Wesen erscheint, sobald alle schiefen Aspekte verschwinden, sobald »ein jedes« in Übereinstimmung mit sich selbst und damit erst eigentlich wirklich ist. Eine nüchternere, alle Schwärmerei entschiedener abweisende Bestimmung des »Wahren« und mit ihm des neuen »Tags« ist nicht denkbar. Fast möchte man meinen, dieses Einfache,

> daß ein jedes
> Ist, wie es ist,

verstehe sich von selbst. Die Worte sind sogar dem Mißverständnis ausgesetzt, es könne doch nie anders sein und nie anders gewesen sein, als daß ein jedes »Ist, wie es [nun einmal] ist«. Aber demgegenüber gilt: Nur in seltenen Zeiten tritt dieses einfach Wahre ein. Nicht so nämlich müssen die Dinge erscheinen, wie sie ›nun einmal‹, d. h. im Blick der einschläfernden Gewohnheit, sind, sondern so, wie »das Licht« des »Wahren« sie sein und leuchten läßt. Zumeist sind dieses Licht und der von ihm bewirkte Zustand der Dinge verkümmert oder verschüttet. Zumeist ›sind‹ die Dinge *nicht* so, wie sie *sind.* Zumeist werden sie vom Menschen nicht *eigentlich,* nicht in ihrem vollen, ungeschmälerten Wesen erblickt.

Anders gesagt: in ganzen Epochen der Geschichte ist der »Tag« *nicht* angezündet, das »Licht« *nicht* »rein«, »die Himmlischen« sind *nicht* »dabei«,[15] und »das Hohe« fühlt sich daher »unter Sterblichen« *nicht.* All dies aber gehört zum einfachen, wahren Sein der Dinge. Gerade das Einfache und Wahre stellt den höchsten Anspruch.

Die in dieser frühen Fassung der Verse aus der *Titanen*-Hymne gegebene Darstellung des Mythos, der Wahrheit und der Wirklichkeit befriedigte Hölderlin offensichtlich noch nicht. In ihrer überaus einfachen, umfassenden, sich daher jede dingliche ›Anschaulichkeit‹ versagenden Form konnte sie seinem immer dringlicheren Bestreben, die Mythe beweisbarer und begreifbarer darzustellen, wohl nicht genügen. Er setzte daher folgende Fassung an ihre Stelle:

> Wenn aber ist entzündet
> Der geschäftige Tag
> Und an der Kette, die
> Den Blitz ableitet
> Von der Stunde des Aufgangs
> Himmlischer Tau glänzt,
> Muß unter Sterblichen auch
> Das Hohe sich fühlen.[16]

Hier nennt Hölderlin nun ein konkretes, dinglich greifbares ›Beispiel‹ für den zwar ständig bestehenden, aber selten ›gewahrten‹, hohen Zustand, dessen Erfahrung oder Nichterfahrung über die Zukunft der Menschheit entscheidet; ein Beispiel dafür, wie es ist, wenn die Dinge (und mit ihnen vor allem auch die Menschen) ›sind, wie sie sind‹. Hölderlin nennt ein unscheinbares, scheinbar auch höchst unpoetisches Ding, den Blitzableiter. Der bestand früher oft aus einer »Kette«.

Morgens liegt Tau auf der Kette des Blitzableiters: ein natürlicher, allbekannter Sachverhalt. Aber solange die ›Sache‹ lediglich in dieser Weise als ein tausendmal gleichgültig erblickter Tatbestand dargestellt und hingenommen wird, ›sind‹ weder der Morgen noch der Blitzableiter noch der Tau, was sie *in Wahrheit sind.* Ihr Wesen erscheint erst, sobald von ihnen gesagt wird:

> Wenn aber ist entzündet
> Der geschäftige Tag
> Und an der Kette, die
> Den Blitz ableitet
> Von der Stunde des Aufgangs
> Himmlischer Tau glänzt,
> Muß unter Sterblichen auch
> Das Hohe sich fühlen.

Das Wesen der Dinge erscheint hier, weil seine einfache Wahrheit sachgerecht gestaltet wird. Der Tag ist »entzündet«, das himmlische Licht leuchtet und wird *als ein himmlisches* gewahrt; der Tau, der sich vom Himmel auf den Blitzableiter gesenkt hat, *ist* »himmlischer Tau«; die Himmlischen sind in ihm anwesend und zeichnen mit ihrem ›Glanz‹ das Ding aus, das den Blitz, dieses »Zeichen« »von Gott«,[17] *vom Himmel zur Erde leitet und somit in seiner Funktion die Bindung beider Weltteile, und das heißt die Ganzheit der Welt, sichtbar und greifbar zeigt.* Die alltägliche Erfahrung der Dinge ist jetzt in deren eigentlicher Wesensdimension ›aufgehoben‹. Jetzt »Ist [ein jedes], wie es ist«. Die Zugehörigkeit der Götter zum Irdischen und ihre Anwesenheit in ihm, die im Alltag verschüttet ist, deutet sich an. Ein einfacher, natürlicher Sachverhalt läßt in einem hohen Augenblick die göttliche Dimension, die ständig in ihm besteht, jäh und erschütternd erscheinen. Die Mythe ist »beweisbarer« dargestellt: sie lebt nicht weiterhin für sich in einem hermetischen Raum, von dem aus keine Brücke zur Wirklichkeit zu führen scheint; sie bewährt sich vielmehr an einem unscheinbaren, alltäglichen Ding.

Dennoch müssen wir fragen: Ist die Mythe damit tatsächlich »beweisbarer« und in ihrem *Wirklichkeitsgehalt* für uns verständlicher geworden? Oder richtiger: Haben wir schon das Maß an beweisbarer Darstellung der Mythe verstanden und ausgeschöpft, das Hölderlins Versen innewohnt?

Wohl kaum. Zwar mag die Rede Hölderlins vom »Wahren, daß ein jedes / Ist, wie es ist«, ein wenig deutlicher geworden sein. Das »Wahre« geschieht, sobald die Götter im Irdischen erscheinen, nicht getrennt von ihm oder gar überhaupt nicht. Aber der Sinn eben dieser Aussage darf nicht im mindesten ins Ungreifbare entgleiten oder im Bereich des bloßen, im Grunde unverstandenen Bildungsgutes abgestellt werden. Wir dürfen nicht nur nachsprechen, was Hölderlin sagt. Wir müssen die *Wirklichkeit* der Götter, die Natur ihrer Bindung an Dinge und »Sterbliche« und damit die ›Welt‹-Darstellung in Hölderlins Werk noch weit unmittelbarer und genauer erfahren.

III

Das Befremdliche, von dem wir sprachen: daß überhaupt »Himmlische« zum Weltganzen gehören und daß sie im Irdischen in Erscheinung treten sollen, ist durch das Bisherige kaum schon in seinem entscheidenden Charakter erhärtet worden: nämlich *als die sachgerechte Interpretation der Wirklichkeit.*

Wir setzen daher neu an und wählen eine weitere Darstellung eines Dinges bei Hölderlin aus. Die unvollendete Hymne *Der Ister* (d. i. die Donau) aus dem Jahre 1803 vergegenwärtigt in ihrem Verlauf das Wesen des *Flusses.*[18] Es heißt hier in einer ersten Fassung der Verse 49 ff.:

> Umsonst nicht gehn
> Im Trocknen die Ströme. Aber wie? Sie sollen nämlich
> Zur Sprache sein.[19]

Es ist nicht »umsonst«, daß es Ströme gibt; nicht ohne etwas Besonderes zu bewirken, ziehen sie durch die trockene Erde. »Aber wie?« In welcher Hinsicht gehen sie »umsonst nicht«? An früherer Stelle (V. 16 f.) hatte die Hymne gesagt:

> Denn Ströme machen urbar
> Das Land.

In dieser ›natürlichen‹, unmittelbar einleuchtenden Wirkung, der Bewässerung nämlich des umgebenden Landes, erschöpfen sich jedoch Leistung und Wesen der Ströme nicht. Es heißt jetzt vielmehr:

> Sie sollen nämlich
> Zur Sprache sein.

Offenbar verhilft der Fluß einer bestimmten Sache in bestimmter Hinsicht »zur Sprache«, und eben deshalb ›geht‹ er »umsonst nicht«. Wem aber hilft er? Dem Menschen etwa? Hat der nicht seine Sprache ›von sich aus‹, ohne des Flusses zu bedürfen? Und wenn nicht dem Menschen, wem sonst? Hat überhaupt irgendein Wesen außer dem Menschen »Sprache«?

Hölderlin hat auch in diesem Fall den zunächst niedergeschriebenen Versen eine neue Fassung gegeben. Sie ist weit ausführlicher. Die erste, knappe Version brachte wohl das Gemeinte gleichsam zu unmittelbar zu Wort, sie drängte sogleich auf die Aussage der tiefsten Wesensschicht und übersprang andere Aspekte; damit geriet sie in die Gefahr der Unverständlichkeit. Gerade so bleibt sie schön und bedeutsam. – Die neue Fassung der Verse lautet:

> Umsonst nicht gehn
> Im Trocknen die Ströme. Aber wie? Ein Zeichen braucht es
> Nichts anderes, schlecht und recht, damit es Sonn
> Und Mond trag' im Gemüt, untrennbar,
> Und fortgeh, Tag und Nacht auch, und
> Die Himmlischen warm sich fühlen aneinander.
> Darum sind jene auch
> Die Freude des Höchsten. Denn wie käm er
> Herunter?[20]   (V. 49–57)

Sonne und Mond spiegeln sich in den Strömen. Wiederum – wie schon beim Glänzen des Taues am Blitzableiter – begreift Hölderlin einen einfachen, scheinbar ›nur natürlichen‹ Vorgang als das Erscheinen der eigentlichen, die Existenz der Götter einbeziehenden Wirklichkeit. Spiegelnd tragen die Ströme die Gestirne »im Gemüt«. Sie tun es ständig, »Tag und Nacht auch«: nicht nur, wenn am Göttertag die Himmlischen ohnehin als solche sichtbar sind, sondern auch in der Welt»nacht« bewahren die treuen Ströme, unwandelbar spiegelnd, das Andenken und darüber hinaus die (auch in der Nacht verborgen bestehende) Anwesenheit der Götter.

Sonne und Mond, die Gestirne und die waltenden Mächte des Tages und der Nacht, *sind* in den Strömen. Das Himmlische *ist* im Irdischen, von ihm »untrennbar« (V. 52). Das Irdische ist nie und nirgends nur das Materielle. Diese reduzierende und reduzierte Vorstellung hegt das menschliche Denken freilich seit langem und in ständig noch sich versteifender Form. In der Materie ist jedoch immer schon das Göttliche anwesend. Sachgerecht gedacht, sind die Namen ›die Materie‹ und ›das Göttliche‹ in ihrer jeweiligen Isoliertheit unangemessen; denn beide sind »untrennbar«. Das Göttliche ruht – wenn dieser Vergleich erlaubt ist – im Irdischen so wie der Funke im Stein.

Die scheinbar nur irdischen Ströme sind so in Wahrheit »ein Zeichen«; ein Zeichen nämlich der Ganzheit der Welt, die entscheidend im ›untrennbaren‹ Beisammensein von Himmel und Erde, Himmlischen und Menschen besteht:

> Himmlische sind
> Und Menschen auf Erden beieinander die ganze Zeit.[21]

Als »Zeichen« der Welt sind die Ströme zugleich ein Ort, wo die Welt in ihrer irdisch-himmlischen Ganzheit »zur Sprache« kommt, sei es unmittelbar in der konkreten (und das heißt also immer zugleich: zeichenhaften) Wirklichkeit, sei es mittelbar im Gedicht. »Sie sollen nämlich / Zur Sprache sein.« Die zweite Fassung hat den Sinn des scheinbar dunklen, in Wahrheit einzigartig sachgerechten Satzes geklärt und so die Mythe beweisbarer dargestellt.

Alles kommt nach wie vor darauf an, daß wir die mythische Wirklichkeit in ihrer Wahrheit erkennen und uns aneignen. Das aber ist auch jetzt, nachdem wir Hölderlins Fluß-Darstellung kennengelernt haben, kaum schon in zureichendem Maße geschehen. Denn *inwiefern* sind z. B. Sonne und Mond so etwas wie Götter? Sind sie nicht vielmehr ein feuriger Gasball und ein erkalteter Stein, die im Weltall rasen und einzig materiell faßbar sind?

Nähmen wir es überdies lediglich als einen lernbaren Stoff zur Kenntnis, daß die irdische Wirklichkeit ›für Hölderlin‹ ›von Göttern belebt‹ ist, so wäre ebenfalls nicht das mindeste gewonnen. Die Wahrheit würde auf ein Phänomen der Hölderlinschen Subjektivität reduziert.[22] Das riesige Reservoir unserer historischen Bildung, das alles Wirkliche an sich reißt, es historisch relativiert und somit ins letztlich Gleichgültige transponiert, würde um ein Stück vermehrt.

IV

Sowohl die Verse vom Blitzableiter als auch die von den Strömen haben gesagt, wie es ist, wenn »ein jedes / Ist, wie es ist«. In beiden Fällen hat uns das volle Wesen der Wirklichkeit und somit das »Wahre« getroffen. Dieses besteht im einfachen Sein der Dinge.[23] Das einfach Offenbare ist, als der »Wahrheitsgrund«, immer unerschöpflich und »unerklärlich«. Das Gedicht, das das einfach Wahre ausspricht, ist deshalb auch seinerseits für die Deutung unerschöpflich. Es würde auf den Rang eines mathematischen Beweises reduziert, wenn wir glaubten, es – unbeschadet des Bereichs des Klärbaren – in seinem letzten, nämlich in seinem Wahrheitsgrund erklären zu können.

Aber wo der Beweis versagt, braucht nicht zugleich auch *die Einsicht* zu versagen. Als ein ursprüngliches Vermögen des Menschen entstammt sie demselben »Wahrheitsgrund«, dem auch Sage und Mythe entspringen. Wie hätten diese beiden ohne so etwas wie Einsicht je entstehen können?

Die Einsicht muß vor allem *die Wirklichkeit der Himmlischen* erfahren. Wir müssen einsehen, daß es die Himmlischen als solche gibt; wir können es nicht einfachhin glauben.

In seinen *Anmerkungen zum Oedipus* des Sophokles sagt Hölderlin einmal von einem »Gotte«, daß er »nichts als Zeit ist«.[24] Diese Gleichsetzung der Zeit mit einem

Gott nehmen wir zum Anlaß, in einem dritten Versuch dem Wirklichkeitsgehalt der Rede Hölderlins von den Himmlischen nachzugehen.[25]

Daß es die Zeit ›gibt‹, wird niemand leugnen. Unsere Aufgabe ist also sehr präzise gestellt. Es gilt einzusehen: die Zeit ist weder lediglich eine wissenschaftlich meßbare Größe unbestimmten Charakters noch eine bloße Anschauungsform des menschlichen Geistes, noch auch endlich der einer Leerform gleichende ›Bereich‹, ›in‹ dem die Geschichte abläuft – sondern sie ist göttlichen Wesens.

Zeit ist, so viel dürfte feststehen, eine immaterielle, unableitbare und daher letztlich ›unerklärliche‹ Grundbedingung des Daseins und der Welt. Sie ist faktisch. Sie ist nicht vom Menschen gemacht, noch kann der Mensch über sie verfügen. Er muß sich vielmehr, jeweils auf seine Weise, ihrem Ablauf fügen. Alles, was ist, ist in der Zeit. Nichts ist ohne sie. Ebenso gilt daher umgekehrt: die immaterielle Zeit ist allem und so auch aller Materie immanent und hat teil an ihr. Alles, was ›auf materielle Weise‹ ist, ist, da es zeitlich existiert, zugleich immer schon ›auf immaterielle Weise‹. Die Materie wächst, dank der Zeit, über ›sich selbst‹ hinaus; oder richtiger: sie hat dank der Zeit, die ihr innewohnt, immer schon zu ihrem eigentlichen, nie ausschließlich materiellen Wesen gefunden.

Kann und darf der Mensch sich demnach der Einsicht verschließen, daß die faktische Zeit – als die unverfügbar bestimmende, unableitbar und unerklärlich im Wahrheitsgrund ruhende – übermenschlich, nie ›in den Griff zu bekommen‹ und also *göttlich* ist? Wird nicht erst dieser Name den genannten, den Menschen schlechthin überragenden Wesenszügen der Zeit eigens gerecht? Stellen Hölderlins Einsicht und der ihr entspringende Name »Gott« nicht – weit entfernt davon, eine poetische Ausschmückung zu liefern – die einzig am Phänomen selbst orientierte, sachgerechte Auslegung der Zeit bereit? Und trägt die Erkenntnis der Zeit als eines Gottes nicht, zu ihrem Teil, dazu bei, den Menschen von dem in der Neuzeit immer mehr sich verfestigenden Wahn zu befreien, alles sei beliebig verfügbar? – Scheinbar betrifft diese Befreiung zunächst nur eine Einzelheit, eben die Auslegung der Zeit. Die Zeit ist aber, wie sich zeigte, in Wahrheit eine der überall anwesenden Grundfesten der Wirklichkeit; und sie ist nur einer der Himmlischen.

Wir sehen jetzt ein wenig deutlicher, inwiefern die faktischen und zugleich unverfügbaren Mächte des Daseins, der Natur und der Geschichte *die Himmlischen sind.* Einer der mächtigsten Götter ist die Zeit. Seit je herrscht sie unfaßbar und bestimmt allgegenwärtig ›das Ganze‹. Aber auch »Sonn / Und Mond« stehen, so lange die ihnen zugemessene Weile dauert, in ursprünglicher Macht ›am Himmel‹. Sie gewähren dem Menschen sein Dasein, sie gewähren ihm das Aufblicken zum Himmel und die Orientierung in der Zeit. In ihnen ist das Himmlische, auf andere Weise als in der reinen Zeit, mit der ›Materie‹ vermählt und durch sie vermittelt. So besitzen auch Sonne und Mond – faktisch und unverlierbar – ein himmlisches Wesenselement, das sie dem Chor der Götter zugesellt.

Wir versuchen des weiteren, die Einsicht zu erproben. Einige schon zitierte, bisher aber nicht weiter beachtete Verse der Donau-Hymne Hölderlins sagen von den Strömen:

Darum sind jene auch
Die Freude des Höchsten. Denn wie käm er
Herunter?

Wer ist der »Höchste«? Die Ströme sind seine »Freude«, weil sie als »Zeichen« die
Ganzheit der Welt zeigen. Eben diese Ganzheit also ›kommt‹, indem die Ströme sie
zeigen, gestalthaft vermittelt auf die Erde »herunter«. Sie selbst ist der Höchste. In
ihr sind alle Himmlischen und ebenso das Irdische, mit dem sie ›einig‹ sind, gemeinsam anwesend.
Die Ganzheit der Welt ist in sich geschichtlich. In der Antike war die Welt auf andere
Weise ›ganz‹ als in Hesperien. Daher sagt die erste Fassung der Hymne *Mnemosyne*:

Zweifellos
Ist aber der Höchste. Der kann täglich
Es ändern.[26]

Jederzeit kann der Höchste den Gang der Geschichte und somit die Lage des Menschen auf der Erde und sein Verhältnis zu den Himmlischen ändern. Denn nicht der
Mensch allein ›macht‹ die Geschichte. Er ist »täglich« der Möglichkeit einer »kate-
gorischen Umkehr«[27] des Höchsten, einer radikalen Wendung des Geschicks, ausgesetzt. Daß und in welcher Weise der Höchste diese seine Macht gebraucht, davon
legen der Untergang der Antike und die Wendung, die die Geschichte vom antiken
Göttertag zur Weltnacht und, inmitten der Nacht, zu einer neuen Einkehr der Götter in Hölderlins Dichtung nahm, Zeugnis ab.
An seinen Freund Böhlendorff schrieb Hölderlin am 4. Dezember 1801 im Zusammenhang einer allgemeinen kunsttheoretischen Betrachtung über das Verhältnis der
griechischen zu der modernen, »hesperischen« Kunst:

»Ich habe lange daran laboriert und weiß nun daß außer dem, was bei den Griechen
und uns das höchste sein muß, nämlich dem lebendigen Verhältnis und Geschick,
wir nicht wohl etwas gleich mit ihnen haben dürfen.«[28]

Hier lautet Hölderlins Erläuterung für das Wesen des »höchsten«: das »lebendige
Verhältnis und Geschick«. Die Auslegung des Höchsten als der jeweiligen Ganzheit
der Welt wird damit erhärtet: ›Das‹ oder ›der‹ Höchste ist das »Verhältnis«, in dem
alles »Bestehende«[29] einander begegnet; das Verhältnis, in dem jeweils Himmel und
Erde, Götter und Menschen zueinander stehen; es ist der »gemeinsame Geist«[30], der
alles, was ist, zusammenhält. Der »Höchste« ist so zugleich der äußerste Horizont
des »Geschicks« in allen Epochen der Geschichte. Als solcher ist er die jeweilige
Weise der irdisch-himmlischen Ganzheit der Welt.
Mythen und Sagen »sind gut«. »Denn ein Gedächtnis sind / Dem Höchsten sie.«[31]
Achten wir ihre Güte? Begreifen wir sie als dieses einzige Gedächtnis? Hölderlin hat
längst »die heiligen« ausgelegt. Die damit bereitgestellte »Sache« und ihre Heilsamkeit wartet seit bald zweihundert Jahren. Sie wartet nicht etwa darauf, daß heute oder
in Zukunft Hölderlins Erfahrung und Auslegung als *unverändert* gültig wieder eingesetzt wird. Das wäre lediglich ein historisierendes Mißverständnis. Sie wartet darauf, daß sie selbst, die »Sache«, der auch Hölderlins Auslegung als »Gedächtnis«
dient, im Ernste, *und d. h. geschichtlich neu*,[32] erkannt wird. Das geschieht, wenn
Hölderlins Verse zutreffen:

Aber das Irrsal
Hilft, wie Schlummer und stark machet die Not und die Nacht,
Bis daß Helden genug in der ehernen Wiege gewachsen,
Herzen an Kraft, wie sonst, ähnlich den Himmlischen sind.
Donnernd kommen sie drauf.[33]

V

Indem Hölderlin die Mythe beweisbarer darstellt, läßt er *in seinem Werk die Welt* erscheinen. Welt ist das ständige und vom einsichtigen Menschen ständig erfahrbare Walten des »lebendigen Verhältnisses und Geschicks«. Sie ist Grunderfahrung und Grundthema aller Dichtungen Hölderlins.
Indem die so beschaffene Welt im Werk erscheint, geschieht aber nicht mehr und nicht weniger, als daß sich die alltägliche Erfahrung der Welt wandelt. Diese Wandlung ist eine Umkehr, der gegenüber alle Umwälzungen im gesellschaftlichen Bereich – eben weil sie die Dimension der *Welt* nicht ausmessen – als vorläufig erscheinen. Die Welt wird von der Reduzierung auf nur scheinbar äußerste Daseinshorizonte – wie es die Gesellschaft oder die materialistisch gesehen ›Welt‹ sind – befreit. Denn die Himmlischen sind auf der Erde eingekehrt. Sie sind jetzt *als* Himmlische erkannt und daher »dabei«. Alles kehrt sich um; denn das bislang verschüttete Wesen der Dinge kehrt sich gleichsam nach außen und liegt vor Augen. Alles wird einfach und wahr. »Das Licht« wird »rein«. »Der Tag« wird »entzündet«. Jedes »ist, wie es ist«. Hölderlins Werk und die von ihm erblickte »Sache« erweisen sich als heilsam. Ein Umschwung in der Geschichte der Welterfahrung tritt ein; und da Welt immer menschlich erfahrene Welt ist, ist ein Umschwung in ihrer Erfahrung immer zugleich ein Umschwung in der Geschichte der Welt selbst.
Die Materie ist nicht mehr ›bloße‹ Materie, denn in ihr ist immer auch schon das Göttliche; der Gott ist nicht mehr fern, nicht mehr unfaßbar, nicht mehr ›für sich‹, denn er ist immer schon *im Irdischen anwesend* – als ein Element, das keinen geringeren Grad an Wirklichkeit besitzt als das Irdische. An die Stelle der unangemessenen Trennung zwischen Materie und Gott oder gar der Vergessenheit des Gottes tritt die sachgerechte Achtung der Untrennbarkeit, der ›Einfachheit‹ beider.[34] Nur da, wo diese Untrennbarkeit gewahrt wird, *ist* Wirklichkeit. Diese ist von dem Willen, über sie zu verfügen, letztlich nie erreichbar. Hölderlin nennt die Würde der Unverfügbarkeit in den Versen:

Denn nimmer, von nun an
Taugt zum Gebrauche das Heilge.[35]

Anmerkungen

1 Hölderlin. Sämtliche Werke. Große Stuttgarter Ausgabe. Hrsg. von Friedrich Beißner. Bd. 6 und 7 hrsg. von Adolf Beck. Stuttgart 1943 ff. (Im folgenden zitiert als: StA.) Bd. 2. S. 53. Hölderlins Orthographie wird generell der heutigen angeglichen. – Zur Erläuterung vgl.: Friedrich Hölderlin. Sämtliche Gedichte. Studienausgabe in zwei Bänden. Hrsg. und komm. von Detlev Lüders.

(Bd. 1: Text. Bd. 2: Kommentar.) Bad Homburg v. d. H. 1970. (Im folgenden zitiert als: SG.) Kommentar zu »Stimme des Volks«: Bd. 2. S. 214–217.

2 Franz Kafka: Die Erzählungen. Frankfurt a. M. 1961. S. 303 (»Prometheus«: entstanden Januar 1918).

3 StA 5, 268. – Daß die Motti Aussagen über Mythe und Sage von Hölderlin und Kafka zusammenstellen, besagt nicht, der vorliegende Aufsatz beabsichtige einen Vergleich des Mythen- und Sagenbildes beider Dichter. Alles kommt vielmehr darauf an, die von beiden gemeinte *Sache* vor den Blick zu bringen. Diese ist im Untertitel durch den Begriff der ›Welt‹ (vgl. Anm. 9) angedeutet; und so gilt es zu zeigen, inwiefern gerade Sage und Mythe einen ausgezeichneten *Welt- und Wirklichkeitsgehalt* mit sich führen, so daß ihre ›beweisbarere Darstellung‹, und nur sie, Hölderlin in die Lage versetzt, in seinem Werk die ›Welt‹ zur Erscheinung zu bringen. – Vgl. hierzu generell Detlev Lüders: »Die Welt im verringerten Maasstab«. Hölderlin-Studien. Tübingen 1968. – Zum Begriff des Mythos bei Hölderlin vgl. ferner außer den in Anm. 6 genannten Abhandlungen: Walter Bröcker: Die Auferstehung der mythischen Welt in der Dichtung Hölderlins. In: W. B., Das was kommt gesehen von Nietzsche und Hölderlin. Pfullingen 1963. S. 29–54. (Zuerst in: Studium Generale 8 [1955] H. 5.) – Paul Böckmann: Sprache und Mythos in Hölderlins Dichten. In: Die deutsche Romantik. Hrsg. von Hans Steffen. Göttingen 1967. S. 7–29. – Gerhard Buhr: Hölderlins Mythenbegriff. Frankfurt a. M. 1972 (Literaturverzeichnis: S. 496 ff.). Die Buhrsche Arbeit wurde rezensiert von Joachim Müller in: Deutsche Literaturzeitung (Mai 1975) Sp. 389–392.

4 StA 6, 372.

5 So z. B. bei Pierre Bertaux: Hölderlin und die Französische Revolution. In: Hölderlin-Jahrbuch 1967/1968. S. 1–27. Vgl. ferner das Schauspiel »Hölderlin« von Peter Weiss, Frankfurt a. M. 1971. – Einige Stellungnahmen hierzu: Adolf Beck: Hölderlin als Republikaner. In: Hölderlin-Jahrbuch 1967/1968. S. 28–52; Lawrence J. Ryan: Hölderlin und die Französische Revolution. In: Festschrift für Klaus Ziegler. Tübingen 1968. S. 159–176; Detlev Lüders: Hölderlins Aktualität. In: Jahrbuch des Freien Deutschen Hochstifts 1976. Tübingen 1976. S. 114–137.

6 »Hölderlin ohne Mythos«. Hrsg. von Ingrid Riedel. Mit Beiträgen von P. Bertaux, H.-W. Jäger, W. Kudszus, H. Prang, L. Ryan, R. Zuberbühler. Göttingen 1973.

7 Hier darf daran erinnert werden, daß ›Mythos‹ ursprünglich nichts anderes als ›Wort‹ bedeutet.

8 Wenn aber die Himmlischen..., V. 42–47. In: StA 2, 223. – Vgl. SG 2, 374 f.

9 ›Welt‹ wird hier – in Annäherung an die von Martin Heidegger vorgetragene Auslegung – als die dem Menschen immer schon – d. h. unabhängig von der Zahl der jeweils gekannten Einzeldinge – offenbare Ganzheit begriffen, die durch die allen ›Dingen‹ gemeinsame Qualität des Daseins konstituiert wird und somit der äußerste Horizont jeder möglichen Erfahrung ist. – Vgl. Martin Heidegger: Sein und Zeit. § 11 ff.; Detlev Lüders: Dichtung, Kunst und heutige Gesellschaft. In: Jahrbuch des Freien Deutschen Hochstifts 1975. Tübingen 1975. S. 474–492, bes. S. 482 ff.; ders.: Stil und Welt. In: Für Rudolf Hirsch. Frankfurt a. M. 1975. S. 72–82.

10 Damit wird nicht behauptet – was eigentlich kaum der Erwähnung bedarf –, daß Hölderlins Werk nicht auch als ein historischer Stoff unter anderen aufgefaßt werden könnte; und es wird ebenfalls nicht behauptet, Hölderlins Werk befände sich außerhalb des Bereiches einer ›historischen Umwelt‹ und ›historischer Einflüsse‹. Hölderlins Dichtungen historisch zu erforschen kann nicht nur ertragreich sein; es ist auch eine unabdingbare Voraussetzung für die Erfahrung der Wahrheit seines Werkes.

11 Mnemosyne, 1. Fassg., V. 16–18. In: StA 2, 193. – Vgl. SG 2, 352 ff.

12 StA 2, 218. 850.

13 Vgl. Arthur Häny: Hölderlins Titanenmythos. Zürich 1948. S. 32 und 78 f. – Dazu der Exkurs von Jochen Schmidt in: Hölderlins Elegie »Brod und Wein«. Berlin 1968. S. 173–178, bes. S. 175 f. – Vgl. SG 2, 371.

14 Hölderlin: Brot und Wein, V. 122. In: StA 2, 94.

15 Hölderlin: Ganymed, V. 22. In: StA 2, 68.

16 StA 2, 218.
17 In seinem Brief an Böhlendorff vom 4. 12. 1801 sagt Hölderlin vom Blitz: »Denn unter allem, was ich schauen kann von Gott, ist dieses Zeichen mir das auserkorene geworden« (StA 6, 427).
18 Weitere Strom-Dichtungen Hölderlins: »Der Main«, »Der Neckar«, »Der gefesselte Strom«, »Ganymed«, »Am Quell der Donau«, »Der Rhein«. Vgl. SG 2, 289 f.
19 StA 2, 191. 810 f.
20 StA 2, 191. – Vgl. SG 2, 348 ff., bes. 352.
21 Der Einzige, ›3.‹ Fass., V. 84 f. In: StA 2, 163. – Vgl. SG 2, 322 ff., bes. 331; ferner Lüders (oben Anm. 3). S. 19 ff.
22 Vom Begriff der ›Wahrheit‹ sind hier dessen übliche Interpretationen ›ewige Wahrheit‹ und ›historisch relativierbare Wahrheit‹ stets gleichermaßen fernzuhalten. Als der Sache angemessen erscheint dagegen Martin Heideggers Auslegung der Wahrheit als geschichtlich geschehender Unverborgenheit (ἀλήθεια; vgl. »Sein und Zeit«, § 44). Dieser ursprüngliche Wahrheitsbegriff entspricht insbesondere auch der Intention Hölderlins. Indem nämlich »das Wahre« sich als die jeweilige Unverborgenheit des irdisch-himmlischen Weltgefüges »ereignet« (Mnemosyne; s. Anm. 11), zeigt es sich als *geschichtlich geschehend* (es ereignet sich im Abendland auf andere Weise als in der Antike). Gleichwohl hat diese *Geschichtlichkeit* der Wahrheit nicht das mindeste mit einer *historischen Relativierbarkeit* gemein: denn unbeschadet ihrer Unterschiedlichkeiten bleiben die Weisen der Unverborgenheit des Weltgefüges entscheidend an etwas gebunden, was als ein ›Selbes‹ in der Antike wie im Abendland *bleibt* und seine Identität durchhält. (Siehe unten die Ausführungen zu den Hölderlinschen Begriffen des »Höchsten« und des »lebendigen Verhältnisses und Geschicks«, die für die Antike wie für das Abendland gleichermaßen gültig sind; vgl. ferner Lüders: Hölderlins Aktualität [oben Anm. 5], bes. den Anhang.)
23 Daß gerade das einfache, ungekünstelte Sein der Dinge »wahr« ist, sagt Hölderlin in der Donau-Hymne (V. 50 f.) mit den Worten, das »Zeichen« werde, um ein solches sein zu können, *so* ge»braucht«, wie es »schlecht und recht«, nämlich in seiner ihm eigenen ›schlichten‹ Verfassung, *ist.*
24 StA 5, 202. – Zu dieser Stelle und zum Kontext vgl. Lüders (oben Anm. 3). S. 57 ff.
25 Zur Frage nach diesem Wirklichkeitsgehalt vgl. Lüders: Hölderlins Aktualität (oben Anm. 5).
26 V. 8–10. In: StA 2, 193.
27 StA 5, 202. Vgl. Anm. 24.
28 StA 6, 426. Vgl. Anm. 17 und 22. Zu diesem bedeutenden Brief Hölderlins vgl. ferner: Lüders (oben Anm. 3). S. 59 ff.; SG 2, 16 ff. und 25; Peter Szondi: Hölderlins Brief an Böhlendorff vom 4. 12. 1801. Kommentar und Forschungskritik. In: Euphorion 58 (1964) S. 260–275.
29 Hölderlin: Patmos, V. 225. In: StA 2, 172.
30 Hölderlin: Wie wenn am Feiertage..., V. 43. In: StA 2, 119.
31 Vgl. oben das erste Motto.
32 Vgl. Anm. 22.
33 Brot und Wein, V. 115–119. In: StA 2, 93 f.
34 Vgl. Der Ister, V. 52.
35 Einst hab ich die Muse gefragt..., V. 34 f. In: StA 2, 221.

Weitere Forschungsliteratur (Auswahl)

Hölderlin. Sämtliche Werke. Hist.-krit. Ausg. Beg. durch Norbert von Hellingrath, fortgef. durch Friedrich Seebaß und Ludwig von Pigenot. 6 Bde. Berlin 1913–23. 3. Aufl. [Bd. 1–4] 1943.
Friedrich Hölderlin. Sämtliche Werke. ›Frankfurter Ausgabe‹. Hist.-krit. Ausg. Hrsg. von D. E. Sattler. [Bisher ersch. Bd. 6: Elegien und Epigramme. Hrsg. von D. E. Sattler und Wolfram Groddeck. Frankfurt a. M. 1976.]

Karl Viëtor: Die Lyrik Hölderlins. Eine analytische Untersuchung. Frankfurt a.M. 1921.

Paul Böckmann: Hölderlin und seine Götter. München 1935.

Romano Guardini: Hölderlin. Weltbild und Frömmigkeit. Leipzig o. J. [1939].

Wilhelm Michel: Das Leben Friedrich Hölderlins. Bremen 1940.

Hölderlin. Gedenkschrift zu seinem 100. Todestag. 7. Juni 1943. Im Auftrag der Stadt und der Universität Tübingen hrsg. von Paul Kluckhohn. Tübingen ²1944.

Iduna. Jahrbuch der Hölderlin-Gesellschaft. Jg. 1. Hrsg. von Friedrich Beißner und Paul Kluckhohn. Tübingen 1944. [Fortgef. als:] Hölderlin-Jahrbuch. Tübingen 1948 ff.

Ernst Müller: Hölderlin. Studien zur Geschichte seines Geistes. Stuttgart, Berlin 1944.

Martin Heidegger: Erläuterungen zu Hölderlins Dichtung. Frankfurt a.M. ²1951.

Walter Hof: Hölderlins Stil als Ausdruck seiner geistigen Welt. Meisenheim am Glan 1954.

Beda Allemann: Hölderlin und Heidegger. Zürich, Freiburg i. Br. ²1956.

Lawrence J. Ryan: Hölderlins Lehre vom Wechsel der Töne. Stuttgart 1960.

Friedrich Beißner: Hölderlin. Reden und Aufsätze. Weimar 1961.

Ulrich Häussermann: Friedrich Hölderlin in Selbstzeugnissen und Bilddokumenten. Reinbek bei Hamburg 1961.

Hölderlin. Beiträge zu seinem Verständnis in unserm Jahrhundert. Hrsg. von Alfred Kelletat. Tübingen 1961.

Lawrence Ryan: Friedrich Hölderlin. Stuttgart 1962.

Bernhard Böschenstein: Konkordanz zu Hölderlins Gedichten nach 1800. Göttingen 1964.

Werner Kirchner: Hölderlin. Aufsätze zu seiner Homburger Zeit. Hrsg. von Alfred Kelletat. Göttingen 1967.

Peter Szondi: Hölderlin-Studien. Frankfurt a.M. 1967.

Jochen Schmidt: Hölderlins Elegie »Brod und Wein«. Die Entwicklung des hymnischen Stils in den elegischen Dichtungen. Berlin 1968.

Wolfgang Binder: Hölderlin-Aufsätze. Frankfurt a.M. 1970.

Hölderlin. Eine Chronik in Text und Bild. Hrsg. von Adolf Beck und Paul Raabe. Frankfurt a.M. 1970.

Bibliographien und Forschungsberichte: Vgl. SG 2, 430 f.

Ein Briefwechsel im Anschluß an diesen Aufsatz

Karl Otto Conrady   Köln, 18. Dezember 1976

Sehr geehrter Herr Lüders,

zaudernd und zagend habe ich dieses Blatt in die Schreibmaschine gespannt, und immer wieder habe ich hinausgeschoben, Ihnen zu schreiben. Aber ich komme nicht darum herum, mich zu Ihrem Aufsatz über Hölderlin, den Sie für den Klassik-Band geschrieben haben, kritisch zu äußern. Als Herausgeber habe ich, wie Sie wissen, nicht die Absicht, den Beiträgern hereinzureden; denn jeder zeichnet für seinen Aufsatz selbst verantwortlich. Aber ich kann als Herausgeber auch nicht, wenn es sich um einen mir prekär erscheinenden Fall handelt, ganz ins Schweigen zurücktreten.

Ihr Aufsatz wendet sich expressis verbis gegen Bemühungen in der Hölderlin-Forschung, sein Werk im historischen Kontext zu begreifen. Von solchem nicht zu leugnenden Kontext ist nun in Ihrem Beitrag überhaupt die Rede nicht mehr. Sie nehmen Hölderlin wie einen Wahrsager, der – wenn auch verschlüsselt – vom ›Wahren‹ kündet, ohne daß Sie in Betracht zögen, welche konkrete historische Situation wohl mitverantwortlich sein könnte für solche ›Sage‹.

Lassen Sie mich freimütig bekennen, daß ich – nicht nur, aber vor allem – Ihre Einleitung laufend mit Fragezeichen besetzen möchte. Die Hölderlin-Betrachter, an die Sie denken (Sie nennen nur Bertaux und Peter Weiss), haben keineswegs die Absicht, die Aussage der Dichtung Hölderlins »auf Bezüge zur Zeitgeschichte... zu reduzieren«. Und den Ausdruck »Hölderlin ohne Mythos« habe ich stets so verstanden, daß nicht länger das getrieben werden sollte, was Ihr Aufsatz erneut wieder vorführt: Hölderlins dichterische Aussagen zu mythisieren, aus allen Zeitbeziehungen herauszuheben und ihn zum zeitenthobenen Wahrsprecher zu erheben.

Ich hatte gehofft, Germanistik wäre endlich darüber hinaus, raunende Sätze zu formulieren wie: »Das alltägliche Denken... muß sich radikal ändern, damit der Mythos unentstellt als der Wegweiser zur Wirklichkeit erfahren wird«. Sie gehen später dann noch weiter und postulieren »die eine Erfahrung, die uns und unsere verwüstete Welt sachgerecht ändern könnte«. Ich weiß nicht, ob das Ihr Ernst ist. Aber wenn man den Satz so nimmt, dann heißt das: Laßt uns nur die Mythe richtig auffassen und die Widersprüche der Welt (die »Irre«) sind beseitigt. Aber nirgends erscheint bei Ihnen etwas Konkretes, was die Irre ausmacht. Wir brauchen also nur die Mythe richtig aufzufassen, dann ist der Nord-Süd-Gegensatz beseitigt, die gesellschaftlichen Konflikte sind (oder leugnen Sie sie?) besänftigt? Hölderlin war da viel ›konkreter‹ (wenn Sie mir dieses – ich weiß wohl – hilflose Wort gestatten). Man muß ja nur seinen *Hyperion* lesen und seine Briefe. Das alles nehmen Sie gleichsam zurück. Sie wählen das Wort von der »Irre« und beziehen es ganz allgemein auf die Situation des Menschen heute, ohne etwas Genaueres zu sagen. »Heute überzieht die Irre, furchtbarer als zu Hölderlins Zeit, die Erde. Sie verwüstet nachgerade das Wesen des Menschen.« Da hätte,ich denn doch etwas genauere Auskunft statt nur die – von den Germanisten bekanntlich mit Vorliebe kultivierte – Attitüde des Kulturpessimismus. Wenn Sie dann wenig später schreiben: »Daher hängt an der Einsicht in sie [die Mythe] das Überleben des Menschen als Menschen«, so kann ich nicht anders, als dies als raunende Germanistik zu bezeichnen, die ich überwunden wähnte. Und was wichtiger ist als diese pointierte Bemerkung (die Sie bitte meiner Offenheit zugute halten): Hölderlin ist – nach Ausweis seiner Dichtungen und anderer Zeugnisse – damit gewiß nicht erfaßt. Wie wohltuend ist der Aufsatz Adolf Becks (Hölderlin-Jahrbuch 1967/68), in dem er behutsam differenzierend Bertaux' Thesen zurechtrückt (die auch ich in dieser Rigidität nicht für tragbar halte). Aber nirgends gibt Beck die von Bertaux grundsätzlich geschärfte Beobachtung preis, daß Hölderlins Dichtung sich entfaltet in historisch bestimmbarem Kontext.

Ich habe nie zu denen gehört, die das Unerklärliche geleugnet oder weggespottet haben. Aber ich will mich doch dagegen wehren, wenn das Unerklärliche als das »tragende Weltfaktum« angeboten wird. Solche Behauptung harmoniert dann genau zu der Auffassung, daß nicht der Mensch die Geschichte mache.

An einer einzigen Stelle Ihres Aufsatzes, wenn ich nichts übersehen habe, taucht ein Hinweis auf Geschichte auf: »In ganzen Epochen der Geschichte ist der ›Tag‹ nicht angezündet…« Nun erführe man zumindest in einigen Hinweisen gern, welche Epochen gemeint sein könnten. Aber nirgends gehen Sie auf diese ja nicht unwichtige Frage ein. Entschlossen, alles Konkret-Geschichtliche von Hölderlin fernzuhalten, gehen Sie solcher Fragestellung aus dem Wege.

Dann ist vom einfach Wahren die Rede. Ich wage dagegenzuhalten: Das Wahre ist nicht einfach, sondern kompliziert. Und bei Hölderlin ganz besonders; man denke nur an sein Wort vom »Harmonisch-Entgegengesetzten«. Was ist das Kriterium des Wahrheitsgrundes? Wenn etwas einfach offenbar ist? Ich muß gestehen, daß mir (und anderen wohl auch) Heidegger da nicht weiterhilft. »Alles wird einfach und wahr.« Kann man das – nehmen wir einmal an, das sei die richtige Hölderlin-Interpretation – heute als Lehre so einfach anbieten, wie Sie es unüberhörbar tun? Ohne Reflexion auf die Bedingungen der Möglichkeit? Nur als ›Wahr‹sage?

Verehrter Herr Lüders, ich sage das alles so deutlich, weil ich meine annehmen zu dürfen, daß uns an Offenheit mehr gelegen ist als an einem Drumherumreden, wo dann die Vorbehalte, die nicht ausgesprochenen, wie fressendes Gift wirken.

Sie sprechen vom neuzeitlichen Materialismus. Dann ist vom Materiellen und von Materie die Rede. Was verstehen Sie darunter? Immer ist das kritisch von Ihnen gemeint. Aber *so* leicht sind die Positionen des historischen Materialismus nicht abzutragen.

Ich will es bei diesen Anmerkungen bewenden lassen. Besonders da wir uns noch persönlich nicht kennen, schließe ich die herzliche Bitte an, Sie möchten diese kritischen Seiten als einen freimütig und freundschaftlich geführten Dialog ansehen. Vielleicht aber ist diese Bitte ganz überflüssig bei Menschen, denen Hölderlin viel bedeutet. Und zu denen dürfen wir uns gewiß beide zählen.

Mit sehr freundlichen Grüßen
Ihr

Karl Otto Conrady

Detlev Lüders   Frankfurt a. M., 28. Dezember 1976

Sehr geehrter Herr Conrady!

Für Ihren offenen Brief danke ich Ihnen. Seien Sie versichert, daß ich ihn so lese, wie Sie es sich im letzten Absatz wünschen, und daß meine ebenso offene Antwort aus ebenso freundlicher Absicht kommt – auch dann, wenn es vielleicht zunächst nicht immer so klingt.

Sicher haben Sie recht: »Hier sind grundsätzliche Auffassungsweisen von dem im Spiel, was Literaturwissenschaft zu sein habe.« Hierzu vorweg einige (immer unpersönlich gemeinte) Bemerkungen.

Wesentliche Zweige unserer heutigen Literaturwissenschaft lassen sich m. E. ziemlich einseitig leiten a) von den als schlechthin horizontgebend ausgelegten Bereichen des Soziologischen und Politologischen (diese Bereiche sind, wie ich an anderer Stelle mehrfach ausgeführt habe, eben nicht horizontgebend, gemessen an der Totalität des menschlichen Welt-Verstehens) und b) von dem Wunsch, die Exaktheit der als vorbildlich betrachteten Naturwissenschaft übernehmen bzw. erreichen zu können. Beides zeugt von tiefgreifenden Mißverständnissen, die in ihren Konsequenzen darin übereinkommen, daß sie die Literaturwissenschaft dazu verleiten, sich vom spezifisch Dichterischen abzuwenden. Das ist etwa so und hat etwa dieselben Folgen, als wenn ein Tischler sich von der Kenntnis und Wertschätzung des Holzes abwendete.

Was das ›spezifisch Dichterische‹ ist, worin es gründet und welche Art des Fragens zu ihm führt, ist bis heute offen.

Die Vertreter der skizzierten Tendenzen kommen sich bei all dem progressiv vor. Sie sind aber eher rückwärts gewandt, denn ihre geistigen Grundlagen liegen, insofern sie z. B. auf Marx, dem historischen Materialismus und dem Glauben an die alleinseligmachende naturwissenschaftliche Exaktheit beruhen, tief im 19. Jahrhundert.

Indem man heute weithin den beschriebenen ›Trends‹ folgt, fügt man – ohne es zu bemerken – den traurigen Beispielen aus der Vergangenheit, die von der Anfälligkeit unseres Fachs für jeweils herrschende Ideologien zeugen, nur ein weiteres Beispiel hinzu. Wieder einmal laufen viele Germanisten mit und fühlen sich ganz wohl dabei. Nur ist das heute viel unentschuldbarer; denn heute gibt es in der Bundesrepublik keine Konzentrationslager. Heute könnte man leiblich ungestraft gegen den Strom schwimmen.

Ich versuche, sicher nicht allein, gegenüber jenen Trends einen anderen Weg zu gehen, um der ›Substanz‹ der Dichtung, wie sie sich mir zeigt, allenfalls näherzukommen. Ihr Brief – Sie verzeihen – ist ein einziger Beleg dafür, wie nötig solche Versuche heute sind. Ich greife aus Ihren Darlegungen einige Punkte heraus.

1. Neulich schickte ich Ihnen, wie versprochen, meinen gerade erschienenen Aufsatz *Hölderlins Aktualität*. Unsere Sendungen haben sich gekreuzt. Es mag sein, daß Sie einiges in Ihrem Brief anders formuliert oder weggelassen hätten, wenn dieser Aufsatz Ihnen schon bekannt gewesen wäre; vielleicht aber auch nicht. Jedenfalls setze ich diesen Aufsatz voraus, man kann sich ja nicht immer wiederholen, und weise deshalb in Anmerkung 5 auf ihn hin – in der Erwartung, daß der Leser solchen Hinweisen nachgeht.

2. Ihre ironischen Worte »Wir brauchen also nur die Mythe richtig aufzufassen, dann ist der Nord-Süd-Gegensatz beseitigt... etc.« zeigen, wie tief Sie den Mythos und das Notwendige und Schwierige seiner Aneignung verkennen. Sie hätten sonst nie das Wörtchen »nur« in diesem Zusammenhang verwenden und alles, was daran hängt, aussprechen können.

Ich scheue mich nicht, Ihre zitierten Worte nicht nur ironisch, sondern auch demagogisch zu nennen. Denn Sie wissen genau, daß meine Darlegungen so nicht zu lesen sind, zerren sie aber trotzdem in diese schiefe Beleuchtung. Allerdings haben auch Sie selbst den Schaden: so verbauen Sie, freilich nichtsahnend, den sich allenfalls gerade noch einmal öffnenden Zugang zum Mythos.

Sie wissen genauso gut wie ich, daß wir, wenn wir Ihren Nord-Süd-Gegensatz in der herkömmlichen, nämlich politischen Weise zu lösen versuchen wollten, nicht Literaturwissenschaftler, sondern Politiker hätten werden müssen. Ein im landläufigen Sinne direkter Weg führt nicht von der Dichtung zur Lösung politischer Probleme.

Wohl aber gilt: würden die Dichtung, der Mythos, seine ›Heilsamkeit‹ und damit die Wirklichkeit weltweit in dem genugsam beschriebenen Sinne neu erfahren, so würde damit – zunächst unmerklich, bald aber immer wirksamer – das ›Klima‹ geschaffen, das Hölderlin als die »freie, klare, geistige Freude« bezeichnet und das die notwendige Voraussetzung für die Lösung auch politischer Probleme wäre. Die Politik steckt heute weltweit in der Sackgasse, weil der Mensch sie als Horizont und horizontgebend (s. o.) ansetzt und jenen in Wahrheit einzig maßgebenden ›Wirklichkeits-Horizont‹, in dem auch die Politik nur ein Aspekt ist, verkennt. So konkret nehme ich – entgegen Ihren Behauptungen – Hölderlins Dichtung.

In diesem Zusammenhang verweise ich noch einmal auf meinen Aufsatz *Dichtung, Kunst und heutige Gesellschaft* (oben Anm. 9), bes. S. 490.

3. Ihre kleine Bemerkung, Sie wüßten nicht, ob irgend etwas ›mein Ernst sei‹, lasse ich ebenso beiseite wie Ihre Wendung vom »Raunen«, die Ihnen offenbar besonders gut gefällt, da Sie sie gleich zweimal bringen.

Ihre Meinung, ich sagte nichts Genaueres über die »Irre«, ist falsch. Lesen Sie bitte den ganzen Aufsatz genau, und sie werden überall konkrete Beispiele für die Irre finden (z. B. S. 337 ff.: die vordergründigen Deutungen des Mythos, das Gerede vom Irrationalismus etc.; S. 340: »Weltnacht« etc.; S. 340: »einschläfernde Gewohnheit«; S. 343: »Diese reduzierende und reduzierte Vorstellung…«; S. 344: »das riesige Reservoir…« etc. etc.). Freilich müßten Sie zunächst einmal ein Gefühl dafür entwickeln, *daß* dies alles eben Formen einer tiefen Irre, eines tiefen menschheitsgeschichtlichen Irrens *sind*, die von bloßen »Attitüden des Kulturpessimismus«, wie Sie es nennen, überhaupt nicht erreicht werden. Als solche erscheinen Ihnen die Hinweise auf die genannten Weisen des Irrens denn auch lediglich auf Grund der – Sie verzeihen wiederum – »einschläfernden Gewohnheit« des herkömmlichen, historisch rechnenden und alles ins letztlich Gleich-Gültige abstellenden Vorstellens.

Sie meinen weiterhin, ich ›mythisierte‹ Hölderlins dichterische Aussagen, und Sie irren erneut. Schließlich finden sich alle im Aufsatz besprochenen mythischen Phänomene *bei Hölderlin;* ich erfinde ja nichts. Was ich hinzufüge, ist nur der Versuch des Verstehens – dies allerdings in der Form eines vielleicht ungewohnten radikalen Ernstnehmens des dichterischen Wortes.

4. Sie meinen, Bertaux etc. hätten »keineswegs die Absicht, die Aussage der Dichtung Hölderlins ›auf Bezüge zur Zeitgeschichte… zu reduzieren‹«. Aber lesen Sie doch nur Bertaux' Satz, Hölderlins Dichtung sei ein »laufender Kommentar zum Problem der Revolution« (zitiert in *Hölderlins Aktualität*, S. 118). Wo steht hier denn mit gebührender Betonung, daß Hölderlins Dichtung (gesetzt einmal, sie sei auch nur in irgendeiner Weise ein derartiger »Kommentar«) daneben auch noch anderes ist, daß hier also lediglich *ein* Aspekt hervorgehoben wird und daß der Autor sich dessen bewußt ist? Das steht nirgendwo. Hier ist in der Tat, unter dem Leitgedanken der Aktualisierung Hölderlins für heute herrschende Ideologien, nichts anderes als eine massive Reduktion am Werk.

5. Zu Ihrer Auslegung des Buchtitels *Hölderlin ohne Mythos:* Haben Sie in dem so betitelten Band z. B. auf S. 88 den Satz von Hans-Wolf Jäger gelesen: »Wenn Hölderlin noch ein Anrecht auf unsere rationale und demokratisch normierte Aufmerksamkeit haben soll, leitet es sich von seinem politischen Engagement und seinem politischen Wort her«? Sie übersehen m. E., verehrter Herr Conrady, was für ein Unfug sich hier unter der Überschrift »Germanistik« breitmacht. Nicht alle Aufsätze des Bandes sind so katastrophal wie der Jägersche. Aber warum verteidigen Sie ein Buch, in dem solche Sätze stehen, global, statt auch hier Ihr kritisches Wort zu erheben?

Es würde mich interessieren, ob Sie z. B. den Verfasser einer soziologisch oder politologisch orientierten Arbeit mit analoger Betroffenheit gefragt hätten, wo denn in seinen Ausführungen die Dimension des Göttlichen bzw. des Unerklärlichen bliebe.

6. Mein Aufsatz, sagen Sie, wende sich »expressis verbis gegen Bemühungen in der Hölderlin-Forschung, sein Werk im historischen Kontext zu begreifen«. Wenn Sie unter solchen »Bemühungen« diejenigen verstehen, die ich eben unter Pkt. 4 und 5 meinte, haben Sie allerdings recht; gegen die wende ich mich mit aller Entschiedenheit. Im übrigen aber tun Sie so, als gäbe es die Anmerkung 10 meines Beitrags nicht, die das historische Erforschen von Hölderlins Dichtungen ausdrücklich »eine unabdingbare Voraussetzung für die Erfahrung der Wahrheit seines Werkes« nennt (vgl. ferner *Hölderlins Aktualität*, S. 121). Warum dieses Beiseiteschieben von unübersehbar und betont Gesagtem, das nicht zur Tendenz Ihrer Kritik paßt?

7. Dasselbe gilt für Ihren Wunsch zu erfahren, in welchen Epochen der Geschichte der »Tag« nicht »angezündet« sei. Ich verweise z. B. auf S. 340 meines Beitrags, wo manches dazu gesagt ist, daß und inwiefern die »Weltnacht« für Hölderlin »seit dem Ausgang der Antike« besteht. Damit beantwortet der Beitrag selbst auch diese Ihre Frage: Die Epochen, wo der »Tag« nicht leuchtet, sind für Hölderlin eben die Zeiten »seit dem Ausgang der Antike«. Im übrigen ist dieses Geschichtsbild, wie Sie wissen, eine der elementaren und bekanntesten Grundvorstellungen Hölderlins.

Ihre Meinung, ich ginge »nirgends… auf diese ja nicht unwichtige Frage (der Geschichtsepochen) ein«, erweist sich also ganz einfach als falsch, ebenso wie Ihre weitere Behauptung, ich sei »entschlossen, alles Konkret-Geschichtliche von Hölderlin fernzuhalten«.

Hier und in verwandten Fällen wäre es ratsam gewesen, den Aufsatz gründlicher zu lesen und vielleicht auch zu durchdenken, statt ihm oberflächlich das bequeme Klischee der ahistorischen Haltung anzuhängen. Allzu leicht wollen wir es uns bei der Sache, um die es hier geht, denn doch nicht machen.

8. Sie kritisieren, daß ich vom einfach Wahren spreche, und sagen dagegen, das Wahre sei kompliziert. Aber wiederum: warum tun Sie so, als spräche ich ausschließlich und kommentarlos vom »einfach Wahren«? Warum lassen Sie unerwähnt, daß in dem Beitrag auch der Satz steht: »Gerade das Einfache und Wahre stellt den höchsten Anspruch« (S. 341)? Warum kümmert es Sie nicht, daß dieser höchste Anspruch im Aufsatz als Ganzem – wenn auch, wie sich zeigt, gewiß noch nicht in der nötigen Deutlichkeit – erläutert wird? Kann das, was »den höchsten Anspruch stellt«, ›unkompliziert‹ sein im landläufigen Sinn? Haben Sie nicht bemerkt, daß der Aufsatz selbst – fast übermäßig ›pädagogisch‹ argumentierend – immer wie-

der neu ansetzt, um versuchsweise immer angemessener in die »Sache« hineinzu-
kommen, und daß ein solcher Gang der Untersuchung auf alles, nur nicht auf eine
Unkompliziertheit des Darzulegenden deutet? Das Einfache ist nicht das Unkomplizierte. Es ist das die Vielheit einigende Faktum
der irdisch-himmlischen Ganzheit der Welt (s. bes. S. 342 ff.). Dieses Faktum *ist*
»einfach« im Sinne der Einheitlichkeit, der ›Untrennbarkeit‹ von Gott und Materie.
So ist es zugleich das Geheimnis, das Sie ja, wie Sie sagen, ebenfalls anerkennen.

Da Sie übrigens im Zusammenhang mit der ›Kompliziertheit‹ Hölderlins Begriff des
»Harmonisch-Entgegengesetzten« erwähnen: Wie Sie wissen, habe ich 1963/64 die
Untersuchung zur *Unterschiedenen Einheit* als einer Grundstruktur in Hölderlins
Spätwerk vorgelegt. Dieser Titel basiert auf eben jenem Begriff Hölderlins. Sie brauchen nicht zu befürchten, daß mir die Schwierigkeiten, unter denen das Einfache,
wenn überhaupt, sachgerecht zu denken ist, entgangen seien. Auf jene Studie verweise ich in Anmerkung 3 (sie ist in dem Sammelband *Die Welt im verringerten
Maasstab* wieder abgedruckt), so daß der interessierte Leser auch hier selbst weiter-
kommen kann.

9. Sie fragen: »Was ist das Kriterium des Wahrheitsgrundes?« Ich meine, überall geht
aus dem Aufsatz hervor: das »Wahre« wird dann ›wahrgenommen‹, wenn der
Mensch die Wirklichkeit, das einfach Offenbare (zu diesem Begriff ist wieder alles
unter Punkt 8 Gesagte zu beachten) in *allen* seinen konstituierenden Elementen erfahren hat: Materie und Gott, beide »untrennbar« (S. 343).

Anmerkung 22 ist darüber hinaus ausschließlich dem Wahrheitsbegriff gewidmet
und verweist auf entscheidende einschlägige Literatur. Was übrigens Heidegger und
Ihre auf ihn bezügliche Bemerkung betrifft: ich meine, man sollte ihn zunächst einmal zehn oder zwanzig Jahre studieren. Vielleicht »hilft« er einem dann »weiter«.

Einigermaßen erstaunt hat mich auch Ihre Behauptung, ich ›reflektierte‹ die »Bedingungen der Möglichkeit« nicht, unter denen die »einfache Wahrheit« eintritt. Der
ganze Aufsatz ist ja nichts anderes als eine einzige derartige Reflexion! Er begnügt
sich, wenn Sie näher zuschauen, nirgends damit, Hölderlins Werk, wie Sie mit un-
verständlicher Hartnäckigkeit behaupten, unkritisch als bloße ›Wahrsage‹ hinzunehmen.

Haben Sie tatsächlich überlesen, daß in dem Aufsatz z. B. folgende Sätze stehen: Der
»Zusammenhang zwischen Mythe, Wahrheit, Wirklichkeit und Welt... darf weder
bloß behauptet noch bloß geglaubt werden« (S. 339); »Aber der Sinn eben dieser
Aussage darf nicht im mindesten ins Ungreifbare entgleiten...« (S. 342); »Wir dürfen
nicht nur nachsprechen, was Hölderlin sagt« (S. 342); oder: »Wir müssen einsehen,
daß es die Himmlischen als solche gibt; wir können es nicht einfachhin glauben« (S.
344)? Dabei wird in diesen Sätzen nur die Grundhaltung des Ganzen, die einzig auf
das Begreifen- und Erfahrenwollen und also auf das ›Reflektieren‹ ausgeht, genannt.
Aber all das ist Ihnen offenbar verborgen geblieben.

10. Sie spielen auf meine Bemerkungen zum »Materialismus« auf den Seiten 340 und
343 des Aufsatzes an und vermissen offenbar eine Definition dieses Begriffs. Warum
fügen Sie aber nicht hinzu, daß auf S. 345 im Zusammenhang mit der Interpretation
des Gottes der Zeit wieder von der »Materie« die Rede ist, ebenso auch auf S. 347,

und daß spätestens hier die von Ihnen gewünschte Aufklärung erfolgt, indem nämlich zugleich gesagt wird, inwiefern die Erfahrung der Materie der ›Ergänzung‹
durch die Erfahrung des Gottes bedarf – wenn man es einmal so unzulänglich ausdrücken will?

Lieber Herr Conrady, wenn der erste Abschnitt meines Aufsatzes, dem Sie etwa
ebenso viele Fragezeichen gewidmet haben wie ich Ihrem Brief, von diesem oder jenem Leser zunächst als eine Provokation genommen werden sollte, so wäre das nicht
das Schlechteste. Das eintönige Grau unserer heutigen Literaturbetrachtung hat jede
Beunruhigung bitter nötig.

Aber zuletzt ist jede bloße Provokation eitel, und Abschnitt I ist denn auch nicht
als solche gemeint. Ich hoffe also, daß der aufmerksame Leser, den der Anfang des
Aufsatzes etwa hie und da befremdet hat, ihn vom Ende her neu und mit anderen
Augen lesen wird.

Der Brief ist länger geworden, als ich vorausgesehen hatte. Aber das liegt daran, daß
wir »streiten, / Was wohl das Beste sei«.

Viele freundliche Grüße und Wünsche von
Ihrem

Detlev Lüders

Karl Otto Conrady   Köln, 30. Dezember 1976

Lieber Herr Lüders,

ich habe dreifach zu danken: 1. für die Zusendung Ihres Aufsatzes, 2. für Ihren langen Brief und 3. (und das ganz besonders) dafür, daß Sie meine Offenheit so aufgenommen und erwidert haben, wie es für einen Disput gut ist: in freundschaftlichem
Freimut. Aufrichtig gemeinten Dank also zuvor!

Ich will mit möglichst wenigen Bemerkungen zu antworten versuchen. Konsens
wird kaum zu erreichen sein. Es ist besser, man gesteht sich das ein, als daß man es
mit schönen – aber unehrlichen – Worten verschleiert. (Da Sie das Wort Ideologie
im Blick auf Trends bemühen, wäre es reizvoll, die Ihren Dichtungsinterpretationen
zugrundeliegende Ideologie aufzudecken, was nicht schwer ist. Darunter würde ich
auch die ›Ideologie von der Unantastbarkeit des Wesens der Dichtung‹ zählen. Da
läßt sich – um Gerhard Kaisers Bezeichnung umgekehrt zu verwenden – ein ganzes
»Syndrom« offenlegen. Ich denke, es wird sich dazu noch bei einem persönlichen
Zusammensein irgendwann die Möglichkeit ergeben.)

Ich vermute, daß Sie sich bei der Wendung gegen bestimmte Trends ein ›Feindbild‹
aufbauen, das mit der Wirklichkeit nur in einigen Zügen etwas zu tun hat. Sie be-
streite ich nicht, und ich habe mich oft genug dagegen gewandt. Nur habe ich versucht, aus den mitunter rigiden Kritiken an der herkömmlichen Literaturwissenschaft des raunenden Redens über Dichtung etwas zu lernen. (Hier ist es wieder:
das ›Raunen‹. Es trifft so gut den Kern, daß ich es zum dritten Male gebrauche.) Kern
dessen, was ich meine gelernt zu haben: Dichtung muß am historischen Ort und im
historischen Prozeß begriffen werden, wenn sie nicht nur verehrend angeeignet,

sondern *begriffen* werden soll. Sie verweisen auf Anmerkung 10 Ihres Aufsatzes. Nun gut, aber die Interpretation selbst, die Sie bieten, löst Hölderlin und seine Dichtung strikt aus den historischen Beziehungen. Und eben das ist der Streitpunkt. Seine und anderer Verehrung der Antike z. B. fällt ja nicht vom Himmel, sondern hat Gründe, und sie sind nicht nur geistesgeschichtlicher Art.

Aber ich will mich – wie auch Sie für sich zu Recht behaupten – nicht wiederholen. Meine Grundauffassung über den Umgang mit Literatur (über den wissenschaftlichen Umgang) ist ja nachzulesen. Da Sie das Buch nicht zu kennen scheinen, erlaube ich mir, Ihnen ein Exemplar, das ich noch zur Hand habe, zukommen zu lassen (suhrkamp taschenbuch 214, 1974).

Seien Sie mir bitte nicht bös, wenn ich vermute, daß Sie sich mit manchen kritischen Beiträgen der letzten Jahre nicht hinreichend auseinandergesetzt, sondern sie allzu schnell beiseite geschoben haben. Man muß ja nicht Marxist sein, um aus marxistisch gefärbten oder gar dezidiert marxistischen Arbeiten lernen zu können. Ich denke z. B. an die Bände 7 und 9 des »projekts deutschunterricht« bei Metzler. Die Argumente, die dort gebracht werden, müssen erst einmal entkräftet werden. (Damit keine Mißverständnisse aufkommen: ich hänge nicht dem Glauben an die ›Gesetzmäßigkeit‹ des historischen Prozesses an, die nur der historisch-dialektische Materialismus ›objektiv‹ zu erfassen imstande sei. Mir graut vor solchen Gebetsmühlen.) Mit Heidegger komme ich freilich nicht weiter und seinen nebulösen Wortspekulationen, da sind mir Seumes ›Etymologien‹ denn doch lieber. Und wenn Sie auf zehn, zwanzig Jahre Heidegger-Studium verweisen, so kann ich nur hoffen (bitte pardon!), daß Sie auch die Verzahnung seiner Freiburger Rektoratsrede mit seinen Spekulationen inzwischen erkannt haben. Hier scheiden sich wohl die Geister. (Bitte im Gegenzug dazu meine Bemerkungen zu Brecht, suhrk. tb. 214, S. 208 ff., bes. S. 211!) Da ist mir (behutsame, versteht sich) Rationalität denn doch lieber und für die Germanistik heilsamer, will sie nicht in frühere Blindheit zurücksinken, in Blindheit gegenüber dem unlöslichen (und höchst schwierig aufzudeckenden) Zusammenhang der Dichtung mit dem gesamtgesellschaftlichen und immer historischen Kontext.

Hölderlin ohne Mythos: Ich verteidige das Buch nicht pauschal, stütze meine Bemerkung auch nicht auf Formulierungen Jägers, die Widerspruch herausfordern.

»Irre« und Rettung: Ich selbst habe stets auf die vielfältigen Stufen der Vermittlung zwischen Literatur und ›Aktion‹ hingewiesen. (Vgl. z. B. suhrk. tb. 60, S. 58.) Nur liest sich Ihr Text leider so, als sei zunächst einmal der Mensch zur richtigen Annahme des Mythos zu führen und dann ließe sich Rettung finden. Das ist der alte Schillersche Standpunkt der ästhetischen Erziehung. Seine Illusionen sind mir zu deutlich, als daß ich sie nicht gebührend einschätzte. Die Vorrede der *Horen* und die *Ästhetische Erziehung* sind begreifbar, aber heute ihre Irrealitäten nicht zu sehen, das können wir uns, meine ich jedenfalls, nicht leisten. Sie bekräftigen in Ihrem Brief jetzt noch einmal nachdrücklich diese Ihre Position: Punkt 2: »Wohl aber gilt...«. Dann ließe sich doch wohl gegenüber solcher hochgemuten Meinung fragen, wer eigentlich angesichts der (kaum aufhebbaren) Zwänge der Arbeitswelt in der Lage ist, sich auf dem Wege über Hölderlins ›schwere‹ Dichtung solche »Heilsamkeit« anzueignen. Das ist ein ganz weites Feld. Ich stelle hier nur einen Wegweiser auf und gehe nicht weiter.

Sie zitieren noch einmal: »Wir müssen einsehen, daß es die Himmlischen als solche gibt.« Ich gestehe, daß ich das nicht einzusehen vermag. Meine Fragerichtung ist ganz anders: Wie kommt Hölderlin an seinem historischen Ort dazu, so zu sprechen? Sie suchen die unmittelbare Applikation (und damit wird Germanistik erneut zur gefährlichen Wahrspruch-Wissenschaft), ich bemühe mich um historisches Begreifen.

Ein »eintöniges Grau unserer heutigen Literatur-Betrachtung« kann ich übrigens nicht erkennen, ganz im Gegenteil.

Das wär's für heute. Der Brief ist direkt in die Maschine geschrieben, keine ›Seminararbeit‹, und wahrscheinlich werden Sie sich meine Erwägungen im Zusammenhang mit den Suhrkamp-Bänden richtig (und widersprechend) zusammenreimen können.

Ich grüße Sie herzlich und wünsche Ihnen für das neue Jahr alles erdenklich Gute.

Ihr

Karl Otto Conrady

Detlev Lüders   Frankfurt a. M., 18. Januar 1977

Lieber Herr Conrady!

Dank für Ihren letzten Brief und für Ihre Bücher, die ich gern wieder lesen werde.

Ich meine, unsere Korrespondenz hat mittlerweile einiges geklärt. Wir beide sind dem »historischen Begreifen« nicht abhold. Wie könnte es auch anders sein: alles Menschliche ist historisch; und wir erforschen einen bestimmten Bezirk des Menschlichen, die Dichtung.

Dadurch freilich sind wir verpflichtet – und hier gehen unsere Auffassungen, wenn ich recht sehe, auseinander –, das Besondere, Charakteristische, das *diesen* Bezirk des Menschlichen von anderen unterscheidet, mit allem Nachdruck in den Mittelpunkt unserer Forschung zu stellen. Denn nur das Charakteristische des jeweiligen Bezirks gibt dem allgemein Historischen Tiefe. Nur die Erfahrung des Dichterischen also kann, auf dem Feld der Literaturwissenschaft, dazu beitragen, daß der Mensch wahrnimmt, was es mit seinem geschichtlichen Wesen auf sich hat. Wir würden diese Chance vergeben, wenn wir die Dichtung primär als eine Erscheinung des allgemein Historischen unter anderen betrachteten. Dann entstünde die wirklich abgründige Gefahr, daß die Dichtung nur noch als ein weiterer Beleg für einen im wesentlichen als bekannt geltenden historischen Rahmen begriffen oder gar aus ihm ›abgeleitet‹ würde, so daß wir also durch ihr Besonderes kaum noch etwas hinzulernten. Gerade dieses Besondere ist aber – wie bei jeder Kunst – vermutlich von der Art, daß es unser landläufiges Verständnis jenes angeblichen Rahmens von Grund auf ändern könnte und müßte.

Nur wenn Sie jene Chance, die das Wahrnehmen des Besonderen der Dichtung bietet, entschieden ergriffen und nicht diese zentrale Erfahrungsquelle der Literaturwissenschaft gleichsam aussparten, könnten Sie meines Erachtens an dem Platz, den Sie sich in der Gesellschaft gewählt haben, *im Endeffekt* auch den wohlverstandenen Interessen derer dienen, die heute den »Zwängen der Arbeitswelt« unterworfen sind.

Daß all diese Überlegungen sich übrigens nicht nur im Raum des ›Ästhetischen‹ abspielen, dürfte ebenfalls deutlich geworden sein. Es geht vielmehr um den unendlich weiteren Raum, in dem sich eine neue ›Welt‹-Erfahrung vorbereitet, sobald der Mensch nicht nur die Materie sieht, sondern auch den verborgen immer schon anwesenden und daher eines Tages vielleicht »kommenden« Gott (*Brot und Wein*, V. 54). –

Unser Briefwechsel hat den Weg, den der Aufsatz, einzig von Hölderlins ›Anspruch‹ bestimmt, zu gehen sucht, eine Zeitlang verlassen. Wir müssen mit einer kurzen abschließenden Überlegung zu diesem Anspruch zurückkehren.

Sie schreiben, und dieses Bekenntnis ist aller Ehren wert, Sie vermöchten nicht einzusehen, »daß es die Himmlischen als solche gibt«. Wer von uns Heutigen vermöchte dies auf zureichende Weise? Aber Sie fahren sogleich fort: »Meine Fragerichtung ist ganz anders:...« (s. o.). Gehen Sie mit diesem sofortigen und fast schroffen Entgegensetzen Ihres eigenen Fragens nicht vorschnell über Hölderlins Anspruch hinweg? Fragen Sie nicht zu hastig, und geben Sie Hölderlins Worten nicht zu wenig Gelegenheit, sich in Ihrem Nachdenken zu entfalten?

In Hölderlins Ode *Die Götter* heißt es (V. 5):

> Ihr guten Götter! arm ist, wer euch nicht kennt...

Wir kommen gar nicht umhin – und warum denn auch; wir können doch allen Phänomenen offen sein –, in dieser Erfahrung der Existenz der Götter ein wesentliches Element der *Substanz* des Hölderlinschen Werkes zu erkennen. Daher sind wir, sofern wir diese Substanz verstehen möchten (und nicht also erst dann, wenn wir »die unmittelbare Applikation suchen«!), unabweisbar zu der Bemühung aufgefordert, in einem nicht nachlassenden Befragen Hölderlins und in eigenem Nachdenken Wege zu suchen, auf denen die Wirklichkeit der Himmlischen auch uns vielleicht sich eines Tages zeigt.

Gelten nicht auch hier überall die Sätze, die Hölderlin seiner Hymne *Friedensfeier* vorangestellt hat? –:

> Ich bitte dieses Blatt nur gutmütig zu lesen. So wird es sicher nicht unfaßlich, noch weniger anstößig sein.

Hölderlins Dichtung, vor allem aber wir selbst, brauchen diese Gutmütigkeit des Lesens heute dringlicher denn je. Wir müssen sie uns überhaupt erst wieder erwerben. Nicht umsonst heißt es, im Sinne dieser Bitte Hölderlins, im Aufsatz: »Alle Ungeduld und Hast des Wissenwollens sind bei den folgenden Versuchen... fernzuhalten« (S. 339). Denn ich glaube zu wissen, welch ungeheure Zumutung Hölderlins Dichtung für das Weltverständnis der Menschen des späten 20. Jahrhunderts darstellt – gesetzt, wir bringen die Kraft auf, das von Hölderlin Gesagte überhaupt, über eine etwaige Bezauberung hinaus, als eine Zumutung zu begreifen. Aber diese Zumutung ist kein subjektiv maßloses Fordern; sie ist das »Heilsame« selbst, das im ersten Satz des Beitrags genannt wird. In Hölderlins Dichtung, im Werk eines der großen Freunde der Menschheit, erscheint – wofür wir dankbar zu sein haben – der einfache Anspruch, den die Welt stets an uns alle stellt. Dieser Anspruch wird unserer Gutmütigkeit zu gutem Gebrauch anvertraut, damit wir die Welt und so uns selbst kennenlernen.

Mit herzlichen Wünschen bin ich

Ihr

Detlev Lüders

KURT WÖLFEL

Antiklassizismus und Empfindsamkeit.
Der Romancier Jean Paul und die Weimarer Kunstdoktrin

Von einem Urteil aus gesehen, das sich dem antik-klassizistischen Formkanon verpflichtet, ist die ›Form‹ des modernen Romans eine Pseudoform: eine Art von Freibrief, ausgestellt auf alle, die jenseits der zivilisierten Zonen traditioneller Form-,
Gattungs-, Dichtungsart-Gebote der poetischen Freibeuterei nachgehen wollen.
Ihre historische Möglichkeit gewinnt diese ›Form‹ in einer Zeit, in der die Produktion von Dichtung zwar nicht bestimmt, aber doch begleitet wird von dem Gefühl,
daß alle Form etwas Unwahres habe (Goethe), daß allen Formen etwas Lächerliches
anhafte (Friedrich Schlegel).
Jean Paul hat dem Freibrief der Form Roman die Lizenz entnommen, Poesie zu betreiben als uneingeschränkte Explikation der eigenen konkreten Subjektivität und
dies dann als Mittel zu gebrauchen, in Kommunikation mit der konkreten Subjektivität der anderen Menschen, seiner Leser, treten zu können. Mit der Unbefangenheit
dessen, der seiner Sache, nämlich seiner Beute, sicher ist, bekennt er sich zu solcher
Art literarischer Freibeuterei, deren Jagdbereich so weit ist wie das ›innere Universum‹ der Subjektivität. Sein poetisches Formen kann er selbst auf den Begriff einer
»Manie« bringen, »alles im Reposit[orium] oder Kopf liegende fertige in jede Materie
einschichten zu wollen«[1]. Wie Hegel das ästhetische Prinzip in seinem Diktum vom
Ende der Kunst dahin verkehrt, daß das Denken über Kunst sich an die Stelle des
Machens von Kunst setzt, so kehrt sich das poetische Prinzip für Jean Paul derart
um, daß die Gesinnung zur Poesie den Platz okkupiert, den vormals diese selbst in-
nehatte: was als die ›Objektivität‹ des Kunstprodukts, des Dichtwerks und seiner
Form, galt, das wird bei ihm abgelöst von der sich explizierenden Subjektivität des
literarischen Produzenten, der sich – auch – als Gesinnung zur Poesie erfährt. So gewinnt Poesie die Vielfalt, die der Kosmos und das Chaos der Subjektivität, ihrer Innerlichkeit und ihres In-der-Welt-Seins, birgt, indem sie mit sich selbst, mit der Eindeutigkeit, Konsistenz und Integrität ihrer Form, bezahlt. Vom Streit, der solchen
Handel begleitet, ist im folgenden die Rede.

I

Fassen wir den Begriff einer ›klassischen Literatur‹ in Deutschland in dem engeren
Sinne, der die poetische Produktion und das poetische Programm Goethes und
Schillers im letzten Jahrzehnt des 18. und in den ersten Jahren des 19. Jahrhunderts
meint und nur noch alles das als zugehörig einbegreift, was in literarischer Theorie
und Praxis innerhalb desselben Zeitraums an das Schaffen jener beiden Großen wenn
nicht direkt anschließt, so doch mit ihm sich verträgt und übereinbringen läßt, dann
wäre eine Betrachtung des Werkes Jean Pauls, als das eines ›Antipoden‹, in diesem

Buch fehl am Platz. Soll dagegen von den Autoren und Werken gesprochen werden, deren Gesamtheit der Begriff unserer ›klassischen Literaturperiode‹, des ›klassischen Zeitalters‹ unserer Literatur umfaßt, dann gehören Jean Paul und sein Werk in der Tat mit herein. Von dieser klassischen Literaturperiode handeln zu wollen, ohne *ihn* zu nennen, wäre nicht anders, als von französischer Aufklärung zu reden und Rousseau auszuschließen, weil er z. B. mit Voltaire sich nicht verträgt – ein Vergleich, der auch deshalb naheliegt, weil Jean Paul unter den vielen Dichtern und Denkern vom Sturm und Drang bis zur Romantik, die in Deutschland mehr oder minder, zeitweilig oder dauernd von Rousseau beeinflußt, ja geprägt wurden (und wer von den Großen gehört eigentlich nicht zu ihnen?), zweifellos derjenige ist, für den der Bürger aus der Republik Genf am allermeisten bedeutete und der die Radikalität von dessen Werk am konsequentesten übernahm und bewahrte. Wenn ›Jean Jacques‹ in ›Jean Paul‹ einen Namensverwandten besitzt, dann auch deshalb, weil der Jüngere damit eine ›Familienzugehörigkeit‹ betonen wollte.

Was markiert Jean Pauls Stellung innerhalb unserer klassischen Literaturperiode? Es ist eine Frage, auf die von sämtlichen Himmelsrichtungen her geantwortet werden kann. Nehmen wir sie zunächst unter dem Aspekt einer literaturgeschichtlichen Auskunft von ganz allgemeiner und formaler Art, dann kann die Antwort lauten: Jean Paul ist im Kreis der großen Schriftsteller des klassischen Zeitalters *der* Romancier. Ich meine das in einem doppelten Sinn: erstens überwiegt das von Jean Paul geschaffene epische Werk zumindest quantitativ das der anderen; zweitens ist Jean Paul in einem so ausschließlichen Sinn und Umfang Romancier, Erzähler und Prosaist wie kein zweiter zeitgenössischer Autor von wesentlichem Rang neben ihm – er ist in der Tat der erste große bürgerliche Schriftsteller in Deutschland, dessen literarisches Werk sich vollständig in die Form Prosa einschließt und bei dem ›Poesie‹ sich nur realisiert in epischer Form. Das bedeutet zugleich auch, daß er, wenn auch nicht als erster – denken wir an Wielands *Geschichte des Agathon,* an Goethes *Wilhelm Meisters theatralische Sendung* oder an Hippels Erzählwerk –, so doch nach Umfang, Ausschließlichkeit und erzählerischer Kraft wie kein anderer vor oder neben ihm, an die vor allem in England im 18. Jahrhundert sich ausbildende Form des modernen, des bürgerlichen Romans (Samuel Richardson, Henry Fielding, Laurence Sterne) anknüpft. Die Gesetze dieser Form – die von dem erzählerischen Prinzip diktiert werden, das Hegel mit der berühmten Formel bestimmt hat: »Der Roman im modernen Sinne setzt eine bereits zur *Prosa* geordnete Wirklichkeit voraus, auf deren Boden er sodann in seinem Kreise [...] der Poesie, soweit es bei dieser Voraussetzung möglich ist, ihr verlorenes Recht wieder erringt«[2] – bestimmen, so eigenwillig und eigentümlich die gestalterischen Konsequenzen auch erscheinen mögen, die Jean Paul aus ihnen zieht, unverkennbar sein erzählerisches Werk im vollen Umfang. Und nehmen wir dieses Werk nicht als bloße Addition einer Mehrzahl einzelner, voneinander deutlich unterscheidbarer Werke, sondern als Einheit einer sich jeweils neu manifestierenden, wesensidentischen epischen Welt, deren gleichbleibende mimetische Bezugsgröße die ›darzustellende Wirklichkeit‹ von Jean Pauls eigener konkreter Lebenswelt ist, dann gibt sich sein Erzählwerk als erstes großes Beispiel in Deutschland zu erkennen für jene der Gattungsidee des bürgerlichen Romans innewohnende Tendenz, die Erzählwelt sich ausweiten und ausbreiten zu lassen zu einem tendenziell unabschließbaren Panorama konkreter Lebenstotalität. Andeu-

tungsweise, und eigentlich schon nicht mehr nur rudimentär, finden wir bei ihm sogar jene Tendenz der großen europäischen Romankunst des folgenden Jahrhunderts,
alle einzeln erscheinenden Romane mit ihren jeweils besonderen Lebensgeschichten
und -geschicken zusammenzudenken und zu verschränken zu dem umfassenden,
immer aufs neue zu erzählenden *einen* und *einzigen* Roman. So geben Jean Pauls
Erzählwerke in ihren Entstehungsgeschichten zu erkennen, daß sie sich jeweils als
Teile einer epischen Gesamtmasse verselbständigen, daß da sozusagen ein idealer
Totalroman ist, auf den alle einzelnen realen Romane zurück- oder über sich hinaus-
weisen und den sie in jener Beschränktheit, die ihnen als die Bedingung ihres Wirk-
lich-werden-Könnens anhaftet, repräsentieren: von der *Unsichtbaren Loge* bis zum
späten, zeitlich so weit abgesonderten *Komet* hängen sie alle miteinander zusammen,
schließen aneinander an, beziehen sich aufeinander, gehen auseinander hervor, oder
zweigen voneinander ab. Kein Wunder, daß sich das handgreiflichste Symptom solcher innerer Zusammengehörigkeit der einzelnen Erzählwerke bei Jean Paul wie
später bei Balzac findet: das Hinüberwechseln des erzählerischen Personals über die
Grenzen der einzelnen Romane. Charaktere, die einmal in einem Werk Existenz
verliehen bekommen haben, dürfen auch fürderhin ihr imaginatives Daseinsrecht in
den anderen Werken geltend machen: an erster Stelle – und das freilich in bezeich-
nendem Unterschied etwa zu Balzac – die Person des Erzählers, Geschichtsschrei-
bers, Biographen und Mitbewohners der epischen Welt, die als ›Jean Paul‹ zugleich
erfindende und erfundene, erzählende und erzählte Gestalt ist.
Was mit diesen Momenten zutage tritt, sind kennzeichnende und dominierende
Züge großer bürgerlicher Epik von realistischer Gesinnung; und wenn man – einem
praktikablen Vorschlag Helmut Kreuzers folgend – als realistisch ein Werk bezeichnen will, das »uns dazu provoziert, es mit der Realität selber zu konfrontieren, die
es behandelt«, und das den Leser in solcher Konfrontation zu dem Resultat kommen
läßt: »Ja, so ist es, so kann es gewesen sein«[3], dann mag man sich, z. B. in einer Betrachtung der Rezeption des *Hesperus* durch die zeitgenössischen Leser, von einer
allzuraschen Zustimmung zu dem traditionell gewordenen Urteil, Jean Pauls Romandichtung habe mit realistischem Erzählen schlechterdings nichts zu tun, abhal-
ten lassen. Die überwältigte und überwältigende Identifikationsbereitschaft, die gerade dieser Roman – in weit stärkerem Umfang als etwa der gleichzeitig erschienene
Wilhelm Meister – bei seiner ersten Leserschaft provozierte, rückt ihn neben jenen
deutschen Roman, der zum erstenmal in unserer Literaturgeschichte eine gleiche
Wirkung hervorrief, Goethes *Werther*; und wie diesen zeichnet auch ihn die Qualität aus, durch welche der ästhetische Rang eines epischen Werkes im Zeitalter bür-
gerlich-individualistischer Kultur sich bestimmt: der Umfang und die Intensität, mit
denen in den poetischen Bildern sich das In-der-Welt-Sein, In-*dieser*-Welt-Sein
konkreter Subjektivität darstellt, die Evidenz, die die Leser des literarischen Werkes
den Bildern zuerkennt als Gestalt und Ausdruck seines eigenen Seins, seiner eigenen
Welt-, Lebens- und Selbsterfahrung. Friedrich von Oertel, der über die Lektüre des
Hesperus mit Jean Paul bekannt und dann befreundet wird, hat die ästhetische Gewalt, mit der dieser Dichter auf seine Zeitgenossen wirkte, auf eine für das klassische
Zeitalter selbst wiederum charakteristische Weise zum Ausdruck gebracht: »Du bist
mir der Einzige, der Ganze. Ich kenne keine Kraft, noch Fähigkeit in mir, die Du
nicht abwechselnd erwecktest und bewegst, alle Töne meines Herzens und Geistes

durchläufst Du in eilenden, schmelzenden, durchdringenden Akkorden. Die andern alle schreiben für das oder dies, für Gedächtniß, Verstand, Witz, Gefühl oder Phantasie; Du allein für das Ich, für den ganzen Menschen. Wer Dich ganz versteht und faßt, der hat den Mikrokosmos des Menschen gemessen.«[4]

Es ist unverkennbar, daß die Totalität, von der in diesem Brief die Rede ist, ganz und gar im Zeichen von Subjektivität steht: dem »Mikrokosmos des Menschen« stellt Oertel keinen ›Makrokosmos‹, keine lebensweltliche Objektivität an die Seite, um damit zu bezeichnen, daß ihm Jean Pauls Erzählwerke auch *diese* Realität im gleichen Umfang vergegenwärtigte. Und hier verläuft auch die Grenzlinie, die diese Erzählkunst von einer im spezifischeren Sinn des Wortes ›realistisch‹ zu nennenden scheidet. Versteht man ›Realismus‹ nicht als das Formprinzip, an dessen Wirksam-Werden die Entstehung und die Möglichkeit des (bürgerlichen) Romans – des Romans, den im Englischen das Wort ›novel‹ bezeichnet – überhaupt gebunden ist,[5] sondern als das bestimmende Merkmal einer Art und Weise, erzählerisch menschliche Lebenswelt zu vergegenwärtigen, die epische Totalität nicht auf dem Weg über die Explikation einer – sei es noch so reichen, noch so differenzierten und komplexen – Innerlichkeit zu erreichen versucht, sondern dadurch, daß sie beim Entwurf der Individuen, von deren Leben und Lebendigkeit das Erzählwerk handeln will, von der Summe der prägenden und bewegenden objektiven, d. h. gesellschaftlichen ›Kräfte‹ ausgeht; für die also Innerlichkeit primär eine Wirkung dieser Objektivität, nicht aber (wie für Jean Paul) Außenwelt ein im Grunde an sich selbst kontingentes Material für die Objektivation von Innerlichkeit ist: dann bezeichnet Jean Pauls Erzählwelt, obwohl sie sich jenem allgemeineren Prinzip ›realistischer‹ Formgebung durchaus unterstellt, dieser spezifischen Weise ›realistischer‹ Gestaltung von Lebenswelt gegenüber einen äußersten Gegenpol.

Die Entwicklung der Gattung Roman steht, seit ihrem Anfang im 18. Jahrhundert in England, im Zeichen eines Prozesses, der wohl überhaupt, d. h. bis in unsere Gegenwart, die Signatur der Geschichte dieser literarischen Gattung markiert. Dieser Prozeß kommt zustande, indem der jeweils nachfolgende Erzähler den künstlerischen Rang seines poetischen Schaffens dadurch erweist, daß er die gestalterischen Antworten, die seine Vorgänger auf das fundamentale Erzählproblem bürgerlicher Epik gefunden und gegeben hatten, seinerseits erneut problematisiert. In jedem neuen großen Romanwerk entsteht so ein – zumindest immanent polemischer – Gegenentwurf zur Erzählwelt voraufgegangener Romanwerke, und zugleich liegen jedem neuen großen Romanwerk zumindest tendenziell immer komplizierter, immer komplexer werdende, von immer schärferem und weiterem Problembewußtsein bestimmte Voraussetzungen zugrunde. Selbstverständlich kann es innerhalb dieses gattungsgeschichtlichen Prozesses dann auch zu Diskontinuitäten – auch solchen höchst fruchtbaren Charakters – kommen und ein Romanautor die Eigentümlichkeit und den Rang seines Werkes dadurch versichern, daß er, sozusagen an einem bisher vergessenen, weit entfernt liegenden Punkt einsetzend, seine erzählerische Welt sich in eine ganz andere Richtung entfalten läßt. Aber solche Brüche sind relativer Natur, und hinter der anscheinenden Beziehungslosigkeit zum vorausgegangenen Stand der Entwicklung der Gattungsmöglichkeiten lassen sich am Ende die geheimen Korrespondenzen doch entdecken, in denen auch ein solches Romanwerk zu seinen Vorläufern steht.

In einer solchen Beschreibung stellt sich die Geschichte der Gattung ›bürgerlicher Roman‹ ein wenig dar, als bewege sich der historische Prozeß nach Maßgabe des Schneeballsystems vorwärts: jedes neue Romanwerk, seinerseits in seinen Vorläufern, oder seinem Vorläufer, die Summe aller bisherigen Entwicklungsmomente übernehmend, potenziert durch erneute, über das Tradierte hinausgehende Problematisierung und Differenzierung die Komplexität der Erzählwelt. Dem begegnet freilich der Sachverhalt, daß jede Überholung von Erzähltradition durch ein neues Erzählen in der Form des ›Aufhebens‹ geschieht: im dreifachen Sinn des Wortes als Aufgreifen, Bewahren *und* Außerkraftsetzen. Es tritt zum anderen hinzu, daß der Prozeß, den die Gattungsgeschichte zeigt, zur Ausbildung mehrerer Entwicklungsstränge führt, die eine relative Selbständigkeit gewinnen: eine Mehrzahl typischer Gestaltungsmöglichkeiten der einen Grundform Roman entsteht, und der einzelne Romanautor greift – sei es mit seinem erzählerischen Gesamtwerk oder mit den jeweiligen besonderen Romanen – nur die eine oder die andere dieser typischen Möglichkeiten auf. Je weiter der gattungsgeschichtliche Entwicklungsprozeß fortschreitet, desto vielfältiger treten diese typischen Ausprägungen hervor. Es kann dabei zur Entstehung recht spezieller, ja marginaler Formtypen kommen und in deren Gefolge zu Erzählwerken, in denen sich in outrierter, eventuell auch radikaler Einseitigkeit die Perspektive, die das Erscheinen menschlicher Lebenswelt im Roman bestimmt, verengt und mit ihr zusammen auch das übrige formale und materiale Instrumentarium des Erzählers zusammenzieht (zugleich aber gerade durch solche Konzentration um so stärkere, eindringlichere Stoßkraft gewinnen mag). Es kann auf der Gegenseite aber auch zur Entstehung von Romanwerken kommen, die als eine Art von ›Summen‹ alles aufgenommen und verarbeitend ›aufgehoben‹ zu haben scheinen, was bis dahin als erzählerische Möglichkeit sich realisiert hat. Es sind jene Gipfelwerke bürgerlicher Romankunst, denen gegenüber die literaturwissenschaftliche Typologie hinfällig wird und die die Idee der Gattung Roman in einem umfassenden Sinn zu repräsentieren scheinen.

Blicken wir unter dem Aspekt dieser gattungsgeschichtlichen und gattungspoetischen Überlegungen auf das Erzählwerk Jean Pauls zurück, dann erscheint es unverkennbar viel stärker von der Tendenz zur ›Summe‹ als von der zur typischen Besonderung gekennzeichnet. Sein Verhältnis zu der (ja durchaus noch relativ kurzen) vorausgegangenen Entwicklung der Gattung Roman – zu Richardson, Fielding, Sterne, Rousseau und dem jungen Goethe, um nur die bedeutendsten Namen zu nennen – zeigt sich dadurch bestimmt, daß Jean Paul aus der Vielfalt der im Werk dieser Autoren aktualisierten Möglichkeiten, die erzählerische Welt als Mimesis konkreter Subjektivität und ihrer Lebenswirklichkeit zu entwerfen, kaum eine unangeeignet läßt. Er bemächtigt sich ihrer, zwingt sie – selbst dort, wo sie als ganz und gar unvereinbare, widersprüchliche sich gegenseitig abzustoßen, auszuschließen scheinen – in die Dienstbarkeit seines eigenen gestalterischen Willens und bringt sie in einer coincidentia oppositorum überein, die bei seinen konservativen zeitgenössischen Kritikern jene Konfusion und Empörung zeitigte, in der sie sich mit dem fast unisono erhobenen Vorwurf der Geschmacklosigkeit, ja der Barbarei zu behelfen suchten. Noch die Kritik der Weimarer Klassik – mag sie auch von der Anerkennung des Reichtums dieser Erzählkunst in dem berühmten Vorwurf des Xenions ausgehen: »Hieltest du deinen Reichtum nur halb so zu Rate wie jener / Seine Armut, du wärst unsrer Bewunderung wert.«[6] – läuft auf die Konstatierung einer inneren Zwitterhaftigkeit, d. h. Heterogenität hinaus, die Goethe mit dem auf den *Hesperus* gemünzten Ausdruck »ein Tragelaph von der ersten Sorte«[7] bezeichnete. Was in einem solchen Urteil von der willentlich, ja eigensinnig behaupteten – und in mancher Hinsicht und manchen Fällen ja durchaus auch bornierenden – Beschränktheit klassizistischer Kunstgesinnung nicht gewürdigt wird und gar nicht gewürdigt werden kann, ist der Sachverhalt, daß Jean Paul die Heterogenität und Widersprüchlichkeit der Formmomente, die er aus den so unterschiedlichen Romanwerken des 18. Jahrhunderts sich aneignet, zugleich bewahren und aufheben kann, weil er sie in die Form seines eigenen Romans integriert als thematisches Material, mittels dessen sich die Widersprüchlichkeit und Heterogenität menschlichen Wesens, Lebens, Schicksals expliziert. Das so sperrig erscheinende Material dient hier einmal zur Beförderung eines intrikaten Spiels mit einer Vielfalt von erzählerischen Perspektiven, das Jean Paul mit anscheinend unerschöpflichem Einfallsreichtum, artistischem Raffinement und so frappierenden Effekten zu betreiben weiß, daß weder vor, noch neben, noch nach ihm in der erzählenden Literatur in Deutschland ein Gleiches sich findet. Es ermöglicht zum anderen einen Reichtum der unterschiedlichsten und gegensätzlichsten Töne, wie sie zuvor in einem Werk deutscher Sprache, ja einem Werk der Erzählkunst überhaupt, noch nie zusammen waren. Ihr Wechsel, ihre Mischung zu Kon- und Dissonanzen, Sprachsym- und -kakophonien von einer Expressivität, die bis dahin noch von keiner poetischen Stillehre bedacht oder auch nur erahnt worden war, schafft innerhalb des *einen* Raums des Erzählens Spannungen, deren schiere Unerträglichkeit den Roman zu einer Art von Zerreißprobe auf das Exempel hinauftreiben zu wollen scheint, ob und wie sich alle die Widersprüche, die menschliche Existenz und Welt bei Jean Paul markieren, poetisch überhaupt noch unter einen Hut bringen lassen. Übrigens liegt die These auch gar nicht so fern, daß Jean Pauls Erzählwerk gerade darin seine Einzigartigkeit habe, daß es auf großartige Weise das Mißlingen dieser ›Probe aufs Exempel‹ demonstriere und daß in ihm die ersten großen Dokumente jener Pathologie vorlägen, von der zu sprechen in der Theorie der Gattung Roman fast ein Gemeinplatz ist: der Pathologie nämlich, die dieser einzigen großen und wahrhaft neuen poetischen Form, die das bürgerliche Zeitalter hervorgebracht hat, konstitutionell innewohnt; denn muß nicht der Roman sich als poetische Form dadurch konstituieren, daß sein Inhalt angesichts der Bedingungen der prosaischen Wirklichkeit, denen er sich unterstellt, die Unmöglichkeit seiner eigenen Poetizität demonstriert, so daß er den Versuch zur Poetisierung zugleich unternimmt und denunziert?

II

Es gehört zu den charakteristischen Merkmalen des Romans, daß er in sich selbst auf sich selbst nach Belieben zu reflektieren vermag, ohne sich als Kunstform zu zerstören. Er darf – unter welchem Aspekt auch immer – sich selbst zu seinem Thema machen: er kann seine eigenen Erzählinhalte zum Gegenstand solcher Thematisierung heranziehen oder von den materiellen Bedingungen seines Zustandekommens – auf der Produktions-, der Rezeptions- oder Distributionsseite – handeln; er darf sogar die ästhetischen Bedingungen seiner Realisierung demonstrieren und seine formalen Verfahrensweisen beschreiben. Was immer er auch mit sich anstellen mag, weder die Reflexion aller seiner besonderen Inhalte noch die seiner formalen Allgemeinheit kann bewirken, daß seine Form durch die Thematisierung ihrer selbst aus den Angeln gehoben würde. Im Gegenteil, gerade durch die ihm immanente Möglichkeit solcher Selbstthematisierung – und d. h. zugleich: durch die Möglichkeit, in der Reflexion auf die Bedingungen, denen die im Erzählen vorgestellte imaginative Welt untersteht, eine Meta-Sprach-Ebene über der Sprachebene des Erzählens herzustellen – behauptet und bestätigt er sich als die besondere literarische Form, die er ist: als jenes Mischgebilde aus Poesie und Prosa, Anschauung und Begriff, Bild und Reflexion, das gerade seines poetisch-unpoetischen Zwitterwesens wegen von einer ästhetisch rigorosen Kritik als Kunstform denunziert wurde und dem Verdikt der Unförmigkeit oder Formlosigkeit verfiel.

Mit der Formel von der »Unförmlichkeit« – nämlich »zwischen unserem Herzen und unserem Orte«,[8] d. h. zwischen der Möglichkeit unseres Wesens und der Wirklichkeit unseres Daseins – bezeichnet Jean Paul die fundamentale Erfahrung seiner eigenen konkreten Lebenswelt, die in seinem Erzählwerk Stimme und Gestalt gewinnt. Kein Wunder, wenn er für die Explikation seines von solcher »Unförmlichkeit« geprägten Erzählmaterials die Lizenzen der ›unförmigen‹ Form Roman mit Eifer aufgreift und verfolgt, so, daß er sie noch weit über den Punkt hinaustreibt, den die erzählende Prosa des 18. Jahrhunderts bereits erreichte. So wie im Fiktionsraum seiner Erzählwerke eine poetische Welt sich kaum einmal nur als ›Bild‹ präsentieren darf, sondern immer schon als ›Spiegelbild‹ bewußt gemacht wird und zusammen mit dem Spiegel, der es zur Erscheinung bringt, Gegenwart gewinnt; wie sich an die erzählerische Darstellung eines menschlichen Seins oder Geschehens die ›Übersetzung‹ dessen, was so zur individuellen poetischen Gestalt gedieh, in die Allgemeinheit eines Exempels anschließt, womit die Reflexion die Begriffe nachliefert für das, was die Einbildungskraft hatte Bild werden lassen; so wie sich zwischen die erzählenden Sätze, Abschnitte, Kapitel die räsonierenden, philosophierenden, in vielfältige Bereiche der Theorie sich ausbreitenden Einfügungen, Betrachtungen, Digressionen, Extrablätter usw. schieben; ebenso begleitet eine kontinuierliche Thematisierung dessen, was der Romanautor erzählend treibt, das Erzählen. Oder genauer: wie alles nicht eigentlich sich durch Reflexion erst verdoppelt, sondern im Grunde nie als ›simplex‹ je da ist und von Anfang an als ›duplex‹ sein Dasein gewinnt – also nicht Spiegel und Bild nebeneinandertreten, sondern das Bild nur im Spiegel, als gespiegeltes, erscheint und Verdopplung erst durch Potenzierung, durch Reflexion des bereits anfänglich Reflektierten zustande kommt –, so wird von Jean Paul das sich immer schon als Erzählen bewußt machende und vermittelnde Erzählen noch einmal reflektiert in vielfachen Kommentaren, Erörterungen, Exkursen über alle Fragen, die sich im Zusammenhang mit dem ergeben, was der Erzähler da macht und was da durch sein Machen entsteht.

Wie aber die Bilder, die er erfindet, nicht bei sich selber in ihrer Bildlichkeit bleiben dürfen, sondern vom Begriff alles zur Anschauung Gelangte eingeholt wird, so muß auch der Begriff nicht als endlich erreichtes, definitives Ziel des Objektivationsprozesses bei sich selbst stehenbleiben. Er entläßt aus sich eine neue Bildlichkeit, mit der wiederum sich individuell konkretisiert, was soeben noch in der Allgemeinheit begrifflicher Abstraktion sich abschließen zu wollen schien. So mag, was als Kunstform sich permanent realisiert, als Ausdruck einer Kunstgesinnung von der Reflexion eingeholt und zum Kunstbegriff befestigt werden; dieser aber darf sich erneut zurückverwandeln, oder sagen wir lieber: transzendieren, in Anschauung, mit welcher die ästhetische Theorie erst ganz zu sich selber zu kommen scheint – als ästhetische Praxis.

Das – im Sinne einer vollständigen Erfüllung der gegebenen Möglichkeiten – ›klassisch‹ zu nennende Beispiel für dieses Verfahren bietet die *Geschichte meiner Vorrede zur zweiten Auflage des Quintus Fixlein*, datiert vom 22. August 1796. Gegen eine widrige Kunstauffassung klassizistischer Observanz gerichtet, ihr die eigene Kunstpraxis und ihre Gesinnung entgegensetzend, befindet sich diese Vorrede auf dem vertrauten Boden, auf dem kaum einer der bedeutenderen Autoren seit der ersten Hälfte des 18. Jahrhunderts sich nicht getummelt hätte: dem der kunstkritischen Polemik. Die Weimarer Konstellation bzw. Opposition zwischen Herder und den Seinen, zu denen Jean Paul hinzutritt, und Goethe/Schiller mit ihren Bundesgenossen und Hilfstruppen auf der anderen Seite bildet den personalen Hintergrund. Die Umsetzung solcher Kontroverse auf theoretischem Grund und Boden in eine konkrete figurale Konstellation, die durch Gegensatz und Verwicklung zur »Geschichte« sich entfaltet, vollzieht sich auf eine schlechthin vollkommene Weise: mit einem Minimum an Komponenten arbeitend, erzielt Jean Paul ein Maximum an Möglichkeiten zur poetischen Selbstdeutung und Darstellung der eigenen künstlerischen Gesinnung in der Abwehr einer fremden.

Drei Figuren kommen ins Spiel: Jean Paul selbst; Fraischdörfer, ein »Kunstrat« aus dem Fürstentum Haarhaar, das ebenso wie er selber zur poetischen Wirklichkeit eines Romans gehört, der zu diesem Zeitpunkt, jedenfalls für den Leser, noch keine faktische Wirklichkeit ist: des *Titan*; und Pauline, die zusammen mit ihrem Vater, einem wohlhabenden Kaufmann namens Oehrmann, in der Vorrede zum *Siebenkäs* poetische Existenz gewonnen hatte und die inzwischen, nach dem Tod des Vaters, die Braut des Gerichthalters Weyermann geworden ist, den wir seinerseits als Figur des Romans kennen, den in jener Vorrede Jean Paul Pauline erzählt, nämlich des *Siebenkäs*. Da überdies auch noch Fraischdörfer als ›wirklicher‹ künftiger Rezensent von Jean Pauls Werken vorgestellt wird, dieser seinerseits sich ihm gegenüber nicht als er selbst, sondern als der Fixlein ausgibt, dessen Leben er in zweiter Auflage zusammen mit dieser Vorrede zu veröffentlichen gesonnen ist, ist aufs vollständigste der Zustand geschaffen, in dem sich die Phantasie des Autors am pudelwohlsten fühlt: zwischen der Ebene des Erzählens und der des Erzählten sind alle kategorialen Differenzen aufgehoben, gemeinsam bilden sie einen einzigen Fiktionsraum, in welchem sich die programmatische Auseinandersetzung zwischen Jeanpaulischer und klassizistischer Kunstgesinnung zu einer eigenen kleinen »Geschichte« entfaltet, die dann zugleich als Geschichte einer Vorrede und als diese Vorrede selbst fungieren kann.

Der Verfasser des *Fixlein* befindet sich auf einer Fußreise, während welcher er auf einer mitgeführten Schreibtafel die besagte Vorrede zu verfertigen gedenkt. Ihre Bruchstücke bekommen wir, soweit er sie auf seine Schreibtafel wirklich notiert, mitgeteilt. Gleich zu Beginn seines Weges drängt sich ihm aber noch ein zweites Interesse auf: der Wunsch, einen Wagen einzuholen, um die darin sitzende junge Dame zu Gesicht zu bekommen. Seine Wanderung wird zu einer Verfolgung, die nur leider gestört wird durch das Hinzukommen des Kunstrats. Der ist auf dem Weg nach Bamberg, um dort »von einem Dache oder Berge irgendeiner zu hoffenden Hauptschlacht« zuzusehen[9]: aus kunstkritischem Interesse nämlich, um Schlachtengemälde oder homerische besser beurteilen zu können. Daß einer sich für die Lebenswirklichkeit nur interessiert unter dem Aspekt eines totalisierten Kunstinteresses, das es fertigbringt, alles menschliche Schicksal, und sei es das leid- und notvollste, nur als ästhetische Erscheinung statt als moralischen Appell zu empfinden – das wird nun fortgesponnen und als Kern eines Kunstprogramms vorgeführt, hinter dessen Karikatur Momente des Weimarer Klassizismus sich doch auch in aller Deutlichkeit abzeichnen.[10] Da ist die These von der Kunst als deren eigener Zweck, die von allen fremden Zwecken frei und rein gehalten werden müsse. Mit satirischer Treffsicherheit läßt Jean Paul sie den Kunstrat genau an dem Punkt geltend machen, wo sie als widersinnig erscheinen muß, weil die Zweckbezogenheit des ästhetischen Gegenstands auf das menschliche Bedürfnis evident ist: »er fragte mich, ob Gebäude etwas anders als architektonische Kunstwerke wären, die mehr zum Beschauen als zum Bewohnen gehörten [...]. Er zeigte das Lächerliche, sich in einem Kunstwerk einzuquartieren« (22).[11] Von solcher L'art-pour-l'art-Devise ist es dann nur noch ein kleiner Schritt zur Pervertierung des Verhältnisses von Kunst und Leben: die Kunst, die für die Kunst da ist, ist nicht für das Leben da, sondern das Leben muß sich in der Rolle eines Mittels zum Kunstzweck bescheiden: der Kunstrat würde sogar »Menschen foltern, um nach den Studien und Vorrissen ihres Schmerzes einen Prometheus oder eine Kreuzigung zu malen« (29).

In dem Kontext eines so ins Amoralisch-Inhumane verkehrten Ästhetizismus bekommen dann jene Thesen Fraischdörfers zur künstlerischen Praxis ihren Platz zugewiesen, mit denen er sich expressis verbis auf die Theoretiker des Weimarer Klassizismus als Gewährsleute beruft: auf den jungen Friedrich Schlegel und auf Schiller. In diesen Thesen erscheint, dem pervertierten Verhältnis von Kunst und Leben entsprechend, nun das Verhältnis von Form und Inhalt im Kunstwerk auf den Kopf gestellt: der Indifferenz des Lebens gegenüber der Kunst korrespondiert die Indifferenz und Wesenlosigkeit des Inhalts gegenüber der Form. Die »Wahl solcher zweideutiger Materien wie z. B. Gottheit, Unsterblichkeit der Seele, Verachtung des Lebens usw.« (28) in den Werken Jean Pauls gilt dem Kunstrat als grober Verstoß gegen die Gesetze der Kunstform, und »Humor [...] sei ebenso verwerflich als ungenießbar, da er bei keinem Alten eigentlich anzutreffen sei« (27). Dieser Disqualifikation stellt sich dann Fraischdörfers Credo ›wahrer‹ Kunst klassizistischer Observanz entgegen, für das Jean Paul eine ingeniös verkürzte, hinterhältige Formel findet: »es gebe weiter keine schöne Form als die griechische, die man durch Verzicht auf die Materie am leichtesten erreiche« (26). Wenn die Kunst als ihr eigener Zweck für sich selbst da ist, dann müssen gewiß jene Kunstwerke am reinsten ihrem Begriff entsprechen, die – statt sich auf die kunstfremde Lebensmaterie überhaupt einzulassen – von Anfang an ganz und gar bei sich selber sind und bleiben. Resultat einer solchen ganz rein gewordenen, allen Lebensstoff ausschließenden Kunstproduktion sind dann »poetische Darstellungen [...] die sozusagen bloß sich selber täuschend darstellen« (26).[12] Was Goethe später einmal in die Künstler-Maxime fassen wird: »Jeder sei auf seine Art ein Grieche, aber er sei's«,[13] das muß sich hier in absurder Karikaturgestalt präsentieren als Aufforderung an den Künstler, »griechisch« zu werden durch Leere. Das wahre, d. h. schöne Kunstwerk ist die Hohlform seiner selbst.[14] Da Fraischdörfer aber nicht als bloßes Sprachrohr einer polemisch dekomponierten Kunstauffassung dienen, sondern zugleich poetische Gestalt werden soll, weil Jean Paul eine Kunstgesinnung als Charakter zur Anschauung bringen will, liegt es nahe, daß Jean Paul nicht nur ästhetische Programmpunkte als Äußerungen einer moralischen, genauer: amoralischen Gesinnung präsentiert, sondern zugleich auch als konstitutive Elemente der Person selbst. Fraischdörfer muß deshalb nicht nur moralisch, sondern auch physisch mit eben den Merkmalen ausgestattet sein, die auch seine Kunsttheorie markieren. So wird er Zug um Zug zur komischen Kunstfigur präpariert, die durch ihre Kümmerlichkeit drastisch zur Anschauung bringen muß, was an jener Kunstauffassung ist: Fraischdörfer wird als Person gleichfalls zur Hohlform seiner selbst, ein »ausgehöhlter Hohlbohrer voller Herzen«, ein »ausgeblasenes Lerchen-Ei, aus dem nie das Schicksal ein vollschlagendes, auffliegendes, freudentrunknes Herz ausbrüten kann« (28). Das beginnt mit der Feststellung, daß der Kunstrat im Grunde gar keine lebendige geistige Identität besitze, sondern nur eine auf dem Papier. Sein erstes Auftreten, unter dem Rabenstein botanisierend, zeigt ihn auf der Suche nach Kräutern, die seiner Gedächtnisschwäche abhelfen sollen: »Fraischdörfer gestand mir, steckte einer seine Studierstube mit den Exzerpten und Büchern in Brand, so wären ihm auf einmal alle seine Kenntnisse und Meinungen geraubt, weil er beide in jenen aufbewahre; daher sei er auf der Straße ordentlich unwissend und dumm, gleichsam nur ein schwacher Schattenriß und Nachstich seines eignen Ichs, ein Figurant und *curator absentis* desselben« (21). Und es endet, auf dem Weg von einem so schwachen Kopf, an dem ein Zopf hängt, der zwar lang, aber falsch ist – »meiner aber«, fügt Jean Paul hinzu, ist »klein und echt« (25) –, über die ganze »elendere Mixtur« seines Leibes, bei seinen nicht weniger jämmerlichen Waden, den von alters her sichtbaren Zeichen von Virilität: »weil die Parzen den Lebensfaden völlig von den Spindeln seiner Beine abgeweifet hatten«, steht er »gleichsam schon als ein ausgebälgter, gutgetrockneter, mit Äther gefüllter Vogel im Naturalien-Glasschrank da. Er sagte, man müßte entweder sich und die Bücher oder die Kinder aufopfern« (25). Auch nicht das bei der komischen Destruktion eines anmaßend-leeren Charakters obligate Motiv der Impotenz läßt sich Jean Paul entgehen.

Den widerwärtigen Kunstrat hat der wandernde Jean Paul zwar an seiner Seite, im Sinn aber anderes. Zum einen die zu schreibende Vorrede, für welche freilich die Gegenwart des Kunstrats in gewissem Umfang sogar förderlich ist, insofern sie Jean Paul Gelegenheit gibt, seine Schreibtafel im Streit mit seinem künftigen Rezensenten als einen zweiten Fechtboden, neben dem ersten des gegenwärtigen Gesprächs, zu gebrauchen: ohne Unhöflichkeit, meint er, habe er stumm vor ihm einhergehen und in die Tafel schreiben können, »weil es ja so viel war, als spräch' ich mit dem Kunstrat selber, da ich ihn darin meinte« (31). Zum anderen aber liegt ihm jenes weibliche Wesen im Sinn, dessen Wagen er einzuholen bestrebt ist, und dieses Interesse verträgt sich ganz und gar nicht mit der Gegenwart des Kunstrats; denn während dieser als feindlicher Rezensent sich zum Autor Jean Paul in jene entfremdete Beziehung setzt, die in seiner klassizistischen Kunstgesinnung auch das Verhältnis von Kunst und Leben überhaupt markiert, wird sich das weibliche Wesen als jene »Namensbase Johanne Pauline«[15] entpuppen, die wir aus der Vorrede zum *Siebenkäs* sozusagen als Inbegriff einer Jean-Paul-Leserin kennen und mit deren Gegenwart anstelle jener entfremdeten, feindseligen Beziehung von Autor und Rezensent sofort die von menschlicher Nähe und Wärme erfüllte Kommunikation zwischen Autor und (Ideal-)Leser sich realisiert.

Mit einem an Sterne erinnernden Zug beginnt Jean Paul die Einführung Paulines in die *Geschichte der Vorrede:* am »Höfer Schlagbaum, unter dem man den Chausseezoll erlegt«, erblickt er sie, aber leider nur von hinten, und hat deshalb das Verlangen, die im Wagen Fahrende einzuholen, »um ihr ins Gesicht zu sehen«; denn »bei einer unbekannten Frau nimmt jeder Mann [...] von neuem an, diese [...] sei erst die echte unverfälschte heilige Jungfrau« (17). Der Wagen, in dem die Unbekannte fährt, ist ein »Vis-à-vis«: ein schmales Gefährt, das nur für zwei gegenübersitzende Personen Platz bietet. Diese »Individualisierung« ist nicht nur formales Moment, Ausdruck »humoristischer Sinnlichkeit« (vgl. § 35 der *Vorschule*), sondern zugleich funktional für die Entfaltung des empfindsamen Inhalts. Vorbereitet ist damit nämlich, daß Jean Paul – wird er erst einmal sein Ziel, die Bekanntschaft der Dame, erreicht haben – erstens ungestört von einem lästigen Dritten, zweitens »vis-à-vis« mit ihr im Wagen sitzen kann. Damit aber entsteht eine Situation, die ermöglicht, was man als die typischste aller »empfindsamen« Kommunikationsformen bezeichnen darf: die *visuelle* Kommunikation, deren Intimität durch Zweisamkeit und körperliche Nähe gesteigert, durch körperliche Berührung (wie sie bei eng *neben*einander Sitzenden unvermeidlich wäre) aber nicht beeinträchtigt wird.

Entsprechend aktualisiert sich Jean Pauls Zusammensein mit Pauline. Im Gegensatz zum kunstverständigen Rezensenten, dem Jean Paul »unbekannt« ist und der sich deshalb ein X, nämlich Fixlein, für ein U, nämlich dessen Autor, vormachen läßt, erkennt Pauline, die Leserin, ihren Autor sofort. Ihr Gruß – »Herr Jean Paul, wie kommen wir da zusammen?« (31) – entlarvt den falschen Fixlein und vertreibt den Kunstrat: der Rezensent hat nichts mehr zu suchen, wo Erzähler und Leser sich gefunden haben. Und schnell sitzen die beiden »im Vis-à-vis – vis-à-vis. Hinter unsern grünen Bergen lag die Wüste der Kinder Israel und vor uns das gelobte Land der sanften Baireuther Ebene. Ich und die Sonne sahen Paulinen immerfort ins Angesicht und mit gleicher Wärme, und mich rührte endlich die kleine stille Gestalt« (32).

Jean Paul hatte in der Vorrede zum *Siebenkäs* das Verhältnis kleinbürgerlich-prosaischer Lebensenge und Poesie, Jeanpaulischer Poesie, dadurch ins Bild gebracht, daß er eine Variante des alten Mythos vom Drachen erfand, den man zum Einschlummern bringen muß, wenn man zu der gefangenen Prinzessin gelangen will, um sie zu befreien. Er erzählt, wie er den Kaufmann und Gerichtsherrn Oehrmann besucht, um dessen Tochter Pauline den *Hesperus* und den *Siebenkäs* zu erzählen, da deren Lektüre ihr vom Vater verboten ist. Jean Paul bringt den Kaufmann, der nur in Dingen, die mit Geld unmittelbar zu tun haben, Realitäten und allein im Umgang mit Zahlen eine vernunftwürdige Betätigung erkennen kann, durch sehr intellektuelle Reden zur Ermüdung und in den Schlaf. Und nun, da der ans Materielle gebundene Drache Verstand, der an die Lebensprosa enggebundene Sinn eingeschlummert ist, dürfen die Phantasiebilder der Poesie für das in seiner Lebensdürftigkeit darbende, durstige Herz sich entfalten, kann der Dichter die Prinzessin ›Seele‹ befreien. Das ist zunächst der Hintergrund jener »Rührung«, die »die kleine stille Gestalt«

Paulines in Jean Paul weckt. Bis dahin entfaltete sich die Begegnung beider auf eine Weise, die in Motiven und einzelnen Zügen wie in der fluktuierenden Abtönung von Scherz und Innigkeit an Empfindsamkeit Sternescher Provenienz *(Sentimental Journey)* erinnert: eine unvermutete, vom Zufall herbeigeführte Begegnung zweier Menschen unterschiedlichen Geschlechts realisiert sich als intime Kommunikation, die erotische Möglichkeiten zugleich birgt und verbirgt, spürbar macht, aber nicht aktualisiert. Die »Rührung«, in die Jean Paul jetzt gerät, hat einen anderen Grund. Er selbst fragt, woher sie komme (32), und die Sequenz von Antworten, die er sich selber gibt, bringt jene spezifische Spielart empfindsamer Darstellung zutage, mit der Jean Pauls Erzählwerk sich zugleich an die empfindsame erzählerische Tradition des 18. Jahrhunderts anschließt und von ihr unterscheidet. Gehen wir bei ihrer Beschreibung von der Verständigung darüber aus, was denn – gegenüber den vielfältigen anderen Möglichkeiten, zwischenmenschliche oder überhaupt Subjekt-Objekt-Beziehungen als empfindungs- oder gefühlsbestimmte darzustellen – als das Spezifikum einer empfindsamen Darstellung zu gelten habe. Daß intime Kommunikation – selbst dort, wo es sich nicht um eine Partnerschaft von menschlichen Wesen handelt, sondern von Mensch und Objektwelt – den Boden oder genauer: den Rahmen abgibt, auf bzw. in dem sich Empfindsamkeit aktualisiert, gilt als ausgemacht, aber ist noch keine zulängliche Bestimmung, die auch nicht durch die sozialgeschichtliche Konkretisierung der Bedingungen, unter denen die Realisierung von intimer Kommunikation steht, und des Stellenwertes, der ihr in der Lebenspraxis und im Lebensverständnis des 18. Jahrhunderts zukommt, gewonnen werden kann.[16]

Was intime Kommunikation ins Zeichen des Empfindsamen erst rückt, ist eine Besonderheit, die bereits in dem allerersten Wortbeleg, den wir im Deutschen finden, hervortritt. »Ein empfindsames Herz«, schreibt die Gottschedin in einem Brief vom 4. September 1757, »gehört unter die geheimen Beschwerlichkeiten dieses Lebens, es leidet bey allen leidenden Gegenständen, wenn es sich außer Stande sieht allen zu helfen. Und doch möcht ich dieser Leiden ohngeachtet [...] kein gleichgültig Gemüth haben. Wie viel wahres Vergnügen entbehren die kalten unempfindlichen Seelen?«[17] Ersetzen wir, was in diesen Sätzen als »leiden« bezeichnet wird, durch eine allgemeinere Bezeichnung, dann kommen wir zu der Definition: Empfindsamkeit konstituiert sich dadurch, daß im Rahmen intimer Kommunikation das Bewußtsein einer Defizienz, eines Mangels sich auf eine solche Weise geltend macht, daß das aus der Erfahrung von Intimität hervorgehende Glücksgefühl begleitet, gedämpft oder auch überlagert wird durch das Gefühl eines Glücksentzugs, einer nicht realisierten Glücksmöglichkeit. Die (positive) moralische Relevanz, die einer solchen ›Empfindungsweise‹ oder ›Erlebnisstruktur‹ zugesprochen wird, resultiert daraus, daß als die Voraussetzung dafür, daß dieser Mangel bewußt, dieser Glücksentzug empfunden werden kann, eine gesteigerte moralische Sensibilität gilt. Empfindsamkeit wird dadurch zum Indikator entwickelter Humanität, der Empfindsame ist in einem höheren Grade Mensch – er ist ein Mensch höheren Grades. Hier wird der Übergang zu den »hohen Menschen« Jean Pauls und deren »Gefühl [...] der Unförmlichkeit zwischen unserem Herzen und unserem Orte« sichtbar. Was diese »hohen Menschen« auszeichnet, stellt sich, von der ›Erlebnisstruktur‹ der Empfindsamkeit aus betrachtet, als deren Radikalisierung und Universalisierung dar. Unter dem Aspekt des geistesgeschichtlichen Kräftefeldes des 18. Jahrhunderts betrachtet, aus dem die Jean

Paul bestimmenden, von ihm verarbeiteten Wirkungen herstammen, kann man auch sagen: was in dieser Radikalisierung und Universalisierung der empfindsamen Erlebnisstruktur zutage tritt, ist das Resultat einer Fusion von Sterne und Rousseau. Eine von dieser universalisierten Spielart von Empfindsamkeit bestimmte Darstellung konkretisiert sich nicht mehr – wie z. B. die bisher betrachtete Begegnung zwischen Jean Paul und Pauline – nur situationär, in der Aktualität eines Lebensaugenblicks, der zwar von sich aus auf ein Allgemeines, auf Humanität oder Moralität verweist, seine poetische Besonderheit aber gerade dadurch hat, daß er sich vergegenwärtigt als diese zufällig zustandegekommene, punktuelle Konstellation.[18] Die empfindsame Erlebnisstruktur erfaßt nun nicht mehr solche einzelne Lebensmomente und -situationen, um sich zu aktualisieren, sondern die Lebenstotalität selbst, sei es in der allgemeinsten Form menschlichen In-der-Welt-Seins überhaupt oder in den besonderen Formen von gesellschaftlich determinierten Schicksalen.

Daß Intimität in einem Kommunikationsakt sich empfindsam realisieren kann, setzt voraus, daß der Empfindsame eine besondere Art von Erwartungen und Ansprüchen in die Kommunikation mit einbringt, vor denen, als dem Maßstab für Defizienz oder Suffizienz, gewisse Momente des gesamten Erfahrungsmaterials, das sich in der Kommunikation aktualisiert, als von Mangel und Glücksentzug geprägt erst sich bekennen.

Von Art und Ausmaß dieser Ansprüche hängt es ab, in welchem Umfang sich das Gefühl von Mangel und nicht realisierter Glücksmöglichkeit auf nur bestimmte, besondere Inhalte erstreckt oder eventuell auf die Erfahrungstotalität insgesamt. So kann etwa die Darstellung einer in einem Kommunikationsakt als reines Glück erfahrenen Intimität sich dadurch empfindsam strukturieren, daß zusammen mit der Glückserfahrung die Vorstellung aktualisiert wird, außerhalb des hier und jetzt gegenwärtigen Glücks intimer Kommunikation gebe es andere Menschen, die eines solchen Glücks nicht teilhaftig sind.[19] Es ist offenbar, daß einer solchen Vorstellung der Anspruch zugrunde liegt, *jeder* Mensch solle glücklich sein; und es ist gleichfalls evident, daß, wann immer dieser Anspruch sich geltend macht, jedes Bild eines gegenwärtigen, individuellen Glücks ins Empfindsame hinübergeführt werden kann durch die Vorstellung eines zwar abwesenden, aber im Bewußtsein aktualisierten Nicht-Glücks.

Auf diese Weise realisiert sich das von mir als universalisierend bezeichnete empfindsame Verfahren, das wir wieder und wieder im Werk Jean Pauls antreffen. Es ist ein Verfahren, bei dem sich einerseits der Anspruch auf ein ganz und gar erfülltes ›seliges‹ Dasein, andererseits das immer wache Bewußtsein eines realiter defizienten Status menschlichen Daseins so verbinden, daß der totalisierte und universalisierte Glücksanspruch als Anspruch zugelassen ist und zugleich die totale und universale Glücksmöglichkeit als nicht realisiert oder nicht realisierbar gedacht wird: nicht realisiert, d. h. unter den lebensweltlichen Bedingungen, die zwar gegeben, aber veränderbar sind; nicht realisierbar, d. h. aufgrund der prinzipiellen Bedingungen menschlicher Existenz. Beide Perspektiven können sich in empfindsamen Darstellungen wechselnd aktualisieren, je nachdem, ob der Gegensatz von Idee und Wirklichkeit als Opposition von Ewigkeit-Zeitlichkeit, Jenseits-Diesseits gedacht wird, oder als Differenz zwischen dem, was als menschliche Möglichkeit sein kann und soll, und dem, was im gegenwärtig Bestehenden menschliche Wirklichkeit ist. In

beiden Fällen aber bringt die universalisierende Tendenz jene Radikalität mit ins Spiel, die dort, wo sie sich als politische und soziale Kritik äußert, Jean Paul nicht mit der empfindsamen Erzähltradition des 18. Jahrhunderts, sondern mit Rousseau verbindet.[20] Mit ihm teilt er die Unbedingtheit des Anspruchs, der der Lebenswirklichkeit gegenüber erhoben wird, und mit ihm hat er auch die Konsequenzen dieses unbedingten Anspruchs gemein: einerseits die leidenschaftliche Denunziation der Zeitwirklichkeit als soziale und politische Ordnung, andererseits die überschwenglichen Wunschbilder eines anderen Lebens auf einer neuen Erde, eines ›richtigen‹ Lebens in einem gerechten Staat. Die Unbedingtheit der republikanischen Forderungen, die sich bei Jean Paul daraus ergeben, bewahrt die ganze Radikalität des Lehrers Rousseau. In den leidenschaftlichen Disputen des »Klubs« im *Hesperus* tritt das unverhüllt hervor: »*Die* Philosophie«, verlangt Viktor, »wäre jämmerlich, die von den Menschen nichts foderte, als was diese bisher ohne Philosophie leisteten. Wir müssen die Wirklichkeit dem Ideal, aber nicht dieses jener anpassen.« Darauf Melchior: »Die fallende Stalaktite der Regentschaft tropfet endlich mit der steigenden Stalagmite des Volkes zur Säule zusammen.« Und auf Flamins zweifelnde Frage: »Setzen aber nicht Sparter Heloten voraus, Römer und Deutsche Sklaven, und Europäer Neger? Muß sich nicht immer das Glück des Ganzen auf einzelne Opfer gründen, so wie ein Stand sich dem Ackerbau widmen muß, damit ein anderer dem Wissen obliege?« folgen die lapidaren Antworten: »Dann spei' ich aufs Ganze, wenn ich das Opfer bin, und verachte mich, wenn ich das Ganze bin«; »besser ists, das Ganze leidet freiwillig eines einzigen Gliedes wegen, als daß dieses wider seine gerechte Stimme für das Ganze leide«; und: »das größte physische Übel muß man vorziehen dem kleinsten moralischen, der kleinsten Ungerechtigkeit.«[21]
Die »Rührung«, die Jean Paul angesichts der »kleinen stillen Gestalt« Paulines empfindet und von der dann die empfindsam-poetische Vergegenwärtigung dieser repräsentativen Adressatin Jeanpaulischer Poesie gespeist wird, hat ihren Grund darin, daß er in ihr ein Exemplar jener »*Heloten* für uns Sparter« (34) vor sich hat, als welche die Frauen in der (klein-)bürgerlichen Ehe leben müssen. »Das machte meine Seele weich, daß ich, sooft ich dieses freundliche rot- und weißblühende zufriedene Gesicht ansah, es gleichsam innerlich anreden mußte: ›O sei nicht so fröhlich, armes Opfer!‹« (33). Die empfindsame Grundierung setzt ein mit der Hervorkehrung der Aspekte defizienten Daseins an einer Gegenwart von Glück. Und dann aktualisiert sich sofort jene universalisierende Tendenz, die Jean Pauls Empfindsamkeit markiert. Das Hier und Jetzt der empfindsamen Situation, in der sich die beiden befinden, wird aufgehoben, und in einer erweiterten Perspektive entdeckt sich hinter dem Lebensaugenblick der Braut und ihren frohen Erwartungen die Zukunft einer ganzen Lebenszeit, die im Zeichen ausbleibender Erfüllung stehen wird: »Du bist zu etwas Besserem geschaffen, aber du wirst es nicht werden (wofür dein armer Weyermann nichts kann, dem es der Staat selber nicht besser macht). Und so wird der Tod deine von den Jahren entblätterte Seele voll eingedorrter Knospen antreffen« (34). Es ist nicht einmal die ausbleibende Erfüllung alles dessen, was in »der Morgenröte des Lebens« sich die »reichste beste Seele« erhoffte und versprach, nicht die fortdauernde Distanz zwischen Hoffnung und Gewährung, Glücksanspruch und Einlösung, die der empfindsamen Klage Jean Pauls den »quälenden« (35) Charakter verleiht, sondern es ist die Vorstellung, daß dieses ganze Leben ein einziger Prozeß des

Selbstverlustes und Verdinglichung eines Wesens ist, das »mit dem unerwiderten Herzen, mit versagten Wünschen, mit den ungesättigten verschmähten Anlagen eingesenkt wird ins übermauerte Burgverlies der Ehe« und sich »ungemein wohl dabei« fühlt: »die goldnen Luft- und Zauberschlösser der frühern Jahre erblassen bald und zerfallen unvermerkt – ihre Sonne schleicht ungesehen über ihren bewölkten und unterirdischen Lebenstag von einem Grade zum andern, und unter Schmerzen und Pflichten kömmt die Dunkle an dem Abend ihres kleinen Daseins an – und sie hat es nie erfahren, wessen sie würdig war, und im Alter hat sie alles vergessen, was sie sonst in der Morgenröte etwan haben wollte: nur zuweilen in einer Stunde, wo ein ausgegrabenes altes Götterbild eines sonst angebeteten Herzens oder eine wehmütige Musik oder ein Buch auf den Winterschlaf des Herzens einigen warmen Sonnenschein werfen, da regt sie sich und blickt beklommen und schlaftrunken umher und sagt: ›Sonst war es ja anders um mich her – aber es ist wohl schon lange, und ich glaub' auch, ich habe mich damals geirrt.‹ Und dann schläft sie ruhig wieder ein. ...« (34 f.)

In dieser Jeanpaulischen Spielart universalisierender empfindsamer Darstellung ist getilgt, was auf einer früheren Stufe der Empfindsamkeit so stark zur Geltung kam, daß man darin sogar ein bedeutendes Moment ihres geschichtlichen Wesens erkennen muß: aller Selbstgenuß des empfindenden Subjekts, dem – neben dem Gegenstand seiner empfindsamen Erfahrung – auch die eigene moralische Sensibilität zum Erlebnisinhalt werden und das mit seiner empfindsamen Rührung zugleich seine Humanitas, seine ›Gefühlskultur‹ affirmieren darf. Auch vom Glück der Intimität, von dem zuvor noch die empfindsame Situation zwischen Jean Paul und Pauline erfüllt war, ist keine Spur mehr geblieben. An ihre Stelle ist als ausschließlich dominierendes Gefühl eine Art von verschärfter Wehmut getreten, die sich davor zurückzuhalten scheint, in schneidenden Jammer überzugehen. Zugleich gewinnt die auf solche Weise radikalisierte Empfindsamkeit eine Qualität, die ich als ›agitatorisch‹ bezeichnen möchte. Paulines Lebenspanorama, das einen »unterirdischen Lebenstag« zeigt – ein Dasein, das im »übermauerten Burgverlies der Ehe« zu Hause ist, also noch nicht einmal eine Erde hat, auf der es sich bewegen, viel weniger einen Himmel, zu dem es hinaufblicken kann –, steht nicht nur im Zeichen eines Elends, das den Menschen so sehr entstellt, daß er zusammen mit dem Bewußtsein seiner Lage auch das Bewußtsein seiner ›Menschheit‹ – das Wort im emphatischen Sinn der Aufklärung verstanden – verliert; es gibt zugleich in aller Drastik zu erkennen, daß die Dehumanisierung dieses Menschen das Werk von anderen Menschen, daß sie gesellschaftlich produziert ist.

Eine Art von ›empfindsamer Sym-Pathetik‹ entfaltet sich, deren sozialkritischer Impetus dann zur Überschreitung des Punktes drängt, wo mitfühlende Klage in Anklage übergehen muß. Die folgenden Sätze wenden sich denn auch expressis verbis mit einem Appell an »Eltern und Männer«, von den hier »gemalten Wunden« sich zur Heilung der »wahren« vermögen zu lassen (35). Es ist eine erzählerische Geste, deren Abstand zu jener klassizistischen Kunstgesinnung, die zuvor von Fraischdörfer vertreten wurde, kaum weiter gedacht werden kann. Hier stellt sich eine Art von Poesie dar, die nicht das Verstummen aller menschlichen Lebensbedürftigkeit voraussetzt, um nur mehr als Schönes bei sich selber für sich selber da sein zu können, sondern eine, in der jeder Satz, mit dem sie sich realisiert, sich auf dem Grund und

Boden dieser Lebensbedürftigkeit bewegt, eine, die sich deshalb auch von, ja in jedem ihrer Sätze von der Vorstellung der imaginierten Kunstwelt weg- und zur Vorstellung der konkreten Lebenswelt hinwenden kann. Humor, Satire, Empfindsamkeit – es sind ebenso viele erzählerische Strategien, mit denen immer das eine verfolgt und ermöglicht wird: die Herstellung von Poesie als eines ununterbrochenen Kommunikationsprozesses zwischen realen, bedürftigen Wesen, einer Kommunikation, die zu ihrer Realisierung sich des Instrumentariums der Fiktion bedient. Das ist der Sinn jener permanenten Verwischung der Grenzen zwischen Fiktionsbereich und Wirklichkeit; der Sinn jener vielfältig ausgebildeten Erzählebenen: im Bereich der erzählten ›Geschichte‹, im Bereich des Geschichtenerzählers, der zugleich die biographische Person Jean Paul (Friedrich Richter) ist, im Bereich dessen, der als Leser das Buch in Händen hat – welche verschiedenen Bereiche dann gleichfalls wieder ihre deutliche Abgrenzung verlieren und ineinander übergehen; es ist dieser Sinn, der die ursprüngliche Tendenz in Jean Pauls Erzählwerken bewirkt, den Autor und den Leser bei der Konstituierung der Erzählform als die eigentlichen Hauptpersonen ›agieren‹ zu lassen und ihr – konkretes – Leben zum eigentlichen Thema alles dessen zu machen, was im Verlauf des Erzählens, oder besser: des Schreibens, zu Wort kommt. Unter diesem Aspekt betrachtet, stellt sich die *Geschichte meiner Vorrede zur zweiten Auflage des Quintus Fixlein* als die reinste und konsequenteste erzählerische Form dar, die Jean Paul jemals für den Inhalt, der sein Erzählen antreibt, speist und dirigiert, gefunden hat; daß er, was als Vorrede eigentlich fungieren sollte, dann tatsächlich als selbständiges Werk erscheinen ließ, deutet an, welche vollständige Genugtuung diese Form seiner künstlerischen Intention bereitete.

Anmerkungen

1 Die Briefe Jean Pauls. Hrsg. von Eduard Berend. 2 Bde. München 1922. S. 115 (9. 10. 1795).
2 Hegel: Vorlesungen über die Ästhetik. In: Werke. Frankfurt a. M. 1970. Bd. 15. S. 392f.
3 Helmut Kreuzer: Zur Theorie des deutschen Realismus zwischen Märzrevolution und Naturalismus. In: Reinhold Grimm und Jost Hermand (Hrsg.), Realismustheorien in Literatur, Malerei, Musik und Politik. Stuttgart 1975. S. 48.
4 Am 1. 6. 1797; zitiert nach Hans Bach: Jean Pauls Hesperus. Leipzig 1929. S. 184f.
5 Vgl. dazu Ian Watt: The Rise of the Novel; dt. u. d. T.: Der bürgerliche Roman, Aufstieg einer Gattung. Frankfurt a. M. 1974. 1. Kap.: »Realismus und die Form Roman«, S. 7–37.
6 Schiller: Sämtliche Werke. Hrsg. von Gerhard Fricke und Herbert Georg Göpfert. München 1958. Bd. 1. S. 261.
7 An Schiller, 10. 6. 1795.
8 Im »Extrablatt Von hohen Menschen« der »Unsichtbaren Loge«. In: Jean Paul, Werke. Hrsg. von Norbert Miller und Gustav Lohmann. 6 Bde. München 1959–66. (Im folgenden zitiert als: Werke.) Bd. 1. S. 221.
9 Werke 4, 20. Die folgenden Zitate aus Jean Pauls »Geschichte meiner Vorrede zur zweiten Auflage des Quintus Fixlein« sind durch Seitenangabe im Text nachgewiesen.
10 Vgl. dazu auch Jean Pauls Brief an Christian Otto aus Weimar vom 17./19. 6. 1796 über den ersten Besuch bei Goethe: »Die Ostheim [d. i. Charlotte von Kalb] und jeder malte ihn ganz kalt für alle Menschen und Sachen auf der Erde [...] blos Kunstsachen wärmen noch seine Herznerven an, daher ich Knebel bat, mich vorher durch einen Mineralbrunnen zu petrifizieren und

zu inkrustieren, damit ich mich ihm etwan im vorteilhaften Lichte einer Statue zeigen könte«
(Die Briefe Jean Pauls. Hrsg. von Eduard Berend. 2. Bd. München 1922. S. 210).

11 Vgl. dazu die Diskussion zwischen Goethe und Schiller bzw. Schiller und Humboldt, wie sie
im Briefwechsel zwischen den beiden letzteren sich niederschlägt. Schillers Brief vom 9. 11. 1795
berichtet von Gesprächen mit Goethe über Baukunst: »Von der schönen Architektur nimmt er
an, daß sie nur Idee sei, mit der jedes einzelne Architekturwerk mehr oder weniger streite. Der
schöne Architekt arbeitet wie der Dichter für den Idealmenschen, der in keinem bestimmten,
folglich auch keinem bedürftigen Zustand sich befindet, also sind alle architektonische Werke
nur Annäherung zu diesem Zweck [...] Sie können wohl denken, daß ich ihn bei dieser Idee,
die so sehr mit unsern ästhetischen Begriffen zusammenstimmt, festgehalten und weiter damit
zu kommen gesucht habe.« Humboldts Antwort vom 20. 11. 1795: »Was Sie von der Baukunst
sagen, leuchtet mir außerordentlich ein. Indes, dünkt mich immer, trägt diese Kunst ganz ausschließlich vor allen andern etwas in sich, was sie hindert, eigentlich Kunst und mehr als bloße
Verzierung nur im höchsten Geschmacke zu sein. Unter allen Künsten hat sie allein kein von
der Natur gegebnes Objekt. Warum auch das schönste Gebäude, wenn es nicht zu einem Gebrauch, zugleich ein Bedürfnis wäre? Wie man sich daher auch wenden mag, der Begriff des ›Ge-
brauchs‹ im ganz allgemeinen Sinn ist von dieser Kunst unzertrennlich und ist doch der Kunst
so sehr zuwider. [...] es fragt sich nur, ob man die Baukunst als ganz reine Kunst behandeln und
den Gebrauch zu sehr aufopfern soll? Ich glaube kaum; alles, was sich erreichen läßt, ist, dünkt
mich, nicht mehr als ästhetische Behandlung eines an sich in ein ganz anderes Gebiet gehörenden
Gegenstandes. [...] Von Goethens Manier in solchen Dingen läßt sich gewiß sehr viel hoffen«
(Der Briefwechsel zwischen Friedrich Schiller und Wilhelm von Humboldt. Hrsg. von Siegfried
Seidel. Berlin 1961. Bd. 1. S. 216, 225 f.) Noch Hegel bedenkt vom Verhältnis Selbstzweck-(Ge-
brauchs-)Mittel aus die Möglichkeit von Bauwerken, »die gleichsam wie Skulpturwerke *für sich
selbständig* dastehen und ihre Bedeutung nicht in einem *anderen* Zweck und Bedürfnis, sondern
in sich selber tragen«. Er fügt hinzu: »Dies ist ein Punkt, von höchster Wichtigkeit, den ich noch
nirgend herausgehoben gefunden habe, obschon er im Begriff der Sache liegt« – aber siehe oben!
(Vorlesungen über die Ästhetik. In: Werke [Anm. 2]. Bd. 14. S. 269).

12 Berend weist in seinem Textkommentar die Stelle bei Friedrich Schlegel nach, auf die Jean Paul
sich bezieht: vgl. Jean Pauls sämtliche Werke. Hist.-krit. Ausg. Weimar 1927ff. 1. Abtlg. 5. Bd.
S. 534.

13 Antik und Modern (1818). In: Sämtliche Werke. Jubiläums-Ausgabe. Stuttgart, Berlin 1902ff.
Bd. 35. S. 129.

14 Man darf mit Sicherheit annehmen, daß zu den Voraussetzungen und Grundlagen von Jean Pauls
Polemik der berühmte Brief Schillers an Herder vom 4. 11. 1795 gehört, in dem die prinzipielle
Getrenntheit von Poesie und gegenwärtiger Lebenswelt deklariert und daraus der Schluß gezogen wird: »Daher weiß ich für den poetischen Genius kein Heil, als daß er sich aus dem Gebiet
der wirklichen Welt zurückzieht und [...] daß er seine eigne Welt formiret und durch die Griechischen Mythen der Verwandte eines fernen, fremden und idealischen Zeitalters bleibt, da
ihn die Wirklichkeit nur beschmutzen würde« (Schillers Briefe. Hrsg. von Fritz Jonas. Stuttgart
[1892–96]. Bd. 4. S. 314).

15 Werke 2, 19.

16 Vgl. dazu Gerhard Sauder: Empfindsamkeit. Bd. 1. Stuttgart 1974.

17 Zitiert nach Sauder, ebd., S. 5.

18 Ich halte es für bezeichnend, daß Jean Paul solche empfindsame Situationen Sternescher Provenienz durch Postfigurationen zu parodieren liebt: vgl. z. B. die Stelle in den »Flegeljahren«, wo
Sternes Onkel Toby – der der Fliege, die ihn belästigt, das Fenster öffnet und sie auffordert:
»Geh, armes Ding, mach, daß du wegkommst, warum sollt ich dir etwas zuleide tun! Diese Welt
hat Raum für dich und für mich« (Tristram Shandy, 2. Buch, 12. Kap.) – durch Vult parodiert
wird: »[...] daß er Fliegen, die ihn plagten, *einen* Flügel auszupfte und sie auf die Stube warf
mit den Worten: ›Kriecht! die Stube ist für euch und mich weit genug« (Werke 2, 606);

oder im »Komet« die Wohltätigkeit des kleinen Nikolaus Marggraf: »Stand eine gelbe abge-
dorrte Bettlerin mit ihrem Gicht-Reißen in allen Gliedern vor Nikolaus; so steckte er der Hung-
rigen um nur selber nicht länger zu siechen und zu hungern, heimlich etwa einen Wurm-
kuchen oder ein Brechmittel zu, oder einige Pillen, oder was er erwischen konnte« (Werke 6,
587).

19 Vgl. Jean Pauls Polemik gegen Schillers Lied »An die Freude« am Ende der »Miserikordias-Vor-
lesung« der »Vorschule«: »Übrigens würd' ich aus einer Gesellschaft, die den herzwidrigen
Spruch bei Gläsern absänge: ›Wers nie gekonnt, der stehle weinend sich aus unserm Bund‹, mit
dem Ungeliebten ohne Singen abgehen und einem solchen harten elenden Bunde den Rücken
zeigen«. Eine Anmerkung fügt hinzu: »Wie poetischer und menschlicher würde der Vers durch
drei Buchstaben: ›der stehle weinend sich in unsern Bund!‹ Denn die liebewarme Brust will im
Freudenfeuer eine arme erkältete sich andrücken« (Werke 5, 395). Schiller geht von einem mora-
lisch disqualifizierenden, menschlichen Mangel aus: der Unfähigkeit, Freund zu sein. Der so
Stigmatisierte wird vom Pathos der Humanität gerichtet durch die Ausweisung aus dem
Menschheits-»Bund« (der Topos von der Unmöglichkeit von Freundschaft am Hof und der
Freundlosigkeit des Fürsten spielt hier wohl mit herein). Jean Paul interpretiert die Sache ins
Empfindsame um, indem er die Freundlosigkeit nicht als Resultat eines moralischen Mangels,
sondern unter dem Aspekt von Glücksentzug betrachtet. So kommt die oben beschriebene Konstellation zustande: ins »Freudenfeuer« der als Glück empfundenen intimen Kommunikation
(der Verbrüderung aller Menschen) fällt die Vorstellung des einen, der draußen bleiben muß,
und verwandelt Schillers enthusiastisch-lyrischen in einen empfindsam-reflexiven Einfall (daß
der Vers durch die vorgeschlagene Veränderung nicht nur »menschlich«, sondern auch »poetisch« gewönne, ist – ernst genommen, da wohl auch von Jean Paul ernst gemeint – ein sehr verrä-
terischer Irrtum).

20 In einer Bemerkung über Albanos jugendliche Bildungsgeschichte im »Titan« (25. Zykel) kommt
zum Ausdruck, daß Jean Paul sich in dieser Hinsicht selbst auf Rousseau bezieht: »In dieses
goldne Zeitalter seines Herzens fiel auch seine Bekanntschaft mit Rousseau und Shakespeare;
wovon ihn jener über das Jahrhundert erhob und dieser über das Leben« (Werke 3, 134 f.) Die
zwei Perspektiven – hier auf Zeitlichkeit/Diesseits überhaupt (»Leben«), dort auf Zeitrealität/
Gesellschaftszustand (»Jahrhundert«) – treten ebenso deutlich hervor wie die Beziehung der
letzteren auf Rousseau.

21 Werke 1, 1018 (32. Hundposttag).

Literaturhinweise

Berend, Eduard: Jean Pauls Ästhetik. Berlin 1909.

Bosse, Heinrich: Theorie und Praxis bei Jean Paul. § 74 der »Vorschule der Ästhetik« und Jean
Pauls erzählerische Technik, besonders im »Titan«. Bonn 1970.

Bruyn, Günter de: Das Leben des Jean Paul Friedrich Richter. Frankfurt a. M. 1976.

Ehrenzeller, Hans: Studien zur Romanvorrede von Grimmelshausen bis Jean Paul. Bern 1955.

Kommerell, Max: Jean Paul. Frankfurt a. M. 1933 ([4]1966).

– Jean Paul in Weimar. In: M. K., Dichterische Welterfahrung. Frankfurt a. M. 1952. S. 53–82.

Michelsen, Peter: Laurence Sterne und der deutsche Roman des 18. Jahrhunderts. Göttingen 1962.
(Über Jean Paul: S. 311–394.)

Miller, Norbert: Der empfindsame Erzähler. Untersuchungen an Romananfängen des 18. Jahrhunderts. München 1968. (Über Jean Paul: S. 303–325.)

Müller, Volker Ulrich: Die Krise aufklärerischer Kritik und die Suche nach Naivität. Eine Untersuchung zu Jean Pauls Titan. In: Bernd Lutz (Hrsg.): Deutsches Bürgertum und literarische Intelligenz 1750–1800. Stuttgart 1974. S. 455–507.

Naumann, Ursula: Predigende Poesie. Zur Bedeutung von Predigt, geistlicher Rede und Predigertum für das Werk Jean Pauls. Nürnberg 1976.

Profittlich, Ulrich: Der seelige Leser. Untersuchungen zur Dichtungstheorie Jean Pauls. Bonn 1968.

Rasch, Wolfdietrich: Die Poetik Jean Pauls. In: Hans Steffen (Hrsg.), Die deutsche Romantik. Göttingen 1967. S. 98–111.

Schmitz, Werner: Die Empfindsamkeit Jean Pauls. Heidelberg 1930.

Schweikert, Uwe (Hrsg.): Jean Paul. Darmstadt 1974. (Sammlung von 17 Aufsätzen.)

Stern, Martin: Jean Paul und Weimar. In: Colloquia Germanica 1 (1967) S. 156–173.

WILFRIED MALSCH

Klassizismus, Klassik und Romantik der Goethezeit

Einleitung

Die in Deutschland üblich gewordenen Einteilungen und Benennungen der deutschen Literatur aus der Zeit von ungefähr 1750 bis 1830 sind bis heute verwirrend und widersprüchlich geblieben. Jenseits der deutschsprachigen Länder[1] sind sie zudem auch mißverständlich und kaum übertragbar. In den angelsächsischen Ländern wird diese Zeit mit Goethe und Schiller noch immer, wie anfänglich auch in Deutschland, als eine Epocheneinheit aufgefaßt, für die sich inzwischen der Name ›Romantik‹ eingebürgert hat.[2] Sie wirkte in Frankreich zuerst gleichfalls als einheitliche Epoche[3] und trug in dieser Sicht entscheidend zum Selbstverständnis der französischen und europäischen Romantik bei[4]. Neuerdings wird die Zeit Goethes und Schillers manchmal auch in Frankreich – so wie in Deutschland – von einer entsprechend enger und anders gefaßten ›deutschen Romantik‹ unterschieden, jedoch ohne daß sie deshalb nun auch im Gegensatz zur ›Romantik‹ als ›Klassizismus‹ oder ›Klassik‹ begriffen wird.[5] Die seit ungefähr neunzig Jahren für die Weimarer Periode Goethes und Schillers in Gebrauch genommenen Bezeichnungen ›Klassizismus‹ oder ›Klassik‹ haben sich als Begriff dieser Zeit außerhalb der deutschen Sprachgrenzen – trotz einiger Importierungsversuche angelsächsischer und französischer Germanisten[6] – bisher nur in Holland durchgesetzt.[7] Im übrigen Europa steht ihrer Einbürgerung vor allem die weitgehend vom französischen 17. Jahrhundert geprägte europäische Klassiktradition im Wege.

Widersprüchlich und verwirrend ist ferner, was im Unterschied zur neueren und nur deutschen Wortbildung ›Klassik‹[8] – dieses Wort wird gewöhnlich auf französisch oder englisch gleichfalls mit ›classicism(e)‹ wiedergegeben – außerdem noch alles mit ›Klassizismus‹ in bezug aufs deutsche 18. und frühe 19. Jahrhundert gemeint sein kann. Entweder umfaßt dieser ›Klassizismus‹ die auf die griechische Klassik als Urbild ihres Humanitätsideals gerichtete deutsche Literatur von Winckelmann bis zu Hegel[9] (deren Griechensicht freilich mehr aus der gelehrten und zugleich poetischen Archäologie Winckelmanns geschöpft als auf die Renaissancetradition gegründet ist); oder er bedeutet, diesem Begriff entgegengesetzt, die auf die klassische französische Literatur als ästhetisch-poetisches Vorbild bezogene Theorie und Dichtung um Gottsched und bis zu einem gewissen Grade noch Johann Elias Schlegels[10]. In der zweiten Bedeutung (auch unter dem Namen ›Neo-‹ oder ›Pseudoklassizismus‹) läßt er sich – zusammen mit dem vorbarocken Klassizismus um Opitz[11] – in den Begriff eines europäischen Klassizismus einordnen[12], der sich auf die lateinische, italienische und französische Vermittlung der Klassiktradition bezieht[13]. Der Name ›deutscher Klassizismus‹ wird jedoch auch noch in weiterer als in der zweiten Bedeutung gebraucht, nämlich zur Bezeichnung der gesamten deutschen ›Aufklärungsdichtung‹ von ungefähr 1720 bis 1785,[14] einschließlich der Theorie Lessings und ihrer Kritik an der französischen Klassiktradition und einschließlich des neuerdings präziser ge-

faßten ›literarischen Rokoko‹. Dieses hat jedoch mit den sich überall in Europa gegen das klassische französische Literatursystem erhebenden Epochen gerade die Emanzipation von der normativen Poetik gemeinsam.[15] Mit den beiden letztgenannten Periodenbegriffen des ›Klassizismus‹ verbindet sich in Deutschland oft auch die Bedeutung eines minderen ästhetischen Wertes im Sinne einer mehr rezeptiven Nachahmung antiker Poesie oder auch doktrinärer Beschränktheit in der Art der Poetik Boileaus oder Gottscheds. Diesem polemisch herabgesetzten Klassizismus, der nicht dem Namen, aber dem Begriff nach schon 1759 mit Lessings *Literaturbrief* gegen Gottsched und die französische Tragédie classique erscheint, steht in unserem Jahrhundert nun die sogenannte ›deutsche Klassik‹ als eine »Höhenerscheinung« gegenüber.[16]
1948 hat Ernst Robert Curtius die deutsche Besonderheit in Europa, die sich aus dieser Entgegensetzung von Klassizismus nicht nur zur Romantik, sondern auch zu einer neuen ›Klassik‹ und entsprechend engeren ›Romantik‹ ergibt, wie folgt zusammengefaßt: »Die französische Literatur hat eine klar definierte und kodifizierte Klassik und eine ebensolche Romantik. Die französische Romantik ist von allen anderen dadurch unterschieden, daß sie eine bewußte Antiklassik ist. Romantik und Klassik stehen sich in Frankreich gegenüber wie Revolution und Ancien régime. Spanien und England haben eine Romantik, aber keine Klassik. Deutschland hat beides, aber mit einer sehr bedeutsamen Abwandlung: Romantik und Klassik leben in derselben Zeit und zum Teil am selben Ort. Die Jenaer Romantik von 1798 ist Spiegelung, Bewußtmachung, zum Teil auch Kritik der Weimarer Klassik von 1795. Im späten Goethe andererseits ist manche romantische Essenz zu spüren. Es gibt aber auch große Autoren unserer klassischen Epoche – Jean Paul, Hölderlin, Kleist –, die weder zum einen noch zum anderen Lager gerechnet werden können. Die deutsche Blütezeit von 1750 bis 1832 ist durch den Divisor Klassik–Romantik nicht teilbar.«[17] Ein salomonisches Resümee. Aber was taugt ein Doppelepochenbegriff, der in sich konträr sein soll und doch nicht teilbar ist und der einige seiner bedeutendsten Autoren nicht mehr zu integrieren vermag? Nach heutiger kritischer Sicht und literaturgeschichtlicher Erkenntnis gehört zu diesen auch Wieland.[18] Das Kapitel Wieland und Goethe ist für die Weimarer Klassik kaum weniger bedeutsam als die seit hundertfünfzig Jahren zum deutschen Kulturidol erhobene Verbindung Goethes und Schillers. Wohin außerdem mit Kant und den Philosophen des deutschen Idealismus? Solche Fragen lassen sich noch viele stellen. Doch noch größere Schwierigkeiten entstehen beim Blick über die Grenzen. Nicht nur sind französische und deutsche Klassik unvereinbar, auch die vor allem Goethe und E. T. A. Hoffmann bewundernde französische Romantik entspricht weniger der deutschen Romantik und eher der mit dem Jungen Deutschland einsetzenden Literatur, die sich aber gleichermaßen von deutscher Klassik wie Romantik absetzt. Der englischen Romantik steht wiederum die sogenannte ›deutsche Klassik‹ näher als die deutsche Romantik: »It was the classical Goethe and Schiller, and not the contemporary German Romantic School, who acted as a spur to our own Romantic poets.«[19]
Curtius hat das zufällige Ergebnis einer in Europa und Deutschland widersprüchlich gebliebenen terminologischen Entwicklung registriert. Dieses Ergebnis ist jedoch bemerkenswert. Es relativiert die binnendeutsche Klassik-Romantik-Antithese nach dem Stand von 1948, als die von dieser Entwicklung verkannten oder übersehenen

Autoren Jean Paul, Hölderlin und Kleist aufgrund ihrer steigenden Bedeutung im 20. Jahrhundert schließlich integriert werden mußten. Auch die literaturtheoretisch erheblich nähere Stellung des Jenaer Kreises zu Goethe und Schiller als zur späteren Romantik ist berücksichtigt. Die antithetisch gebrauchten Begriffe von ›deutscher Klassik‹ und ›Romantik‹ erscheinen in Curtius' Resümee als im Grunde bedeutungslos, denn ihr fragwürdiger Gegensatz ist im Begriff »unserer klassischen Epoche« als der »deutschen Blütezeit von 1750 bis 1832« untergegangen. In diesem Begriff ist die in Deutschland noch von Heinrich Heine und Ludolf Wienbarg festgehaltene Epocheneinheit zumindest als Behauptung wiederhergestellt. Auch Hermann Hettner, Herman Nohl und Hermann August Korff sind wieder um einen Begriff von der Einheit dieser Epoche mit mehr oder weniger problematischen Abgrenzungen und Begründungen bemüht gewesen. Hettner gib ihr 1850 die kritische Bezeichnung des »poetischen« und deshalb »falschen Idealismus«[20], Nohl 1911 den nationalen Namen einer »Deutschen Bewegung«[21], und Korff nannte sie 1923 wieder »Goethezeit«[22]. Als »Goethesche Zeit« hatte sie zuerst Heine 1828 bezeichnet.

Wäre es angesichts dessen nicht angebracht, auf ›Klassik‹ und ›Romantik‹ als gegensätzliche Perioden- und Stilbegriffe ganz zu verzichten, zumal ihre Abgrenzung die viel komplexeren Übereinstimmungen und Unterschiede innerhalb der deutschen Goethezeit nur verzerren und die europäischen Zusammenhänge dieser Epoche nur verwirren kann? Für die Abschaffung der Wörter ›Romantik‹ und ›romantisch‹ als literaturgeschichtlicher Termini sind seit der Mitte des 19. Jahrhunderts viele überzeugende Gründe vorgebracht worden – vergeblich.[23] 1924 zog Arthur O. Lovejoy aus der terminologischen Verwirrung in ganz Europa den Schluß: »The word ›romantic‹ has come to mean so many things that, by itself, it means nothing.«[24] Doch seine Skepsis behielt bis heute recht: »The only really radical remedy« – von Wilhelm Dilthey bereits 1865 empfohlen[25] – »namely, that we should all cease talking about Romanticism – is, I fear, certain not to be adopted. It would probably be equally futile to attempt to prevail upon scholars and critics tò restrict their use of the term to a single and reasonably well-defined sense. Such a proposal would only be the starting point of a new controversy.«[26] Ein Sammelband von 1968 bestätigt noch einmal in Auswahl Lovejoys Prophezeiung. Die bisherigen Versuche zur im Titel versprochenen »Begriffsbestimmung der Romantik« führten über die gleichfalls ergebnislos gebliebene »Wesensbestimmung« Julius Petersens von 1926 schließlich vor den Augen des Herausgebers Helmut Prang in ein »unübersehbares Dickicht«.[27] Im 1972 darauffolgenden Band wird das Ausbleiben der gleichfalls im Titel versprochenen »Begriffsbestimmung der Klassik und des Klassischen« vom Herausgeber Heinz Otto Burger damit entschuldigt, daß mit ›Klassik‹ »letzten Endes eine ästhetische Idee« gemeint sei.[28] Das läßt sich wohl von beiden Klischees befürchten. Sie geben »der Einbildungskraft einen Schwung [...], mehr dabei, obzwar auf unentwickelte Art, zu denken, als sich in einem Begriffe, mithin in einem bestimmten Sprachausdrucke, zusammenfassen läßt«.[29]

Andere partielle Zeitstilbegriffe zur Literatur der Goethezeit, die zwar aufgrund ihrer Namensbedeutung ebenfalls irreführen können (besonders z. B. »Sturm und Drang«[30]) und die nicht weniger häufig als Entitäten mißbraucht worden sind, bieten gleichwohl ihrer Neutralisierung zum relativ definierbaren Periodenbegriff erheblich weniger Widerstand. Sie sind nicht annähernd so polemisch und ideologisch belastet wie die Worte ›Romantik‹ und ›Klassik‹. Doch gerade, was für die Abschaffung dieser als »ästhetische Ideen« mißbrauchbaren Termini spräche, erhält sie vordringlich am Leben. Der innerdeutsche Romantikbegriff war nämlich schon um 1810 zu einem ideologischen Gefühlsklischee geworden, das vernünftig zu betrachten auch Vernünftigen schwer geworden ist. Als negatives Gefühlsklischee lebt der Name ›Romantik‹ mit vagen und proteisch sich wandelnden Inhalten noch bis heute in marxistischer wie akademisch-konservativer Literaturkritik fort.[31] Dieser sich vielfach widerstreitenden antiromantischen Tradition ist der später hinzuerworbene Begriff ›deutscher Klassik‹ mit gleichfalls wechselnden und sich widersprechenden Inhalten als positives Gefühlsklischee unentbehrlich geworden. Die Doppelepochenbezeichnung ›Klassik–Romantik‹ ist also das vereinfachte Resultat der in Deutschland seit dem Beginn des 19. Jahrhunderts auf komplizierte Weise ideenpolitisch gespaltenen Rezeption der deutschen Literatur und bildenden Kunst. Seit dem Ende des 19. Jahrhunderts spiegelt sich, verwirrend genug, in diesem Gegensatz außerdem noch eine akademisch-konservative Version der alten Querelle des Anciens et des Modernes.[32] Die Geschichte der mehr von politischen und ästhetischen Glaubensüberzeugungen wimmelnden als von Einsichten erleuchteten Aneignung der Literatur der Goethezeit kann nicht einfach ignoriert und ihr Resultat nicht einfach deshalb wieder ausgelöscht werden, weil es gewiß vernünftiger wäre, ohne die Namen ›Klassik‹ und ›Romantik‹ auszukommen.

Möglich scheint dagegen, sich die Geschichte der in Deutschland und Europa verschiedenen Rezeptionen der deutschen Goethezeit bewußter zu machen, wenigstens in ihren Hauptzügen, und ihre Ergebnisse dadurch kritisch zu entschärfen. Die folgende Frage nach der Entstehung des Begriffs ›deutscher Klassik‹ übernimmt eine seit 1870 mit Rudolf Haym auch in seriösen Literaturgeschichten geglaubte Vorstellung von der deutschen Romantik als fraglos gesichert und deutet damit für beide Begriffe auf weitverbreitete Irrtümer hin. 1938 fragte Thomas Mann den Autor der These »Deutsche Klassik und Romantik oder Vollendung und Unendlichkeit«: »Haben die ›Klassiker‹ (Goethe und Schiller) sich Klassiker genannt oder sind ›Klassik‹ und ›Klassiker‹ *nachträgliche, historische* Bezeichnungen? Mit anderen Worten: War die Klassik eine bewußte und programmatische literarische *Schule*, die sich ausdrücklich so nannte wie die Romantik und später etwa unser Naturalismus und Expressionismus diese Namen führten?«[33]

›Klassiker‹ und ›Romantiker‹ bis 1830

Das früheste Zeugnis für die Erhebung Goethes und Schillers zu den beiden überragenden Klassikern der deutschen Nation findet sich zwei Jahre nach Goethes und 29 Jahre nach Schillers Tod, und zu diesem Zeitpunkt auch nur dem Begriffe und noch nicht dem Namen nach. Davon wird später noch die Rede sein. Dieser Klassikerbegriff ist indessen von den teils humanistisch-normativen, teils historisch-nationalen Bedeutungen zu unterscheiden, in denen seit der Mitte des 18. Jahrhunderts in Deutschland »klassische« Texte vorwiegend zeitgenössischer Autoren der Lektüre anempfohlen werden.[34] In einer solchen Sammlung von 1804 sind z. B. Goethe und Schiller zusammen mit rund hundert anderen Schriftstellern als »teutsche Klassiker« aufgeführt.[35] Eine anspruchsvollere, auf acht »deutsche Klassiker« beschränkte Auswahl von 1810 nennt neben ihnen noch Klopstock, Voß, Thümmel, Salis, Matthisson und August Wilhelm Schlegel.[36] In diesem Verständnis kann also auch ein Romantiker als ein »mustergültiger, meisterhafter«[37] moderner Klassiker erscheinen. Gilt dieser Begriff vom ›Klassiker‹ gerade den meist noch lebenden und auf jeden Fall modernen Schriftstellern, so bezieht sich die ältere und geläufiger gebliebene Bedeutung[38] auf Autoren, deren Werke im Sinne Alexander Popes über Leben und Zeit ihrer Verfasser hinaus noch Wirkung ausüben: »Who lasts a century, can have no flaw, / I hold that Wit a classic, good in Law.«[39]

Auch dieses ›Klassiker‹-Verständnis ist im Prinzip offen für Dichter, die nach anderen ästhetischen Maximen gearbeitet haben als denen, die von der französischen Klassik aufgestellt wurden. Sowohl um die Barrieren endgültig niederzureißen, die großen europäischen Dichtern wie Dante, Shakespeare oder Cervantes die Aufnahme in einen klassischen Kanon verwehrten, als auch um die zeitgenössisch-moderne Dichtung in ihren vom Klassizismus abweichenden Formen zu rechtfertigen, haben die Brüder Schlegel in der Nachfolge Herders den Begriff einer zur klassisch-antiken gleichberechtigten ›romantischen Poesie‹ entwickelt. Danach hat die klassische Dichtung ihre Herkunft in der griechisch-römischen Antike, die romantische aber im europäischen Mittelalter. Doch die Berufung auf die romantische Ritterdichtung und andere »ältere Moderne«[40] bedeutet nicht die Aufforderung, zum Mittelalter zurückzukehren. Sie hat vielmehr den Sinn, angesichts großer vergangener Beispiele die Zweifel zu beheben, »ob es denn wirklich eine romantische, d. h. eigenthümlich moderne, nicht nach den Mustern des Alterthums gebildete, und dennoch nach den höchsten Grundsätzen für gültig zu achtende [...] Poesie gebe«.[41]

Besonders August Wilhelm Schlegel systematisierte das Begriffspaar ›klassisch-romantisch‹ zu einem stiltypologischen, jedoch historisch in Antike und christlichem Mittelalter verankerten Gegensatz. Dem ›klassischen‹ ist dabei der ›plastische‹, dem ›romantischen‹ der ›malerische‹ oder ›musikalische‹ Stil zugeordnet. Im wesentlichen in dieser geschichtlichen Stilbedeutung erscheint der Begriff ›romantisch‹ 1804 auch in der *Vorschule* Jean Pauls und noch 1826 in Hegels *Philosophie der Kunst*. Dementsprechend gehören Goethes und Schillers Dichtungen für Jean Paul und Hegel zur romantischen Poesie. In polemisch und propagandistisch vereinfachter Bedeutung, die sich ebenfalls von Schlegels Begriff der romantischen Poesie herleitet, sind Goethe und Schiller nach 1813 auch in Frankreich, freilich erst im negativen, doch dann auch im positiven, später in England übernommenen Sinne zu Romantikern geworden. Das geschah zehn bis zwanzig Jahre, bevor sie in die binnendeutsche Klassik eingingen, deren Begriff allerdings die übrigen deutschen Romantiker ausschließt.

Anfang 1803 werden in den Berliner Vorlesungen von August Wilhelm Schlegel »mitlebende Künstler« gefeiert, die »einen neuen Stil der romantischen Kunst zu bilden angefangen« haben.[42] Schlegel nennt an dieser Stelle keine Namen. Seiner 1802 in diesem Zyklus vorgetragenen *Allgemeinen Übersicht* zufolge, die 1803 gesondert erschien,[43] ist Goethe jedoch der Protagonist dieser ›neuen Romantik‹, ein freilich nur an dieser Stelle angedeuteter Begriff.[44] Doch der verheißungsvolle Dichter, von dem »zu hoffen« steht, »daß mit ihm endlich eine Schule der Poesie anheben wird«, ist der aus Italien zurückgekehrte ›klassische‹ Goethe[45]! Schlegel hebt ausdrücklich die »gediegnen Werke« hervor, in denen Goethe »theils die Formen des Alterthums im milden Widerschein seines Geistes gespiegelt, theils das romantische Element wieder aufgefunden« hat. Der »neue« romantische Stil, auf den Schlegel hier deutet, steht im klaren Gegensatz zur Nachahmungspoetik der französischen Klassiktradition. Mit der erhofften »Schule«, betont nämlich Schlegel ausdrücklich, sei nicht »eine Folge von Dichtern« gemeint, die Goethe »blindlings anbeten oder ihn auch nur für das höchste Muster halten; sondern die mit ähnlichen Maximen im Studium und in der Ausübung der Kunst, auf der von ihm eröffneten Bahn ohne Nachahmung selbständig und erweiternd fortschreiten«.[46] Dem Begriff eines neuen romantischen Stils widersprechen jedoch antikisierende Dichtungen wie z. B. die *Römischen Elegien* keineswegs, sie verkörpern ihn vielmehr auf beispielhafte Weise – allerdings neben anderen, die sich wie *Faust* im »romantischen Element« bewegen. Schlegels Romantikbegriff versteht sich im Gegensatz zum Nachahmungsklassizismus, aber nicht im Gegensatz zur mit Winckelmann geschichtlich begriffenen Antike und deren poetischer Wiedererinnerung.[47] Dieser Unterschied der Griechensicht Winckelmanns und Goethes zum Klassizismus wurde später oft verkannt, weil Winckelmann und Goethe sich für die bildende Kunst in der praktisch-akademischen Lehre der klassizistischen Regeln bedienen und Goethe in der zeitgenössischen Malerei einem historisierenden Klassizismus huldigt. In der Poesie Goethes und anderer seiner Zeit wurde dagegen Winckelmanns Nachahmungspostulat, das schon seiner eigenen Einsicht in die historisch-geographische Einmaligkeit der griechischen Kunst widerspricht,[48] nicht klassizistisch befolgt, sondern als Herausforderung empfunden, es den Griechen unter den Bedingungen der Moderne gleichzutun.[49] Mit Rücksicht auf August Wilhelm Schlegels Goethe-Deutung läßt sich daher der von ihm flüchtig angedeutete Begriff einer ›neuen Romantik‹ auf einen kommenden Ausgleich des Gegensatzes von antik-klassischer zu europäisch-romantischer Dichtung beziehen, den sein Bruder prophezeite.

1795 verkündet Friedrich Schlegel in seiner 1797 veröffentlichten Schrift *Über das Studium der griechischen Poesie*: »Goethes Poesie ist die Morgenröte echter Kunst und reiner Schönheit.«[50] Er meint damit eine aus dem »Interessanten«, der Kategorie der Moderne, hervorgehende Kunst, die den griechisch vorabgebildeten Typus des objektiv Schönen auf moderne Weise entspricht. In diesem Verständnis erscheinen Goethes klassische Werke, z. B. die *Iphigenie*, als »eine unwiderlegliche Beglaubigung, daß das Objektive« der Griechen wieder »möglich und die Hoffnung des Schönen kein leerer Wahn der Vernunft sei«.[51] Auch das ist keine Aufforderung, das griechisch Objektive klassizistisch nachzuahmen, sondern eine geschichtsphilosophische Konstruktion, die auf dem Glauben beruht, der »künstlichen Bildung« der Moderne sei als Ziel einer unendlichen individuellen Annäherung die Vollkommenheit gesetzt, deren unindividueller Typus den Griechen in »natürlicher Bildung« zuteil wurde. Die Ankündigung dieses Ziels ergibt sich für Schlegel aus einem Vergleich der dramatischen Kunst Goethes mit der von Shakespeare und Sophokles, demzufolge Goethe »in der Mitte zwischen dem Interessanten und dem Schönen, zwischen dem Manierierten und dem Objektiven« steht.[52] Dadurch eröffnet er »die Aussicht auf eine ganz neue Stufe der Bildung«.[53] Diese »Aussicht« ist, dem *Gespräch über die Poesie* von 1800 zufolge, auf Goethes poetische Wiedererinnerung »der Poesie fast aller Nationen und Zeitalter« gegründet.[54] Maßgebend für Goethes universalgeschichtliche Aneignung vergangener Bildungen bleibt für Friedrich Schlegel gleichwohl die klassische Vollendung der Griechen. Schlegel hebt deshalb im *Wilhelm Meister* »den antiken Geist« hervor, den man »unter der modernen Hülle überall wiedererkennt«. »Diese große Kombination« (gemeint ist die Kombination antikklassischer Vollendung und moderner Individualität) »eröffnet eine ganz neue, endlose Aussicht auf das, was die höchste Aufgabe aller Dichtkunst zu sein scheint, die Harmonie des Klassischen und des Romantischen«.[55]

Die »Harmonie des Klassischen und des Romantischen«, dessen Gegensatz sich weltgeschichtlich entfaltet hat, erscheint in den literaturkritischen Geschichtsspekulationen beider Schlegel sowohl als regulative Idee für die ästhetische Beurteilung als auch als Ziel des universalgeschichtlichen Bildungsgangs. 1809 erläutert August Wilhelm Schlegel in seinen zu europäischer Wirkung gelangten[56] Wiener *Vorlesungen über dramatische Kunst und Litteratur* sein Vorgehen wie folgt: »Wir suchen« im griechischen, französischen, spanischen und englischen Theater »eine Form, welche das wahrhaft Poetische aller jener Formen, mit Ausschließung des auf herkömmliche Übereinkunft Gegründeten, in sich enthalte.«[57]

Die bei beiden Schlegel auf Vermittlung angelegte Konstruktion des geschichtlichen Gegensatzes von klassischer und romantischer Poesie[58] ist in diesem Ziel, das in Goethes *Faust*-Dichtung sein bedeutendstes Echo fand, nach 1830 relativ folgenlos geblieben. Doch findet sich 1854 im Vorwort von Carl Leo Cholevius zu seiner *Geschichte der deutschen Poesie nach ihren antiken Elementen* eine hervorhebenswerte Abwandlung der Schlegelschen Sicht: »Der Bildungsgang der deutschen Poesie zeigt uns das merkwürdige Schauspiel, daß ihre beiden hauptsächlichsten Elemente, das Antike und das Romantische [...] einander wechselweise ablösen und verdrängen, bis dann die wahre Bedeutung und die Berechtigung beider erkannt und an eine Verschmelzung gedacht wird.«[59]

Goethe hat diese in seiner Zeit noch für weltgeschichtlich angesehenen Antithesen von antiker Schönheit und christlich eröffneter Innerlichkeit, von klassischer und romantischer Dichtung, in seinem von ungefähr 1800 bis 1825 entstandenen *Helena*-Spiel poetisch reflektiert, das in der Vermählung dieser Gegensätze gipfelt.[60] »Es ist Zeit«, so beschreibt er 1827 »den Hauptsinn« dieses Spiels, »daß der leidenschaftliche Zwiespalt zwischen Klassikern und Romantikern sich endlich versöhne«, nämlich damit wir zu unserer Bildung »das Älteste wie das Neueste« schätzen lernen. Aber die Antike bleibt gleichwohl das Urbild des Humanitätsideals dieser universellen Bildungsidee: »Ist es doch eine weitere und reinere Umsicht in und über griechische und römische Literatur, der wir die Befreiung aus mönchischer Barbarei zwischen dem fünfzehnten und sechzehnten Jahrhundert verdanken.«[61]

Die italienische Renaissancedichtung wurde in der französischen Klassik zum ästhetischen System ausgebaut. Gegen die Tradition dieses Klassizismus ist seit Bodmer, Lessing und Klopstock diejenige Epoche der deutschen Literatur entstanden, deren größter Repräsentant für die Brüder Schlegel wie für Heine Goethe ist. Jenseits dieses Klassizismus begreift Goethe sein Verhältnis zur Renaissance und zur Antike im Zeichen des Humanismus als Befreiung. Die humanistische Emanzipation vom christlichen Mittelalter und die literarisch-ästhetische Emanzipation vom Klassizismus gehören für Goethe zusammen. Im Blick auf die Befreiung vom Klassizismus findet er sich 1826 in ästhetischer Übereinstimmung mit den französischen Romantikern (nach 1813 wurden in Frankreich die in Theorie oder Praxis von der Poetik Boileaus abweichenden Schriftsteller »les romantiques« genannt[62]): »Offenbar sind es die Antiklassiker, denen meine ästhetischen Maximen und die danach gearbeiteten Werke als Beispiele sehr gelegen kommen«.[63]

Deutscherseits sind jedoch seit der Polemik des Heidelberger Voß-Kreises von 1808 an tatsächliche wie vermeintliche Anhänger des christkatholischen Mittelalters als Romantiker bezeichnet worden.[64] Die mittelalterliche Malerei hat Goethe im Alter noch zu schätzen begonnen, und zwar als eine zur Renaissance hin fortschreitende Kunst, wogegen er die protonazarenische Malerei schon von 1805 an polemisch bekämpfte, weil sie zu einem geschichtlich bereits überwundenen Zustand zurückstrebt.[65] In Goethes Sicht mußten daher 1826 sowohl die französischen ›Klassiker‹ als auch die von ihm bekämpften deutschen konfessionellen oder auch nur ästhetischen Konvertiten, die beide er selber nie ›Romantiker‹ nannte, zur Partei der Vergangenheit oder Anti-Emanzipation gehören.

Hinzu kommt noch eine weitere negative Bedeutung, mit der sich der junge Heine 1820 in seiner These über *Die Romantik* im Sinne seines Lehrers August Wilhelm Schlegel auseinandersetzt. Heine erkennt zwar den geschichtlichen Gegensatz zwischen klassischer Poesie (deren Darstellungsweise seit Hemsterhuis und Schiller als ›plastisch‹ gekennzeichnet wurde[66]) und romantischer Poesie durchaus an, bestreitet aber[67], daß romantische Poesie deswegen unplastisch gestaltet sein müsse: »Wahrlich, die Bilder, wodurch jene romantischen Gefühle erregt werden sollen, dürfen ebenso klar und mit ebenso bestimmten Umrissen gezeichnet sein als die Bilder der plastischen Poesie. [...] In Goethes ›Faust‹ und Liedern sind dieselben reinen Umrisse wie in der ›Iphigenie‹.«[68] Goethes ›antiromantische‹ Kritik bezieht sich meist auf Poetisches von unbestimmter Andeutung und regelloser Phantasie,[69] auf Abirrungen vom plastischen Stil also, gegen die Heine »die wahre Romantik« in Schutz nimmt. Zum Beweis nennt Heine 1820 nicht nur Goethe, sondern merkwürdigerweise auch seinen Lehrer, den er 1833 polemisch zu vernichten sucht: »So kommt es, daß unsre zwei größten Romantiker, Goethe und A. W. Schlegel, zu gleicher Zeit auch unsre größten Plastiker sind.«[70]

Dieser Hintergrund ist für Goethes Stellungnahmen zu berücksichtigen, die er von 1820 bis 1827 zum Streit der *Classiker und Romantiker in Italien, sich heftig bekämpfend,* veröffentlicht.[71] Vereinfacht läßt sich zusammenfassen: Wo Romantisches unplastisch dargestellt ist, erscheint es negativ. Als Wiederherstellungsversuch geschichtlich überholter Kunst und Religion erscheint es gleichfalls negativ, wogegen es als Vergangenes in seiner Zeit von Goethe schließlich positiv bewertet wird. Als Emanzipation vom Klassizismus erscheint Romantisches wiederum positiv, sofern es nicht unplastischer Regellosigkeit verfällt. Das Ideal ist die im *Helena*-Spiel beschworene Vereinigung sowohl der geschichtlichen als auch der stilistischen Gegensätze des Antik-Klassischen und Nachantik-Romantischen. Hier kommt der antiken Schönheit die moderne Innerlichkeit zugute und umgekehrt. Entsprechend deutet sich Goethe die europäisch gewordene Auseinandersetzung der »Classiker und Romantiker« mit dem stiltypologischen Begriffspaar der Brüder Schlegel, dessen geschichtsphilosophischer Sinn in der Versöhnung des klassisch-romantischen

Gegensatzes liegt. Goethe glaubt 1826, »der nun schon dreißig Jahre dauernde Conflikt zwischen Classikern und Romantikern« sei »doch zuerst von uns angeregt, angefacht, durchgekämpft« worden, »bis er sich ringsumher über die Gränzen verbreitete«.[72]

Aufgrund der Konfrontation von Klassik und Romantik, die 1813/14 in Frankreich ausbrach und der in den mediterranen Ländern von 1816 an scheinbar Gleiches meinende Auseinandersetzungen folgten,[73] entsteht für Goethe (ungefähr gleichzeitig wie für Thomas Carlyle) das Bild eines durch diesen Konflikt konstituierten übereinstimmenden Zusammenhangs der europäischen Literatur; ein erster Umriß, wenn man will, der später sogenannten ›gesamteuropäischen Romantik‹.[74] Goethe glaubt aber nicht nur (was Carlyle zurückweist), daß dieser Konflikt von Deutschland ausgegangen sei, sondern auch, daß er nun in Europa so gelöst werden könne, wie er vor dreißig Jahren seiner Meinung nach in Deutschland »durchgekämpft« worden sei. Goethe hat sich offenbar die Auffassung Friedrich Schlegels zu eigen gemacht, seine eigenen Werke hätten die Aussicht auf eine Versöhnung des Klassischen und Romantischen eröffnet. Dieses mit Romantik zu versöhnende Klassische im Sinne Schlegels und Goethes ist freilich nicht der Klassizismus, von dem sich die französischen Antiklassiker unter dem Kampfwort ›Romantik‹ befreien, sondern das griechische Urbild, dem alle moderne Kunst auf ihre zeitgemäße Weise entsprechen soll.

Goethes abschließendes Wort von 1827 zum europäischen Streit der Klassiker und Romantiker, die er *Moderne Guelfen und Ghibellinen* nennt, stimmt mit Heines Versöhnungsempfehlung von 1820 weitgehend überein, nur daß Goethe sich selbst nicht als ›Romantiker‹ bezeichnet, sondern sich außerhalb der Parteien zu stellen bemüht ist: »Genau betrachtet dürfte hier kein Streit sein.« Zwar bleibt die griechische Antike das geschichtliche Urbild: »Alles beruht hier auf allgemeiner gesunder Menschheit, welche sich in verschiedenen abgesonderten Charakteren nebeneinander als die Totalität einer Welt darstellen soll.« Aber, betont nun Goethe, das romantische »Gemüth« sei im »eigentlich Menschlichen« der antiken Darstellung durchaus schon enthalten. Wie aber das Klassische des ›romantisch‹ Gemüthaften bedürftig sei, so bleibe auch das Romantische einer ›klassischen‹ Gestaltung, nämlich in »abgesonderten Charakteren«, bedürftig. Andernfalls laufen »die Classiker« Gefahr, »daß die Götter zur Phrase werden, die Romantiker, daß ihre Produktionen zuletzt charakterlos erscheinen; wodurch sie sich denn beide im Nichtigen begegnen«.[75]

Europäische Romantik und deutsche Goethezeit

»On doit conclure«, betont Madame de Staël in ihrem Deutschlandbuch von 1810, »qu'il n'y a guère de poésie classique en Allemagne, soit que l'on considère cette poésie comme imitée des anciens, ou qu'on entende seulement par ce mot le plus haut degré possible de perfection«.[76] Ihr Buch *De l'Allemagne* erschien 1813 in England, 1814 in Frankreich, 1815 in Deutschland und hat in Europa das Verständnis für die deutsche Literatur weitgehend geprägt, neben Simonde de Sismondis *De la litterature du midi de l' Europe* und August Wilhelm Schlegels *Cours de litterature drama-*

tique (der Übersetzung seiner Wiener Vorlesungen), die beide 1813 in Frankreich herauskamen.[77]

Madame de Staël hat aber die deutsche Poesie, die nicht ›klassisch‹ sei, deswegen nicht als ›romantisch‹ bezeichnet. Während die englische Nation die romantische Dichtung liebe, führt sie aus, neige die französische zur klassischen. Aus beiden Schulen sei die moderne deutsche Literatur hervorgegangen.[78] Daß die deutsche Dichtung aber weder nach diesem Begriff einer Nachahmung der Alten noch nach dem davon unabhängigen Maße höchstmöglicher Vollkommenheit ›klassisch‹ sei, wird von Madame de Staël durchaus positiv bewertet. Es erscheint in ihren Augen nur von Vorteil, daß sich in Deutschland noch kein Literatursystem wie in Frankreich entwickelt hat, das Dichter und Gesellschaft auf vernünftige Normen der Vollkommenheit und des guten Geschmacks verpflichtet.[79]

Goethe hatte schon 1795 mit dem Fehlen eines deutschen Nationalstaates seine These begründet, daß sich in Deutschland keine »klassischen Nationalautoren« bilden können: »Nirgends in Deutschland ist ein Mittelpunct gesellschaftlicher Lebensbildung, wo sich Schriftsteller zusammen fänden und nach Einer Art, in Einem Sinne, jeder in seinem Fache sich ausbilden könnten.«[80] August Wilhelm Schlegel nimmt 1802 in seiner Berliner Vorlesung diesen Gedanken in Hinsicht auf die deutsche dramatische Literatur wieder auf. An ihrer »Armuth« sei vielleicht auch der Umstand mit schuld, »daß nämlich Deutschland nicht eine einzige große Hauptstadt besitzt, die das Centrum der Kunst und des Geschmacks wäre«. Aber Schlegel betont, daß man diesen »Mangel [...] in anderen Hinsichten mit Unrecht beklagt hat.«[81] In welchen Hinsichten?

Nach Madame de Staël könnte gerade die Dezentralisierung der Kultur und die soziale Isolierung der Schriftsteller die eigentümliche Größe der modernen deutschen Literatur begünstigt haben, die ihrer Meinung nach auf der ästhetischen Freiheit zur individuellen Originalität beruht. Sie gab dieser ihrer Sicht nach von Klopstock, Winckelmann, Lessing und Goethe begründeten Literatur zwar den Namen einer »véritable école allemande«, mit dem Vorbehalt jedoch, daß es sich dabei nicht um eine Schule im bisherigen Sinne handelt, sondern daß ›école« hier nur im übertragenen Sinne eine relative Einheit individuell verschiedener Stile bezeichnet: »si toutefois on peut appeler de ce nom ce qui admet autant de différences qu'il y a d'individus et de talents divers«.[82] Denn: »Le style change presque entièrement de nature suivant l'ecrivain«, und »le gout change a chaque nouvelle production des hommes de talent«.[83]

Madame de Staëls Übernahme des stiltypologischen Begriffspaars von den Brüdern Schlegel betont das Originäre, das national Eigentümliche, das ästhetisch Liberale und unabgeschlossen Zukunftsweisende des romantischen Stiltypus – alles Kriterien, mit denen sie die moderne deutsche Dichtung würdigte und so zu ihrer europäischen Rezeption als romantisch beigetragen hat.[84] Verloren ging dagegen in ihrer Beschreibung der beiden Dichtungstypen, daß der romantische Typus im Begriff der Schlegels geschichtlich auf Versöhnung mit dem Klassischen angelegt ist.

Wie der eingeschränktere Begriff deutscher Romantik antiromantischen Ursprungs ist, so sind auch die europäischen Termini ›Romantiker‹ und ›Romantik‹ aus antiromantischer Polemik hervorgegangen. Doch im Gegensatz zur deutschen Antiromantik richtete sich die französische Polemik nach 1813 gegen die Abweichungen

von den Bewertungsnormen der französischen Klassik in den der modernen deutschen oder der älteren europäischen Literatur gewidmeten Büchern Sismondis, Schlegels, Madame de Staëls und ihrer Anhänger.[85]
Die Abkehr vom klassizistischen Normensystem ist in der Tat ein gemeinsames Kennzeichen der deutschen Literatur seit Bodmer, Klopstock, Winckelmann (seine praktische Kunstlehre ausgenommen) und Lessing. Dem widerspricht auch nicht die undoktrinäre Annäherung an die französische Tragödie in einigen Dramen Wielands, Goethes und Schillers.[86] Auch in Heines Rückblick von 1833 beginnt die Goethezeit mit der Abkehr von der »Periode der neuklassischen Poesie«.[87] Unter diesem Aspekt läßt sich die von Madame de Staël als Kennzeichen der neuen »école allemande« bemerkte Vielfalt individueller Stile in Abhebung von der Normenpoetik am besten als ›ästhetischer Liberalismus‹ zusammenfassen.
Einen solchen ästhetischen Liberalismus postuliert Victor Hugo 1827 in seiner *Préface de Cromwell*, dem Manifest der französischen Romantik: »La liberté de l'art contre le despotisme des systèmes, des codes et des règles«.[88] Die oft behauptete Übereinstimmung von französischer mit englischer Romantik und deutscher Literatur der Goethezeit scheint unter diesem Gesichtspunkt einleuchtend und auch, daß den französischen Romantikern die ästhetischen Maximen »sehr gelegen« kamen, nach denen die Werke Goethes, Schillers, aber auch Klopstocks, Zacharias Werners, Novalis' und Tiecks gearbeitet sind. In England sieht auch Carlyle wie Madame de Staël die Goethezeit als einen harmonischen Zusammenhang, den er in Verwandtschaft mit der Entwicklung von Coleridge bis zu ihm selbst begreift.[89]
In der *Préface de Cromwell* ist die Auflehnung gegen den klassizistischen Regelkanon zugleich eine Kampfansage gegen das literarische Ancien régime, das die französische Revolution überdauerte und dessen Abschaffung längst überfällig war.[90] In Heines Sicht endet hier die Parallele zwischen deutscher Goethezeit und französischer Romantik. 1833 berichtet Heine in seiner drei Jahre später *Die Romantische Schule* genannten Darstellung: »Die meisten glauben, mit dem Tode Goethes beginne in Deutschland eine neue litterarische Periode, mit ihm sei auch das alte Deutschland zu Grabe gegangen, die aristokratische Zeit der Litteratur sei zu Ende.«[91] Heine bekämpft also gleichfalls ein literarisches Ancien régime, das jedoch den französischen Romantikern als Reich der ästhetischen Freiheit erscheint. Deshalb möchte Heine zeigen, daß die Tendenzen der deutschen Romantiker »ganz verschieden waren von denen der französischen Romantiker«.[92] Heine wendet sich jedoch nicht nur ideenpolitisch gegen die »ultramontanen Tendenzen« der angeblich durchweg christkatholischen deutschen Romantik,[93] sondern er setzt seine eigene Zeit zugleich auch literaturkritisch von der Goethezeit im ganzen ab.
In europäischer Sicht kann die Goethezeit nicht in eine deutsche Klassik und Romantik aufgespalten werden, wenn man ihren Zusammenhang mit der europäischen Romantik und ihren Unterschied zur europäischen Klassiktradition erkennen will. Trotz einiger Übereinstimmungen in ästhetischen Maximen unterscheidet sich jedoch die deutsche Goethezeit wieder von der französischen Romantik, und zwar als ein jenseits von realer deutscher Gesellschaft und Politik sich erhebendes idealistisches »Kunstreich«, das vor Heines Augen zu Ende ging, als die französische Romantik begann.

Begriff der Goethezeit

1828 verkündet Heine zum erstenmal den Untergang »jener ganzen Litteraturperiode, die mit dem Erscheinen Goethes anfängt und erst jetzt ihr Ende erreicht hat« oder »die« – so wiederholt er 1831 seine »alte Prophezeiung von dem Ende der Kunstperiode« – »bei der Wiege Goethes anfing und bei seinem Sarge aufhören wird«. Denn, begründet er 1828 seine Prognose, »das Prinzip der Goetheschen Zeit, die Kunstidee, entweicht, eine neue Zeit mit einem neuen Prinzipe steigt auf«.[94] In Heines Sicht umfaßt die »Goethesche Zeit« alle unterm Prinzip autonomer Kunst stehende deutsche Literatur, einschließlich der ›romantischen Schule‹.[95] Diese Periode der Kunstidee nennt Ludolf Wienbarg sechs Jahre später die »jüngst vergangene ästhetische Epoche«. Er entdeckt den Unterschied zu ihr vor allem in Heines »Prosawerken«.[96]

Das »neue Prinzip« dieser neuen Literatur läßt sich am Beispiel von Heines Schreibart kurz umreißen als ein sich in die eigene soziale, politische und ideologische Zeitgeschichte verwickelndes literarisches Engagement, das sich gleichwohl durch sein ›imaginative writing‹ die Freiheit der künstlerischen Subjektivität gegen alle sozialen, politischen und ideologischen Bindungen bewahrt.[97] Von seiten seines prinzipiellen Engagements in den Auseinandersetzungen der eigenen Zeitgeschichte ist der neue Literaturbegriff vom Dichtungsbegriff der Goethezeit unterschieden. Von seiten seiner prinzipiellen Wahrung der künstlerischen Freiheit bleibt er mit dem vergangenen Prinzip der Kunstidee in Übereinstimmung.

Übereinstimmung und Unterschied zur vergangenen Literaturperiode konkretisieren sich für Heine in seinem stets von Bewunderung und Kritik zugleich bestimmten Verhältnis zu Goethe, »dem – wie er betont – »großen Repräsentanten dieser Periode«.[98] In der Benennung dieser Epoche folgt Heine – wohl auf Anregung Madame de Staëls[98a] – dem Beispiel Voltaires, jedoch mit einer bezeichnenden Abweichung. Voltaire ordnete die Blütezeiten der Künste großen Herrschern zu. Heine widmet dagegen die »Kunstperiode«, die nach Schillers Maxime »über allen Einfluß der Zeiten erhaben« und nur *»rein menschlich«* sein möchte,[99] ihrem »größten Künstler« Goethe. Dadurch wird die Entfernung der »Goetheschen Kaiserzeit« von ihrem realen und politischen Lebensgrund betont, den in den früheren Jahrhunderten die Herrscher repräsentieren.

Die deutsche »Kunstperiode« fing für Heine »bei der Wiege Goethes an«. 1750 und 1758 erschien Alexander Baumgartens *Aesthetica*. Ihre Idee einer selbständigen »veritas aesthetica« bereitet die philosophische Erkenntnis der autonomen Kunst vor, die bis zu Hegel die Theorie dieser Epoche beherrscht.[100] In der Poetik entspricht ihr die Abkehr vom klassizistischen Grundsatz der Naturnachahmung, die 1740 mit Bodmers *Kritischer Abhandlung von dem Wunderbaren in der Poesie* und ihrer Rechtfertigung der dichterischen »Einbildungs-Kraft« einsetzt, die »gleichsam in eine neue Schöpfung« führt.[101] In einem Gespräch *Über Wahrheit und Wahrscheinlichkeit der Kunstwerke* betont Goethe 1798 am Beispiel der Oper den Absolutheitsanspruch der autonomen Kunst. Sie mache »eine kleine Welt für sich aus« mit ihren »eignen Gesetzen«.[102] Jean Paul wendet 1804 in seiner *Vorschule der Aesthetik* einen solchen Anspruch der Dichtkunst gegen die orthodoxe Religion: »die Poesie ist die einzige *zweite* Welt in der hiesigen«.[103] Entsprechend beschreibt Heine die autonome Kunst »als eine unabhängige zweite Welt«, die jedoch von den »Goetheanern« so hoch gestellt werde, »daß alles Treiben der Menschen, ihre Religion und ihre Moral, wechselnd und wandelbar unter ihr hin sich bewegt«. Solche Hochstellung verleite dazu, »die Kunst selbst als das Höchste zu proklamieren und von den Ansprüchen jener ersten wirklichen Welt, welcher doch der Vorrang gebührt, sich abzuwenden«.[104]

Die neue Literatur, die Heine dem »Goetheschen Kunstreich« entgegensetzt, hat ihre Ansätze und Vorbereiter in der verabschiedeten Epoche selbst. Unter diesen hebt Heine neben Schiller besonders Jean Paul hervor, der »in seiner Hauptrichtung dem Jungen Deutschland voranging«.[105] Dennoch besteht »eine Kluft« auch zu Jean Paul, wie Wienbarg am Beispiel der Verwandtschaft Heines mit Goethe einerseits und Börnes mit Jean Paul andererseits näher erläutert: »Jene früheren Großen unserer Literatur lebten in einer von der Welt abgeschiedenen Sphäre, weich und warm gebettet in einer verzauberten idealen Welt.« Dies ist die »Quelle der Behaglichkeit, welche über Goethes Kunstprosa, über Jean Pauls Humor so ruhig und lieblich hinfließt, und der selbst diesem, so unkünstlerisch er auch zu Werke geht, weit mehr die Empfindung der Ruhe und Befriedigung mitteilt, welche mit dem Anschauen klassischer Werke verknüpft ist, als den Heineschen Kunstprodukten«.[106] Unter diesem Gesichtspunkt gehört für die Jungdeutschen ebenso wie für Heine die ›romantische Schule‹ unter denselben Epochenbegriff wie Goethe, Schiller und Jean Paul.[107]

Heine brachte ein allgemeines Unbehagen an der gleichwohl bewunderten Dichtung der Goethezeit auf den Begriff. Ein solches zeigte sich schon früher als bei Börne und den Jungdeutschen[108] beim Konvertiten Friedrich Schlegel, der 1808 ausrief: »Diese ästhetische Träumerei, dieser unmännliche pantheistische Schwindel, diese Formenspielerei müssen aufhören«: seit mehr als fünfzig Jahren hätten sich die ersten Geister der Deutschen »in eine bloß ästhetische Ansicht der Dinge« verloren.[109] Heine möchte jedoch den »Pantheismus« dieser Epoche nicht wie Schlegel verbannen, sondern ihn aus seiner Erstarrung im ästhetischen »Indifferentismus« befreien und ihn in »eine Demokratie gleichherrlicher, gleichheiliger, gleichbeseligter Götter« übergehen lassen.[110] Die »bloß ästhetische Ansicht der Dinge«, die »unabhängige zweite Welt« der Kunst, wird indessen von Friedrich Schlegel wie von Heine kritisch verabschiedet.

Als endgültig »jüngst vergangene ästhetische Epoche« erscheint die Goethezeit freilich erst im Bewußtsein der Zeitenwende, das mit der Julirevolution und dem Tod Hegels und Goethes sowohl jungdeutsche Literaten als auch sie bekämpfende junghegelianische Philosophen ergreift.[111]

Begriff der ›deutschen Romantik‹ im engeren Sinne

Obwohl die Durchsetzung des von Goethe und Schiller unterschiedenen Romantikbegriffes in Deutschland und bis zu einem gewissen Grade auch in Frankreich vermutlich auf Heines Wirkung zurückgeht, verwendet Heine selber den Namen der »romantischen Schule« nicht als literaturgeschichtlichen Periodenbegriff (wie den Begriff der »Kunstperiode«). Ein Ansatz dazu findet sich jedoch schon 1819 bei

Friedrich Bouterwek, der in seiner *Geschichte der Poesie und Beredsamkeit* vom Schlegel-Kreis und Brentano als »der *neuen Schule*« spricht, »die nun einmal in Ermangelung eines anderen Namens die romantische heißen mag«.[112] Heine bezieht noch weitere Autoren wie Zacharias Werner, Friedrich de la Motte Fouqué und Ludwig Uhland ein. Er nimmt 1836 auch E. T. A. Hoffmann in seine Darstellung auf, schließt ihn aber ausdrücklich von der »romantischen Schule in Deutschland« aus, die er 1833 als rückwärtsgewandte »Wiedererweckung der Poesie des Mittelalters« definiert. Sie bedeutet für ihn das literarische Seitenstück zur politischen Allianz gegen Napoleon.[113] Als literaturgeschichtlicher Periodenbegriff erscheint *Die romantische Schule* erst 1850 in Hermann Hettners entsprechender Schrift und 1870 in Rudolf Hayms gleichnamigem Buch, das die Romantik in ihren Hauptvertretern jedoch auf den Schlegel-Kreis und auf Hölderlin als »einen Seitentrieb der romantischen Poesie« beschränkt.[114]

Hettner warnt außerdem davor, »romantisch und reaktionär so ohne weiteres identisch zu setzen«, wie dies seit Heines Darstellung üblich wurde; denn »nur die letzte Phase der Schule, der überdies nicht einmal alle Stifter und Anhänger derselben folgen mögen«, hat »ihren ursprünglichen Ausgangspunkt, den rein ästhetischen Boden« verlassen.[114a] Dagegen verbindet Heines polemisches Bild die Kritik des Kreises um Johann Heinrich Voß an den Heidelberger Romantikern mit Goethes und Heinrich Meyers Kritik an der patriotischen und protonazarenischen bildenden Kunst. In den Heidelberger Pamphleten tauchen erstmals ›Romantiker‹ und ›Romantik‹ in der auf den Jenaer und Heidelberger Kreis eingeschränkten Bedeutung auf,[115] die, um wenige vermehrt, ungefähr den heutigen Inhalt dieses deutschen Epochenbegriffs ausmachen (Friedrich Gundolfs *Romantiker* von 1930/31 schließen dagegen noch Büchner, die Droste und Immermann ein). Zuerst erscheint der Name in dieser Bedeutung 1807 ironisch im *Uhrmacher BOGS* von Brentano und Görres, in dem die Rede ist von »der neuen romantischen Clique, die gegen die klassischen Uhrmacher einen Bund geschlossen«;[116] dann seit 1808 polemisch in zahlreichen Artikeln und Spottgedichten, besonders aus der *Comoedia divina* von 1808 und dem *Klingklingelalmanach* von 1810.[116a] Der ältere Voß prägt schon 1808 das Klischee von den ›christkatholischen Romantikern‹,[117] das in Heines Gleichung von christkatholischer Restauration mit romantischer Schule einging. In diese Gleichung fügte sich für Heine gut Goethes 1817 von Heinrich Meyer ausgeführte Kritik an der *Neudeutschen religios-patriotischen Kunst*, in der Tieck und die Brüder Schlegel für die protonazarenische Wendung der Malerei verantwortlich gemacht wurden.[117a]

Die spätere marxistische Wiederholung des Klischees von der politisch reaktionären und ästhetisch regressiven deutschen Romantik geht bis zu Georg Lukács stets auf Heines Schrift zurück.[118] Heine blieb jedoch erheblich differenzierter als seine Nachfolger.[119] Im anfänglich überschwenglich verehrten August Wilhelm Schlegel bekämpft Heine vor allem die konservative Bildungsmacht, die der Rezeption der neuentstehenden Literatur, auch Heines eigener, im Wege stand. Heine kann deshalb anerkennen, daß Schlegel wie sein Bruder »in der reproduzierenden Kritik […] dem alten Lessing überlegen« ist:[120] »Aber alles, was Gegenwart ist, begreift er nicht.«[121] Die um der Gegenwart willen bekämpfte romantische Schule ist für Heine nicht identisch mit der Romantik überhaupt. 1854 gesteht er seine ambivalente Stellung:

»Trotz meiner exterminatorischen Feldzüge gegen die Romantik blieb ich doch selbst immer ein Romantiker, und ich war es in einem höhern Grade, als ich selbst ahnte. Nachdem ich dem Sinne für romantische Poesie in Deutschland die tödlichsten Schläge beigebracht, beschlich mich selbst wieder eine unendliche Sehnsucht nach der blauen Blume im Traumlande der Romantik.«[122] Kompromißlos bekämpft dagegen das 1839 und 1840 erschienene Manifest *Der Protestantismus und die Romantik* von Theodor Echtermeyer und Arnold Ruge die ›Romantik‹ als unfreies Prinzip, als eine auf dem Weg zur Freiheit »in sich selbst steckengebliebene Idee«,[123] ob diese sich nun als Jesuitismus oder Pietismus oder auch als »subjektive Willkür« des »Ichkultes« offenbare.[124] Hier umfaßt »die Epoche der Romantik« von ihren »Progonen« Jacobi, Hamann und den Stürmern und Drängern bis zu den »französisierenden Romantikern«, nämlich Heine und dem Jungen Deutschland, nahezu alle seit 1770 hervorgetretenen deutschen Autoren mit Ausnahme Lessings, Goethes und Schillers.[125] Die Literatur der Goethezeit erscheint in diesem Manifest geteilt in die emanzipationsgeschichtlich gesehen regressive Vorromantik und Romantik auf der einen und die progressive Dichtung Goethes und Schillers auf der anderen Seite.[126] Die Kritik Echtermeyers und Ruges an der Romantik als »subjektiver Willkür« ist jedoch erst auf gesellschaftspolitisch entgegengesetztem Boden zur größten Wirkung gekommen, nämlich in Carl Schmitts 1919 und 1925 erschienener *Politischen Romantik*.[127] In ihr findet sich die bekannte Formel (die in Wahrheit alle autonome moderne Kunst betrifft): »Romantik ist subjektivierter Occasionalismus, d. h. im Romantischen behandelt das romantische Subjekt die Welt als Anlaß und Gelegenheit seiner romantischen Produktivität.«[128] Dagegen kehrt die geschichtsphilosophische Kritik modifiziert in Rudolf Hayms Romantikbegriff wieder.[128a] Im Gegensatz jedoch zu den *Hallischen Jahrbüchern* und Gervinus und zur kulturkonservativen und marxistischen deutschen Antiromantik stimmt Haym Hettner zu, daß sowohl »unsre klassische« wie »unsre romantische Dichtung [...] auf der gleichen Wurzel eines falschen Idealismus stehen, daß die Keime der romantischen Schule bereits in der poetischen Anschauungsweise Goethe's und Schiller's klar vorgezeichnet liegen, bei jener aber zu phantastisch mystischem Subjektivismus auswachsen«.[129] Seit dem Ausgang des 19. Jahrhunderts wird dann die antiromantische Kritik in Deutschland weithin von der ungeschichtlichen Idolisierung der ›Klassik‹ Goethes und Schillers beherrscht. Dadurch entsteht auf kulturkonservativer Seite eine akademische Wiederaufnahme der Querelle des Anciens et des Modernes. »Wenn heute«, klagt Otto Harnack 1896, »nach einer Periode ziemlicher Gleichgültigkeit, wieder ein lebhaftes Interesse für die Romantiker erwacht ist, so ist das nicht zufällig. Die Strömung schrankenloser Subjektivität, welche sich zuerst in der bildenden Kunst geltend gemacht hat und von ihr auch auf die Dichtung übergreift, ist nichts anderes als eine Erneuerung romantischer Selbsttäuschungen.« Goethe und Schiller, stellt Harnack dazu drei Jahre später fest, seien in ihrem Bemühen gescheitert, eine Schule der Kunst zu gründen: »Eine Hauptursache dieses Mißerfolgs hat man in der Gegenwirkung des romantischen Bundes zu suchen.«[130] »Friedrich Schlegel«, so erläutert Emil Staiger 1967 ähnlich das ästhetische Elend seiner Zeit, »hat im neunzehnten und zwanzigsten Jahrhundert über Schiller gesiegt.«[131] Die marxistische Antiromantik, in der sich Heines polemische Gleichsetzung von

Romantik und Reaktion fortsetzt, gerät im Gegensatz zu Heine literaturkritisch und ästhetisch zur eigenen Zeit in eine Dissonanz,[132] die der kulturkonservativen durchaus vergleichbar ist. So sieht auch Georg Lukács in seinem programmatischen Aufsatz von 1945: *Die Romantik als Wendung in der deutschen Literatur*, den Beginn der bürgerlichen Dekadenzliteratur in Friedrich Schlegel und seinem »schrankenlosen Kultus des vollständig befreiten, allein auf sich gestellten Individuums«. In Novalis aber erscheine, was in der *Lucinde* »frivol und weltlich gepredigt wurde«, nun »echt poetisch«, nämlich »die Zerstörung jener geistig erhellten Universalität, die von Lessing bis Goethe den besten Teil des deutschen Lebens beherrscht hat«.[133] Entsprechend verkündet Hans Mayer 1959 von Novalis: »Hier setzt die große Zurücknahme in der deutschen bürgerlichen Literatur ein«, und zwar die »Zurücknahme des Realismus, der Aufklärung, der Reformation, der modernen Naturwissenschaft, letztlich der bürgerlichen Emanzipation«.[134] Für Lukács und Mayer beginnt ebenso wie für Harnack und Staiger mit der Jenaer Romantik eine deutsche Fehlentwicklung, eine Abirrung von den Idealen Goethes und Schillers: die Dekadenz der Moderne. In der marxistischen wie in der kulturkonservativen Antiromantik zeigt sich daher ein ›romantisches Verhältnis‹ zur ›deutschen Klassik‹, sofern ›romantisches Verhältnis‹ die verliebte Beschwörung eines geschichtlich Vergangenen zum Zwecke der Kritik an der eigenen Gegenwart bezeichnet.[135]

Die antiromantisch entstandene und von Gervinus, Hettner und in ihrer Jenaer Phase eingehend von Haym kritisch, wenn auch sachlich betrachtete ›deutsche Romantik‹ im engeren Sinne, die weithin im Schatten Goethes und Schillers stand, erfuhr nach Vorangang Diltheys eine gegen Ende des 19. Jahrhunderts einsetzende Aufwertung, die einerseits schließlich eine auch gegenüber ihren weiteren Phasen gerechtere akademische Erforschung ermöglichte, mit vielen Problemen der Abgrenzung und Gruppierung allerdings[136], die andererseits aber auch zu nationalistischen Exzessen der Romantikdeutung führte[137]. Während eine Ableitung aller Erscheinungen der Romantik aus dem angeblichen Jenaer Schulprogramm sicherlich unsinnig und eine stärkere Unterscheidung des Schlegel-Kreises von den anderen literarischen Gruppen der Romantik sachlich begründbar ist,[138] ideologisierte Alfred Baeumler diese Unterscheidung 1926 zum Gegensatz vom »Zeitalter der Ideen und der Humanität« zu dem »der Erde und der Nationalität«. Gegenüber der »Euthanasie des Rokoko« in der ästhetisch-philosophischen Schule von Jena offenbare »die religiöse Romantik« in Heidelberg eine »neue Seele«, eine »erdgebundene« mit Arbeit und Tod. Dies sei die echte deutsche Romantik, mit der »an Stelle des Klanges wohlgeformter Perioden« in der Dichtung deutscher Klassik nun »das Rauschen des Blutes« tritt.[139] Solche in die Heidelberger Romantik zurückprojizierte ›Blut und Boden‹-Ideologie, die eine gewisse Affinität zur Mystifizierung der deutschen Volksidee von Görres bis zu Jakob Grimm haben mag,[140] kehrt zwar im Nationalsozialismus wieder, mit dem jedoch eine neue Version aktivistischer Antiromantik erscheint. »Mit dem Schlagwort ›Romantik‹ wird geradezu alles gebrandmarkt«, berichtet Erich Ruprecht, »was dem politischen Ungeist der Jahre 1933–1945 widerstrebt. [...] Und während früher das Romantische als das wesenhaft ›Deutsche‹ erschien, so ordnet man es nun dem ›Semitischen‹ zu und tut es als ›undeutsch‹ ab.«[141] Alfred Baeumler beeilt sich deshalb auch 1933 in seiner Antrittsvorlesung mit der Versicherung: »Wir sind keine Romantiker mehr!«[142]

Verständlicherweise tritt gleichwohl nach dem Kriege eine Reihe antiromantischer Thesen hervor, in denen die nationalistische Identifizierung mit der angeblich irrationalen deutschen Romantik in den zwanziger Jahren beim Wort genommen und Faschismus oder Nationalsozialismus als Konsequenz der Romantik behauptet werden.[143] Auch Fritz Strich, dessen Buch von 1922 über *Deutsche Klassik und Romantik* die gleiche Berechtigung beider im Titel genannten Erscheinungen zu begründen sucht, hat unter dem Eindruck der Ereignisse seine Meinung geändert. Fünf Jahre vor Lukács' Buch über *Die Zerstörung der Vernunft* deutet Strich 1949 die deutsche Romantik als »die Abdankung der europäischen Vernunft«, weil sie in »feindseliger Haltung gegen die Aufklärung« eine Wendung zur Nacht und zum Unbewußten vornehme.[144] Das ist alles sehr bedenkenswert, auch wenn es bei weitem nicht allen Erscheinungen der äußerst komplexen deutschen Romantik entspricht. Doch die Romantik hat sich für Strich nun als Ganzes »fast« zu einer »Wiedergeburt jenes magisch-dämonischen Weltbildes« verteufelt, »das einst in der Geburtsstunde des Abendlandes von dem klaren Geist Griechenlands überwunden worden war«.[145]

Strichs neue Sicht widerspricht freilich seinem 1922 unternommenen Versuch, die damals miteinander rivalisierenden Rezeptionsgebilde von deutscher Klassik und Romantik, die ursprünglich teils aus politisch-polemischen, teils aus politisch-idolisierenden Bedürfnissen hervorgingen, nun trotz ihrer eher zufällig entstandenen Antithese metaphysisch in der »ewig menschlichen Polarität« von »Vollendung und Unendlichkeit« zu verankern und dadurch ihre Gleichberechtigung zu erweisen.[146] Der Stilgegensatz von Klassik und Romantik war damals für Strich zugleich ein prinzipieller Gegensatz des Seinsverständnisses und der Welterfahrung (darin ging Strich also über Heinrich Wölfflin und Oskar Walzel hinaus[147]). Da dieser Gegensatz in der menschlichen Natur begründet ist, »kann man ihn auch an jedem anderen Punkte der Entscheidung in der deutschen wie in jeder anderen Literatur wiederfinden«.[148] Im Grunde war dadurch die Einzigartigkeit, die zum Begriff ›Klassik‹ gehört,[149] beseitigt. Offensichtlich hatte der Begriff deutscher Klassik die ideologische Funktion, die er für das deutsche Kaiserreich besaß – davon wird sogleich die Rede sein –, mit dem Ende des Ersten Weltkrieges weitgehend eingebüßt. Wenn es nun auch so scheint, als habe Strich den binnendeutsch gebliebenen Doppelepochenbegriff ›Klassik–Romantik‹ pseudometaphysisch verabsolutiert und dadurch die Eingliederung der deutschen Goethezeit in die europäische Romantik unnötig erschwert, so ordnete er in Wahrheit schon 1924 die deutsche Klassik in *Die Romantik als europäische Bewegung*[150] ein und betont 1928 in der dritten Auflage seines Buches: »Wenn man also von der weltliterarischen Wirkung der deutschen Dichtung spricht, kann man zwischen deutscher Klassik und Romantik keinen Unterschied machen.«[151]

Begriff der ›deutschen Klassik‹

Bis ins 20. Jahrhundert bedeutete ›deutsche Klassik‹ vor allem Weimarer Klassik.[152] Der Name »Klassik« taucht als Epochenbezeichnung zwar gelegentlich schon seit 1839 auf[153], verbreitet sich aber erst vom Ende des 19. Jahrhunderts an[154]. Der Begriff einer nationaldeutschen Klassik entstand dagegen schon seit 1834.[155] Bereits 1847 nennt Friedrich Theodor Vischer in seiner *Ästhetik* Goethe und Schiller die »Klassiker des modernen Ideals«.[156] Schon von 1843 an erscheinen die beiden Weimarer Dichter auch in populären Literaturgeschichten als die deutschen Klassiker. Ungefähr um die Jahrhundertmitte hat sich also – freilich ausschließlich im deutschen Sprachraum – die Vorstellung von einer Klassik des Weimarer Dichterbundes durchgesetzt. Nur die Auffassung wechselt künftig noch mehrere Male, ob Goethe oder Schiller der größere Dichter sei.

1834 schreibt Georg Gottfried Gervinus in der Einleitung zur *Geschichte der poetischen National-Literatur der Deutschen*: »Goethe und Schiller führten zu einem Kunstideal zurück, das seit den Griechen niemand mehr als geahnt hatte.«[157] Gervinus erblickt also in der Poesie der beiden Weimarer Dichter eine die bisherigen Renaissancen der Antike weit hinter sich lassende Wiederkehr des griechischen »Kunstideals«. Demzufolge haben auch die römischen Dichter der Augusteischen Zeit dieses Ideal nur »geahnt«. Daran ist zweierlei bemerkenswert: Erstens die von Winckelmann eingeleitete Sicht auf ein von Rom unterschiedenes idealisiertes Griechenland, die im Gegensatz zur gemeineuropäischen Vorstellung von der griechisch-römischen Antike steht, und zweitens die Behauptung, daß die Weimarer Poesie nach dem Maße dieses spezifisch griechischen Ideals alle übrige europäische Kunst übertreffe. Durch die exklusive Erhöhung Goethes und Schillers im Spiegel dieser Griechensicht werden sie der älteren europäischen Klassiktradition entrückt, und die faktische Verflochtenheit ihrer Dichtungen in die römischen, italienischen, französischen, englischen und deutschen Vermittlungen der Antike wird negiert. Es kommt in dieser Idolisierung auch nicht auf geschichtliche Zusammenhänge, sondern auf die durch die Einzigartigkeit der Griechen zu bestätigende Einzigartigkeit der Weimarer Dichtung an. Jenseits der zu Ende gegangenen europäischen Klassiktradition, nach deren Maßen die deutsche Blütezeit gar keine Klassik sein kann, sondern der Moderne zugehört, entstand so in den Köpfen deutscher Literaturhistoriker die deutsche Klassik. Daß ihre verhältnismäßig geschichtsfremde Erfindung so geschichtswirksam werden konnte, freilich nur im deutschen Sprachraum, hängt mit der politischen Situation nach der Julirevolution in Deutschland und der weiteren Entwicklung zum deutschen Nationalstaat zusammen.

Wie der Historiker Gervinus berichtet, waren es die revolutionären Julitage des Jahres 1830, die ihn lehrten, daß der Geschichtsschreiber den »Geschichtsstoff mit den Forderungen und Bedürfnissen der Gegenwart in Einklang zu bringen« habe.[158] Er entwarf zu diesem Zweck eine national abgewandelte geschichtsphilosophische Konstruktion, die mit den jungdeutschen und junghegelianischen Bestrebungen darin übereinstimmt, von der Theorie endlich zur Praxis, von der Kunst zur Wirklichkeit zu gelangen. Er wollte als Historiker die »Deutschen vorwärts treiben vom Dichten zum Trachten, vom Schreiben zum Handeln, von gedankenlosen Kunstgenüssen und abstruser Wissenschaftspflege zu Werken des Staates, der Politik und des Volkslebens«.[159] Gervinus wollte also das politische Bewußtsein des liberalen deutschen Bürgertums aufrütteln und Geschichte schreiben als engagierter Literat. So weit stimmt er mit dem neuen Epochenbewußtsein Heines und Wienbargs überein. Aber nun geschieht das Merkwürdige, daß gerade aus dieser progressiven Absicht jene konservative Rezeption deutscher Klassik hervorging, die noch im 20. Jahrhundert Bürgerliche und Marxisten in der Ablehnung avantgardistischer Kunst und Literatur vereint.

Die Gespaltenheit dieser Rezeptionstradition, nämlich zerfallen zu sein mit der eigenen geistigen Gegenwart, aber einig mit der deutschen Klassik, ist bei Gervinus schon angelegt, und zwar in seiner Konstruktion vom deutschen Geschichtsgang. Gervinus glaubt, die Entwicklung Deutschlands gehe »von religiöser zu geistiger, von ihr zu politischer Neubildung«.[160] Die religiöse Erneuerung sei durch Luther vollendet, die geistige durch Schiller und Goethe. Die politische sei daher die Aufgabe der neuen Generation. »Wir wollen nicht glauben, daß diese Nation in Kunst, Religion und Wissenschaft das größte vermocht habe, und im Staate gar nichts vermöge«, so beschließt Gervinus 1842 seine Literaturgeschichte, indem er ausruft: »Der Wettkampf der Kunst ist vollendet; jetzt sollten wir uns das andere Ziel stekken, das noch kein Schütze bei uns getroffen hat.«[161] Gervinus meint damit den demokratischen deutschen Nationalstaat.

Im Gegensatz zu der von ihm begründeten konservativen Klassikrezeption sieht jedoch Gervinus die Vollendung der Kunst in der Poesie Goethes und Schillers noch nicht ungeschichtlich in dem Sinne, daß sich nun alle folgende literarische Kunst daran auszurichten und ohne Zusammenhang mit der eigenen Zeit zu entwickeln habe. Im Gegenteil, mit ihrer Vollendung sei die Epoche großer Kunst endgültig vorüber, so daß es nun an der Zeit sei, die in ihr ästhetisch vorgeformte, wie er sagt, »freie Entwickelung« in Deutschland politisch zu verwirklichen. Der Poesie sei daher nur noch der »Weg zur politischen Satire« erlaubt.[162] Dennoch aber verurteilt Gervinus den »literarischen Jakobinismus« Heines, Börnes und der jungdeutschen Schriftsteller.[163] Er verurteilt ihn sogar noch zorniger, als er die Dichter des Biedermeier kritisiert, »die auf die äußeren Hemmungen den Widerstand gegen die öffentlichen Zustände abbeugten und in die versteckten Kanäle des sozialen und des Privatlebens ablenkten«.[164] So scheint es doch, daß auch bei Gervinus der Weimarer Dichtungsbegriff für seine Verurteilung des »literarischen Jakobinismus« maßgebend war, trotz seiner Einsicht ins endgültige Vergangensein jener Epoche.

Gervinus' *Geschichte der poetischen National-Literatur der Deutschen* erlebte bis 1872 fünf Neuauflagen und beeinflußte die deutsche Literaturgeschichtsschreibung von Hermann Hettner bis zu Wilhelm Scherer. In ganz anderer Weise, als von ihm selber beabsichtigt, ist es Gervinus gelungen, der deutschen Nation durch Goethe und Schiller »ihren gegenwärtigen Werth begreiflich zu machen«, wie er 1834 versprach.[165] Klaus L. Berghahn hat die Wandlungen der deutschen Klassik-Legende von ihrem demokratisch-nationalen Beginn bei Gervinus bis zu ihrem national-konservativen Sieg in ganz Deutschland verfolgt. »Im Spiegelsaal zu Versailles«, so faßt er diesen Weg zusammen, »vollendete sich am 18. Januar 1871 für die nationale Literaturgeschichtsschreibung, was in Weimar begonnen hatte. Jetzt hatte man endlich ein deutsches Reich, einen Kaiser in Berlin und die dazugehörigen Klassiker im Bücherschrank. [...] Kaiser wie Untertan glaubten sich im Besitz der Ideale und Werte, die die deutsche Klassik repräsentierte. Man ging gar so weit, den militärischen Sieg als einen Triumph der deutschen Kultur über die französische zu deuten!«[166] Literaturhistoriker haben postum die Legende von einer klassischen deutschen Nationalkultur errichtet, in der »die verspätete Nation« der Deutschen ihre Identität erhielt.[167] Nach Robert Minder wurde dadurch die Goethezeit »aus ihrem Rahmen, dem europäischen 18. Jahrhundert, gelöst« und »in das vorgefaßte Schema einer Deutschheit gepreßt, die nicht den Tatsachen entsprach, sondern der Froschperspektive des politisch gegängelten Mittelständlers im Bismarckschen und nachbismarckschen Reich«.[168]

Die Legende von einer deutschen Klassik hat das zweite deutsche Reich und auch das Hitler-Reich überlebt. Im Westen überdauerte ihre inzwischen allerdings akademisch gewordene normative Kulturfunktion die mannigfachen Typologisierungen und Wesenserhellungen der Begriffe ›Klassik‹ und ›Romantik‹. Noch 1966 entnahm Emil Staiger ihrem normativen Begriffe das »Urmaß, [...] nach dem der Mensch geschaffen ist, und das allein die Dauer einer menschenwürdigen Gemeinschaft sichert«.[169] Entsprechend ging er mit der gesamten »modernen Literatur nach Goethe und Schiller ins Gericht, abgesehen »von jener kleinen Gruppe«, »die sich« – so zitiert Staiger ein Jahr später Hofmannsthal über Adalbert Stifter – »um ein höchstes ›Dichterisches‹ bemüht, ›das zugleich unmittelbare Lebensmacht wäre‹«[170]. Hier blieb die ›deutsche Klassik‹ ein zeitlos gültiges Lebensvorbild.

Im Osten erscheint sie dagegen[171] – so bei Georg Lukács – als die »ideologische Vorbereitungsarbeit zur bürgerlich-demokratischen Revolution in Deutschland«[172]. Dieser Begriff deutscher Klassik umfaßt die so verstandene »fortschrittliche deutsche Literatur von Lessing bis Heine«.[173] Ihr steht die Romantik als »ideeller Ausdruck der Restauration« gegenüber.[174] Bei allen Unterschieden bleibt dabei den marxistischen Interpreten doch gemeinsam, daß sie die Progressivität der deutschen Klassik als Fortschritt in Richtung auf ihre eigene Position verstehen.[175] Dank dieses Circulus vitiosus erhält die deutsche Klassik in der offiziellen DDR-Interpretation die Funktion einer kulturellen Sanktionierung des eigenen Zustands – wie schon im zweiten deutschen Kaiserreich.

Anmerkungen

1 Vgl. Peter Boerner: Die deutsche Klassik im Urteil des Auslands. In: Die Klassik-Legende. Second Wisconsin Workshop. Hrsg. von Reinhold Grimm und Jost Hermand. Frankfurt a. M. 1971. S. 79–107. – Klaus Doderer: Das englische und französische Bild von der deutschen Romantik (1955). In: Begriffsbestimmung der Romantik. Hrsg. von Helmut Prang. Darmstadt 1968. S. 386–412.

2 Boerner (Anm. 1). S. 89.

3 Ebd., S. 82.

4 Vgl. Fritz Strich: Die Romantik als europäische Bewegung (1924). In: Begriffsbestimmung der Romantik (Anm. 1). S. 112–134. – René Wellek: The Concept of Romanticism in Literary History (1949). In: R. W., Concepts of Criticism. New Haven, London 1963. S. 128–198. – Ders.: Romanticism Re-examined. Ebd., S. 199–221. – Ders.: Confrontations. Studies in the intellectual and literary relations between Germany, England, and the United States during the nineteenth century. Princeton 1965. S. 3–81.

5 Boerner (Anm. 1). S. 84. Zu Boerner S. 82f.: Der Begriff der »Goetheschen Kunstperiode« umfaßt in Heines Sicht auch die romantische Schule. Vgl. auch Doderer (Anm. 1). S. 396; Koopmann (Anm. 107). S. 154.

6 Vgl. Boerner (Anm. 1). S. 84, 94.

7 Ebd., S. 95.

8 Vgl. René Wellek: The Term and Concept of ›Classicism‹ in Literary History. In: Aspects of the Eighteenth Century. Hrsg. von Earl R. Wasserman. Baltimore 1965. S. 105–128. S. 118–120.

9 Vgl. Franz Schultz: Der Mythus des deutschen Klassizismus. In: Zeitschrift für deutsche Bildung 4 (1928). – Oskar Walzel: Das ästhetische Glaubensbekenntnis von Goethes und Schillers Hochklassizismus (1930). In: Begriffsbestimmung der Klassik und des Klassischen. Hrsg. von Heinz Otto Burger. Darmstadt 1972. S. 128–156.

10 Vgl. Alexander Heussler: Klassik und Klassizismus in der deutschen Literatur. Bern 1952.

11 Vgl. Richard Alewyn: Vorbarocker Klassizismus und griechische Tragödie. In: Heidelberger Jahrbücher NF (1926) S. 3–63.

12 Vgl. Thomas Sergeant Perry: From Opitz to Lessing. A Study of Pseudo-Classicism in Literature. Boston 1885. Perry schließt jedoch auch Lessing und Wieland ein. Vgl. auch Henri Peyre: Qu'est-ce que le classicisme? Paris 1965. S. 205–212.

13 Vgl. T. S. Eliot: What is a Classic? London 1945.

14 Vgl. z. B. Gero von Wilpert: Sachwörterbuch der Literatur. 4., erw. Aufl. Stuttgart 1964. S. 335f.

15 Vgl. Alfred Anger: Literarisches Rokoko. Stuttgart ²1968. S. 10–16.

16 Rudolf Unger: Klassizismus und Klassik in Deutschland (1932). In: Begriffsbestimmung der Klassik... (Anm. 9). S. 34–65. S. 48.

17 Ernst Robert Curtius: Europäische Literatur und lateinisches Mittelalter. Bern, München ⁷1969. S. 274.

18 Vgl. Friedrich Sengle: Wieland und Goethe. In: Wieland. Vier Biberacher Vorträge 1953. Wiesbaden 1954. S. 55–79.

19 Leonard Ashley Willoughby: The Romantic Movement in Germany. Oxford 1930. S. 1.

20 Hermann Hettner: Die romantische Schule in ihrem inneren Zusammenhange mit Goethe und Schiller. Braunschweig 1850. S. 1–32, bes. S. 20f., 26.

21 Herman Nohl: Die Deutsche Bewegung und die idealistischen Systeme (1911). In: H. N., Die Deutsche Bewegung. Vorlesungen und Aufsätze zur Geistesgeschichte von 1770–1830. Hrsg. von Otto Friedrich Bollnow und Frithjof Rodi. Göttingen 1970. S. 78–86.

22 Hermann August Korff: Geist der Goethezeit. Versuch einer ideellen Entwicklung der klassisch-romantischen Literaturgeschichte. 1. Teil: Sturm und Drang. Leipzig 1923.

23 Vgl. Franz Schultz: ›Romantik‹ und ›romantisch‹ als literarhistorische Terminologien und Begriffsbestimmungen (1924). In: Begriffsbestimmung der Romantik (Anm. 1). S. 93–111, bes. S. 97–108.

24 Arthur O. Lovejoy: On the Discrimination of Romanticism (1928). In: A. O. L., Essays in the History of Ideas. Baltimore, London 1948. S. 228–253. S. 232.

25 Wilhelm Dilthey: Novalis (1865). In: W. D., Das Erlebnis und die Dichtung. Leipzig ²1907. S. 249–329. S. 250.

26 Lovejoy (Anm. 24). S. 234.

27 Begriffsbestimmung der Romantik (Anm. 1). S. 1: »[...] führen immer mehr in ein unübersehbares Dickicht, aus dem es keine klaren Auswege mehr zu geben scheint«.

28 Begriffsbestimmung der Klassik... (Anm. 9). S. IX.

29 Immanuel Kants Werke. Hrsg. von Ernst Cassirer. Bd. 5. Berlin 1914. S. 391.

30 Vgl. Gert Mattenklott: Melancholie in der Dramatik des Sturm und Drang. Stuttgart 1968. Bes. S. 86–90.

31 Siehe unten S. 393–397.

32 Z. B. Otto Harnack: Essais und Studien zur Literaturgeschichte. Braunschweig 1899. S. 16, 280.

33 9. 1. 1938 an Fritz Strich. In: Thomas Mann, Briefe 1937–1947. Hrsg. von Erika Mann. Frankfurt a. M. 1963. S. 43f. Auch Eingangszitat zu: Ernst Behler, Kritische Gedanken zum Begriff der europäischen Romantik. In: Die europäische Romantik. Frankfurt a. M. 1972. S. 8–43.

34 Vgl. Eva D. Becker: ›Klassiker‹ in der deutschen Literaturgeschichtsschreibung zwischen 1780 und 1860. In: Zur Literatur der Restaurationsepoche 1815–1848. Hrsg. von Jost Hermand und

Manfred Windfuhr. Stuttgart 1970. S. 349–370. – Max L. Baeumer: Der Begriff ›klassisch‹ bei Goethe und Schiller. In: Die Klassik-Legende (Anm. 1). S. 17–49.

35   K. H. L. Pölitz: Practisches Handbuch zur statarischen und kursorischen Lectüre der teutschen Klassiker (1804). Nach Becker (Anm. 34). S. 350.

36   Sauer und Neuhofer: Vorlesung über deutsche Klassiker für Gebildete und zum Gebrauche in höheren Lehranstalten (1810). Nach Becker (Anm. 34). S. 350.

37   Grimm: Deutsches Wörterbuch. Bd. 5. Leipzig 1873. Sp. 1006.

38   Vgl. Curtius (Anm. 17). S. 255–258.

39   The first epistle of the second book of Horace imitated, verse 55. In: Poetical Works. Hrsg. von Herbert Davis. London 1966. S. 362.

40   Friedrich Schlegel: Kritische Friedrich-Schlegel-Ausgabe. Hrsg. von Ernst Behler. Bd. 2. 1. Abt. (Charakteristiken und Kritiken I. Hrsg. von Hans Eichner.) München, Paderborn, Wien 1967. S. 335.

41   A. W. Schlegels Vorlesungen über schöne Litteratur und Kunst. 1.–3. Teil. Hrsg. von Jacob Minor. Heilbronn 1884. 3. Teil. S. 7.

42   Ebd., 3. Teil. S. 20f.

43   Ebd., 2. Teil. S. 16–94. Und in: Europa. Hrsg. von Friedrich Schlegel. Bd. 2. Frankfurt a. M. 1805. S. 3–95 (Über Litteratur, Kunst und Geist des Zeitalters).

44   Vgl. dazu und über weitere Bedeutungen dieses Begriffes Reinhold Grimm: Zur Vorgeschichte des Begriffs ›Neuromantik‹. In: Das Nachleben der Romantik in der modernen deutschen Literatur. Zweites Kolloquium in Amherst. Hrsg. von Wolfgang Paulsen. Heidelberg 1969. S. 32–50. Bes. S. 38.

45   A. W. Schlegel (Anm. 41). S. 93. – Vgl. die Sturm-und-Drang- und Empfindsamkeitskritik. Ebd., S. 94: »Goethe hat die seltsamsten Verzerrungen der Genialität veranlaßt, und hat zum Helden der Sentimentalen werden müssen […].«

46   Ebd., S. 93.

47   Ebd., S. 90. Vgl. bes. Friedrich Schlegel (Anm. 40). Bd. 2. 1. Abt. S. 302. – Ders.: Literary Notebooks 1797–1801. Hrsg. von Hans Eichner. London 1957. Nr. 236 und Kommentar.

48   Vgl. Peter Szondi: Poetik und Geschichtsphilosophie I. Hrsg. von Senta Metz und Hans-Hagen Hildebrandt. Frankfurt a. M. 1974. S. 24–28f., 55.

49   Vgl. Schiller: Brief eines reisenden Dänen. In: Schillers Werke. Nationalausgabe. Weimar 1943ff. Bd. 20. S. 104–106, bes. S. 106, 9–20.

50   Friedrich Schlegels Kritische Schriften. Hrsg. von Wolfdietrich Rasch. 2., erw. Aufl. München 1964. S. 153.

51   Ebd., S. 155.

52   Ebd., S. 154.

53   Ebd., S. 156.

54   Friedrich Schlegel (Anm. 40). Bd. 2. 1. Abt. S. 302.

55   Ebd., S. 346.

56   Vgl. Josef Körner: Die Botschaft der deutschen Romantik an Europa. Augsburg 1929.

57   August Wilhelm von Schlegel's sämmtliche Werke. Hrsg. von Eduard Böcking. Bd. 5. Leipzig 1846. S. 30.

58   Vgl. dazu Ernst Behler (Anm. 33). S. 12–17.

59   Carl Leo Cholevius: Geschichte der deutschen Poesie nach ihren antiken Elementen. Bd. 1. Leipzig 1854. S. XIX. Vgl. Bd. 2. 1856. S. 118.

60   Vgl. Wilfried Malsch: Die Einheit der ›Faust‹-Dichtung Goethes in der Spiegelung ihrer Teile. In: Festschrift für Klaus Ziegler. Hrsg. von Eckehard Catholy und Winfried Hellmann. Tübingen 1968. S. 133–158. S. 151–155.

61   Goethe: Werke. Hrsg. im Auftrage der Großherzogin Sophie von Sachsen. Weimar 1887ff. (Im folgenden zitiert als: WA.) Bd. IV, 43. S. 81f.

62   Vgl. René Bray: Chronologie du romantisme. Paris 1932. S. 8–18.

63 WA I, 41, 1. Abt., S. 133–143. 2. Abt., S. 276f.
64 Vgl. Hans Eichner: Germany / Romantisch – Romantik – Romantiker. In: ›Romantic‹ and Its Cognates / The European History of a Word. Hrsg. von H. E. Toronto 1972. S. 98–156. S. 145–150. – Dagegen finden sich zuvor die heute in Deutschland in ›Klassiker‹ und ›Romantiker‹ geschiedenen Autoren noch als Gegenstand polemischer Kritik vereint. Vgl. Wolfgang Pfeiffer-Belli: Antiromantische Streitschriften und Pasquille (1798–1804). In: Euphorion 26 (1925) S. 602–630.
65 Vgl. WA I, 48, S. 122.
66 Vgl. Eichner (Anm. 64). S. 127–129.
67 Ähnlich Grillparzer: Über den Gebrauch des Ausdrucks ›romantisch‹ in der neueren Kunstkritik (1819). In: F. G., Sämtliche Werke. Hrsg. von August Sauer. Bd. 14. Wien 1925. S. 27 bis 29.
68 Heinrich Heines Sämtliche Werke. Hrsg. von Ernst Elster. Leipzig, Wien 1887–90. Bd. 7. S. 150f.
69 Goethes Gespräche. 2. Aufl. Neu hrsg. von Flodoard Frhr. von Biedermann. Bd. 1. Leipzig 1909. S. 342f. Nr. 731.
70 Heine (Anm. 68). Bd. 7. S. 151.
71 WA I, 41. 1. Abt. S. 133–143. 2. Abt. S. 276f.
72 WA I, 41. 2. Abt. S. 203.
73 Vgl. Behler (Anm. 33). S. 28–31.
74 Vgl. Wellek: The Unity of European Romanticism. In: Concepts… (Anm. 4). S. 160–198.
75 WA I, 41. 2. Abt. S. 277, 276, 277.
76 Madame de Staël: De l'Allemagne. Paris 1956. S. 148.
77 Vgl. Wellek: Concepts… (Anm. 4). S. 138f.
78 Staël (Anm. 76). S. 145, 113.
79 Ebd., S. 148f.
80 WA I, 40. S. 199.
81 A. W. Schlegel (Anm. 41). 2. Teil. S. 23.
82 Staël (Anm. 76). S. 114. Vgl. S. 123: »nouvelle école«; S. 163: »école moderne«.
83 Ebd., S. 114, 112, 148. – Das Vorwärtsweisende und Typische der deutschen Literatur erblickt sie – im Gegensatz zu den Brüdern Schlegel – weniger in Goethes ›klassischen‹ Dramen, von denen sie sagt (ein von Heine ausgewertetes Bild): »ses ouvrages ont alors des belles formes, la splendeur et l'éclat du marbre; mais ils en ont aussi la froide immobilité«. Sie erblickt es vielmehr in Goethes vielfältiger und formenreicher Produktivität (die Friedrich Schlegel allerdings gleichfalls rühmte): »Il ressemble plutôt à la nature, qui produit tout et de tout« (S. 269).
84 Während Madame de Staël den Stilen des klassischen Typus vorwirft, daß sie importiert und volksfremd seien, empfehlen sich ihr die individuellen Stile des romantischen Typus, weil sie der eigenen Nation und Religion entspringen. Deshalb ist die klassische Literatur als Stilmöglichkeit künftiger Dichtung für sie tot und nur die romantische erneuerungsfähig und zukunftsträchtig: »La littérature romantique est la seule qui soit susceptible encore d'être perfectionée, parce qu'ayant ses racines dans notre propre sol, elle est la seule qui puisse croître et se vivifier de nouveau« (S. 148).
85 Vgl. Behler (Anm. 33). S. 22f., 26.
86 Vgl. Fritz Strich: Goethe und die Weltliteratur. Bern ²1957. S. 135–139.
87 Heine (Anm. 68). Bd. 5. S. 228.
88 Victor Hugo: Œuvres complètes. Paris 1881. Bd. 24. S. 59.
89 Vgl. René Wellek: Carlyle and German Romanticism (1929). In: Confrontations (Anm. 4). S. 34–81.
90 Vgl. Hans Robert Jauß: Das Ende der Kunstperiode. Aspekte der literarischen Revolution bei Heine, Hugo und Stendhal. In: H. R. J., Literaturgeschichte als Provokation. Frankfurt a. M. 1970. S. 107–143. S. 114–116.

91 Heine (Anm. 68). Bd. 5. S. 215.
92 Ebd., S. 217.
93 Ebd., S. 216.
94 Heine (Anm. 68). Bd. 7. S. 245; Bd. 4. S. 72; Bd. 7. S. 255.
95 Vgl. zum Folgenden Wolfgang Preisendanz: Der Funktionsübergang von Dichtung und Publizistik (1968). In: W. P., Heinrich Heine. Werkstrukturen und Epochenbezüge. München 1973. S. 21–68.
96 Ästhetische Feldzüge. Hrsg. von Walter Dietze. Berlin, Weimar 1964. S. 184.
97 Preisendanz (Anm. 95). S. 29.
98 Heine (Anm. 68). Bd. 7. S. 245. – Damit wendet sich Heine auch gegen die von so verschiedenen Geistern wie Wilhelm Pustkuchen, Ludwig Börne und Wolfgang Menzel propagierte moralische Verurteilung Goethes, bei den meisten begleitet von starker Bevorzugung Schillers, die den ganzen Vormärz beherrscht und noch lang überdauert. »Beide Dichter sind vom ersten Range«, entgegnet Heine 1828 Menzel, »beide sind groß, vortrefflich, außerordentlich, und hegen wir etwas Vorneigung für Goethe«, fährt er listig-ironisch fort, »so ensteht sie doch nur aus dem geringfügigen Umstand, daß wir glauben, Goethe wäre im stande gewesen, einen ganzen Friedrich Schiller mit allen dessen Räubern, Piccolominis, Luisen, Marien und Jungfrauen zu dichten, wenn er der ausführlichen Darstellung eines solchen Dichters nebst den dazugehörigen Gedichten in seinen Werken bedurft hätte« (Bd. 7. S. 254).
98a Staël (Anm. 76). S. 111. Vgl. Curtius (Anm. 17). S. 270f.
99 Schiller (Anm. 49). Bd. 22. S. 106.
100 Vgl. Preisendanz (Anm. 95). S. 26, 29.
101 Critische Abhandlung von dem Wunderbaren in der Poesie und dessen Verbindung mit dem Wahrscheinlichen. Faksimile der Ausgabe von 1740 (Deutsche Neudrucke). Stuttgart 1966. S. 14, 21.
102 WA I, 47, S. 255–266. S. 261.
103 Jean Paul: Werke. Bd. 5. Hrsg. von Norbert Miller. München 1903. S. 30.
104 Heine (Anm. 68). Bd. 5. S. 251f.
105 Ebd., S. 330.
106 Ästhetische Feldzüge (Anm. 96). S. 184, 187, 188, 189.
107 Vgl. Helmut Koopmann: Das Junge Deutschland. Stuttgart 1970. S. 154.
108 Vgl. Jauß (Anm. 90). S. 111f.
109 Friedrich Schlegel (Anm. 40). Bd. 3 (1975). S. 156. – Zu Übereinstimmung und Unterschied zwischen Friedrich Schlegel und Heine vgl. auch Peter Uwe Hohendahl: Geschichte und Modernität. Heines Kritik an der Romantik. In: Jahrbuch der Deutschen Schillergesellschaft 17 (1973) S. 318–361.
110 Heine (Anm. 68). Bd. 4. S. 223. Bd. 5. S. 252, 264. Vgl. S. 253, 255.
111 Vgl. Werner Kraus: Karl Marx im Vormärz. In: Deutsche Zeitschrift für Philosophie 1 (1953) S. 429–460. S. 430.
112 Friedrich Bouterwek: Geschichte der Poesie und Beredsamkeit seit dem Ende des dreizehnten Jahrhunderts. Bd. 11. Göttingen 1819. S. 436. Nach Richard Ullmann und Helene Gotthard: Geschichte des Begriffes ›Romantisch‹ in Deutschland. Vom ersten Aufkommen des Wortes bis ins dritte Jahrzehnt des neunzehnten Jahrhunderts. In: Germanische Studien. H. 50. Berlin 1927. S. 353f.
113 Heine (Anm. 68). Bd. 5. S. 301, 217, 238.
114 Rudolf Haym: Die romantische Schule. Ein Beitrag zur Geschichte des deutschen Geistes. Berlin 1870. S. 289.
114a Die von Hettner und Haym zurückgewiesene undifferenzierte Gleichung von romantischer Schule mit Reaktion und Regression wird 1847 von Eichendorff dagegen ins Positive gewendet. Er interpretiert die »neuere romantische Poesie in Deutschland« als geheime Sehnsucht nach der Katholischen Kirche. (Neue Gesamtausgabe. Hrsg. von Gerhart Baumann und Siegfried

Grosse. Bd. 4. Stuttgart o. J. [1958]. S. 427–449, 242–420.) Aber er lobt, wie Friedrich Theodor Vischer 1848 dazu bemerkt, »eigentlich nicht die Romantiker, sondern das, was sie gewesen wären, wenn sie gewesen wären, wie sie nach seiner Ansicht hätten sein sollen« (Ein literarischer Sonderbündler ⟨1848⟩. In: Friedrich Theodor Vischer, Kritische Gesänge. Bd. 2. Leipzig ²1914. S. 193).

115 Vgl. Eichner (Anm. 64). S. 145–151.

116 Clemens Brentano: Werke. Hrsg. von Friedhelm Kemp. Bd. 2. München 1963. S. 879.

116a Die Heidelberger Antiromantik richtet sich hauptsächlich gegen die mystischen Verworrenheiten einiger dilettantischer Poetae minores in der 1808 von Arnim und Brentano herausgegebenen »Zeitung für Einsiedler«. Vgl. Richard Ullmann und Helene Gotthard: Geschichte des Begriffes ›Romantisch‹ in Deutschland. Berlin 1927. S. 72.

117 Vgl. Eichner (Anm. 64). S. 146.

117a Goethe kritisiert vor allem die von dieser Malerei versuchte Rückkehr zu einem geschichtlich überwundenen Zustand. Heine verallgemeinert diese Kritik zum Bild politischer, moralischer und religiöser Regression überhaupt: »Die Schule schwamm mit dem Strom der Zeit, der nach seiner Quelle zurückströmte« (Bd. 5, S. 238).

118 Vgl. Georg Lukács: Die Romantik als Wendung in der deutschen Literatur (1945). In: Kurze Skizze einer Geschichte der neueren deutschen Literatur. Hrsg. von Frank Benseler. Darmstadt, Neuwied 1975. S. 64–87. S. 65 f.

119 Vgl. Koopmann (Anm. 107). S. 156.

120 Heine (Anm. 68). Bd. 5. S. 232.

121 Ebd., S. 273.

122 Ebd., Bd. 6. S. 19.

123 Vgl. Else von Eck: Die Literaturkritik in den Hallischen und deutschen Jahrbüchern 1838–1842. Berlin 1926. S. 48.

124 Ebd., S. 47, 51, 46.

125 Vgl. Grimm (Anm. 44). S. 44 f. Anm. 83.

126 Vgl. im einzelnen Eck (Anm. 123). S. 25–61.

127 Vgl. Carl Schmitt [-Dorotić]: Politische Romantik. Berlin ³1968.

128 Ebd., S. 23. Vgl. S. 115–152.

128a Sie bestimmt auch seine folgenreiche Begrenzung der ›romantischen Schule‹ auf den Schlegelkreis und auf Hölderlin: »Von den Stiftern der Schule waren es Schelling und Friedrich Schlegel, die sich in den Irrgängen der phantasirenden Abstraction und der räsonnirenden Mystik dergestalt verfingen, daß der Eine als Verkünder einer neuen Gnosis, der Andre im Katholicismus endete. In zahlreichen Schülern nahm die Krankheit eine noch abschreckendere und gefährlichere Form an« (S. 861). Aber: »Mit dem Auftreten Hegel's entschied sich die Krisis der Romantik« (S. 864).

129 Haym (Anm. 114). S. 6.

130 Harnack (Anm. 32). S. 16, 280.

131 Emil Staiger: Friedrich Schiller. Zürich 1967. S. 420.

132 Vgl. Walter Hinderer: Die regressive Universalideologie. Zum Klassikbild der marxistischen Literaturkritik von Franz Mehring bis zu den Weimarer Beiträgen. In: Die Klassik-Legende (Anm. 1). S. 141–175. Auf S. 175 wird resümiert, »daß marxistische Kritik wie ihre konservative feindliche Schwester auf der bürgerlichen Seite nicht nur in ihren Literaturauffassungen, sondern auch in ihren Klassikvorstellungen meist regressiv ist«.

133 Lukács (Anm. 118). S. 72.

134 Hans Mayer: Von Lessing bis Thomas Mann. Wandlungen der bürgerlichen Literatur in Deutschland. Pfullingen 1959. S. 25.

135 Vgl. die Strukturbeschreibung von Arthur Henkel: Was ist eigentlich romantisch? In: Festschrift für Richard Alewyn. Hrsg. von Herbert Singer und Benno von Wiese. Köln, Graz 1967. S. 292–308.

136 Vgl. Franz Schultz und Hans Jürg Lüthi: Romantik. In: Reallexikon der deutschen Literaturge-schichte. Bd. 3. Berlin ²1975. S. 579–594 (und die dort angegebene Literatur).

137 Vgl. Doderer (Anm. 1). S. 391.

138 Vgl. Erich Ruprecht: Der Aufbruch der romantischen Bewegung. München 1948. S. 9–55.

139 Alfred Baeumler: Bachofen, der Mythologe der Romantik (1920). Jetzt (um ein Nachwort er-weitert): Das mythische Weltalter. Bachofens romantische Deutung des Altertums. München 1965. Bes. S. 172–194. S. 175, 188, 177, 178.

140 Vgl. Klaus Ziegler: Deutsche Sprach- und Literaturwissenschaft im Dritten Reich. In: Deut-sches Geistesleben und Nationalsozialismus. Hrsg. von Andreas Flitner. Tübingen 1965. S. 144–159. S. 152f.

141 Erich Ruprecht: Die Weltanschauung der Romantik. Fragen und Fragwürdigkeiten. In: Die deutsche Romantik im französischen Deutschlandbild. Hrsg. von Johannes Klein. Braun-schweig 1957. S. 7–43. S. 8f.

142 Alfred Baeumler: Männerbund und Wissenschaft. Berlin 1934. S. 134. Nach Ruprecht (Anm. 141). S. 9.

143 Vgl. Edmond Vermeil: L'Allemagne. Paris 1945. S. 145 (»Avec le romantisme, de 1790 à 1815, la ›Weltfrömmigkeit‹ s'est transformée en ›Reichsfrömmigkeit‹«). – Lukács (Anm. 118). S. 70 (Mit Schlegel fange »jene ›Modernisierung‹ der Vergangenheit an, die dann mit der Barbarisie-rung der Antike ⟨durch die Entwicklung spätromantischer Bestrebungen über Nietzsche⟩ im Faschismus gipfelt«). – Vgl. auch Ferdinand Lion: Romantik als deutsches Schicksal. Stuttgart 1947. – Werner Kohlschmidt: Nihilismus der Romantik (1953). In: W. K., Form und Innerlich-keit. Beiträge zur Geschichte und Wirkung der deutschen Klassik und Romantik. München o. J. S. 157–176.

144 Fritz Strich: Deutsche Klassik und Romantik oder Vollendung und Unendlichkeit. Ein Ver-gleich. Bern ⁴1949. S. 12.

145 Ebd., S. 11.

146 Ebd., S. 29, 22–24.

147 Vgl. Oskar Walzel: Gehalt und Gestalt im Kunstwerk des Dichters (fotomech. Nachdruck der 1. Aufl. von 1929). Darmstadt 1957. S. 300–322. Bes. S. 320f.

148 Strich (Anm. 144). S. 29.

149 Vgl. Kurt Bauch: Klassik – Klassizität – Klassizismus (1932). In: Studien zur Kunstgeschichte. Berlin 1967. S. 40–50. Auch der Ausdruck ›deutsche‹ oder ›Weimarer Klassik‹ war demzufolge freilich selbst schon »eine vergleichende Übertragung jenes Namens und bedeutet zunächst nicht auch eine Klassik sondern *wie* die Klassik, *wie* die Hellenik« (S. 41).

150 Strich (Anm. 4). Bes. S. 115: »Der Stil, der innerhalb der deutschen Geistesgeschichte der Stil des Klassischen Maßes war und den Unendlichkeitstrieb des deutschen Geistes bändigte und in vollendeter Gestalt verschloß: an romanischem Maßstab gemessen war dieser Stil der deut-schen Klassik noch durchaus romantisch und entfesselte auch wirklich die europäische Roman-tik.«

151 Strich (Anm. 144). S. 349.

152 Über einige seit etwa fünfzig Jahren unternommene Versuche, den Begriff der ›Goethe-Schil-ler-Klassik‹ auszuweiten (oder ihn umgekehrt noch spezifischer zu verstehen), vgl. Jost Her-mand im Vorwort zur: Klassik-Legende (Anm. 1), S. 9f.

153 Becker (Anm. 34), S. 360, verweist auf Heinrich Laube: Geschichte der deutschen Literatur, Stuttgart 1839, und andere Belege.

154 Vgl. Wellek (Anm. 8), S. 118, über die bis in die dreißiger Jahre des 20. Jahrhunderts andauernde Rivalität der Termini ›Klassizismus‹ und ›Klassik‹. – Die Wortbildung ›Classik‹ fand Wellek, S. 118, zuerst bei Friedrich Schlegel (Anm. 40): Bd. 18 (1963): S. 23. Nr. 56.

155 Vgl. dazu und zum Folgenden Klaus L. Berghahn: Von Weimar nach Versailles. Zur Entste-hung der Klassik-Legende im 19. Jahrhundert. In: Die Klassik-Legende (Anm. 1). S. 50–78.

156 Ästhetik. Bd. 2. Leipzig 1847. S. 515.

157 Georg Gottfried Gervinus: Schriften zur Literatur. Hrsg. von Gotthard Erler. Berlin 1962. S. 155.
158 Ebd., S. 153.
159 Georg Gottfried Gervinus: Hinterlassene Schriften. Wien 1872. S. 79.
160 G. G. Gervinus' Leben. Von ihm selbst (1860). Hrsg. von J. Keller. Leipzig 1893. S. 264.
161 Gervinus (Anm. 157). S. 314.
162 Ebd., S. 312, 311.
163 Ebd., S. 117.
164 Ebd., S. 312.
165 Ebd., S. 152.
166 Berghahn (Anm. 155). S. 72f.
167 Vgl. Helmuth Plessner: Die verspätete Nation. Über die politische Verführbarkeit bürgerlichen Geistes. Stuttgart 1959.
168 Robert Minder: Die Literaturgeschichten und die deutsche Wirklichkeit. In: Sind wir noch das Volk der Dichter und Denker? 14 Antworten. Hrsg. von Gert Kalow. Hamburg 1964. S. 26.
169 Emil Staiger: Literatur und Öffentlichkeit. In: Sprache im technischen Zeitalter H. 22 (1967) S. 96 (Der Zürcher Literaturstreit).
170 Staiger (Anm. 131). S. 420f.
171 Vgl. zum Folgenden Walter Hinderer (Anm. 132). S. 141–175.
172 Georg Lukács: Goethe und seine Zeit. Bern 1947. S. 11.
173 Georg Lukács: Deutsche Literatur in zwei Jahrhunderten. Neuwied, Berlin 1964. S. 191.
174 Ebd., S. 192. – Ein zaghafter Versuch von der einfachen Dichotomie der Goethezeit in die Progression der Klassik und die Regression der Romantik loszukommen, findet sich jetzt bei Claus Träger: Ursprünge und Stellung der Romantik. In: Weimarer Beiträge 21 (1975) S. 37 bis 71.
175 Vgl. Hinderer (Anm. 132). Bes. S. 143.

Literaturhinweise

Begriffsbestimmung der Klassik und des Klassischen. Hrsg. von Heinz Otto Burger. Darmstadt 1972.
Begriffsbestimmung der Romantik. Hrsg. von Helmut Prang. Darmstadt 1968.
Die Klassik-Legende. Second Wisconsin Workshop. Hrsg. von Reinhold Grimm und Jost Hermand. Frankfurt a. M. 1971.
›Romantic‹ and Its Cognates / The European History of a Word. Hrsg. von Hans Eichner. Toronto 1972.
Romantik. In: Reallexikon der deutschen Literaturgeschichte. Bd. 3. Berlin ²1975. S. 579–594 (von Franz Schultz und Hans Jürg Lüthi).
Bauch, Kurt: Klassik – Klassizität – Klassizismus (1932). In: Studien zur Kunstgeschichte. Berlin 1967. S. 40–50.
Becker, Eva D.: ›Klassiker‹ in der deutschen Literaturgeschichtsschreibung zwischen 1780 und 1860. In: Zur Literatur der Restaurationsepoche 1815–1848. Hrsg. von Jost Hermand und Manfred Windfuhr. Stuttgart 1970. S. 349–370.
Behler, Ernst: Kritische Gedanken zum Begriff der europäischen Romantik. In: Die europäische Romantik. Frankfurt a. M. 1972. S. 8–43.
Curtius, Ernst Robert: Europäische Literatur und lateinisches Mittelalter. Bern, München ⁷1969.
Eck, Else von: Die Literaturkritik in den Hallischen und deutschen Jahrbüchern (1838–1842). Berlin 1926.
Eliot, T. S.: What is a Classic? London 1945.

Henkel, Arthur: Was ist eigentlich romantisch? In: Festschrift für Richard Alewyn. Hrsg. von Herbert Singer und Benno von Wiese. Köln, Graz 1967. S. 292–308.

Heussler, Alexander: Klassik und Klassizismus in der deutschen Literatur. Bern 1952.

Hohendahl, Peter Uwe: Geschichte und Modernität. Heines Kritik an der Romantik. In: Jahrbuch der Deutschen Schillergesellschaft 17 (1973) S. 318–361.

Jauß, Hans Robert: Das Ende der Kunstperiode. Aspekte der literarischen Revolution bei Heine, Hugo und Stendhal. In: H. R. J., Literaturgeschichte als Provokation. Frankfurt a. M. 1970. S. 107–143.

Lovejoy, Arthur O.: On the Discrimination of Romanticism (1924). In: A. O. L., Essays in the History of Ideas. Baltimore, London 1948. S. 228–253.

Minder, Robert: Die Literaturgeschichten und die deutsche Wirklichkeit. In: Sind wir noch das Volk der Dichter und Denker? 14 Antworten. Hrsg. von Gert Kalow. Hamburg 1964. S. 23–30.

Preisendanz, Wolfgang: Der Funktionsübergang von Dichtung und Publizistik (1968). In: Heinrich Heine. Werkstrukturen und Epochenbezüge. München 1973. S. 21–68.

Remak, Henry H. H.: Europian Romanticism: Definition and Scope. In: Comparative Literature: Method and Perspective. Hrsg. von Newton P. Stallknecht und Horst Franz. Carbondale 1961. S. 223–259.

Ruprecht, Erich: Das Romantische und die Romantik. Eine Begriffserklärung in der Auseinandersetzung mit der Romantikforschung. Einleitung zu: E. R., Der Aufbruch der romantischen Bewegung. München 1948. S. 9–55.

Ullmann, Richard, und Helene Gotthard: Geschichte des Begriffes ›romantisch‹ in Deutschland. Vom ersten Aufkommen des Wortes bis ins dritte Jahrzehnt des neunzehnten Jahrhunderts. Berlin 1927.

Wellek, René: The Concept of Romanticism in Literary History (1949). In: R. W., Concepts of Criticism. New Haven, London 1963. S. 128–198.

– Romanticism Re-examined. Ebd., S. 199–221.

– Confrontations. Studies in the intellectual and literary relations between Germany, England, and the United States during the nineteenth century. Princeton 1965.

– The Term and Concept of ›Classicism‹ in Literary History. In: Aspects of the Eighteenth Century. Hrsg. von Earl R. Wasserman. Baltimore 1965. S. 105–128.

FRANK TROMMLER

Die sozialistische Klassikpflege seit dem 19. Jahrhundert

Weniger Schiller und mehr revolutionäre Taten hat man den deutschen Sozialisten oft empfohlen. Seit jeher ist die intensive Verehrung der literarischen Klassik, die die Geschichte der deutschen Arbeiterbewegung begleitet, erstaunt kommentiert worden. Bisweilen sah man darin ein Ablenkungsmanöver, bisweilen eine Anmaßung, und nur selten hat man die Antriebe genauer verfolgt. Schon der Begriff ›Klassikpflege‹ dürfte das Gewicht dieses Phänomens erkennbar machen: er bedeutet keineswegs nur Klassik*rezeption*, Aufnahme von Werken, Verständnis oder Unverständnis, sondern verweist auf die politisch-ideologische *Nutzung* der Klassik. Das gilt für die sozialistische Bewegung seit dem 19. Jahrhundert und reicht bis zu den Bemühungen in der DDR, die Pflege des ›klassischen Erbes‹ – um den breiteren Terminus zu nennen – als ein zentrales Element der offiziellen Selbstdarstellung zu etablieren.

Der Einbezug von Literatur und Kunst in die Politik stellt in der neueren deutschen Geschichte nichts Ungewöhnliches dar, im Gegenteil, es lassen sich dafür Konstanten erkennen, die im Falle des Nationalen, der Nationwerdung, des Nationalismus wohlvertraut sind. Dabei hat seit dem vorigen Jahrhundert die Klassik generell eine wichtige Funktion eingenommen, genauer: das in der Mitte des vorigen Jahrhunderts seit Georg Gottfried Gervinus entwickelte ›politische‹ Konzept der Klassik, das nicht ohne die Hoffnungen auf das politisch einigende Nationaltheater im 18. Jahrhundert zu denken ist. Es kulminierte im nationalen Aufbruchspathos der Schiller-Feiern des Jahres 1859, bei denen die Bewohner der zersplitterten deutschen Länder ihrem Bekenntnis zur Einheit Ausdruck gaben. Die Tatsache, daß man im Bürgertum die Berufung auf die Klassik immer weniger *neben* die demokratisch-liberalen Antriebe stellte, die zur Revolution von 1848 geführt hatten, und immer häufiger als eine Art Ersatz dafür ansah, zeigt die Grenzen und Gefahren dieser literarischen Politik in Deutschland.

Der demokratisch und national gesinnte Historiker Gervinus entwarf zwischen 1835 und 1842 in seiner *Geschichte der poetischen National-Literatur der Deutschen* ein Geschichtsbild, in dem die literarische Klassik Goethes und Schillers als Vollendung der geistigen Erneuerung Deutschlands erstrahlte. Gervinus entwickelte daraus das Argument: dieser geistigen Erneuerung müsse eine im politischen Bereich folgen. Es gehe nicht mehr um neue künstlerische, sondern neue politische Ziele. Damit rührte Gervinus an eine zentrale Empfindung der Deutschen. Der Impuls blieb wirksam. Es war ein hoher Impuls, ein hochfliegender Impuls, der sich weit über pathetische Schiller-Reden hinaus als eine Gesinnung definieren ließ. Er umschloß die Verpflichtung, etwas in der politischen Realität zu vollenden, wofür die Umrisse von Dichtern schon vorgezeichnet seien.

In dieser Form ist der Impuls auch in der sozialistischen Bewegung wirksam geworden. Sein Verkünder war Ferdinand Lassalle, der Revolutionär von 1848, der 1863 die erste sozialistische Partei in Deutschland, den Allgemeinen Deutschen Arbeiterverein, gründete und als erster eine Vielzahl agitatorischer Mittel in den Dienst sozialistischer Ziele stellte. Lassalle, der Verehrer von Schiller, Fichte und Hegel, nahm Gervinus' Argumentation auf. Berühmt wurden seine Worte von 1863: »Wir kennen keine preußische und österreichische Poesie, keine norddeutsche und süddeutsche Wissenschaft, keine österreichische und preußische Kunst etc. In allen Gebieten des *geistigen* Lebens haben wir die nationale Einheit, das *Dasein als Deutsche,* bereits wirklich erlangt; was wir somit noch verlangen und erlangen müssen, ist: dieselbe Einheit, dasselbe nationale Dasein in geschichtlicher, politischer Hinsicht.«[1] Lassalle wußte das Aufflammen der nationalen Begeisterung nach dem Schiller-Jahr 1859 seinen Absichten dienstbar zu machen. Er bezog Gervinus' Argumentation auf die Arbeiter: nachdem das Bürgertum versagt habe, werde die Arbeiterschaft das Ziel der Einigung verwirklichen. Die nationale Parole half bei der Abspaltung der Arbeiter von der bürgerlichen Fortschrittspartei und bei ihrer Sammlung unter sozialistischem Vorzeichen.

Der kritische Maßstab, den Fichte einst dem Bürgertum vorgehalten hatte, wurde bei Lassalle zum Instrument einer generellen Verurteilung. Lassalle bezog in seine Agitation die Selbstverständigung des Proletariats über das Scheitern des Bürgertums ein. Damit waren nicht nur die nationalen Aspirationen gemeint, sondern vor allem die großen humanistischen Entwürfe, die ›klassischen Ideale‹, die die klassischen Philosophen und Dichter formulierten. Die These, daß die Arbeiter deren Verwirklichung bringen würden, ging in Lassalles Definition des Proletariats ein. Er schmiedete somit, wie es ein späterer Beobachter, Karl Korn, 1908 ausdrückte, im Arsenal des Gegners selbst seine Waffen. Die Stärke seiner Agitation habe darin gelegen, »daß sie die bürgerliche Wirklichkeit durch die bürgerliche Idee, den Kulturbegriff der bürgerlichen Bildung bekämpfte«.[2]

Der Sozialdemokrat Korn hat die Auswirkungen teils zustimmend, teils kritisch oder ablehnend beschrieben. Die Zustimmung galt dem enthusiastischen Schwung, den Lassalle, nicht zuletzt im Hinweis auf die klassische Dichtung und Philosophie, in die Arbeiterbewegung getragen habe. Korn berührte sich dabei mit Franz Mehring, der vom »idealen Funken« sprach und trotz der Ausrichtung auf Marx an seiner Verehrung für Lassalle zeitlebens festhielt. In der Tat kam der Pflege klassischer Dichtung, vornehmlich der Dramen und Gedichte Schillers, in den kulturellen Aktivitäten der Arbeiterbewegung eine wichtige Rolle zu. Als Mehring 1892–95 die Freie Volksbühne in Berlin leitete, orientierte er den Spielplan stark an klassischen Stücken – mit deutlicher Spitze gegen den Naturalismus.

Korns Kritik – auch hier gibt es Berührungspunkte mit Mehring – machte vor der Klassik und ihren philosophisch-literarischen Standpunkten nicht halt. Vor allem aber zielte sie auf Lassalles *ideologische* Bindung des Proletariats an die Klassik. Korn stellte der historischen Vollstreckerrolle, in welcher Lassalle das Proletariat definiert habe, die materialistische Definition gegenüber, mit der Marx und Engels die Idee des Proletariats definiert hätten: »Nicht historisch, kurz gesagt, sondern funktionell.« Korn erläuterte: »Nicht aus irgendwelchen, in die Vergangenheit weisenden Besitztiteln, als ein Erbe, leiteten sie den sozialen Vorrang der Arbeiterklasse her, sondern aus ihrer ausschlaggebenden Stellung im Produktionsprozeß selber.«[3] Korn erfaßte damit eine zentrale Position marxistischen Denkens, doch braucht das im einzelnen hier nicht erörtert zu werden.

Auch wenn Engels davon sprach, daß das deutsche Proletariat das Erbe der deutschen Philosophie angetreten habe, standen er und Marx der Vollstreckerthese fern. Die wissenschaftliche Erkundung der ökonomischen Verhältnisse und die daraus entwickelte Projektion vom Fall des Kapitalismus folgte einem anderen Anspruch. Von einer ›Nutzung‹ der Klassik kann bei ihnen nicht die Rede sein. Das heißt nicht, daß sie Goethe und Schiller ignoriert hätten. Während sie Schiller distanziert gegenüberstanden, äußerten sie sich über Goethe mit kritischer Zustimmung. Bei Marx kann man von Verehrung sprechen; er rechnete Goethe mit Shakespeare und Äschylus zu seinen bevorzugten Dichtern. Es war jedoch Engels, der mit einer relativ frühen und nicht allzu selbständigen Äußerung das Goethebild späterer Sozialisten mit prägte, vornehmlich nach 1930, als kommunistische Literaturwissenschaftler Marx' und Engels' Ansichten zur Literatur zusammenstellten und kanonisierten.

Engels' Aussagen fielen 1847 bei der Polemik gegen Karl Grün, dessen Buch *Über Goethe vom menschlichen Standpunkte* (1846) er zum Anlaß nahm, charakteristische Denkweisen der ›wahren‹ Sozialisten als schief und lächerlich anzuprangern. In einem traf sich Engels mit den späteren Angriffen Lassalles und Lothar Buchers auf das Klassikbild des Literaturhistorikers Julian Schmidt: in dem Vorwurf, die großen Geister auf ein bloßes Mittelmaß herabzudrücken. Engels resümierte in einem Brief an Marx: »Das Buch ist zu charakteristisch, Grün preist alle *Philistereien* Goethes als *menschlich*, er macht den Frankfurter und *Beamten* Goethe zum ›wahren Menschen‹, während er alles Kolossale und Geniale übergeht oder sogar bespuckt.«[4] Das Bedürfnis nach Größe ist nicht zu übersehen. Es kennzeichnet die Argumentation von Lassalle und Bucher im Pamphlet *Herr Julian Schmidt, der Literarhistoriker* (1862) und ebenso die Äußerungen von Franz Mehring, dessen höchstes Lob denjenigen Dichtern galt, die sich über die deutsche Misere hinausgehoben hätten (Schiller, Goethe, Lessing, Heine, Freiligrath). Der Topos von der Überwindung der deutschen Misere enthielt im 19. Jahrhundert häufig den Schlüssel für Anerkennung oder Ablehnung. Erst mit ihm läßt sich das Bedürfnis nach Größe (und Klassik) in diesem Zeitraum voll erfassen. Bei der differenzierenden Beschreibung der Größe Goethes und Schillers schloß sich Engels, wie Peter Demetz gezeigt hat,[5] eng an Ludolf Wienbarg an. Wie schon in dem Briefzitat ersichtlich, überging er Goethes Philistertum durchaus nicht. Engels kritisierte, daß sich Goethe allzusehr in die Misere eingelassen habe, wertete das jedoch eher als Zeichen für deren Stärke als für Goethes Schwäche. Immerhin habe er sich nicht wie Schiller ins Kantsche Ideal geflüchtet, Goethe »war zu scharfblickend, um nicht zu sehen, wie diese Flucht sich schließlich auf die Vertauschung der platten mit der überschwenglichen Misère reduzierte«.[6]

Mit der erwähnten Zusammenstellung der Äußerungen von Marx und Engels über Kunst und Literatur nach 1930 gewann diese Bewertung unter Kommunisten breite Geltung. Schillers ›Idealismus‹ wurde gegenüber Goethes ›Realismus‹ (verschiedentlich sprach man sogar von ›Materialismus‹) abgewertet, ohne daß man Schillers antizipierendes Vermögen leugnete. Das bedeutete keine Zurückweisung der Vollstreckerthese, vielmehr richtete sich die Aufmerksamkeit nun stark auf Goethe, speziell auf das Ende vom zweiten Teil des *Faust*, wo der Dichter als Prophet einer neuen Gesellschaft erscheint. Man bezog seine Worte vom »freien Volk auf freiem Grund« auf die Gesellschaft, die man aufzubauen unternahm. Auch diese Auslegung reicht bis ins 19. Jahrhundert zurück, wenngleich ebenfalls nicht bis zu Marx und Engels. Auch sie hat der Selbsteinschätzung der Sozialdemokratie eine poetisch-historische Legitimation verliehen. Sie wurde nach 1890 ebenso wie in den zwanziger Jahren von Sozialdemokraten gebraucht, bis sie dann ihre intensivste Nutzung in den fünfziger und sechziger Jahren beim Kommunisten Walter Ulbricht fand, der noch von der Kulturarbeit der alten Sozialdemokratie mitsamt ihrer Klassikpflege geprägt war.[7]

Was Mehring im Hinblick auf Goethe als Zukunftsvision umriß, bezeichnete Ulbricht als Kern der gegenwärtigen Entwicklung in der DDR. Beide beriefen sich auf die Zeilen im *Faust*:

> Und so verbringt, umrungen von Gefahr,
> Hier Kindheit, Mann und Greis sein tüchtig Jahr.
> Solch ein Gewimmel möcht' ich sehn,
> Auf freiem Grund mit freiem Volke stehn.

Mehring stellte 1894 in einem Artikel zum 1. Mai Goethes Versen die Feststellung voran: »In dem Maitage erfüllt sich der letzte Sehnsuchtsseufzer des Dichters« und fügte hinzu: »In aufsteigender Linie hat sich der Maitag bisher bewegt, und so wird er sich weiter bewegen, bis das Ziel erreicht ist, bis zum Gewimmel der frohen und glücklichen Menschen, das Goethes brechendes Auge sah, bis auf freiem Grund freies Volk und freie Völker stehen.«[8] Ulbricht schloß 1962 an die Verse die Feststellung an: »Was aus dem gemeinschaftlichen Werk des befreiten Volkes auf freiem Grund wird, läßt Goethe offen. Eigentlich fehlt hier noch ein dritter Teil des *Faust*. Goethe hat ihn nicht schreiben können, weil die Zeit dafür noch nicht reif war. In der sich entwickelnden kapitalistischen Ordnung, einer Ordnung der Ausbeutung und Unterdrückung und Kriege, konnte der dritte Teil des *Faust* auch noch nicht geschrieben werden. Erst weit über hundert Jahre, nachdem Goethe die Feder für immer aus der Hand legen mußte, haben die Arbeiter und Bauern, die Angestellten und Handwerker, die Wissenschaftler und Techniker, haben die Werktätigen der Deutschen Demokratischen Republik begonnen, diesen dritten Teil des *Faust* mit ihrer Arbeit, mit ihrem Kampf für Frieden und Sozialismus zu schreiben.«[9] Damit wurde die DDR nicht nur als ein Staat, sondern als ein Stück Dichtung dargestellt. Als höchster Repräsentant dieses poetischen Phänomens rückte Ulbricht in Hautnähe zu Goethe; unter seiner Leitung wurde etwas gedichtet, was nicht einmal Goethe hatte dichten können, der dritte Teil des *Faust*. Ulbricht ging somit über die Vollstreckerthese hinaus, ohne sich jedoch von Lassalles nationaler Projektion ganz zu entfernen. Die anschließenden Worte seiner Rede von 1962 lauten: »Der Sieg des Sozialismus in der Deutschen Demokratischen Republik und die Vereinigung des ganzen deutschen Volkes in einem einheitlichen, friedliebenden, demokratischen und sozialistischen Staat wird diesen dritten Teil des *Faust* abschließen.«

Es lassen sich hier die vielen Aktivitäten, die sich zwischen den Äußerungen dieser Klassikverehrer in der Arbeiterbewegung abspielten, nicht im einzelnen verfolgen.[10] Zweifellos galten sie Schiller sehr viel stärker als Goethe;[11] auch sie bestätigen, daß Schiller in Deutschland wirkliche Popularität genoß. Seine Lyrik kam mit ihrer Spannung des jeweiligen Momentes auf ein Höheres, Zukünftiges hin der allegorisierenden Tendenz der Festveranstaltungen in der Arbeiterbewegung entgegen.

Seine Dramen wirkten ähnlich ›anspannend‹, aus ihnen sahen Sozialisten die Gewißheit herausleuchten, daß die vorhandene Misere überwunden werden könne. Im *Wilhelm Tell* feierte man die in den Liedern der Arbeiterbewegung so oft beschworene Befreiung, mehr noch, man partizipierte am Befreiungsritual selbst. Bezeichnend ist die Äußerung über Schiller von dem langjährigen Vorsitzenden des Leipziger Arbeitervereins, Friedrich Bosse, der mehrere Agitationsstücke in der Nachfolge Schillers schrieb. Bosse setzte sich 1897 in dem Stück *Die Arbeiter und die Kunst* mit dem Naturalismus auseinander, wobei er dem Schuhmachermeister Klaar seine eigenen Argumente in den Mund legte. Während der Redakteur Willmers betont, ein Stück wie Gerhart Hauptmanns *Weber* zeige doch deutlich, daß es anders werden müsse, entgegnet Klaar: »Das ist es ja gerade, der Gedanke sitzt schon in der Brust jedes aufgeklärten Arbeiters fest, aber das Wie bleibt die Frage! Nein, nein, da lobe ich mir doch meinen Schiller, der zeigt es wenigstens noch, wie man, wenn die Bedrückung zu groß wird, mit Tyrannen umgehen muß.«[12] Im Jahr 1910 bestätigte eine Umfrage bei Berliner Arbeitern, die an der Bildungsarbeit der Partei teilnahmen, die Vorliebe für den Dramatiker Schiller. Engelbert Graf errechnete, daß auf Schiller 1343 Stimmen der Umfrage entfielen, gegenüber 638 für Hauptmann, 450 für Goethe, 417 für Shakespeare und 414 für Anzengruber. Unter den Einzeldramen belegten in der Beliebtheit *Die Weber* mit 425 Stimmen vor *Wilhelm Tell* mit 406 und den *Räubern* mit 357 Stimmen den ersten Platz. Es folgten *Faust*, Gorkis *Nachtasyl*, *Kabale und Liebe* und *Maria Stuart*.[13] Schon um 1900 hatte A. H. Th. Pfannkuche in seiner Untersuchung *Was liest der deutsche Arbeiter?*, die sich u. a. auf Ausleiheziffern in Arbeiterbibliotheken stützte, festgestellt, daß die klassische Literatur stark gefragt sei, und gefolgert, daß »in der Arbeiterschaft das Bewußtsein, von unserer klassischen Literatur Besitz nehmen zu müssen, in hohem Grade vorhanden ist«.[14] Was die Lektüre betraf, so stellte Graf diese Reihenfolge auf: Schiller, Goethe, Heine, Reuter, Zola, Lessing.

Diese Feststellungen beziehen sich auf sozialistisch organisierte Arbeiter und auf die Zeit vor 1914. Das ist zu betonen, da sich für die Periode des Ersten Weltkrieges eine Verlagerung des Interesses konstatieren läßt, das von dem enormen Anwachsen der Kino- und Illustriertenunterhaltung nicht weniger als von den politischen, ideologischen und gesellschaftlichen Umwälzungen beeinflußt wurde. Für 1932 gehörte es zu den Erfahrungen des Leipziger Bildungsfunktionärs Wolfgang Seiferth, daß der »direkte, voraussetzungsfreie, nur der Empfindung offene Weg zum klassischen Kunst- und Kulturgut« »den Menschen, die heute zu uns kommen, oder besser: denen unsere Arbeit gilt, fast verschüttet« ist und daß man »diese Entwicklung bedauern, aber nicht aufhalten kann«.[15] Nur in den ersten Jahren der Weimarer Republik wirkten eigenständige Impulse der sozialistischen Klassikpflege weiter. Sie waren eng mit der Fundierung der ersten deutschen Republik auf ›Weimar‹ verbunden und dienten sozialdemokratischen Organisationen als Symbol und Ansporn, die dichterische Vision einer neuen Gesellschaft in die Wirklichkeit umzusetzen. Besonders tat sich dabei die Arbeiterjugend hervor, die ihren ersten Reichsjugendtag 1920 nach Weimar einberief. Er fand seinen offiziellen Höhepunkt in der feierlichen Kranzniederlegung am Goethe- und Schiller-Denkmal, wobei der junge Erich Ollenhauer die Worte ausrief: »Wir sind die Arbeiterjugend, emporgewachsen aus der Not des Proletarierlebens, aber trotzdem lebt in uns der Geist eines Goethe und Schiller.«[16]

Bereits vor 1914 hatte man in der Partei die Jugend, der vom Staat politische Arbeit untersagt wurde, als spezielles Publikum der klassischen Literatur herausgestellt. Karl Kautsky, Franz Mehring und Clara Zetkin wiesen ausdrücklich auf die Jugend hin, als sie im Gegenzug zu den bürgerlichen Schiller-Feiern 1905 und 1909 ein kritisches Schillerbild propagierten. Ihre Kritik an Schillers politischen Anschauungen und seiner Distanzierung von der Französischen Revolution hinderte sie nicht, die Klassik als wichtige Berufungsinstanz ihrer Bildungskonzeption zu propagieren. Zwar trat die vom politischen Gegner beschworene neuhumanistische Bildungsprogrammatik zurück, da sie sich der Individualität statt der Klasse zuordnete; dafür sah man in der klassischen Dichtung und Philosophie das bisher größte Zeugnis für den Geist der Menschheitsbefreiung, vorbildlich insofern, als sie sich der Gesamtheit der geistigen und materiellen Erscheinungen verpflichtete, wenn auch nur im ästhetischen Bereich. Es hieß an das Selbstverständnis der Sozialdemokratie als Vollender der Menschheitsbefreiung rühren, wenn diese Gesamtorientierung beiseite geschoben wurde, und Schillers Ruhm erhielt sich trotz der Kritik an seinen politischen Anschauungen weiterhin, weil er das kämpferische Eintreten für diese umfassende Befreiung signalisierte. Kritik an der Schiller-Begeisterung unter Sozialisten erhob sich vor allem dort, wo es zu einem gefühlhaften Klassikkult kam, mit dem diese Gesamtorientierung in den Hintergrund rückte (›Schillerdebatte‹ 1905[17]).

Die bisherigen Bemerkungen dürften das politische Konzept deutlich gemacht haben, das hinter der Klassikpflege der deutschen Sozialisten stand. Dieses Konzept ist innerhalb der marxistischen Diskussion keineswegs unangefochten. In ihm manifestiert sich nicht zuletzt ein Teil des Streites über die Wirkungen von Lassalle und Marx in der deutschen Arbeiterbewegung. Eine ausschließlich auf Marx ausgerichtete Geschichtsdarstellung wird die mit der Klassikpflege verbundenen ›idealistischen‹ Elemente der agitatorischen und organisatorischen Praxis im 19. Jahrhundert im allgemeinen beiseite rücken; andererseits wäre es jedoch verfehlt, eine Unvereinbarkeit von marxistischer Ideologie und Klassikpflege konstatieren zu wollen. Die Historie hält auch hierzu ihren eigenen Kommentar bereit. Er verweist zugleich auf allgemeine Aspekte der Klassikpflege in Deutschland.

Zwar kann man nicht behaupten, daß der Klassenkampf auch zu einem Klassikkampf wurde. Die zahllosen Goldschnittbände hinter Glas künden von einem unerschütterten Besitzdenken des Bürgertums auch in den Dingen der Kultur.[18] Immerhin aber erwuchs aus dem Konzept der Sozialisten eine Herausforderung. Ihr wichtigster Sprecher wurde Franz Mehring, und zwar bereits vor seinem offiziellen Übertritt zur SPD 1891. Der radikaldemokratische Journalist Mehring, der in den siebziger Jahren als scharfer Gegner der Sozialdemokratie hervorgetreten war, hatte große Hoffnungen auf die kulturelle Erneuerung Deutschlands nach der Reichsgründung gesetzt. Mit der Preisgabe dieser Hoffnungen war seine Annäherung an die Arbeiterbewegung einhergegangen, und er hatte immer nachdrücklicher in die These eingestimmt, daß erst die Arbeiterklasse mit ihrem Sieg eine solche Erneuerung bringen werde. Immer stärker galt Mehrings literaturkritische und -historische Publizistik der Kritik der reichsoffiziellen Auffassungen von deutscher Kultur, immer stärker verpflichtete er sich der Reinigung der Klassik vom Überzug preußisch-nationaler Mythologisierung à la Treitschke. Als man in nationalen Kreisen 1888 beabsichtigte, die Feier des Sedantages mit der Gedenkfeier für einen großen

deutschen Dichter oder Denker wie Goethe, Lessing, Schiller oder Fichte zu verbinden, protestierte Mehring lautstark. »Schiller und Lessing und Fichte, unsere großen Denker und Dichter, sollen an eurem Sedantag mitgefeiert werden?« schrieb er in der *Volks-Zeitung.* »Da müssen wir doch sehr bitten. Seht, ihr habt ja alles, was euer Herz begehrt, ihr habt ›brillante Kavallerieattacken‹ und Kanonen und Torpedos, ihr habt ›geniale‹ Staatsmänner und einen ›edlen‹ Adel […], genug, ihr habt den wunderbarsten Raritätenkasten, den je ein modernes Kulturvolk gehabt hat, aber nun gebt euch auch zufrieden. Den Schiller und den Lessing und den Fichte, sie laßt uns. Die gehören ja auch nur zu der ›bürgerlichen Kanaille‹, die spotteten sogar – denkt doch nur! – über die Vorstellung, daß der Adel besser sei als das übrige Volk; die waren ja auch nur Demagogen und Volksaufwiegler, erinnert euch nur.«[19]
Mehring schmiedete gleichsam die Waffen weiter, die Lassalle aus dem Arsenal des Bürgertums geholt hatte. Die Opposition galt der Inanspruchnahme der Klassik von seiten der Offiziellen des Reiches. Wenig später entstand die *Lessing-Legende* (1893), Mehrings wichtigster, zunächst in der sozialdemokratischen Parteizeitschrift *Die Neue Zeit* abgedruckter Beitrag zur literaturhistorischen Stützung dieser Opposition. Mehring gab der ausführlichen, historisch-materialistisch angelegten Studie den bezeichnenden Untertitel ›Eine Rettung‹ und knüpfte in ihrem Schlußabsatz ausdrücklich an Gervinus' Argumentation in dessen Literaturgeschichte an. Auf eine klassische Politik (der Sozialisten), heißt es in der *Lessing-Legende,* werde immer eine klassische Literatur folgen. Das Proletariat werde an Lessing, dem »edeln Vorkämpfer freier Menschheit«, wiedergutmachen, was an ihm gefrevelt worden sei. Das entspricht der Bemerkung in dem zitierten Artikel Mehrings zur Maifeier 1894, daß das Proletariat besser als das deutsche Bürgertum den Weltdichter Goethe verstehe, vor allem dessen Wort: »Nur der verdient sich Freiheit wie das Leben, der täglich sie erobern muß.« Im Bürgertum wisse man mit Goethe nichts mehr anzufangen, ja verfälsche dessen Botschaft.
Wenn häufig von der Verbürgerlichung der Arbeiterschaft gesprochen und die Klassikpflege als ein Faktor dafür herausgestellt worden ist, so muß diese Polemik berücksichtigt werden. Zwischen der Inanspruchnahme der Klassik für das Selbstbewußtsein der Arbeiterschaft und der bloßen Affirmation des Bestehenden durch Pflege der vorgegebenen Kultur (Herbert Marcuse) war der Übergang nicht so direkt, wie oft behauptet. Andererseits fällt es nicht leicht, die tatsächlichen Formen der Klassikrezeption in der Arbeiterschaft im einzelnen zu bestimmen. Es bedürfte ausführlicher Untersuchungen, um zu klären, inwiefern Mehrings Polemik von sozialistisch gesinnten Arbeitern mitvollzogen wurde. Ging es den einzelnen vorwiegend um ein politisches oder ein gesellschaftliches ›Emporarbeiten‹, um Erfüllung von Integrationswünschen oder um Teilhabe an jenem »idealen Funken«?
Die Frage nach den tatsächlichen Formen der Rezeption bei den Massen stellt sich auch im Hinblick auf die DDR, wo seit den Nachkriegsjahren die offizielle Pflege der Klassik mit einer lautstarken Polemik einhergegangen ist, diesmal gegen den kapitalistischen Westen und seine dekadente Kultur. Auch für die DDR fällt es nicht leicht, diese Polemik, die in den Jubiläumsjahren 1949 (Goethe), 1955 und 1959 (Schiller) besonders blühte, in ihrer Wirkung zu bestimmen. Es geschah zweifellos viel mit der Klassik, nachdem Ulbricht 1945 der Pflege des ›klassischen Erbes‹, zumal in den Stätten in und um Weimar, Priorität erteilt hatte. Es geschah viel, auf dem

Gebiet des Theaters und der Museen, der Klassikerausgaben und der Schullektüre, der wissenschaftlichen und der touristischen Erschließung[20] – in jedem Falle wesentlich mehr als in Westdeutschland. Angesichts der Tatsache, daß die sowjetische Besatzungsmacht in der deutschen Klassik einen Bereich deutscher Geschichte anerkannte und ehrte, der vom Faschismus klar abzuheben war, konzentrierte sich ein Großteil der offiziellen Rhetorik darauf, mit ihm die so stark benötigte Repräsentation herzustellen und die noch mehr benötigte Identifikation der Bevölkerung zu ermöglichen. Die Bemühung um Repräsentation und Identifikation ließ Einzelfragen ideologischer Anknüpfung bzw. Distanz zurücktreten, schaltete Kritik an der Klassik weitgehend aus. An den Exzessen der öffentlichen Rhetorik übte Walther Victor, der sich um die Popularisierung der Klassiker mit Volksausgaben große Verdienste erwarb, 1954 vorsichtige Kritik. Man solle, wenn man um Goethes Kampf mit der deutschen Misere wisse, sagte Victor in einer Ansprache vor jungen Autoren, »nicht so hochtrabende Töne reden von Erscheinungen des ›Humanismus‹ und der ›Volkskultur‹« – auch wenn sie nicht nur in Goethes Werk, sondern in seiner Epoche tatsächlich dagewesen und von ihm damals zu einer Nationalkultur verschmolzen worden seien –, »denn es könnte passieren, daß ganz hinten im Saale einer leise, aber deutlich ›Quatsch‹ sagt«.[21] Das wagten selbst in den hintersten Reihen nicht allzu viele. Und es waren weniger die wachsenden Ansprüche der Zuhörer als spezifische politisch-ideologische Interessen, die in der zweiten Hälfte der fünfziger Jahre der Periode einer rhetorisch-rigiden Klassikverehrung eine Periode folgen ließen, in der man die Klassiker enger auf den Aufbau des Sozialismus in der DDR bezog.

Eine Äußerung Goethes erlangte zu dieser Zeit, da die Wiedervereinigungspostulate in den Hintergrund traten und die DDR-Regierung dem Staat ein eigenes Profil zu verschaffen suchte, besondere Prominenz: Goethes Überlegungen in *Literarischer Sansculottismus* über die Voraussetzungen für das Entstehen einer Nationalkultur. Johannes R. Becher berief sich in seiner Ansprache zum IV. Schriftstellerkongreß 1956 darauf, als er eine neue Nationalliteratur propagierte, und schloß auch Goethes Satz ein: »Wir wollen die Umwälzungen nicht wünschen, die in Deutschland klassische Werke vorbereiten könnten.« Becher kommentierte: »Die Größe *unserer* Literatur hat von vornherein darin bestanden, daß *wir* die Umwälzungen gewünscht haben, die in Deutschland klassische Werke vorbereiten könnten, und daß wir diese Umwälzungen nicht nur gewünscht, nicht nur erträumt, nicht nur ersehnt haben, sondern auch an ihrer Vorbereitung als ganze Menschen, als ganze ungebrochene Persönlichkeiten tatkräftig mitgewirkt, mit Leib und Seele teilgenommen haben.«[22] Wo Goethe gezögert hatte, waren die Kommunisten, wie es hieß, tatkräftig weitergegangen, im Blick die von ihm und anderen deutschen Dichtern wie Schiller und Lessing anvisierte Nationalliteratur. Die in der Klassik erreichte nationalliterarische Repräsentanz finde nun Fortsetzung und Korrektur, eine Korrektur aus den neuen Klassenverhältnissen. Ulbricht resümierte auf dem Kongreß, daß beim Kampf der beiden Systeme in Deutschland die neue deutsche Nationalliteratur ihre Basis in der DDR habe, weil hier eine höhere Gesellschaftsordnung geschaffen und durch das werktätige Volk der Sozialismus aufgebaut werde. In diesem Teil Deutschlands würden die Ideen der großen deutschen Humanisten gewahrt.[23]

Ulbricht, der einst im Leipziger Arbeiterjugend-Bildungsverein Goethes Prometheus »mit echter Ergriffenheit« vorgetragen hatte,[24] wurde zur treibenden Kraft bei der Indienstnahme der Klassik für die Profilierung der DDR. Dabei kam es notwendigerweise häufig zu einer Parallelisierung des Aufstiegs des Bürgertums mit dem des Proletariats, eine für die literarische ›Wiederentdeckung‹ des Sturm und Drang stimulierende, von Marx und Mehring jedoch nicht geteilte Perspektive. Die Kulturrevolution, die man ab 1957 propagierte, bewegte sich mit der Forderung der ›gebildeten Nation‹ in einem Korsett aus klassischer Bildung, klassischen Motiven und Formen – verständlicherweise nicht allzu leichtfüßig und revolutionär. Für die Arbeiter und Schriftsteller, die 1959 auf den Bitterfelder Weg gewiesen wurden, war es mit dem Anlegen von Brigadetagebüchern und Besuchen in Kombinaten nicht getan. In seiner Rede zur Bitterfelder Konferenz mahnte Ulbricht: »In unserer Republik haben sich neue gesellschaftliche Beziehungen der Menschen entwickelt. Aber wo gibt es eine solche Darstellung dieser Entwicklung in künstlerischer Form, wie sie die Klassiker des Bürgertums über die Entwicklung ihrer Klasse im Kampf gegen die feudale Gesellschaftsordnung gestaltet haben?«[25] Vorbildlich seien die engen Beziehungen des klassischen Schriftstellers zu seiner Gegenwart sowie seine tiefen historischen Kenntnisse. Das klassische Erbe wurde also für den künstlerischen Bereich selbst als Maßstab gewertet, als Maßstab für eine repräsentative Selbstdarstellung der DDR.

Die Tatsache, daß man zu den Höhepunkten der Kulturrevolution die Ausstellung ›Arbeiterbewegung und Klassik‹ rechnete, die 1964–66 in Weimar stattfand, läßt sich allerdings nicht ohne den Hinweis auf Lenin erwähnen. Lenin hatte sich nach der Russischen Revolution gegen die Schaffung einer eigenen proletarischen Kultur und für die kritische Verarbeitung der vorhandenen bürgerlichen Kultur ausgesprochen. Was der russische Revolutionär einst auf die besonders rückständige Situation seines Landes gemünzt hatte, in der man erst den Anschluß an die im Kapitalismus entwickelten Techniken herstellen mußte, wurde nun als Freibrief für die repräsentative Pflege der überlieferten bürgerlichen Kultur im Namen des Sozialismus verstanden. Eingeschworen auf den Terminus ›Leninismus‹ führte man in der DDR langwährende Traditionen der deutschen Sozialdemokratie weiter, Traditionen, die von der SPD selbst nicht mehr aktiv verfolgt wurden.

Damit kehrte sich die Praxis der zwanziger Jahre um, als die Kommunisten von der Klassikpflege abrückten, die sie mit der Verankerung der bürgerlichen Republik in ›Weimar‹ eng verknüpft sahen. Zu dieser Zeit lieferten linke Autoren und Künstler der tradierten Klassikverehrung vor allem im Theater eine heftige Schlacht. ›Klassikertod‹ hatte man es genannt, häufig unter Hinweis auf Erwin Piscators Theater. Hanns Eisler und Bertolt Brecht vertraten die ›Materialwertthese‹: die Bewertung der Klassik rein nach dem Materialwert ihrer Fabeln, ihres Stoffes und ihrer Darstellungstechniken für den aktuellen Gebrauch. Das korrespondierte mit der Agitpropästhetik, die die KPD für ihre Konfrontationsstrategie gegen Bürgertum und SPD benutzte.

Erst unter dem Zeichen der Rückkehr zu den Klassikern im Stalinismus war die Wendung vollzogen worden. Georg Lukács, Johannes R. Becher und Alfred Kurella hatten Anfang der dreißiger Jahre nach russischem Vorbild wieder weit in der Vergangenheit angeknüpft – unter scharfen, tief in ideologische und politische Probleme reichenden Auseinandersetzungen mit anderen sozialistischen Schriftstellern. Diese Wendung bekam ihr politisches Gewicht 1935 bei der Annäherung an sozialdemo-

kratische und linksbürgerliche Positionen in der Volksfrontstrategie. Becher wurde
auf dem Sowjetischen Schriftstellerkongreß 1934 zum Sprecher. In scharfem Kontrast zu seinen Angriffen gegen die bestehende Kultur bei der Gründung des Bundes
proletarisch-revolutionärer Schriftsteller 1928 rief er auf dem Kongreß aus: »Künftig
ist die Sache der klassischen deutschen Kultur, die Sache des klassischen Gedankens
und der klassischen Dichtung, das edle Erbe der Jahrhunderte endgültig denen über-
geben, die die Zukunft in ihren Händen tragen, den deutschen Arbeitern.«[26] Angesichts der Erfolge von Hitler gingen die Kommunisten zu dieser Zeit daran, die Front
gegen Sozialdemokraten und Bürgerliche im Kampf gegen den Faschismus abzu-
bauen. Die Verpflichtung am Humanismus der Klassik wurde, ebenso wie die Attacke gegen deren Indienststellung durch die Nationalsozialisten, zu einer wichtigen
Brücke. Es blieb nicht bei der Inanspruchnahme der Klassik allein für die Arbeiter.
Wie vor allem Lukács mit seiner Gegenüberstellung von Reaktion und Fortschritt,
Faschismus und Antifaschismus postulierte, sollten sich unter ihrem Zeichen *alle*
antifaschistischen Kräfte verständigen. Der ›Kampfwert‹ der Klassik dokumentierte
sich bis in die Tarnschriften hinein, die vom Ausland nach Deutschland geleitet wurden. Die illegale *Rote Fahne* brachte 1938 (Nr. 2) unter dem Titel *Unsere klassische
Literatur gegen die Tyrannenmacht* eine Aufstellung der wichtigsten Stellen aus der
klassischen Literatur, die »Zeugnis gegen die heutige undeutsche Tyrannei und
Volksunterdrückung Hitlers« ablegten, aus Schillers *Don Carlos, Wilhelm Tell* und
Kabale und Liebe, aus Lessings *Nathan* und *Emilia Galotti,* aus Goethes *Egmont*
und *Götz* und aus anderen Werken. Die politische Signalfunktion klassischer Texte,
wie sie sich in dieser Periode besonders deutlich manifestierte, stellt kein unwichtiges
Kapitel der Nachwirkung der Klassik dar – sie war in der Tat nicht an bestimmte
soziale Klassen gebunden.
In dieser positiven Wertung lag die Bedeutung der Klassik 1945 begründet, ging es
doch zunächst darum, angesichts der moralischen Niederlage Deutschlands festen
Grund zu finden. Die vor 1933 geführte Attacke gegen die Klassik blieb lange Zeit
nur eine Reminiszenz. Brechts kritische Beschäftigung mit Lenz und Goethe konnte
die Repräsentationsgesinnung in der DDR nicht durchdringen, im Gegenteil, er
stand Anfang der fünfziger Jahre mit seinem Eintreten für Hanns Eisler und dessen
kritische *Faust*-Version im Abseits. Eisler hatte in seinem Libretto zur Oper *Johann
Faustus* (die er dann nach den Attacken von offizieller Seite nicht mehr komponierte)
die Gestalt Fausts negativ beleuchtet. Er hatte an der offiziellen Klassikgesinnung
gerüttelt, ihren Repräsentationswert durch den Hinweis auf die deutsche Misere in
Frage gestellt.
Es hat lange Zeit gedauert, bis man in der DDR darangegangen ist, die Behandlung
der Klassik von den stärksten Repräsentationsverpflichtungen zu entbinden. Schon
unter Ulbricht – zumindest in den späteren Jahren seiner Herrschaft – ließ der Stolz
auf die moderne sozialistische Leistungsgesellschaft mit Hochöfen, Kombinaten und
Weltniveauprodukten den Hinweis auf die Weimarer Klassik in den Hintergrund
treten. Mit Ulbrichts Abgang war dann einer offeneren Diskussion die Tür geöffnet.
Sie lief im offiziellen Bereich auf die Preisgabe der Vollstreckerthese hinaus, in Kurt
Hagers Worten von 1972: »Man darf nicht die Tatsache verkennen, daß unser heutiger sozialistischer Weg mehr ist als die bloße Vollstreckung großer humanistischer
Ideale und Utopien der Vergangenheit.«[27] Man fühlte sich nun ganz im eigenen

Recht, doch mahnte Hager, das kulturelle Erbe deshalb nicht hintanzustellen. In den offiziellen Diskussionen wurde die Notwendigkeit betont, zwischen der marxistischen Tradition und der progressiven bürgerlichen Ideologie, der man die deutsche Klassik zurechnete, genauer zu scheiden.[28] Die Bemühungen verstärkten sich, die DDR als Krönung der *sozialistischen* Entwicklung in Deutschland darzustellen.

Was die Rezeption der Traditionen – sowohl der klassischen wie der proletarisch-revolutionären Traditionen – bei den vielberufenen Massen angeht, so hielt man sich nun nicht nur an die glanzvollen Postulate, sondern auch an die weniger glanzvollen Tatsachen. In einer kennzeichnenden Aussage wird das mit dem Motto von den zu überwindenden Schwierigkeiten überhöht: »Die Durchbrüche, die uns mit Werken Goethes, Beethovens, Dürers und anderer gelungen sind, berechtigen uns nicht, von einem massenhaft entwickelten Bedürfnis der Arbeiterklasse nach dem humanistischen oder dem proletarisch-revolutionären Kunsterbe zu sprechen. Hier ist noch eine Schwierigkeit zu überwinden. Sie bezieht sich auf jene Erscheinung, wo das Bedürfnis nach dem künstlerischen Erbe als Fluchtposition auftritt.«[29] Dieser nicht ganz logische Schluß wirft immerhin Licht auf eine offiziell nur wenig behandelte Seite der Klassikpflege in der DDR: die Hinwendung zu den Klassikern *ohne* ihre Übersetzung ins Aktuelle, genauer: die Hinwendung zur Klassik um ihrer *Distanz* zur Gegenwart willen. Ohne diese Seite läßt sich die voluminöse, in ihrer Liebe und Verehrung vom Westen nur mit Achtung zu betrachtende Klassikpflege im kommunistischen Staat nicht würdigen.

Mit Ulbrichts Abgang gewann schließlich auch die von Brecht mit gewichtigen Argumenten vorgebrachte Kritik an Klassik und Klassikpflege in Literaturwissenschaft und -kritik breitere Wirkung. Es zeigte sich bei den Auseinandersetzungen in *Sinn und Form* (besonders 1973) und den *Weimarer Beiträgen*, daß hier eine Diskussion nachgeliefert wurde, die seit langem auch von Sozialisten aufgenommen, aber dann von dem im Stalinismus ›klassisch‹ geprägten Repräsentationsbedürfnis des kommunistischen Staates abgeblockt worden war. Bei diesem Nachhutgefecht trat noch einmal die traditionelle deutsche Bildungsgesinnung, gestärkt vom offiziellen Anspruch auf normative kulturelle Werte, gegen die ›moderne‹ Entmythologisierung von Kultur an. Was als Revitalisierung der Klassik erschien, verdankte seinen Impuls großenteils der Tatsache, daß sich in der Bezugnahme auf die Klassik zugleich öffentliche und individuelle Probleme kritisch angehen ließen. Brecht rückte dabei der Klassik insofern nahe, als er ebenfalls häufig nur in seiner Zitierbarkeit für die jeweilige Argumentation gewertet wurde.

Die Diskussion über Wert und Unwert der Klassik für den Sozialismus in Deutschland dürfte jedoch erst dann dem Stand der Entwicklung gerecht werden, wenn sie das Faktum verarbeitet, daß die Klassikpflege Sozialisten immer wieder dazu gedient hat, für das Fehlen eines mitreißenden und zugleich realistischen Menschenbildes in der sozialistischen Ideologie zu entschädigen. So läßt sich Mehrings Rückgriff auf Goethe, Schiller und Kant von seiner Einschätzung des historischen Materialismus als »nur einer historischen Methode«[30] nicht ablösen. Der von der offiziellen Doktrin kaum erfaßte Bereich ›des Menschen‹, d. h. der anthropologischen und psychologischen Gegebenheiten, wurde an den Maßstäben eines liberalistisch-idealistischen Klassikbildes gemessen. Demgegenüber sah man im Naturalismus und in anderen modernen Kunstströmungen, die u. a. die psychologischen Aspekte im Leben der Gegenwart sichtbar machten, Gefahren für die sozialistische Bewegung. Bei der Naturalismusdebatte auf dem Parteitag 1896 in Gotha holten sich verschiedene Redner bei der Klassik Schützenhilfe gegen ›die Moderne‹. Daß der Sozialdemokratie aus dieser Ausrichtung Schaden erwachsen könne, deutete August Bebel in seinem Resümee an. Zu Folgerungen kam es allerdings nicht. Wenn die KPD in den zwanziger Jahren auf die Klassikpflege verzichtete, so geschah das nicht im Zusammenhang eigener Entwürfe eines Menschenbildes, sondern ging mit der Neuorientierung an der Entwicklung im revolutionären Rußland einher: nach der erfolgreichen sozialistischen Revolution sollte nun Sowjetrußland den Deutschen die magischen Antworten auf alle Fragen nach dem Status des sozialistischen Menschen liefern.

Die Feststellung, daß das ›anthropologische Defizit‹ auch im Stalinismus erhalten blieb, führt zu der geschilderten Situation in der DDR zurück. Immer wieder mußte die Klassik als Maßstab und Argument gegen die Dekadenz der modernen Kunst zeugen. Goethes Wort vom Klassischen als dem Gesunden und dem Romantischen als dem Kranken erlebte nach 1949 eine Art Heiligsprechung. Stärker als je zuvor vermischte man das Normative, das Goethe und Schiller in einen umfassenden Erziehungsprozeß einbezogen hatten, mit dem Normdenken der Partei auf dem Gebiete der Kunst. Und als die SED 1957/58 daranging, die in der politisch-ideologischen Gärung nach Stalins Tod entstandenen Bewegungen für einen ›menschlichen‹ Sozialismus zu liquidieren, als die Partei die durch Ernst Bloch und andere in Gang gebrachte Diskussion über die menschliche Entfremdung im Sozialismus abbrach, mußte die Wendung zur Klassik erneut das Fehlen eines mitreißenden und zugleich realistischen Menschenbildes kompensieren. Aus dieser Situation datiert die dann von Ulbricht und Kurella gebrauchte Projektion der Klassik auf das Modell DDR. Horst Redekers Schrift von 1958 *Die klassische Kulturkritik und das Dilemma der Dekadenz* macht ungewollt deutlich, wie wenig die Klassik für diese Aufgabe geeignet war.[31]

Die sozialistische Klassikpflege ist also in der Tat nicht nur als *Rezeption* zu fassen. Sie besitzt ihre *Funktion* in politischen und ideologischen Zusammenhängen. Auch mit der neueren Diskussion über den *kritischen* und den *repräsentativen* Gebrauch der Klassik behält sie ihre Bedeutung für die DDR – zu einer Zeit, da im Westen die Funktion des Klassikbegriffes immer weniger akzeptiert wird, es sei denn im nationalliterarischen Sinne oder einfach aus Bequemlichkeit. (Manfred Windfuhr hat die Einwände gegen den Gebrauch des Klassikbegriffs vor kurzem in vier Punkten zusammengefaßt.[32]) In gewisser Weise hat die Klassikpflege in der DDR sogar an Brisanz gewonnen: sie verweist auf eine nationalliterarische Einheit, die von der aktuellen Politik der DDR-Regierung verneint wird.

Anmerkungen

1 Ferdinand Lassalle: Die Feste, die Presse und der Frankfurter Abgeordnetentag. In: F. L., Gesammelte Reden und Schriften. Bd. 3. Hrsg. von Eduard Bernstein. Berlin 1919. S. 374.

2 C. [Karl] Korn: Proletariat und Klassik. In: Die Neue Zeit 26, II (1907/08) S. 412.

3 Ebd., S. 414.

4 Brief an Marx, 15. 1. 1847. In: Karl Marx, Friedrich Engels: Über Kunst und Literatur. Bd. 1. Berlin 1967. S. 456.

5 Peter Demetz: Marx, Engels und die Dichter. Frankfurt a. M. 1969. S. 163–167.

6 Friedrich Engels: Deutscher Sozialismus in Versen und Prosa. In: Marx/Engels (Anm. 4). S. 468.

7 Vgl. Frank Trommler: Die Kulturpolitik der DDR und die kulturelle Tradition des deutschen Sozialismus. In: Literatur und Literaturtheorie in der DDR. Hrsg. von Peter Uwe Hohendahl, Patricia Herminghouse. Frankfurt a. M. 1976. S. 13–72.

8 [Franz Mehring:] Der Festtag der Arbeit. In: Die Neue Zeit 12, II (1893/94) S. 97.

9 Walter Ulbricht: Rede vor dem Nationalrat der Nationalen Front am 25. März zur Begründung des Dokuments des Nationalrates. In: Neues Deutschland v. 28. 3. 1962. Zitiert nach: Deutsche Studien 3 (1965) S. 170.

10 Einen Überblick gibt der Katalog der Ausstellung ›Arbeiterbewegung und Klassik‹ im Goethe- und Schiller-Archiv der Nationalen Forschungs- und Gedenkstätten der klassischen Literatur in Weimar 1964–1966. Hrsg. von Helmut Holtzhauer. Weimar 1964. Dazu das Protokoll: Internationale wissenschaftliche Konferenz über Arbeiterbewegung und Klassik. Probleme der Rezeption des klassischen Erbes. Berlin, Weimar 1965.

11 Vgl. Der Menschheit Würde. Dokumente zum Schiller-Bild der deutschen Arbeiterklasse. Hrsg. von Günther Dahlke. Weimar 1959.

12 Aus den Anfängen der sozialistischen Dramatik. Bd. 1. Hrsg. von Ursula Münchow. Berlin 1964. S. 178.

13 Engelbert Graf: Statistisches über die Bildung Berliner Arbeiter. In: Der Bibliothekar 2 (1910) Nr. 8, S. 167–169.

14 A. H. Th. Pfannkuche: Was liest der deutsche Arbeiter? Leipzig 1900. S. 63.

15 Zitiert nach Hildegard Feidel-Mertz: Zur Ideologie der Arbeiterbildung. Frankfurt a. M. 1964. S. 52.

16 Zitiert nach Franz Osterroth: Der Hofgeismarkreis der Jungsozialisten. In: Archiv für Sozialgeschichte 4 (1964) S. 526.

17 Vgl. Georg Fülberth: Proletarische Partei und bürgerliche Literatur. Auseinandersetzungen in der deutschen Sozialdemokratie der II. Internationale über Möglichkeiten und Grenzen einer sozialistischen Literaturpolitik. Neuwied, Berlin 1972. S. 74–83.

18 Vgl. Klaus L. Berghahn: Von Weimar nach Versailles. Zur Entstehung der Klassik-Legende im 19. Jahrhundert. In: Die Klassik-Legende. Hrsg. von Reinhold Grimm, Jost Hermand. Frankfurt a. M. 1971. S. 50–78; Fritz Stern: Die politischen Folgen des unpolitischen Deutschen. In: Das kaiserliche Deutschland. Politik und Gesellschaft 1870–1918. Hrsg. von Michael Stürmer. Düsseldorf 1970. S. 168–186.

19 Franz Mehring: Zum Sedantage. In: Volks-Zeitung Nr. 208, vom 2. 9. 1888. Zitiert nach Thomas Höhle: Franz Mehring. Sein Weg zum Marxismus 1869–1891. Berlin ²1958. S. 207.

20 Ein Überblick bei Jürgen Scharfschwerdt: Die Klassikideologie in Kultur-, Wissenschafts- und Literaturpolitik. In: Einführung in Theorie, Geschichte und Funktion der DDR-Literatur. Hrsg. von Hans-Jürgen Schmitt. Stuttgart 1975. S. 109–163. – Vgl. Ursula Wertheim: Die marxistische Rezeption des klassischen Erbes. In: Positionen. Beiträge zur marxistischen Literaturtheorie in der DDR. Hrsg. von Werner Mittenzwei. Leipzig 1969. S. 473–527; Walter Hinderer: Die regressive Universalideologie. Zum Klassikbild der marxistischen Literaturkritik von Franz Mehring bis zu den Weimarer Beiträgen. In: Die Klassik-Legende (Anm. 18). S. 141–175.

21 Walther Victor: Goethe – gestern und morgen. Berlin, Weimar 1965. S. 55.

22 Johannes R. Becher: Von der Größe unserer Literatur. Reden und Aufsätze. Leipzig 1971. S. 266.

23 Walter Ulbricht: Fragen der neuen deutschen Nationalliteratur. In: W. U., Zur Geschichte der deutschen Arbeiterbewegung. Aus Reden und Aufsätzen. Bd. 5. Berlin 1964. S. 593.

24 Johannes R. Becher: Walter Ulbricht. Ein deutscher Arbeitersohn. Berlin (1958) 1967. S. 21.

25 Walter Ulbricht: Fragen der Entwicklung der sozialistischen Literatur. In: Greif zur Feder, Kumpel. Protokoll der Autorenkonferenz des mitteldeutschen Verlages Halle (Saale) am 24. April 1959. Halle (Saale) 1959. S. 98.

26 Johannes R. Becher: Das große Bündnis. In: Sozialistische Realismuskonzeptionen. Dokumente zum 1. Allunionskongreß der Sowjetschriftsteller. Hrsg. von Hans-Jürgen Schmitt, Godehard Schramm. Frankfurt a. M. 1974. S. 256.

27 Kurt Hager: Zu Fragen der Kulturpolitik der SED (6. Tagung des ZK der SED). Berlin 1972. S. 57.

28 Vgl. Anita Liepert, Camilla Warnke: Bemerkungen zur marxistisch-leninistischen Erbe-Diskussion. In: Deutsche Zeitschrift für Philosophie 21 (1973) S. 1096–1110.

29 Ingeborg Schmidt: Zu einigen Problemen bei der Entwicklung vielseitiger sozialistischer Kunstbedürfnisse in der Arbeiterklasse. In: Arbeiterklasse und kulturelles Lebensniveau. Hrsg. vom Institut für Gesellschaftswissenschaft beim ZK der SED. Berlin 1974. S. 176.

30 Josef Schleifstein: Franz Mehring. Sein marxistisches Schaffen 1891–1919. Berlin 1959. S. 100.

31 Vgl. auch: Entfremdung und Humanität. Berlin 1964; Das sozialistische Menschenbild. Hrsg. von Elmar Faber, Erhard John. Leipzig 1967.

32 Manfred Windfuhr: Kritik des Klassikbegriffs. In: Études Germaniques 29 (1974) S. 302–318.

KARL ROBERT MANDELKOW

Wandlungen des Klassikbildes in Deutschland
im Lichte gegenwärtiger Klassikkritik

Die Feststellung, »daß Goethe uns heute direkt nichts mehr zu sagen hat, die Klassik für uns keine ›überzeitliche Gültigkeit‹ mehr besitzt, ihre Werke ›ideologische Leichen‹ sind«,[1] mag bei vielen noch immer, oder bereits schon wieder, den Charakter einer Provokation haben. Im Lichte einer wirkungsgeschichtlichen Betrachtungsweise entpuppt sie sich hingegen als erprobter Topos im Umgang mit sogenannten Klassikern oder klassischen Epochen. Was Goethe betrifft, so hat Theodor Mundt bereits zwei Jahre vor dem Tod des Dichters dessen Werk als vom Standpunkt der Gegenwart aus betrachtet vergangen, für die Rezeption abgeschlossen und für das Gegenwartsinteresse antiquiert bezeichnet.[2] Der Hinweis auf derartige frühe und – wie im Falle Mundts – ja auch wohl etwas verfrühte Verabschiedungen, die in der Folgezeit dann so grandios widerlegt zu werden pflegen, geschieht nicht in der Absicht, die gegenwärtigen Schwierigkeiten im Umgang mit der deutschen Klassik unter Berufung auf die Wirkungsgeschichte zu relativieren und zu bagatellisieren. Gerade konservative Bewahrer des Erbes, sofern sie sich nur etwas auf die Kunst dialektischen Argumentierens verstehen, wissen die Gegner ihres Gegenstandes zu schätzen, zitieren sie gern und mit wohldosierter Zustimmung, immer aber im Vertrauen darauf, daß der Heros ihres Interesses dabei am Ende nur gewinnen kann. Diese Einschränkung zu machen scheint mir nötig, um nicht in den vorschnellen Verdacht zu geraten, die Wirkungsgeschichte der Klassik historistisch gegen ihre heutigen Kritiker ausspielen zu wollen. Dennoch scheint es mir sinnvoll und geboten, eben diese Klassikkritik mit der bisherigen Wirkungsgeschichte des kritisierten Gegenstandes zu konfrontieren, mit dem Ziel, vorschnelle und bereits zum Gegenklischee erstarrte Argumente und Argumentationsstrategien der gegenwärtigen Klassikdiskussion auf ihre Berechtigung hin zu befragen.

Unter gegenwärtiger Klassikdiskussion verstehe ich hier vor allem jene Formen der Klassikkritik und Klassiknegation, die am Beginn der sechziger Jahre eine Epoche unangefochtener Hochschätzung der Werke der Weimarer Klassik in Schule, Universität und literarischer Öffentlichkeit ablösten und einen radikal-aggressiven Paradigmawechsel ihrer Bewertung und Beurteilung herbeiführten. Dabei handelt es sich um einen Vorgang, der zunächst nur für die Bundesrepublik und die Schweiz repräsentativ zu sein schien, dennoch aber, mit einer bezeichnenden Phasenverschiebung, wennschon nur bedingt vergleichbar, auch für die Deutsche Demokratische Republik Bedeutung erhalten hat. Die tabuverletzende Goethe-Biographie von Richard Friedenthal (1963) setzte ein erstes Signal,[3] der Zürcher Literaturstreit um Emil Staigers Rede *Literatur und Öffentlichkeit* im Dezember 1966 radikalisierte die Fragestellung und sprengte mit schonungsloser Offenheit die brüchig gewordene Fassade restaurativer Klassikerpflege. Der Beitrag von Hans-Heinz Holz (1967) nahm bereits alle Argumente einer politischen Klassiknegation vorweg, die

integrativer Bestandteil der wenig später von der Studentenbewegung inaugurierten ›Kulturrevolution‹ wurde. »Der Neo-Klassizismus und Neo-Humanismus deutscher Geisteswissenschaft hat sich durchaus als Vorbereiter und als Dekor der Barbarei erwiesen. [...] Es blieb den klassizistischen Ideologen der bürgerlichen Welt überlassen, der Kunst die Aufgabe zuzuweisen, das Dasein zu verklären. [...] Ein fadenscheiniger Traditionsbegriff muß dann notdürftig heilen, was in die sentimentalen Harmonie-Bedürfnisse dieser Neo-Humanisten nicht paßt. [...] Literaturgeschichte, die ihr vornehmstes Ziel darin sieht, die in der Dichtung auftauchenden Widersprüche und Unheimlichkeiten der Wirklichkeit wegzueskamotieren und uns eine gottgewollte Idealität der überkommenen Normen vorzugaukeln, macht sich zum Fürsprech der schlechtesten aller möglichen Welten: derjenigen nämlich, in der es keinen Fortschritt geben darf.«[4]
Eine erste literaturwissenschaftliche Bestandsaufnahme dieser politischen Götterdämmerung des bisherigen Klassikverständnisses brachte der ›Second Wisconsin Workshop‹, der 1970 in Madison/USA stattfand und dessen Beiträge ein Jahr später unter dem von Franz Mehring entlehnten Titel *Die Klassik-Legende* veröffentlicht wurden.[5] Das Vorwort der Herausgeber Reinhold Grimm und Jost Hermand formulierte eindeutig die polemische Stoßrichtung der gemeinsamen Überlegungen: »Es gehört nun einmal zum Wesen der Weimarer Hofklassik, daß hier zwei hochbedeutende Dichter die Forderung des Tages bewußt ignorieren und sich nach oben flüchten: ins Allgemein-Menschliche, zum Idealisch-Erhabenen, zur Autonomie der Schönheit, um dort in Ideen und poetischen Visionen das Leitbild des wahren Menschentums zu feiern.«[6] Es gehe darum, wieder ein historisches und damit undogmatisches Verhältnis zur deutschen Klassik zu gewinnen: »Weg also mit jener frommen Geste von rechts und links, die alles und jedes an dieser Weimarer Hofklassik verehrt und damit mumifiziert. Es ist endlich an der Zeit, das Klassische wieder als etwas Historisch-Lebendiges und nicht als etwas Überzeitlich-Totes zu betrachten. Denn nur so läßt sich jener normative Charakter zerstören, der diesem Leitbild so lange angehaftet hat. Nichts gegen seine Größe, aber was hat es nicht alles zugedeckt?«[7] Vordringliche Aufgabe einer ideologiekritischen Entmythologisierung des bisherigen Klassikverständnisses sei es, die falschen Legenden, die durch die bürgerliche Rezeption der Klassik vor allem im 19. Jahrhundert geschaffen worden sind, zu zerstören. Wirkungsgeschichte wird zur Wirkungskritik und damit zum eigentlichen methodischen Vehikel, ein etabliertes dogmatisches und normatives Klassikverständnis abbauen zu helfen. Ähnlich argumentiert auch der Altphilologe Egidius Schmalzriedt, dessen Antrittsvorlesung *Inhumane Klassik* im gleichen Jahr wie die *Klassik-Legende* erscheint. Als Mittel der Immunisierung gegen die politische Gefährlichkeit jeder Form von Klassik schlägt Schmalzriedt die Ersetzung des produktionsästhetischen durch den rezeptionsästhetischen Aspekt der Betrachtung vor: Die Gefahren einer Beschäftigung mit klassischen Epochen »werden solange nicht gebannt sein, solange man nicht akzeptiert – mit den nötigen Konsequenzen akzeptiert –, daß Klassik‹ nicht ein künstlerisches *Produktions*phänomen ist, sondern ein reines *Rezeptions*phänomen, dessen temporäre wie postume Konstituenten und Implikationen der Analyse offenstehen«.[8]
Die radikale Infragestellung der kanonischen Geltung der deutschen Klassiker, vornehmlich Goethes und Schillers, durch eine Literaturwissenschaft, die sich als pro-

gressiv oder materialistisch bezeichnete und verstand, ließ manchen konservativen Bewahrer der Tradition einen sehnsüchtigen und wohl auch hilfeheischenden Blick über seinen bürgerlichen Zaun hinweg ins marxistische Lager der DDR-Germanistik werfen, wo bekanntlich die Pflege des klassischen Erbes unangefochten durch bilderstürmerische Attacken ihren festen Platz behauptet hatte. In dieser Situation wollten nicht wenige den Teufel mit Beelzebub austreiben, indem sie sich gegen die linksradikalen Verächter des Erbes auf deren marxistische Verteidiger beriefen, die für ein orientierungslos gewordenes bürgerliches Bewußtsein plötzlich stabilisierende Funktion erhielten. Dieser bürgerliche Rückgriff auf ein marxistisches Erbeverständnis war in vielen Fällen allerdings nur ein gefälschter Paß, mit dem man sich unbehindert im besetzten Gebiet glaubte bewegen zu können. Der am häufigsten gebrauchte Stempel, Georg Lukács, hatte zudem im Ausstellungsland selbst beträchtlich an Farbe und Einfluß verloren, seine verspäteten bürgerlichen Adepten gerieten spätestens Ende der sechziger Jahre in eine nicht unproblematische Ungleichzeitigkeit mit der Entwicklung in der Deutschen Demokratischen Republik, wo die scheinbar so harmonisch-intakte Fassade der Erbebeziehung erste Risse zu zeigen begann. Im Unterschied zur Bundesrepublik erfolgte die kritische Infragestellung der etablierten Klassikerpflege in der Deutschen Demokratischen Republik mit einer Phasenverschiebung von fast zehn Jahren. Ulrich Plenzdorfs *Die neuen Leiden des jungen W.* und Werner Mittenzweis Aufsatz *Brecht und die Probleme der deutschen Klassik* bildeten im anderen Teil Deutschlands die auslösenden Faktoren einer folgenreichen und mit streitlustiger Vehemenz geführten Auseinandersetzung um das klassische Erbe, die im Jahrgang 1973 der Zeitschrift *Sinn und Form* ihre vornehmliche Plattform gefunden hat.[9] Ohne die grundlegend anderen Voraussetzungen und Ziele dieser Diskussion im Vergleich mit der in der Bundesrepublik geführten hier konvergenztheoretisch bestreiten zu wollen, lassen sich dennoch folgende drei Punkte einer formalen Übereinstimmung feststellen: 1. Die Infragestellung der normativen Geltung der klassischen Ästhetik für eine moderne (im Fall der DDR: sozialistisch-realistische) Literatur. 2. Die Kritik an der politischen Haltung Goethes und Schillers, speziell in ihrem Verhältnis zur Französischen Revolution. 3. Der Abbau einer erstarrt ›musealen‹ Beziehung zur Klassik zugunsten einer das Erbe verfremdenden Funktionalisierung auf aktuelle Situationen, Bedürfnisse und Interessen.[10]

Die potentielle Vergleichbarkeit linksbürgerlicher und marxistischer Klassikkritik wird von dem DDR-Germanisten Hans-Dietrich Dahnke in seinem Aufsatz *Sozialismus und deutsche Klassik* indirekt zugegeben: »Es sollte zu denken geben, wenn sich marxistisch-leninistische Wissenschaftler in beunruhigender Nähe zu der in den letzten Jahren enorm verstärkten ›linken‹ Klassik-Kritik in imperialistischen Ländern befinden, die Teil der Widerspiegelung von tiefgehenden Krisenprozessen ist.«[11] Dahnke versucht, zwischen einer ›liberalen‹ (Mittenzwei) und einer ›dogmatisch-normativen‹ (Holtzhauer) marxistischen Erbeauffassung zu vermitteln. Nicht mehr der Diskussion bedürftig ist für ihn jedoch die unanfechtbare Tatsache, daß bestimmte Positionen der bisherigen Wirkungsgeschichte der Klassik wie die Vorwürfe gegen ihren Aristokratismus, ihren Apolitismus, ihre konterrevolutionäre Haltung, ihren allgemeinen Humanismus und den Ästhetizismus der Klassiker »unter den heutigen Bedingungen« der DDR »historisch überholt und unproduktiv«

geworden seien.[12] Die erkenntnistheoretische Prämisse dieser Behauptung ist die These von der grundsätzlichen Unanfechtbarkeit des Erbes durch seine Wirkungsgeschichte: »Zunächst ist festzuhalten, daß die geschichtliche Substanz des Erbes durch diese Veränderungen nicht berührt wird; sie behält immer einen historischen Eigenwert, auf den spätere Ereignisse und Vorgänge keinen Einfluß haben. Im Erbe haben wir es mit Leistungen zu tun, die, im Laufe der Menschheitsgeschichte einmal hervorgebracht und überliefert, durch niemand und nichts gegenstandslos und nicht existent gemacht werden können. Deshalb bildet das historische Objekt in der Erbebeziehung einen festen und unveränderbaren Bezugspunkt. Meinungen und Urteile darüber unterliegen den Kriterien von Falschheit oder Richtigkeit, von Einseitigkeit oder Komplexität in Hinsicht auf die Erfassung des Gegenstands.«[13]

Die Konfrontation von gegenwärtiger linksbürgerlicher und marxistischer Klassikkritik in Hinblick auf den jeweiligen Stellenwert der Wirkungsgeschichte des kritisierten Gegenstandes ist aufschlußreich: während die linksbürgerliche Germanistik mit Nachdruck eine ideologiekritische Rezeptionsgeschichte der deutschen Klassik fordert, wittert der Marxist ihre Gefährlichkeit und schottet ihre systemsprengenden Momente produktionsästhetisch ab, indem er sie als historisch überholt bezeichnet. Das Festhalten am Primat der Produktionsästhetik sichert für den marxistischen Autor »die geschichtliche Substanz des Erbes«, die durch die »Veränderungen« der rezeptiven Perspektive »nicht berührt wird«. Die Wirkungsgeschichte eines historischen Objekts wie der Klassik unterliegt den Kriterien von »Falschheit und Richtigkeit, von Einseitigkeit und Komplexität«, die sich unabhängig von seiner Nachgeschichte gebildet haben und durch diese nicht in Frage zu stellen sind. Nur auf dem Hintergrund einer solchen dogmatischen Vorentscheidung gewinnt der Katalog von »Wesenszügen der Klassik«, wie ihn der Klassikband der in der DDR erscheinenden *Erläuterungen zur Literatur*[14] erstellt, an Plausibilität. Wenn hier als »eine der großartigsten Leistungen der deutschen Klassik« die »durch Schiller und Goethe erfolgte Herausbildung vieler Bausteine einer *realistischen Ästhetik*« bezeichnet wird, so wird ihre durch die Wirkungsgeschichte vielfältig zu belegende Inanspruchnahme als gegen- oder antirealistische Ästhetik negiert oder als »falsche« Aktualisierung beiseite geschoben. Daß die Deklarierung der klassischen Ästhetik als einer »realistischen« selber ein Selektionsphänomen, nämlich eine Aktualisierung im Sinne bestimmter kulturpolitischer Setzungen ist, wird nicht reflektiert, sondern verschleiernd als geschichtliches Faktum der Produktionssphäre ausgegeben. Das vermeintlich historische Bild der Klassik in der marxistischen Literaturwissenschaft ist eine Projektion, die darauf angewiesen ist, die Vermittlungen der Wirkungsgeschichte als »Verfälschungen« zu denunzieren.

Mit diesen rezeptiven »Verfälschungen« hat indes nicht nur der marxistische Wissenschaftler zu kämpfen, auch sein bürgerlicher Antipode muß sich mit ihnen auseinandersetzen. So schreibt der in seiner Arbeit *Friedrich Schiller – Erbe und Aufgabe* um eine Rettung der Klassik bemühte Benno von Wiese: »Die vorbildlichen Werte klassischer Dichtung und ihre anschaulichen Kategorien der Menschheit können unter anderen sozialen Voraussetzungen zu einem Zerrbild werden und sich damit in ihr Gegenteil verkehren. Aber sie sollten nicht bloß als Parodie gesehen und abgewertet werden, sondern aus der geschichtlichen Situation heraus, in der sie sich *damals* behaupten mußten. Jede andere Sehweise bedeutet bereits ihre Verfälschung.«[15] Rettet sich der marxistische Autor in die aktualisierende Projektion, so der bürgerliche Wissenschaftler in eine historische Rekonstruktion dessen, was »damals« gewesen ist. Die historistische Konsequenz eines solchen Verfahrens liegt auf der Hand. Benno von Wiese hat sie selber bezeichnet: »Wird die ›Klassik‹ ausschließlich zum ›historischen‹ Phänomen, so ist sie damit auch endgültig gestorben.«[16] Die Antwort, die Benno von Wiese zur Überwindung dieser Aporie anbietet, nämlich der Hinweis auf »eine Dimension der Zeit, innerhalb derer alles Vergangene *noch* gegenwärtig, alles Gegenwärtige *schon* Vergangenheit ist«,[17] kann nicht befriedigen, weil sie unkonkret und formalistisch bleibt. Methodisch reflektierter, weil die Gefahren sowohl eines projektiv-dogmatischen wie eines formalistischen Lösungsangebots vermeidend, scheinen Heinz Ide und Bodo Lecke in der programmatischen Einleitung zu dem von ihnen herausgegebenen Band *Literatur der Klassik I* zu argumentieren: »Die widersprüchliche und fast durchweg fatale Rezeptionsgeschichte der Klassik ist mit den eigenen auktorialen Wirkungsintentionen der Klassik so scharf (und aus didaktischen Gründen unseretwegen so einseitig) wie möglich zu konfrontieren, weil eine wesentliche hermeneutische Fragestellung ist: welche Widersprüche bereits in der historischen Konstellation angelegt waren und also notwendig entsprechende Wirkungen haben *mußten*.[18] In diesem, dem methodischen Verfahren Franz Mehrings in seiner *Lessing-Legende* entlehnten Konfrontationsmodell hat Rezeptionsgeschichte lediglich Kontrollfunktion zur Überprüfung richtiger und falscher Wirkungen. Die Widersprüchlichkeit von Wirkungsgeschichte wird den Widersprüchen in der »historischen Konstellation« angelastet, ohne daß die Frage auch nur gestellt wird, ob Widersprüchlichkeit und Mehrdeutigkeit nicht ein konstitutives Moment der Wirkung ästhetischer Phänomene überhaupt ist, unabhängig und nicht ableitbar von den historischen Widersprüchen der durch sie widergespiegelten Wirklichkeit.[19] Wenn, nach einem bekannten Satz von Walter Benjamin, die Werke für den historischen Dialektiker ihre Vor- wie ihre Nachgeschichte integrieren, »eine Nachgeschichte, kraft deren auch ihre Vorgeschichte als in ständigem Wandel begriffen erkennbar wird«,[20] so bedeutet dies nichts geringeres als die radikale Infragestellung einer undialektischen Konfrontation von Intention und Wirkung eines literarischen Werkes oder einer literarischen Bewegung, da die Nachgeschichte eines Werkes die Intention seines Schöpfers »hinter sich zu lassen vermag«, wie auch die Funktion in der Lage ist, »ihren Schöpfer zu überdauern«.[21]

Die folgenden Überlegungen erheben nicht den Anspruch, eine programmatische Alternative zu den angeführten Positionen bürgerlicher und marxistischer Klassikkritik anzubieten. Sie beschränken sich darauf, einige Strukturphänomene der Wirkungsgeschichte der Klassik in Deutschland an isoliert herausgehobenen Beispielen sichtbar zu machen und sie auf die oben skizzierte Klassikdiskussion zu beziehen.

Wenn Georg Lukács die deutsche Klassik »ein kurzes Zwischenspiel auf schmaler Basis« genannt hat und ihren Entfaltungsraum »streng genommen« auf die zehnjährige Periode der Zusammenarbeit von Goethe und Schiller beschränken will,[22] so widersprechen zwar zahlreiche frühere und spätere Klassikkonzeptionen dieser rigiden Definition, unter wirkungsgeschichtlichen Aspekten jedoch erweist sich seine Bestimmung zumindest für die erste Hälfte des 19. Jahrhunderts als richtig. Hatte die frühromantische Literaturkritik den Versuch unternommen, die epochale Bedeutung vor allem der Werke Goethes für eine im Entstehen begriffene moderne Literatur im Zusammenhang einer geschichtsphilosophischen und transzendentalpoetologischen Fundamentalanalyse herauszustellen, so erklären die gleichen Autoren bereits wenige Jahre nach der Inthronisation Goethes die durch ihn begründete Kunstperiode für abgeschlossen und legen das Fundament der nach 1806 auf breiter Front einsetzenden politisch-nationalen Opposition gegen die erst später so benannte Weimarer Klassik.[23] Dieser Opposition verdankt die Wirkungsgeschichte der Klassik ihr zentrales, bis über die Mitte des Jahrhunderts hinaus aktuelles Thema: die Diskrepanz zwischen einem der Suprematie und Autonomie des Ästhetischen verpflichteten klassischen Kulturentwurf einerseits und der mit der Französischen Revolution für Deutschland zunächst nur theoretisch sich auswirkenden, nach der Schlacht bei Jena die gesamte Lebenspraxis umwälzenden und bestimmenden Politisierung des seit dem Dreißigjährigen Kriege im Windschatten der großen Politik gebliebenen Landes anderseits. Dieser Grundwiderspruch bleibt dominanter Inhalt der Wirkungsgeschichte der deutschen Klassik bis 1870. Von einer Wirkungsgeschichte der Klassik zu sprechen bekommt allerdings erst Sinn in dem Moment, wo neben den Namen Goethes derjenige Schillers tritt. Erst die Verbindung beider zu einem gemeinsam durch sie vertretenen Kunst- und Lebensideal, wie sie Georg Gottfried Gervinus 1835 in der Einleitung zum ersten Band seiner *Geschichte der poetischen Nationalliteratur der Deutschen* vollzieht, schafft die Basis und den Begründungszusammenhang für den Begriff einer deutschen Klassik. Die folgenreiche, uns heute allzu selbstverständliche Koppelung Goethes und Schillers schließt eine Phase ihrer Wirkungsgeschichte ab, in der beide Dichter zumeist antithetisch gegeneinander ausgespielt wurden. Schiller galt weithin als der dem politischen und nationalen Befreiungskampfe enger verbündete Autor, Goethe als der zeitabgewandte und zeitüberlegene Anwalt der reinen Kunst. In Heines *Romantischer Schule* hat diese Entgegensetzung ihre klassische zeitgenössische Darstellung erfahren. Auch Gervinus geht von dieser antithetischen Konzeption, die den obengenannten Grundwiderspruch der Vorgeschichte des Klassikbegriffs widerspiegelt, indem sie ihn in der Gegenüberstellung Goethes und Schillers personalisiert, aus. In aller Schärfe zeigt dies seine Frühschrift *Über den Göthischen Briefwechsel* (1836), in der er noch deutlich die Partei Schillers ergreift. Im Abschnitt »Gemeinsame Thätigkeit« im fünften Band seiner Literaturgeschichte (1842) wird diese Antithetik wiederum effektvoll ausgespielt, am Schluß der Darstellung jedoch, und das ist das Neue und Folgenreiche, wird sie aufgehoben in ein Drittes, das die entgegengesetzten Positionen übergreift. Das Fazit seiner Analyse lautet: nur beide Dichter zusammen repräsentieren die Totalität künstlerischer und menschlicher Möglichkeiten. Gerade ihre Verschiedenheit als Typus drängt auf Vereinigung, die biographisch durch den einzigartigen Kairos ihres zehnjährigen Zusammenwirkens in Weimar gewissermaßen leibhafte Parusie für die Deutschen geworden ist. »Und so durchkreuzen sich die Linien des doppelseitigen Wesens in Beiden so vielfach, daß sie uns gleichsam erst in dieser verschlungenen Gestalt ein gemeinsames Ganzes darstellen, an dem wir uns ungetrennt freuen und aufbauen sollen, wie es in der Absicht der Männer selber lag. Wer wollte zwischen Beiden wählen! wer die Grundlehre Beider, die wir so wiederholt, so nachdrücklich, wie sie sich in ihren Schriften selbst findet, auch in unserer Darstellung wieder und wieder bringen mußten, die Lehre von der vereinten totalen Menschennatur, so blind aus dem Auge lassen! wer möchte das Eine als das Ausschließliche preisen, da sie selbst uns auf ein Drittes wiesen, das größer ist als Beide!«[24] Diese Sätze könnte man als das Gründungsmanifest eines wirkungsgeschichtlichen Klassikbegriffs bezeichnen, auch wenn der Begriff von Gervinus nicht gebraucht wird. Mit seinem Synthesemodell hat Gervinus den Totalitätsanspruch der Weimarer Klassik begründet, die jede nur denkbare Möglichkeit künstlerischer Aussage umgreift und in der jede vorhandene und künftige Polarität künstlerischer Tätigkeit aufgehoben ist. Die gesamte nachklassische Produktion (auch die Goethesche) mußte demzufolge ein Abfall von diesem durch eine glückliche Konstellation einmal erreichten und musterhaft realisierten Ideal sein. Bekanntlich hat Gervinus dieses Ideal seiner Gegenwart nicht zur Nachahmung empfohlen, sondern diese Gegenwart an die politische Tat verwiesen. Für die politische Umgestaltung der bestehenden gesellschaftlichen Verhältnisse in Deutschland konnte nach Gervinus die durch Goethe und Schiller repräsentierte Klassik kein Leitbild mehr sein. Indem er sie für den Bereich des Ästhetischen zum unüberbietbaren Kanon erhebt, erklärt er sie zugleich für antiquiert im Hinblick auf die eigentlichen Gegenwartsinteressen. Diese finden vielmehr ihren Vertreter in einem anderen Klassiker der deutschen Literatur, der mit der Weimarer Klassik inkommensurabel ist, dem Jakobiner Georg Forster. Gervinus hat dessen Charakteristik »absichtlich« in diejenige Goethes und Schillers eingefügt, »um den Abstich zwischen den Handlungen und Urtheilen eines praktischen Mannes und eines Poeten den großen Ereignissen der Geschichte gegenüber recht fühlbar zu machen«.[25] Der politische Schriftsteller und der Poet stehen einander gleichberechtigt, aber auch isoliert gegenüber. Die Tugenden des einen zum Maßstab des anderen zu machen kommt Gervinus nicht in den Sinn. Bedeutet dies in gewisser Weise eine Relativierung des Totalitätsanspruchs der Weimarer Klassik, so ist es zugleich Rechtfertigung der vermeintlichen un- oder überpolitischen Haltung der Klassiker. War die Voraussetzung der politischen Opposition der dreißiger und vierziger Jahre gegen Goethe gerade die Einheit von Kunst und Politik gewesen, so hat der politische Literaturgeschichtsschreiber Gervinus diese Einheit arbeitsteilig aufgelöst und damit jener Opposition die Basis entzogen.

Die Reduktion einer deutschen Klassik auf das sogenannte »klassische Jahrzehnt« der Zusammenarbeit zwischen Goethe und Schiller bedeutete zugleich die isolierende und abgrenzende Hervorhebung dieser Schaffensperiode gegenüber dem Frühwerk und – wie im Falle Goethes – dem Spätwerk beider Dichter. Ein zentrales Motiv der frühen Wirkungsgeschichte Goethes war die Frage nach dem Verhältnis des Frühwerks zu den Werken seiner mittleren und späten Schaffensperiode gewesen. So hat bis in die jüngste Gegenwart hinein die Polemik gegen die »höfische Wende« seiner Übersiedlung nach Weimar zahlreiche Renaissancen erlebt. Das sozialrevolutionäre und gesellschaftsrebellische Sturm-und-Drang-Werk Goethes und Schillers ist bereits von den Zeitgenossen als gegenklassische Tradition hervorgehoben und, wie bei Ludwig Tieck und den Autoren des Jungen Deutschland, gegen die Weimarer Klassik ausgespielt worden. Ähnlich wurde auch die Entwicklung des späten Goethe als Abkehr oder Überwindung ebendieser Klassik interpretiert. Die Wirkungsgeschichte der Klassik wird schon früh kontrapunktiert durch die

Wirkungsgeschichte ihrer beiden repräsentativen Autoren. Eine ideologiekritische Wirkungsanalyse von Goethe und Schiller sollte diesen Sachverhalt berücksichtigen und seine Komplexität nicht durch griffige Pauschalurteile verdecken. Unbeschadet dieser Komplexität und Kontrapunktik hat das Gervinussche Synthesemodell als Kern des Klassikbegriffs bis heute überlebt. So heißt es noch 1964 bei Benno von Wiese: »Denn die Synthese der deutschen Klassik ruht auf dem tiefen Gegensatz dieser beiden Naturen [Goethes und Schillers] und seiner Überwindung. Solange uns überhaupt noch ›Synthese‹ von Widersprüchen aufgegeben ist, können wir die damals erreichte Leistung nicht entbehren.«[26]

Der Engführung einer Reduktion des klassischen Höhepunkts der deutschen Literatur auf die Polarität Goethe und Schiller wurde bereits von Gervinus' Zeitgenossen energisch widersprochen. So schreibt Karl Gutzkow in seinem Aufsatz *Nur Schiller und Goethe?* (1859), daß diese beiden Dichter »zu sehr zwei Begriffe geworden [sind], die sich gegenseitig ergänzen und die volle, von allen Seiten mögliche Betrachtung der Literatur ausdrücken sollen. Diese Allheit bestreiten wir. ›Schiller und Goethe‹ drücken nicht das ganze Gebiet des dichterischen Schaffens aus, bezeichnen nicht die Bahnen, in denen allein die deutsche Literatur zu wandeln hat. Es gibt Notwendigkeiten im geschichtlichen Gang unserer Literatur, für welche sich *weder* bei Schiller *noch* bei Goethe der entsprechende Ausdruck findet.«[27] Gutzkow nennt als Alternative, um »aus dem Bann des Begriffs ›Schiller und Goethe‹ herauszukommen«, zwei Namen: Heinrich von Kleist und Jean Paul. Während er Kleist keine Chance einräumt, als Kontrapunkt zu Goethe und Schiller zu fungieren (hier hat ihn die weitere Wirkungsgeschichte gründlich widerlegt!), ist für ihn Jean Paul »in der Tat in gewissem Sinne mehr als Schiller und Goethe der Vater der ganzen neuern Literatur von Bedeutung geworden«.[28] Die Einsetzung Jean Pauls als dritte, die kanonische Geltung des Doppelgestirns der Weimarer Dioskuren relativierende Kraft hatte im Jahre 1859 bereits ihre eigene, genau beschreibbare Vorgeschichte. Sie beginnt mit Joseph Görres' großer Jean-Paul-Rezension in den *Heidelbergischen Jahrbüchern der Literatur* von 1811,[29] dem bedeutendsten antiklassischen Manifest der Hochromantik, sie führt über Börnes *Denkrede auf Jean Paul* (1825) und Wolfgang Menzels Literaturgeschichte (1828) zu den Jugendaufsätzen von Georg Herwegh. Das wichtigste Dokument der Inthronisation Jean Pauls als des eigentlichen Gegenpols zur Klassik Goethes und Schillers im 19. Jahrhundert ist das Buch von Karl Christian Planck *Jean Pauls Dichtung im Lichte unserer nationalen Entwicklung* (1868),[30] in dem der Anwalt eines modernen prosaischen Realismus der verkümmerten deutschen bürgerlichen Verhältnisse, Jean Paul, gegen den Idealismus der Klassik ausgespielt und verteidigt wird. Diese Tradition läßt sich über weitere wichtige Zwischenglieder bis hin zu Martin Walsers Aufsatz *Goethe hat ein Programm, Jean Paul eine Existenz* von 1974[31] weiterverfolgen. Die bisherige Praxis fast ausschließlich autorzentrierter Wirkungsgeschichtsschreibung hat die Möglichkeiten, die eine konstellativ angelegte Wirkungsgeschichte bietet, weitgehend ungenützt gelassen. Jean Paul ist nur ein Beispiel. Die Wirkungsgeschichte der Klassik im 19. Jahrhundert konstituiert sich in ständiger Kontrapunktik mit Gegenentwürfen, die ihren normativen Anspruch relativieren oder negieren. So bleibt der Kampf zwischen klassischer und romantischer Literatur und Kunsttheorie bis zu Rudolf Hayms Romantikbuch von 1870 ein in hohem Maße aktuelles Problem der literaturpolitischen Auseinandersetzung und Konfrontation. Die Romantikkritik der marxistischen Literaturwissenschaft hat wichtige Motive dieser Auseinandersetzung im 20. Jahrhundert wieder reaktualisiert. Neben die Romantik tritt Shakespeare, dessen Rezeptionsgeschichte im 19. Jahrhundert in ihrer zentralen Bedeutung für die deutsche Literatur noch immer im Schatten des Interesses an seiner Entdeckungsphase vom Sturm und Drang bis zur Romantik steht. Seine Funktion als gegenklassisches und antiidealistisches Modell politisch-realistischer Dramatik für die Ästhetik, Kunsttheorie und dramatische Praxis im 19. Jahrhundert ist durch viele Beispiele zu belegen. Daß auch die Syntheseformel Goethe–Schiller immer wieder zugunsten einer pointiert antithetischen Parteinahme für einen der beiden Dichter aufgebrochen wurde, läßt sich von Otto Ludwig bis zu Wilhelm Girnus' einseitig auf Goethe abhebenden Erbebegriff für eine sozialistisch-realistische Literatur[32] oder bis zu Hans Pyritz' Trennung einer genuin Goetheschen Früh- und einer von Schiller überfremdeten Hochklassik[33] leicht zeigen. Schon diese Beispiele sind ein Beweis dafür, daß von einer unangefochtenen Hegemonie der Klassik im Sinne des Synthese- oder Totalitätsmodells in Deutschland nicht die Rede sein kann.

Ein besonders aufschlußreiches Beispiel für eine konstellative oder kontrapunktische Wirkungsgeschichte der deutschen Klassik ist Heinrich Heine. Er ist schon früh, wie ich an anderem Ort ausführlich zu zeigen versucht habe,[34] als der eigentliche Antitypus zum Geist der Klassik ausgespielt und denunziert worden. Die Skala derer, die als Parteigänger der deutschen Klassik Heine bekämpft, beschimpft und ihm das Anrecht, ein klassischer deutscher Autor zu sein, bestritten haben, reicht von Christian Hermann Weiße über Victor Hehn, Heinrich von Treitschke, Wilhelm Dilthey, Karl Kraus, Friedrich Gundolf bis zu dem faschistischen Germanisten Franz Koch. Es ist das nicht zu bestreitende Verdienst vor allem der marxistischen Literaturwissenschaft, diese für die Einbürgerung Heines in Deutschland so unheilvolle Gegenüberstellung überwunden und diesen Autor als einen Goethe und Schiller ebenbürtigen Klassiker in den Kanon der »fortschrittlichen« Tradition der deutschen Literatur aufgenommen zu haben. Zu fragen allerdings wäre, ob diese – vom Standpunkt der marxistischen Erbetheorie aus gesehen – Richtigstellung einer »falschen« bürgerlichen Wirkungsgeschichte nicht einer bedenklichen Entspannung und Harmonisierung des Verhältnisses zwischen der deutschen Klassik und Heine gleichkommt. Heine als Partner der Klassiker zu betrachten bedeutet, seine noch immer aktuelle Funktion als ihr Kritiker und Antipode aufzuheben und zu nivellieren. Wenn die Fronten sich inzwischen spiegelbildlich verkehrt haben und mancher heute die Klassik mit Heine in Frage zu stellen geneigt ist, so entspricht auch diese Umkehrung noch der Signatur der Wirkungsgeschichte und scheint mir einem lebendigen Verhältnis zur Tradition näher als die Haltung musealer Gerechtigkeit. In dem so heftig und so parteilich geführten Zürcher Literaturstreit gab es eine Stimme, die für die Vermittlung und Versöhnung der Antagonisten plädierte. In Hugo Loetschers Beitrag *Ein Konzil für Germanisten* heißt es: »Ich begreife nicht, warum man Bertolt Brecht nicht mag, nur weil man Hofmannsthal schätzt, und ich verstehe ebensowenig, weshalb man nicht die Lyrik eines Gottfried Benn schätzt, nur weil man Bertolt Brecht achtet. Das hat nichts mit einem Liberalismus des Schreibens und Schreiben-Lassens zu tun. Eine Generation wie meine wird dort komisch, wo sie sich als Entdecker gebärdet; man hat für uns in den ersten Jahrzehnten dieses Jahrhunderts die Entdeckungen gemacht. Aber das Faszinierende für meine Generation ist der schamlose Vorteil, über diese Entdeckungen zu verfügen – oder wenn wir ein Wort von Malraux variieren: wir können die ›bibliothèque imaginaire‹ auftun.«[35] Auf unseren Zusammenhang bezogen, heißt dies: Goethe *und* Heine, Schiller *und* Shakespeare, Klassik *und* Romantik, Klassik *und* Jakobiner, *Hermann und Dorothea* und *Deutschland. Ein Wintermärchen,* der *ganze* Kanon soll es sein! Einem solchen ästhetisierenden Pluralismus gegenüber hat die Gegenwart zu Recht Protest erhoben, indem sie das Bewußtsein für die derartigen harmonistischen Koppelungen inhärente parteiliche Antithetik erneut wieder geschärft hat.

Es ist das nicht unproblematische Verdienst der historisch-philologischen Klassikforschung gewesen, diese Antithetik nivelliert zu haben in dem Versuch, unabhängig von der Wirkungsgeschichte ein Bild des Gegenstandes zu entwerfen, das sich allein dem Rückgriff auf die Quellen selbst und deren Analyse verdankt. Erst jetzt wurde es möglich, die historischen Zusammenhänge als solche, d. h. in der Objektsphäre, zu untersuchen und neue Synthesen zu schaffen, die alle bisherigen rezeptiven Aktualisierungen als für die historische Erkenntnis irrelevant hinter sich ließen. Kennzeichnend für die Klassikdiskussion in der ersten Hälfte des 19. Jahrhunderts war der beständige Bezug auf die vorangegangenen und gleichzeitigen Positionen der Rezeption des Gegenstandes. Man argumentierte wirkungsästhetisch in dem Sinne, daß der Blick auf die klassischen Texte selber immer bestimmt bleibt und modifiziert wird durch die Erfahrungen, die andere mit diesen Texten gemacht haben. Es war eine parteiliche Diskussion, der das Moment einer gelassen-objektiven, von aktuellen Interessen absehenden Analyse des Gegenstandes weithin fremd ist. Erst in den sechziger Jahren setzt sich das allgemeine Bewußtsein des endgültig Historisch-Gewordenseins der Klassik und Romantik durch. Beide Epochen werden jetzt als das ganz Andere, das Abgeschlossene und mit der Gegenwart nicht Verknüpfte und zu Verknüpfende betrachtet. Herman Grimm hat diesen Wandel in seiner Rezension von Diltheys *Das Leben Schleiermachers* (1870) unvergleichlich genau beschrieben: »Goethe ist nun ganz in der Vergangenheit untergetaucht. Die Wellen eines neuen Daseins rollen ruhig über die Stelle hin, wo vor Kurzem seine Stirne noch emporragte. Wir fragen nicht mehr: wie würde Goethe dazu sich gestellt haben? Wir fragen überhaupt nach dem Urtheil derer nicht mehr, qui ante nos fuere. Aus Epigonen sind wir plötzlich wieder Deucalionen geworden. Wir meinen zum erstenmale aus dem Stein zu erwachen, sehen uns mit einer gewissen Ruhe (die gleichfalls diesen Ursprung nicht verleugnet) Gegenwart und Zukunft an und wissen bestimmt, daß das Vergangene für immer abgethan sei.«[36] Erst die totale Historisierung des Gegenstandes schafft die Möglichkeiten seiner unparteilich-objektiven Analyse. Das zentrale Thema der frühen Wirkungsgeschichte der Klassik, der Grundwiderspruch zwischen ihrem ästhetischen Kulturprogramm und der politischen Wirklichkeit im nachrevolutionären Deutschland, ist für die Generation von Herman Grimm unwichtig geworden. »Gerade die Abwesenheit des politischen Lebens im heutigen Sinne gibt diesen Bestrebungen für unseren Anblick das Allmächtige«,[37] heißt es in seiner Dilthey-Rezension. Im Unterschied zu Gervinus, der das ästhetische Engagement der Deutschen zugunsten des politischen glaubte stillstellen zu müssen, ist für Herman Grimm das politische Ziel der Deutschen erreicht und dadurch die Voraussetzung geschaffen worden, sich den ideellen Werten der klassischen Epoche mit interesselosem Enthusiasmus wieder zuwenden zu können: »Und so wendet sich die heutige Geschichtsschreibung mit aller Energie den Tagen zu, die, freilich abgethan hinter uns liegend, nun bei all ihrer Schwäche, Beschränktheit und Machtlosigkeit den Schimmer eines Heroenalters zu tragen beginnen. Noch vor zwanzig Jahren klagten wir diese Männer an, die Erbschaft der Freiheitskriege übel verwaltet zu haben: heute verstummen solche Vorwürfe. Deutschland ist in seinen Anfängen auf dem besten Wege.«[38] Die Historisierung der Klassik bot zugleich die Möglichkeit, den Klassikbegriff synthetisch zu erweitern, um der ideellen Vorgeschichte der nun endlich als Nation vereinten Deutschen das größtmögliche Spektrum verbindlicher klassischer Normen und Werte zu geben. Mit Wilhelm Diltheys Basler Antrittsvorlesung von 1867 über *Die dichterische und philosophische Bewegung in Deutschland 1770–1800* stehen wir am Beginn einer grundsätzlichen Neukonzeption des Klassikbegriffs. Unter Vermeidung des Begriffs wird hier der programmatische Versuch unternommen, die dichterische und philosophische Entwicklung von Lessing bis zu den Anfängen der Romantik als Einheit einer gemeinsamen neuen Lebens- und Weltansicht darzustellen. Die restriktive Beschränkung des Klassikbegriffs auf Goethe und Schiller wird preisgegeben zugunsten umfassenderer Synthesen. Wenn Paul Böckmann in seinem Artikel *Klassik* in der 3. Auflage von *Die Religion in Geschichte und Gegenwart* (1959) auch Autoren wie Lessing, Wieland, Hölderlin, Kleist und Jean Paul als der Klassik zugehörig bezeichnet,[39] so steht er in einer Tradition, die durch Dilthey begründet und durch die großen Synthesen der geistesgeschichtlichen Schule fortgeführt wurde. Hermann August Korff mit seinem Begriff der ›Goethezeit‹ und Hermann Nohl mit dem der ›Deutschen Bewegung‹ haben die bekanntesten Beispiele einer derartig erweiterten Epochendefinition gegeben, in der die Klassik aufgehobenes Moment eines größeren Systemganzen wird, sie selbst nur als Teilaspekt einer sie übergreifenden Totalität fungiert. Der normative Anspruch eines solchen Systems übertraf die Syntheseformel Goethe–Schiller bei Gervinus um ein Vielfaches. Es zeichnete sich aus durch die dynamische Einheit von Philosophie, Religion, Geschichtsphilosophie, Ästhetik, Pädagogik und Literatur. In diesem Sinne hat Hermann Nohl sein Konzept einer ›Deutschen Bewegung‹ verstanden und als den »Fonds nationaler Bildung« der Deutschen bezeichnet.[40] Eine ähnliche Ausweitung und Totalisierung des Begriffs Klassik ist auch charakteristisch für die marxistische Literaturwissenschaft. So definiert Helmut Holtzhauer in der Einleitung zu dem Sammelband *Das Jahrhundert Goethes:* »Wir nennen den gesamten Zeitraum von Lessing bis Heine ›Epoche der klassischen deutschen Literatur‹, weil wir ihn […] als Einheit betrachten, innerhalb derer für Kunst und Literatur die Aufnahme und Verarbeitung des humanistischen Gedankenguts, die hellenische, heidnische Sinnenfreude, die Wertschätzung des Wirklichen vor dem Eingebildeten, die Priorität des Lebens vor der Idee das Kennzeichnende ist. Wie abwegig muß es unter diesem Gesichtswinkel betrachtet anmuten, wenn der Begriff der Klassik auf das Jahrzehnt des Freundschaftsbundes zwischen Goethe und Schiller beschränkt wird und die Einheit der Epoche in eine Aufeinanderfolge von gegensätzlichen oder verwandten Erscheinungen wie Aufklärung, Sturm und Drang, Klassik, Romantik, Biedermeier, Vormärz usw. aufgelöst wird, so daß die kausalen Zusammenhänge verloren gehen und Wirkungen sowie Gegenwirkungen unverständlich bleiben!«[41] Es dürfte mehr als fragwürdig sein, ob die im ersten Teil des Zitats genannten inhaltlichen Bestim-

mungen einer »klassischen deutschen Literatur« auf die im zweiten Teil genannten
Erscheinungen zutreffen oder auf sie anzuwenden sind. Unter den oben entwickelten wirkungsgeschichtlichen Aspekten wird die Problematik eines solchen Einheits-
modells besonders kraß deutlich.

Eine wesentliche Aufgabe eines wirkungsgeschichtlich fundierten Literaturver-
ständnisses wäre es, vermeintliche objektive oder richtige Bilder eines Gegenstandes
mit der Polyfunktionalität seiner bisherigen Gebrauchs- und Verwertungsgeschichte
zu konfrontieren. Denn nur in dieser Verwertungsgeschichte hat er historische Realisation erhalten. Eine solche Geschichte für die Klassik zu schreiben wäre eine um
so dringlichere Aufgabe, als sie wie kaum ein anderes literarisches Phänomen immer
wieder in den Himmel einer übergeschichtlichen ideellen Größe hinaufkatapultiert
worden ist. Eine Wirkungsgeschichte der Klassik in Deutschland sollte sich nicht
von dem pauschalen Vorurteil leiten lassen, sie sei bisher eine »durchweg fatale« gewesen,[42] sondern sich der historisch dokumentierten Komplexität ihrer rezeptiven
Aktualisierungen stellen. Die regressive Indienstnahme der Klassik im Kampf gegen
die moderne Literatur seit dem Naturalismus gehört in gleicher Weise zu ihrer Geschichtlichkeit wie die Funktion, die sie als Paradigma einer auf wissenschaftlich-
transzendentaler Reflexion begründeten Kunsttheorie und -praxis bis heute gehabt
hat. Das »heidnische« Plädoyer einer emanzipierten Sinnlichkeit in den *Römischen
Elegien* ist ihrer Wirkungsgeschichte genauso eingezeichnet wie die »hausbacken-
reaktionäre« Ideologie von Schillers *Glocke*, der »Sozialismus« des *Meister*-Romans
genauso wie die antirevolutionäre Verklärung des Bestehenden in *Hermann und
Dorothea*.

Der Begriff einer deutschen oder Weimarer Klassik, der sich nicht dem Selbstverständnis ihrer Träger, sondern deren Wirkungsgeschichte verdankt, konstituiert
sich, wie ich zu zeigen versucht habe, als werkübergreifender Begriff eines Synthese-
modells in dem Augenblick, als eben dieser »Klassik« jede Aussagekraft für das gegenwärtige politisch-gesellschaftliche Leben abgesprochen und ihre Geltung auf den
rein ästhetischen Bereich eingeschränkt wurde. Der Anspruch dieses Modells, als
vorbildlich oder klassisch gelten zu können, wurde hergeleitet aus der Anschauung
einer Totalität von Verwirklichungsmöglichkeiten des Menschen in Gestalt eines
polyphonen Kosmos ästhetischer Realisationen. Für den Begriff Klassik ist der En-
semblecharakter, die Vorstellung von Kollektivität der künstlerischen Produktion
konstitutiv. So liegt auch der heute in vielem nicht mehr nachvollziehbaren Stilisie-
rung und Idealisierung des Dioskurenpaares Goethe und Schiller als dem Kern der
Klassikideologie die Vorstellung einer wirkungsmächtigen Assoziation von Schriftstellern zugrunde, deren gemeinsames Schaffen die Isolation des individuellen Werkes zu überwinden und die kollektive Basis einer Tradition der deutschen National-
literatur zu bilden in der Lage ist. Dieser Klassikbegriff ist von der pädagogisch,
national-pädagogisch oder geschichtsphilosophisch motivierten Institutionalisierung der Klassik als Erziehungsideal, nationalem Höhepunkt oder Antizipation des
neuen Menschen zu unterscheiden. Die Wiedereinsetzung der Klassik als universa-
les, anthropologisches und nationalpolitisches Ideal ist erst ein zweiter Schritt, der
auf und gegen ihre rein ästhetische Kanonisierung ohne gesellschaftlich-politische
Verbindlichkeit erfolgte.[43] Die Erweiterung des zunächst an der coincidentia oppositorum Goethe–Schiller gewonnenen Klassikmodells auf den gesamten Bereich der

literarisch-philosophischen Bewegung von 1770 bis 1830, wie sie die bürgerliche Geistesgeschichte seit Dilthey vollzogen hat, war der Versuch, der politischen Geschichte der Deutschen eine ideelle Vorgeschichte zu geben, in der die Ideale der »heroischen« Epoche des bürgerlichen Emanzipationskampfes im schönen Schein der Kunst aufgehoben waren. Daß es den Deutschen nicht gelungen ist, ihre ideelle Vorgeschichte mit der ihr folgenden real-politischen produktiv zu vermitteln, ist der eigentliche Kern der gegenwärtig geführten Klassikdiskussion. Drei Antworten auf die Frage nach dem Verhältnis von Klassik als Vorgeschichte und der ihr folgenden politischen Geschichte der Deutschen lassen sich, schematisch vereinfacht, aus dem Diskussionsfeld isolieren. 1. Nicht die Klassik ist schuld an ihrer gescheiterten Realisation in Deutschland, sondern das Versagen des Bürgertums nach der Revolution von 1848. Es ist die Antwort der parteioffiziellen marxistischen Erbetheoretiker in der DDR. 2. Die fehlende Vermittlung von klassischer Kunst und der ihr folgenden bürgerlichen Geschichte liegt begründet in dem »affirmativen« Charakter, den bürgerliche Kunst in ihrer Rezeption annimmt. 3. In der Klassik selbst liegen die Gründe für dieses Scheitern. Das klassische Synthesemodell hat eine Lücke, es läßt wesentliche Momente der nachklassischen politischen und gesellschaftlichen Entwicklung unbesetzt, die zur Sprengung dieses Modells geführt haben.

Die erste Antwort hat ihre vielzitierte Formulierung in der Rede *Der Befreier* (1949) von Johannes R. Becher gefunden, in der es heißt: »Die Niederlage der achtundvierziger Revolution hat auch die deutsche Klassik mit zu Grabe getragen. Der deutschen Klassik ist keine klassische deutsche Politik gefolgt, und so mußte das große humanistische Werk unserer Klassik unerfüllt bleiben und konnte nicht seine große volkserzieherische Wirkung ausüben. Das Versagen des Bürgertums war zugleich auch ein Sich-innerlich-Lossagen von dem klassischen Erbe, dessen Vermächtnis zu erfüllen seine Aufgabe gewesen wäre.«[44] In dieser Argumentation ist die Klassik selbst von der Kritik ausgenommen. Das Verdikt gilt ihrer bürgerlichen Wirkungsgeschichte nach der gescheiterten Revolution von 1848. Die Verwirklichung des klassischen Erbes ist die vordringliche Aufgabe einer nachbürgerlichen, sozialistischen Gesellschaft, die Goethe, den Befreier, »befreien [muß] aus den Händen derer, die sein Erbe so schändlich verschwendet und so schamlos mißbraucht haben«.[45] Für den marxistischen Erbetheoretiker verbietet sich jede Ideologiekritik der Klassik. Die Klassik bleibt die auch für den Sozialismus verbindliche höchste Stufe bürgerlicher Kunst, der gegenüber »alle bloß nonkonformistische kritische Literatur als kleinliche Flucht aus der Wirklichkeit erscheinen« muß, wie Friedrich Tomberg in seinem Aufsatz *Dichterfürst oder Fürstenknecht? Überlegungen zu einer falschen Alternative im Umgang mit der deutschen Klassik* noch 1974, ganz im Sinne der Becher-Rede von 1949, schreibt.[46] Die zweite Position, die Übertragung von Herbert Marcuses These vom »affirmativen Charakter der Kultur« auf die bürgerliche Rezeption der Klassik in Deutschland, hat Heinz Schlaffer im Schlußabschnitt seines Buches *Der Bürger als Held* entwickelt. Diese Rezeption ist für ihn gekennzeichnet durch die Diskrepanz zwischen der in der klassischen Kunst als Schein aufgehobenen »heroischen« Existenz des Bürgers und seiner prosaischen Existenz unter den Bedingungen der Entfremdung, die nach Marx das Signum der bürgerlich-kapitalistischen Gesellschaft ist. Die Rezeption klassischer Kunst bietet dem genießenden Bürger eine »ungefährliche Alternative« zur schlechten Wirklichkeit, sie hat affirmativen Charakter, denn »in der ästhetischen Erhebung ist die historische Bewegung der bürgerlichen Gesellschaft zum Stillstand gekommen«.[47] »Diese scheinhafte Region einer ›höheren‹ Kunst nimmt in Deutschland den täuschenden Charakter von Wirklichkeit an: Weimar. Hier hat sich der Antikenkult, dem in der Französischen Revolution – wie Marx [...] zeigt – eine exakte, darum aber vorübergehende Funktion zugekommen war, zu einer ästhetischen Haltung verfestigt. Gerade der Mangel an politischer Praxis bringt in Deutschland die Illusion eines größeren, heroischen Lebens, die in Frankreich das politische Ziel zu rechtfertigen hatte, zu selbständiger Gestalt: das Ideal macht seinen Ursprung aus der Ideologie vergessen. In der Sphäre der Kunst behauptet es Autonomie und Dauer, als die politische Wirklichkeit bereits zu unheroischen Geschäften übergegangen ist.«[48] Die dritte Antwort, Kern aller heutigen Ideologiekritik der Klassik, ist nicht, wie man erwarten könnte, im Lager der linksbürgerlichen Klassikkritik zuerst formuliert worden, sondern von Hermann Nohl, dessen vom Geist kulturkonservativer Publizistik wie Nietzsche, Lagarde und Langbehn inspirierte Darstellung der klassischen Epoche mit dem Abschnitt »Das Scheitern der Deutschen Bewegung« schließt. Unter den Faktoren, die das Scheitern bewirkt haben, nennt Nohl die Tatsache, »daß nämlich diesem Idealismus bei aller Einheitstendenz und allem Willen zur Überwindung der Klassengegensätze ein eigentlich *soziales Element* fehlte«.[49] Weiter heißt es bei ihm: »Am tiefsten lag doch ein *letztes* Moment, nämlich die Erkenntnis, daß dieser Idealismus sich allmählich von der Wirklichkeit überhaupt entfernt hatte und mit seinem Optimismus den *negativen Bestandteil* unserer Existenz und dieses Erdendaseins übersah. Das war in der Politik der Faktor der *Macht*, das war in dem sozialen Dasein die furchtbare Gewalt der *Interessen* und die Abhängigkeit der Ideologie von den ökonomischen Bedingungen.«[50] Es erübrigt sich, die Nachgeschichte dieser inzwischen breit und differenziert entfalteten Argumentation hier nachzuzeichnen. Bemerkenswert bleibt, daß sie von einem Verfasser stammt, dessen konservativ-revolutionärem Konzept einer ›Deutschen Bewegung‹ die ideologische Klassikkritik heute auf breiter Front entgegentritt.

Man könnte geneigt sein, die funktionelle Klassikkritik Schlaffers und die Kanonisierung des klassischen Erbes in der marxistischen Literaturtheorie derart aufeinander zu beziehen, daß die Aufhebung der Bedingungen einer nur affirmativen Klassikrezeption, wie sie für die bürgerliche Gesellschaft nach Schlaffer konstitutiv ist, die Möglichkeiten einer neuen Gleichzeitigkeit von Klassik und Gegenwart bietet, eine ideelle Gleichzeitigkeit, in der die Utopie des klassischen Ideals einer Versöhnung von Ideal und Wirklichkeit zur gesellschaftlichen Realität geworden ist. Ob die sozialistische Gesellschaft, für die die marxistischen Erbetheoretiker sprechen, die Einlösung der klassischen Utopie in gesellschaftliche Praxis darstellt, soll und kann hier nicht entschieden werden. Daß eine nur dekretierte Verwirklichung die Gefahr einer verdinglichten Erbebeziehung in sich birgt, hat der oppositionelle Flügel der Klassikkritiker in der DDR deutlich zu machen gesucht. Indem diese Kritik auf Modelle einer gegenklassischen Tradition (z. B. Brecht) zurückgriff, schränkte sie den Hegemonieanspruch des klassischen Erbes für eine moderne sozialistische Literatur ein. So geht es Werner Mittenzwei u. a. darum, die falsche »Nähe« zur Klassik, wie sie die »Vollstrecker-Theorie« glaubte herstellen zu können, dialektisch aufzubrechen, um das Phänomen Klassik in der »ganzen Fremdheit zu uns« sichtbar zu machen.[51] Falsche »Nähe« aber, die den Gegenstand der unmittelbaren und unvermittelten Identifikation ausliefert, ergibt sich immer dann, wenn der Gegenstand zuvor in die Ferne einer vermeintlich überzeitlichen Idealität und Objektivität gerückt worden ist. So hatte das deutsche Bürgertum erst nach 1870 »freien Zugriff« zu seinen Klassikern. Wie dies aussah, kann uns der Festvortrag *Schiller und Goethe*, den Bernhard Suphan im Juni 1905 in der 20. Generalversammlung der Goethe-Gesellschaft in Weimar gehalten hat, anschaulich genug vor Augen führen: »Und so stehen für uns die Beiden da wie zwei herrliche Bäume, die Wurzeln und Wipfel in einander verflochten haben. Wie zwei hohe Eukalyptusstämme sind sie an die Niederungen unseres Daseins gesetzt, die schädlichen Dünste der Tiefe zu bannen, das Land zu entfiebern und Gesundheit darüber hin zu hauchen.«[52] Glücklicherweise ist die Wirkungsgeschichte der Klassik in Deutschland nicht nur eine derart »fatale« gewesen, sondern die antithesenreiche Geschichte der Auseinandersetzung mit dem Paradigma eines ästhetischen Weltentwurfs, dessen unabgegoltene Aktualität nicht zuletzt durch den Einspruch seiner Widersacher vor musealer Erstarrung bewahrt geblieben ist.

Anmerkungen

1 Bodo Lecke im Vorwort zu: Projekt Deutschunterricht 7. Literatur der Klassik I – Dramenanalysen. Hrsg. von Heinz Ide und Bodo Lecke in Verbindung mit dem Bremer Kollektiv. Stuttgart 1974. S. XV.

2 In seiner Rezension über Goethes »Wanderjahre« in: Blätter für literarische Unterhaltung (1830). Abgedruckt in: Goethe im Urteil seiner Kritiker. Dokumente zur Wirkungsgeschichte Goethes in Deutschland. Teil I 1773–1832. Hrsg., eingel. und komment. von Karl Robert Mandelkow. München 1975. S. 45 ff.

3 Vgl. dazu: Goethe und die Folgen... Richard Friedenthals Buch in der Diskussion. München o. J. [1964].

4 Hans-Heinz Holz: Grundsätzliche Aspekte einer Literaturfehde. Zur Rede ›Literatur und Öffentlichkeit‹ von Emil Staiger. In: Basler National-Zeitung (15. Januar 1967). Hier zitiert nach: Der Zürcher Literaturstreit. Eine Dokumentation. In: Sprache im technischen Zeitalter 22 (1967) S. 148 ff.

5 Die Klassik-Legende. Second Wisconsin Workshop. Hrsg. von Reinhold Grimm und Jost Hermand. Frankfurt a. M. 1971.

6 Ebd., S. 11.

7 Ebd., S. 14.

8 Egidius Schmalzriedt: Inhumane Klassik. Vorlesung wider ein Bildungsklischee. München 1971. S. 28.

9 Neben den Texten zur Plenzdorf-Debatte enthält der Jahrgang 1973 von »Sinn und Form« folgende wichtige Beiträge zur Erbe- und Klassikdiskussion: Werner Mittenzwei: Brecht und die Probleme der deutschen Klassik. S. 135–168; Helmut Holtzhauer: Von Sieben, die auszogen, die Klassik zu erlegen. S. 169–188; Wolfgang Harich: Der entlaufene Dingo, das vergessene Floß. Aus Anlaß der ›Macbeth‹-Bearbeitung von Heiner Müller. S. 189–218; Hans-Heinrich Reuter: Die deutsche Klassik und das Problem Brecht. Zwanzig Sätze der Entgegnung auf Werner Mittenzwei. S. 809–824; Hans-Dietrich Dahnke: Sozialismus und deutsche Klassik. S. 1083–1107.

10 Vgl. dazu die »Verarbeitung« des klassischen Erbes in den Werken von Ulrich Plenzdorf und Heiner Müller.

11 Dahnke (Anm. 9). S. 1092.

12 Ebd.

13 Ebd.

14 Klassik. Erläuterungen zur deutschen Literatur. Hrsg. vom Kollektiv für Literaturgeschichte im volkseigenen Verlag Volk und Wissen. 7., durchges. Aufl. Berlin [DDR] 1974. S. 30–35.

15 Benno von Wiese: Friedrich Schiller. Erbe und Aufgabe. Pfullingen 1964. Hier zitiert nach dem Wiederabdruck in: Schiller – Zeitgenosse aller Epochen. Dokumente zur Wirkungsgeschichte Schillers in Deutschland. Teil II: 1860–1966. Hrsg., eingel. und komment. von Norbert Oellers. München 1976. S. 455.

16 Benno von Wiese, ebd., S. 444.

17 Benno von Wiese, ebd., S. 455.

18 Heinz Ide, Bodo Lecke in: Projekt Deutschunterricht 7 ... (Anm. 1). S. 27.

19 Zu dem rezeptionstheoretischen Problem Eindeutigkeit versus Mehrdeutigkeit vgl. Karl Robert Mandelkow: Rezeptionsästhetik und marxistische Literaturtheorie. In: K. R. M., Orpheus und Maschine. Acht literaturgeschichtliche Arbeiten. Heidelberg 1976. S. 118–135.

20 Walter Benjamin: Eduard Fuchs, der Sammler und Historiker. In: W. B., Angelus Novus. Ausgewählte Schriften 2. Frankfurt a. M. 1966. S. 303.

21 Ebd., S. 303.

22 Georg Lukács: Fortschritt und Reaktion in der deutschen Literatur. Berlin 1947. S. 34.

23 Vgl. dazu meine Einleitung zu dem Band: »Goethe im Urteil seiner Kritiker« (Anm. 2).

24 Georg Gottfried Gervinus: Geschichte der poetischen National-Literatur der Deutschen. Fünfter Theil. 3., verb. Aufl. Leipzig 1852. S. 503.

25 Ebd., S. 380.

26 Benno von Wiese (Anm. 15). S. 450. Diesem Synthesemodell, dessen Verwendungsgeschichte im einzelnen darzustellen eine reizvolle Aufgabe wäre, liegt ein zentraler Text der klassischen Ästhetik, Schillers Abhandlung »Über naive und sentimentalische Dichtung« zugrunde, der, dem Erkenntnisobjekt Klassik zugehörig, in der Rezeptionsgeschichte zur Perspektive seiner Bewertung und seiner Kanonisierung gemacht worden ist. Dieses tautologische Verfahren, das den Horizont des Gegenstandes nicht überschreitet, partizipiert zugleich am konservativen Modell typologischen Denkens in Gegensätzen und Polaritäten, das eine dialektische Negation im historischen Prozeß nicht zuläßt. Das in Deutschland schier unerschöpfliche Thema Goethe und Schiller ruht auf der Basis der Faszination, die bis heute typologische Modelle ausstrahlen. Sie scheinen jeder Kritik gegenüber gefeit zu sein, da naturgesetzliche Polaritäten nur zu beschreiben, nicht aber zu kritisieren sind.

27 Zitiert nach Karl Gutzkow: Liberale Energie. Eine Sammlung seiner kritischen Schriften. Ausgew. und eingel. von Peter Demetz. Frankfurt a. M., Berlin, Wien 1974. S. 122.

28 Ebd., S. 123.

29 Abgedruckt in: Oscar Fambach, Ein Jahrhundert deutscher Literaturkritik (1750–1850). Ein Lesebuch und Studienwerk. Band 5. Der romantische Rückfall (1806–1815). Berlin [DDR] 1963. S. 650–686.

30 Vgl. dazu die Rezension von Friedrich Theodor Vischer in: Blätter für literarische Unterhaltung (1868). Wiederabgedruckt in: Kritische Gänge. 2. Bd. Hrsg. von Robert Vischer. 2., verm. Aufl. Leipzig 1914. S. 426–447.

31 In: Literaturmagazin 2. Von Goethe lernen? Fragen der Klassikrezeption. Hrsg. von Hans Christoph Buch. Reinbek bei Hamburg 1974. S. 101–111.

32 Wilhelm Girnus: Goethe der größte Realist deutscher Sprache. Versuch einer kritischen Darstellung seiner ästhetischen Auffassungen. Als Einleitung zu: Johann Wolfgang Goethe, Über Kunst und Literatur. Eine Auswahl. Hrsg. und eingel. von W. G., Berlin [DDR] 1953.

33 Hans Pyritz: Der Bund zwischen Goethe und Schiller. Zur Klärung des Problems der sogenannten Weimarer Klassik (zuerst 1950). Abgedruckt in: H. P., Goethe-Studien. Hrsg. von Ilse Pyritz. Köln, Graz 1962. S. 34–51.

34 Karl Robert Mandelkow: Heinrich Heine und die deutsche Klassik. In: K. R. M., Orpheus und
 Maschine... (Anm. 19). S. 63–85. Ich habe hier zu zeigen versucht, daß Heine nicht nur als der
 eigentliche Antitypus zum Geist der Klassik ausgespielt und denunziert worden ist, sondern in
 seiner »Romantischen Schule« zum Mitbegründer eines an Goethe orientierten unpolitischen
 Klassikbegriffs geworden ist. »In Heine hat [die] klassische Ästhetik Goethes noch einmal ihren
 beredtesten Verteidiger gefunden. In seinem Zweifrontenkrieg gegen die Romantik einerseits
 und die politische Dichtung des Vormärz anderseits hat er sie noch einmal aktualisiert. Das Fragwürdige und, wenn man so will, Tragische dieses Unternehmens liegt in der Tatsache, daß er
 es mit dem schlechten Gewissen dessen getan hat, der als erster in der Geschichte der deutschen
 Literatur die grundsätzliche Unvereinbarkeit der Forderung nach ›reiner‹ Kunst mit den Ansprüchen der politischen und sozialen Wirklichkeit seiner Zeit für sich erfahren hat« (S. 83). Heines Verhältnisbestimmung von klassischer Literatur und politischem Engagement findet ihre
 Entsprechung bei Gervinus.
35 In: Der Zürcher Literaturstreit (Anm. 4). S. 162.
36 In: Die Grenzboten. Zeitschrift für Politik und Literatur. 29. Jg. II. Semester. 1. Bd. Leipzig
 1870. S. 1.
37 Ebd., S. 3.
38 Ebd.
39 Bd. 3. Tübingen 1959. Sp. 1633–40.
40 Hermann Nohl: Die Deutsche Bewegung. Vorlesungen und Aufsätze zur Geistesgeschichte von
 1770–1830. Hrsg. von Otto Friedrich Bollnow und Frithjof Rodi. Göttingen 1970. S. 88.
41 Einleitung zu: Das Jahrhundert Goethes. Kunst, Wissenschaft, Technik und Geschichte zwischen 1750 und 1850. Hrsg. von den Nationalen Forschungs- und Gedenkstätten der klassischen
 Literatur in Weimar. Berlin, Weimar o. J. [1967]. S. 9.
42 Vgl. Anm. 18.
43 Dies ist in aller Schärfe gegen Fehlurteile wie das von Barbara Völker-Hezel festzuhalten, die
 davon spricht, daß die »konservative Klassik-Legende mit national-liberalem Anstrich auf Gervinus zurückgehe«. Völker-Hezel: Artikel »Klassik« in: Handlexikon zur Literaturwissenschaft.
 Hrsg. von Diether Krywalski. 2., durchges. Aufl. München 1976. S. 225.
44 Johannes R. Becher: Von der Größe unserer Literatur. Reden und Aufsätze. Leipzig 1971. S.
 319.
45 Ebd., S. 337.
46 In: Literaturmagazin 2 (Anm. 31). S. 24.
47 Heinz Schlaffer: Der Bürger als Held. Sozialgeschichtliche Auflösungen literarischer Widersprüche. Frankfurt a. M. 1973. S. 139 (beide Zitate).
48 Ebd., S. 140.
49 Nohl (Anm. 40). S. 225.
50 Ebd., S. 226f.
51 Mittenzwei (Anm. 9). S. 160.
52 Goethe-Jahrbuch 26 (1905) S. 20*.

Die Autoren der Beiträge

Leif Ludwig Albertsen

Geboren 1936. Studium der Germanistik, Literaturwissenschaft und Klassischen Philologie in Aarhus, Kiel, Heidelberg und Cambridge. Professor für deutsche Literatur an der Universität Aarhus.

Publikationen:
Das Lehrgedicht. Aarhus 1967. – Odins mjød. Aarhus 1969. – Der Schenckin unschuldiger Zeitvertreib. Aarhus 1971. – Die freien Rhythmen. Aarhus 1971. – Holgerfejden. Kopenhagen 1971. – Niels Klim 1789. Kopenhagen 1972. – Litterær oversættelse 1–4. Kopenhagen 1972. – Sfinksens lyriske værksted. Kopenhagen 1973. – Baggesens epigrammatiske billedbog. Kopenhagen 1974. – Die Eintagsliteratur in der Goethezeit (Julius von Voß). Aarhus 1975. – Sang og slagkraft. Kopenhagen 1975. – Til et minde. Kopenhagen 1976. – Baggesen: Labyrinten (Hrsg.). 1976. – Hrsg. von *Baggeseniana* und *Convivium*.

Ehrhard Bahr

Geboren 1932. Studium der Germanistik, Anglistik und Philosophie in Heidelberg, Freiburg i. Br., Köln und Berkeley. Ph. D. Professor of German an der University of California (Los Angeles).

Publikationen:
Georg Lukács. Berlin 1970 (auch auf engl. u. frz.). – Die Ironie im Spätwerk Goethes: Diese sehr ernsten Scherze. Studien zum West-östlichen Divan, zu den Wanderjahren und zu Faust II. Berlin 1972. – Ernst Bloch. Berlin 1974. – Kant, Erhard, Hamann, Herder, Lessing, Mendelssohn, Riem, Schiller, Wieland: Was ist Aufklärung? (Hrsg.). Stuttgart 1974. – Aufsätze, Lexikonartikel und Rezensionen in Sammelbänden und Zeitschriften.

Christa Bürger

Geboren 1935. Studium der Germanistik, Romanistik und Philosophie in Frankfurt a. M. Dr. phil. Professor für Literaturdidaktik an der Universität Frankfurt a. M.

Publikationen:
Deutschunterricht – Ideologie oder Aufklärung. Frankfurt ²1973. – Der Schriftsteller und die Gesellschaft. Texte zur französischen Literatur des 20. Jahrhunderts. Frankfurt a. M. 1972. – Textanalyse als Ideologiekritik. Zur Rezeption zeitgenössischer Unterhaltungsliteratur. Frankfurt a. M. 1973. – Zeitgenössische Unterhaltungsliteratur. Unterrichtsmodelle und Modellanalyse. Frankfurt a. M. 1974. – Romantische Gesellschaftskritik: Tiecks Blonder Eckbert. In: Bredella / Bürger / Kreis, Von der romantischen Gesellschaftskritik zur Bejahung des Imperialismus. Frankfurt a. M. 1974. – Der Ursprung der bürgerlichen Institution Kunst im höfischen Weimar. Literatursoziologische Untersuchungen zum klassischen Goethe. Frankfurt a. M. 1977. – Mithrsg. der Reihe *Literatur und Geschichte*. Heidelberg 1970 ff. – Literaturwissenschaftliche und -didaktische Arbeiten in Sammelbänden und Zeitschriften.

Rolf-Peter Carl

Geboren 1942. Studium der Germanistik, Geschichte und Politischen Wissenschaften in Bonn und Kiel. Dr. phil. Akademischer Oberrat am Institut für deutsche Sprache und Literatur der Universität zu Köln.

Publikationen:
Prinzipien der Literaturgeschichtsschreibung bei Georg Gottfried Gervinus. Bonn 1969. – Aufsätze zum Dokumentarischen Theater, zu Ödön von Horváth und Franz Xaver Kroetz.

Karl Otto Conrady

Geboren 1926. Studium der Germanistik und Latinistik in Münster und Heidelberg. Dr. phil. Professor an der Universität zu Köln.

Publikationen:
Lateinische Dichtungstradition und deutsche Lyrik des 17. Jahrhunderts. Bonn 1962. – Einführung in die Neuere deutsche Literaturwissenschaft. Reinbek 1966. – Deutsche Literaturwissenschaft und Drittes Reich. In: Germanistik – eine deutsche Wissenschaft. Frankfurt a. M. 1967. – Literatur und Germanistik als Herausforderung. Frankfurt a. M. 1974. – Aufsätze und Rezensionen.

Erika Fischer-Lichte

Geboren 1943. Studium der Slawistik, Germanistik, Theaterwissenschaft, Philosophie und Psychologie in Berlin und Hamburg. Dr. phil. Professor für Didaktik der deutschen Sprache und Literatur an der Universität Frankfurt a. M.

Publikationen:
Wort und Tat als gattungsbegründender Faktor im dramatischen Werk Juliusz Słowacki's. Bamberg 1972. – Sprach- und literaturwissenschaftliche Aufsätze.

Jörn Göres

Geboren 1931. Studium der Germanistik und Philosophie in Bonn und Heidelberg. Direktor des Goethe-Museums Düsseldorf, Anton-und-Katharina-Kippenberg-Stiftung. Vizepräsident der Goethe-Gesellschaft in Weimar. Lehrauftrag an der Universität Essen.

Publikationen:
Zahlreiche Aufsätze zu Goethes Leben und Werk in verschiedenen Zeitschriften und Jahrbüchern, u. a.: Goethes Verhältnis zur Topik. In: Jahrbuch der Goethe-Gesellschaft 26 (1964). – Zwei verloren geglaubte Autographen aus Goethes West-östlichem Divan. In: Jahrbuch der Goethe-Gesellschaft 90 (1973). – Zweihundert Jahre Werther. In: Die Leiden des jungen Werthers. Frankfurt a. M. 1973. – Entstehungsgeschichte von Faust I. In: Goethe. Faust. Erster Teil. Frankfurt a. M. 1974. – Entstehungsgeschichte von Faust II. In: Goethe. Faust. Zweiter Teil. Frankfurt a. M. 1970. – Goethes Ideal und die Realität einer geselligen Kultur während des ersten Weimarer Jahrzehnts. In: Jahrbuch der Goethe-Gesellschaft 93 (1976).

Walter Hinderer

Geboren 1934. Studium der Germanistik, Philosophie, Anglistik und Geschichte in Tübingen und München. Dr. phil. Professor an der University of Maryland.

Publikationen:
Hermann Brochs ›Tod des Vergil‹. Diss. München 1961. – Börne: Menzel der Franzosenfresser und andere Schriften (Hrsg.). Frankfurt a. M. 1969. – Wieland: Hann und Gulpenheh, Schach Lolo (Hrsg.). Stuttgart 1970. – Moderne amerikanische Literaturtheorien (Mithrsg.). Frankfurt a. M. 1970. – Deutsche Reden (Hrsg.). Stuttgart 1973. – Sickingen-Debatte. Ein Beitrag zur materialistischen Literaturtheorie. Darmstadt, Neuwied 1974. – Elemente der Literaturkritik. Kronberg (Taunus) 1976. – Büchner-Kommentar zum dichterischen Werk. München 1977. – Aufsätze, literaturkritische Arbeiten und Rezensionen.

Dietrich Jöns

Geboren 1924. Studium der Germanistik, Philosophie und Geschichte an der Universität Kiel. Dr. phil. Professor für Neuere Deutsche Literaturgeschichte an der Universität Mannheim.

Publikationen:
Begriff und Problem der historischen Zeit bei J. G. Herder. Göteborg 1956. – Das ›Sinnen-Bild‹. Studien zur allegorischen Bildlichkeit bei Andreas Gryphius. Stuttgart 1966. – Aufsätze und Rezensionen.

Sven-Aage Jørgensen

Geboren 1929. Studium der Germanistik in Kopenhagen, Würzburg und London. Professor für deutsche Philologie an der Universität Kopenhagen.

Publikationen:
Johann Georg Hamanns »Fünf Hirtenbriefe das Schuldrama betreffend«. Kopenhagen 1962. – Johann Georg Hamann: Sokratische Denkwürdigkeiten. Aesthetica in nuce (Hrsg.). Stuttgart 1968. – Theodor Fontane: Unwiederbringlich (Hrsg.). Stuttgart 1971. – Johann Georg Hamann. Stuttgart 1976. – Aufsätze und Rezensionen.

Helmut Koopmann

Geboren 1923. Studium der Germanistik, Anglistik und Philosophie in Bonn und Münster. Dr. phil. Professor für Neuere Deutsche Literaturwissenschaft an der Universität Augsburg.

Publikationen:
Die Entwicklung des ›intellektualen Romans‹ bei Thomas Mann. Bonn ²1971. – Friedrich Schiller. 2 Bde. Stuttgart 1966. – Schiller-Kommentar. 2 Bde. München 1969. – Das Junge Deutschland. Analyse seines Selbstverständnisses. Stuttgart 1970. – Beiträge zur Theorie der Künste im 19. Jahrhundert (Mithrsg.). 2 Bde. Frankfurt a. M. 1971/72. – Heinrich Heine (Hrsg.). Darmstadt 1975. – Thomas Mann (Hrsg.). Darmstadt 1975. – Thomas Mann. Konstanten seines literarischen Werks. Göttingen 1975. – Aufsätze zur Literatur des 18.–20. Jahrhunderts.

Burkhardt Lindner

Geboren 1943. Studium der Germanistik, Philosophie und Soziologie in Göttingen, Frankfurt a. M., Berlin und Bochum. Dr. phil. Professor an der Universität Frankfurt a. M.

Publikationen:
Text + Kritik. Sonderband: Walter Benjamin (Hrsg.). Stuttgart 1971. – Arbeitsfeld: Materialistische Literaturtheorie. Frankfurt a. M. 1975. – Jean Paul – Scheiternde Aufklärung und Autorrolle. Darmstadt 1976. – Aufsätze zu literaturdidaktischen und literatursoziologischen Themen.

Detlev Lüders

Geboren 1929. Studium der Germanistik, Kunstgeschichte und Philosophie in Hamburg. Dr. phil. Direktor des Freien Deutschen Hochstifts – Frankfurter Goethe-Museums (Goethes Geburtshaus) und des Goethe-Museums in Rom.

Publikationen:
Das Wesen der Reinheit bei Hölderlin. Diss. Hamburg 1956 [masch.]. – [Nachwort zu:] Clemens Brentano: Die mehreren Wehmüller und ungarischen Nationalgesichter. Stuttgart 1966. – Das Goethehaus in Frankfurt am Main (Bildband, mit Fotos von Anselm Jaenicke). Frankfurt a. M. ²1975. – »Die Welt im verringerten Maasstab«. Hölderlin-Studien. Tübingen 1968. – Friedrich Hölderlin: Sämtliche Gedichte. Studienausgabe in zwei Bänden (Hrsg.). Bad Homburg v. d. H. 1970. – Das Goethe-Museum in Rom. München 1973. – Hrsg. von *Jahrbuch des Freien Deutschen Hochstifts. Neue Folge* und *Freies Deutsches Hochstift. Reihe der Schriften.* – Editionen von Brentano und Hofmannsthal. – Aufsätze und Rundfunkessays.

Wilfried Malsch

Geboren 1925. Studium der Germanistik, Philosophie und Kunstgeschichte in München und Freiburg i. Br. Dr. phil. habil. Professor an der University of Massachusetts (Amherst).

Publikationen:
Goethes Schriften zur Natur und Erfahrung und zur Morphologie. Cotta-Gesamtausgabe Bd. 18 u. 19 (Hrsg.). Stuttgart 1959 und 1968. – »Europa«, poetische Rede des Novalis. Stuttgart 1965. – Amerika in der deutschen Literatur (Mithrsg.). Stuttgart 1975. – Aufsätze zur Goethezeit und zur Moderne.

Karl Robert Mandelkow

Geboren 1926. Studium der Germanistik, Philosophie und Theologie in Hamburg. Professor für Literaturwissenschaft an der Universität Hamburg.

Publikationen:
Hermann Brochs Romantrilogie »Die Schlafwandler«. Gestaltung und Reflexion im modernen deutschen Roman. Heidelberg 1962. Erw. Neuaufl.: Heidelberg 1975. – Goethes Briefe. Hamburger Ausgabe in vier Bänden (Hrsg. unter Mitarbeit von Bodo Morawe). Hamburg 1962–69. – Briefe an Goethe. Hamburger Ausgabe in zwei Bänden (Hrsg.). Hamburg 1965–69. – Goethe im Urteil seiner Kritiker. Dokumente zur Wirkungsgeschichte Goethes in Deutschland. I: 1773–1832 (Hrsg.). München 1975. – Orpheus und Maschine. Acht literaturgeschichtliche Arbeiten. Heidelberg 1976.

Eberhard Mannack

Geboren 1928. Studium der Germanistik, Geschichte und Philosophie in Tübingen und Berlin. Professor am Institut für Literaturwissenschaft der Universität Kiel.

Publikationen:
Mystik und Luthertum bei Johann Georg Hamann. Berlin 1953. – Andreas Gryphius. Stuttgart 1968. – Raumdarstellung und Realitätsbezug in Goethes epischer Dichtung. Frankfurt a. M. 1972. – Hrsg. der Werke von Johann Rist. Berlin, New York 1967 ff. – Mithrsg. der Zeitschrift *Daphnis*. – Aufsätze zur deutschen Barockliteratur und zur Literatur des 20. Jahrhunderts.

Norbert Mecklenburg

Geboren 1943. Studium der Germanistik, ev. Theologie, Philosophie und Pädagogik in Kiel, Tübingen und Köln. Dr. phil. Akademischer Rat am Institut für deutsche Sprache und Literatur der Universität zu Köln.

Publikationen:
Kritisches Interpretieren. Untersuchungen zur Theorie der Literaturkritik. München 1972. – Erkenntnisinteresse und Literaturwissenschaft (mit Harro Müller). Stuttgart 1974. – Zur Didaktik der literarischen Wertung (Hrsg.). Frankfurt a. M. 1975. – Literarische Wertung. Texte zur Entwicklung der Wertungsdiskussion in der Literaturwissenschaft (Hrsg.). Tübingen 1977. – Naturlyrik und Gesellschaft. (In Vorb.) – Literaturwissenschaftliche und literaturkritische Aufsätze.

Franz Norbert Mennemeier

Geboren 1924. Studium der Germanistik, Anglistik, Geschichtswissenschaft und Philosophie. Dr. phil. Professor für Deutsche Philologie (Neuere deutsche Literaturwissenschaft) und Allgemeine Literaturwissenschaft an der Freien Universität Berlin.

Publikationen:
Emil Barth: Gesammelte Werke in 2 Bänden (Hrsg.). Wiesbaden 1960. – Das moderne Drama des Auslandes. 3., neubearb. und wesentl. erw. Ausg. Düsseldorf 1976 (¹1961). – Der Dramatiker Pirandello. 22 Beiträge (Hrsg.). Köln 1965. – Friedrich Schlegels Poesiebegriff – dargestellt anhand der literaturkritischen Schriften. Die romantische Konzeption einer objektiven Poesie. München 1971. – Modernes Deutsches Drama. Kritiken und Charakteristiken. 1. Bd.: 1910–1933. – 2. Bd.: 1933–Gegenwart. München 1973/75. – Literaturkritische und literaturwissenschaftliche Aufsätze und Rezensionen.

Gerhard Schulz

Geboren 1928. Studium der Germanistik, Anglistik und Pädagogik in Leipzig. Dr. phil. Professor of Germanic Studies an der University of Melbourne. Mitglied der Australian Academy of the Humanities.

Publikationen:
Novalis. Schriften. 4 Bde. (Hrsg., mit Richard Samuel und Hans J. Mähl). Stuttgart 1960–75. – German Verse (Hrsg.). London ⁶1975. – Arno Holz: Phantasus (Hrsg.). Stuttgart 1968. – Novalis in

Selbstzeugnissen und Bilddokumenten. Reinbek bei Hamburg 1969. – Novalis. Werke (Hrsg.). München 1969. – Novalis. Wege der Forschung (Hrsg.). Darmstadt 1970. – Prosa des Naturalismus (Hrsg.). Stuttgart 1973. – Arno Holz. Dilemma eines bürgerlichen Dichterlebens. München 1974. – Fouqué. Romantische Erzählungen (Hrsg.). München 1977. – Veröffentlichungen in Sammelbänden und Zeitschriften. – Rezensionen.

Harro Segeberg

Geboren 1942. Dr. phil. Wissenschaftlicher Assistent am Literaturwissenschaftlichen Seminar der Universität Hamburg.

Publikationen:
F. M. Klingers Romandichtung. Untersuchungen zum Roman der Spätaufklärung. Heidelberg 1974. – Aufsätze zur Literatur der radikalen Spätaufklärung. – Arbeiten (zusammen mit B. Clausen) zur Konfrontation literarischer und sozialwissenschaftlicher Texte.

Frank Trommler

Geboren 1939. Studium der Literaturwissenschaft und Kunstgeschichte in Berlin, Wien und München. Dr. phil. Professor an der University of Pennsylvania (Philadelphia).

Publikationen:
Roman und Wirklichkeit. Stuttgart 1966. – Sozialistische Literatur in Deutschland. Ein historischer Überblick. Stuttgart 1976. – Aufsätze.

Wolfgang Wittkowski

Geboren 1925. Studium der Germanistik und Philosophie in Göttingen und Frankfurt a. M. Dr. phil. Professor of German an der Ohio State University (Columbus).

Publikationen:
Der junge Hebbel. 1955, Berlin 1969. – Georg Büchner. Heidelberg 1977. – Die Dramen Goethes und Schillers. Kronberg (Taunus) 1977. – Kleists Amphitryon. Zur Rezeption und Interpretation. (In Vorb.) Berlin 1978. – Forschungsberichte. – Aufsätze u. a. zur Literatur der Klassik und des 19. Jahrhunderts, zu Hemingway und Molière.

Kurt Wölfel

Geboren 1927. Studium der Germanistik, Philosophie und Geschichte in Würzburg. Dr. phil. Professor für Neuere deutsche Literaturgeschichte an der Universität Erlangen-Nürnberg.

Publikationen:
Bertolt Brecht: Selected Poems (Hrsg.). London 1965. – Lessing: Werke (Hrsg.). Frankfurt a. M. 1967. – Lessings Leben und Werk in Daten und Bildern. Frankfurt a. M. 1967. – fragen. Kritische Texte für den Deutschunterricht (Oberstufe). München. 1969. – Christian Garve: Popularphilosophische Schriften (Hrsg.). Stuttgart 1974. – Hrsg. vom *Jahrbuch der Jean-Paul-Gesellschaft.* – Aufsätze.

Personenregister

Im Register aufgeführt sind alle Erwähnungen. A hinter einer Seitenzahl verweist auf Anmerkungen, L auf Literaturhinweise zu einem Aufsatz.

Abbé, Derek van 241 L
Adorno, Theodor W(iesengrund) 152 A, 167, 169 A
Aischylos 45, 306, 332, 411
Albertsen, Leif Ludwig 173, 186 A f.
Albrecht, H. C. 256
Alewyn, Richard 43 A, 401 A, 405 A, 408 L
Alkibiades 71
Allemann, Beda 311 A, 317 L, 350 L
Ammerlahn, Hellmut Hermann 224 L
Anger, Alfred 209 A, 401 A
Anna Amalia, Herzogin von Sachsen-Weimar 55, 177
Anstett, Jean-Jacques 74 A
Anzengruber, Ludwig 413
Apel, Karl-Otto 135 A, 137 A, 139 L
Aretin, Karl Othmar Frhr. von 263
Ariosto, Ludovico 54, 55
Aristophanes 59, 267, 274, 275
Aristoteles 38, 46, 59
Arnim, Ludwig Joachim (Achim) von 208, 405 A
Atkins, Stuart 315 A, 316 L
Auerbach, Erich 153 A
Augustenburg, Christian Friedrich, Herzog von 12, 145, 146, 153 A
Austen, Jane 189, 197, 203, 210 A
Austin, John Langshaw 138 A
Avineri, Shlomo 266 A
Ayrenhoff, Cornelius Hermann von 58

Bach, Hans 377 A
Bach, Johann Sebastian 173
Bach, Rudolf 241 L
Bachofen, Johann Jakob 406 A
Bachtin, Michail 267–269, 280 A f.
Bacon, Francis, Baron Verulam, Viscount of St. Albans 69, 74 A
Bade, Heidemarie 263 A
Baggesen, Jens 153
Bänninger, Verena 241 L
Baeumer, Max L. 63 L, 402 A
Baeumler, Alfred 396, 406 A

Bahr, Ehrhard 241 A
Baioni, Giuliano 224 A, 224 L
Balzac, Honoré de 364
Bark, Joachim 295 L
Barthes, Roland 119
Bassenge, Friedrich 74 A, 280 A
Bauch, Kurt 406 A, 407 L
Baum, Georgina 281 A
Baumann, Gerhart 404 A
Baumgart, Wolfgang 222 A, 224 L
Baumgarten, Alexander Gottlieb 270, 392
Bebel, August 420
Becher, Johannes Robert 416, 417 f., 421 A, 422 A, 435, 439 A
Beck, Adolf 262 A, 319, 322, 333 A, 347 A, 348 A, 350 L, 351
Beck, Hans Joachim 261 A
Becker, Eva D. 401 A f., 406 A, 407 L
Beckermann, Thomas 333 A
Beethoven, Ludwig van 334 A, 419
Behler, Ernst 28 A, 74 A, 295 L, 401 A–403 A, 407 L
Beißner, Friedrich 61 A, 63 L, 298, 299, 312 A, 316 L, 334 A, 347 A, 350 L
Benjamin, Walter 114, 118, 134 A, 136 A, 139 L, 295 L, 427, 438 A
Benn, Gottfried 431
Benseler, Frank 405 A
Bentley, Richard 271
Berend, Eduard 28 A, 377 A f., 379 L
Berger, Hans 91 A f.
Berger, Kurt 168 A, 170 L
Berghahn, Klaus Leo 27 A, 170 L, 316 L, 318 L, 333 A, 335 A, 399, 406 A f., 421 A
Bergman, Torbern 102
Bergmann, Christian 168 A, 170 L
Bernstein, Eduard 420 A
Bertaux, Pierre 251, 262 A, 312 A f., 316 L, 319, 333 A, 348 A, 351, 354
Beulwitz, Caroline von 11
Beutler, Ernst 153, 170 L
Beyer, Jh. Rud. Gli. 28 A
Biedermann, Flodoard Frhr. von 403 A

Binder, Wolfgang 311A, 317L, 326, 334Af., 350L
Birtsch, Günter 223A
Birven, Henri 240
Bismarck-Schönhausen, Otto Fürst von 400
Blackall, Eric A. 224L, 241A
Blanckenburg, Friedrich von 20, 211, 222A
Blessin, Stefan 223Af.
Bloch, Ernst 420
Boccaccio, Giovanni 201
Bodmer, Johann Jakob 39, 42, 47, 53, 58, 213, 387, 391, 392
Böcking, Eduard 402A
Böckmann, Paul 27A, 170L, 240Af., 241L, 336A, 348A, 350L, 433
Böhlendorff, Kasimir Ulrich Anton 298, 311Af., 318L, 334A, 346, 349A
Böhm, Hans 153A
Börne, Ludwig (eig. Juda Löw Baruch) 393, 399, 404A, 430
Boerner, Peter 400A
Böschenstein, Bernhard 28A, 350L
Boeschenstein, Hermann 240A, 241L
Böttiger, Karl August 50, 62Af., 63L, 64L
Böttiger, Karl Wilhelm 63L
Boie, Heinrich Christian 168A
Boileau-Despréaux, Nicolas 57, 68, 382, 388
Boisserée, Sulpiz 101
Bollnow, Otto Friedrich 27A, 401A, 439A
Bonaventura (eig. Ernst August Friedrich Klingemann) 276–279, 281A
Borcherdt, Hans Heinrich 171L
Bosse, Friedrich 413
Bosse, Heinrich 379L
Boucke, Ewald A. 111A
Bourbon-Conti, Stéphanie-Louise de 229, 239A
Bouterwek, Friedrich 394, 404A
Boyd, James 242L
Braemer, Edith 224A
Brandeis, Arthur 169A, 170L
Bray, René 403A
Bréal, Michel 241L
Brecht, Bertolt 23, 28A, 135A, 140L, 167, 169A, 170L, 233, 237A, 290, 292, 294A, 319, 358, 417–419, 425, 431, 436, 437A
Breitinger, Johann Jakob 36f., 39, 42, 43A, 47, 53, 58
Breitkopf, B. Th. 177
Brentano, Clemens 205, 208, 225L, 394, 405A
Breton, André 280A

Brinkmann, Richard 259A–261A, 295L
Broch, Hermann 210A
Brock, Julius 170L
Bröcker, Walter 348A
Brückl, Otto 61A–63A, 63L
Bruford, Walter H. 152A, 222Af., 293A
Brummack, Jürgen 282L
Brumoy, Pierre 66
Brun, Friederike 176, 178
Brutus, Marcus Iunius 78
Bruyn, Günter de 19f., 28A, 379L
Buch, Hans Christoph 438A
Bucher, Lothar 411
Buchholtz, Franz Bernhard von 105
Buchholz, Friedrich 258
Büchner, Georg 394
Bürger, Christa 136A, 139L, 151A–153A
Bürger, Gottfried August 10, 12, 27A, 32, 48, 50, 55, 94, 154f., 156, 161, 163, 166, 168A, 169A, 170L, 172, 180–182, 265A, 333
Bürger, Peter 134A–136A, 138A, 139L, 151Af., 282L
Buffon, Georges Louis Leclerc Graf von 68
Buhr, Gerhard 348A
Bulthaup, Peter 136A, 139L
Burckhardt, Jacob 81, 92A
Burckhardt, Sigurd 241L
Burger, Heinz Otto 61A–63A, 64L, 170L, 222A, 316A, 317L, 383, 401A, 407L
Burke, Edmund 14
Burkhardt, Gerhardt 113L
Burns, Robert 182
Butler, Eliza Marian 75L

Caesar, Gaius Iulius 78
Çakmur, Belma 241L
Calprendi (für Gautier de Coste, Sieur de Calprenède) 59
Camões, Luís Vaz de 67
Canaris, Volker 333A
Carl August s. Karl August
Carlyle, Thomas 389, 391, 403A
Cassirer, Ernst 401A
Castiglione, Baldassare 49, 214
Castle, Eduard 241L
Catholy, Eckehard 317L, 402A
Catilina, Lucius Sergius 78
Cellini, Benvenuto 126
Cervantes Saavedra, Miguel de 45, 54, 385
Chamfort, Sébastien Roch Nicolas 289
Cholevius, Carl Leo 387, 402A

Chrétien de Troyes 116
Cicero, Marcus Tullius 48, 63 A
Cillien, Ursula 223 A
Citati, Pietro 224 L
Clark, William H. 62 A, 64 L
Claudius, Matthias 181
Clausen, Bettina 265 A
Clausen, Lars 265 A
Coleridge, Samuel Taylor 391
Collin, Joseph von 315 A f.
Conrady, Karl Otto 28 A, 168 A, 317 L, 350–361
Corneille, Pierre 57
Cornelissen, Maria 313 A, 317 L
Cotta, Johann Friedrich 327
Craig, Gordon A. 91 A f.
Cramer, Carl Gottlob 191
Cramer, Karl Friedrich 181, 182
Crébillon, Prosper Jolyot de 45
Creuzer, Friedrich 67
Cues, Nicolaus von 112 A
Curtius, Ernst Robert 382 f., 401 A f., 404 A, 407 L
Cysarz, Herbert 168 A, 170 L

Dahlke, Günther 421 A
Dahnke, Hans-Dietrich 237 A, 425, 437 A f.
Dante Alighieri 385
Dau, Rudolf 168 A, 170 L
David, Claude 239 A f., 265 A
Davis, Herbert 402 A
Defoe, Daniel 189, 211
Delbrück, Johann Friedrich Ferdinand 238
Demetz, Peter 411, 421 A, 438 A
Demokrit 47
Deubel, Volker 295 L
Dick, Manfred 318 L
Diderot, Denis 71, 126, 165, 169 A, 170 L
Dietze, Walter 237 A, 334 A, 404 A
Diezmann, August 153 A
Dilthey, Wilhelm 383, 396, 401 A, 431, 432 f., 435
Doderer, Klaus 400 A, 406 A
Doke, Tadamichi 112 A
Domandl, Sepp 111 A
Droste-Hülshoff, Annette Freiin von 394
Düntzer, Heinrich 169 A, 238 A–241 A, 241 L
Dürer, Albrecht 198, 201, 419
Düsing, Wolfgang 315 A, 317 L
Durzak, Manfred 317 L
Dyck, Martin 168 A, 170 L
Dzwonek, Ulrich 295 L

Echtermeyer, Theodor 395
Eck, Else von 405 A, 407 L
Eckermann, Johann Peter 57, 60, 63 A, 96, 99, 105, 111 A–113 A, 146, 147, 153 A, 177, 182, 186, 229, 230, 239 A f.
Eco, Umberto 137 A, 139 L
Ehrenzeller, Hans 379 L
Ehrhard, Johann Benjamin 28 A
Ehrlich, Lothar 237 A
Eichendorff, Joseph Frhr. von 67, 185, 205, 208, 404 A
Eichner, Hans 74 A, 138 A, 225 L, 262 A, 295 L, 402 A, 403 A, 405 A, 407 L
Eichstaedt, Alfons 240 A, 241 L
Einem, Herbert von 43 A
Eisler, Hanns 152, 417 f.
Eliot, Thomas Stearns 401 A, 407 L
Elson, Charles 64 L
Elster, Ernst 170 L, 403 A
Emmel, Hildegard 225 L
Emmrich, Irma 168 A, 170 L
Emrich, Wilhelm 75 L, 222 A, 240 A, 241 A, 241 L
Engel, Johann Jakob 191, 193 f., 196 f., 206, 209 A f.
Engelhard, Hartmut 240 A
Engels, Friedrich 8, 159, 168 A, 238 A f., 240 A, 410–412, 421 A
Engelsing, Rolf 28 A, 209 A, 261 A
Epstein, Klaus 259
Erasmus von Rotterdam, Desiderius (eig. Gerhard Gerhards) 46
Erben, Johannes 91 A
Erdmann, Gustav 240 A, 241 L
Erler, Gotthard 407 A
Ernst, Fritz 241 L
Euripides 314 A, 317 L, 332
Evans, M. Blakemore 315 A, 317 L

Faber, Elmar 422 A
Fahlmer, Johanna 62 A
Falk, Johannes Daniel 185, 239 A
Fambach, Oscar 27 A, 238 A, 263 A, 438 A
Farrelly, Daniel J. 225 L
Fede, Nicolo di 170 L
Feidel-Mertz, Hildegard 421 A
Feise, Ernst 170 L
Ferguson, Adam 92 A
Fertig, Ludwig 223 A
Fetscher, Iring 259 A
Feuerlicht, Ignace 170 L

Fichte, Johann Gottlieb 8, 21, 60, 99, 158, 190, 227, 238 A, 254, 261 A, 263 A, 289, 320, 410, 415
Fiedler, Ralph 261 A
Fielding, Henry 45, 199, 207, 211, 363, 366
Finscher, Ludwig 186 A, 188 L
Fischer, Ernst 315 A f.
Fischer-Lichte, Erika 136 A, 137 A, 139 L
Fleischer, Stefan 225 L
Flitner, Andreas 406 A
Fontane, Louis Henri 154
Fontane, Theodor 168 A, 323, 334 A
Fontius, Martin 152
Forster, Johann Georg 26, 250 f., 256, 257, 262 A, 265 A, 283, 285–287, 289, 291, 292, 293 A f., 295 L, 429
Fouqué, Friedrich Baron de la Motte 208, 394
Franz, Horst 408 L
Freier, Hans 28 A, 151 A, 260 A
Freiligrath, Ferdinand 411
Freud, Sigmund 267, 269, 280 A
Frey, John R. 314 A, 318 L
Freytag, Gustav 138 A
Fricke, Gerhard 27 A, 92 A, 260 A, 280 A, 328, 377 A
Friedenthal, Richard 423, 437 A
Friedlaender, Max 173, 175, 177, 186 A f., 187 L f.
Friedrich II., König von Preußen 46, 72, 253
Friedrich Wilhelm III., König von Preußen 250, 321
Fries, Albert 241 L
Fritz, Kurt von 317 L
Fuchs, Eduard 136 A, 139 L, 438 A
Fülberth, Georg 421 A

Gadamer, Hans-Georg 115 f., 120, 124, 135 A, 139 L
Gaier, Ulrich 322, 334 A
Ganz, Peter Felix 335 A
Garber, Jörn 259 A, 263 A, 265 A, 266 A
Garve, Christian 92 A, 223 A, 254, 259 A
Gausewitz, Walter 315 A, 317 L
Gellert, Christian Fürchtegott 211, 213
Genast, Eduard 178
Gentz, Friedrich von 14, 259 A, 263 A
Gerhard, Melitta 225 L, 239 A, 241 L f.
Gerhardt, Paul 174, 181
Gerlach, Ingeborg 314 A, 317 L
Germer, Helmut 209 A
Gerstenberg, Heinrich Wilhelm von 45

Gervinus, Georg Gottfried 238 A, 395 f., 398 f., 407 A, 409 f., 415, 428–430, 432, 433, 438 A, 439 A
Gille, Klaus F. 225 L
Girnus, Wilhelm 431, 438 A
Gleim, Johann Wilhelm Ludwig 170 L
Glockner, Hermann 28 A
Gluck, Christoph Willibald 177
Goedeke, Karl 190, 209 A
Göpfert, Herbert Georg 27 A, 92 A, 260 A, 280 A, 377 A
Görner 175
Görres, Joseph 257, 265 A, 394, 396, 430
Goethe, Johann Kaspar 143
Goethe, Johann Wolfgang 7, 9, 13, 14–20, 21, 24, 27 A, 28 A, 30–32, 33 f., 35 f., 37, 38, 39, 40 f., 42, 43 A, 44, 45, 46, 47, 48 f., 50, 51, 52, 53, 54, 55, 56, 57, 58, 59, 60, 61 A–63 A, 63 L, 64 L, 65, 66, 70, 72–74, 75 L, 93–110, 110 A bis 113 A, 113 L, 119, 125–127, 131–133, 134 A bis 138 A, 139 L f., 141–143, 144, 146–151, 151 A–153 A, 154–156, 157, 158, 160, 161, 162–167, 168 A f., 170 L f., 172 f., 175–186, 186 A f., 187 L f., 191, 194, 196, 197, 198 f., 202, 203, 205, 207, 209 A f., 211–221, 222 A bis 224 A, 224 L f., 226–237, 237 A–241 A, 241 L f., 246 f., 253, 257, 259 A f., 265 A, 280 A, 283–285, 291, 292, 302, 307, 313 A f., 315 A, 317 L, 319 f., 324, 326, 327, 329 f., 331, 332, 333, 335 A, 336 A, 362, 363, 364, 366, 367, 369, 370, 377 A, 378 A, 381, 382 f., 384–400, 400 A bis 407 A, 409, 411 f., 413, 415, 416, 418, 419 f., 421 A, 423, 424, 425, 426, 427–434, 435, 437, 437 A–439 A
Goethe, Katharina Elisabeth, geb. Textor 94, 96, 110 A
Goeze, Johann Melchior 292, 294 A
Gok, Karl Christoph Friedrich (Halbbruder Hölderlins) 323, 325, 334 A
Goldsmith, Oliver 199, 207
Gorki, Maxim (eig. Alexej Maximowitsch Peschkow) 413
Gotthard, Helene 404 A, 405 A, 408 L
Gottsched, Johann Christoph 33–36, 37, 38, 39, 41 f., 43 A, 47, 57, 58, 59, 68, 142, 211, 381, 382
Gottsched, Luise Adelgunde Victorie 373
Grab, Walter 239 A, 259 A, 265 A
Grabowsky, Adolf 238 A, 242 L
Gracian, Balthasar 48, 49
Gräf, Hans Gerhard 238 A, 240 A
Graf, Engelbert 413, 421 A

Grass, Günter 208, 210 A, 221, 224 A
Griewank, Karl 259 A
Grillparzer, Franz 403 A
Grimm, Gunter 152 A
Grimm, Herman 432
Grimm, Jakob Ludwig Karl 396, 402 A
Grimm, Reinhold 27 A, 28 A, 63 L, 170 L, 237 A, 316 A, 317 L, 318 L, 333 A, 335 A, 336 A, 377 A, 400 A, 402 A, 405 A, 407 L, 421 A, 424, 437 A
Grimmelshausen, Hans Jakob Christoph von 379 L
Grimminger, Rolf 151 A f., 260 A
Groddeck, Wolfram 349 L
Groethuysen, Bernhard 259 A
Grosse, Karl 191
Grosse, Siegfried 404 A f.
Gruber, Johann Gottfried 50, 55, 61 A
Grudzinski, Herbert 64 L
Grün, Karl 411
Grünwaldt, Hans-Joachim 134 A, 139 L
Grumach, Ernst 113 A
Guardini, Romano 350 L
Günther, Johann Christian 172, 173, 174, 180, 185
Gundolf, Friedrich (eig. Gundelfinger) 55, 169 A, 170 L, 227, 394, 431
Gutzkow, Karl 430, 438 A

Haas, Rosemarie 223 A
Haasis, Hellmut G. 28 A
Habel, Reinhardt 265 A
Habermas, Jürgen 128, 131, 135 A, 138 A, 139 L, 224 A, 241 A, 261 A, 265 A
Hadley, Michael 209 A
Häger, Lore 265 A
Hüny, Arthur 348 A
Haeussermann, Ulrich 350 L
Haferkorn, Hans Jürgen 152 A f., 260 A
Hagedorn, Friedrich von 173, 174, 175, 176, 180
Hager, Kurt 418 f., 422 A
Hahn, Manfred 259 A
Hamann, Johann Georg 45, 68, 69, 71 f., 73, 74 A f., 220, 223 A, 395
Hamilton, Alexander 45
Hamlin, Cyrus 322, 334 A
Hamm, Heinz 27 A, 260 A
Hankamer, Paul 134 A
Harich, Wolfgang 262 A, 437 A
Harnack, Otto 395, 396, 401 A, 405 A
Harsdörffer, Georg Philipp 33

Hartung, Fritz 334 A
Haslinger, Adolf 64 L
Hass, Hans-Egon 43 A, 223 A, 240 A f., 242 L
Hatfield, Henry 75 L, 225 L
Haug, Hellmut 222 A
Haupt, Johannes 311 A, 313 A, 317 L, 335 A
Hauptmann, Gerhart 413
Hauser, Arnold 334 A
Haydn, Joseph 182
Hayfa, Nour Al-Dine 27 A, 92 A
Haym, Rudolf 384, 394, 395 f., 404 A f., 430
Hebbel, Friedrich 312 A, 318 L
Hebenstreit von Streitenfeld, Franz 256
Hecht, Wolfgang 222 A
Hecker, Max 238 A
Hegel, Georg Wilhelm Friedrich 20, 28 A, 67, 68–70, 71, 72, 73, 74 A f., 75 L, 99, 136 A, 166, 169 A, 189 f., 197, 199, 203 f., 208, 208 A, 214, 223 A, 243, 258, 259 A, 260 A, 261 A, 265 A, 266 A, 271, 273–275, 276, 280 A f., 320–322, 323, 326, 328, 334 A, 335 A, 348 A, 349 L f., 362, 363, 377 A, 378 A, 381, 385, 392, 393, 405 A, 410
Hehn, Victor 169 A, 431
Heidegger, Martin 319, 320, 324, 328, 349 A, 350 L, 352, 356, 358
Heimann, Bodo 265 A
Heimsoeth, Heinz 112 A, 113 L
Heine, Heinrich 165, 179, 237 A, 334 A, 383, 387, 388, 389, 391–396, 398, 399, 400, 400 A, 403 A–405 A, 408 L, 411, 413, 428, 431, 432, 433, 439 A
Heine, Roland 261 A
Heiner, Achim 295 L
Heinse, Wilhelm 191, 196, 207, 209 A, 222 A
Hellen, Eduard von der 176, 178
Heller, Erich 240 A
Hellingrath, Norbert von 349 L
Hellmann, Winfried 402 A
Helvétius, Claude-Adrien 45
Hemsterhuis, François 388
Henckmann, Wolfhart 153 A
Hendrich, Franz Josias von 264 A
Henel, Heinrich E. K. 223 A
Henkel, Arthur 74 A, 225 L, 241 A, 405 A, 408 L
Henning, Friedrich-Wilhelm 259 A, 261 A
Hennings, August von 253, 254, 263 A
Henrich, Dieter 263 A
Herder, Caroline, geb. Flachsland 110 A, 147 f., 153 A, 227, 238 A

Herder, Johann Gottfried 5, 9, 11, 14, 15, 19, 28 A, 44, 45, 50, 54, 56, 58, 60, 66, 74 A, 110 A, 142, 144, 152 A f., 154, 165, 169 A, 183, 213, 214, 219, 222 A, 227, 238 A, 271 f., 273, 280 A f., 302, 369, 378 A, 385
Hering, Robert 225 L
Hermand, Jost 27 A, 28 A, 63 L, 170 L, 237 A, 317 L, 333 A, 377 A, 400 A, 402 A, 406 A, 407 L, 421 A, 424, 437 A
Hermann, Gottfried 105
Hermes, Johann Timotheus 175, 211
Herminghouse, Patricia 421 A
Herwegh, Georg 179, 430
Heselhaus, Clemens 225 L
Hesse, Hermann 208
Hettner, Hermann 227, 238 A, 260 A, 383, 394, 395 f., 399, 401 A, 404 A f.
Heuschele, Otto 242 L
Heuser, Magdalene 225 L
Heussler, Alexander 401, 408 L
Heydorn, Hans-Joachim 138 A, 139 L
Hildebrandt, Hans-Hagen 402 A
Hildebrandt, Rudolf 8
Hiller, Johann Adam 175
Hinck, Walter 169 A, 170 L
Hinderer, Walter 61 A–63 A, 64 L, 405 A, 407 A, 421 A
Hinz, Berthold 28 A
Hippel, Theodor Gottlieb von 169 A, 216, 363
Hirsch, Rudolf 348 A
Hirschenauer, Rupert 169 A, 170 L
Hitler, Adolf 324, 328, 400, 418
Höhle, Thomas 421 A
Hölderlin, Johann Christian Friedrich 6, 7, 44, 55, 66, 190, 193, 196, 202, 204 f., 206, 207, 209 A f., 224 A, 247, 251 f., 260 A, 262 A, 296–302, 305, 307, 311 A–313 A, 314 A, 316 L bis 318 L, 319–330, 331, 332 f., 333 A–336 A, 337–347, 347 A–349 A, 350–361, 382 f., 394, 405 A, 433
Hölderlin, Johanna Christiane 312 A, 337
Hölderlins Bruder s. Gok, Karl Christoph Friedrich
Hölty, Ludwig Christoph Heinrich 181, 186 A f.
Hof, Walter 350 L
Hoffmann, Ernst Theodor Amadeus 205, 261 A, 382, 394
Hoffmann, Paul 238 A, 242 L
Hoffmeister, Johannes 266 A, 317 L
Hofmannsthal, Hugo von 400, 431
Hohendahl, Peter Uwe 404 A, 408 L, 421 A

Holtzhauer, Helmut 226, 237 A, 239 A, 421 A, 425, 433, 437 A
Holz, Hans-Heinz 423, 437 A
Homer 112 A, 161, 212
Home, Henry 47
Homeyer, Fritz O. 64 L
Hommel, Hildebrecht 314 A, 317 L
Hoppe, Karl 61 A f., 64 L
Horaz (Quintus Horatius Flaccus) 45, 47, 53, 57, 58, 402 A
Houben, Heinrich Hubert 239 A
Huber, Ludwig Ferdinand 238 A
Hübner, Götz Eberhard 169 A, 170 L
Hübscher, Arthur 280 A
Hüppauf, Bernd 28 A
Hugo, Victor 391, 403 A, 408 L
Humboldt, Alexander Frhr. von 99
Humboldt, Wilhelm Frhr. von 65, 69, 99, 260 A, 313 A, 321, 322, 378 A

Ide, Heinz 315 A, 317 L, 427, 437 A f.
Iffland, August Wilhelm 313 A
Iken, Carl Jacob Ludwig 111 A
Immermann, Karl Leberecht 225 L, 394

Jacobi, Friedrich Heinrich 13, 191, 196, 203, 207, 209 A f., 320, 395
Jacobs, Jürgen 222 A, 224 A
Jäger, Hans-Wolf 348 A, 355, 358
Janz, Rolf Peter 222 A f., 260 A
Jauß, Hans Robert 66, 74 A, 75 L, 116–119, 120, 132, 134 A–138 A, 139 L, 225 L, 313 A, 317 L, 403 A f., 408 L
Jean Paul (eig. Johann Paul Friedrich Richter) 5, 7, 19 f., 22, 28 A, 44, 190, 191, 192, 195, 197, 199 f., 201 f., 206, 207, 209 A f., 227, 247, 252, 260 A, 262 A f., 273, 275 f., 279, 281 A, 330, 336 A, 362–377, 377 A–379 A, 379 L f., 382 f., 385, 392 f., 404 A, 430, 433
Jehn, Peter 295 L
Jenisch, Daniel 45
Jenkins, Sylvia P. 242 L
Jens, Walter 314 A, 317 L
Jockers, Ernst 112 A, 113 L
Jonas, Fritz 27 A, 138 A, 260 A, 313 A f., 378 A
John, Erhard 422 A
Jørgensen, Sven-Aage 74 A
Joseph II., deutscher Kaiser 253
Jost, François 225 L
Jourdan, Jean Baptiste 312 A
Jung-Stilling, Johann Heinrich 212

Kafka, Franz 208, 240 A, 242 L, 337, 348 A
Kaiser, Gerhard 28 Af., 92 A, 261 A, 264 A, 314 Af., 317 L, 318 L, 335 A, 357
Kaiser, Wolf 27 A, 152 A, 264 A
Kalb, Charlotte von 377 A
Kalivoda, Robert 137 A, 139 L
Kalow, Gert 407 A, 408 L
Kant, Immanuel 19, 22, 60, 63 A, 99 f., 254, 263 A, 293 A, 321, 326, 329, 331, 382, 401 A, 411, 419
Karl August, Herzog von Sachsen-Weimar 94, 143, 144 f., 147, 153 A, 239 A, 334 A
Karl Eugen, Herzog von Württemberg 323
Kaufmann, Hans 134 A, 139 L
Kausch, Karl Heinz 61 A, 64 L
Kautsky, Karl 414
Kayser, Christian Gottlob 209 A
Kayser, Philipp Christoph 187 A
Kayser, Wolfgang 168 A, 169 A, 170 L, 281 A
Keil, Robert 63 A
Keller, Gottfried 208
Keller, J. 407 A
Kelletat, Alfred 317 L, 350 L
Kemp, Friedhelm 405 A
Kessler, Helmut 259 A
Kettner, Gustav 239 Af., 242 L
Kilian, Eugen 242 L
Killy, Walther 334 A
Kirchner, Werner 350 L
Klein, Johannes 406 A
Kleist, Heinrich von 24, 59, 60, 205, 296 f., 298, 305, 306–311, 311 A, 315 Af., 317 Lf., 319, 330–333, 336 A, 382 f., 430, 433
Kleist, Marie von 316 A
Kleist, Ulrike von 315 Af.
Klettenberg, Susanne von 99
Klinger, Friedrich Maximilian 191, 200, 253, 254, 257, 263 A, 265 A, 273
Klopstock, Friedrich Gottlieb 45, 47, 50, 51, 54, 57, 68, 75 L, 144, 145, 153 A, 181, 327, 385, 387, 390, 391
Kluckhohn, Paul 64 L, 350 L
Knebel, Karl Ludwig von 5, 102, 169 A, 227, 238 A, 377 A
Knigge, Adolph Frhr. von 26, 254 f., 258, 264 A, 273
Koch, Franz 110 A, 111 A, 113 A, 431
Köhn, Lothar 224 A
König, Johann Ulrich 213
Körner, Christian Gottfried 10, 11, 27 A, 46, 48, 54, 61 Af., 153 A, 161, 168 A, 313 Af., 336 A

Körner, Josef 169 A, 402 A
Köster, Albert 110 A
Kohlschmidt, Werner 92 A, 406 A
Kommerell, Max 169 A, 170 L, 281 A, 379 L
Koopmann, Helmut 311 Af., 315 A, 317 L, 400 A, 404 Af.
Koppen, Erwin 311 A, 317 L
Korff, Hermann August 8, 383, 401 A, 433
Korn, Karl 410, 420 Af.
Kosík, Karel 116, 120, 135 Af., 139 L
Kotzebue, August Friedrich Ferdinand 177, 183, 187 A
Kraft, Werner 187 A
Kraus, Karl 431
Kraus, Werner 404 A
Kreuzer, Helmut 311 A, 318 L, 377 A
Kroymann, Jürgen 314 A, 317 L
Krüger, Christa 262 A, 265 A, 295 L
Krywalski, Diether 439 A
Kudszus, Winfried 348 A
Kühnemann, Eugen 153 A
Kuhn, Axel 265 A
Kunz, Josef 153, 240 A, 316 A, 317 L
Kurella, Alfred 417, 420
Kurth, Lieselotte 225 L
Kurz, Gerhard 260 A, 262 A

Lämmert, Eberhard 222 A
Lafontaine, August 191
Lagarde, Paul de (eig. Paul Anton Bötticher) 8, 436
Lamport, F. J. 242 L
Landauer, Christian 334 A
Langbehn, Julius 8, 436
Langen, August 175, 186 A, 188 L
La Roche, Sophie von 207, 211, 213
Larrett, William 224 A
Lassalle, Ferdinand 409–411, 412, 414 f., 420 A
Laube, Heinrich 406 A
Laukhard, Friedrich Christian 14, 253, 254, 255, 263 A–265 A
Lavater, Johann Kaspar 52 f., 62 A, 69, 320
Lazarowicz, Klaus 280 A
Lecke, Bodo 92 A, 153 A, 258 A, 427, 437 Af.
Lefèbvre, Georges 238 A, 259 A
Leibniz, Gottfried Wilhelm 36, 213, 320, 321
Lenin, Wladimir Iljitsch (eig. Uljanow) 417
Lenz, Jakob Michael Reinhold 45, 213, 214, 222 A, 302, 418
Lessing, Gotthold Ephraim 9, 11, 37, 38, 39, 42, 43 A, 44, 45, 50, 54, 59, 67, 68, 142, 160, 291,

292, 312 A, 318 L, 381 f., 387, 390, 391, 394, 395, 396, 400, 401 A, 405 A, 411, 413, 415, 416, 418, 427, 433
Lichtenberg, Georg Christoph 273
Liepe, Wolfgang 92 A
Liepert, Anita 422 A
Lindner, Burkhardt 263 A, 281 A
Lion, Ferdinand 406 A
Litt, Theodor 14, 27 A
Loetscher, Hugo 431 f.
Löwenthal, Leo 224 A
Lohmann, Gustav 377 A
Lohmeier, Dieter 263 A
Loiseau, Henri 242 L
Lorenzer, Alfred 137 A, 139 L f.
Lovejoy, Arthur Oncken 383, 401 A, 408 L
Ludwig XIV., König von Frankreich 59, 150
Ludwig XVI., König von Frankreich 10, 13, 25, 231, 239 A
Ludwig, Otto 431
Lüders, Detlev 347 A–349 A, 350–361
Lüthi, Hans Jürg 406 A, 407 L
Luhmann, Niklas 138 A, 139 L
Luise, Herzogin von Sachsen-Weimar 147
Luise, Königin von Preußen 250
Lukács, Georg (eig. György Szegedi von Lukács) 134 A, 140 L, 151, 153 A, 195, 209 A, 223 A, 224 A, 225 L, 240 A, 315 A f., 317 L, 394, 396, 397, 400, 405 A–407 A, 417 f., 425, 427, 438 A
Lukianos 47, 53
Luther, Martin 166, 263 A, 320, 399
Lutz, Bernd 28 A, 151 A, 152 A, 260 A f., 263 A, 295 L, 379 L

Mähl, Hans Joachim 261 A
Mahling, Christoph-Hellmut 186 A, 188 L
Malraux, André 432
Malsch, Wilfried 261 A, 317 L, 334 A f., 402 A
Mandelkow, Karl Robert 437 A–439 A
Mandt, Hella 266 A
Mann, Erika 401 A
Mann, Thomas 74 A, 75 L, 154, 206, 208, 384, 401 A, 405 A
Mannheim, Karl 251, 262 A
Marat, Jean Paul 322
Marcuse, Herbert 138 A, 140 L, 415, 435
Marie Antoinette, Königin von Frankreich 246
Markov, Walter 259 A
Markwardt, Bruno 240 A, 241 L
Martens, Wolfgang 222 A

Martini, Fritz 44, 45, 61 A, 64 L, 239 A, 311 A, 318 L
Marx, Karl 8, 168 A, 239 A, 240 A, 261 A, 320, 328, 353, 404 A, 410–412, 414, 417, 421 A, 435 f.
Mathiez, Albert 259
Mattenklott, Gert 27 A, 28 A, 152 A, 264 A f., 401 A
Matthaei, Rupprecht 111 A
Matthisson, Friedrich von 385
May, Kurt 225 L, 240 A f., 242 L
Mayer, Hans 27 A, 63 A, 64 L, 138 A, 140 L, 143, 152 A, 239 A, 259 A f., 317 L, 396, 405 A
Mecklenburg, Norbert 168 A
Meessen, Hubert Joseph 63 A, 64 L
Mehring, Franz 405 A, 410–412, 414 f., 417, 419, 421 A, 422 A, 424, 427
Menandros 47
Mennemeier, Franz Norbert 293 A f., 295 L
Menzel, Wolfgang 61, 404 A, 430
Merck, Johann Heinrich 62 A, 63 A, 182
Metternich, Clemens Fürst von 251, 284
Metz, Senta 402 A
Meyer, Herman 178, 187 A, 188 L
Meyer, Johann Heinrich 17, 394
Meyn, Matthias 240 A
Michel, Wilhelm 350 L
Michelsen, Peter 379 L
Mieth, Günter 260 A
Miller, Johann Martin 207, 216
Miller, Norbert 281 A, 377 A, 379 L, 404 A
Milton, John 45, 68
Minder, Robert 319, 325, 333 A f., 399, 407 A, 408 L
Minor, Jacob 74 A f., 402 A
Mitchells, K. 188 L
Mitscherlich, Alexander 280 A
Mittenzwei, Werner 135 A, 140 L, 237 A, 421 A, 425, 436, 437 A, 439 A
Möller, Marx 242 L
Moenkemeyer, Heinz 238 A, 242 L
Mörike, Eduard 208
Molière (eig. Jean-Baptiste Poquelin) 54, 57, 59, 274, 331
Mommsen, Katharina 73, 75 A, 75 L
Mommsen, Momme 326, 334 A–336 A
Mommsen, Wilhelm 239 A, 260 A
Montaigne, Michel Eyquem, Seigneur de 45
Montesquieu, Charles-Louis de Secondat de 92 A
Morhof, Daniel Georg 33

Moritz, Karl Philipp 11, 22, 27 A, 30, 66, 142, 152 A, 191, 196, 207, 210 A, 212, 222 A
Morris, Charles W. 137 A, 140 L
Morris, Max 242 L
Motte-Haber, Helga de la 187 A
Mozart, Wolfgang Amadeus 182, 184, 186
Müller, Adam 331
Müller, Ernst 321, 326, 334 A, 350 L
Müller, Friedrich von 109, 113 A
Müller, Günther 43 A, 223 A
Müller, Heiner 437 A
Müller, Joachim 91 A f., 225 L, 314 A f., 317 L, 348 A
Müller, Johann Gottwerth 216
Müller, Michael 282 L
Müller, Richard Matthias 317 L
Müller, Volker Ulrich 379 L
Müller, Wilhelm 184
Müller-Seidel, Walter 27 A, 136 A, 151 A, 169 A, 170 L, 239 A, 260 A, 282 L, 315 A, 317 L, 329, 331, 334 A, 335 A
Münchow, Ursula 421 A
Mukařovský, Jan 121, 122, 136 A f., 140 L
Mundt, Theodor 169 A, 423
Muschg, Walter 63 A
Musil, Robert 208, 210 A

Nadler, Josef 74 A
Nägeli, Hans Georg 183
Näke, August Ferdinand 31
Napoleon I. Bonaparte 105, 233, 245, 246, 257, 308, 309, 316 A, 330, 394
Naubert, Benedikte 191
Naumann, Manfred 135 A, 140 L
Naumann, Ursula 380 L
Neufeld, Evelyn 225 L
Neuffer, Christian Ludwig 298, 312 A, 335 A
Neuhofer 402 A
Neumann, Thomas 153 A
Newton, Isaac 68, 97 f., 223 A
Nibbrig, Christiaan Lucas Hart 28 A
Nicolai, Friedrich 211, 213, 214, 222 A, 253, 254, 263 A, 273
Nicolai, Heinz 113 L
Nietzsche, Friedrich 8, 267, 280 A, 348 A, 406 A, 436
Nieuwentyt, B. 68
Nohl, Hermann 7 f., 27 A, 383, 401 A, 433, 436, 439 A
Novalis (eig. Friedrich Leopold Frhr. von Hardenberg) 5, 22, 46, 67, 164, 186 A, 190, 194, 204, 205, 206, 207, 209 A, 221, 224 A, 247, 249 f., 258, 260 A, 261 A, 290, 292, 295 L, 319, 322, 391, 396, 401 A

Oellers, Norbert 438 A
Oertel, Friedrich von 364 f.
Oeser, Adam Friedrich 54
Oeser, Friederike 62 A
Oetinger, Friedrich Christoph 327
Ollenhauer, Erich 413
Opitz, Martin 33, 222 A, 381, 401 A
Orelli, Johann Kaspar 62 A
Osterroth, Franz 421 A
Otto, Christian 377 A
Overbeck, Christian Adolf 181, 182

Paracelsus (eig. Theophrastus Bombastus von Hohenheim) 111 A
Paulsen, Wolfgang 281 A, 402 A
Paulus (Apostel) 71
Peacock, Ronald 238 A, 242 L
Peirce, Charles Sanders 137 A
Pelger, Hans 265 A
Pelters, Wilm 336 A
Perikles 59
Perrault, Charles 134 A
Perry, Thomas Sergeant 401 A
Peschken, Bernd 241 A
Pestalozzi, Johann Heinrich 216
Petersen, Julius 383
Petersen, Uwe 314 A, 317 L
Petritis, Aivars 225 L
Peyre, Henri 401 A
Pezold, Klaus 312 A, 317 L, 335 A
Pezzl, Johann 273
Pfannkuche, A. H. Th. 413, 421 A
Pfeffel, Gottlieb Konrad 176
Pfeiffer-Belli, Wolfgang 403 A
Philipp II., König von Spanien 82, 83
Philippe Égalité (eig. Louis Philippe Josephe, Herzog von Orléans) 231
Pigenot, Ludwig von 349 L
Pindar 299, 323, 334 A
Piscator, Erwin 417
Pitt, William d. J. 14
Planck, Karl Christian 430
Platon 39, 45, 47, 60, 321
Plenzdorf, Ulrich 237 A, 425, 437 A
Plessner, Helmuth 282 L, 407 A
Pölitz, Karl Heinrich Ludwig 402 A
Pope, Alexander 385

Prader, Florian 313 Af., 317 L
Prang, Helmut 348 A, 383, 400 A, 407 L
Preisendanz, Wolfgang 62 A, 64 L, 281 A, 404 A, 408 L
Preitz, Max 261 A
Prignitz, Christoph 262 A, 313 A, 318 L
Profittlich, Ulrich 380 L
Protagoras 111 A
Prutz, Robert 25, 28 A
Pustkuchen, Johann Friedrich Wilhelm 404 A
Pyritz, Hans 113 L, 431, 438 A
Pyritz, Ilse 438 A

Quintilianus, Marcus Fabius 48, 49

Raabe, Paul 113 L, 350 L
Raabe, Wilhelm 208, 334 A
Rabelais, François 45, 275
Racine, Jean Baptiste 54, 57, 59, 119, 136 A, 138 A, 139 L, 150, 228
Rambach, Friedrich s. Ottokar Sturm
Rambouillet, Catherine, Marquise de 150
Rasch, Wolfdietrich 224 A, 293 A, 380 L, 402 A
Ratz, Alfred E. 62 A, 64 L
Rebmann, Andreas Georg Friedrich 26, 255, 257, 264 Af.
Redeker, Horst 420
Rehberg, August Wilhelm 14, 259 A, 263 A
Rehm, Walther 74 A, 75 L, 311 A, 318 L
Reichardt, Johann Friedrich 14, 177 f., 253, 263 A
Reinhold, Karl Leonhard 60, 63 A
Reinwald, Wilhelm Friedrich Hermann 9, 82
Remak, Henry H. H. 408 L
Reuter, Fritz 413
Reuter, Hans-Heinrich 237 A, 437 A
Richards, Angela 280 A
Richardson, Samuel 45, 199, 207, 211, 222 A, 363, 366
Riechel, Donald 334 A
Riedel, A. 256
Riedel, Ingrid 348 A
Riedel, Manfred 266 A
Riemann, Carl 111 A
Riemer, Friedrich Wilhelm 176, 231, 240 A
Rilla, Paul 43 A
Ritter, Joachim 134 A, 266 A
Roberts, David 225 L
Robespierre, Maximilien 244, 247, 323, 328
Rodger, Gillian 170 L
Rodi, Frithjof 27 A, 401 A, 439 A

Röder, Gerda 225 L
Rommel, Otto 282 L
Rosenkranz, Karl 227, 238 A
Rousseau, Jean-Jacques 45, 50, 92 A, 211, 213, 244, 259 A, 309, 363, 366, 374, 375, 379 A
Rowe, Nicholas 45
Rüdiger, Horst 311 A, 317 L
Rühle von Lilienstern, August 315 A
Rühmkorf, Peter 153 A
Ruge, Arnold 395
Ruprecht, Erich 396, 406 A, 408 L
Ryan, Lawrence J. 262 A, 311 A, 312 A, 315 Af., 318 L, 331, 336 A, 348 A, 350 L
Rychner, Max 264 A

Sachs, Hans 55, 163
Sade, Donatien-Alphonse-François, Marquis de 241 A, 241 L
Saine, Thomas P. 223 A
Salis-Seewis, Johann Gaudenz von 385
Sallust (Gaius Sallustius Crispus) 78
Samuel, Richard 64 L, 224 A
Sartorius, Georg, Frhr. von Waltershausen 101
Sattler, Dieter E. 349 L
Sauder, Gerhard 378 A
Sauer 402 A
Sauer, August 242 L, 403 A
Saupe, Ernst Julius 168 A, 170 L
Saussure, Horace Benedict de 122
Sautermeister, Gert 261, 335 A
Schadewaldt, Wolfgang 75 L, 313 A–316 A, 318 L, 334 A
Schaefer, Klaus 222 A
Schanze, Helmut 295 L
Scharfschwerdt, Jürgen 262 A, 334 A, 421 A
Scheel, Heinrich 239 A, 265 A
Schelling, Friedrich Wilhelm 67, 99, 319, 320 bis 322, 324, 326, 405 A
Schenda, Rudolf 24, 28 A
Scherer, Wilhelm 111 A, 399
Scherpe, Klaus R. 27 A, 28 A, 152 A, 264 Af.
Schillemeit, Jost 281 A
Schiller, Friedrich 7, 9–14, 18, 19, 20, 21, 22, 24, 27 A, 30, 32, 33, 34, 37, 38, 39, 40f., 42, 44, 45f., 47f., 49, 50, 51, 52, 53, 54, 55f., 59, 60, 61 A–63 A, 63 L, 64 L, 65, 66, 67, 69, 74 A, 76–91, 91 Af., 95, 99, 109, 133, 134 A, 138 A, 142, 145f., 153 A, 154–165, 168 Af., 170 Lf., 177, 181f., 186, 191, 209 A, 224 L, 226, 227, 229, 231, 242 L, 247, 248f., 253, 260 Af., 263 A, 267, 270f., 273, 280 A, 296f., 298,

301–306, 307, 311 A, 312 A, 313 A–315 A, 316 L–318 L, 319, 321, 323, 324 f., 327–329, 331–333, 334 A, 335 A, 336 A, 358, 362, 369, 370, 377 A, 378 A, 379 A, 381, 382 f., 384 f., 388, 391, 392 f., 395 f., 398–400, 401 A f., 404 A, 405 A, 406 A, 409, 410, 411–414, 415, 416, 418, 419 f., 421 A, 424, 425, 426, 427 bis 434, 437, 438 A
Schimmelmann, Heinrich Ernst Graf von 145
Schimmelpfennig, Paul 336 A
Schirach, Gottlieb Benedict von 14
Schlaffer, Hannelore 228, 238 A, 295 L
Schlaffer, Heinz 152 A, 263 A, 435, 436, 439 A
Schlechta, Karl 225 L, 280 A
Schlegel, August Wilhelm 95, 99, 156, 168 A, 191, 288, 294 A, 385–388, 389–391, 394, 402 A f.
Schlegel, Caroline, geb. Michaelis 154, 168 A
Schlegel, Friedrich 5, 20 f., 22, 23, 28 A, 65, 66, 68, 69, 74, 74 A f., 95, 133, 134 A, 138 A f., 164, 190, 191, 193, 194, 198 f., 202, 203, 205, 207, 209 A f., 247, 249, 250 f., 257, 258, 261 A, 262 A, 265 A, 275, 283–293, 293 A f., 295 L, 312 A, 313 A, 317 L, 318 L, 362, 370, 378 A, 385, 386 f., 389, 390, 393 f., 395 f., 402 A, 403 A, 404 A, 405 A, 406 A
Schlegel, Johann Elias 381
Schleiermacher, Friedrich Ernst Daniel 432
Schleifstein, Josef 422 A
Schlözer, Ludwig August 254
Schlumbohm, Jürgen 259 A
Schmalzriedt, Egidius 318 L, 424, 437 A
Schmettow, Waldemar Friedrich von 254, 263 A
Schmidt, Erich 185, 187 A, 188 L
Schmidt, Ingeborg 422 A
Schmidt, Jochen 316 A, 318 L, 334 A, 348 A, 350 L
Schmidt, Julian 411
Schmidt, Leopold 169 A
Schmidt-Hidding, Wolfgang 281 A
Schmitt, Albert R. 64 L
Schmitt, Carl 395
Schmitt, Eberhard 240 A, 259 A
Schmitt, Hans-Jürgen 421 A, 422 A
Schmitt[-Dorotić], Carl 405 A
Schmitz, Werner 380 L
Schnabel, Franz 334 A
Schnabel, Johann Gottfried 211
Schneider, Franz 263 A
Schneider, Hermann 64 L
Schochow, Lilly 187 A, 188 L

Schochow, Maximilian 187 A, 188 L
Schönert, Jörg 281 A
Schopenhauer, Arthur 269, 274, 280 A f., 320, 334 A
Schrader, Hans 318 L
Schramm, Godehard 422 A
Schrimpf, Hans Joachim 27 A, 43 A, 222 A
Schröder, Johann Heinrich 166
Schröder, Rudolf Alexander 242 L
Schröter, Corona 177
Schröter, Klaus 113 L
Schubert, Franz 184, 187 A, 188 L
Schütz, F. W. 256
Schulte-Sasse, Jochen 152 A
Schultz, Franz 401 A, 406 A, 407 L
Schulz, Eberhard 92 A
Schulz, Gerhard 208 A, 260 A
Schulz, Hans 238 A
Schumann, Detlev W. 225 L
Schumann, Robert 182
Schwab, Heinrich W. 182, 184, 187 A, 188 L
Schwan, Christian Friedrich 45
Schweigger, Johann Salomo Christoph 99, 111 A
Schweikert, Uwe 380 L
Schweppenhäuser, Hermann 27 A, 28 A
Scott, Sir Walter 189
Scudéry, Madeleine de 59
Searle, John Rogers 137 A, 138 A, 140 L
Seeba, Hinrich C. 170 L
Seebaß, Friedrich 349 L
Seemann, Erich 187 A
Segeberg, Harro 260 A, 263 A–265 A
Seidel, Siegfried 378 A
Seidler, Herbert 62 A, 64 L, 314 A f., 318 L
Seidlin, Oskar 238 A
Seiferth, Wolfgang 413
Seiferth, Wolfgang S. 171 L
Seiffert, Hans Werner 44, 61 A
Sembdner, Helmut 315 A f., 317 L, 336 A
Sengle, Friedrich 51, 53, 54, 61 A–63 A, 64 L, 69, 74 A, 313 A–315 A, 318 L, 401 A
Seume, Johann Gottfried 11, 26, 27 A, 29 A, 264 A, 358
Seznec, Jean 75 L
Shaftesbury, Anthony Ashley Cooper, Earl of 39, 45, 48, 49, 50, 51, 64 L, 213
Shakespeare, William 38, 47, 54, 57, 58 f., 91 A, 119, 142, 200, 210 A, 211, 213, 214, 274, 275, 296 f., 302, 306, 307, 316 A, 332, 379 A, 385, 386, 411, 413, 431, 432

Sieck, Albrecht 316 A, 318 L
Sinclair, Eduard 321, 334 A
Singer, Herbert 405 A, 408 L
Sismondi, Sismonde de 389, 391
Smith, Adam 219
Smollett, Tobias George 199
Soboul, Albert 238 A, 259 A
Sokrates 48, 53, 60, 71, 316 A
Solger, Karl Wilhelm Ferdinand 67
Sölle-Nipperdey, Dorothee 281 A
Sommer, Cornelius 62 A f., 64 L
Sophie, Großherzogin von Sachsen 110 A,
   239 A, 402 A
Sophokles 39, 45, 57, 58, 59, 287, 296 f., 302, 306,
   311 A, 313 A, 316 A, 317 L, 318 L, 324, 326,
   327, 332, 334 A, 337, 338, 344, 386
Söring, Jürgen 313 A f., 318 L
Soulavie, Jean Louis Giraud 239 A
Spender, Stephen 91 A
Sperontes (eig. Johann Sigismund Scholze) 174,
   180, 186 A, 188 L
Spinoza, Baruch (Benedictus) de 320, 321, 322,
   329
Spitta, Philipp 186 A, 188 L
Spranger, Eduard 17, 28 A
Stadelmann, Rudolf 92 A
Stadion, Johann Philipp Graf von 46
Staël-Holstein, Anne Louise Germaine,
   Baronne de 389–392, 403 A f.
Staiger, Emil 134 A, 169 A, 171 L, 225 L, 227,
   235, 240 A f., 242 L, 312 A, 314 A, 318 L,
   334 A f., 395, 396, 400, 405 A, 407 A, 423,
   437 A
Stalin, Josef Wissarionowitsch (eig. Dschuga-
   schwili) 224 A, 328, 420
Stallknecht, Newton Phelps 408 L
Stammen, Theo 240 A, 242 L, 259 A
Stammler, Wolfgang 61 A, 64 L
Staroste, Wolfgang 240 A, 242 L
Steffen, Hans 348 A, 380 L
Steffensen, Steffen 171 L
Stein, Charlotte von 24, 94, 96, 103, 147, 168 A
Stein, Peter 27 A, 263 A
Steiner, Gerhard 264 A
Stendhal (eig. Marie-Henri Beyle) 403
Stephan, Inge 27 A, 28 A, 29 A, 258 A, 262 A,
   264 A, 265 A
Stern, Alfred 259, 262 A, 421 A
Stern, Fritz 91 A
Stern, Martin 380 L
Sternberger, Dolf 79, 91 A f.

Sterne, Laurence 207, 274, 363, 366, 372, 373,
   374, 378 A, 379 L
Sternfeld, Frederick W. 177, 186 A, 188 L
Stifter, Adalbert 208, 400
Stockum, Theodor C. van 313 A f., 318 L
Stolberg-Stolberg, Friedrich Leopold Graf zu
   67, 158
Storz, Gerhard 92 A, 222 A, 225 L
Stoye-Balk, Elisabeth 171 L
Strachey, James 280 A
Streller, Siegfried 315 A f., 318 L
Strich, Fritz 75 L, 113 L, 397, 400 A, 401 A,
   403 A, 406 A
Striedter, Jurij 134 A, 140 L
Strothmann, Adolf 168 A
Stürmer, Michael 421 A
Sturm, Ottokar (auch Friedrich Rambach) 191
Süvern, Johann Wilhelm 302, 313 A
Sühnel, Rudolf 224 L
Sulla, Lucius Cornelius 11
Sulzer, Johann Georg 57, 111 A
Suphan, Bernhard 28 A, 74 A, 152 A, 280 A,
   437
Suppan, Wolfgang 173, 174, 185, 186 A f., 188 L
Swift, Jonathan 271
Szondi, Peter 75 L, 126, 137 A, 139 A, 140 L,
   262 A, 295 L, 311 A f., 318 L, 328, 331, 335 A,
   336 A, 349 A, 350 L, 402 A

Tarnói, László 265 A
Tasso, Torquato 148
Thalheim, Hans-Günther 169 A, 171 L
Thorvaldsen, Bertel 70
Thümmel, Moritz August von 385
Thurnherr, Eugen 91 A
Thüsen, Joachim von der 225 L
Tieck, Ludwig 22, 138 A, 189, 190, 196, 205,
   207, 209 A f., 391, 394, 429
Tiedemann-Bartels, Hella 134 A
Titel, Britta 222 A
Tomberg, Friedrich 227, 237 A, 435
Topitsch, Ernst 334 A
Träger, Claus 239 A, 240 A, 262 A f., 265 A,
   407 A
Treitschke, Heinrich von 414, 431
Treue, Wilhelm 223 A
Trommler, Frank 224 A, 421 A
Tronskaja, Maria 281 A
Trunz, Erich 172, 222 A, 223 A
Tümmler, Hans 113 L
Turk, Horst 29 A

Uhde-Bernays, Hermann 62 A
Uhland, Ludwig 155, 394
Uhlig, Ludwig 74 A, 75 L
Ulbricht, Walter 412, 415, 416 f., 418 f., 420, 421 A, 422 A
Ullmann, Richard 404 A, 405 A, 408 L
Unger, Rudolf 61 A, 63 A, 401 A
Usteri, Johann Martin 183

Valjavec, Fritz 259 A
Varnhagen von Ense, Karl August 169 A
Vergil (Publius Vergilius Maro) 55
Vermeil, Edmond 406 A
Verspohl, Franz-Joachim 28 A
Victor, Walther 416, 421 A
Viëtor, Karl 350 L
Vischer, Friedrich Theodor 398, 405 A, 438 A
Vischer, Robert 438 A
Voegt, Hedwig 264 A
Völker-Hezel, Barbara 439 A
Vogel, Ursula 259 A
Voigt, Christian Gottlob von 113 L
Volke, Werner 334 A
Voltaire (eig. François Marie Arouet) 45, 59, 68, 363, 392
Voß, Johann Heinrich 180, 181, 182, 327, 385, 388, 394
Voßkamp, Wilhelm 222 A
Vulpius, Christian August 5, 191, 210 A
Vulpius, Christiane (Gemahlin Goethes) 95, 100, 166, 326

Wachsmuth, Andreas B. 110 A f.
Wachsmuth, Bruno 239 A
Wackenroder, Wilhelm Heinrich 22
Wagner, Richard 75 L, 206, 210 A
Wahl, Hans 62 A, 64 L
Wahle, Julius 242 L
Waitz, Georg 168 A
Wallenstein, Albrecht Eusebius Wenzel von, Herzog von Friedland 90
Walser, Martin 134 A, 140 L, 227, 319, 325, 334 A
Walter, Jürgen 264 A
Walther von der Vogelweide 153 A, 181
Walzel, Oskar 294 A, 297, 401 A, 406 A
Warneken, Bernd Jürgen 152
Warning, Rainer 135 A, 139 L
Warnke, Camilla 422 A
Wasserman, Earl Reeves 401 A, 408 L
Watt, Ian 190, 208 A, 377 A

Weber, Albrecht 169 A, 170 L
Weber, Heinz-Dieter 139 A, 295 L
Weber, Wilhelm Ernst 242 L
Wedekind, Georg 26, 315 A
Weigand, Hermann 314 A, 318 L
Weiland, Werner 262 A, 295 L
Weimann, Robert 75 L, 135 A, 140 L
Weinrich, Harald 135 A, 139 A
Weiss, Peter 319, 322, 333 A, 348 A, 351
Weiße, Christian Hermann 431
Wellek, René 400 A, 401 A, 403 A, 406 A, 408 L
Wentzlaff-Eggebert, Friedrich Wilhelm 318 L
Werner, Zacharias 205, 391, 394
Wertheim, Ursula 421 A
Weyergraf, Bernd 263 A
Wezel, Johann Carl 207, 213, 273
Wieacker, Franz 263 A, 265 A
Wiedemann, Conrad 316 A, 317 L
Wieland, Christoph Martin 24, 44–61, 61 A bis 63 A, 63 L, 64 L, 67, 69, 74 A, 153 A, 207, 211, 212, 222 A, 225 L, 253 f., 263 A, 306, 307, 315 A, 316 A, 332, 336 A, 363, 382, 391, 401 A, 433
Wienbarg, Ludolf 383, 392, 393, 398, 411
Wiese, Benno von 9, 13, 27 A, 92 A, 168 A, 171 L, 240 A, 242 L, 312 A, 318 L, 328, 405 A, 408 L, 426 f., 430, 438 A
Wilkinson, Elizabeth M. 223 A
Williams, Anthony 261 A
Willige, Wilhelm 242 L
Willms, Bernard 263 A
Willoughby, Leonard Ashley 223 A, 401 A
Willson, A. Leslie 91 A
Wilpert, Gero von 401 A
Winckelmann, Johann Joachim 9, 16, 39, 48, 49, 51, 52, 53, 54, 62 A, 64 L, 66, 68, 71, 74 A, 75 L, 133, 136 A, 143 f., 152 A, 270, 381, 386, 390, 391, 398
Windelband, Wilhelm 112 A, 113 L
Windfuhr, Manfred 402 A, 407 L, 420, 422 A
Wiora, Walter 186 A, 188 L
Wittichen, Friedrich Carl 259 A
Wittkowski, Wolfgang 334 A, 335 A f.
Wöhrmann, Klaus-Rüdiger 313 A, 318 L
Wölfel, Kurt 152 A, 260 A, 262 A, 281 A, 336 A
Wölfflin, Heinrich 397
Wolff, Hans M. 238 A
Wolff, Kurt H. 262 A
Wolfheim, Hans 64 L
Wolzogen, Caroline von 191, 196, 206
Wordsworth, William 28 A

Würzer, H. 256
Wuthenow, Ralph-Rainer 295 L
Wyss, Ulrich 136 A

Young, Edward 45

Zauper, Joseph Stanislaus 126
Zeller, Bernhard 91 A
Zelter, Karl Friedrich 107, 109, 112 A, 176, 177
   bis 180, 227, 238 A, 326
Zenge, Wilhelmine von 24, 316 A

Zenker, Edith 111 A
Zetkin, Clara 414
Ziegler, Klaus 262 A, 348 A, 402 A, 406 A
Ziesemer, Walther 74 A
Zigler und Kliphausen, Heinrich Anshelm von
   211
Zimmermann, Rolf Christian 111 A
Zoëga, Georg 65
Zola, Émile 413
Zschokke, Heinrich 315 A
Zuberbühler, Rolf 348 A